le Guide du

Directeur de coll

Philippe GL

Cofond

Philippe GLOAGUEN

Rédacteur en chef

Pierre JOSSE

Rédacteurs en chef adjoints

Amanda KERAVEL et Benoît LUCCHINI

Directrice de la coordination

Florence CHARMETANT

Directeur de routard.com

Yves COUPRIE

Rédaction

Olivier PAGE, Véronique de CHARDON,
Isabelle AL SUBAIHI, Anne-Caroline DUMAS,
Carole BORDES, Bénédicte BAZAILLE,
André PONCELET, Marie BURIN des ROZIERS,
Thierry BROUARD, Géraldine LEMAUF-BEAUVOIS,
Anne POINSOT, Mathilde de BOISGROLLIER,
Gavin's CLEMENTE-RUÏZ, Alain PALLIER
et Fiona DEBRABANDER

KENYA, TANZANIE, ZANZIBAR

2005

Hachette

Avis aux hôteliers et aux restaurateurs

Les enquêteurs du *Guide du routard* travaillent dans le plus strict anonymat, afin de préserver leur indépendance et l'objectivité des guides. Aucune réduction, aucun avantage quelconque, aucune rétribution ne sont jamais demandés en contrepartie. Face aux aigrefins, la loi autorise les hôteliers et restaurateurs à porter plainte.

Hors-d'œuvre

Le *GDR,* ce n'est pas comme le bon vin, il vieillit mal. On ne veut pas pousser à la consommation, mais évitez de partir avec une édition ancienne. D'une année sur l'autre, les modifications atteignent et dépassent souvent les 40 %.

Spécial copinage

Le Bistrot d'André : 232, rue Saint-Charles, 75015 Paris. ☎ 01-45-57-89-14. Ⓜ Balard. À l'angle de la rue Leblanc. Fermé le dimanche. Menu à 12,50 € servi le midi en semaine uniquement. Menu-enfants à 7 €. À la carte, compter autour de 22 €. L'un des seuls bistrots de l'époque Citroën encore debout, dans ce quartier en pleine évolution. Ici, les recettes d'autrefois sont remises à l'honneur. Une cuisine familiale, telle qu'on l'aime. Des prix d'avant-guerre pour un magret de canard poêlé sauce au miel, des rognons de veau aux champignons, un poisson du jour... Kir offert à tous les amis du *Guide du routard.*

ON EN EST FIER : www.routard.com

Tout pour préparer votre voyage en ligne, de A comme argent à Z comme Zanzibar : des fiches pratiques sur 125 destinations (y compris les régions françaises), nos tuyaux perso pour voyager, des cartes et des photos sur chaque pays, des infos météo et santé, la possibilité de réserver en ligne son visa, son vol sec, son séjour, son hébergement ou sa voiture. En prime, *routard mag,* véritable magazine en ligne, propose interviews de voyageurs, reportages, carnets de route, événements culturels, dossiers pratiques, produits nomades, fêtes et infos du monde. Et bien sûr : des concours, des *chats,* des petites annonces, une boutique de produits voyages...

Mille excuses, on ne peut plus répondre individuellement aux centaines de CV reçus chaque année.

Le contenu des annonces publicitaires insérées dans ce guide n'engage en rien la responsabilité de l'éditeur.

TABLE DES MATIÈRES

COMMENT ALLER AU KENYA ET EN TANZANIE ?

LE KENYA

GÉNÉRALITÉS

LE CENTRE

Excursions au départ de Nairobi

L'OUEST

Les lacs de la Rift Valley

Vers le mont Kenya et Méru

D'Isiolo à Kitale

La région du lac Victoria

Au nord de Kitale

LE SUD-EST

La région de Tsavo

La région du lac Jipe

LA CÔTE KENYANE

LAMU

L'île de Lamu

LA TANZANIE

GÉNÉRALITÉS

LE NORD ET LES GRANDS PARCS NATIONAUX

LES PARCS NATIONAUX DE L'OUEST

LA CÔTE EST ET LES PARCS NATIONAUX DU CENTRE

ZANZIBAR

GÉNÉRALITÉS

NOS NOUVEAUTÉS

FLORENCE (mars 2005)

Florence, l'une des plus belles villes d'Italie, symbole éclatant de l'art toscan du Moyen Âge à la Renaissance. Peu d'endroits au monde peuvent se vanter d'une telle concentration de chefs-d'œuvre, s'enorgueillir d'avoir donné autant de génies : Michel-Ange, Botticelli, Dante et tant d'autres... Mais Florence n'est pas seulement une ville-musée, c'est aussi un endroit où les gens vivent et s'amusent.
Perdez-vous dans les ruelles de l'Oltrarno du côté de San Niccolo ou de Santa Croce, des quartiers encore méconnus des touristes mais peut-être plus pour longtemps. Et pour guide d'introduction à la gastronomie locale, ne manquez surtout pas les marchés de San Lorenzo et de Sant'Ambrogio. Faites-y le plein de cochonnailles, de fromages et de légumes. Et si le désir de découvrir les vins de la région vous prend (grand bien vous fasse !), attablez-vous dans une *enoteca* (bar à vin) pour déguster un *montanine,* accompagné d'*antipasti* dont seuls les Italiens du cru ont le secret !
Et quand vient le soir, partez à la découverte de la vie nocturne, de ses rues mystérieuses. Des quartiers endormis se réveillent, s'échauffent... Laissez libre cours à vos envies...

LILLE (mai 2005)

Lille, ville triste, grise, laminée par la crise ? Que de poncifs, que de lieux communs ! Peu de villes ont autant changé en une vingtaine d'années. De son centre médiéval à ses banlieues de brique, Lille a vécu (et vit toujours) une métamorphose formidable, dépoussiérant les façades flamandes de la Grand-Place et du vieux Lille, dressant d'aventureux immeubles au cœur du futuriste quartier d'Euralille. Lille est une ville où l'art est partout, jusque dans les stations de son métro ! Rubens, Dirk Bouts et Goya voisinent au musée des Beaux-Arts, l'opéra donne à nouveau de la voix, les musiques d'aujourd'hui se jouent sur une multitude de scènes, les anciennes courées accueillent de jeunes plasticiens. À Lille, toutes les expressions culturelles sont vécues au quotidien. Et aux comptoirs de bars en quantité – du plus popu au plus branché – comme au marché du quartier multi-ethnique de Wazemmes, on constate que convivialité n'est pas ici un mot vide de sens.

LES GUIDES DU ROUTARD 2005-2006

(dates de parution sur **www.routard.com**)

France

- Alpes
- Alsace, Vosges
- Aquitaine
- Ardèche, Drôme
- Auvergne, Limousin
- **Bordeaux (mars 2005)**
- Bourgogne
- Bretagne Nord
- Bretagne Sud
- Chambres d'hôtes en France
- Châteaux de la Loire
- Corse
- Côte d'Azur
- **Fermes-auberges en France (fév. 2005)**
- Franche-Comté
- Hôtels et restos en France
- Île-de-France
- Junior à Paris et ses environs
- Languedoc-Roussillon
- **Lille (mai 2005)**
- **Lot, Aveyron, Tarn (février 2005)**
- Lyon
- Marseille
- Montpellier
- Nice
- Nord-Pas-de-Calais
- Normandie
- Paris
- Paris balades
- Paris exotique
- Paris la nuit
- Paris sportif
- Paris à vélo
- Pays basque (France, Espagne)
- Pays de la Loire
- Petits restos des grands chefs
- Poitou-Charentes
- Provence
- **Pyrénées, Gascogne et pays toulousain (février 2005)**
- Restos et bistrots de Paris
- Le Routard des amoureux à Paris
- Toulouse
- Week-ends autour de Paris

Amériques

- Argentine
- Brésil
- Californie
- Canada Ouest et Ontario
- Chili et île de Pâques
- Cuba
- Équateur
- États-Unis, côte Est
- Floride, Louisiane
- Guadeloupe, Saint-Martin, Saint-Barth
- Martinique, Dominique, Sainte-Lucie
- Mexique, Belize, Guatemala
- New York
- Parcs nationaux de l'Ouest américain et Las Vegas
- Pérou, Bolivie
- Québec et Provinces maritimes
- Rép. dominicaine (Saint-Domingue)

Asie

- Birmanie
- Cambodge, Laos
- Chine (Sud, Pékin, Yunnan)
- Inde du Nord
- Inde du Sud
- Indonésie
- Israël
- Istanbul
- Jordanie, Syrie
- Malaisie, Singapour
- Népal, Tibet
- Sri Lanka (Ceylan)
- Thaïlande
- Turquie
- Vietnam

Europe

- Allemagne
- Amsterdam
- Andalousie
- Andorre, Catalogne
- Angleterre, pays de Galles
- Athènes et les îles grecques
- Autriche
- Baléares
- Barcelone
- Belgique
- Crète
- Croatie
- Écosse
- Espagne du Centre (Madrid)
- Espagne du Nord-Ouest (Galice, Asturies, Cantabrie)
- **Finlande (avril 2005)**
- **Florence (mars 2005)**
- Grèce continentale
- **Hongrie, République tchèque, Slovaquie (avril 2005)**
- Irlande
- **Islande (mars 2005)**
- Italie du Nord
- Italie du Sud
- Londres
- Malte
- Moscou, Saint-Pétersbourg
- Norvège, Suède, Danemark
- Piémont
- **Pologne et capitales baltes (avril 2005)**
- Portugal
- Prague
- Rome
- **Roumanie, Bulgarie (mars 2005)**
- Sicile
- Suisse
- Toscane, Ombrie
- Venise

Afrique

- Afrique noire
- **Afrique du Sud (oct. 2004)**
- Égypte
- Île Maurice, Rodrigues
- Kenya, Tanzanie et Zanzibar
- Madagascar
- Maroc
- Marrakech et ses environs
- Réunion
- Sénégal, Gambie
- Tunisie

et bien sûr...

- Le Guide de l'expatrié
- Humanitaire

NOS NOUVEAUTÉS

FINLANDE (avril 2005)

Des forêts, des lacs, des marais, des rivières, des forêts, des marais, des lacs, des forêts, des rennes, des lacs... et quelques villes perdues au milieu des lacs, des forêts, des rivières... Voici un pays guère comme les autres, farouchement indépendant, qui cultive sa différence et sa tranquillité. Coincée pendant des siècles entre deux États expansionnistes, la Finlande a longtemps eu du mal à asseoir sa souveraineté et à faire valoir sa culture. Or, depuis plus d'un demi-siècle, le pays accumule les succès. Il a construit une industrie flambant neuve, qui l'a hissé parmi les nations les plus développées. Tous ces progrès sont équilibrés par une qualité de vie exceptionnelle. La Finlande a bâti ses villes au milieu des forêts, au bord des lacs, dans des sites paisibles et aérés. Il faut visiter les villes bien sûr, elles vous aideront à comprendre ce mode de vie tranquille et c'est là que vous ferez des rencontres. Mais les vraies merveilles se trouvent dans la nature. Alors empruntez les chemins de traverse, créez votre itinéraire, explorez, laissez-vous fasciner par cette nature gigantesque, sauvage et sereine. Vous ne le regretterez pas.

NOS MEILLEURES FERMES-AUBERGES EN FRANCE (février 2005)

En ces périodes de doute alimentaire, quoi de plus rassurant que d'aller déguster des produits fabriqués sur place ? La ferme-auberge, c'est la garantie de retrouver sur la table les bons produits de la ferme. Ce guide propose une sélection des meilleures tables sur toute la France, ainsi qu'une sélection d'adresses où sont vendus des produits du terroir. Ici, pas d'intermédiaire, et on passe directement du producteur au consommateur. Pas d'étoile, pas de chefs renommés, mais une qualité de produits irréprochable. Des recettes traditionnelles, issues de la culture de nos grands-mères, vous feront découvrir la cuisine des régions de France. Au programme ? Pintade au chou, lapin au cidre, coq au vin, confit de canard, potée, aligot, ficelle picarde, canard aux navets... Bref, un véritable tour de France culinaire de notre bonne vieille campagne.

Nous tenons à remercier tout particulièrement Loup-Maëlle Besançon, Thierry Bessou, Gérard Bouchu, François Chauvin, Grégory Dalex, Cédric Fischer, Carole Fouque, Michelle Georget, David Giason, Jean-Sébastien Petitdemange, Laurence Pinsard et Thomas Rivallain pour leur collaboration régulière.

Et pour cette chouette collection, plein d'amis nous ont aidés :

David Alon
Didier Angelo
Cédric Bodet
Philippe Bourget
Nathalie Boyer
Ellenore Bush
Florence Cavé
Raymond Chabaud
Alain Chaplais
Bénédicte Charmetant
Geneviève Clastres
Nathalie Coppis
Sandrine Couprie
Agnès Debiage
Célia Descarpentrie
Tovi et Ahmet Diler
Claire Diot
Émilie Droit
Sophie Duval
Pierre Fahys
Alain Fisch
Cécile Gauneau
Stéphanie Genin
Adrien Gloaguen
Clément Gloaguen
Stéphane Gourmelen
Isabelle Grégoire
Claudine de Gubernatis
Xavier Haudiquet
Lionel Husson
Catherine Jarrige
Lucien Jedwab
François et Sylvie Jouffa
Emmanuel Juste
Olga Krokhina
Florent Lamontagne
Vincent Launstorfer
Francis Lecompte
Benoît Legault
Jean-Claude et Florence Lemoine
Valérie Loth
Dorica Lucaci
Stéphanie Lucas
Philippe Melul
Kristell Menez
Xavier de Moulins
Jacques Muller
Alain Nierga et Cécile Fischer
Patrick de Panthou
Martine Partrat
Jean-Valéry Patin
Odile Paugam et Didier Jehanno
Xavier Ramon
Patrick Rémy
Céline Reuilly
Dominique Roland
Déborah Rudetzki et Philippe Martineau
Carinne Russo
Caroline Sabljak
Jean-Luc et Antigone Schilling
Brindha Seethanen
Abel Ségretin
Alexandra Sémon
Guillaume Soubrié
Régis Tettamanzi
Claudio Tombari
Christophe Trognon
Julien Vitry
Solange Vivier
Iris Yessad-Piorski

Direction : Cécile Boyer-Runge
Contrôle de gestion : Joséphine Veyres et Céline Déléris
Responsable de collection : Catherine Julhe
Édition : Matthieu Devaux, Stéphane Renard, Magali Vidal, Marine Barbier-Blin, Dorica Lucaci, Sophie de Maillard, Laure Méry, Amélie Renaut et Éric Marbeau
Secrétariat : Catherine Maîtrepierre
Préparation-lecture : Corinne Julien
Cartographie : Cyrille Suss et Aurélie Huot
Fabrication : Nathalie Lautout et Audrey Detournay
Couverture : conçue et réalisée par Thibault Reumaux
Direction marketing : Dominique Nouvel, Lydie Firmin et Juliette Caillaud
Direction partenariats : Jérôme Denoix et Dana Lichiardopol
Informatique éditoriale : Lionel Barth
Relations presse : Danielle Magne, Martine Levens et Maureen Browne
Régie publicitaire : Florence Brunel

LES QUESTIONS QU'ON SE POSE LE PLUS SOUVENT

➤ ***Quels sont les papiers à avoir?***
Visa obligatoire quelle que soit la durée du séjour.

➤ ***Quelle est la meilleure saison pour aller dans le pays?***
Pour les safaris, la majeure partie des touristes choisit la saison sèche (de Noël à mars, ainsi qu'en juillet-août) : pistes praticables et animaux bien visibles. Préférez quand même les saisons intermédiaires de juin, septembre et octobre, plus tranquilles avec des cieux magnifiques. Sur la côte, seule la saison des pluies est à éviter (d'avril à juin, et novembre).

➤ ***Quels sont les vaccins indispensables?***
Au Kenya, pour les Européens, aucun vaccin n'est obligatoire, mais la vaccination contre la fièvre jaune (obligatoire en Tanzanie) et un traitement antipaludéen sont très vivement conseillés.

➤ ***Quel est le décalage horaire?***
Quand il est midi à Paris, il est 13 h à Nairobi et à Arusha en été et 14 h en hiver, soit 1 ou 2 heures de plus selon la saison.

➤ ***La vie est-elle chère?***
Ne nous voilons pas la face, un voyage au Kenya ou en Tanzanie revient très cher. On peut toujours minimiser les coûts en mangeant dans des gargotes, en voyageant en bus... Compter autour de 600 US$ la semaine pour 2 personnes en pension complète (hors safari).

➤ ***Peut-on y aller avec des enfants?***
Oui! Aucun problème d'hygiène en safari, et leur émerveillement sera complet devant l'envol silencieux de milliers de flamants roses, le ballet d'une lionne approchant sa proie, la magie de la migration des troupeaux de gnous...

➤ ***Quel est le meilleur moyen pour se déplacer dans le pays?***
Dans les parcs, le 4x4. Les bus sont nombreux, économiques, mais ne relient que les principales villes. Pour vivre à l'africaine, on prendra davantage le train... L'avion permet de gagner du temps et n'est pas si cher que ça.

➤ ***Quel est le moyen de se loger au meilleur prix?***
À plusieurs, la location d'un cottage est certainement la formule la plus intéressante sur la côte. Quelques campings dans les réserves, pas toujours bon marché. Également quelques AJ et des missions isolées en dépannage...

➤ ***Quels sports peut-on pratiquer?***
Héritage du passé colonial, le golf, le polo et le cricket; plus modernes, la voile et la plongée sur les côtes, et pour les plus courageux, l'ascension du mont Kenya... Quant aux gamins dans la rue, seule votre maîtrise du ballon rond pourra les impressionner!

➤ ***Comment choisir une agence pour un safari?***
Il y a pléthore d'agences! Mais gare, toutes ne sont pas sérieuses! Vérifiez qu'elles sont bien assurées pour éviter qu'elles ne vous laissent en pleine nature en compagnie de hyènes, en cas de pépin.

➤ ***Peut-on observer facilement des animaux?***
On rentre rarement bredouille d'un safari, pour ne pas dire jamais (faire le plein de pelloches!). Certains parcs sont de véritables arches de Noé! Éléphants, buffles, zèbres, girafes, gazelles, gnous, hyènes, hippopotames... se partageront l'affiche!

➤ ***Et les plages de l'océan Indien alors?***
Au Kenya comme en Tanzanie, vous ne manquerez pas de profiter des belles plages paradisiaques : grèves de sable blanc, lagons transparents, colonie de palmiers et cocotiers... Celles de Zanzibar ne vous laisseront, bien sûr, pas indifférent!

➤ ***Le Kenya et la Tanzanie sont-ils des pays sûrs?***
Attention, quelques zones comme le nord-est du Kenya sont à éviter. À Nairobi et dans les grandes villes, passé 18 h 30, on rentre bien sagement à son hôtel et la nuit, on ne fait aucun déplacement sans taxi.

COMMENT ALLER AU KENYA ET EN TANZANIE?

LES COMPAGNIES RÉGULIÈRES

▲ BRITISH AIRWAYS

Renseignements et réservations : ☎ 0825-825-400 (0,15 €/mn) du lundi au vendredi de 9 h à 18 h et le samedi de 9 h à 13 h, ou auprès de votre agence de voyages. Vous pouvez également faire vos réservations sur • www.ba.com •
Au départ de Paris, Lyon, Nice, Marseille, Toulon, Montpellier, Toulouse, Bordeaux, Ajaccio et Nantes, British Airways propose 3 vols par semaine pour Dar es-Salaam et dessert Nairobi tous les jours via Londres-Heathrow.

▲ CORSAIR

La compagnie aérienne de Nouvelles Frontières dessert le Kenya avec un vol par semaine Paris-Nairobi-Mombasa (départ le mardi, retour le mercredi), excepté en mai et juin. Renseignements et réservations : ☎ 0825-000-825 (0,15 €/mn).

▲ EAST AFRICAN SAFARI AIR

– Informations : ☎ 0826-953-118. • www.eastafrican.fr • contact@eastafrican.fr •
Trois liaisons par semaine Paris-Charles-de-Gaulle-Nairobi-Mombasa en Boeing 767 (vols de nuit à l'aller, vols de jour au retour) ; via Londres ou l'Italie certains jours. Au Kenya, correspondances pour Malindi, Lamu, Kisumu et Lokichoggio. En Tanzanie, possibilité de mixer un aller vers Kilimandjaro et un retour de Zanzibar, de Dar es-Salaam ou du Kenya.

▲ KLM-KENYA AIRWAYS

– *Paris Nord 2 :* BP 67190 Villepinte – 95974 Roissy CDG Cedex. ☎ 0890-710-710 (0,15 €/mn). Fax : 0890-712-714. • www.klm.fr • Réservations du lundi au vendredi de 8 h à 20 h, le samedi de 8 h 30 à 18 h et le dimanche de 9 h à 18 h. KLM et son partenaire Kenya Airways desservent Nairobi au départ de Paris, Bordeaux, Clermont-Ferrand, Marseille, Lyon, Nice et Toulouse via Amsterdam-Schiphol. Et, en plus, de nombreuses destinations sont à votre disposition en Afrique.

▲ SN BRUSSELS AIRLINES

Pour tous renseignements : ☎ 0826-101-818 depuis la France et ☎ 070-35-11-11 en Belgique. • www.flysn.com •
La compagnie aérienne dessert Nairobi via Bruxelles six fois par semaine. Préacheminement possible au départ de Paris-Gare-du-Nord, Lyon, Nice, Toulouse et Marseille.

▲ SWISS

– *Roissy :* aéroport Charles-de-Gaulle – Terminal 2B, 95715. Réservations : ☎ 0820-040-506 (0,12 €/mn). • www.swiss.com •
La compagnie nationale helvétique Swiss International propose 3 liaisons hebdomadaires au départ de Paris à destination de Dar es-Salaam et Nairobi via Zurich. Préacheminement assuré également au départ de Nice.

LES ORGANISMES DE VOYAGES

– Ne pas croire que les vols à tarif réduit sont tous au même prix pour une même destination à une même époque : loin de là. On a déjà vu, dans un même avion partagé par deux organismes, des passagers qui avaient payé 40 % plus cher que les autres. De plus, une agence bon marché ne l'est pas forcément toute l'année (elle peut n'être compétitive qu'à certaines dates bien précises). Donc, contactez tous les organismes et jugez vous-même.
– Les organismes cités sont classés par ordre alphabétique, pour éviter les jalousies et les grincements de dents.

EN FRANCE

▲ ANYWAY.COM

☎ 0892-892-612 (0,34 €/mn). Fax : 01-53-19-67-10. • www.anyway.com • Du lundi au vendredi de 8 h à 20 h et le samedi de 9 h à 19 h.
Depuis 15 ans, Anyway.com se spécialise dans le vol sec et s'adresse à tous les routards en négociant des tarifs auprès de 500 compagnies aériennes et l'ensemble des vols charters pour garantir des prix toujours plus compétitifs.
Anyway.com, c'est aussi la possibilité de comparer les prix de quatre grands loueurs de voitures. On accède également à plus de 12000 hôtels du 2 au 5 étoiles, à des tarifs négociés pour toutes les destinations dans le monde. Ceux qui préfèrent repos et farniente retrouveront plus de 500 séjours et de week-ends tout inclus à des tarifs très compétitifs.

▲ AVENTURIA

– *Lyon :* 42, rue de l'Université, 69007. ☎ 04-78-69-35-06. Fax : 04-78-69-32-83. • www.aventuria.com • jcviard@aventuria.com •
– *Paris :* 213, bd Raspail, 75014. ☎ 01-44-10-50-50. Fax : 01-44-10-50-55.
– *Bordeaux :* 9, rue Ravez, 33000. ☎ 05-56-90-90-22.
– *Lille :* 21, rue des Ponts-de-Comines, 59800. ☎ 03-20-06-33-77.
– *Marseille :* 2, rue Edmond-Rostand, 13006. ☎ 04-96-10-24-70.
– *Nantes :* 2, allée de l'Erdre, cours des 50-Otages, 44000. ☎ 02-40-35-10-12.
Créateur de voyages (Canada et Afrique australe) et leader des raids en motoneige au Canada et des safaris en Afrique australe, Aventuria est surtout spécialiste de la Tanzanie. Ce tour-opérateur original fabrique ses programmes, édite ses brochures et les distribue dans ses propres agences de Lyon, Marseille, Lille, Nantes et Bordeaux. En Tanzanie, les safaris Aventuria sont exclusifs, organisés à la carte, avec un guide et un 4x4 privatif. Vous pourrez également découvrir les Hadzabe et partir à la chasse avec eux, à pied, dans des coins sauvages et magnifiques. Prolongations sur Zanzibar. Brochure sur demande par téléphone, dans l'une des agences Aventuria ou sur le Web.

▲ CLUB AVENTURE

– *Paris :* 18, rue Séguier, 75006. ☎ 0826-882-003 (0,15 €/mn). Fax : 01-44-32-09-59. • clubaventure.fr • Ⓜ Saint-Michel ou Odéon.
– *Marseille :* Le Néréïs, av. André-Roussin, Saumaty-Séon, 13016. ☎ 0826-882-003 (0,15 €/mn). Fax : 04-91-09-22-51.
Club Aventure, depuis 20 ans privilégie le trek comme le moyen idéal de parcourir le monde. Le catalogue offre 350 circuits dans 90 pays différents à pied, en 4x4, en pirogue ou à dos de chameau. Ces voyages sont conçus pour une dizaine de participants, encadrés par des accompagnateurs professionnels et des grands voyageurs.
L'esprit est résolument axé sur le plaisir de la découverte des plus beaux sites du monde souvent difficilement accessibles.
La formule reste confortable et le portage est confié à des chameaux, des mulets, des yacks et des lamas. Les circuits en 4x4 ne ressemblent en rien à

des rallyes mais laissent aux participants le temps de flâner, contempler et faire des découvertes à pied. Le choix des hôtels en ville privilégie le charme et le confort.

▲ CLUB FAUNE

– *Paris :* 22, rue Duban, 75016. ☎ 01-42-88-31-32. Fax : 01-45-24-31-29. • www.club-faune.com • infos@club-faune.com • Ⓜ La Muette ou Passy.
L'équipe Club Faune vous propose :
➢ *en Tanzanie :* marche au pied du Kilimandjaro accompagné de guides Masaï, safari « spécial Migration », safari « spécial famille » où vous pourrez vivre au cœur de la vie sauvage dans un camp de toile monté exclusivement pour vous, ascension du Kilimandjaro par les voies Marangu, Londorossi et Machame, sorties en brousse à pied ou en VTT, stage de polo, circuits Selous/Ruaha, Mahale/Katavi pour partir à la recherche des chimpanzés, visite de plantations de café et de roses, et bien sûr découverte des parcs nationaux tanzaniens en bivouac ou à partir de lodges de charme ou de camps de toile avec toujours la possibilité de monter, pour une famille ou un groupe d'amis, un camp privé au cœur des parcs nationaux.
➢ *Au Kenya :* découverte à pied ou en 4x4 des nouvelles réserves privées méconnues en France (les fameux « bushhomes ») et des camps haut-de-gamme de Laikipia, safari à l'ancienne ou bivouac entre amis, selon votre budget pour découvrir la diversité du merveilleux Kenya.
Extensions balnéaires dans les Îles Sultanes : à Lamu, Kiwayu, Mafia, Zanzibar et Pemba et sur la Côte de Corail près de Mombasa... à l'écart du tourisme de masse, dans des établissements sélectionnés pour leur rapport qualité-prix.

▲ COMPTOIR D'AFRIQUE

– *Paris :* 344, rue Saint-Jacques, 75005. ☎ 0-892-238-138. Fax : 01-53-10-21-81. • www.comptoir.fr • Ⓜ Port-Royal. Ouvert du lundi au samedi de 10 h à 18 h 30.
Comptoir d'Afrique est une petite équipe de professionnels prêts à faire partager leur passion. L'authenticité, les mythes, les traditions, les couleurs et les parfums de l'Afrique ne sont jamais bien loin lorsque ces spécialistes aident à créer un voyage. Itinéraires en individuel, circuits ou safaris en petits groupes : un interlocuteur unique est à votre écoute pour donner des conseils en fonction de ses envies.
Comptoir d'Afrique s'intègre à d'autres comptoirs organisés autour de thématiques : déserts, Maroc, Islande, États-Unis, Canada, pays celtes, Amérique latine, terres extrêmes, Scandinavie et Italie.

▲ FRAM

– *Paris :* 4, rue Perrault, 75001. ☎ 01-42-86-55-55. Fax : 01-42-86-56-88. Ⓜ Châtelet ou Louvre-Rivoli.
– *Toulouse :* 1, rue Lapeyrouse, 31008. ☎ 05-62-15-18-00. Fax : 05-62-15-17-17.
• www.fram.fr • Minitel : 36-16, code FRAM.
L'un des tout premiers tour-opérateurs français pour le voyage organisé, FRAM programme plusieurs formules de voyages. Ce sont :
– les *autotours* ;
– les *voyages à la carte* en Amérique du Nord, Asie et dans tout le Bassin méditerranéen ;
– les *Framissima :* c'est la formule de « Clubs Ouverts ». Agadir, Marrakech, Fès, Andalousie, Djerba, Monastir, Tozeur, Majorque, Sicile, Crète, Égypte, Grèce, Kenya, Turquie, Sénégal, Canaries, Guadeloupe, Martinique, Sardaigne... Des sports nautiques au tennis, en passant par le golf, la plongée et la remise en forme, des jeux, des soirées qu'on choisit librement et tout compris, ainsi que des programmes d'excursions.

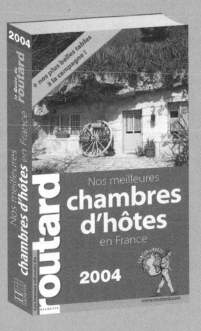

▲ ÎLES DU MONDE

– *Paris :* 7, rue Cochin, 75005. ☎ 01-43-26-68-68. Fax : 01-43-29-10-00. • www.ilesdumonde.com • info@ilesdumonde.com •

Îles du Monde est un voyagiste spécialisé exclusivement dans l'organisation de voyages dans les îles, chaudes ou froides, de brume ou de lumière ; proches comme la Grèce, îles du bout du monde comme les Marquises, les Fidji ou les Galápagos. Célèbres comme l'île Maurice ou inconnues comme les Mergui, elles font ou feront partie de leur programmation. Du voyage organisé au voyage sur mesure, tout est possible dès lors qu'il s'agit d'une île.

▲ LTM-ITINÉRANCES

– *Paris :* 26, rue Botzaris, 75019. ☎ 01-40-40-75-15. Fax : 01-40-40-75-83. • www.itinerances-voyages.com • itinerances.voyages@wanadoo.fr • Ⓜ Buttes-Chaumont.

Agence conseil en voyages sur mesure, pour rencontrer des mondes différents et s'imprégner d'authenticité. Individuellement, LTM-Itinérances construit chaque voyage à la carte et sur mesure en fonction des souhaits de chacun et de sa connaissance du terrain. Le département Single Only réservé aux célibataires, propose, en groupes de 12 à 20, des voyages de durées et de styles très variés. Nombreuses destinations au Proche-Orient, en Asie, Afrique, Amérique centrale et Amérique latine, ainsi que dans les capitales européennes.

▲ NOUVELLES FRONTIÈRES

– *Paris :* 87, bd de Grenelle, 75015. Ⓜ La Motte-Picquet-Grenelle.

– Renseignements et réservations dans toute la France : ☎ 0825-000-825 (0,15 €/mn). • www.nouvelles-frontieres.fr •

Plus de 30 ans d'existence, 1 800 000 clients par an, 250 destinations, une chaîne d'hôtels-clubs et de résidences *Paladien* et une compagnie aérienne, *Corsair*. Pas étonnant que Nouvelles Frontières soit devenu une référence incontournable, notamment en matière de tarifs. Le fait de réduire au maximum les intermédiaires permet d'offrir des prix « super-serrés ». Un choix illimité de formules vous est proposé : des vols sur la compagnie aérienne de Nouvelles Frontières au départ de Paris et de province, en classe Horizon ou Grand Large, et sur toutes les compagnies aériennes régulières, avec une gamme de tarifs selon confort et budget. Sont également proposés toutes sortes de circuits, aventure ou organisés ; des séjours en hôtels, en hôtels-clubs et en résidences, notamment dans les *Paladien,* les hôtels de Nouvelles Frontières avec « vue sur le monde » ; des week-ends, des formules à la carte (vol, nuits d'hôtel, excursions, location de voitures...), des séjours neige.

Avant le départ, des réunions d'information sont organisées. Les 12 brochures Nouvelles Frontières sont disponibles gratuitement dans les 200 agences du réseau, par téléphone et sur Internet. Intéressant : des brochures thématiques (plongée, rando, trek, thalasso).

▲ SINDBAD

– *Paris :* 50, rue Servan, 75011. ☎ 01-43-38-19-94. Fax : 01-43-38-93-56. • www.sindbad-voyages.com • infos@sindbad-voyages.com • Ⓜ Saint-Maur ou Père-Lachaise.

Persuadée que le contact entre les gens est aussi important que le pays visité, l'équipe de Sindbad propose des voyages très branchés sur l'ethnologie plus que sur les vieilles pierres. Le tout par petits groupes de 8 à 12 personnes, avec un accompagnateur compétent. Le tour-opérateur développe également les voyages à la carte à partir de deux personnes.

▲ TERRES DE CHARME

– *Paris :* 19, av. Franklin-D.-Roosevelt, 75008. ☎ 01-55-42-74-10. Fax : 01-56-24-49-77. • www.terresdecharme.com • Ⓜ Franklin-D.-Roosevelt. Ouvert du lundi au vendredi de 10 h à 19 h et le samedi de 13 h à 19 h.
Terres de Charme a la particularité d'organiser des voyages haut de gamme pour ceux qui souhaitent voyager à deux, en famille ou entre amis. Des séjours et des circuits rares et insolites regroupés selon 5 thèmes : « charme de la mer », « l'Afrique à la manière des pionniers », « charme et aventure », « sur les chemins de la sagesse », « week-ends et escapades », avec un hébergement allant de douillet à luxueux.

▲ TSELANA TRAVEL

– *Paris :* 3, rue Chabanais, 75002. ☎ 01-55-35-00-30. Fax : 01-42-60-09-88. • www.tselana.com • Ⓜ Pyramides ou Bourse. Ouvert du lundi au vendredi de 10 h à 18 h ou le samedi sur rendez-vous. Tselana Travel organise des voyages pour ceux qui souhaitent découvrir autrement une Afrique préservée. Spécialiste du voyage sur mesure, Tselana vous aide à construire un séjour inoubliable. Leurs conseillers ont une excellente connaissance de ce continent pour sélectionner avec vous l'itinéraire le plus approprié à vos exigences et à votre budget.

▲ VIE SAUVAGE

– *Paris :* 24, rue Vignon, 75009. ☎ 01-44-51-08-00. Fax : 01-44-51-08-09. • www.viesauvage.fr • Ⓜ Madeleine ou Opéra. RER A : Auber. Agence ouverte de 9 h à 19 h du lundi au jeudi, 18 h le vendredi, de 10 h à 13 h et de 14 à 18 h le samedi.
Spécialisée plus particulièrement dans les safaris sous différentes formes (trek, photo, à cheval...) sur le continent africain, Vie Sauvage propose différents types de formules pour découvrir le Kenya et la Tanzanie : circuit avec petits hôtels pour un séjour à prix raisonnable, voyages à la carte dans les réserves avec logement en bungalows, *lodges* et camps de tente ou bien encore des séjours balnéaires à Mombasa ou Lamu, sans oublier l'île aux épices, Zanzibar. Vie Sauvage propose également un trek spécial pour effectuer l'ascension du Kilimandjaro. Et des safaris photos pour découvrir le mythique cratère du Ngorongoro.

▲ VOYAGEURS EN AFRIQUE

Spécialiste du voyage en individuel sur mesure. • www.vdm.com •
Nouveau Voyageurs du Monde Express : des séjours « prêts à partir » sur des destinations mythiques. ☎ 08-92-68-83-63 (0,34 €/mn).
– *Paris :* La Cité des Voyageurs, 55, rue Sainte-Anne, 75002. ☎ 0892-23-94-94 (0,34 €/mn). Fax : 01-42-86-17-87. Ⓜ Opéra ou Pyramides. Bureaux ouverts du lundi au samedi de 9 h 30 à 19 h.
– *Lyon :* 5, quai Jules-Courmont, 69002. ☎ 0892-231-261 (0,34 €/mn). Fax : 04-72-56-94-55.
– *Marseille :* 25, rue Fort-Notre-Dame (angle cours d'Estienne-d'Orves), 13001. ☎ 0892-233-633 (0,34 €/mn). Fax : 04-96-17-89-18.
– *Nice :* 4, rue du Maréchal-Joffre, angle rue de Longchamp, 06000. ☎ 0892-232-732 (0,34 €/mn). Fax : 04-97-03-64-60.
– *Rennes :* 2, rue Jules-Simon, BP 10206, 35102. ☎ 0892-230-530 (0,34 €/mn). Fax : 02-99-79-10-00.
– *Toulouse :* 26, rue des Marchands, 31000. ☎ 0892-232-632 (0,34 €/mn). Fax : 05-34-31-72-73. Ⓜ Esquirol.
En 2005, ouverture à :
– *Lille :* 0892-234-634 (0,34 €/mn).
– *Grenoble :* 0892-233-533 (0,34 €/mn).
– *Bordeaux :* 0892-234-834 (0,34 €/mn).
Sur les conseils d'un spécialiste de chaque pays, chacun peut construire un voyage à sa mesure...

Pour partir à la découverte de plus de 120 pays, 92 conseillers-voyageurs de près de 30 nationalités et grands spécialistes des destinations, donnent des conseils, étape par étape et à travers une collection de 25 brochures, pour élaborer son propre voyage en individuel. Des suggestions originales et adaptables, des prestations de qualité et des hébergements exclusifs.
Voyageurs du Monde propose également une large gamme de circuits accompagnés (Famille, Aventure, Routard...).
À la fois tour-opérateur et agence de voyages, Voyageurs du Monde a développé une politique de « vente directe » à ses clients, sans intermédiaire.
Dans chacune des *Cités des Voyageurs,* tout rappelle le voyage : librairies spécialisées, boutiques d'accessoires de voyages, restaurant des cuisines du monde, lounge-bar, expositions-ventes d'artisanat ou encore dîners et cocktails-conférences. Toute l'actualité de VDM à consulter sur leur site Internet.

▲ ZANZIBAR VOYAGE

– *Paris :* 4, rue du Faubourg-Montmartre, 75009.
Renseignements : ☎ 01-53-34-92-71 (du lundi au vendredi de 9 h 30 à 18 h).
• www.zanzibar-voyage.com • contact@zanzibar-voyage.com • Ⓜ Grands-Boulevards.
Les 3 collaborateurs de Zanzibar Voyage sont tombés amoureux de l'île et sauront vous conseiller pour organiser et composer votre voyage à la carte. Choix des compagnies aériennes, toutes formules d'hébergement, des *guesthouses* aux hôtels 5 étoiles. Excursions en option.

EN BELGIQUE

▲ CONTINENTS INSOLITES

– *Bruxelles :* rue César-Franck, 44, 1050. ☎ 02-218-24-84. Fax : 02-218-24-88. Ouvert du lundi au vendredi de 10 h à 18 h et le samedi de 10 h à 13 h.
– *En France :* ☎ 03-24-54-63-68 (renvoi automatique et gratuit sur le bureau de Bruxelles).
• www.continentsinsolites.com • info@insolites.be •
Continents Insolites, organisateur de voyages lointains sans intermédiaire propose une gamme complète de formules de voyages détaillés dans leur brochure gratuite sur demande.
– *Circuits taillés sur mesure :* à partir de 2 personnes. Une grande gamme d'hébergements soigneusement sélectionnés : du petit hôtel simple à l'établissement luxueux et de charme.
– *Voyages lointains :* de la grande expédition au circuit accessible à tous. Des circuits à dates fixes dans plus de 60 pays, et ce, en petits groupes francophones de 7 à 12 personnes. Avant chaque départ, une réunion est organisée. Voyages encadrés par des guides francophones, spécialistes des régions visitées.
De plus, Continents Insolites propose un cycle de diaporamas-conférences à Bruxelles. Ces conférences se déroulent à l'Espace Senghor, place Jourdan, 1040 Etterbeek (dates dans leur brochure).

▲ NOUVELLES FRONTIÈRES

– *Bruxelles* (siège) *:* bd Lemonnier, 2, 1000. ☎ 02-547-44-22. Fax : 02-547-44-99. • www.nouvelles-frontieres.be • mailbe@nouvelles-frontieres.be •
– Également d'autres agences à *Bruxelles, Charleroi, Liège, Mons, Namur, Waterloo, Wavre* et au *Luxembourg.*
Trente ans d'existence, 250 destinations, une chaîne d'hôtels-clubs et de résidences *Paladien.* Pas étonnant que Nouvelles Frontières soit devenu une référence incontournable, notamment en matière de prix. Le fait de réduire au maximum les intermédiaires permet d'offrir des prix « super-serrés ».

▲ **PAMPA EXPLOR**

– *Bruxelles :* av. Brugmann, 250, 1180. ☎ 02-340-09-09. Fax : 02-346-27-66. ● info@pampa.be ● Ouvert de 9 h à 19 h en semaine et de 10 h à 17 h le samedi. Également sur rendez-vous, dans leurs locaux, ou à votre domicile.

Spécialiste des vrais voyages « à la carte », Pampa Explor propose plus de 70 % de la « planète bleue », selon les goûts, attentes, centres d'intérêt et budgets de chacun. Du Costa Rica à l'Indonésie, de l'Afrique australe à l'Afrique du Nord, de l'Amérique du Sud aux plus belles croisières, Pampa Explor tourne le dos au tourisme de masse pour privilégier des découvertes authentiques et originales, pleines d'air pur et de chaleur humaine. Pour ceux qui apprécient la jungle et les Pataugas ou ceux qui préfèrent les cocktails en bord de piscine et les fastes des voyages de luxe. En individuel ou en petits groupes, mais toujours « sur mesure ».

Possibilité de régler par carte de paiement. Sur demande, envoi gratuit de documents de voyages.

EN SUISSE

▲ **CLUB AVENTURE**

– *Genève :* 51, rue Prévost-Martin, 1205. ☎ 022-320-50-80. Fax : 022-320-59-10 (voir texte dans la partie « En France »).

▲ **L'ÈRE DU VOYAGE**

– *Nyon :* Grand-Rue, 21, 1260. ☎ 022-365-15-65. ● www.ereduvoyage.ch ●

Agence fondée par 4 professionnelles qui ont la passion du voyage. Elles pourront vous conseiller et vous faire part de leur expérience sur plus de 80 pays. Des itinéraires originaux testés par l'équipe de l'agence : voyages en solo pour découvrir un pays en toute liberté grâce à une voiture privée avec chauffeur, guide local et logements de charme ; billets d'avion à tarif préférentiel, tours du monde, petites escapades pour un week-end prolongé et voyages en famille.

▲ **JERRYCAN**

– *Genève :* 11, rue Sautter, 1205. ☎ 022-346-92-82. Fax : 022-789-43-63. ● www.jerrycan-travel.ch ●

Tour-opérateur de la Suisse francophone spécialisé dans l'Afrique, l'Asie et l'Amérique latine. Trois belles brochures proposent des circuits traditionnels et hors des sentiers battus. L'équipe connaît bien son sujet et peut vous construire un voyage à la carte.

En Amérique latine, Jerrycan propose des voyages à partir de deux personnes en Bolivie, au Pérou, en Équateur, au Chili, en Argentine, au Guatemala et au Mexique. En Asie, Jerrycan propose le Cambodge, la Chine, l'Inde, l'Indonésie, le Laos, la Malaisie, le Myanmar (Birmanie), le Népal, les Philippines, la Thaïlande, le Tibet, le Vietnam, le Pakistan et l'Ouzbékistan. En Afrique, Jerrycan propose des safaris en petits groupes au Botswana, en Namibie, au Zimbabwe, en Zambie et en Afrique du Sud. Voyages privés et à la carte possibles dans ces pays, ainsi qu'au Kenya et en Tanzanie. Séjours balnéaires au Kenya et à Zanzibar.

▲ **NOUVELLES FRONTIÈRES**

– *Genève :* 10, rue Chantepoulet, 1201. ☎ 022-906-80-80. Fax : 022-906-80-90.

– *Lausanne :* 19, bd de Grancy, 1006. ☎ 021-616-88-91. Fax : 021-616-88-01.

(Voir texte dans la partie « En France ».)

▲ **STA TRAVEL**

– *Bienne :* General Dufeustrasse 4, 2502. ☎ 032-328-11-11. Fax : 032-328-11-10.
– *Fribourg :* 24, rue de Lausanne, 1701. ☎ 026-322-06-55. Fax : 026-322-06-61.
– *Genève :* 3, rue Vignier, 1205. ☎ 022-329-97-34. Fax : 022-329-50-62.
– *Lausanne :* 20, bd de Grancy, 1006. ☎ 021-617-56-27. Fax : 021-616-50-77.
– *Lausanne :* à l'université, bâtiment BFSH2, 1015. ☎ 021-691-60-53. Fax : 021-691-60-59.
– *Montreux :* 25, av. des Alpes, 1820. ☎ 021-965-10-15. Fax : 021-965-10-19.
– *Nyon :* 17, rue de la Gare, 1260. ☎ 022-990-92-00. Fax : 022-361-68-27.
– *Neuchâtel :* Grand-Rue, 2, 2000. ☎ 032-724-64-08. Fax : 032-721-28-25.

Agences spécialisées dans les voyages pour jeunes et étudiants. Gros avantage en cas de problème : 150 bureaux STA et plus de 700 agents du même groupe répartis dans le monde entier sont là pour donner un coup de main *(Travel Help)*.

STA propose des voyages très avantageux : vols secs *(Skybreaker)*, billets Euro Train, hôtels, écoles de langues, voitures de location, etc. Délivre les cartes internationales d'étudiants et les cartes Jeunes Go 25.

STA est membre du fonds de garantie de la branche suisse du voyage ; les montants versés par les clients pour les voyages forfaitaires sont assurés.

AU QUÉBEC

▲ **CLUB AVENTURE VOYAGES**

– *Montréal (Québec) :* 757, av. Mont-Royal, H2J 1W8. ☎ 514-527-0999 ou 1-877-527-0999. • www.clubaventure.qc.ca • info@clubaventure.qc.ca •

Le voyagiste offre des circuits en groupes restreints (4 à 14 personnes), sur les cinq continents. Au programme : l'Équateur (Andes, Amazonie, Galápagos), l'Inde et le Népal en combiné, et un nouveau périple en Libye. Des rencontres « pré-départ » sont organisées autour d'un buffet en compagnie du guide. Club Aventure offre également des programmes « Aventure jeunesse » : travail-étude en Angleterre ; au pair au Canada ou en Europe ; moniteur de langue en Espagne. Le voyagiste organise aussi des ateliers de langues (espagnol, chinois, indonésien).

▲ **EXOTIK TOURS**

La Méditerranée, l'Europe, l'Asie et les Grands Voyages : Exotik Tours offre une importante programmation en été comme en hiver. Ses circuits estivaux se partagent notamment entre la France, l'Autriche, la Grèce, la Turquie, l'Italie, la Croatie, le Maroc, la Tunisie, la République tchèque, la Russie, la Thaïlande, le Vietnam, la Chine... Dans la rubrique « Grands voyages », le voyagiste suggère des périples en petits groupes ou en individuel. Au choix : l'Amérique du sud (Brésil, Pérou, Argentine, Chili, Équateur, îles Galápagos), le Pacifique sud (Australie et Nouvelle-Zélande), l'Afrique (Afrique du Sud, Kenya, Tanzanie), l'Inde et le Népal. L'hiver, des séjours sont proposés dans le Bassin méditerranéen et en Asie (Thaïlande et Bali). Durant cette saison, on peut également opter pour des combinés plage + circuit. Le voyagiste a par ailleurs créé une nouvelle division : Carte Postale Tours (circuits en autocar au Canada et aux États-Unis). Exotik Tours est membre du groupe *Intair* comme Intair Vacances (voir plus loin).

▲ **EXPLORATEUR VOYAGES**

Cette agence de voyages montréalaise propose une intéressante production maison, axée sur les voyages d'aventures en petits groupes (5 à 12 personnes) ou en individuels. Ses itinéraires originaux, en Amérique latine, en

Asie, en Afrique et au Moyen-Orient, se veulent toujours respectueux des peuples et des écosystèmes. Parmi les circuits présentés : le safari Kenya/Tanzanie ; la randonnée et excursion en 4X4 en Éthiopie ; les combinés Pérou/Bolivie, Chili/Argentine, Mali/Mauritanie ou Namibie/Botswana ; l'Asie centrale sur la route de la soie ; l'Inde des montagnes. Au programme : treks, camping en savane et découvertes authentiques, guidés par un accompagnateur Montréal/Montréal. Nouveauté : la Mongolie – rencontres avec les nomades kazacks dans les Monts Altaï et excursion dans le désert de Gobi. Intéressant pour se familiariser avec ces différents circuits : les soirées Explorateur (gratuites), avec présentation audiovisuelle, organisées à Montréal et à Québec. • www.explorateur.qc.ca • Renseignements : ☎ (514) 847-1177. • explorateur@videotron.ca •

▲ INTAIR VACANCES

Membre du groupe Intair comme Exotik Tours, Intair Vacances propose un vaste choix de prestations à la carte incluant vol, hébergement et location de voitures en Europe, aux États-Unis et dans les Antilles. Sa division Boomerang Tours présente par ailleurs des voyages sur mesure et des circuits organisés en Australie, en Nouvelle-Zélande et dans le Pacifique sud. Et sa branche Shangrila Tours offre le même type de produits en Afrique et en Asie. Cette année, Intair propose une nouvelle gamme d'hôtels en France et un programme inédit en Autriche. Également au menu, des courts ou longs séjours, en Espagne et en Italie (hôtels et appartements à Rome, Florence et Venise, en Toscane et sur la côte Amalfitaine). À Londres, Intair présente une sélection complète de produits (excursions, transferts, tours de ville).

▲ KARAVANIERS DU MONDE

À pied, en vélo, en kayak de mer ou à skis... l'agence montréalaise Karavaniers du Monde, créée en 1998, est réputée pour ses voyages d'aventure. Toujours soucieuse de respecter populations et paysages, elle présente plusieurs destinations (Bolivie, Équateur, Pérou, Tanzanie, Éthiopie, Népal, Tibet...), en petits groupes accompagnés d'un guide québécois et d'un guide local, avec hébergement en auberge ou sous la tente. Les Karavaniers proposent aussi des expéditions en haute montagne. Des conférences-récits de voyages sont régulièrement organisées au siège de l'agence, dans le Vieux Montréal. Renseignements : Karavaniers du Monde, 9, rue de la Commune-Ouest, Montréal, H2Y 2C5, ☎ (514) 281-0799, • www.karavaniers.com • expeditions@karavaniers.com •

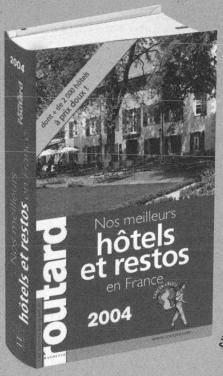

LE KENYA

GÉNÉRALITÉS

C'est le pays des superlatifs. Il y a 20 ou 30 millions d'années, l'une des plus gigantesques fractures de l'histoire de la Terre fendit l'Afrique de l'Est du nord au sud sur 7000 km et produisit le dieu des montagnes africaines : le Kilimandjaro. On attribue au Kenya l'une des plus anciennes présences humaines avec l'*Australopithèque,* intermédiaire bipède entre le singe et l'homme qui valut à la région le titre de berceau de l'humanité. Il accueille la plus forte concentration de flamants roses au monde en un seul lieu (le lac Bogoria, de 1 000 000 à 1 500 000 zoziaux !), et la plus fantastique concentration d'animaux dits « sauvages ». Cette extraordinaire arche de Noé terrestre, qui semble contenir tous les animaux en même temps, offre une intimité avec eux presque unique au monde... Pas moins de 1 200 espèces d'oiseaux répertoriées et un record : plus de 300 observées en 24 h par un ornithologue au lac Baringo !
En prime, le Kenya offre une réponse à quasiment tous les rêves d'évasion : plages de sable blanc et cocotiers, plongée sous-marine, savanes, forêts et déserts, randonnées pédestres de plaine, plateau, moyenne montagne et même alpinisme (un sommet à 4 200 m, le mont Elgon, faisable en famille dans la journée, si, si !), etc. Même la poésie urbaine ne manque pas à ce tableau, grâce à Lamu, merveilleux témoignage de la culture swahilie.
Le Kenya se révèle aussi être la destination touristique la plus populaire d'Afrique de l'Est. Même si c'est encore un tourisme très élitiste et... onéreux. Aussi avons-nous tenté de dénicher les combines et conseils les plus judicieux pour voyager le moins cher possible. Bon, il n'empêche, le Kenya est une destination assez chère, mais si vous vous apprêtez à vivre votre première rencontre avec la faune africaine, croyez-nous, vos rêves de gosse ne seront pas déçus ! Trêve de commentaires, astiquez vos jumelles, mais dans la plupart des cas, vous n'en aurez même pas besoin !

CARTE D'IDENTITÉ

- ***Superficie :*** 582 640 km², un peu plus grand que la France.
- ***Population estimée :*** 31 600 000 hab. (en 2003)
- ***Taux de croissance :*** 1,5 %.
- ***Taux de fécondité :*** 4 enfants par femme.
- ***Espérance de vie :*** 45 ans.
- ***Analphabétisme :*** 10 % chez les hommes, 20 % chez les femmes.
- ***Capitale :*** Nairobi, 3 millions d'habitants.
- ***Sites classés au Patrimoine de l'Unesco :*** les parcs nationaux du lac Turkana et du mont Kenya, la vieille ville de Lamu.
- ***Divisions administratives :*** 7 provinces et un district : Central, Coast, Eastern, Nairobi Area, North-Eastern, Nyanza, Rift Valley, Western.

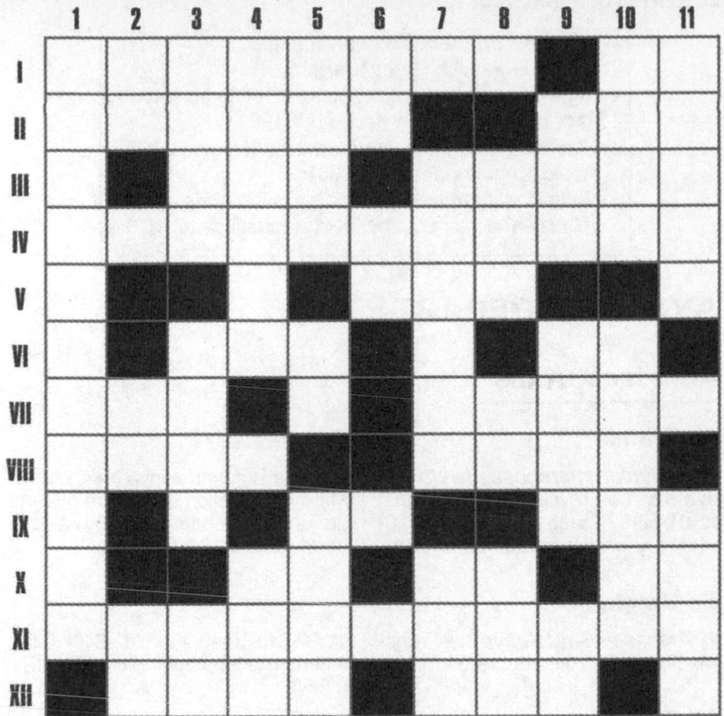

Espace offert par le support - création : Stéphane Blot

HORIZONTALEMENT

I. Préliminaire d'ados. Très Bien. **II.** Âpres. Jour ibère. **III.** Direction Générale de la Santé. Mayonnaise à l'ail. **IV.** Provoquent souvent des effets indésirables. **V.** Les notres **VI.** Infection Sexuellement Transmissible. "Assez" en texto. **VII.** Dans le noyau. Se porte rouge contre le sida. **VIII.** Élément de bord de mer. Fin de phrase télégraphique. **IX.** Que l'on sait. Positif ou négatif. **X.** Participe passé de rire. Avant. La tienne. **XI.** Entraides. **XII.** Patrie du Ché. Un des virus de l'hépatite.

VERTICALEMENT

1. À Protéger. **2.** Avant certains verbes. Note. Langue du sud. **3.** Castor et Pollux sont ses fils. La vache y est sacrée. Déchiffré. **4.** Parties de débauche.Pour prélèvement. **5.** Dépistage. Toi. Les séropositifs en souffrent. **6.** Excelle. Dans. **7.** Avec ou sans lendemains. Antirétroviraux. **8.** Fin de maladies. Do courant. Responsable du sida. **9.** De soi ou d'argent. Aboiement. Symbole du technétium. **10.** On comprend quand on le fait. Anglaise en France. **11.** Affluent de la Garonne. En mauvais état.

AIDES
Le seul moyen d'arrêter le sida, c'est vous !

- ***Langues officielles :*** swahili, anglais.
- ***Monnaie :*** shilling kenyan (Ksh).
- ***Régime :*** présidentiel depuis le 12 décembre 1963. Parti unique jusqu'en décembre 1991.
- ***Chef de l'État et du gouvernement :*** Emilio Mwai Kibaki, depuis décembre 2002.
- ***Religions :*** protestants, 45 %; catholiques, 33 %; animistes et hindouistes, 12 %; musulmans, 10 %.

AVANT LE DÉPART

Adresses utiles

En France

■ ***Consulat et ambassade du Kenya :*** 3, rue Freycinet, 75116 Paris. ☎ 01-56-62-25-25. Fax : 01-47-20-44-41. • www.kenyaembassyparis.org • paris@amb-kenya.fr • Ⓜ Alma-Marceau. Section consulaire ouverte du lundi au vendredi de 10 h à 12 h et de 15 h à 16 h.

En Belgique

■ ***Ambassade du Kenya :*** av. Winston-Churchill, 208, Bruxelles 1180. ☎ 02-340-10-40. Fax : 02-340-10-50. • kenbruxelles@hotmail.com •

Au Canada

■ ***Kenya High Commission :*** 415, Laurier Av. East, Ottawa, Ontario, KIN-6R4. ☎ (613) 563-1773. Fax : (613) 233-6599.

En Suisse

■ ***Kenya Consulat General & Tourist Office :*** av. de la Paix 1-3, 1202 Genève. ☎ 022-906-40-56 ou 57. Fax : 022-731-29-05. Ouvert de 9 h à 13 h et de 14 h à 19 h.

Formalités

Visa obligatoire quelle que soit la durée du séjour. Il s'obtient en 3 jours ouvrables à l'ambassade de Paris (40 €), ou directement à l'aéroport de Nairobi (50 US$). Il vous faut :
- le formulaire de demande de visa;
- un passeport ayant une validité d'au moins 6 mois et comportant une page entièrement vierge pour l'apposition du visa;
- une photo d'identité;
- une attestation de billet aller-retour ou une photocopie de la facture de votre agence de voyages;
- 40 € en espèces pour 1 entrée ou 80 € pour 2 entrées sur le territoire.

À noter qu'un visa à 1 entrée permet de repasser une 2e fois par le Kenya UNIQUEMENT si l'on revient de Tanzanie ou d'Ouganda. Vous pouvez, par exemple, faire un aller-retour dans les parcs tanzaniens sans avoir à payer

un nouveau visa pour entrer à nouveau au Kenya. Au-delà de 2 entrées, une extension de visa peut s'obtenir directement au poste-frontière.
De province, possibilité de demander le visa par courrier en 15 jours. Mêmes documents, règlement en mandat-cash et enveloppe retour en recommandé. Ça peut éviter les files d'attente et éventuels inconvénients à l'aéroport.
Plusieurs points sont à retenir :
– à l'intérieur du pays, une extension de visa peut être obtenue au service d'immigration des principales villes;
– il est possible d'obtenir un visa de transit d'une validité maximum de 6 jours. Il est délivré à l'aéroport lors de votre arrivée au Kenya;
– les touristes ne sont pas autorisés à travailler ou à établir leur domicile au Kenya sans l'autorisation préalable du *Principal Immigration Officer* à Nairobi. Au-delà de 6 mois, un permis de séjour est exigé.

■ ***Action-Visas.com :*** 69, rue de la Glacière, 75013 Paris. ☎ 0892-707-710. Fax : 0826-000-926. • www.action-visas.com • Ⓜ Glacière. Ouvert du lundi au vendredi de 9 h 30 à 12 h et de 13 h 30 à 18 h 30. Le samedi, de 9 h 30 à 13 h.
Les visas peuvent s'obtenir rapidement et sans soucis avec Action-Visas.com, spécialisé sur plusieurs destinations.
Ils s'occupent d'obtenir et de vérifier les visas. Le délai est rapide, le service fiable, et vous n'aurez plus à patienter aux consulats ni à envoyer votre passeport aux ambassades avec des délais de retour incertains et surtout sans interlocuteur... ce qui permettra d'éviter les mauvaises surprises juste avant le départ. Pour la province, demandez le visa par correspondance.
Possibilité de télécharger gratuitement les formulaires sur Internet. N'oubliez pas de vous réclamer du *Guide du routard,* une réduction vous sera accordée!
Et parce que voyager peut aussi être synonyme d'aide aux plus démunis, Action-Visas.com prélève 1 € de sa marge commerciale pour un projet humanitaire qui peut être suivi en direct sur son site Internet.

Vaccinations

Si vous venez d'Europe, aucun vaccin n'est obligatoire. Mais la vaccination contre la fièvre jaune et un traitement antipaludéen sont très vivement conseillés (voir notre rubrique « Santé »).

Carte internationale d'étudiant (carte ISIC)

Elle prouve le statut d'étudiant dans le monde entier et permet de bénéficier de tous les services, réductions étudiants du monde, soit plus de 30000 avantages concernant les transports, les hébergements, la culture, les loisirs... C'est la clé de la mobilité étudiante!
La carte ISIC donne aussi accès à des avantages exclusifs sur le voyage (billets d'avion spéciaux, assurances de voyage, carte de téléphone internationale, location de voitures, navette aéroport...). Le Kenya n'est pas le pays où vous l'utiliserez le plus, mais comme elle est valable 1 an, ça peut valoir le coup de se la procurer malgré tout.

Pour plus d'informations sur la carte ISIC

• www.carteisic.com • ou ☎ 01-49-96-96-49.

Pour l'obtenir en France

Se présenter dans l'une des agences des organismes mentionnés ci-dessous avec :
- une preuve du statut d'étudiant (carte d'étudiant, certificat de scolarité...) ;
- une photo d'identité ;
- 12 ou 13 € par correspondance incluant les frais d'envois des documents d'information sur la carte. Émission immédiate.

■ ***OTU Voyages :*** ☎ 0820-817-817. • www.otu.fr • pour connaître l'agence la plus proche de chez vous.

■ ***Voyages Wasteels :*** ☎ 08-25-88-70-70 (0,12 €/mn). • www.wasteels.fr •

En Belgique

La carte coûte 9 € et s'obtient sur présentation de la carte d'identité, de la carte d'étudiant et d'une photo auprès de :

■ ***Connections :*** renseignements au ☎ 02-550-01-00.

En Suisse

La carte s'obtient dans toutes les agences STA Travel, sur présentation de la carte d'étudiant, d'une photo et de 20 Fs.

■ ***STA Travel :*** 3, rue Vignier, 1205 Genève. ☎ 022-329-97-34.

■ ***STA Travel :*** 20, bd de Grancy, 1006 Lausanne. ☎ 021-617-56-27.

Il est également possible de la commander en ligne sur le site • www.carteisic.com •

Carte internationale des auberges de jeunesse (FUAJ)

Cette carte, valable dans 60 pays, permet de bénéficier des 4200 auberges de jeunesse du réseau *Hostelling International* réparties dans le monde entier (six au Kenya).

Pour adhérer à la FUAJ et s'inscrire

Par correspondance

■ ***Fédération unie des auberges de jeunesse (FUAJ) :*** 27, rue Pajol, 75018 Paris. ☎ 01-44-89-87-27. Fax : 01-44-89-87-10. • www.fuaj.org • Bureaux fermés au public. Envoyer une photocopie recto verso d'une pièce d'identité et un chèque correspondant au montant de l'adhésion (ajouter 1,2 € pour les frais d'envoi de la FUAJ). Une autorisation des parents est nécessaire pour les moins de 18 ans.

Sur place

■ ***FUAJ, Antenne nationale :*** 9, rue Brantôme, 75003 Paris. ☎ 01-48-04-70-40. Fax : 01-42-77-03-29. Ⓜ Rambuteau ; RER A et B : Châtelet-Les Halles. Présenter une pièce d'identité et 10,7 € pour la carte moins de 26 ans et 15,2 € pour les plus de 26 ans. Inscriptions possibles également dans toutes les AJ et points d'information et de réservation FUAJ en France. • www.fuaj.org •

En Belgique

Le prix de la carte varie selon l'âge : entre 3 et 15 ans, 3,5 €; entre 16 et 25 ans, 9 €; après 25 ans, 13 €. Renseignements et inscriptions :

■ ***À Bruxelles :*** *LAJ,* rue de la Sablonnière, 28, Bruxelles 1000. ☎ 02-219-56-76. Fax : 02-219-14-51. • www.laj.be • info@laj.be •

■ ***À Anvers :*** *Vlaamse Jeugdherbergcentrale (VJH),* Van Stralenstraat, 40, Antwerpen 2060. ☎ 03-232-72-18. Fax : 03-231-81-26. • www.vjh.be • info@vjh.be •

Les résidents flamands qui achètent une carte en Flandre obtiennent 8 € de réduction dans les auberges flamandes et 4 € en Wallonie. Le même principe existe pour les habitants wallons.

En Suisse (SJH)

Le prix de la carte dépend de l'âge : 22 Fs (14,3 €) pour les moins de 18 ans, 33 Fs (21,4 €) pour les adultes et 44 Fs (28,6 €) pour une famille avec des enfants de moins de 18 ans. Renseignements et inscriptions :

■ ***Schweizer Jugendherbergen (SJH) :*** service des membres, Schaffhauserstr, 14, Postfach 161, 8042 Zurich. ☎ 01-360-14-14. Fax : 01-360-14-60. • www.youthhostel.ch • bookingoffice@youthhostel.ch •

Au Canada

Elle coûte 35 $Ca pour une durée de 16 à 26 mois (tarif 2004) et 175 $Ca à vie. Gratuit pour les enfants de moins de 18 ans qui accompagnent leurs parents. Pour les juniors voyageant seuls, compter 12 $Ca. Ajouter systématiquement les taxes.

■ ***Tourisme Jeunesse***
– *À Montréal :* 205, av. du Mont-Royal Est, Montréal (Québec) H2T1P4. ☎ (514) 844-02-87. Fax : (514) 844-52-46.
– *À Québec :* 94, bd René-Lévesque Ouest, Québec (Québec) G1R 2A4. ☎ (418) 522-2552. Fax : (418) 522-2455.

■ ***Canadian Hostelling Association :*** 205 Catherine St, Bureau 400, Ottawa, Ontario, Canada K2P-1C3. ☎ (613) 237-78-84. Fax : (613) 237-78-68. • www.hihostels.ca • info@hihostels.ca •

ARGENT, BANQUES, CHANGE

La monnaie nationale

La monnaie nationale est le ***shilling kenyan (Ksh).*** Il existe des billets de 10, 20, 50, 100, 200, 500 et 1 000 shillings ainsi que des pièces de 5 et 10 cents (qui ne sont plus guère utilisées), 50 cents (un demi-shilling), et des pièces de 1, 5, 10 et 20 shillings.
Pour 1 dollar américain, on obtient plus ou moins 75 shillings et près de 95 shillings pour 1 euro (en juin 2004). Très instable dans les années 1992-1993, le cours est aujourd'hui stabilisé.

Les devises étrangères

Le dollar américain est encore la devise la plus couramment utilisée au Kenya – à telle enseigne que les tour-opérateurs et la plupart des grands hôtels communiquent leurs tarifs dans cette monnaie plutôt qu'en shillings. Mais l'euro peut être changé sans aucun problème dans les banques, les bureaux de change, dans une majorité d'hôtels, *lodges* des parcs et réserves. En revanche, on pourra vous demander de payer les droits d'entrée dans les parcs nationaux en dollars (cash), de même que pour acheter des billets d'avion sur une destination étrangère (cartes de paiement acceptées, cela dit). Mais on peut tout régler en shillings. Prévoir une réserve de cash (euros ou dollars) qui vous permettra de parer à toute éventualité.

Les banques

Les banques sont ouvertes *grosso modo* de 9 h à 15 h du lundi au vendredi et parfois le samedi matin.

– Si vous avez besoin d'un ***virement*** (compter 3 ou 4 jours), une bonne adresse :

■ ***Crédit Agricole Indosuez** (plan II de Nairobi, C2) :* Reinsurance Plaza, Taifa Rd, Nairobi. ☎ (020) 21-11-75 ou 21-05-47. Fax : (020) 21-41-66. Ouvert du lundi au vendredi de 8 h 30 à 14 h 30. Pas besoin d'avoir un compte chez eux. Prévoyez de 23 à 31 € de frais de télex.

– Sinon, guichets ***Western Union*** dans les établissements *Postbank.*

Le change

Les bureaux de change *(Forex)* permettent de changer euros et dollars sans commission. Très intéressants, donc, d'autant qu'ils sont ouverts plus tard que les banques le soir et le samedi. N'oubliez pas de prendre votre passeport. Les banques prennent une commission (aux dernières nouvelles, un forfait de 300 Ksh, soit 3,1 €). Évitez de changer dans les hôtels et *lodges :* taux ahurissants, mais ça peut dépanner. Évitez aussi le marché noir : arnaque presque assurée.

Vous pouvez reconvertir sans difficulté vos shillings en dollars ou en euros avant de repartir. Le bureau de change de l'aéroport à Nairobi, au rez-de-chaussée, a priori ouvert 24 h/24, est très efficace.

Les chèques de voyage

Cela reste une excellente solution pour ne pas emporter trop d'argent liquide. Ils sont bien acceptés dans les bureaux de change et les banques, tant en euros qu'en dollars. Certaines banques exigent le reçu d'achat des *travellers* délivré pas votre banque ; ne l'oubliez pas !

Les cartes de paiement

De plus en plus utilisées, elles permettent de régler hôtels (catégories moyenne et supérieure), voyagistes, loueurs de voitures, et même certaines boutiques de souvenirs en ville. La carte *Visa* est la plus répandue ; viennent ensuite les cartes *MasterCard,* puis, loin derrière, *American Express* et *Diners Club* (pour les grands hôtels essentiellement, et encore...). Vérifiez toujours votre total, il arrive que les montants indiqués sur la facturette soient fantaisistes – pas forcément sciemment d'ailleurs.

Il est aussi possible de retirer de l'argent avec votre carte. Il y a de nombreux distributeurs à Nairobi et à Mombasa. La *Barclays Bank* propose des distributeurs, accessibles 24 h/24, dans presque toutes les villes secondaires.

N'oubliez pas que votre banque retiendra une commission pour chaque retrait et chaque paiement par carte. Attention aussi au plafond de retrait hebdomadaire fixé par votre banque (penser éventuellement à le « relever » avant le départ).
– La carte ***Eurocard-MasterCard*** permet à son détenteur et à sa famille (si elle l'accompagne) de bénéficier de l'assistance médicale rapatriement. En cas de problème, contactez immédiatement le ☎ 00-33-1-45-16-65-65. En cas de perte ou de vol (24 h/24) : ☎ 00-33-1-45-67-84-84 en France (PCV accepté) pour faire opposition 24 h/24 et tous les jours. À noter que ce numéro est aussi valable pour les cartes ***Visa*** émises par le *Crédit Agricole* et le *Crédit Mutuel.* • www.mastercardfrance.com •
– Pour la carte ***American Express,*** téléphoner en cas de pépin au ☎ 00-33-1-47-77-72-00. Numéro accessible 24 h/24, tous les jours. PCV accepté en cas de perte ou de vol.
– Pour toutes les cartes émises par ***La Poste,*** composer, en cas de pépin, le ☎ 0825-809-803 (pour les DOM : ☎ 05-55-42-51-97).
– Également un numéro d'appel valable quelle que soit votre carte de paiement : ☎ 0892-705-705 (serveur vocal à 0,34 €/mn).

En cas d'urgence

Pour un besoin urgent d'argent liquide (perte ou vol de billets, chèques de voyage, cartes de paiement), vous pouvez être dépanné en quelques minutes grâce au système ***Western Union Money Transfert.***
– *Au Kenya :* ☎ (254) 20-229-551 (*Post Bank,* à Nairobi).
– *En France :* ☎ 0820-388-388 (0,18 €/mn).

Conseils

Mettez toujours votre argent à l'abri des regards indiscrets – dans une poche interne fermée ou une pochette glissée sous vos vêtements. Évitez les sacs en tout genre et les bananes, véritables aimants à pickpockets. L'idéal est de toujours garder un peu d'argent en poche pour les dépenses courantes. Cela évite de sortir les grosses coupures, et en cas d'attaque, votre voleur croira peut-être que c'est là toute votre richesse.

ACHATS

Il est interdit d'exporter tous objets contenant des éléments provenant de l'ivoire des éléphants, de la corne de rhinocéros, de la tortue marine, du corail (vivant ou mort), et les peaux de reptiles en tout genre (crocos, python, varan du Nil...). A fortiori, au cas où l'on vous en proposerait (assez improbable, heureusement), les produits ou accessoires à base de fourrure de félins tachetés.
– ***Les magasins :*** en général, ils ouvrent dès 8 h, marquent une pause pour le déjeuner et rouvrent de 14 h à 18 h. Les *dukas* indiens, en revanche, restent ouverts beaucoup plus tard et le week-end. Le dimanche, très peu de magasins ouverts.
– ***Les makondes :*** originaire de la région tanzanienne du même nom, frontalière avec le Mozambique, cette forme de sculpture, traditionnellement en ébène, est de style abstrait. Son succès est tel qu'on en trouve maintenant dans toute l'Afrique orientale.
Il est rare que les objets achetés dans les marchés ou les petites boutiques soient en ébène : il s'agit plus fréquemment de bois teinté au cirage. Ça peut être très joli quand même, mais ne payez pas pour un bois qui n'est pas noble. Une bonne façon de vérifier : grattez très légèrement avec un ustensile pointu dans une partie dissimulée (le socle, par exemple). Si le bois est clair dessous, vous saurez à quoi vous en tenir...

– ***Les animaux en bois :*** du tabouret-girafe aux jeux de petits animaux pour les enfants en passant par les porte-clés, vous trouverez toutes sortes de figurines très jolies représentant la faune africaine.
– ***Le soapstone :*** la « pierre à savon » (on devrait dire « pierre de savon », mais c'est moins joli!) est une pierre tendre couleur ivoire, parfois grisée ou rosée, que l'on ne trouve qu'au Kenya (dans le village de Tabaka, près du lac Victoria) et dans le Grand Nord canadien. On en tire tous les objets possibles et imaginables : animaux sculptés, boîtes, cendriers, vases, bougeoirs.... L'inconvénient principal, vous l'aurez deviné, c'est le poids.
– ***Les souvenirs massaïs :*** calebasses ciselées, boucliers et lances, bracelets et colliers de perles, les souvenirs massaïs sont innombrables et relativement bon marché (cela dépend de votre talent de négociateur!). Tout ce qui ressemble à du cuir – non traité – risque de rester longtemps imprégné d'une odeur tenace.
– ***Les kiondos :*** ce sont des sacs fourre-tout en fibre de sisal. Certains sont tout simples, d'autres avec un fond de cuir. La plupart sont rayés. Pratique et plutôt sympa, bien qu'un peu cher. N'hésitez pas à marchander.
– ***Les batiks :*** généralement couverts de motifs géométriques ou animaliers.
– ***Les kikois et kangas :*** les sarongs de l'Afrique de l'Est. Les premiers viennent de la côte – ils sont légèrement plus épais –, les autres de l'intérieur. Ils sont toujours vendus par deux : l'un sert à se vêtir, l'autre à accrocher un bébé dans le dos. La plupart sont illustrés de motifs colorés et de proverbes swahilis.
– ***Les cotonnades africaines :*** à Nairobi et à Mombasa, la rue des vendeurs de tissus porte le même nom, Biashara St. On peut y dénicher de jolis imprimés avec des motifs zoomorphes.
– ***L'artisanat arabe :*** sur la côte, l'héritage arabe se retrouve dans les vieux coffres en bois de camphre (de plus en plus rares et chers), les plateaux en bois sculptés (à Lamu surtout), la dinanderie (vieille ville de Mombasa), etc.
– ***Les pierres précieuses :*** la *tanzanite* et la *tsavorite* sont deux pierres semi-précieuses locales. On en trouve, montées ou non, dans les bijouteries tenues par les Indiens. La première ressemble à un saphir violacé, la seconde à une émeraude un peu jaune.
À côté de ça, rubis, améthyste, malachite et bien d'autres s'achètent au détail ou taillées.
– ***L'or :*** pas très cher. Parmi les classiques : la petite Afrique en pendentif.
– ***Le thé et le café :*** voir la rubrique « Boissons ».
– ***Cigarettes :*** on trouve les principales marques étrangères presque partout (trois fois moins chères que chez nous). Le Kenya produit un tabac de Virginie qu'il commercialise sous plusieurs marques. *Embassy* et *Sportsmans* sont les plus populaires, encore moins chères que les internationales. Les Kenyans les achètent souvent à l'unité.
À la douane, chaque personne peut passer une cartouche de 200 cigarettes ou bien 50 cigares, ainsi qu'une bouteille d'alcool.

BAKCHICH

Au Kenya, tout se paie! C'est l'un des pays africains où quasiment rien n'est gratuit et où tout est « médié » par le fric. On le dit sans animosité, tranquillement, comme vous-même le vivrez dans vos rapports avec les gens. Car il vaut mieux s'installer dans cette idée philosophiquement, sinon on risque de perdre son sang-froid et sa bonne humeur tout au long du séjour. N'oubliez pas que, quelle que soit votre façon de vous habiller, quel que soit le contenu de votre portefeuille, vous restez avant tout un étranger. Donc riche. Les Kenyans n'y sont pour rien : c'est l'image qu'ils perçoivent de nous au travers des médias. Ils sont nombreux à croire qu'en Europe « les riches ont une grande maison et une grosse voiture » et les pauvres « une petite maison et une petite voiture ».

Les photos

Les Massaïs réclament leur dû pour chaque photo. Les Samburus plus rarement. Tarif : jusqu'à 100 à 200 Ksh (1 à 2,1 €) la photo, ce qui est vraiment abusé. On peut toujours furtivement prendre des photos de devantures de boutiques pittoresques et colorées. Mais si vous voulez éviter le risque de voir le commerçant sortir et réclamer son bakchich violemment, mieux vaut lui demander l'autorisation. En revanche, concernant la vue globale d'un village, d'une rue, d'animaux paissant benoîtement dans une prairie, on conseille bien sûr de passer outre aux sollicitations, faut pas exagérer !

Les chauffeurs et guides

Le poste de bakchich le plus important. Le tourisme de masse a conduit ici à de déplorables attitudes. C'est ainsi que nombre de responsables de safaris viennent expliquer aux touristes avant le départ qu'il leur faudra débourser, à la fin, de 3 à 5 US$ par jour et par personne pour le chauffeur (et pour le guide aussi, s'il y en a un !). Ça donne vraiment la désagréable impression que c'est au touriste de payer les salaires des chauffeurs et des guides, et ce caractère obligatoire du bakchich occulte évidemment la notion même de satisfaction de la prestation rendue.
D'abord, on ne voit pas en quoi véhiculer 4, 6 ou 8 personnes est différent pour la fatigue du chauffeur. En outre, on peut imaginer que 6 personnes donnant (à raison de 5 US$, soit 4 € par jour et par personne) disons 240 US$ (192 €) pour 8 jours de safari, c'est un peu léser les autres travailleurs du Kenya. Il faut se rappeler que le salaire moyen mensuel est d'environ 5000 Ksh (52,6 €). Bien entendu, on peut tout à fait comprendre que la gentillesse et la serviabilité du chauffeur et du guide sont telles que les voyageurs trouvent légitime de débourser une telle somme. C'est là leur liberté ! Mais par expérience, ça se révèle quand même un état d'esprit assez rare à la fin d'un safari.
Il faut absolument faire comprendre à l'organisateur et au chauffeur-guide que le bakchich est avant tout une RÉCOMPENSE POUR LA SATISFACTION D'UN SERVICE RENDU ET NON UNE OBLIGATION ! Il n'y a pas lieu de culpabiliser là-dessus et il y a vraiment nécessité au Kenya de revenir à cette notion saine et logique.
PS : vous vous doutez bien qu'en disant ça, le *GDR* n'a pas vraiment bonne presse auprès des chauffeurs et des guides kenyans !

Les douaniers et policiers

Si la corruption de haut vol est bien implantée, il est assez rarement nécessaire, au quotidien, de glisser un billet pour « arranger » les choses. Les douaniers, les policiers, bref tous ceux qui portent un uniforme sont les plus susceptibles de faire appel à votre générosité. Il est parfois difficile de ne pas y penser ou bien tentant d'y avoir recours – pour faire oublier cette bande blanche inutile ou ce feu mal placé.
On ne saurait trop vous conseiller d'éviter de le faire. D'abord, ce n'est pas bien, ensuite, ça peut se retourner contre vous...

BOISSONS

– ***L'eau :*** celle du robinet est a priori potable à Nairobi et à Mombasa, mais ne vous y fiez pas trop, les ruptures de canalisations sont fréquentes. La remarque vaut pour les glaçons dès que l'on quitte les hôtels et restaurants. On trouve partout de l'eau minérale capsulée (pas trop chère). Parmi les locales, la *Kilimanjaro* est la meilleure mais la plus répandue est la *Keringet*.

L'autre solution consiste à emporter dans vos bagages des pilules d'Hydroclonazone ou de Micropur DCCNA, mais c'est plus contraignant.
– ***Les sodas :*** on trouve facilement les Coca, Pepsi, Fanta, etc.
– ***Les jus de fruits, le lait de coco :*** l'orange pressée se trouve surtout dans les restaurants moyen et haut de gamme, ainsi que la mangue, l'ananas ou la passion. Sur la côte, le lait de coco réfrigéré *(maduf)* est bien agréable.
– ***Le thé** et **le café :*** en paquets ou en sachets. Le Kenya en exporte, non sans raison, un peu partout dans le monde. Bien que le pays cultive un thé de qualité, on vous servira presque toujours du thé en sachets importé. Le thé local, très corsé, est toujours servi avec du lait bouilli et déjà sucré. Si vous le voulez nature, demandez un *chai kavu*. Le café, produit localement lui aussi, connaît le même traitement. Toutefois, à Nairobi, il est possible de trouver des *espressos* très corrects et parfois des *cappuccinos* meilleurs qu'en France...
– ***La bière :*** elle est très populaire au Kenya. Il en existe 4 variétés principales : souvent considérée comme la meilleure, la *Tusker* est célèbre pour l'éléphant qui orne l'étiquette de sa bouteille (*tusk* signifie « défense »). Elle existe également en *malt lager*, excellente. On trouve aussi la *Pilsner* (*ice* ou *lager*), la *White Cap* et la *Castle*, un peu moins chères que la *Tusker*. Toutes les quatre sont des blondes légères et vendues en bouteilles de 50 cl. Pensez à demander votre mousse fraîche *(cold)*. Les Kenyans, étonnamment, la préfèrent généralement tiède *(warm)*; à chacun ses goûts... Localement, les paysans fabriquent parfois leur propre bière de mil, baptisée *pombe*.
– ***Le vin :*** vous ne le saviez sans doute pas, mais le Kenya est producteur de vin. C'est dans la région du lac Naivasha que se concentrent, sous la houlette de descendants de colons anglais, les quelques vignobles du pays. Dans les restaurants, les supermarchés, on trouve surtout des blancs, parfois presque bons, parfois proches de l'imbuvable. Le *papaya wine* est, quant à lui, franchement mauvais. Sinon, quelques vins d'importation, sud-africains essentiellement, mais assez chers.

BUDGET

Un voyage au Kenya peut revenir cher si l'on n'y prend garde. Heureusement, il existe de bonnes combines.

Package-tour ou voyage individuel?

Les tour-opérateurs proposent des séjours au Kenya à des prix très séduisants, mais les prestations que le voyage ne comprend pas font vite grimper l'addition. Le prix d'un safari de 2 h dans un parc avoisine les 3000 Ksh (31,6 €) par personne. Les taxis (indispensables la nuit à Nairobi) sont chers; la course atteint très vite 500 Ksh (5,3 €). Trois minutes de téléphone pour la France dépassent souvent les 1200 Ksh (12,6 €) depuis un hôtel, etc. Pour éviter de rester cloué à l'hôtel, prévoyez un gros budget pour les extras et comparez les prix.
Sachez que tout est négociable – safari ou hébergement –, même dans les établissements les plus prestigieux. Pendant la haute saison, on est moins en position de force. Il peut alors s'avérer intéressant de réserver par un gros tour-opérateur ou une agence qui ont des prix négociés.

Résidents et non-résidents

Si vous avez la chance de voyager en individuel avec une personne habitant au Kenya, vous pourrez bénéficier du tarif résident dans les hôtels et à l'entrée des parcs. La réduction est en moyenne de 25 % par rapport au tarif non-résident.

Voyager seul

Pas de problème dans les hôtels bon marché, où le tarif appliqué est par personne. En revanche, certaines excursions requièrent un nombre minimum de participants. Un conseil général : partez à plusieurs ou faites-vous des amis sur place. À Nairobi, on peut se trouver des compagnons de route à la *Youth Hostel,* aux campings d'*Upper Hill,* et dans tous les petits hôtels pour *backpackers.*

Les haute et basse saisons

Les différences de tarifs entre les saisons peuvent atteindre 60 %. Compter en moyenne entre 20 et 40 %. En haute saison, les tarifs sont exorbitants. Les hôtels bon marché ne sont pas concernés.
À Noël, au Nouvel An et à Pâques, il y a parfois même une « très haute saison », avec un supplément de 10 %. Mais tous les établissements ne pratiquent pas cette distinction. À Mombasa par exemple, les prix sont fixes toute l'année.
– ***Haute saison :*** *grosso modo,* de décembre à mars et de juin à fin septembre.
– ***Basse et moyenne saison :*** en avril (sauf Pâques) et mai, voire en juin; et en octobre-novembre.

Nos fourchettes de prix en hôtellerie et restauration

Les indications données ici sont sur la base de 1 € pour 95 Ksh ou 1,25 US$ (cours de 2004).

Les campings

– ***Public campsites :*** de 8 à 10 US$ (6 à 8 €) par personne selon la catégorie.
– ***Special campsites :*** compter 10 ou 15 US$ (8 ou 12 €) par adulte selon le parc. Mais attention, pour accéder à un *special campsite,* un droit de réservation de 5000 Ksh (52,6 €) est demandé pour chaque groupe (valable pour une durée de 7 jours). Ce type de camping est réservé à un seul groupe.
Attention, concernant les campings des réserves, prévoir une enveloppe supplémentaire pour le gardien et le bois.

Les hôtels

Sur la base d'une nuit en chambre double en haute saison. Dans la grande majorité des cas, le petit déjeuner est inclus. Lorsque ce n'est pas le cas, nous l'indiquons dans le texte. Enfin sachez que les hôtels de la catégorie « Chic » affichent leurs tarifs en dollars.
– ***Très bon marché :*** jusqu'à 500 Ksh, soit 5,3 €.
– ***Bon marché :*** de 500 à 1000 Ksh, soit 5,3 à 10,5 €.
– ***Prix moyens :*** de 1000 à 3000 Ksh, soit 10,5 à 31,6 €.
– ***Plus chic :*** de 3000 à 6500 Ksh, soit 31,6 à 68,4 €.
– ***Très chic :*** plus de 6500 Ksh, soit 68,4 €.

Les lodges et camps

Tarifs en *full board* (pension complète) pour 2 personnes, n'incluant pas de *gamedrive* (safaris), sauf pour la rubrique « Très chic ».
– ***Prix moyens :*** moins de 140 US$, soit 112 €.
– ***Plus chic :*** de 140 à 200 US$, soit environ de 112 à 160 €.
– ***Chic :*** de 200 à 300 US$, soit de 160 à 240 €.
– ***Très chic :*** de 300 à 500 US$ et plus, soit de 240 à 400 €.

Les restos

Sur la base d'un repas complet...
- ***Très bon marché :*** jusqu'à 200 Ksh, soit 2,1 €.
- ***Bon marché :*** de 200 à 500 Ksh, soit 2,1 à 5,3 €.
- ***Prix moyens :*** de 500 à 1 000 Ksh, soit 5,3 à 10,5 €.
- ***Plus chic :*** plus de 1 000 Ksh, soit 10,5 €.

CINÉMA

– ***Les Neiges du Kilimandjaro*** (1952), de Henry King. D'après la nouvelle d'Hemingway. C'est en Afrique de l'Est que l'écrivain Harry St (Gregory Peck) avait été le plus heureux, autrefois, quand il aimait Cynthia Green (Ava Gardner). Il y revient avec Helen (Suzan Hayward), sa femme, pour la chasse, sa passion. Au cours d'un safari, il se voit en train de mourir. Immobilisé sur son lit de camp, au cœur de la brousse, Harry raconte sa vie aventureuse comme un testament. Helen découvre l'obsession de son mari pour Cynthia... Avec une nouvelle assez courte, King a réussi à faire un grand film qui est aussi une réflexion sur l'amour, la fuite du temps et les puissances de la vie sauvage.
– ***African Queen*** (1951), de John Huston. Un aventurier (Humphrey Bogart) porté sur la bouteille et une vieille fille puritaine (Katharine Hepburn) descendent un fleuve d'Afrique de l'Est, vers le lac Victoria, sur un pauvre rafiot. Au départ, ils s'affrontent. Mais les épreuves, les obstacles et les turpitudes du voyage les rapprochent au fur et à mesure, sur fond de Première Guerre mondiale exportée en Afrique de l'Est. Conditions de tournage très rudes (fièvres, animaux sauvages, moustiques...). On raconte en outre que l'équipe fut approvisionnée en viande humaine pendant le séjour. À noter que Katharine Hepburn écrivit un livre sur son aventure.
– ***Out of Africa*** (1985), de Sydney Pollack. D'après le roman *La Ferme africaine* de Karen Blixen. C'est l'adaptation assez fidèle du roman (voir la rubrique « Livres de route »). Meryl Streep qui incarne Karen Blixen et Robert Redford dans le rôle de Finch-Hatton sont remarquables. À noter, l'utilisation admirable des paysages du Kenya et surtout ceux du Massaï-Mara. *Out of Africa* fut l'un des meilleurs films publicitaires pour le Kenya, et sut merveilleusement exprimer l'ampleur et la beauté de la savane africaine. Une lumière magique baigne tout le film et imprègne la mémoire des spectateurs pour longtemps. La musique est superbe, à l'image de ces immensités sauvages.
– ***Je rêvais de l'Afrique*** (2000), de Hugh Hudson. Avec Kim Basinger et Vincent Perez. Belle saga africaine qui pourrait constituer la suite d'*Out of Africa* : images splendides de la Rift Valley, aventures et tendresse.
– ***Sur la route de Nairobi*** (1988), de Michael Radford. Avec Hugh Grant, Gretta Scacchi, Charles Dance et Geraldine Chaplin. Une ribambelle d'excellents acteurs pour narrer un fait divers criminel qui se produisit au bon temps de la colonie. Un mari jaloux, aristocrate puissant, tue l'amant de sa femme. La progression du « drame », le procès et son dénouement sont l'occasion de dresser un tableau ironique, pas très complaisant, de la société coloniale britannique au Kenya entre les deux guerres : ennui, alcoolisme mondain, vanité, cocufiage, parasitisme social des riches, tandis que les Africains triment et courbent l'échine. Beaux paysages des White Highlands, notamment autour du lac Naivasha.
– ***L'Ombre et la Proie*** (2000), de Stephen Hopkins. En 1896, John Patterson se voit confier la réalisation d'un ambitieux projet : la construction d'un port sur la rivière Tsavo, en vue de relier par train Mombasa au lac Victoria. Problèmes intercommunautaires au sein des ouvriers et attaques à répéti-

tion menées par deux mystérieux lions nuisent au bon déroulement du chantier. Michael Douglas et Val Kilmer interprètent avec sang-froid ce film d'aventures au scénario intelligent et aux scènes spectaculaires.
– ***Gorilles dans la brume*** (1988), de Michael Apted. Ce film rend hommage à Dian Fossey, dont l'aventure vécue en Afrique sert de fil conducteur à l'histoire. Par amour pour les gorilles, Dian Fossey (Sigourney Weaver) débarqua en 1963 au Congo. Expulsée, elle mena seule ses recherches dans la forêt primaire du Rwanda. À force de ténacité, de passion et de courage, elle parvint à sauver cette espèce menacée d'extinction par les braconniers. Ses travaux ont fait régresser le braconnage. Mais sa fin reste un mystère.
– ***Chasseur blanc, cœur noir*** (1990), de Clint Eastwood. Histoire du tournage du film *African Queen*. On se rappelle, qu'en fait, Huston était obsédé par la chasse aux éléphants. Finalement, quand il eut (paraît-il) l'occasion d'en tuer un, il renonça. Une dizaine d'années plus tard, il fit d'ailleurs un film pour la défense des éléphants.
– ***Le Carnaval des Dieux*** (1958), de Richard Brooks. Sur la révolte des Mau-Mau. Avec Rock Hudson et Sidney Poitier. Un colon blanc a son frère de lait, son meilleur ami, dans le camp des Mau-Mau. Vieux thèmes de l'humaniste R. Brooks : l'amitié, les contradictions de la vie, le destin inexorable...
– ***Les Mines du roi Salomon*** (1951), de Compton Bennett. Avec Stewart Granger et Deborah Kerr. Le Hell's Gate National Park servit de décor pour certaines scènes. Une femme et son mari allant à la recherche des célèbres mines engagent un chasseur pour les retrouver. En chemin, ils sauvent un prince noir qui, à son tour, à la fin, les sauve. Archétype du film d'aventures.
– ***Hatari*** (1962), de Howard Hawks. Avec John Wayne, Elsa Martinelli et Gérard Blain. Le film fut tourné dans le parc national d'Arusha, en Tanzanie. Histoire de chasseurs qui capturent les animaux pour les zoos. John Wayne voit arriver une journaliste qui sèmera la zizanie dans tout ce petit monde. Bien sûr, il en tombera amoureux... C'est probablement l'un des plus beaux films qui aient été tournés sur l'Afrique (extraordinaire utilisation de l'espace et des paysages).
– ***L'Africain*** (1983), de Philippe de Broca, avec Philippe Noiret et Catherine Deneuve. Tout va bien pour Victor, amoureux de la nature réfugié au Kenya, jusqu'à ce que son ex-femme y débarque. Les projets de Charlotte semblent compromettre son univers jusque-là paradisiaque...

CLIMAT

Le Kenya est traversé par l'équateur. Le soleil se lève toute l'année vers 6 h-6 h 30 et se couche entre 18 h 30 et 19 h. En principe, les saisons obéissent aux règles suivantes, mais depuis El Niño, ça se dérègle ! Y'a plus de saison, mon bon monsieur, même en Afrique !
– ***Saisons sèches :*** de décembre ou mi-décembre à mars et de juillet à octobre environ.
– ***Saisons des pluies :*** la « grande saison des pluies » a lieu d'avril à juin et la « petite » en novembre, voire jusqu'à mi-décembre.

Les différences régionales

Les régions subissent les lois de l'altitude et l'alternance des vents de mousson venus de l'océan Indien.

Sur la côte

Le climat est tropical : l'air est chaud et humide, mais les vents de mousson tempèrent le climat toute l'année.

– D'octobre à mars, le *kaskazi* souffle du nord-est. Doux et continu, cet alizé amène le calme, quelques coups de vent et des petites pluies au mois de novembre. C'est la période la plus chaude de l'année, janvier et février enregistrant les plus fortes températures. L'eau est claire. C'est la saison de la pêche et de la plongée. Poussés par le vent, les derniers boutres quittent les ports du golfe Persique pour rejoindre les côtes africaines.
– Le vent s'inverse d'avril à septembre, c'est le *kusi*. Il souffle violemment du sud-est, en apportant les longues pluies qui durent généralement de (début) mai à (début) juillet. La mer est houleuse. Le limon des rivières trouble la visibilité autour des estuaires. Chargés de marchandises, les boutres repartent vers leur port d'origine. Les mois de juillet et août ne sont pas idéaux pour les amateurs de plage.

Dans les Highlands

Sur les « hauts plateaux », les journées sont chaudes et ensoleillées avec un faible taux d'humidité. Les températures subissent la loi bien évidente de l'altitude. En juillet et en août, Nairobi peut connaître des ciels couverts et des nuits froides. Attention, il peut faire un froid polaire au sommet du mont Kenya.

Dans la région du lac Victoria

Taux d'humidité élevé ! À vrai dire, il n'y a pratiquement pas de saison sèche, mais les pluies sont moins nombreuses en janvier et en février.

Dans les régions désertiques du Nord-Est

La chaleur sèche et écrasante la majeure partie de l'année est seulement interrompue par de petites averses en avril et en mai.

La meilleure saison

La haute saison touristique n'est pas toujours la « meilleure ». Tout dépend de vos objectifs et de votre budget.

Pour les safaris

– Les visiteurs affluent pendant la saison sèche : toutes les pistes sont praticables, les animaux sont très visibles dans l'herbe sèche et autour des points d'eau. En conséquence, il y a du monde : les touristes débarquent de Noël à mars ainsi qu'en juillet-août. Les Kenyans préfèrent les saisons intermédiaires de juin, septembre et octobre, plus tranquilles avec des cieux magnifiques.
– Moins populaire, la saison des pluies peut malgré tout être envisagée, mais il faut en accepter les inconvénients... Le principal avantage, ce sont les hébergements beaucoup moins chers (et les hôteliers plus compréhensifs et plus détendus !). Quant aux pluies, elles n'ont quand même rien à voir avec les moussons asiatiques... Il s'agit d'averses parfois violentes pouvant se transformer en orages spectaculaires ou alterner avec de soudaines et belles éclaircies. En fait, elles sont tout à fait imprévisibles ! Avantages : le fond de l'air est frais, la végétation est magnifique, les lumières superbes pour les photographes et les naissances animales dans les parcs et réserves ont généralement lieu à cette période ; enfin, il y a bien sûr moins de monde et de véhicules. Inconvénients : les animaux sont moins visibles dans les hautes herbes et plus dispersés car ils n'ont pas besoin de se regrouper autour des points d'eau. Un 4x4 peut s'avérer nécessaire sur certaines pistes, impraticables autrement... Mais quand il pleut, on se fait de vrais souvenirs en bottes et en ciré à pousser le véhicule hors de son bourbier ! Moralité : on ne peut pas tout avoir.

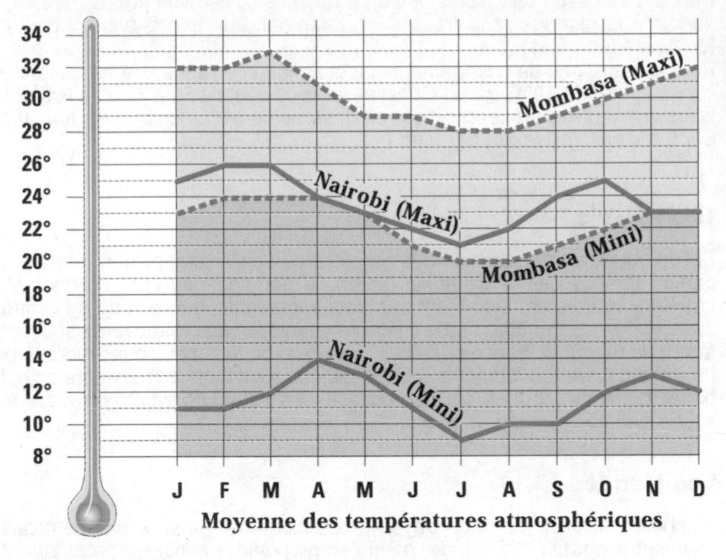

Moyenne des températures atmosphériques

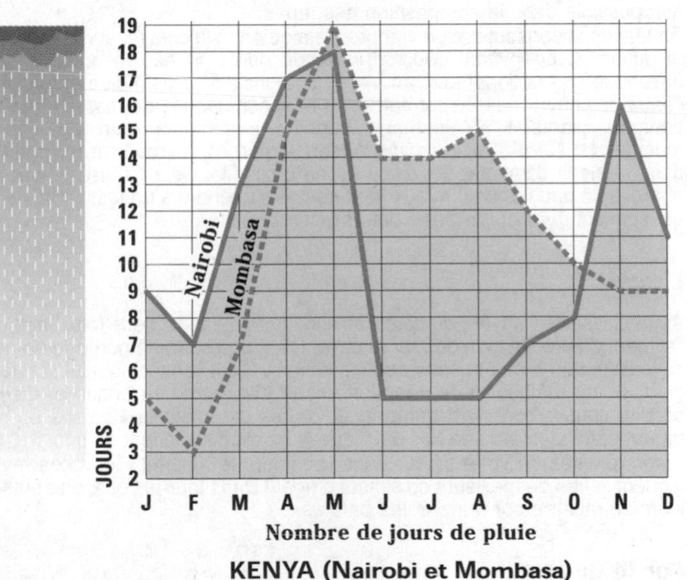

Nombre de jours de pluie

KENYA (Nairobi et Mombasa)

Pour la côte

Pendant la saison des pluies, il faudra renoncer à certains hôtels (fermés), parfois à la plongée (eau trouble) et, rarement, aux excursions en boutre (quelques tempêtes).
Pour le reste, peu de changements : tout au long de l'année, la température oscille autour de 30 °C dans l'Ouest et sur la côte, et de 20 à 22 °C à Nairobi. Dans la mer, l'eau ne descend pas en dessous de 24 °C. Enfin, il y a toujours 6 à 9 h d'ensoleillement par jour.

CUISINE

Si l'on trouve un peu partout des gargotes pas chères (appelées *hotelis,* et parfois abrégées en un trompeur *hotel*!), le menu est peu varié et roboratif. Les Kenyans veulent avant tout des plats consistants, qui tiennent au ventre pour un prix raisonnable : ce qui signifie que vous vous retrouverez souvent face à un ragoût de haricots *(stew)* dans lequel baignent quelques morceaux de viande. Dans les *lodges* et les *camps,* aucune aventure à attendre : c'est buffet, buffet ou... buffet, pour une qualité correcte mais hyper convenue et assez inégale !

Les viandes

Symbole d'aisance dans un pays où beaucoup de gens ne mangent pas vraiment à leur faim, la viande, même en proportions minimes, entre autant que possible dans la composition des repas.
En tête de la consommation viennent le mouton et la chèvre, suivis du poulet et du bœuf. Le *nyama choma* (« viande grillée ») est en quelque sorte devenu le plat national kenyan. À l'origine, il s'agissait simplement de morceaux de chèvre passés au barbecue et accompagnés de *matoke,* maïs et bananes plantains. Maintenant, certains restaurants haut de gamme (comme *Le Carnivore,* près du Wilson Airport, à Nairobi) se spécialisent dans le steak d'impala, de zèbre ou de crocodile. Cela dit, en dehors des endroits un peu huppés, mieux vaut ne pas s'attendre à un festin : la viande est souvent dure et l'hygiène peut laisser à désirer.

L'*ugali*

Autre classique kenyan, du côté des accompagnements cette fois, l'*ugali* est l'aliment de prédilection de tout le pays. C'est une sorte de porridge de maïs concassé, très ferme et sans aucune saveur. C'est la sauce qui lui donne du goût. Si par malheur il est réchauffé, il se transforme en brique et devient pour le coup proprement immangeable. Les cuisiniers des safaris en préparent généralement une fois pour que leurs clients sachent de quoi il s'agit. Sinon, profitez de votre séjour dans la région de Kisumu : les Luos revendiquent le titre de meilleurs cuisiniers d'*ugali*! Dans tous les cas, on peut toujours se rabattre sur le riz et les patates.

Sur le pouce

Le long des trottoirs, et un peu partout sur les marchés, des vendeurs proposent des *mandaazis,* des beignets plutôt bons quand ils sont frais (c'est-à-dire le matin), des épis de maïs grillés ou de l'igname frite. On peut aussi essayer les *sambusas,* sortes de beignets frits.
En ville, on trouve de plus en plus de *fish & chips* gras et de fast-foods.

La cuisine végétarienne

Si vous êtes végétarien(ne), vous n'êtes pas sorti(e) de l'auberge... Vous pouvez toujours faire vos courses dans les supermarchés (Uchumi, Nakumatt) ou au marché, mais il est souvent peu commode de préparer sa nourriture soi-même.
Heureusement pour vous, la communauté indienne, très importante au Kenya, est à la tête de nombreux hôtels et restaurants. Si vous aimez ce type de cuisine, à base de riz, de féculents et de légumes secs (pommes de terre, lentilles, fèves, pois chiches, etc.), vous voilà servi(e).

Les spécialités

On peut mentionner dans cette catégorie l'*irio kikuyu,* une sorte de purée de pois, de pommes de terre et de maïs, très populaire.
Mais en réalité, c'est sur la côte de l'océan Indien que l'on trouve les véritables spécialités kenyanes. L'héritage des diverses colonisations – arabe en particulier – mais aussi les influences apportées par les marins s'y rejoignent dans une cuisine typique où prédomine un usage abondant des épices. Le *kuku wakupaka,* le poulet façon Lamu – au lait de coco – en est un très bon exemple.
C'est aussi sur la côte qu'il faut chercher les poissons et les crustacés. Le requin n'est pas mauvais – un peu dur peut-être –, l'espadon et le barracuda grillés sont excellents. Si vous aimez la langouste et le crabe, c'est aussi le moment d'en profiter.

Les fruits

Les Kenyans ne sont pas fortiches en desserts. C'est donc vers les fruits qu'il faut se tourner. Les plus courants sont la papaye, la mangue (les rouges sont meilleures mais saisonnières), l'ananas, les bananes, l'avocat. On trouve aussi des fruits de la passion, des pastèques, des melons (chers), des poires et des fraises (risque d'amibes, mieux vaut les éviter), etc.

DANGERS ET ENQUIQUINEMENTS

L'implantation d'un tourisme de masse en Afrique de l'Est a fait apparaître une foule de problèmes inconnus auparavant. Il faut dire que la disparité des richesses entre étrangers et nationaux est telle qu'il pourrait difficilement en être autrement. La couleur de la peau étant encore malheureusement le critère prédominant de l'aisance, les routards subiront les mêmes pressions que les autres.
Les précautions habituelles en voyage sont donc essentielles : ne laissez rien traîner de précieux dans les chambres d'hôtel, évitez les bijoux ostentatoires dans la rue (boucles d'oreilles) et, si possible, les sacs (photo et autres). L'idéal serait de pouvoir se balader les mains dans les poches. Plus facile à dire qu'à faire...
Les risques les plus importants se situent lors de l'arrivée au Kenya. Facilement repérables, les nouveaux venus sont la cible privilégiée de la petite délinquance urbaine, concentrée à Nairobi et à Mombasa.

Le vol

Les *Wazungus* (Blancs) sont souvent victimes des pickpockets qui sillonnent les rues des villes ou les bus bondés. Ne pensez pas être plus en sécurité si votre voisin de siège ressemble à un employé modèle en costume-cravate. Les petits délinquants, pleins de ressources, savent parfaitement passer ina-

perçus. Prenez garde en particulier dans le bus n° 34 en provenance de l'aéroport. Mettez vos valeurs à l'abri dans le coffre de l'hôtel ; et le strict minimum dans des poches inaccessibles. Ou dans une ceinture à billets achetée en Europe (il n'y en a pas au Kenya). Une combine vieille comme le monde : des poches velcro cousues à l'intérieur du pantalon. Ayez l'air d'un Européen vivant au Kenya : portez une tenue passe-partout et marchez d'un pas décidé. Certaines personnes mal intentionnées se font passer pour des étudiants ou des réfugiés désireux d'établir un contact fraternel avec des étrangers. Passez votre chemin. Pas de provoc inutile.
Si vous êtes en voiture, ne laissez pas d'objets apparents. Au stationnement, pas de véhicule sans surveillance, même fermé à clé. Sur le trottoir, il y a toujours un volontaire pour garder votre voiture contre un petit pourboire. La nuit, pas de déplacement à pied. Si vous cherchez un taxi, prenez-le de préférence devant les grands hôtels.
Une fois sorti de la ville, vous serez plus tranquille. Cela dit, pas de parano ! Quelques conseils à nos amis campeurs : si vous partez seuls en rando dans les régions désertes (hauts plateaux, Turkana, etc.), faites-vous accompagner par des gars du coin. Leur connaissance du terrain et des problèmes éventuels de sécurité vous sera précieuse : tensions ethniques, braconnage, etc. Pour le camping sauvage, prenez des informations fraîches sur la région. En cas de doute, faites garder votre tente par le cuistot de l'équipe, un gardien ou deux guerriers massaïs : une combine largement pratiquée par les randonneurs kenyans.
Le camping sauvage n'est pas recommandé sur la côte. Sur la plage, les femmes seules sont sollicitées, surtout les blondes ! On leur conseille de ne pas trop s'éloigner pour lézarder au soleil.
La meilleure précaution est de consulter avant de partir le site du ministère des Affaires étrangères français : • www.diplomatie.fr •

La drogue

Comme dans la très grande majorité des pays africains, mieux vaut ne pas y toucher. Il existe une marijuana locale *(banghi),* largement cultivée et fumée au Kenya, mais la façon d'en obtenir vous ferait courir d'énormes risques. Vous auriez de fortes probabilités d'être dépouillé avant même d'en tirer une bouffée ! Être pris par la police à en acheter vous amènerait à connaître les effroyables prisons kenyanes et à risquer une énorme amende pour en sortir (peut-être !). Quant aux autres drogues, ce n'est même pas la peine d'en parler...

Les agressions

De plus en plus fréquentes en ville, les attaques à main armée sont une triste réalité. Ne vous promenez jamais seul (qui plus est si vous êtes une femme) de nuit, mais on peut se faire braquer plus tôt, parfois en pleine journée. À Nairobi, le parc d'Uhuru et les environs de Lagos Rd sont des coupe-gorge reconnus. La nuit, on circule en taxi. Le prix de la course vous fera peut-être économiser beaucoup plus...
Sur toute la côte de l'océan Indien, il est déconseillé de marcher le long des plages dès qu'il fait sombre, ainsi que d'un hôtel à un autre.
Si vous louez un véhicule, ne roulez pas de nuit non plus : entre les dangers de la route et les attaques à la Kalachnikov (surtout près des villes), vous êtes bien mieux dans votre lit.
– ***Conseil très important :*** en cas d'agression, NE RÉSISTEZ PAS. Donnez tout, sans renâcler. Et ne faites aucun mouvement brusque. C'est primordial. Beaucoup de braqueurs sont des junkies.

La route

Tout le quart nord-est du pays, en direction de la Somalie, est aux mains des *shiftas,* des bandits armés venus de ce pays au moment de la guerre civile. Ils rançonnent et dépouillent tous ceux qui passent par là. On ne se rend plus à Marsabit qu'en convois, et prendre la piste de Garissa seul relève de la folie douce. La route de Lamu est elle aussi fortement déconseillée. Sporadiquement, des combats entre tribus rivales éclatent dans la région du lac Turkana. Les raids-surprises sur les villages voisins sont chose courante. Renseignez-vous avant votre départ.

Les arnaques

Nettement plus fréquentes que les risques d'agression ou de guerre, les arnaques courent les rues de Nairobi – et, dans une moindre mesure, des autres villes du pays. Les histoires changent quasiment toutes les semaines, mais le principe reste le même : gagner la confiance d'un touriste pour lui soutirer plus ou moins élégamment une somme d'argent aussi grosse que possible.
Il n'y a pas si longtemps, on rencontrait encore de prétendus réfugiés sud-africains, recherchés par la police de l'apartheid, qui, par une extraordinaire coïncidence, s'apprêtaient à partir en exil dans votre pays. Votre adresse en poche, de vrais-faux policiers débarquaient, simulaient une fouille, trouvaient vos coordonnées et vous accusaient d'entretenir des relations avec un terroriste international ! Mais vous pouviez acheter leur silence afin qu'ils oublient ce qu'ils avaient vu... Il existe une version « réfugié rwandais » ou « futur étudiant à la fac de Toulouse », et bien d'autres encore...
Arnaque en vogue à Nakuru : on vous met de l'huile sur une roue pendant le déjeuner, ensuite plusieurs personnes vous font des signes. On s'arrête, on vous fait croire qu'il s'agit d'une fuite du liquide de freins et qu'il faut tout changer. Quant au vol de pneus, c'est chose courante.
Ne donnez pas d'argent aux enfants qui demandent une donation pour leur école ou pour une cause humanitaire : il est bien évident que ni l'un ni l'autre n'en verront la couleur. Ne ramassez pas une éventuelle enveloppe bourrée de billets dans la rue : c'est un truc pour vous attirer dans un coin sombre et vous délester de vos économies. Enfin, en ce qui concerne les mendiants, à vous de décider. Certains sont des professionnels (il leur manque la jambe droite un jour, la gauche un autre...), d'autres ont vraiment besoin d'aide.
– ***En conclusion :*** gardez à l'esprit que les Kenyans sont eux aussi victimes des malfaiteurs en tout genre, et qu'ils le sont bien plus souvent. Ce que l'on vous dit ci-dessus, ce sont des règles de prudence, avec quelques cas extrêmes, au cas où. Pas de paranoïa donc. Les gens haïssent les voleurs et se chargent parfois de se faire justice eux-mêmes : un pneu autour de la taille, une rasade d'essence, et le problème est réglé... À vous de décider si vous voulez appeler à l'aide : tout porte à croire que votre larron détalera les jambes à son cou mais il risque d'en être pour ses frais.

DÉCALAGE HORAIRE

Le Kenya est en avance d'1 h seulement sur la France en été, et de 2 h en hiver. Quand il est midi à Paris, il est 13 h à Nairobi en été et 14 h en hiver. Un petit détail qui peut avoir son importance : en swahili, le temps est comptabilisé avec un décalage de 6 h. En clair, si on vous fixe un rendez-vous à 6 h, il peut être en réalité question de midi ou de minuit. Certains Kenyans se mélangent quand ils ne parlent pas très bien l'anglais. Vous ne rencontrerez pas ce problème en ville mais, à la campagne, on ne sait jamais. Mieux vaut être prévenu pour ne pas rater le seul bus de la journée...

DROITS DE L'HOMME

Une transition démocratique sans heurts ou presque, la promesse d'une Constitution comportant des droits renforcés pour les citoyens menée de pair avec une volonté visible de lutter contre la corruption : pas de doute, il y avait en 2003 comme un air de transition démocratique réussie au Kenya. Le vieux président-dictateur Daniel Arap Moï, qui a tiré sa révérence fin 2002, a même été directement impliqué dans un scandale de détournement de fonds de très grande ampleur (affaire Goldenberg), qui avait conduit à l'époque la Banque mondiale à couper son aide au Kenya.
Mais l'année 2004 a fait renaître l'incertitude. La coalition Arc-en-Ciel, du président Mwai Kibaki, arrivée au pouvoir en décembre 2002 à la suite d'élections régulières, semble se déchirer sur le projet de Constitution et notamment des pouvoirs à accorder au nouveau président. Le président Mwai Kibaki a d'ores et déjà annoncé qu'il ne tiendrait pas le délai de 100 jours pour adopter le texte, ce qui a provoqué, début juillet 2004, de nombreuses manifestations sévèrement réprimées.
Néanmoins, si certains craignent « un retour aux jours sombres de la dictature », d'autres pensent au contraire qu'une telle hypothèse n'est pas envisageable. La société civile kenyane s'est développée et les réformes entreprises semblent irréversibles. Outre la réforme du système judiciaire et policier, une Commission nationale des droits humains a été créée, « chargée de promouvoir les droits fondamentaux et de veiller à ce que le Kenya respecte les normes internationales en matière de droits humains » (Amnesty, Rapport annuel 2004). 28 détenus condamnés à mort ont été relâchés et 195 autres ont vu leur peine commuée en prison à perpétuité et, d'une manière générale, le débat sur l'abolition définitive de la peine capitale semble progresser au Kenya. La *Kenyan Commission for Human Rights* (*KCHR*, membre de la FIDH) a été chargée de diriger un organe de réflexion en vue de mettre en place une Commission vérité et réconciliation, afin de faire la lumière sur les crimes commis pendant la dictature. Enfin, le limogeage de quelque 60 officiers de police accusés de corruption, en mai 2004 a constitué une décision symbolique de rupture avec l'ancien régime. Mais 24 ans de pouvoir autoritaire, de répression et de petits arrangements financiers entre amis, ça ne s'efface pas d'un coup. Et déjà, *The East African Standard* se montre très critique à l'égard du nouveau pouvoir en place : « tout indique, selon le quotidien de Nairobi, que la nouvelle Constitution (...) sera conservatrice et la lutte anticorruption pourrait être compromise ».
Cependant, au quotidien, les Kenyans ont d'autres chats à fouetter. Leurs conditions d'existence, particulièrement dans les bidonvilles, demeurent extrêmement pauvres (malnutrition, sida...). Plus de la moitié de la population kenyane vit encore aujourd'hui avec moins de 1 dollar par jour et de nombreuses organisations sectaires, comme le Mungiki, qui prône le retour aux traditions (polygamie, excision...), prospèrent d'ailleurs sur cette misère. En outre, des programmes d'expulsion - sans relogement, lancés par le gouvernement, ont chassé un grand nombre d'habitants de ces bidonvilles (à Kibera notamment). Ces programmes, originellement justifiés par la récupération de terrains publics occupés illégalement sous la période Arap Moï, visent surtout les populations les plus pauvres. En avril 2004, le ministre des infrastructures a officiellement annoncé que toutes les habitations construites sur des terrains réservés à la construction de routes ou autres services publics seraient démolies.
Pour en savoir plus, n'hésitez pas à contacter :

■ ***Fédération internationale des Droits de l'homme (FIDH) :*** 17, passage de la Main-d'Or, 75011 Paris. ☎ 01-43-55-25-18. Fax : 01-43-55-18-80. • www.fidh.org • fidh@fidh.org • Ⓜ Ledru-Rollin.

■ ***Amnesty International*** (section française) *:* 76, bd de la Villette, 75940 Paris Cedex 19. ☎ 01-53-38-65-65. Fax : 01-53-38-55-00. • www.amnesty.asso.fr • info@amnesty.asso.fr • Ⓜ Belleville ou Colonel-Fabien.

N'oublions pas qu'en France aussi les organisations de défense des Droits de l'homme continuent de se battre contre les discriminations, le racisme et en faveur de l'intégration des plus démunis.

ÉCONOMIE

Le système Harambee

L'économie kenyane n'a pas connu de rupture traumatisante lors de l'accession du pays à l'indépendance. De nombreux Britanniques choisirent de rester : ils sont encore beaucoup, toujours à la tête des plus grandes exploitations du pays. Rassurés sur leur sort, la plupart des éleveurs restèrent au Kenya. Fer de lance de l'économie coloniale, l'agriculture constitua la base du développement de celui-ci. Aujourd'hui, ce secteur occupe encore près de 80 % de la population et compte pour un quart du PIB.

Les moyens financiers manquaient pour faire face aux énormes besoins du pays. Jomo Kenyatta développa des formes astucieuses de coopération et d'entraide : le système *Harambee* (« Tous ensemble »). Dans les campagnes, la généralisation du système de tontine permit la réalisation d'écoles, de projets d'irrigation et d'installations agricoles. Le partenariat s'étendit aux capitaux étrangers (Grande-Bretagne, États-Unis, Allemagne et Extrême-Orient). Enfin, le Kenya créa ses propres marques industrielles. L'*Associated Vehicle Assemblers* (AVA) développa à Mombasa une gamme étendue de pick-up et de camionnettes pour le marché local.

Le tourisme au secours de l'agriculture

Après l'euphorie des premières années, la fluctuation des cours mondiaux du thé et du café provoqua des faillites en série d'investisseurs et de spéculateurs. Encore maintenant, les petits producteurs attendent jusqu'à un an avant d'être payés de leur récolte. Ce mécontentement général aboutit aux émeutes de 1989 et 1990. Enfin, les sécheresses successives, qui culminèrent en 1984 et en 1992, engendrèrent des situations de disette dans le nord et l'ouest du pays.

L'émergence du tourisme est tombée à point. Les modes du safari et des vacances sous les tropiques hissèrent le Kenya au 1er rang du tourisme africain. Le pays reçut jusqu'à 1 million de visiteurs par an. Le tourisme a remplacé l'agriculture comme première source de devises. Avec le coup d'État de 1982, il amorça cependant une chute spectaculaire, confortée par les tensions ethniques, le braconnage, la délinquance urbaine. L'attentat contre l'ambassade des États-Unis, qui fit plus de 200 morts en 1998, n'arrangea rien. Entre 1997 et 1999, le nombre de touristes français diminua de près de la moitié. Un net redressement est observé aujourd'hui, mais le Kenya doit désormais faire face à la concurrence de la Tanzanie, du Botswana et de l'Afrique du Sud.

Crise de confiance et nouvelle donne

Avec les années 1990, le pays s'enlise dans le marasme mondial. Il y a bien l'agriculture qui s'est engouffrée dans une nouvelle voie prometteuse : l'horticulture est devenue la 4e source de devises étrangères. Trop contents de déguster des fraises et des haricots verts frais en hiver, les pays européens constituent un débouché pour les fruits, les légumes et les fleurs du Kenya. Le pays a également amorcé une réduction de la dépendance énergétique. Mais en 1997, le FMI décide de suspendre son aide financière pour protester contre la corruption du régime et entraîne, dans son sillage, les autres bailleurs de fonds. Le coup est rude pour l'économie. En 1999, le paléontologue

Richard Leakey (connu pour sa lutte contre le trafic d'ivoire dans les années 1980) est appelé au secours pour redresser l'économie et rétablir la confiance. Dans sa valise, des mesures spectaculaires... comme la réduction de moitié du nombre de fonctionnaires. Mais les résultats ne sont pas encore tout à fait à la hauteur des espérances. Il faut dire qu'entre 1999 et 2001, le Kenya a dû faire face à l'une des plus grandes sécheresses de ces dernières décennies, et la facture est lourde : aide alimentaire auprès de 3 millions de Kenyans, nombreux rationnements énergétiques en raison du déficit hydrique, etc.
Avec l'arrivée au pouvoir de Kibaki, les investisseurs montrent à nouveau le bout de leur nez.

Les perspectives africaines

L'Europe demeure le 1er partenaire du Kenya, suivie des États-Unis, des pays africains voisins (Tanzanie, Afrique du Sud), puis de la Chine et du Japon. En 1996, le Kenya a signé avec la Tanzanie et l'Ouganda un accord décisif pour la relance de la Communauté de l'Afrique de l'Est. Ces marchés limitrophes sont de gros consommateurs de céréales, de produits manufacturiers et de produits pétroliers. Ils offrent également des perspectives de débouchés salutaires pour les 300 000 producteurs de lait kenyans. Le regard se tourne aussi vers le sud. L'Afrique du Sud opère une forte percée en matière d'importations (+ 80 % en 5 ans). Elle se place désormais au 3e rang des fournisseurs du Kenya et commence à concurrencer l'Occident dans la chimie et la sidérurgie. Reste que le bon développement des échanges avec les autres pays africains nécessite une refonte complète de l'infrastructure routière.

Le défi démographique et culturel

Malgré le chemin parcouru depuis l'indépendance, la croissance économique est devancée par une démographie galopante. La population a triplé en 30 ans et le niveau de vie semble régresser inéluctablement. La précarité et l'exode rural deviennent préoccupants. Seulement 15 % de la population active possède un emploi fixe. Mais parallèlement, le nouveau gouvernement a mis en place, au début de l'année 2003, un programme d'éradication de l'ignorance baptisé : « Free Primary Education ». Fondé sur la gratuité de l'enseignement primaire, il a pour objectif de faire reculer l'illettrisme. Résultat : 1,5 million de nouveaux élèves inscrits.

ÉLECTRICITÉ

Le Kenya utilise le système anglais en 240 V. Les prises sont les mêmes, à 3 grosses fiches carrées.
Les appareils français prévus pour le 220 V (rasoir, batterie de caméscope, etc.) peuvent être branchés sans risque. Pensez seulement à emporter un adaptateur – ou à en acheter un dans une droguerie – sauf si vous restez dans les grands hôtels et *lodges* de luxe, qui en fournissent.

ENVIRONNEMENT

Inauguré du temps de la colonie, le système des parcs nationaux kenyans est l'un des plus anciens d'Afrique. Il compte aujourd'hui plus de 50 parcs et réserves – y compris les réserves marines de l'océan Indien. Tout confondu, les zones protégées représentent à peu près 8 % du territoire national. Le seul parc de Tsavo, avec plus de 20 000 km², est aussi grand que l'État d'Israël !

Pourtant, même si le Kenya est souvent cité en exemple pour sa politique de conservation de la nature, certains problèmes restent cruciaux. Parcs et réserves, pour commencer, ne bénéficient pas du même statut. Contrairement à ce que l'on pourrait croire, ces dernières ne sont pas intégralement protégées. D'une part, les populations locales (les Massaïs en particulier) sont autorisées à vivre dans leur enceinte. D'autre part, elles sont gérées par les instances locales – qui encaissent les revenus générés par les droits d'entrée – et non par le KWS *(Kenya Wildlife Service)*, l'organisme chapeautant la protection de la faune dans le pays. Ce qui a permis, dans le cas du Massaï-Mara, de réduire la superficie de la réserve de 17 % en 1984 sans que qui que ce soit puisse s'y opposer. Les pressions démographiques très fortes sont la cause principale de cette décision. La pression pastorale provoque une dégradation inquiétante du couvert végétal.

Le braconnage au Kenya

Autre problème, et de taille, le braconnage a toutefois été ramené à des proportions nettement plus faibles que dans les années 1970. L'hécatombe, encouragée par la corruption des responsables de nombreux parcs, atteignait alors des proportions faramineuses. Les *poachers*, presque tous des Somalis chassés par la sécheresse et la destruction de leurs troupeaux, descendaient en bandes, munis d'armes automatiques.
Des estimations font état de 1 300 braconniers opérant dans le seul parc de Tsavo en 1976. Vers 1980, plus de 100 000 éléphants (soit le cinquième de la population actuelle sur tout le continent) avaient été abattus. Des 20 000 rhinocéros que comptait le pays en 1960, il en restait moins de 400 en 1991 (on en recense aujourd'hui près de 2 700 sur le continent africain). Sous l'égide du remuant Richard Leakey, l'ancien président du KWS, c'est une véritable guerre que le gouvernement a engagée contre les braconniers. Des patrouilles surarmées ont été organisées avec ordre de tirer à vue (provoquant du coup pas mal de bavures). Des responsables politiques ont été démis de leurs fonctions, la corruption traquée. Sans faune, pas de tourisme... En 1989, pour faire valoir le combat mené par le pays, Leakey incitait le président Moï à brûler publiquement 12 t d'ivoire saisi. Les autorités espèrent une population de rhinos de 1 000 têtes à l'horizon 2020.
Mais la guerre en Somalie a précipité de nouvelles hordes armées vers le Kenya. Tout le nord-est du pays est désormais incontrôlé et les animaux qui l'habitent se retrouvent sans grand espoir de protection. Par ailleurs, en juin 1997, certains pays de l'Afrique australe ont à nouveau autorisé le commerce « limité » de l'ivoire, d'où une recrudescence du braconnage au Kenya.

De nouvelles approches pour de nouveaux problèmes

Désormais efficace, la protection de la faune pose le problème de la gestion durable des parcs et des réserves. À Amboseli, l'explosion de la population des éléphants, concentrée sur un très petit territoire, est devenue inquiétante. On a pu recenser jusqu'à 1 100 animaux sur moins de 400 km^2 (d'accord, ils n'y batifolent pas tous au même moment, mais tout de même !). L'écosystème est mis à mal par la destruction massive des arbres et les habitants des environs craignent eux pour leurs cultures et même pour leur vie. En 3 ans, 90 personnes ont ainsi trouvé la mort dans le pays. Le service des parcs a créé une unité chargée de se pencher sur ces problèmes. Des projets originaux et menés en concertation avec les populations locales ont vu le jour ; le *Mwaluganje Elephant Sanctuary*, au sud de Mombasa, en est une parfaite illustration. De même, depuis la fin des années 1990, plusieurs dizaines d'éléphants ont été capturés pour être réintroduits dans des secteurs où la population est plus faible. Des études sont désormais menées

concernant l'impact des nombreux visiteurs sur le milieu naturel. Outre les accidentels incendies, les effets sur la faune sont considérables : le guépard, chasseur diurne, en est presque venu à chasser à midi, pendant que les touristes déjeunent, pour être tranquille !
Et puis, signalons enfin que le Kenya est cosignataire (avec 11 autres pays) de la « déclaration de Cancún » (février 2002) qui demande la mise en œuvre d'un dispositif international garantissant un partage équitable des ressources de la biodiversité. Il s'agit de mettre un frein aux risques de « biopiraterie » que pourraient exercer les pays du Nord dans l'avenir en l'absence de tout cadre réglementaire concerté. Eh oui, il est vrai que de grandes firmes lorgnent de plus en plus sur ces « nouveaux eldorados écologiques » pour mettre au point des médicaments ou des produits qui seront brevetés par la suite et sans se préoccuper des retombées pour le pays.

Défense de la vie sauvage

■ ***WWF Afrique Orientale*** : ACS Plaza Kilimani, Lenana Rd, PO Box 62440, Nairobi. ☎ 387-26-30 ou 387-73-55. Fax : 387-73-89. • www.panda.org •

■ ***Lewa Wildlife Conservancy*** : PO Box 10607, 00100 Nairobi, Kenya. ☎ 643-14-05. • www.lewa.org • Initiative privée kenyane pour le sauvetage de 3 espèces en voie d'extinction : les rhinocéros blanc et noir et le zèbre de Grévy. Situé au pied du mont Kenya, le sanctuaire animalier est ouvert au public. Il est essentiellement financé par des dons privés.

■ ***Tusk*** : 115 Ebury St, Belgravia, London SW 1W 9QU. ☎ (44) 071-823-60-40. Fax : (44) 071-730-26-35. Fondation pour la protection de la vie sauvage africaine. Un des principaux acteurs de réintroduction des rhinocéros noirs dans le parc national de Tsavo Est.

■ ***Friends of Conservation*** : PO Box 74901, Nairobi. ☎ 444-20-48 ou 75. Pour plus d'information, contacter *FOC,* Sloane Square House, Holbein Place, London SW 1W 8NS. ☎ (44) 171-730-79-04. Cette association internationale travaille au Kenya depuis 1982 sur des projets d'éducation et de sensibilisation des touristes et des populations locales. Ses publications sont disponibles dans les centres d'information touristique.

FÊTES ET JOURS FÉRIÉS

- *1er janvier* : Jour de l'an.
- *Entre février et avril* : Id ul-Fitr (fin du ramadan).
- *Mars-avril* : Pâques (Vendredi saint et lundi de Pâques).
- *1er mai* : fête du Travail.
- *1er juin* : Madaraka Day.
- *10 octobre* : Moi Day.
- *20 octobre* : Kenyatta Day.
- *12 décembre* : fête de l'Indépendance.
- *25 et 26 décembre* : Noël et Boxing Day.

En dehors de ces quelques jours chômés, les fêtes sont peu nombreuses.
– Toutefois, si vous en avez l'occasion, il ne faut pas rater le ***festival du Maulidi,*** une fête musulmane qui commémore la naissance du Prophète. C'est à Lamu qu'elle est la plus intéressante. Pendant 3 jours, on assiste à des danses du sabre, des processions, des lectures du Coran, etc. L'île est envahie de pèlerins venus de tout le pays et parfois même du golfe Persique. On dit ici qu'un pèlerinage à Lamu vaut un demi-pèlerinage à La Mecque... Le plus difficile est de savoir quand auront lieu les festivités. Tout est basé sur le calendrier lunaire. En général, c'est en août, mais mieux vaut demander confirmation sur place.

– Encore plus difficile à localiser, l'***Eunoto*** est une cérémonie massaï qui n'a généralement lieu que tous les 9 ans – et qui tend de surcroît à disparaître. Après l'initiation vers l'âge de 14 ans, les jeunes guerriers doivent quitter la tribu pour une très longue période d'apprentissage par eux-mêmes : ils deviennent alors *moranes*. Autorisés à retourner chez eux seulement à l'issue de ces 9 années, ils pourront enfin se marier. L'*Eunoto* marque ce retour à la vie dans le sein de la tribu.

GÉOGRAPHIE

Avec 582640 km², le Kenya, à cheval sur l'équateur, est légèrement plus grand que la France. Comme elle, il est éminemment varié. On distingue cependant deux facettes principales : la côte et ses 500 km de plages, d'identité swahilie, musulmane, et ouverte sur l'océan Indien, et l'arrière-pays (l'*hinterland*), avec Nairobi, africain et tribal, domaine des grands parcs nationaux.
L'intérieur se compose de diverses régions. Un grand quart sud-ouest est volcanique et montagneux. Nairobi, la capitale, se situe à l'extrémité orientale de ces hauts plateaux. Vers l'ouest, passé le fossé d'effondrement de la vallée du Rift, les White Highlands, généreusement arrosées, étaient au temps de la colonie le domaine d'élection des colons anglais. On y cultive toujours le thé et le café en abondance. À l'approche du lac Victoria, les collines cèdent le pas à une plaine chaude, intensivement cultivée où vivent les Luos, le deuxième groupe ethnique du Kenya. Au nord du lac, près de Kakamega, on trouve le dernier vestige de l'immense forêt humide qui s'étendait autrefois jusqu'au Congo. Le Centre-Nord, très fertile autour du mont Kenya, est lui aussi couvert de plantations. C'est la région des Kikuyus.
À l'est, l'altitude décroît. Les plaines ponctuées de collines s'étendent à l'infini en direction de la Somalie. Le tiers nord du pays est le fief des peuples nomades : Turkanas, Pokots, Rendilés, Somalis, etc. Il s'agit en fait d'une steppe désertique entrecoupée par endroits de lits de rivières asséchées. À l'approche de l'Éthiopie, l'immense lac Turkana est le plus grand des 8 plans d'eau parsemant la vallée du Rift.

La vallée du Rift

Vers 1890, le géologue autrichien Suess était le premier à émettre l'hypothèse de la présence d'une faille dans l'écorce terrestre. Celle-ci se serait étendue du Proche-Orient à l'Afrique australe en passant par la mer Morte, la mer Rouge, la dépression éthiopienne des Afars, le lac Turkana et la Tanzanie jusqu'au lac Malawi – sur une distance de 6500 km. En 1893, l'Écossais Gregory démontrait la véracité de cette thèse (voir « L'arrivée des explorateurs européens », dans la rubrique « Histoire »).
De part et d'autre de la vallée, les plaques continentales – africaine à l'ouest et du Moyen-Orient à l'est – partent en directions opposées, provoquant l'apparition d'une ligne de fracture. La vallée du Rift est-africaine est, avec l'Islande, l'un des seuls endroits au monde où le système de Rift océanique se trouve ainsi émergé. Sa largeur est assez variable, oscillant en moyenne autour de 40 km. Sa profondeur peut dépasser 2500 m. Sur les franges surélevées de la vallée, des dizaines de volcans, à l'instar du Kilimandjaro ou du mont Kenya, agissent comme des bouchons de cocotte-minute. Si la pression souterraine se fait trop forte, ils l'évacuent.
Fidèle à la théorie de la dérive des continents, la vallée continue de s'enfoncer de quelques millimètres par an et s'élargit de plusieurs centimètres. En théorie (mais certains spécialistes commencent à en douter), l'écartement devrait, à terme, donner naissance à un nouvel océan séparant l'Afrique de l'Est du reste du continent. La mer Rouge et les Grands Lacs en seraient les prémices.

HÉBERGEMENT

Le Kenya offre un grand choix d'hébergements, du toit en chaume perdu dans la brousse à l'hôtel grand luxe au milieu de la savane ou en bord de mer. Le nombre de touristes ayant chuté ces dernières années, vous trouverez facilement une place. Cependant, si vous souhaitez résider dans un hôtel ou un *lodge* précis, il est prudent de réserver, au moins pour la période de Noël, celle du Nouvel An et celle de Pâques.

Camping

C'est le moyen le plus exaltant pour apprécier la vie sauvage, les couchers de soleil magnifiques et le spectacle de la Voie lactée. Il est difficile d'exprimer l'émotion que l'on ressent lorsque la nuit enveloppe la savane d'un voile mystérieux. Autour du feu de camp, les broussailles se remplissent de bruits étranges. Rassurez-vous, les lions n'attaquent pas les campeurs.
À Nairobi, on peut louer du matériel lourd, plus adapté au transport en voiture qu'au sac à dos d'un randonneur. Si vous êtes à pied, mieux vaut apporter votre propre tente.
Les parcs nationaux proposent des campings publics au confort très sommaire : un bloc sanitaire et un robinet d'eau le plus souvent, des douches parfois. En général, il n'y a pas foule. Il existe aussi des campings spéciaux *(special campsites)*, réservés aux séjours plus longs et qui demandent un droit de réservation assez élevé (voir la rubrique « Budget »). Prévus à l'origine pour les groupes de chasseurs, ils sont souvent très à l'écart et sans aucun confort. Dans les parcs et réserves, solliciter les rangers pour la surveillance du campement est un bon moyen de ne pas se poser trop de questions de sécurité. À Shaba et à Méru, c'est absolument indispensable.
Le camping sauvage est possible dans l'intérieur du pays. Près des villages, il est de coutume de se présenter au chef. Il vous indiquera un endroit où vous installer et vous pourrez dormir tranquille sur vos deux oreilles. Dans la nature, on vous recommande de faire garder votre tente par un ou deux guerriers massaïs, ou par des hommes de la tribu locale, contre rémunération. Les campeurs kenyans utilisent fréquemment cette pratique lorsqu'ils ne sont pas sûrs de l'endroit.
Sur la côte et spécialement sur la plage, le camping sauvage est une invitation au vol ou à l'agression.

Organismes de jeunesse

Vous trouverez plusieurs *YMCA* et auberges de jeunesse à travers le pays. L'adhésion est facultative; et la qualité, souvent moyenne.

Missions et centres d'hébergement de l'Église

Les missions accueillent parfois les touristes contre une participation. Souvent installés de longue date, les pères ont des histoires étonnantes à raconter sur la région. Malheureusement, l'accès est difficile si vous êtes à pied car elles sont souvent situées à l'écart des sites touristiques et des grands axes routiers.
Les hébergements du *National Council of Churches of Kenya* sont ouverts au public (voir la rubrique « Adresses et infos utiles » de Nairobi). Il s'agit bien souvent de chambres doubles ou de bungalows d'une grande simplicité. Le confort est minimum, la propreté irréprochable et les tarifs imbattables.

Chambres d'hôtes, villas et cottages

L'hébergement en chambres d'hôtes se pratique essentiellement dans les Highlands chez des familles de Kenyans blancs installées depuis plusieurs générations. Le proprio propose souvent des safaris ou des balades mémorables dans la nature. L'hébergement est confortable et l'accueil chaleureux, mais le prix à payer dépasse souvent celui des grands hôtels. Il existe aussi une formule de *guesthouse* dans l'île de Lamu, mais en fait le propriétaire est absent. Il s'agit bien souvent de vieilles demeures de style swahili, que vous pouvez louer en partie ou en totalité (villa). On peut y louer les services d'un cuisinier ou d'un maître d'hôtel.
Le cottage (hors hôtels, bien sûr) est une location meublée avec cuisine équipée, située dans un cadre bucolique. En principe, on fait soi-même la cuisine, mais bien souvent on peut louer les services d'un cuisinier. Rapport qualité-prix très intéressant si l'on voyage à plusieurs.

Lodges

Ce type d'hébergement est propre aux parcs africains. On y trouve le confort d'un hôtel de luxe adapté aux contraintes locales. Il y a souvent une piscine, même si on ne vient pas pour ça. De la terrasse, on surplombe en général une rivière ou un point d'eau. Les animaux viennent se désaltérer au crépuscule. C'est une atmosphère particulière que l'on ne peut oublier.
Dormir dans un *lodge* n'est pas à la portée de toutes les bourses. La pension ou la demi-pension est souvent obligatoire, ce qui se comprend aisément car il n'y a nulle part ailleurs où aller... Le menu est fixe : buffet. De toute façon, on ne peut plus circuler dans le parc après 19 h, alors autant en profiter. Autre restriction : certains *lodges* n'acceptent pas les enfants âgés de moins de 7 ans.

Camps de toile

Le romantisme des safaris d'antan. Les tentes sont de style armée mais pas rudimentaires du tout, bien au contraire ! Souvent abritées sous un toit de palmes, le mobilier est fonctionnel ou raffiné et la salle de bains, généralement en dur, comprend une douche et des w.-c. En fait, c'est souvent magnifique et plutôt « nostalgique », version *Out of Africa*... Certains camps luxueux peuvent atteindre des tarifs astronomiques.

Hôtels

– Attention, le nom *hoteli* désigne en fait... un restaurant !
– Concernant les petits hôtels pas chers, ils sont légion en ville, mais à choisir avec soin. Certains sont glauques à l'extrême. D'autres sont très corrects et sûrs : ce sont ceux que nous avons sélectionnés !
– L'hôtellerie de la côte est très homogène. Les clubs et les hôtels se ressemblent tous. Curieusement, la plupart ont des piscines : il est parfois difficile, voire impossible, de se baigner dans la mer, en raison des marées ou de la présence d'algues. On dispose d'une large palette d'activités sportives et d'excursions. Si l'on est un peu actif, il faut mettre sans arrêt la main au porte-monnaie. Pour éviter ce désagrément, certains hôtels proposent un forfait global comprenant les repas et les activités. En général, le forfait comprend les repas, les boissons dites « nationales » (jus de fruits, eau minérale et bières kenyanes), les sports qui ne nécessitent pas de moteur (planche à voile, tennis, etc.) et les snacks pendant la journée. Le club se rattrape sur les autres prestations, chèrement facturées : téléphone (jusqu'à 3 fois plus cher qu'à la poste), blanchisserie, excursions... Vous êtes prévenu.

HISTOIRE

L'Éden était-il africain ?

Darwin, soulevant l'hilarité, avait estimé probable l'origine africaine de l'humanité. Celle-ci aurait émergé d'une interminable chaîne d'organismes de plus en plus sophistiqués jusqu'aux primates, les plus proches parents de l'homme. Nous ne sommes alors qu'en 1871 et, en élaborant sa doctrine de l'évolutionnisme fondée sur le transformisme biologique, Darwin vient du même coup de provoquer l'étincelle qui permettra à la science des origines de l'homme de progresser à pas de géant !

Les découvertes spectaculaires effectuées ces dernières années au Kenya, ainsi que dans d'autres parties de l'Afrique de l'Est, ne permettent pas de localiser précisément le « berceau » de l'humanité. Mais ces travaux ont au moins permis de constater que le Kenya (et la Tanzanie d'une certaine façon aussi) se trouve dans une zone où furent recueillis quelques-uns des restes préhumains et humains les plus anciens.

Vous aurez un petit pincement au cœur lors de votre périple en traversant les vastes plaines d'acacias et de commiphoras de la Rift Valley, en imaginant que nos origines ont quelque chose à voir avec ces paysages sans doute quasiment inchangés (par rapport à un passé pourtant particulièrement éloigné). La Rift Valley constitue un véritable dépôt d'archives pour l'histoire de l'évolution humaine sur 8 millions d'années. C'est-à-dire depuis que l'existence de cette déchirure a provoqué la disparition des forêts et l'émergence d'une nouvelle zone écologique : la savane. Depuis qu'une espèce de singe, qui vivait en bordure de forêt gagna les prairies découvertes auxquelles elle s'adapta et dont elle apprit à exploiter les ressources. Avec le temps, c'est bien ce singe qui évoluera jusqu'à devenir homme, et qui transformera son environnement beaucoup plus que ne l'aura jamais fait aucun autre animal.

Ce sont à l'évidence les extraordinaires découvertes (de fossiles) des Leakey, paléontologues anglais résidant au Kenya depuis les années 1920, qui ont permis de retracer le développement biologique et culturel de l'homme depuis environ 1,8 million d'années jusqu'à il y a environ 50000 ans.

Louis Seymour Bazett Leakey décida le premier de tenter de mettre au jour le formidable butin de fossiles que recelait le Rift. Nous sommes alors en 1926. Il réunira en quelques années des tonnes d'objets fabriqués en pierre et de multiples fossiles d'hominidés et de singes, couvrant une période de plus de 25 millions d'années. Mais c'est surtout avec son épouse Mary qu'il va réaliser son œuvre la plus importante dans la gorge d'Olduvai, en Tanzanie, entre les années 1950 et 1970. Ensemble, ils trouvent notamment des fragments de mâchoires d'hominidés remontant à 4 millions d'années et, chose particulièrement émouvante, des empreintes de pas fossilisées.

Alors qu'en Éthiopie, dans la vallée de l'Omo, un certain Don Johanson découvre un squelette remarquablement complet – daté de 3 millions d'années –, qui deviendra célèbre sous le nom de Lucy, le fils cadet des Leakey, Richard, établit en 1968 son camp de fouilles sur la rive est du lac Turkana, en un lieu qui ne va pas tarder à devenir mondialement célèbre : Koobi Fora. Là, il installe toute l'équipe du Musée national du Kenya qu'il dirige alors.

En 1972, un membre de l'équipe de Leakey, le Kenyan Bernard Ng'eneo, accomplit l'une des découvertes de fossiles les plus stupéfiantes du siècle. Il s'agit d'un *Homo habilis* (« homme habile », car il fabrique déjà des outils en pierre rudimentaires), vieux de quelque 2,2 millions d'années. En 1976, on exhume un autre crâne appartenant celui-là à un *Homo erectus,* descendant de l'homme habile et ancêtre indiscuté de l'*Homo sapiens.* Ce crâne est daté de 1,6 million d'années. En 1984, sur la berge ouest du lac Turkana, Richard Leakey découvre le squelette presque entier d'un *Homo erectus* mâle de

12 ans. Celui-ci mesure 1,60 m. On peut penser qu'il aurait été très grand. Tous ces restes fossiles attestent que le comportement humain organisé est apparu il y a environ 2 millions d'années lorsque l'*Homo* vivait en communauté, soit à l'époque où l'*Homo erectus* a pris le relais de l'« homme habile ». Un impératif : visitez les deux fabuleux musées de plein air d'Olorgesailie, près de Magadi (pays massaï), et de Kariandusi, à proximité de la ville de Nakuru. Vous remonterez dans le temps, ou plutôt dans la nuit des temps, celle de nos origines, en y découvrant dans deux merveilleux sites acheuléens des montagnes de bifaces. Il y a environ 300 000 ans, l'*Homo erectus* laisse la place à l'*Homo sapiens,* dont des traces de peuplement sont précisément relevées sur ces deux sites de pierres taillées, ainsi que dans les environs du lac Baringo ; 200 000 ans plus tard, il aura déjà parcouru toute l'Afrique orientale. Chasseur habile, il subsiste grâce aux grands troupeaux d'antilopes, de gazelles et autres animaux sauvages qui sillonnent les savanes d'Afrique de l'Est.

L'homme moderne, au sens anatomique du terme, apparaît il y a environ 40 000 ans seulement, au milieu de l'âge de pierre, lorsque la plupart des outils sont fabriqués à partir d'éclats. Cette technologie se poursuivra jusqu'à l'arrivée des premiers pasteurs (éleveurs) d'Afrique de l'Est, de langue couchitique et nilotique.

Les Massaïs, maîtres des grands plateaux et de la vallée du Rift

Le peuplement « moderne » du Kenya est le résultat d'innombrables migrations et de multiples échanges qui commencent voici 5 000 ans. Le territoire du Kenya est tout sauf figé, et les mouvements migratoires s'accompagnent de conflits, de déplacements et d'assimilations. S'il y a affrontement entre les différents groupes ethniques en formation, les liens étroits qui unissent dans la vallée du Rift les divers modes de vie finissent par engendrer davantage de coopération que de compétition. Les individus n'hésitent pas à passer d'un groupe à un autre, lorsque les circonstances l'exigent.

Cet environnement d'échanges et de coopération est en effet dominé par le système purement pastoral des Massaïs, mais il n'en demeure pas moins vrai qu'ils font partie, avec les autres communautés de semi-pasteurs, de chasseurs-cueilleurs et d'agriculteurs, d'un réseau complexe de relations économiques et sociales. Ils sont les premiers conscients que la vie pastorale ne peut se poursuivre isolément, mais au contraire en symbiose avec l'ensemble des populations voisines.

Si l'on devait illustrer cette structure d'échanges absolument unique de la vallée du Rift, entre trois modes de vie complémentaires, nous la représenterions à l'aide d'un triangle équilatéral, dont le sommet est occupé par les Massaïs avec leurs activités exclusives d'élevage, et la base par les agriculteurs et les chasseurs-cueilleurs à ses deux extrémités. Les Massaïs sont devenus au fil des siècles « la » référence culturelle et l'idéal économique et social à atteindre. Au point que bon nombre de leurs voisins leur empruntent des institutions sociales aussi importantes que les classes d'âge et le statut individuel de grand prêtre-devin-guérisseur *(oloïboni kitok).* Ils habitent un immense territoire qui s'étend sur 1 200 km du nord au sud le long du Rift, du lac Baringo jusqu'à l'actuelle région tanzanienne de Kiteto, et sur environ 300 km d'est en ouest. Pour citer un historien anglais, les Massaïs étaient devenus les « Lords of East Africa »...

Comme trace actuelle de ce passé glorieux, sachez, par exemple, que la majorité des lieux kenyans que vous visiterez portent des noms massaïs, même si certains d'entre eux ont été quelque peu transformés afin de mieux coller à la structure de l'anglais ou du swahili.

Outre la capitale Nairobi, petite rivière connue des Massaïs comme « l'eau qui est froide » *(enkare nairobi),* on peut citer quelques autres exemples parmi une liste qui est loin d'être exhaustive : Nanyuki (*enkare nanyokie,* « l'eau rouge »), Nakuru (dérivé de *nakurro,* « endroit désertique »), Naivasha (du terme maa *enaiposha,* « lac »), Nyahururu (ex-Thompson's Falls ; de *naiurruur,* onomatopée destinée à imiter le son produit par la chute d'eau), etc.

Malheureusement, une série de trois guerres connues sous le nom d'*Iloïkop,* entre 1836 et 1875, va ternir l'image des Massaïs, peuple pourtant résolument pacifique. Ces conflits coïncident avec l'arrivée des premiers Européens qui n'hésiteront pas à les en rendre responsables. Ce malentendu entre deux ethnies rivales, né de la confusion avec les Iloïkops, fera qu'ils seront à jamais considérés par les Européens comme un peuple féroce, agressif, composé de guerriers redoutables. Certes, leur mode de vie est pastoral, mais pour survivre ils doivent pratiquer des razzias de bétail chez leurs voisins.

D'ailleurs, les Iloïkops n'hésitent pas à se déguiser en Massaïs pour perpétrer leurs razzias de bétail, spectaculaires et sanglantes, phénomène que de nombreux explorateurs ont décrit. De même qu'ils ont dénoncé la confusion entretenue à dessein par les gens de la côte. Les commerçants arabo-swahilis espéraient en effet, à l'aide de ce stratagème, éviter le plus longtemps possible la concurrence que les Européens ne manqueraient pas d'exercer sur leurs fructueux échanges avec l'intérieur. Frederick Jackson, futur administrateur colonial de cette région, nous l'explique sans ambages : « Je suspecte une clique de commerçants swahilis, financés par le Liwali de Mombasa, d'avoir exagéré les dangers dans le but de dissuader les Européens de pénétrer le pays massaï. Leur objectif est de verrouiller les portes de l'intérieur afin de sauvegarder leur fantastique terrain de chasse. »

Un célèbre explorateur, Ludwig von Höhnel, s'est également opposé à la prétendue agressivité des Massaïs, comme d'ailleurs tous ceux qui, au lieu de fantasmer, ont réellement rencontré les Massaïs sans les assaillir. Enfin, toutes les recherches historiques et anthropologiques les plus sérieuses aboutissent au même constat : malgré leur puissance et leur position dominante en Afrique de l'Est, les Massaïs n'ont à aucun moment tenté de coloniser quiconque, ni d'organiser des raids sanglants à grande échelle. Plus étonnant encore, ils n'ont jamais essayé de faire obstacle à ceux qui ne leur ont pas fait montre d'hostilité.

Cependant, une chose est sûre : en cas d'agression à leur égard, ils se défendaient, se battaient farouchement pour leur immense pays, s'appuyant sur l'organisation guerrière la plus redoutable de toute l'Afrique orientale.

La côte swahilie : une histoire à part

L'Ancien Testament évoque déjà le Kenya et sa bande côtière par le biais de l'histoire de Noé. On possède également de nombreux témoignages égyptiens, sous la forme de récits hiéroglyphiques et de peintures murales. On trouve une description plus précise de la côte kenyane dans un manuscrit grec : *Le Périple de la mer d'Érythrée.* Il s'agit du journal de bord d'un capitaine de vaisseau. Celui-ci part d'Égypte au milieu du premier siècle de notre ère. Le texte montre qu'il existait dès cette époque de solides liaisons commerciales entre l'Arabie, l'Inde et Mombasa. Avant même l'ère chrétienne, la côte kenyane, Mombasa et Malindi étaient déjà des comptoirs marchands florissants. Très probablement vers le Xe siècle se forge la langue swahilie, hybride bantou de langues locales et d'arabe. C'est à Claude Ptolémée, un astronome et géographe grec né en Égypte au IIe siècle apr. J.-C., que revient la découverte de la véritable source du Nil. Il n'a fait que prédire l'endroit approximatif où elle devait se trouver. Ptolémée est sans doute aussi le premier à avoir décrit la totalité de la ligne côtière kenyane actuelle. Il appelle cette côte *Parvum Litus.* Lamu est mentionnée sous le nom de *Serapion,* Malindi, *Essina,* et Mombasa, *Tonika.*

L'ère du prophète Mahomet provoque un véritable afflux d'immigrants fuyant les dissensions politiques et religieuses de l'Islam, et cherchant refuge vers le sud. C'est sans conteste le vrai point de départ de l'âge d'or des cités-États situées sur la côte kenyane. Les Arabes occupent notamment Lamu, Malindi et Mombasa. La côte est-africaine, bien que ne faisant pas à proprement parler partie de l'Empire arabe à l'époque de l'hégire, en est très largement imprégnée. Ne serait-ce que par les échanges, ainsi que par les réseaux d'alliance et de parenté.
Mais six siècles plus tard, l'arrivée des Portugais, en 1498 exactement, remet en cause l'histoire de la côte jusque-là relativement paisible. Vasco de Gama avait reçu l'ordre du prince Henri le Navigateur de contourner le cap de Bonne-Espérance afin de trouver la route maritime qui menait aux Indes. Finalement, les Portugais investissent la plupart des cités swahilies – Pate, Lamu, Vanga, Mombasa –, où ils imposent durant deux siècles un régime autoritaire, en exigeant par exemple le paiement de tributs et en infligeant des sanctions très sévères pour les moindres délits. En 1593, ils édifient à Mombasa une impressionnante forteresse, fort Jésus (aujourd'hui transformée en musée). En 1698, suite à un long siège de 33 mois tenu devant le fort par les Arabes et leurs alliés, les Portugais doivent abandonner leur mainmise sur le littoral. En 1720, meurtris et épuisés, ils quittent à jamais la côte kenyane. Les Arabes reviennent prendre la place laissée libre. Ils se réinstallent, de Pate à Vanga. Ils sont à nouveau les maîtres jusqu'à l'arrivée des Anglais et des Allemands vers la fin du XIXe siècle. Le sultan d'Oman est le nouveau souverain de la côte. Mais en raison de dissensions entre plusieurs familles régnantes – les Nahaban à Pate et les Mazrui à Mombasa –, il faut attendre le début du XIXe siècle pour que la côte reprenne son essor politique et économique. Le nouveau sultan d'Oman, Sayyid Saïd, restaure sa pleine souveraineté et transfère sa cour à Zanzibar.
En quelques années, la côte orientale de l'Afrique, du cap Guardafui au cap Delgado, devient même officiellement dominion du sultan. Elle connaît une période d'opulence sans précédent. Elle s'ouvre au commerce avec le reste du monde. À la mort de Sayyid Saïd en 1856, les grands pays européens commencent à envisager une possible colonisation de l'Afrique de l'Est.

L'arrivée des explorateurs européens

Inexplorée si ce n'est sur les côtes, sauvage et fascinante pour des Européens en mal d'empires coloniaux, l'Afrique entre dans le XIXe siècle vierge de contacts et porteuse de fantasmes débridés. Ne dit-on pas que les habitants y sont anthropophages ? Qu'on y trouve des êtres étranges à mi-chemin entre l'homme et la bête ? Pourtant la curiosité va être la plus forte. Les géographes se sentent frustrés de ces grandes zones blanches portées sur leurs cartes. D'où viennent donc ces fleuves ? Les sources du Nil... Mythique et récurrente interrogation depuis que le Grec Ptolémée s'y intéressa 16 siècles plus tôt.
Poussé par une élite intellectuelle influencée par le mythe du « bon sauvage », encouragé par un monde commerçant à la recherche de débouchés et par un clergé en manque d'âmes à convertir, le Royaume-Uni va se faire le chantre de l'exploration de l'Afrique de l'Est (voir la rubrique « Personnages »). Et ce sont les missionnaires qui, armés de leur Bible, vont percer les premiers les mystères du continent noir.

Chronologie

– ***1844 :*** Johann Krapf, un protestant allemand, arrive à Mombasa. Johann Rebman, son assistant, arrive 2 ans plus tard.
– ***1846-1853 :*** voyages de Krapf et Rebman. Le premier parvient au mont Kenya, le second au Kilimandjaro.
– ***1857-1858 :*** Speke et Burton partent à la recherche des sources du Nil. Speke découvre le lac Victoria.

– ***1871 :*** le révérend Charles New parvient à la limite des neiges éternelles du Kilimandjaro.
– ***1882 :*** l'Allemand Gustav Fisher atteint Hell's Gate, en territoire massaï, mais il doit rebrousser chemin.
– ***1883-1884 :*** Thomson rejoint le lac Victoria par le pays massaï.
– ***1885 :*** l'évêque James Hannington disparaît en Ouganda.
– ***1887-1888 :*** Samuel Teleki von Szek, un aristocrate hongrois, accompagné de Ludwig von Höhnel, découvre les lacs Rodolphe et Stéphanie après avoir traversé les territoires massaï et kikuyu.
– ***1893 :*** le géologue Gregory, ni idéaliste ni religieux, parcourt la vallée du Rift.

La création du « pays de l'homme blanc »

Ce n'est que tardivement que l'Angleterre est intervenue comme puissance coloniale au Kenya. Il faut en effet attendre 1893 pour que la métropole britannique prenne elle-même en main la gestion des colonies d'Afrique de l'Est, en proclamant l'*East African Protectorate* par unification du Kenya et de l'Ouganda. Jusqu'alors, Londres témoignait peu d'intérêt pour la région. La tâche de conquérir et d'administrer ces nouvelles terres incombait à une société privée : l'*Imperial British East Africa Company.* Et encore, l'ambition première de l'Empire britannique était la mainmise sur l'Ouganda.
L'objectif est d'abord stratégique. Il s'agit pour les Britanniques de contrôler les sources du Nil afin de mieux renforcer la présence anglaise en Égypte. Malgré la déclaration de protectorat, le sultan de Zanzibar demeure propriétaire de la bande côtière, qu'il loue au gouvernement britannique.
Pour désenclaver le protectorat de l'intérieur et lui procurer un débouché sur la mer, les Britanniques construisent au départ de Mombasa une ligne de chemin de fer pour rejoindre le lac Victoria et Kampala, sur la rive nord. Les travaux durent 6 années. En 1901, la ligne est achevée. Elle aura coûté 5 434 000 livres anglaises, et la vie de plusieurs centaines d'ouvriers, principalement des coolies indiens affectés à sa construction. Les impératifs économiques finissent par prendre le pas sur les enjeux stratégiques du départ.
Le gouvernement encourage l'installation de fermiers blancs sur les terres traversées par la voie ferrée. Les colons sud-africains et européens arrivent en masse, attirés par la qualité exceptionnelle des pâturages d'altitude. Il s'agit des hautes terres massaïs. En deux années à peine, celles-ci vont devenir « la proie idéale du chasseur de terre », selon le mot de S. Bagge, administrateur colonial. De gigantesques concessions sont octroyées à des personnalités influentes. Les Massaïs ne sont pas en mesure de réagir à cette intrusion massive. Ils sortent à peine du pire épisode de leur histoire. À cela s'ajoute une période de sécheresse et, l'année suivante, la variole fait des ravages.
En outre, Mbatiany, le grand expert rituel des Massaïs, a prédit peu avant sa mort en 1890 l'arrivée imminente et en nombre des Européens. Il aurait préconisé de s'allier à eux, faute de quoi les siens seraient anéantis. Dans ses oracles, les Européens sont symbolisés par des nuées d'oiseaux blancs, tandis que le chemin de fer est décrit comme un serpent monstrueux progressant de la mer jusqu'au lac Victoria.
Les terres massaïs provoquent désormais une véritable ruée de la part des grands propriétaires terriens qui affluent en masse d'Europe, d'Afrique du Sud et, un peu plus tardivement, d'Australie. Le Kenya est en train de devenir une colonie de peuplement. Pour les nouveaux colons, il faut évincer les Massaïs de leurs meilleures terres. Pour ce faire, les Anglais, qui les craignent, préconisent de mettre en œuvre une politique de fausse alliance. Comme l'exprime parfaitement Francis Hall, administrateur en chef de Fort Smith, 1er centre administratif colonial : « Une légère manipulation est sus-

ceptible de transformer la plus formidable menace d'Afrique de l'Est en une importante force alliée britannique. »
Le 9 août 1904 est « signé » un premier « Traité massaï », qui proclame à la fois leur éviction des hautes terres centrales de la vallée du Rift et la création d'une double réserve. Le texte du traité prévoit malgré tout une clause de sauvegarde : « Le présent accord durera aussi longtemps que les Massaïs existeront en tant que race et, à cette fin, les colons ne seront jamais autorisés à confisquer les terres situées au sein de l'une ou l'autre des deux réserves. » Or, pressé par les colons, à qui l'on a déjà redistribué l'ensemble des anciennes terres massaïs de la vallée du Rift, et dont la volonté est désormais d'acquérir les terres de la réserve de Laikipia, le gouvernement contraint les Massaïs à « signer », le 29 mai 1911, un second traité qui permet leur regroupement définitif au sein d'une réserve unique sur les terres, en majorité semi-arides, situées au sud du chemin de fer, c'est-à-dire sur leur territoire actuel.
Ignorant tout de la portée de tels « faux » traités, persuadés que ces étrangers ne font que séjourner sur leurs terres et qu'ils les récupéreront après leur départ, les Massaïs offrent ainsi aux Anglais l'opportunité de réaliser la spoliation de terres la plus importante de toute l'histoire de l'Empire colonial britannique. Le « pays de l'homme blanc » est bel et bien né. Neuf années plus tard, le Kenya peut enfin devenir une colonie à part entière.

Un Kenya au service des colons

Le « White Higlands » donne naissance à une classe aisée de grands fermiers locaux blancs, uniquement préoccupés par la rentabilité de leurs exploitations. La promotion des intérêts africains est en effet le cadet des soucis de ces *white settlers*. Leur enrichissement et leur rôle politique ne font que croître, au point de créer de graves tensions avec le ministère anglais des Colonies. Ils ne sont pourtant que 1200 en 1919, sur une population européenne de 9000 membres. Et, en 1945, on en comptera 3000, sur une population totale de plus de 5 millions d'individus, dont 30000 Européens. Ils ont réclamé et obtenu la propriété exclusive des terres les plus fertiles, c'est-à-dire celles des « Highlands ». En fait, juridiquement parlant, on leur alloue des baux d'une durée de... 999 ans ! N'oublions pas que seule la Couronne est légalement propriétaire des terres.
Leur revendication se traduit aussi par la séparation de droit du territoire kenyan en deux zones : les zones européennes d'un côté, et les réserves africaines de l'autre. Avec 0,5 % de la population globale, les premières représentent, après la Seconde Guerre mondiale, une superficie évaluée à 20 % des 187000 km² de terres arables que compte le Kenya ; quant aux secondes, elles regroupent les quatre cinquièmes du total, à savoir 4,5 millions d'Africains ! Cette division est baptisée « développement séparé », mais on aurait tout aussi bien pu l'appeler « apartheid ».
Très vite cependant, les réserves « indigènes » deviennent un obstacle à la constitution d'un salariat nécessaire au fonctionnement des domaines blancs des Highlands. Ce sera alors la tâche prioritaire de l'administration provinciale que de favoriser la fourniture d'une main-d'œuvre bon marché aux fermiers blancs. Tout Africain est désormais obligé de disposer d'un certificat d'identification, le fameux *kipande,* indiquant le nom et le lieu de travail de l'intéressé. Simultanément, les colons font pression pour obtenir le monopole des cultures d'exportation – café, thé, sisal, coton. Ils redoutent la concurrence des agriculteurs compétents et efficaces travaillant dans les réserves africaines, mais aussi surtout la diminution des disponibilités en main-d'œuvre dont eux-mêmes ont tant besoin. Ils pressent également le gouvernement de recourir à l'impôt.
Les Africains seront bien obligés de s'assurer un revenu pour y faire face ! Une taxe d'habitation et un impôt de capitation sont donc instaurés en même

temps. Il faut à un salarié agricole de 3 à 5 mois de salaire pour les payer... Nul besoin de s'appesantir sur le fait que ce sont bien les colons qui dirigent « leur » pays, au nom de leurs seuls intérêts, mais jusqu'à quand ?

La révolte des « Mau-Mau » et la marche vers l'indépendance

Le réveil africain est surtout le fait de l'ethnie kikuyu et d'une poignée de jeunes relativement instruits. En 1924, ils créent la *Kikuyu Central Association* (KCA), dont le secrétaire général n'est autre que Jomo Kenyatta, le futur président du Kenya indépendant. Mais, très vite, d'autres ethnies telles que les Kambas, les Taitas et les Luos, les suivent en se regroupant au sein de leurs propres associations. Et toutes n'ont qu'un seul mot d'ordre : combattre le gouvernement colonial et plaider la cause africaine, en particulier pour une répartition plus juste des terres.

Interdit dès 1940, le KCA est remplacé par un véritable parti politique, le premier d'ailleurs, appelé l'Union africaine du Kenya (KAU). Bien qu'étant officiellement un organisme interethnique, sa direction n'en est pas moins assumée par des Kikuyus et sa présidence est confiée à Kenyatta. Les écoles et les églises kikuyus indépendantes en constituent le creuset. Bientôt, la pratique de « serments » de loyauté contre l'occupant spoliateur voit le jour chez les Kikuyus, puis se répand dans tout le pays. La révolte des « Mau-Mau » a commencé. Le terme de Mau-Mau correspond en réalité aux initiales de *Mzungu Arudi Ulaya, Muafrica Apate Uhuru,* phrase swahili qui dit à peu près : « Que les Européens retournent en Europe, que les Africains conquièrent leur liberté. » Les Mau-Mau s'appellent eux-mêmes les *Freedom Fighters,* « combattants de la liberté » ! Le KAU réclame, dans un mémorandum au ministre des Colonies en visite au Kenya en 1951, le vote d'une loi prohibant toute discrimination raciale. Mais en vain. La plupart des Africains engagés dans la lutte aspirent à une évolution non violente vers l'égalité politique, économique et sociale. D'ailleurs, au début de 1952, à l'instigation du fils d'un vieux Kikuyu, Mbiyu Koinange, se crée une Association des citoyens du Kenya, préconisant l'action pacifique. Mais il est déjà trop tard.

L'été 1952, plus de 250000 Kikuyus ont prêté un serment mau-mau. Il s'ensuit une vague de destruction des propriétés coloniales, mais surtout, et paradoxalement, des assassinats en masse de Kikuyus considérés comme loyaux à l'égard des autorités. La société kikuyu se trouve en effet très divisée, et les affrontements vont même être plus meurtriers en son sein que lorsqu'ils impliqueront, quelques mois plus tard, les forces coloniales.

L'organisation des Mau-Mau est alors interdite. En octobre 1952, Kenyatta et cinq de ses compagnons sont accusés de diriger l'« organisation illégale », et ils sont arrêtés. Kenyatta est condamné à 7 ans de prison. La rébellion s'amplifie, et l'état d'urgence est proclamé le 20 de ce même mois. Dans la foulée, le gouvernement décide de recourir à des mesures draconiennes pour l'enrayer.

Il regroupe notamment les communautés rurales, essentiellement en pays kikuyu, dans des « hameaux stratégiques », entourés de barbelés et de fossés hérissés de bambous. Quiconque est surpris hors de l'enceinte après le couvre-feu est systématiquement abattu ; 15000 combattants des forêts opèrent alors, entre mars 1953 et juin 1954. Ils procèdent par harcèlement. Ils attaquent des postes de police, des loyalistes et des fermes « blanches ». Les Britanniques lancent, en avril 1954, l'opération Anvil, une gigantesque rafle au sein du petit peuple de Nairobi. Au cours de celle-ci, 100000 personnes sont arrêtées et 28000 envoyées en détention. Les maquis, qui dépendent largement des villages et de la ville, sont asphyxiés. En octobre 1956, Dedan Kimathi, le dernier chef historique mau-mau, est capturé, condamné et exécuté. L'état d'urgence est levé fin 1959. La répression a coûté 50 millions de livres; 13058 personnes ont été tuées, dont 10000 Mau-Mau, 2000 civils kikuyus, 1000 soldats africains et 58 Européens et Asiatiques.

La déclaration gouvernementale d'octobre 1959 prévoit enfin la suppression de toutes les barrières raciales. Et l'année suivante, le 18 janvier, s'ouvre à Londres (Lancaster House) la première conférence constitutionnelle, premier pas vers l'indépendance du Kenya. Deux partis politiques sont créés en vue des élections. La KANU *(Kenya African National Union),* qui succède à la KAU, est présidée par Kenyatta, du moins lorsqu'il sera libéré le 15 août 1961. Cette KANU préconise une forme de gouvernement unitaire avec un pouvoir fortement centralisé à Nairobi. Tandis que la KADU *(Kenya African Democratic Union),* qui regroupe des ethnies telles que les Kalenjins, les Luyias et les Massaïs, souhaite au contraire une forme de gouvernement fédéral assurant la sauvegarde des droits des minorités. Une seconde conférence se réunit en avril 1962 à Lancaster House, et des élections, qui ont lieu en mai 1963, donnent la victoire à la KANU, le futur parti unique du Kenya jusqu'en 1992. L'indépendance est proclamée le 12 décembre 1963.

De l'accession à l'indépendance en 1963 à la mort de Kenyatta en 1978, le pays a vécu sous l'égide d'un seul président et d'un parti, la KANU *(Kenya African National Union).* Dans son sillage, Kenyatta a mené toute l'ethnie des Kikuyus sur le devant de la scène politique. Certains membres d'autres tribus, à l'instar de Tom Mboya, un jeune Luo plein d'avenir, l'ont appris à leurs dépens. Assassiné en 1969 parce qu'il endossait de manière grandissante le rôle de successeur potentiel – mais non désigné – du « vieux sage », il connut le même sort que Kariuki, pourtant kikuyu, mais trop versé à critiquer la corruption.

Les rênes du pouvoir ont alors été reprises par Daniel Arap Moï, un Kalenjin dont l'ethnie, minoritaire, offrait une sorte de compromis. Moins charismatique, ne bénéficiant pas des lauriers indépendantistes de Kenyatta, il s'est fait le chantre d'un nationalisme toujours plus ardent. Tenant le pays d'une main de fer, se débarrassant des opposants indésirables, il joue sur la scène internationale la politique du gant de velours, arguant de la stabilité du Kenya pour attirer les devises. Les élections de 1987 furent une parodie de démocratie. La même année, le Parlement entérinait une loi autorisant le président Moï à révoquer les juges sans contrôle externe. La KANU affinait davantage encore son contrôle sur le pouvoir, harcelant les opposants, emprisonnant les journalistes rebelles à son autorité.

Avec la chute du bloc communiste et la diminution des subsides, le gouvernement se retrouva pressé par les pays occidentaux d'accéder au multipartisme. En 1991, plus aucune aide internationale ne fut attribuée au Kenya. Moï céda. Le parti FORD *(Forum for the Restoration of Democracy)* vit le jour. Mais les ambitions personnelles eurent tôt fait de le condamner à la division. Attisant le feu des haines tribales, achetant les votes, Moï parvint à se maintenir au pouvoir avec seulement le tiers des voix lors de la première élection présidentielle « libre » du pays, en décembre 1992. On recensa près de 700 morts.

En août et septembre 1997, des troubles dans la région de Mombasa ont fait quelques dizaines de morts. Le prétexte : les ethnies africaines de la côte (Digos, Guiriamas, Mijiskendas, etc.) réclameraient le départ des Watus wa bara, les « gens de l'intérieur » (peuples du Centre comme les Luos et les Kikuyus), qui viendraient voler les terres et le travail des gens de la côte. Parmi les personnes arrêtées, des gens de la côte bien sûr, mais aussi des agitateurs notoires liés à la KANU, le parti au pouvoir. Cette année-là, les conflits interethniques firent 2000 morts dans la Rift Valley, divisèrent l'opposition et permirent l'élection d'Arap Moï. Fin décembre 1997, Daniel Arap Moï a été réélu avec plus de 40 % des suffrages. On parle d'élections truquées et la fraude est encore plus manifeste dans les élections législatives remportées aussi par la KANU. Fin 1998, une alliance entre la KANU et le

NDP (Parti démocratique national) amorce une politique de rigueur et de lutte contre la corruption, ainsi que la création d'une commission d'enquête sur les récents conflits interethniques. Ce « tournant » a permis de redorer quelque peu le blason de l'équipe au pouvoir et d'envisager une vraie hausse de la fréquentation touristique mais surtout... de se réconcilier avec le FMI ! Besoin d'argent ?
En outre, le Kenya a fait la une de la scène internationale, mais bien contre son gré, lors de l'attentat perpétré contre l'ambassade américaine à Nairobi le 27 août 1998 (entièrement reconstruite ensuite, version bunker, près de l'aéroport). Également avec l'arrestation du leader kurde Abdullah Öcalan en mars 1999, illustrant là encore une volonté de collaboration plus étroite avec l'Occident. Puis encore avec l'attentat à la voiture piégée au nord de Mombasa en novembre 2002... Sans compter les violences interethniques toujours récurrentes dans le nord du pays. Le secteur au-delà de Kitale, Samburu et Garissa, zones frontalières avec le Soudan, l'Éthiopie et la Somalie, est totalement déconseillé aux touristes !
En décembre 2002, Mwai Kibaki prend les rênes du pouvoir. Élu grâce à 62 % des voix, son arrivée annonce un grand changement par rapport au style autoritaire de son prédécesseur. Ses promesses : lutter contre la corruption, offrir une éducation primaire gratuite, remettre sur pied l'économie du pays, avec notamment la création d'emplois et la réforme des sociétés d'État déficitaires (Telecom Kenya, Kenya Power...). De nombreux caciques de l'ancien régime sont déjà inculpés pour corruption, mais après l'incendie criminel de la mairie de Nairobi, le 2 mars 2004, qui a détruit une partie des archives, cette opération « mains propres » s'annonce difficile : en effet, tout laisse à penser que des gens haut placés sont responsables de cet incendie (des limousines à plaque diplomatique ont été aperçues juste avant l'explosion des cocktails molotov !). Reste à savoir si le FMI, qui avait suspendu ses prêts en 1997 à cause de la corruption, reprendra ses activités, contribuant à tirer le Kenya de sa mauvaise situation économique. Il serait alors suivi par de nombreux autres bailleurs, ce qui aiderait ainsi le pays, un des plus pauvres au monde.

INFOS EN FRANÇAIS SUR TV5

La chaîne TV5 est reçue dans la plupart des hôtels du pays. Pour ceux qui souhaitent s'y installer plus longtemps ou qui voyagent avec leur antenne parabolique, TV5 est reçue par le satellite PANAM SAT 4 (bouquet Multichoice).
Les principaux rendez-vous Infos sont toujours à heures rondes où que vous soyez dans le monde, mais vous pouvez surfer sur leur site • www.tv5.org • pour les programmes détaillés ou l'actu en direct, des rubriques voyages, découvertes...

LANGUE

Précisons que, lors de votre voyage (*safari,* en swahili !), vous ne rencontrerez personne (ou presque) parlant le français et que l'anglais sera, en dehors du swahili, la seule langue de communication à votre disposition. N'oubliez pas de faire quelques révisions si votre anglais est un peu rouillé ! Mais d'où vient la langue swahilie ?
Les spécialistes s'accordent au moins sur un point : le swahili serait né au début du Xe siècle, sur la côte orientale de l'Afrique, d'un mélange entre la langue bantoue, dont il a gardé les structures, et de nombreux mots venant de l'arabe (qui lui a donné son nom, la racine arabe *sahil* signifiant « littoral »), pratiqués par les navigateurs et les négociants établis dans la région, plaque tournante du commerce. Ce sont eux qui le diffusèrent à l'intérieur des terres, et, à la fin du XIXe siècle, il couvrait une zone très étendue, qui est

toujours son aire géographique : Kenya, Tanzanie, Ouganda, Rwanda, Burundi, et une partie du Malawi, de la République démocratique du Congo (ex-Zaïre), de la Zambie et du Mozambique.

Le swahili est ainsi la langue la plus parlée d'Afrique noire : on estime de 30 à 40 millions (certains vont jusqu'à 50) le nombre de personnes le pratiquant, avec, bien entendu, des différences locales. En 1928 se tint à Mombasa, au Kenya, une conférence réunissant les principaux pays où le swahili était majoritairement parlé afin de « standardiser » la langue pour son enseignement, les variantes étant très nombreuses : la version de Zanzibar fut choisie comme modèle, et c'est elle qui sert toujours de référence.

Quelques années après l'indépendance, en 1967, le swahili devint langue nationale en Tanzanie. Nyerere, le président tanzanien, contribua d'ailleurs à sa diffusion par la radio et la presse, et l'imposa comme langue administrative, politique et culturelle (il traduisit même *Le Marchand de Venise,* de Shakespeare, en swahili).

Au Kenya, la situation est sensiblement différente. Il devint langue nationale seulement en 1974, au même titre que le kikuyu ou le luo, mais la langue officielle du pays reste l'anglais. S'il est parlé largement sur la côte et dans les grandes villes, ce n'est pas le cas à l'intérieur des terres.

Le swahili est, en outre, la langue africaine la plus enseignée dans le monde : on l'étudie aussi bien à Paris et à Londres qu'à Moscou et à New York. Pour preuve de sa notoriété : à Pâques, sur la place Saint-Pierre, à Rome, le pape Jean-Paul II, grand polyglotte devant l'Éternel, donne sa célébrissime bénédiction *Urbi et Orbi* également en swahili... La seule langue africaine à avoir jamais bénéficié de ce traitement de faveur !

Vocabulaire

Les mots usuels et les expressions courantes

Bonjour	*Jambo*
Au revoir	*Kwaheri*
Bienvenue !	*Karibu !*
S'il vous plaît	*Tafadhali*
Merci (beaucoup)	*Asante (sana)*
Excusez-moi	*Pole*
Monsieur	*Bwana*
Madame	*Bibi*
Comment allez-vous ?	*Habari gani ?*
Oui	*Ndiyo*
Non	*Hapana*
Où ?	*Wapi ?*
Quand ?	*Lini ?*
Attention !	*Hatari !*
Vite !	*Upesi !*
Doucement !	*Pole pole !*
Parlez-vous anglais ?	*Unasema Kiingereza ?*
Je ne parle pas swahili	*Sisemi Kiswahili sana*
Je ne comprends pas	*Sifahamu*

Au restaurant et à l'hôtel

J'ai faim	*Nina njaa*
J'ai soif	*Nina kiu*
Restaurant	*Mkahawa*
Hôtel	*Hoteli*
Bagage	*Mzigo*
Couteau	*Kisu*
Fourchette	*Uma*

Cuillère	*Kijiko*
Verre	*Glasi*
Eau minérale	*Maji safi*
Bière	*Bia*
Glaçons	*Barafu*
Sans glaçons	*Bila barafu*
Café	*Kahawa*
Thé	*Chaï*
Lait	*Maziwa*
Œuf	*Yai*
Pain	*Mkate*
Sel	*Chumvi*
Riz	*Mchele*
Ami ! (pour appeler le serveur)	*Rafiki !*
Le menu, s'il vous plaît	*Otodha ya chakula, tafadhali*
L'addition, s'il vous plaît	*Hesabu, tafadhali*
Je veux louer une chambre pour 1 personne	*Ningependa chumba cha mtu mmoja*
Une chambre pour 2 personnes	*Chumba cha watu wawili*
Toilettes	*Choo*
Air conditionné	*Eyakandishan*
Moustiquaire	*Chandalua*
Pouvez-vous me réveiller à... ?	*Niamche saa... tafadhali ?*
Nous resterons une nuit	*Tutakaa kwa usiku mmoja*
Chaise	*Kiti*
Fenêtre	*Diricha*
Lampe	*Taa*
Lit	*Kitanda*
Téléphone	*Simu*

En ville

Bureau du tourisme	*Ofisi ya watalii*
Maison	*Nyumba*
Rue	*Ngia ya magi*
Poste	*Posta*
Je voudrais des timbres	*Ninaomba stempu*
Banque	*Benki*
Marché	*Soko*
Magasin (échoppe)	*Duka*
Bouteille	*Chupa*
Cigarette	*Sigara*
Crayon	*Kalamu*
Livre	*Kitabu*
Journal	*Gazeti*
Savon	*Sabuni*
Quel prix ?	*Bei gani ?*

En voyage

Bicyclette	*Baiskeli*
Taxi	*Taksi*
Route	*Barabara*
Voiture	*Gari*
Garage	*Garage*
Bateau	*Chombo*
Port	*Bandari*
Gare	*Stesheni*
Train	*Treni*

Bus	*Basi*
Aéroport	*Kiwanja cha ndege*
Avion	*Ndege*
Où est la plus proche station-service ?	*Kiko wapi kituo cha karibu cha petroli ?*
Pourriez-vous m'indiquer la route de... ?	*Tafadhali niambie ngia ya kwenda ?*
À quelle heure vais-je arriver ?	*Nitafika saa ngapi ?*
Plage	*Pwani*
Forêt	*Mwitu*
Océan	*Bahari*
Montagne	*Mlima*
Rivière	*Mto*

Les chiffres et les nombres

1	*Moja*	20	*Ishirini*
2	*Mbili*	21	*Ishirini na moja*
3	*Tatu*	30	*Thelathini*
4	*Nne*	40	*Arobaini*
5	*Tano*	50	*Hamsini*
6	*Sita*	60	*Sitini*
7	*Saba*	70	*Sabini*
8	*Nane*	80	*Themathini*
9	*Tisa*	90	*Tisini*
10	*Kumi*	100	*Mia*
11	*Kumi na moja*	200	*Mia mbili*
12	*Kumi na mbili*	1000	*Elfu*

Les mesures du temps

Attention : en swahili, la première heure de la journée, divisée en 2 fois 12 h, est 7 h du matin : il y a donc toujours un décalage de 6 h avec notre façon de compter, ce qui est un peu perturbant au début. Ainsi, *saa moja* = 7 h (et non 1 h), *saa mbili* = 8 h (et non 2 h), etc.

Quelle heure est-il ?	*Saa ngapi ?*
Il est 7 h	*Ni saa moja*
Lundi	*Jumatatu*
Mardi	*Jumanne*
Mercredi	*Jumatano*
Jeudi	*Alhamisi*
Vendredi	*Ijumaa*
Samedi	*Jumamosi*
Dimanche	*Jumapili*
Matin	*Asubuhi*
Après-midi	*Alasiri*
Soir	*Jioni*
Hier	*Jana*
Aujourd'hui	*Leo*
Demain	*Kecho*

En cas d'urgence

Docteur	*Daktari*
Pharmacie	*Duka la dawa*
Dentiste	*Daktari wa meno*
Hôpital	*Hospitali*
Police	*Polisi*

LIVRES DE ROUTE

– ***Le Lion,*** de Joseph Kessel (éd. Gallimard, coll. Folio, 1997). L'action se déroule, en grande partie, dans le parc national d'Amboseli au Kenya, dominé par la stature majestueuse et nimbée de blanc du mont Kilimandjaro. Dans un style d'une limpidité remarquable, Kessel, l'un des plus grands journalistes et écrivains-voyageurs des années 1950, nous conte l'amour fou qui unit une petite fille (Patricia) et un lion, King. Un hymne à la vie sauvage et au génie de la terre d'Afrique. Kessel a également écrit *La Piste fauve,* récit de voyage qui se passe en Afrique de l'Est.

– ***La Ferme africaine,*** de Karen Blixen (éd. Gallimard, coll. Folio, 1986). La Danoise Karen Blixen vécut au Kenya de 1914 à 1931. Elle raconte ici sa vie quotidienne dans son immense ferme des environs de Nairobi. Si les pages sur la nature, les paysages, les animaux sont splendides, l'intérêt du livre est ailleurs : dans l'amour et la fascination que ressent cette baronne nordique pour le peuple noir, ses coutumes, sa vie. L'auteur ne tombe jamais dans un exotisme de pacotille. Bien au contraire, on est frappé par l'absolue sincérité de son regard sur l'autre, dans sa différence. « J'avais une ferme en Afrique, aux pieds des collines du Ngong... » Les passionnés enchaîneront directement sur *Lettres d'Afrique,* correspondance détaillée et émouvante de la vie de Karen Blixen pendant toute cette période, préfigurant l'écriture de son chef-d'œuvre susmentionné. De plus, jolies pages révélant les liens entre sa vie et son œuvre, bref les affres de la création...

– ***Les Neiges du Kilimandjaro,*** d'Ernest Hemingway (éd. Gallimard, coll. Folio, 1982). Recueil de 12 nouvelles dont deux seulement ont pour cadre l'Afrique. La plus courte de ces histoires est devenue célèbre au cinéma grâce à un grand film avec Gregory Peck et Ava Gardner (voir la rubrique « Cinéma »). Harry, un écrivain riche et célèbre, vient avec sa femme en Afrique pour y chasser les grands fauves. Une blessure à la jambe dégénère en infection. Se croyant condamné, Harry se met alors à raconter son existence. Au fil des aveux, il révèle son amour exclusif pour Cynthia dont il ne s'est jamais remis... Très belles pages sur l'Afrique et... sur Paris.

– ***Les Vertes Collines d'Afrique,*** d'Ernest Hemingway (éd. Gallimard, coll. Folio, 1973). Un récit de chasse captivant, à la recherche du grand koudou (superbe antilope aux cornes époustouflantes) par l'écrivain le plus sanguin de la littérature américaine.

– ***La Massaï blanche,*** de Corinne Hofman (éd. Plon, coll. Pocket, 2000). Corinne Hofman n'a pas l'étoffe d'un grand écrivain, mais son récit autobiographique au milieu des Massaïs est suffisamment impressionnant pour nous tenir en haleine. À 27 ans, jeune chef d'entreprise suisse, Corinne abandonne tout pour un guerrier massaï, Lketinga, rencontré à Mombasa. Avec une volonté farouche, la « Mzungu » s'initie aux coutumes massaïs, lutte contre la malaria et la malnutrition et monte un petit commerce pour améliorer le quotidien des villageois. Pendant 4 ans, elle partagera la vie de cette tribu du nord du Kenya, mariée et mère d'une petite fille, mais la maladie et la jalousie destructrice de Lketinga viendront à bout de cette histoire d'amour improbable.

– ***La Constance du jardinier,*** de John Le Carré (éd. Seuil, 2001). Tessa Quayle, jeune épouse d'un diplomate au haut-commissariat britannique de Nairobi, est assassinée près du lac Turkana. L'enquête va provoquer un vrai scandale, mettant en cause un géant de l'industrie pharmaceutique qui s'enrichit au détriment de la population.

– ***Maasaïitis,*** de Xavier Péron, (éd. Blanc Silex, diffusion de Borée, 2003). Les Maasaï ! Ils sont environ 350 000 au Kenya et 250 000 en Tanzanie, à vivre sur les hauts plateaux autour du mont Kilimandjaro. Ces éleveurs pacifiques sont condamnés à faire de la figuration dans les décors grandioses du cratère du Ngorongoro et de la vallée du Rift, à l'usage des agences de voyages. Ils luttent néanmoins avec leurs maigres moyens, pour la conservation de leurs valeurs et des ressources naturelles. *Maasaïitis* (« maladie d'amour ») est un récit ethnographique et un plaidoyer vigoureux pour la survie des peuples minoritaires. L'auteur, Xavier Péron, défend la cause massaï depuis une vingtaine d'années. Il est l'auteur de plusieurs ouvrages sur le sujet, ainsi que de la rubrique « Population » de ce guide !

MARCHANDAGE

En Afrique, comme dans les pays arabes, une obligation. Mais attention, le marchandage doit être considéré comme l'un des beaux-arts. Trop de touristes pensent que marchander, c'est une espèce d'épreuve de force avec le commerçant. Sur le thème : « Ah mon coco, tu ne m'auras pas ! » Ces touristes, sur la défensive, sont alors parfois agressifs, cassants, totalement dénués d'humour et, surtout, trop rapides.
Il y a de nombreuses techniques de marchandage, qu'il faut adapter à votre tempérament bien sûr. Nécessité également de tenir compte du lieu où l'on se trouve. On ne marchande pas de la même façon dans la section souvenirs d'un marché que chez l'artiste ou le producteur. Dans le premier cas, on peut espérer diminuer le prix de 30, voire 50 %. Dans l'autre, il y a des chances que le prix n'ait pas été gonflé et corresponde à la valeur que l'artiste a donnée à son travail. Vous pourrez toujours essayer d'obtenir un petit 5 ou 10 %, mais en sachant bien qu'en marchandant trop, vous risquez de dévaluer le travail accompli. On doit pouvoir deviner très vite les limites du marchandage. D'ailleurs, un artiste conscient de la valeur de son œuvre saura vous le faire comprendre et être ferme.
Quelques techniques de marchandage, comme ça, en vrac (en plus des vôtres bien entendu).
– Essayez d'arriver en connaissant déjà le prix du marché. Ça aide ! Pour cela, renseignez-vous auprès de relations, dans des magasins officiels, aux boutiques des hôtels, etc. Prix très élevés, mais ça vous donnera déjà une idée du prix maximum. Savoir le prix d'une couverture samburu (400 Ksh ; 4,2 €) en province vous évitera de l'acheter le double au marché municipal de Nairobi. Montrez que vous êtes sûr de vous.
– Ne pas trop montrer votre intérêt pour l'objet convoité. Si le commerçant s'en aperçoit, il baissera sûrement moins vite son prix (ou pas du tout). Passez à d'autres objets, tournez dans la boutique. Marchandez âprement d'autres pièces, puis revenez à l'objet désiré.
– Un principe primordial : on n'annonce jamais son prix d'abord. On laisse l'autre faire une proposition. N'affichez pas que vous avez de l'argent. Et précisez bien que, bien que parlant l'anglais, vous n'êtes pas américain.
– Établir un rapport avec le commerçant, c'est avant tout discuter avec humour, de façon détendue. N'hésitez pas à raconter votre vie, à blaguer, pourquoi pas à émouvoir le commerçant en en rajoutant sur votre état de dèche. Vous parviendrez peut-être à ce moment délicieux où l'on parle de ses enfants respectifs, un thé à la main, en ayant quasiment oublié l'objet de la visite. En dernier ressort, si vous ne faites pas affaire, sortez lentement, très lentement. Il y a des chances que vous retrouviez le commerçant à la porte avec une dernière proposition...

MÉDIAS

La situation de la liberté de la presse est très contrastée au Kenya. La presse étrangère, nombreuse à Nairobi, et les grands quotidiens anglophones bénéficient d'une réelle liberté. En revanche les petits journaux, souvent imprimés en swahili, très critiques envers les autorités, sont plus exposés aux pressions des autorités locales.

Radio

Quatre radios, dont deux privées, diffusent sur l'ensemble du territoire. Une dizaine d'autres stations diffusent principalement sur la région de Nairobi et dans les principales villes du pays. Il existe, dans le reste du pays, une multitude de petites radios locales, à dominante rurale ou confessionnelle. De plus, les Kenyans peuvent écouter en FM les programmes de la BBC et de *Voice of America.*

Télévision

Comme pour la radio, le secteur de la télévision est désormais ouvert aux investisseurs privés. Du coup, il existe 8 chaînes de télévision privées, dont trois émettent sur l'ensemble du territoire. La *Kenya Broadcasting Corporation* (KBC, publique) continue de fonctionner et reste l'un des médias les plus suivis du pays. En décembre 2002, lors de la campagne pour l'élection présidentielle, la chaîne publique a été accusée de partialité, favorisant le candidat sortant, l'ancien président Daniel Arap Moï.

Journaux

Sept journaux se partagent le marché de la presse écrite nationale. Le *Nation* et l'*East African,* en anglais, sont les deux plus importants. En province, de très nombreux journaux en langue locale sont publiés. Tous sont privés et leur tirage varie sensiblement, de quelques centaines d'exemplaires à plusieurs dizaines de milliers pour les grands quotidiens de Nairobi. On trouve facilement la presse internationale, notamment anglo-saxonne, dans de nombreux points de vente de la capitale ou des grandes villes du pays.

Liberté de la presse

Trois journalistes arrêtés et 8 agressés : voici le bilan des atteintes à la liberté de la presse au Kenya en 2003. Les professionnels de l'information continuent donc d'être la cible des autorités, mais aussi des partis politiques et de particuliers, souvent de puissants hommes d'affaires qui ne tolèrent pas les critiques de certains journaux. La presse tente de pointer du doigt les problèmes les plus récurrents de la société kenyane. La corruption, omniprésente dans le pays, est le cheval de bataille de plusieurs médias.

Ce texte a été réalisé en collaboration avec Reporters sans frontières. Pour plus d'informations sur les atteintes à la liberté de la presse, n'hésitez pas à les contacter :

■ ***Reporters sans frontières :*** 5, rue Geoffroy-Marie, 75009 Paris. ☎ 01-44-83-84-84. Fax : 01-45-23-11-51. • www.rsf.org • rsf@rsf.org • Ⓜ Grands-Boulevards.

MUSÉES, SITES ET MONUMENTS

Les musées du Kenya abordent les thèmes de la culture swahilie, de l'époque coloniale et des traditions ethniques. La plupart des sites et monuments historiques sont concentrés sur la côte (vestiges de cités anciennes). Les sites ouverts au public sont des parcs nationaux et obéissent aux mêmes règles que les réserves animalières.

– *Horaires :* ouvert tous les jours de 8 h ou 9 h à 18 h (plus ou moins 30 mn selon les lieux).
– *Tarifs :* ils varient entre 100 et 300 Ksh (1 et 3,2 €) par personne.
– *Réductions :* pour les résidents et les enfants de moins de 16 ans (parfois 12 ou 18 ans...). Pas de tarifs réduits pour les étudiants étrangers.

MUSIQUE ET DANSE

Musique et danse traditionnelles

Comme partout en Afrique, la musique traditionnelle rythme la vie du village. Chaque ethnie a un style particulier. La différence est parfois subtile pour le profane. Le point commun est l'utilisation des percussions. Le tambour ou *ngoma* a donné son nom à ces musiques traditionnelles. Deux groupes ethniques se distinguent par la vitalité de leurs traditions musicales :
– les ***Giriamas*** et les ***Digos*** sur la côte. Ce sont d'excellents danseurs et des percussionnistes de talent. Ils animent la plupart des spectacles pour touristes.
– Dans la région des lacs, les ***Luos*** ont un sens particulièrement aigu de la fête. La richesse de leur répertoire traditionnel a largement influencé les groupes kenyans contemporains. Leurs voisins, les ***Luyias,*** sont connus pour le rythme syncopé de leurs percussions, dirigées par un tambour appelé *sukuti.*
– Un cas à part : les ***danses massaïs.*** Un rituel guerrier spectaculaire sur le mode de la transe collective. Le groupe de *moranes* s'élance dans les airs, sagaie en main. Il exprime sa force et son courage dans un chant grégaire à plusieurs voix. Des groupes de Massaïs en ont fait un commerce lucratif dans les grands parcs nationaux.

Musique contemporaine

La musique du Kenya moderne est la rencontre de deux univers d'une grande richesse : les Grands Lacs et la côte.
– Le ***benga*** est à l'origine de la musique des lacs. Cette musique traditionnelle à base de percussions rapides fut inventée par les Luos et les Luyias dans l'ouest du pays. Les tambours sont devenus batteries et percussions, et les instruments à cordes des guitares électriques. Le nouveau style eut l'impact du rock en Occident. Le Presley du *benga* s'appelle Owino Misiani, originaire de Kisumu. *Shirati Jazz* est le nom de son groupe de légende.
Il y eut des adaptations régionales et des mélanges de styles : les Zaïrois ont vite rendu le *benga* plus spectaculaire et plus dansant; c'est le début du *kouassa,* du *soukous* et du *lingala.* Le groupe Zaïko Langa Langa devint le chef de file de la nouvelle génération. Ainsi transformé, le *benga* débarque à nouveau au Kenya dans les années 1970. Nairobi donne de grands concerts et accueille une flopée d'artistes. Les stars de l'ex-Zaïre s'y installent : Baba Gaston, Super Mazembe et Orchestra Virunga.
– L'influence de la côte prend racine dans la culture swahilie : percussions indiennes, instruments à cordes, chants polyphoniques, rythmes lancinants et mélopées arabisantes sont hérités de la culture swahilie des pays arabes. Le *taarab* est populaire jusqu'à Zanzibar. Juma Balo fut la première idole de ce style musical.
Dans les discothèques, on danse le *chakacha,* à l'origine une danse arabe traditionnelle exécutée lors des cérémonies de mariage : une sorte de danse du ventre lascive accompagnée de percussions. L'adaptation moderne est encore plus chaude.

À ces grandes tendances, il faut ajouter deux styles régionaux :
– la musique tanzanienne, cousine de la musique congolaise, qui s'en singularise par l'utilisation de saxos, trompettes et solos de basse. Deux monstres sacrés : *Simba Wanyika Original* et les *Maroon Commandos.*
– Dans les plateaux du centre, les musiques kikuyu et kamba sont moins connues du public occidental. Joseph Kamaru est la vedette de ce style posé (voire cool) qui a recours aux guitares, aux chœurs et aux voix féminines.

Musique touristique

La variété touristique est un mélange de genres : rumba, tubes américains, *kouassa* congolaise. Cette soupe internationale est la porte ouverte aux hérésies les plus cocasses. Des Massaïs en costume guerrier pourront danser devant vous un *kouassa* endiablé avant d'entonner un pathétique *Stranger in the Night* au micro.
Vous n'échapperez pas non plus au grand rituel des soirées d'animation : *Jambo Bwana.* Cette chanson d'accueil aux paroles simplistes a le mérite de faire apprendre, à la longue, quelques rudiments utiles de swahili au touriste le plus obtus.

PARCS NATIONAUX ET RÉSERVES

Les 48 parcs et réserves du Kenya occupent plus de 8 % du territoire. Il faut y ajouter 5 réserves et 4 parcs marins et plusieurs sanctuaires publics et privés. Peu de pays ont reconnu à ce point l'importance de la vie sauvage.

Les principaux parcs

– ***Le parc national des Aberdares :*** situé au centre des hauts plateaux du Kenya, ce parc verdoyant est parcouru de rivières et de cascades à truites. On y voit des éléphants, des buffles, des léopards, des élands et les derniers bongos du Kenya cachés dans une forêt de bambous.
– ***Le parc national d'Amboseli :*** l'un des plus anciens du Kenya. Paysages de savane grandioses avec le Kilimandjaro en toile de fond (lorsque celui-ci ne reste pas drapé dans ses nuages). Cette région massaï fut célébrée dans *Le Lion* de Joseph Kessel. Principaux animaux : éléphants, girafes massaïs, buffles, gnous et zèbres. Le parc s'est dégradé ces dernières décennies, victime de son succès touristique, de la succession de grandes périodes de sécheresse et, surtout, de la trop forte concentration d'éléphants. Néanmoins, les animaux y sont encore très nombreux et il n'y a aucune difficulté pour les observer.
– ***Le parc national de Nakuru :*** sanctuaire ornithologique. Plus de 400 espèces d'oiseaux (ibis, oies, hérons, pélicans...). Également l'un des meilleurs endroits pour voir rhinos, léopards, girafes de Rothschild. Le paysage est pittoresque et varié : acacias, forêts d'euphorbes.
– ***Le parc national de Méru :*** un parc chaud et peu fréquenté, célébré par Joy Adamson et sa lionne Elsa. Savane arborée parsemée de baobabs géants, de palmiers doums et rafias. Faune : autruches, lions, léopards, petits koudous, éléphants, gazelles, girafes réticulées.
– ***Le parc national de Nairobi :*** le plus ancien parc du Kenya. On y trouve une étonnante concentration d'animaux (sauf des éléphants), étant donné la petite taille du parc et la proximité de la ville. Dans un paysage de savane arborée, il n'est pas rare de voir des lions, des guépards, des girafes massaïs et parfois des léopards.

– ***Le parc national de Tsavo :*** le plus grand parc du Kenya est bordé par la magnifique chaîne des Chyulu Hills. La faune a été lourdement « ponctionnée » par le braconnage dans les années 1980. Paysage de grands espaces semi-arides irrigués par des rivières, où se presse une faune nombreuse : troupeaux d'éléphants, de buffles, antilopes rares comme le koudou, hippopotames et crocodiles. Toutefois, l'immensité du territoire rend l'observation des animaux très aléatoire.

– ***Le parc national du mont Elgon :*** abrite des variétés magnifiques de fleurs, comme les orchidées sauvages. La plus belle floraison est en juin-juillet. Quelques animaux : éléphants, buffles, léopards.

– ***Le parc national du mont Kenya :*** un paysage qui change avec l'altitude, depuis les forêts de bambous jusqu'aux glaciers. Population d'éléphants, de buffles et de petits mammifères, rivières à truites. Climat de montagne. On vient surtout pour l'ascension du mont.

Les parcs marins

– Les 3 parcs marins situés le long de la barrière de corail comptent parmi les plus beaux fonds du monde.

Difficile de les départager : le ***parc national marin de Kisite-Mpunguti,*** près de la frontière tanzanienne, et les ***parcs nationaux marins de Malindi et de Watamu,*** sur la côte septentrionale.

Ces fonds marins ne sont pas exclusivement réservés aux plongeurs expérimentés. Avec un masque et un tuba, on peut contempler, au-dessus des récifs, un véritable ballet de poissons multicolores. À ne pas rater si vous envisagez un séjour sur la côte.

Les principales réserves

– ***La réserve nationale de Marsabit :*** une oasis de verdure peu fréquentée dans la région désertique du lac Turkana. La forêt se dresse au pied du mont Marsabit au milieu d'un champ spectaculaire de lave et de cratères. Les éléphants de la réserve sont réputés pour la taille de leurs défenses. Autres animaux : koudous, oryx, girafes et autruches.

– ***La réserve nationale de Massaï-Mara :*** une réserve mythique et aussi l'une des plus fréquentées du pays. Paysages de plaine et d'escarpements à couper le souffle où furent tournées quelques scènes d'*Out of Africa*. Le plus grand choix de *lodges* et de camps de toile (hors de prix). La concentration animale est très forte et on peut y observer presque toute la faune du pays : éléphants, buffles, hippopotames, gazelles... La plus grande population de lions, girafes et guépards. Grande migration des gnous en juillet-août.

– ***La réserve nationale de Samburu :*** superbes paysages... Savane, palmiers doums, acacias, collines arides et forêt le long de l'Ewaso Nyiro River. On voit fréquemment des léopards et des crocodiles, puis beaucoup d'éléphants, de girafes réticulées et des zèbres de Grévy. Très populaire.

– ***La réserve nationale de Shimba Hill :*** petite réserve rafraîchissante et peu fréquentée, près de Mombasa. Dernier refuge de l'antilope des sables. Pour voir des éléphants, buffles et phacochères, il vaut mieux se rendre au ***Mwaluganje Elephant Sanctuary,*** distant d'environ une dizaine de kilomètres de la réserve.

Certaines réserves non citées sont inaccessibles au nord et à l'est du pays, en raison de conflits ethniques ou de l'absence d'infrastructure. Se renseigner au *Kenya Wildlife Service* à Nairobi.

Infos pratiques et conseils

Les taxes et les tarifs

On paie à l'entrée du parc, selon le type du véhicule, le nombre de personnes et la durée du séjour. Les tarifs varient aussi selon la zone géographique.
– ***Voiture :*** 200 Ksh (2,1 €) pour les véhicules de moins de 6 places.
– ***Individu :*** 380 Ksh (4 €) par adulte et par jour pour les parcs marins, et de 760 à 2 280 Ksh (8 à 24 €) pour les parcs et réserves. Beaucoup moins cher pour les résidents.
– ***Durée :*** tranches de 24 h, à partir de l'heure d'entrée dans le parc. Mais attention, toute sortie peut être considérée comme définitive. Si vous souhaitez vous absenter du parc pour un moment, bien avertir les gardes à l'entrée pour éviter de payer une nouvelle fois.
– ***Paiement :*** en espèces (shillings kenyans et dollars) pour la plupart des parcs et réserves. Attention, depuis 2001 a été mis en place un nouveau système de paiement et d'accès dans 6 parcs nationaux : parc de Nairobi, Nakuru, Aberdares, Amboseli, Tsavo Est et Tsavo Ouest. Il s'agit d'une carte à puce, la *SmartCard (Safari Non-Resident)* que l'on se procure au niveau de *Points of Sale (POS)*. La carte en elle-même est gratuite, mais on doit au préalable la créditer au guichet d'un *POS* et la présenter à n'importe quelle entrée du parc *(Point of Access – POA)*. Le montant à payer pour accéder au parc est alors débité. Attention, il n'existe que 8 *POS* au Kenya :
– *Langata KWS Headquarters – Main Gate* (parc national de Nairobi).
– *Main Gate* (parc national de Nakuru).
– *Namanga Gate* (parc national d'Amboseli).
– *Mtito Andei* (parc national du Tsavo Ouest).
– *Voi Gate* (parc national du Tsavo Est).
– *Park Headquarters* (parc national des Aberdares).
– *Malindi Marine Park KWS Offices* à Malindi.
– *Coast region KWS Offices* à Mombasa.
Si votre carte n'est pas suffisamment approvisionnée, on vous demandera alors de vous rendre au *POS* le plus proche pour pallier cette lacune ! Ce nouveau moyen de paiement est censé faciliter la vie des visiteurs. En réalité, il peut s'avérer bien contraignant mais présente néanmoins l'avantage de limiter la circulation d'argent liquide dans les parcs. À l'avenir, le système devrait être étendu. À noter qu'il existe une *SmartCard* pour les *Residents* qui ne s'obtient qu'au niveau des *Point of Issue (POI)*, au nombre de quatre : Main Gate à Nairobi National Park et Nakuru Park, Voi Gate à Tsavo Est National Park et Coast Region KWS Offices à Mombasa.
– ***Réductions :*** gratuit pour les enfants de moins de 3 ans, et de 5 à 10 US$ (4 à 8 €) pour les 3-18 ans. Pas de tarif réduit pour les étudiants étrangers.
– ***Rangers :*** à la demi-journée (4 h), environ 500 Ksh (5,3 €) par personne, ou à la journée (deux fois plus).

Les horaires et la circulation

– Ouverture entre 6 h et 6 h 30, fermeture entre 18 h et 19 h selon les parcs et les accès.
– Il est interdit de circuler dans les parcs après 19 h. Mais personne ne vous en empêchera si vous retournez au *lodge* ou au camping.
– Attention, sous ces latitudes, la nuit tombe vite. Il est donc prudent de prévoir une marge de temps suffisante pour rentrer au *lodge* si l'on ne veut pas circuler de nuit et risquer de s'égarer sur les nombreuses pistes.
– Il est possible de se déplacer à pied dans des zones bien spécifiques. Cela ne signifie pas que l'endroit est déserté par la faune sauvage. Un pot-pourri de vos chansons préférées avertira efficacement les animaux de votre arrivée.

– Rouler doucement (20 km/h maximum), pour ne pas effrayer les animaux. La vitesse provoque aussi des nuages de poussière. Pensez à vos collègues photographes dans les autres véhicules !
– Les animaux ont toujours la priorité. En cas d'accident, vous aurez toujours tort...
– Ne pas quitter le réseau de pistes officiel. Les contrevenants dégradent irrémédiablement les paysages et l'habitat animalier. Ils risquent souvent une forte amende. Si votre chauffeur entreprend une chevauchée sauvage, faites-lui comprendre que vous n'êtes pas intéressé.

Le comportement avec les animaux

– *Rester vigilant,* surtout dans les zones de promenade piétonne. Repérer les crocodiles au bord de la rivière avant de s'y aventurer. Malgré leur allure léthargique, ils sont d'une vivacité étonnante. Les buffles sont des animaux rusés qui se cachent avant de charger à la dernière seconde. Enfin, ne jamais se placer entre un hippopotame et l'eau, entre une maman éléphant et son éléphanteau, même à bord d'un véhicule. Vous ne ferez pas le poids, ce n'est pas de la blague.
– Les *guépards* sont des chasseurs diurnes. Encerclés par des véhicules, ils ne peuvent ni chasser ni se reposer. Respectez l'intimité des mammifères en vous tenant à bonne distance.
– Les *déchets* peuvent blesser ou tuer les animaux : conserver dans sa voiture les paquets de cigarettes, les cartons de pique-nique, les boîtes de pellicules photo et les emballages de boisson.
– *Ne pas jeter sa cigarette.* La savane s'embrase rapidement de façon incontrôlable.
– *Ne pas descendre du véhicule.* C'est à la fois dangereux et interdit (et pourtant, on ne compte plus le nombre de personnes qui le font).
– *Ne pas récupérer* d'ossements, de dents, de peaux ou d'œufs. Ils ont leur place dans l'écosystème et peuvent transmettre certaines maladies.
– *Respecter l'autonomie* des animaux. Ne pas les nourrir, sous peine de créer une dépendance néfaste pour leur survie. Ne jamais sortir de nourriture lorsqu'un babouin est dans les parages.
– *Pas de nuisances sonores.* Il est interdit d'allumer la radio.

Sur la plage

– Le *ramassage* des coquillages, des étoiles de mer et des coraux est interdit dans les parcs. Ailleurs, les espèces sont souvent menacées par un commerce excessif.
– *Ne pas encourager le commerce* des souvenirs tels que coquillages, coraux, poissons séchés. Extraits de leur milieu marin, les coraux de mer dégagent une odeur nauséabonde et perdent rapidement leur couleur après la mort des polypes. Même principe pour les étoiles de mer.

En mer

– *Ne pas toucher le corail.* Contrairement aux apparences, le corail est très fragile. Seules les extrémités apparentes comportent des polypes vivants. Une fois cassé, le corail meurt et le socle à nu reste stérile pour longtemps. Les poissons, crustacés et mollusques qui en dépendaient pour leur nourriture ou leur habitat disparaissent. Les ancres de bateau et les pieds des touristes constituent la plus grande menace : jeter l'ancre sur un banc de sable et ne pas se tenir debout sur les coraux. En cas de fatigue, rejoindre le bateau pour se reposer (ou régler son masque). Tout contact avec le corail peut provoquer des blessures qui s'infectent rapidement. Enfin, si vous faites appel aux services d'un privé, assurez-vous qu'il dispose d'un boutre (bateau à fond plat) qui permet d'approcher les récifs de coraux sans les endommager.

– *Ne pas soulever le sable* avec ses palmes : il peut étouffer ou tuer le corail en s'y déposant.
– *Ne rien jeter* dans la mer, emballage ou nourriture.
– *Ne rien pêcher dans les parcs.* Ils constituent les zones ultimes de reproduction pour quantité de poissons et de crustacés pêchés en excès sur la côte. L'interdiction de la pêche y est strictement contrôlée.

PÊCHE AU GROS

La pêche au gros le long des côtes kenyanes a été rendue célèbre par des pointures comme Hemingway. La richesse des fonds en a rendu fou plus d'un. Fasciné par cette abondance, H. B. Swan passa le reste de sa vie à poursuivre l'espadon et fit venir les premiers bateaux pour touristes à Malindi, bien avant que la station ne prenne son essor.
La plupart des records africains sont réalisés sur la côte kenyane. Les marlins peuvent dépasser les 500 kg. On capture aussi bien le bleu aux cabrioles redoutables, le noir ou le rayé. Autres poissons prestigieux : l'espadon, le voilier, le barracuda, la bonite, ainsi que plusieurs espèces de requins-marteaux, tigres et makos aux sauts gigantesques.
Les clubs les plus prestigieux proposent une gamme d'excursions et de tarifs pour enfants, adultes, débutants et confirmés.

La saison et le lieu

La saison de pêche commence fin juillet et se termine fin avril. La meilleure époque coïncide avec la pleine saison touristique. La mousson du sud-est *(kusi)* souffle d'avril à décembre et amène thon, wahoo et voilier. Début décembre, la mousson de nord-est *(kaskazi)* apporte marlin noir et rayé, daurade, requin-tigre et marteau. Il y a du poisson en toutes saisons et certains clubs restent ouverts toute l'année. En haute saison, les bateaux vont plus loin et pêchent plus longtemps.
De nombreux clubs s'égrènent le long de la côte. Deux zones de pêche sont particulièrement réputées : le *Pemba Channel* pour le marlin et *Malindi* pour l'espadon. On y trouve les clubs de renommée internationale, comme le *Kingfisher* à Malindi ou le *Pemba Fishing Club* à Shimoni.

Les tarifs

– ***Professionnels et beach-boys :*** sur la plage, des *boat-men* proposent des excursions moins chères que les clubs officiels. La différence de coût tient souvent à la qualité du matériel et de l'encadrement, à la possession ou l'absence de licence et d'assurance. Comme tous les sports, la pêche au gros comporte certains risques. Prenez des précautions, surtout si vous partez en pleine mer. La première des garanties est l'affiliation du club à la KASAC *(Kenya Association of Sea Angling Clubs)*. Chaque bateau de l'association possède un capitaine et un équipage aguerri et habitué à l'initiation, même des enfants.
– ***Équipement :*** les équipements luxueux sont hors de prix et vous n'en profiterez pas si vous êtes débutant. Pas besoin d'un bateau de 16 m pour s'amuser. Un dinghy (un canot pneumatique) peut suffire pour s'initier. Les bateaux sont loués pour une demi-journée (5 à 6 h) ou une journée. Les dinghys sont souvent loués à l'heure. Renseignez-vous sur la qualité du matériel fourni et le nombre de lignes mises à votre disposition.
– ***Saison :*** les tarifs baissent en dehors de la pleine saison. Ne pas hésiter à se rendre dans les grands clubs. Ils peuvent vous trouver d'autres personnes pour partager un bateau car on est obligé de louer le bateau entier (2 à 5 personnes).

– ***Mauvaises surprises :*** bien se mettre d'accord sur les prestations comprises dans le tarif. Location du matériel de pêche (lignes et appâts), boissons, repas à bord, essence, tâches de chacun.
Au final, on peut s'en tirer à 35 US$ (26 €) par heure pour la location d'un dinghy équipé. Compter un minimum de 200 US$ (160 €) pour la demi-journée en bateau. Un peu moins cher en basse saison touristique.

PERSONNAGES

Voici un bref aperçu des pionniers qui ont contribué à la découverte du Kenya au XIXe siècle (voir aussi la rubrique « Histoire »).
– ***Johann Ludwig Krapf :*** missionnaire en Éthiopie à l'âge de 27 ans, il décide, face à la concurrence des Églises copte et catholique, de se rendre en Afrique de l'Est – a priori vierge de présence occidentale. Il passe au Caire où il épouse, selon des termes convenus à l'avance, une jeune femme fraîchement débarquée d'Europe, Rosine. Le jeune couple fait immédiatement voile vers la corne de l'Afrique, parvenant à Zanzibar en janvier 1844. Ayant obtenu un laissez-passer du sultan Sayyid Saïd, Krapf et son épouse enceinte remontent la côte en boutre jusqu'à Mombasa. Rosine y donne naissance à une petite fille et meurt, 3 jours plus tard, terrassée par les fièvres. Dix jours passent et l'enfant décède à son tour. À peine troublé, Krapf s'accroche à sa charge et demande l'envoi d'un assistant. Johann Rebman arrive en 1846. La mission est bâtie à Rabai, près de Mombasa, d'où les deux hommes portent la bonne parole aux peuples de l'*hinterland*. À cette occasion, ils sont les premiers à découvrir le Kilimandjaro, puis le mont « Kegnia » – qui donnera plus tard son nom au pays.
– Le comte ***Samuel Teleki von Szek :*** aristocrate hongrois originaire de Transylvanie. À 40 ans, nul ne connaît vraiment les raisons de son enthousiasme subit pour les terres vierges d'Afrique. Les mauvaises langues susurrent que son amitié très prononcée pour la princesse Stéphanie n'y serait pas étrangère. Mais le prince héritier de Habsbourg, qui est aussi le président de la Société géographique de Vienne, est un ami de Teleki. C'est lui qui va financer l'expédition, dont le coût s'élève à... 40 kilos d'or ! C'est lui également qui présente ***Ludwig von Höhnel*** à Teleki. Excellent naturaliste et cartographe, celui-ci va devenir son bras droit. En février 1887, les deux hommes quittent la côte. Les porteurs, lourdement chargés, transportent des centaines de kilos de plaques de verre : Höhnel sera le premier à rapporter des photos d'Afrique. Les expériences initiales sont douloureuses. Les tentatives d'ascension du mont Méru, puis du Kilimandjaro, sont un échec. La caravane traverse le territoire massaï sans anicroche. Mais les contacts avec les Kikuyus, que personne n'a encore approchés, sont plus incertains : les explorateurs subissent trois attaques successives, ce qui n'empêche pas Teleki d'escalader les basses pentes du mont Kenya. Au nord du lac Baringo, c'est encore l'inconnu ; le désert. Mais, un mois plus tard, la troupe atteint le Basso Narok, le lac Noir, que Teleki, en l'honneur de l'archiduc de Habsbourg, rebaptise lac Rodolphe (c'est aujourd'hui le lac Turkana). L'expédition remonte la rive orientale malgré le manque d'eau et de nourriture. Teleki rêve d'atteindre le Basso Najbol, le lac Blanc, connu uniquement par les mentions qu'en ont fait des voyageurs arabes. Il y parvient en avril 1888 et le nomme lac Stéphanie.
– Sans doute le dernier explorateur de la région, le ***docteur Gregory*** est un homme un peu à part. Ni idéaliste ni religieux, il cherche à confirmer sur le terrain la dernière théorie des géologues européens selon laquelle il existerait une faille s'étendant du Proche-Orient à l'Afrique australe. Gregory, que l'on surnomme « poches pleines » parce qu'il passe son temps à ramasser des cailloux, quitte Mombasa en 1893. Les combats entre Massaïs et Kikuyus font rage et le jeune homme est pris entre deux feux. Remontant le

lit de la vallée, il atteint le lac Baringo où, par chance, il découvre des roches sédimentaires exactement semblables à celles des falaises marquant l'escarpement. Il tient la preuve de l'effondrement et nomme l'ensemble Grande Vallée du Rift.

PHOTOS

S'il y a un endroit au monde où vous vous mordriez les doigts de ne pas avoir emmené votre appareil photo, c'est bien en Afrique de l'Est. La profusion de la faune y est telle que vous ne pourrez pas revenir bredouille. Sachez toutefois que sans zoom ou sans téléobjectif, vous risquez d'être déçu(e) au retour. Il faut au moins un 210-220 mm ou, pour les numériques, un zoom optique x12.

Ne photographiez pas les zones sensibles (tout ce qui touche aux militaires, les aéroports, les ponts, etc.). Protégez votre matériel du soleil, des chocs (sur les pistes) et de la poussière, qui s'infiltre partout en saison sèche. Méfiez-vous également de la luminosité, nettement plus forte au niveau de l'équateur.

Vous remarquerez sans doute que les tribus n'aiment pas se faire mettre en boîte. Ce n'est pas que les gens aient peur d'y laisser leur âme, mais les Massaïs – entre autres – en ont un peu marre de tous ces touristes qui braquent leur appareil sur eux à la moindre occasion. Le moins que l'on puisse faire, c'est de demander. On ne vous refusera généralement pas, mais ne vous attendez pas non plus à ce que ce soit gratuit. De nombreux Massaïs s'en sont fait un métier. Si vous tenez absolument à une photo souvenir d'un guerrier avec sa lance, il vous faudra débourser entre 100 et 200 Ksh selon votre interlocuteur et votre qualité de marchand de tapis. Attention, ne payez pas avant d'avoir pris votre photo ou vous risquez bien de ne voir que le dos de votre sujet...

Si vous envisagez de beaucoup photographier la faune – et d'autant plus si vous avez un zoom –, utilisez des pellicules sensibles (200 ou, mieux, 400 ISO). Les plus belles lumières, en fin de journée, sont aussi les moins fortes. Cela évitera que vos clichés ne soient flous. Vous trouverez sur place tous les types de films existants.

Seul le noir et blanc s'avère difficile à dénicher. En cas de panne pendant un safari, sachez que la plupart des *lodges* vendent des pellicules et des piles, mais à un prix prohibitif !

Il est facile de faire développer en ville, et la qualité est assez bonne. Seul problème, les négatifs sont parfois rayés.

Offre spéciale routard

Avant votre départ, préparez vos vacances avec Photo Service... Pour les adeptes de la photo numérique, Photo Service offre 12 % de réduction sur l'achat d'une carte mémoire. Pour les fidèles de l'argentique, Photo Service offre 12 % de réduction sur l'achat de pellicules. Ces avantages sont disponibles dans tous les magasins Photo Service sur présentation du *Guide du routard.*

Au retour, Photo Service vous offre la sauvegarde de vos photos sur CD-Rom pour toute commande de tirages numériques, ou une pellicule gratuite de votre choix pour tout développement et tirage. Sur présentation du *Guide du routard,* Photo Service vous offre la carte de fidélité qui vous permet de bénéficier de 12 % de réduction sur tous vos travaux photos pendant un an dans les magasins Photo Service comme sur le site • www.photoservice.com • Offre valable jusqu'au 31 décembre 2005.

reflexgroup

POPULATION

La diversité ethnique du Kenya est absolument unique sur le continent africain. Avant même l'émergence d'un État, des liens étroits unissaient les diverses communautés pourtant séparées par la langue, la culture et le mode de vie.

L'extraordinaire souplesse de la structuration sociale en ethnies faisait qu'un membre d'une communauté pratiquant l'agriculture ou la chasse-cueillette pouvait très bien envisager d'adopter l'identité d'un autre peuple dont l'activité principale était l'élevage. Un agriculteur kikuyu ayant accumulé un cheptel pouvait demander à être adopté au sein d'une famille, d'un clan ou d'une classe d'âge massaï, de même qu'à l'inverse, un Massaï destitué de son bétail à la suite d'une grave sécheresse pouvait demander à devenir kikuyu le temps de reconstituer un troupeau avant de réintégrer son ethnie d'origine.

Les nécessités de l'État moderne font qu'aujourd'hui, les ethnies sont devenues des objets de folklore et surtout des ressources électorales manipulées par les politiques. De l'ethnicité au tribalisme, le pas est vite franchi, avec le coût humain et social que l'on connaît ! Les Massaïs sont actuellement gravement menacés par des divisions artificiellement provoquées.

Le mythe tenace du pasteur nomade hamite

En sillonnant le pays, vous constaterez qu'il est très largement habité par des ethnies pastorales. Elles occupent près de 80 % du territoire. Mais la population pastorale est également très minoritaire (moins de 20 % de la population globale).

Ce furent les Massaïs qui symbolisèrent le mieux aux yeux des premiers Européens le cliché du nomade fier et intrépide. Au début du XXe siècle, un certain C. Seligman invente un nouveau mythe pseudoscientifique : « Les Hamites arrivèrent par vagues successives ; c'étaient des pasteurs caucasiens (sic !), mieux armés et à l'esprit plus éveillé que les agriculteurs africains à la peau sombre. » Selon cette thèse, pour le moins fantaisiste et dangereusement « raciste », le peuple « supérieur » des Hamites aurait imposé sa civilisation caucasienne à une population locale attardée. Les pasteurs nomades du Kenya, Massaïs en tête, n'auront de cesse de voir leur énigme grandir dans le regard des Occidentaux, au point que bientôt on ira jusqu'à les faire descendre des Atlantes, d'une légion romaine égarée, d'une tribu perdue d'Israël, des Celtes, des Tibétains et même des extra-terrestres...

Pour résumer, ils sont des aristocrates naturels : grands, minces, les traits fins, la peau cuivrée, savamment coiffés, aux gestes lents et contrôlés, braves et affrontant les lions dès l'adolescence ; ils sont de plus des poètes, des musiciens et des philosophes d'exception.

D'où viennent les Massaïs ?

Même s'ils sont originaires de la boucle du Nil, les *Massaïs* constituent néanmoins un peuple autochtone du Kenya. Ils forment l'ethnie africaine la plus célèbre à défaut d'être vraiment connue. Ils sont actuellement environ 350 000. On peut leur adjoindre deux autres ethnies utilisant la même langue : les *Samburus* (130 000), pasteurs de la région septentrionale de Maralal, et les *Njemps* (environ 12 000). Ces derniers sont des pêcheurs-agriculteurs installés sur les rives du lac Baringo.

Lors de leur supposée migration au XIVe siècle en provenance de la région du lac Turkana, les Massaïs auraient remplacé une autre population pastorale installée sur ce qui allait devenir « les meilleurs pâturages du monde », selon l'expression de Sir Charles Eliot, premier commissaire au Kenya du temps du protectorat.

Les intérêts économiques des Massaïs n'entrent pas en contradiction avec les exigences de préservation de la nature sauvage. Ils sont, au contraire, les seuls à pouvoir et à vouloir préserver un environnement favorable à la fois à la faune sauvage et à leurs troupeaux domestiques de zébus (dont ils vivent). Ils ne pratiquent pas la chasse, sauf la chasse au lion. Pour eux, le lion est un redoutable prédateur de bovins. Donc un ennemi à abattre, non par plaisir de tuer, mais par nécessité et culte de la bravoure.

Aujourd'hui, on constate que des herbages improductifs et nocifs se développent d'une manière anarchique au sein des réserves et des parcs. La majorité des terres occupées aujourd'hui par les parcs et les réserves du Kenya, comme de Tanzanie d'ailleurs, appartenait naguère aux Massaïs.

Ils se sentent aujourd'hui exclus de cette politique de conservation, même si les réserves sont gérées localement par leurs représentants politiques. Ils n'en voient en effet les retombées que très partiellement.

Pour sauvegarder leurs traditions et défendre leurs droits vitaux, les Massaïs se sont engagés sur la scène internationale dans la lutte pour leur reconnaissance. Question de dignité, mais aussi de survie. Premier succès pour eux : le groupe de travail de l'ONU sur les populations autochtones les reconnaît désormais comme peuple, au même titre que les *Touaregs,* les *Peuls* ou encore les communautés de langue khoisan. Le problème n° 1 pour les Massaïs est simple : leur territoire d'élevage se réduit d'une année sur l'autre, grignoté par l'État et les entreprises privées.

Les changements climatiques n'apportent rien de bon non plus. Les périodes de sécheresse sont de plus en plus rapprochées. Résultat : trop de troupeaux en même temps, aux mêmes endroits, et aux mêmes moments de l'année. Conséquence, les troupeaux se nourrissent de plus en plus mal. Le cheptel en souffre, les hommes aussi. Heureusement, tout n'est pas perdu, les Massaïs aiment à le répéter : « Nous ne sommes pas encore morts, nous n'avons pas dit notre dernier mot! »

Les Massaïs : carte d'identité

Les Massaïs aiment les légendes. Les *ilmornaks* (les « vieux » en maa) racontent : à l'origine, le premier homme, Leeyio, eut 2 femmes et 5 fils. Parvenus à l'âge adulte, ceux-ci quittèrent la protection de leurs mères pour fonder un foyer. Ces grands guerriers allaient donner naissance aux 7 principaux clans qui, aujourd'hui encore, dominent le pays massaï. Au fil du temps, 12 autres groupes virent le jour. Ces *iloshons,* sections territoriales, portent chacune le nom du territoire qu'elles occupent. Leur système d'intégration sociale diffère de celui des clans.

Peuple de pasteurs nomades, les Massaïs vivent par et pour le bétail. Toujours au nombre des mythes, En-Kai, le créateur du monde, leur fit don de tous les bœufs de la terre – plus exactement, il en fit don aux femmes. Elles possédaient alors vaches, élands et gazelles. Mais, trop occupées à se disputer les meilleurs morceaux d'une bête sacrifiée, elles laissèrent échapper leur cheptel, qui retourna en partie à l'état sauvage. C'est l'homme, dorénavant, qui en est le propriétaire. Mais, beau joueur, il a rétrocédé à la femme la jouissance du lait. La moralité de l'histoire se résume à cela : propriétaires désignés par le divin de tous les troupeaux d'Afrique et d'ailleurs, les Massaïs ont longtemps profité de cette licence pour « récupérer » ceux qui se trouvaient en la possession d'autrui – y compris des autres tribus massaïs... Avant la colonisation, les affrontements étaient fréquents. Les Massaïs s'appropriaient une partie du bétail des vaincus.

Chaque homme possède en moyenne une dizaine de têtes. Les plus influents peuvent en avoir plus de cent. C'est ce qu'il faut pour espérer plus d'une femme. Les bestiaux fournissent la nourriture quotidienne : au menu, lait frais et lait caillé, et plus rarement un mélange de lait et de sang fraîchement prélevé sur la veine jugulaire des animaux vivants, d'un coup de flèche précis – on rebouche ensuite avec un petit bâton. Dans certaines occasions seulement, on mange de la viande. Le bétail sert aussi de monnaie d'échange. Pour obtenir l'adhésion de ses futurs beaux-parents, pour effectuer un achat important, pour payer ses dettes et... ses amendes (imposées par le Conseil des anciens), tout règlement en vaches est accepté. Autre usage, la bouse est utilisée à la confection et au colmatage des *inkajijiks,* les huttes basses, disposées en cercle, très proches les unes des autres. Cernées d'une haie d'épineux, elles forment l'*enkang,* le village. Le terme *manyata* désigne le village des « guerriers » initiés.

Très structurée, la vie des Massaïs s'exprime au travers d'une succession de rites soulignant trois étapes distinctes : l'enfance, la vie d'initiés (guerriers) et l'accession au statut d'ancien. Le rôle de la femme est ambigu : respectée et crainte comme mère de tous les hommes, elle n'en est pas moins privée du droit à la parole et doit subir l'excision, dont la douleur seule, dit-on, peut lui permettre de faire de son fils un guerrier. Le mariage est arrangé mais la liberté sexuelle des filles célibataires est totale. Coquettes, celles-ci aiment à se parer de bijoux en perles. Elles portent parfois des plateaux autour du cou larges d'une cinquantaine de centimètres.

Entre 12 et 14 ans – parfois avant même, à partir de 10 ans –, la circoncision marque l'entrée des jeunes hommes dans le groupe guerrier des *moranes.* Majestueux, on les reconnaît alors à leurs longues capes (appelées *olkarashas*) en tissu rouge ou aux couleurs de terre – la terre massaï –, ainsi qu'à leurs armes : lance et épée. Pendant 6 à 10 ans, ils vont vivre loin de leur village, entre garçons de la tribu appartenant au même groupe d'âge. Interdits de séjour au sein de leur famille, les *moranes* construisent leur propre *manyata.* Pendant cette longue période d'apprentissage, ils s'aguerrissent, s'entraidant pour faire face par eux-mêmes à toutes les situations. Leur rôle traditionnel consistait autrefois – et encore un peu aujourd'hui – à protéger le village des raids ennemis et, selon l'adage du « tout le bétail du monde est à nous »... à razzier les troupeaux des autres clans !

Parmi leurs attributions, les *moranes* devaient aussi pourvoir à la sécurité des troupeaux. Autrement dit, combattre le lion. La tradition voulait que le fauve soit tué en combat rapproché ; le premier qui fichait sa lance dans les flancs de l'animal recevait l'honneur de porter sa crinière lors des cérémonies ; celui qui l'attrapait par la queue la conservait en souvenir de sa bravoure. La chasse au lion interdite, les coiffes sont désormais faites de plumes d'autruches. Mais il n'est pas d'année sans qu'un Massaï, ici ou là, sacrifie à la tradition – il ne l'avouera pas.

Vers 18 ou 20 ans, les *moranes* devenus matures, l'*Eunoto* peut enfin avoir lieu : ce moment capital, qui n'a lieu que tous les 8 ou 10 ans pour chaque tribu, marque la fin des années d'errance et l'entrée dans une phase intermédiaire d'une dizaine d'années faite de rituels levant progressivement les interdits. À l'issue de cette période, ils sont des anciens à part entière et vont enfin pouvoir se marier.

Parmi les *moranes* d'une même classe d'âge, 29 sont choisis par les anciens – incarnation du pouvoir et de la sagesse réunis – selon des critères de courage, de probité et... de beauté ! Deux se distinguent plus encore : Olaïguenani, le conseiller principal du groupe (le porte-parole de la classe d'âge), et Olotuno, l'organisateur de la fête (le leader spirituel de la classe d'âge). Le Laibon (terme qui vient de *oloïbani kitok :* grand prêtre, devin et guérisseur) donne son aval à la décision. À l'occasion de la cérémonie, les mères rasent la tête de leurs fils : les *moranes* sont les seuls Massaïs à conserver leurs cheveux, signe distinctif du guerrier. Maquillés de craie, ils dansent, sautant aussi haut que possible, le corps tendu, les bras serrés le long du corps, accompagnés des chants scandés, au son des grelots et des cornes de grands koudous. Pour la première fois, ils boivent une sorte d'alcool fait à base de l'écorce d'un arbre appelé *olkonyil.* Peu habitués, la plupart succombent à des transes.

Les Massaïs ont une religion qui n'est pas sans rappeler le mithraïsme, avec un dieu doué de bonté et un dieu maléfique : *En Kaï Narok,* le dieu noir, bon, bienveillant, proche des hommes, que symbolisent les nuages, la pluie, synonymes de fertilité et de vie ; *En Kaï Nanyokie,* le dieu rouge, malfaisant, qui, illustrant la colère et la vengeance divines, s'exprime notamment par des sécheresses et des épidémies.

Une mosaïque d'ethnies de langues bantoue, nilotique et couchitique

Issus des peuples migrants venus de l'ouest à diverses époques et par différentes routes, les peuples du Kenya parlant des *langues bantoues* habitent trois zones géographiques. À l'ouest, en retrait des rives du lac Victoria, sur les Hautes Terres du Centre, et enfin sur la côte.

– ***Les Luyias :*** à l'ouest. Ils sont environ 3,5 millions. Sous ce nom se cache une entité fourre-tout conçue à l'époque coloniale par les Britanniques, pour regrouper 18 communautés parlant des langues proches. Ils occupent les collines situées entre le lac Victoria et le mont Elgon, où ils pratiquent l'agriculture (maïs, coton, mil, sorgho et canne à sucre) tout en accordant au bétail un attachement rituel. Connaissant l'une des densités de population les plus élevées du pays, beaucoup ont migré vers les villes.

– ***Les Gusiis :*** environ 1,6 million. De même origine que certains groupes luyias, ils cultivent intensivement les collines de la région de Kisii et produisent en quantité millet, thé, maïs et pyrèthre. Leur région recelant quelques gisements de stéatite *(soapstone),* ils ont appris à sculpter ces pierres, au point de devenir des artistes spécialisés et renommés dans ce domaine.

– ***Les Kurias :*** vivent plus au sud du lac Victoria, et forment une communauté d'environ 150 000 membres. Originaires de l'Ouganda voisin, ils vivent plutôt en relations étroites avec les Luos.

– ***Les Kambas :*** 3 millions, installés entre Nairobi et la côte. Pragmatiques, les Kambas ont créé des ranchs fonctionnant en coopératives. Chacun met en commun ses têtes de bétail sur des pâturages prévus à cet effet. Les Kambas ont donné au pays un nombre considérable de commerçants et fourni à l'armée kenyane de nombreuses recrues.

– ***Les Kikuyus :*** 5 millions. Voisins du fameux mont Kenya, les Kikuyus pratiquent d'abord l'agriculture. Ils occupent la majeure partie de la province du Centre. C'est l'ethnie la plus nombreuse du Kenya. Autre particularité : leur accroissement démographique, le plus rapide du pays. Ayant été jadis à l'origine du mouvement nationaliste, les Kikuyus ont l'esprit d'entreprise et le sens des valeurs capitalistes. Cela étant, l'élite de grands propriétaires terriens ne doit pas faire oublier les cultivateurs kikuyus installés sur de minuscules lopins de terre et les foules de miséreux qui occupent les gigantesques bidonvilles des faubourgs de Nairobi.

– ***Les Mérus :*** 1,5 million. Proches voisins des Kikuyus, ils n'en sont pas moins d'origine différente. Ils ont été jadis en relation avec les populations couchitiques du Nord, comme l'atteste notamment leur interdit alimentaire sur le poisson. Ils pratiquent une agriculture mixte sur le versant nord-est du mont Kenya, ainsi que l'élevage.

– ***Les ethnies de la côte :*** les collines et plaines côtières sont habitées par 9 petites ethnies qu'on regroupe généralement sous le vocable de *Mijikenda* (1,3 million). Les célèbres danseurs *giriamas,* que vous aurez sûrement l'opportunité d'admirer, en font partie. Les *Taitas* (250 000 membres) ont un exceptionnel savoir-faire. Ils pratiquent une agriculture intensive, ce qui fait de leur région le véritable jardin potager de Mombasa.

Dans l'archipel de Lamu, véritable musée vivant de la culture swahilie, les *Bajuns* (50 000), lorsqu'ils ne sont pas atteints par le virus de l'industrie touristique, sont toujours de très habiles artisans spécialisés dans l'ébénisterie et les métaux précieux. Ils sont également les derniers architectes et bâtisseurs de boutres dont la réputation n'est plus à faire dans l'océan Indien.

Quant aux *Swahilis* proprement dits (8 000 environ), ils représentent la brillante civilisation que leurs ancêtres ont créée au premier millénaire dans les cités-États de la côte, et continuent de participer à des réseaux familiaux et commerçants très prospères jusqu'aux Comores au sud, au golfe Arabique et en particulier au Yémen au nord.

– ***Les ethnies de langue nilotique :*** elles sont tout aussi dispersées sur l'ensemble du territoire kenyan. Par souci de clarté, on les range habituellement dans trois catégories. Les Nilotiques orientaux regroupent les *Massaïs* et peuples apparentés (voir plus haut) et les *Turkanas.*

– ***Les Turkanas :*** près de 300 000 membres. Ils occupent toute la région désertique qui s'étend entre l'Ouganda et la rive ouest du lac Turkana (ex-Rodolphe). Longtemps demeurés à l'écart de toute réalisation massive de l'État moderne, les Turkanas, pasteurs nomades parfaitement adaptés à un environnement aride, ont été contraints, à la suite de graves sécheresses, à diversifier leur activité économique. Ainsi, la pêche a connu un certain développement avec la création de coopératives.

– ***Les Luos :*** autour de 3,5 millions. Ils représentent la seule communauté appartenant au groupe des Nilotiques occidentaux du Kenya. Les Luos appartiennent à une famille de peuples qui se sont dispersés naguère depuis le Soudan, immigrant vers l'Ouganda et le Kenya. Ils sont constitués de pas moins d'une quarantaine de communautés différentes. Cela explique sans doute la diversité de leurs traditions.

Perpétuant le culte des ancêtres, ils accordent une grande importance aux rites funéraires. Au lieu de pratiquer la circoncision et la clitoridectomie comme les autres Nilotiques, ils réalisent, comme les Massaïs, l'extraction des incisives inférieures. Autrefois orientés vers le pastoralisme, ils produisent aujourd'hui des cultures d'exportation telles que la canne à sucre et le coton. Leur grande capacité d'adaptation les a poussés à s'engager dans le commerce, la politique et l'enseignement supérieur, même si, entre les années 1960 et 1980, on a tenté de les marginaliser sur les plans politique et économique.

– ***Les Nilotiques dits « méridionaux » :*** ils ont été regroupés sous le nom de *Kalenjins,* terme adopté dans les années 1950. Il signifie « je vous dis », dans la plupart des langues parlées par les ethnies qui s'y rattachent. Au sein du groupe kalenjin (près de 3 millions), on distingue les *Kipsigis* de la région de Kericho, qui cultivent des champs de thé, de maïs et de pyrèthre. Il y a aussi les *Nandis,* ancien peuple pastoral installé au nord des terres kipsigis sur des collines verdoyantes d'altitude. Eux pratiquent aujourd'hui davantage l'agriculture que l'élevage. Ajoutons les *Sabaots* du mont Elgon (également agriculteurs). Les *Tugens,* à la fois agriculteurs et éleveurs, vivent dans la région semi-aride de Kabarnet. *Kabarnet* est un nom de lieu et celui d'une ethnie à laquelle appartient le président du Kenya, Daniel Arap Moi. Les *Elgeyos* et les *Marakwets* occupent les collines surpeuplées à l'ouest de la vallée de Kerio. Ils cultivent l'arachide, le maïs, le café et le blé. Les pasteurs semi-nomades *Pokots* habitent la vallée de Kerio et les collines de Cherangani.

Nous avons commencé cette revue des ethnies du Kenya en parlant des peuples pastoraux et nomades, il est logique de l'achever en évoquant les noms des plus importants d'entre eux, dans la catégorie des ***Couchites.***

– ***Les Somalis :*** environ 500 000. Ils partagent une économie du dromadaire dans l'immense province du Nord-Est. Musulmans, ils demeurent bien sûr étroitement liés aux Somalis de la Somalie voisine. Vous aurez l'occasion d'en voir dans les petits centres urbains du territoire massaï.

– ***Les Rendilles :*** 30 000 individus. Ils nomadisent avec leurs troupeaux de dromadaires au sud-est du lac Turkana. Ils partagent d'importantes institutions et des réseaux d'échange avec leurs voisins samburus.

– Les ***Oromos*** (45 000), les ***Borans*** (90 000) et les ***Gabbras*** (40 000) occupent la partie centre-nord du Kenya et ont en commun une organisation sociale du temps et de l'espace sur laquelle reposent des liens complexes d'entraide.

Des minorités non africaines

Malgré une volonté compréhensible d'africaniser l'ancien « pays de l'homme blanc », le Kenya indépendant n'a pas chassé les étrangers. Au contraire, à l'indépendance, le gouvernement leur proposa de prendre la nouvelle nationalité. Il y a aujourd'hui environ 5000 Kenyans d'origine européenne, descendants des colons.
Le Kenya compte aujourd'hui également 50000 « expatriés ». Ils sont coopérants, employés de firmes étrangères, fonctionnaires internationaux ou diplomates. Leur train de vie élevé les rend parfois étrangers au Kenya réel.
Les Kenyans d'origine arabe descendent des premiers marchands arabes installés sur la côte. De nombreuses familles conservent encore des contacts avec Oman, le Yémen et l'Arabie saoudite.

Les Indiens

Comme dans la quasi-totalité des anciennes colonies anglaises, le Kenya compte une grosse minorité indo-pakistanaise, originaire pour sa majeure partie du Gujarat, du Pendjab (nord et nord-ouest de l'Inde), et de Kutch (sud-ouest de l'Inde). Les premiers immigrants indiens s'établirent dans les villes marchandes de la côte arabo-swahilie dès les Xe et XIIe siècles. L'influence indienne sur la culture swahilie se retrouve en particulier dans l'architecture et l'artisanat. Ne manquez pas de le remarquer en visitant les anciennes villes de la côte !
La vague d'immigration la plus importante est arrivée au moment même de la naissance du pays : les Indiens étaient alors employés comme manœuvres pour la construction du chemin de fer reliant Mombasa au lac Victoria. Après la Seconde Guerre mondiale, une nouvelle vague de migration arriva, encouragée par les autorités britanniques.
Non négligeable sur le plan numérique (150000 personnes environ, dont moins de 40000 sont de nationalité kenyane), la communauté l'est moins encore sur le plan économique. Ils contrôlent aujourd'hui certaines branches de l'économie kenyane, à commencer par l'immobilier, le commerce, les services et, dans une moindre mesure, la finance et le tourisme.
C'est par conséquent la minorité qui suscite le plus d'hostilité. L'expulsion brutale de la minorité indienne d'Ouganda par Idi Amin Dada en 1973 était révélatrice de la tension qui pouvait exister entre les deux groupes ethniques. Mais l'effondrement de la machine économique ougandaise fut prise comme un avertissement.
Le Kenya, conscient des réalités, a fini par intégrer sa population indienne après lui avoir proposé le choix entre l'exil et la nationalité kenyane – bien peu décidèrent de partir. Industriels, ingénieurs, médecins, avocats ou hauts fonctionnaires, ils réussissent bien mais peuvent donner l'impression de vivre en marge de la société. Cela parce qu'ils continuent de vivre entre eux. Ils pratiquent encore de nos jours une endogamie de caste et de religion qui exclut d'autant plus tout mélange avec les Africains.

Conseils et recommandations chez les Massaïs

Le pays massaï n'est pas un zoo. Ce n'est pas non plus une réserve où l'on irait faire le plein d'exotisme et de sensations fortes avant de retrouver le confort de nos foyers. Comprenez bien une chose essentielle : les Massaïs, référence culturelle aux XVIIIe et XIXe siècles pour toute l'Afrique de l'Est, sont devenus en quelques années des « sauvages, sans culture », aux yeux des pouvoirs publics mais aussi pour de nombreux « Kenyans ». On leur

reproche même de détruire leur environnement alors que, de tout temps, leur savoir-faire traditionnel leur a permis d'assurer leur descendance et de s'enrichir.
Hélas, ils sont devenus les boucs émissaires d'un État en marche. Il y a deux raisons principales à ce mouvement : d'une part, ils possèdent le troupeau de zébus le plus important de toute l'Afrique noire, et on veut les transformer en cow-boys de ranchs privés, engraisseurs de viande sur pied. D'autre part, leurs terres recèlent encore d'immenses ressources en *wildlife,* aussi tente-t-on aujourd'hui par tous les moyens de les exproprier. Créer un parc naturel ou une énième réserve pour safaristes est une affaire plus juteuse en devises que la banale gestion des villages massaïs.
Soyez respectueux des Massaïs, apprenez à les connaître, à comprendre leur cause. Soyez tout simplement vous-même et enjoué, qualités essentielles chez eux. Si vous voulez nouer un contact plus intime, faites-leur plaisir en leur offrant un paquet de sucre roux en poudre (ingrédient indispensable à la confection de leur succulent thé au lait), un paquet de thé kenyan ordinaire, voire des rangs de perles en pâte de verre, ainsi que quelques carottes de tabac à mâcher pour les aînés et les anciens (sans oublier une pierre de sel cristallisé), que vous trouverez dans les petites échoppes de Kajiado ou Narok.
Nous vous déconseillons fortement la visite de ces villages ironiquement qualifiés de *Massai Cultural Villages.* Vous êtes à peu près sûr d'y rencontrer des caricatures (même si ce sont de vrais Massaïs). Évitez de devenir identiques à ces pauvres touristes d'opérette, casques coloniaux vissés sur leurs têtes cramoisies, qui utilisent leurs appareils photo à tort et à travers.

POSTE

Les bureaux de poste sont généralement ouverts de 8 h à 12 h 30 et de 14 h à 17 h (de 8 h à 17 h dans certaines villes importantes) du lundi au vendredi et de 9 h à 12 h le samedi. Ne venez pas au dernier moment : les files d'attente font peur à voir. Le personnel n'est pas pressé, mais le courrier circule bien. Comptez de 4 à 8 jours pour que votre lettre arrive à destination ; délais similaires dans l'autre sens. Derniers tarifs en vigueur pour la France : 35 Ksh pour une carte postale petit format et 60 Ksh pour une carte postale grand format ou une lettre sous enveloppe. Au-dessus de 10 g, les tarifs grimpent vite. Les télégrammes sont assez chers.
Si vous vous faites écrire en poste restante, on vous donnera la pile des lettres correspondant à votre initiale. Exemple : si vous vous appelez Dupont, vous n'aurez plus qu'à farfouiller dans les D jusqu'à ce que vous trouviez votre bonheur. Il peut être judicieux d'éviter les prénoms, les M., Mme... Certains pressés ont carrément pris l'initiative de se faire écrire sous le nom Q ou Z, pour être sûrs d'être les seuls !

RELIGIONS ET CROYANCES

Religieux au point d'en être superstitieux, les Kenyans sont pour ainsi dire tous adeptes d'un culte quelconque. Les chrétiens représentent un peu plus de 75 % des croyants, les musulmans 10 %, le reste étant partagé entre animistes et hindouistes. Toutefois, ces religions « officielles » n'ont pas réussi à occulter les vieilles croyances populaires. Dans la région du mont Kenya, par exemple, les ethnies locales continuent de vénérer le Figtree. Il y aura toujours un ancien pour vous mettre en garde : celui qui se risque à courir autour du tronc changera de sexe, s'il ose uriner sur l'arbre, il deviendra fou et s'il est assez téméraire pour essayer de le couper, il mourra. Convaincu ?

Le christianisme

La majeure partie des habitants du centre du pays appartient à une église chrétienne, généralement protestante. Livrée très tôt en pâture aux missionnaires de la *Society for the Propagation of Gospel* – entre autres –, l'Afrique orientale a commencé à être évangélisée dès les premiers contacts avec les explorateurs européens. Livingstone lui-même n'était-il pas pasteur ? Mêlant religion et soins dans les dispensaires de brousse, organisant des classes pour apprendre à lire aux enfants, luthériens, presbytériens, méthodistes, adventistes du septième jour, de plus en plus fréquemment soutenus par des dons venus des États-Unis, se sont peu à peu rendus indispensables dans les coins les plus reculés du pays.
En parallèle, de nombreuses sectes d'inspiration purement africaine ont vu le jour. Les mouvements religieux ont pris une part grandissante dans la politique nationale.

L'islam

Pour des raisons historiques de contacts avec le monde arabe, c'est sur la côte que l'on dénombre la majeure partie des disciples de Mahomet. Si la plupart appartiennent au courant sunnite, les ismaélites – un courant très modéré prônant l'éducation des femmes – sont cependant bien représentés. Rassemblés derrière l'image emblématique de l'Aga Khan, ces derniers jouent un rôle important dans l'aide humanitaire et les projets de développement à long terme.

L'hindouisme

Très conservatrice, la communauté indienne se concentre principalement sur la côte (région de Mombasa) et reste fortement attachée à la pratique religieuse. Les nombreux temples hindouistes en attestent, même si, bien souvent, les rites ont lieu à la maison. À côté des divers courants hindouistes, on trouve aussi quelques sikhs et jaïns.

SAFARIS

Ce mot universel qui parle si bien à notre imagination signifie « voyage » en langue swahilie. Le safari des grands chasseurs s'est démocratisé depuis les colonnes de porteurs de Livingstone. Il y en a pour tous les tempéraments : photographes, randonneurs, plongeurs...

Partir seul ou en tour organisé ?

On peut louer à Nairobi des véhicules et des équipements de camping. Cette formule est bien plus chère qu'un safari organisé : les professionnels du tourisme négocient des tarifs dont vous ne bénéficierez pas dans ce cas. On vous déconseille cette formule en haute saison, surtout si vous avez peu de temps et peu d'argent devant vous. En revanche, la réservation directe permet de négocier de belles ristournes en basse saison. Les tour-opérateurs proposent des circuits fixes où l'on se joint souvent à d'autres voyageurs. Plus cher, mais plus souple : les circuits personnalisés où vous décidez a priori de votre itinéraire.

Avec ou sans chauffeur ?

Tout dépend de votre parcours et de votre budget. Si vous sortez des sentiers battus, un chauffeur peut être précieux : il connaît le terrain et les endroits fréquentés par les animaux. Au *lodge* ou sur la piste, il échange des informations toutes fraîches sur l'état des pistes avec ses collègues chauffeurs. Vous pourrez profiter du paysage tranquillement, dégagé des responsabilités financières en cas de panne ou de vol du véhicule. En revanche, il est difficile de changer un itinéraire décidé à l'avance. Il faut aussi lui payer un pourboire à la fin du séjour.

Choisir son tour-opérateur

La plupart des touristes réservent depuis l'Europe. On peut aussi choisir sur place : il existe plus de 150 tour-opérateurs à Nairobi.

Les professionnels et les amateurs

Dans les rues de Nairobi et de Mombasa, des agents rabattent les touristes vers des compagnies ou des agents individuels qui déclineront toute responsabilité en cas de pépin. Évanoui dans la nature, votre rabatteur vous laissera sans interlocuteur pour régler vos litiges éventuels. Donc, adressez-vous directement à une agence, assurez-vous qu'elle a une licence et qu'elle est bien assurée. Deux autocollants au moins devront figurer sur le pare-brise de votre véhicule : PSV *(Public Service Vehicle)* et RSL *(Road Service Licence),* ainsi que le coupon d'assurance.
Un membre de la KATO *(Kenya Association of Tour-Operators)* vous apportera des garanties supplémentaires. Cette association possède un service d'information et de réclamation, une éthique très stricte pour le respect du client et de l'environnement.

Les tour-opérateurs et les agences

Il existe deux types de prestataires : les tour-opérateurs et les agents (agences de voyages ou particuliers). Les premiers proposent des circuits qu'ils préparent et réalisent eux-mêmes avec leurs propres véhicules. L'agent est un intermédiaire. Si vous réservez chez un agent ou un tour-opérateur commissionné, assurez-vous de la fiabilité du sous-traitant.

Les safaris par type de transport

Le safari en voiture ou en minibus

La plupart des safaris s'effectuent en minibus ou en 4x4 spécialement aménagés pour l'observation des animaux. En saison sèche, une berline standard fait l'affaire sur les axes principaux des grands parcs. Il existe des bus de 24 sièges où la photographie relève de l'acrobatie si vous êtes loin de la fenêtre. La formule idéale, c'est le 4x4, style Land Rover. Mais sachez que cela vous coûtera toujours plus cher qu'un minibus à toit ouvrant (et puis finalement ces derniers, très robustes, négocient bien les pistes les plus difficiles, alors...).

Le safari en camion

C'est le principe du *Turkana-Bus.* On voyage assis sur des banquettes à l'arrière d'un camion ouvert. Le véhicule trace une boucle de 1 500 à 1 700 km dans la région du lac Turkana. Une expérience poussiéreuse, fatigante, mais inoubliable. Des tour-opérateurs en ont fait leur spécialité.

Le safari à pied ou à vélo

Le Kenya est un paradis pour le randonneur : forêts, montagnes, lacs, volcans, déserts... La plupart des sites sont peu fréquentés. Hébergement en refuge ou en tente. Là aussi, des agences se sont spécialisées dans la rando et le VTT.

Le safari à dos de chameau ou à cheval

Dans la région de Marsabit, du Turkana, ou dans des ranches privés sur les hauts plateaux. On part en groupe. Il faut un nombre minimum de personnes. Pas besoin de monter comme Lawrence d'Arabie ou Tarass Boulba. Les distances parcourues ne dépassent pas 20 à 30 km par jour.

Le safari en avion

La plupart des parcs possèdent une piste d'atterrissage pour les avions légers. Des safaris aériens sont organisés par les *lodges* et par certaines compagnies aériennes. Inconvénient : le prix, le climat (les pistes souvent inutilisables en saison des pluies) et la limitation de poids : 10 à 15 kg de bagages par personne. Dans la région d'Amboseli, un Français, Alexis Peltier, propose des survols du coin en ULM ; une expérience originale et inoubliable (voir le parc national d'Amboseli).

Le safari en ballon

L'idée du safari en ballon n'est pas nouvelle : Jules Verne y avait pensé en 1862 ! Dans *Cinq semaines en ballon,* il raconte une traversée de l'Afrique vers l'ouest depuis Zanzibar. Un siècle plus tard, un écrivain anglais réalise ce rêve. Il survole le Serengeti depuis Zanzibar en compagnie d'un cinéaste de la vie animale : Alan Roots. Roots s'empresse alors de tourner un film qui fait sa célébrité : *Safari en ballon* qui enregistre près de 100 millions d'entrées. En 1976, Roots pilote le vol inaugural au *Keekorok Lodge,* dans la réserve de Massaï-Mara, puis en 1988 dans le sanctuaire animalier des Taita Hills (Tsavo). Ce sont aujourd'hui les deux seules bases de vols réguliers au Kenya (ouvertes au public). Prix absolument exorbitant : à réserver aux grandes occasions !

L'équipement

– ***Bagages :*** pas plus de 10 kg par personne. Prenez un sac souple. Les valises sont parfois refusées.
– ***Sacs plastique :*** la poussière de la piste s'immisce partout, dans les bagages et les appareils photo. Une seule parade : le sac plastique.
– ***Vêtements :*** pas besoin de se déguiser en Indiana Jones. Un safari en minibus pourrait aussi bien se faire en smoking tant on est loin de l'aventure. Mais choisissez plutôt un habillement simple et confortable. Un pull est conseillé pour les sorties matinales et les soirées, surtout sur les hauts plateaux. Le soir, une tenue correcte est exigée dans les *lodges.*
– ***Chaussures :*** prenez des chaussures de rando confortables et pas trop chaudes, genre Pataugas.
– ***Utilitaires :*** de la crème solaire et des lunettes de soleil, un petit sac à dos, un imperméable pendant la saison des pluies et un répulsif contre les moustiques.

L'observation de la faune

Les animaux n'apparaissent pas sur commande, mais on peut optimiser ses chances en connaissant quelques principes généraux.
– ***Horaires :*** les meilleurs moments de la journée pour l'observation de la faune sont au lever et au coucher du soleil. Dans la journée, les animaux dorment ou se prélassent à l'ombre. Inutile de programmer un safari en pleine chaleur. En général, on prévoit une sortie vers 7 h du matin et une

autre vers 16 h. Les points d'eau situés en face des *lodges* attirent une faune nombreuse.

– ***Saison :*** le Kenya est une terre de grandes migrations animales. En juillet-août, les gnous traversent la frontière avec la Tanzanie entre Serengeti et Massaï-Mara. Pendant l'hiver boréal (le nôtre), les oiseaux affluent d'Asie et d'Europe. En règle générale, les points d'eau et de sel sont très fréquentés pendant la saison sèche. Pendant les pluies, les paysages de savane sont magnifiques. L'herbe est haute et les animaux sont moins visibles. En haute saison, des troupeaux de minibus reliés par radio encerclent les fauves. Difficile de cadrer sans une calandre de minibus ou un bob dans l'objectif !

– ***Rangers :*** ils sauront où vous conduire pour observer la faune la plus discrète. On peut louer leurs services en réservant par téléphone au bureau du KWS dans le parc, auprès de votre *lodge* ou directement à l'entrée du parc.

– ***Jumelles :*** indispensables. Les jumelles de randonnée, compactes, sont les plus adaptées. Vous devez pouvoir dégainer et faire la mise au point rapidement. Un grossissement de 8 à 10 est suffisant.

SANTÉ

Le Kenya est un pays pauvre et qui mise en grande partie sur le tourisme pour cesser de l'être. La protection sanitaire des voyageurs s'améliore régulièrement : cela est une réalité. Mais, d'un autre côté, on cache aux touristes, à leurs agents de voyages et aux tour-opérateurs une bonne partie des risques qui subsistent. La Tanzanie suit la même évolution, avec un net retard.

Les vaccins

C'est la première malhonnêteté des autorités de ces deux pays :

– le Kenya n'exige aucun vaccin à l'entrée de son territoire. En particulier, on peut librement entrer sans vaccination contre la fièvre jaune. Pourtant, le pays se situe en pleine zone de transmission de la maladie : d'ailleurs, des épidémies meurtrières éclatent régulièrement ;

– à l'opposé, la Tanzanie exige périodiquement, pour l'entrée sur son territoire en provenance du Kenya, la vaccination contre le choléra, alors que le règlement sanitaire international interdit formellement cette pratique qui, de plus, ne sert à rien.

Médicalement, il ne faut donc tenir aucun compte de ce que racontent les autorités sanitaires de ces pays et encore moins leurs ambassades, et pas plus les brochures des tour-opérateurs qui se bornent à recopier ce que disent ces derniers.

Voici ce qu'il faut, en ce qui concerne les vaccins, pour se rendre dans l'un ou l'autre de ces deux pays.

Les vaccins « universels »

Déjà recommandés aux Français non voyageurs, on peut imaginer leur intérêt encore plus grand pour ceux qui voyagent. Il s'agit des vaccins contre :

– *le tétanos* ;

– *la poliomyélite* ;

– *la diphtérie.*

Après la primo-vaccination de l'enfance, un rappel (REVAXIS) protège pendant dix ans supplémentaires.

– *Hépatite B :* deux injections à un mois d'intervalle, rappel à un an ; puis tous les 5 à 10 ans selon le risque individuel d'exposition (aucun rappel n'est nécessaire si le vaccin a été fait avant l'âge de 25 ans : protection à vie probable).

Bien entendu, pour les enfants, il est indispensable qu'ils soient à jour pour toutes les vaccinations obligatoires et recommandées du calendrier vaccinal français.

Les vaccins obligatoires

– *Fièvre jaune :* à faire obligatoirement, quelle que soit la recommandation du pays. À faire dès l'âge de 6 mois. Une injection protège 10 ans. Le vaccin est aujourd'hui aussi bien supporté que les autres. Il ne peut être fait que dans un centre agréé.
– *Choléra :* il n'y a plus de vaccin anticholérique commercialisé en France depuis décembre 1996. Tout médecin informé donnera un coup de tampon sur votre carnet de vaccination pour vous éviter ennuis frontaliers et bakchich.

Les vaccins du voyage

– *Hépatite A :* sans nul doute, il ne faut partir en Afrique noire qu'immunisé contre cette très fréquente maladie. Mais, actuellement, environ un Français sur deux est naturellement immunisé et n'a donc aucun besoin du très coûteux vaccin (environ 34 € la dose). Pour les voyageurs de plus de 30-40 ans, il est recommandé de se faire faire une prise de sang qui déterminera la présence ou l'absence de cette immunité naturelle. Si la réponse est « négatif », il faudra faire une injection (Avaxim ou Havrix 1440) qui protégera 10 ans (et sans doute beaucoup plus) si l'on n'oublie pas de faire le rappel entre 6 et 12 mois plus tard.
– *Typhoïde :* vaccin recommandé à tous les voyageurs âgés de plus de 2 ans qui se rendent dans un pays de basse hygiène. Mais celle-ci s'améliore régulièrement, au Kenya tout au moins, et on n'y reste généralement pas très longtemps. Ce n'est pas un drame si le touriste part non vacciné.
– *Méningite à méningocoque :* vaccin peu utile pour le touriste en court séjour safari, mais très recommandé en cas de séjour long avec immersion dans la population autochtone.
– *Rage :* vaccin peu utile pour le tourisme court. Très recommandé en cas de séjour long en zones rurales éloignées, et à tous ceux qui seront en contact régulier avec les animaux.

Le paludisme (la malaria)

Autre problème vital avec lequel on ne plaisante pas : le palu tue 2,7 millions de personnes par an dans le monde ! Il y a du paludisme partout au Kenya et en Tanzanie, y compris dans les capitales, à l'exception des zones situées à une altitude de plus de 2000 m – mais on n'atterrit pas directement sur le mont Kenya (5199 m) ! Tout le monde est donc concerné par la prévention du palu. Il ne se transmet qu'entre le coucher et le lever du soleil.
La prévention repose sur les mesures suivantes :
– dès la tombée de la nuit, porter des vêtements recouvrant le maximum de surface corporelle ;
– sur les parties restées découvertes, appliquer régulièrement, toutes les 3-4 h, des répulsifs antimoustiques ***réellement efficaces*** sur les moustiques tropicaux. En effet, beaucoup, pour ne pas dire la quasi-totalité des répulsifs antimoustiques arthropodes vendus en grande surface ou en pharmacie, sont peu ou insuffisamment efficaces. Un laboratoire (Cattier-Dislab) a mis sur le marché une gamme enfin conforme aux recommandations du ministère français de la Santé : *Repel Insect Adulte* (DEET 50 %) ; *Repel Insect Enfant* (35/35 12,5 %) ; *Repel Insect Trempage* (perméthrine), pour l'imprégnation des tissus (moustiquaires en particulier) et permettant une protection de 6 mois ; *Repel Insect Vaporisateur* (perméthrine), pour l'imprégnation des vêtements ne supportant pas le trempage et permettant une protection résistant à 6 lavages.

– Partout et chaque fois que cela est possible, utiliser abondamment les serpentins incandescents (sauf dans la chambre à coucher), les diffuseurs électriques...
– S'il n'y a pas de système d'AC parfaitement hermétique et qui fasse descendre la température en permanence dans une zone proche du froid, il est indispensable de n'accepter de dormir que sous moustiquaire imprégnée d'insecticide : cela constitue le moyen reconnu par l'Organisation mondiale de la santé comme le plus efficace pour la prévention du paludisme.
Ces matériels et produits, ainsi que bien d'autres utiles aux voyageurs, souvent très difficiles à trouver, peuvent être achetés par correspondance :

■ ***Catalogue Santé Voyage :*** 83-87, av. d'Italie, 75013 Paris. ☎ 01-45-86-41-91. Fax : 01-45-86-40-59. • www.sante-voyages.com • (infos santé voyages et commandes en ligne sécurisée). Envoi gratuit du catalogue sur simple demande. Livraisons Colissimo suivi : 24 h en Île-de-France, 48 h en province. Expéditions DOM-TOM.

Pour les médicaments, la situation épidémiologique kenyane est assez complexe, car il y a à la fois des zones II et des zones III dans ce pays (ces zones font référence à l'importance de la résistance du *Plasmodium falciparum* aux médicaments antipaludiques). Trois médicaments seulement peuvent être utilisés à ce jour.
– ***Le Lariam :*** efficace partout dans ces zones, il est malheureusement assez mal supporté par bien des voyageurs. Si vous n'avez pas de contre-indication (cœur, cerveau, grossesse, enfant de moins de 15 kg), commencez le traitement plus de 10 jours avant le départ (1 comprimé par semaine) pour voir si vous le supportez : en cas d'intolérance, on aura le temps de changer pour l'autre médicament. Mais attention, la plupart des médecins spécialisés et africains le déconseillent fortement pour les séjours courts.
– ***La Savarine :*** association en un seul comprimé de deux antipaludiques *(chloroquine et proguanil)* – 1 comprimé par jour –, elle est parfaitement supportée et ne connaît en pratique aucune contre-indication. L'efficacité globale est excellente, mais peut être prise en défaut dans certaines zones, en particulier celle de Mombasa. La Savarine pourra ou devra être prise par tous les voyageurs qui :
– ne supportent pas le Lariam ou présentent une contre-indication à ce produit ;
– ne se rendront pas dans la région de Mombasa ;
– séjourneront plus de 3 mois ;
– ou à l'opposé resteront peu de temps (moins de 10 jours).
N.B. : la Savarine, pour des questions de dosage, n'est pas utilisable chez l'enfant : il faut avoir recours aux deux médicaments séparés, Nivaquine et Paludrine, selon une posologie calculée en fonction de l'âge.
Dans tous les cas, continuer le traitement pendant les 4 semaines qui suivent le retour, et consulter un médecin pour toute fièvre qui surviendrait pendant les 3 mois suivant le retour.
– Enfin, tout récemment, le ***Malarone®,*** qui peut être utilisé sur avis médical en cas d'intolérance aux deux médicaments ci-dessus.

L'hygiène alimentaire

Des mesures de base suffisent pour le Kenya, à renforcer quelque peu pour la Tanzanie.

Les boissons

– Ne consommer que des boissons industrielles décapsulées devant vous. C'est une précaution nécessaire, mais non suffisante : certains malfrats se

sont équipés de machines à capsuler et fournissent une eau pourrie à la marque irréprochable.
– Une bonne précaution : avoir sur soi des comprimés de désinfection de l'eau *Hydroclonazone* (pas cher, mais au fort goût d'eau de Javel) ou *Micropur DCCNA* (plus cher, mais sans goût désagréable) ; mieux encore, un filtre microbien type *Katadyn*.
– Tout ce qui a été bouilli est sûr : thé, café... sous réserve que le verre soit propre.
– Éviter les glaçons.

La nourriture

SE LAVER LES MAINS avant de manger (on devrait le faire partout).
– Les fruits et légumes seront lavés, pelés, bouillis ou rejetés.
– Les viandes seront consommées bien cuites.
– Poissons et crustacés : pas de problème s'ils sont frais.
– Coquillages : interdits.
– Produits laitiers, dérivés et glaces : à éviter, sauf si produits industriellement.

Et encore...

Des médicaments stoppant les diarrhées peuvent être achetés en pharmacie, sans ordonnance, avant votre départ. Votre pharmacien vous indiquera les modalités de prise de ce médicament.
Contre le mal des transports mieux vaut s'équiper, avant de partir, d'un antinauséeux et antivomissement, à prendre 30 mn avant le départ.
Une fois tout cela compris et appliqué, on se trouve à l'abri de l'immense majorité des problèmes de santé, et prêt à profiter au mieux de son voyage.
Pour le reste, il suffit de ne pas faire l'imbécile :
– ne pas tripoter les animaux ;
– ne pas s'exposer démesurément au soleil ;
– ne pas se baigner en eau douce ;
– ne pas oublier ses médicaments en bonne quantité et en bagage à main ;
– ne pas avoir de rapports sexuels non protégés, etc.
N.B. : en cas de problème de santé sérieux, ne pas compter sur les ressources locales : contacter votre compagnie d'assistance. Mais les voyages au Kenya et en Tanzanie sont généralement effectués par des gens raisonnables, conscients des risques et qui ont pris le parti de les éviter. Les voyageurs qui se rendent dans ces pays fournissent peu de clientèle aux spécialistes de médecine tropicale.

Les *Flying Doctors*

Créé en 1957 par trois médecins anglais, le service des Médecins Volants apporte une réponse concrète aux problèmes d'assistance médicale dans les coins les plus reculés du Kenya. Les médecins de la fondation, basés au Wilson Airport de Nairobi, fournissent informations et avis médicaux par radio aux 120 opérateurs du programme, répartis d'un bout à l'autre du pays. Ils restent prêts à intervenir sur le terrain pour une urgence ou une évacuation sanitaire. La responsable de *Medecine by Air,* le Dr Anne Spoery s'est rendue célèbre par sa détermination.
Le succès de l'entreprise a donné jour à de nombreux programmes d'études ou de traitement de maladies comme la lèpre ou la trypanosomiase (maladie du sommeil). Les Médecins Volants existent désormais dans plusieurs pays d'Afrique orientale. Service d'aide à la population entièrement gratuit, il ne fonctionne que sur don et grâce aux cotisations des touristes désireux de

soutenir son action. Pour environ 50 US$ par mois (30 US$ si vous avez moins de 18 ans), vous pouvez bénéficier de leur assistance tout en les encourageant.
Pour tout renseignement, contactez :

■ ***The Flying Doctors :*** PO Box 30125, Nairobi, Kenya. ☎ (020) 450-12-80 ou 450-65-21 à 24. Portables : ☎ (0733) 639-088 ou (0722) 204-288 ou (0722) 214-239. Téléphone satellite : ☎ 000-873-762-315-580 et 88-21-64-11-05-794. Fax : (020) 233-68-86. • emergency@flydoc.org •

SAVOIR-VIVRE ET COUTUMES

Les Kenyans, comme les Tanzaniens, sont pour la plupart des gens réservés, souvent même un peu méfiants vis-à-vis des étrangers. Faites attention à votre garde-robe : les Africains à l'est du continent ont souvent du mal à comprendre pourquoi des Occidentaux, a priori aisés, s'habillent de manière aussi négligée. Eux sont très fréquemment en costume-cravate. Les shorts ne sont pas très bien vus, en particulier sur la côte, et tout ce qui dépasse un peu trop risque d'être pris comme un affront.
Si, en ville, l'influence anglaise perdure, à la campagne, dans l'intérieur des foyers, les traditions africaines prévalent largement. Reléguée à une position subalterne, la femme ne possède quasiment aucun pouvoir de décision. Elle ne peut pas, par exemple, posséder de terres (même si la loi dit en principe le contraire). C'est pourtant elle qui effectue la plupart des travaux agricoles. Elle est aussi responsable des enfants et des corvées. Et si elle veut le divorce, impossible. Traditionnellement, seuls les Luos le concèdent à la femme – et encore le font-ils sous un prétexte bien spécifique (pour ne pas dire fallacieux) : quand le mari pénètre dans la cuisine, zone interdite aux hommes. Tout un symbole.
Moins virulentes qu'à l'ouest du continent, les femmes de l'Afrique anglophone commencent à peine à s'organiser face au fléau de l'excision. Le mariage, endogame, et l'impact de la religion participent peu de l'évolution des mentalités.

SEXE

Les Kenyans sont un peu gênés par le sujet. N'oubliez pas que les Anglais sont passés par là... La prostitution existe, bien sûr, dans les boîtes et les bars – où certaines filles s'accrochent littéralement au cou (c'est un euphémisme !) des touristes de passage. Le Kenya ne connaît pas trop de problèmes de prostitution enfantine même si, dans la campagne, les viols de mineures restent chose courante. La plupart des filles travaillent pour leur propre compte.
Que cela ne vous encourage pas pour autant ! Il faut savoir que le sida fait des ravages en Afrique de l'Est, et que plus d'un Kenyan sur quatre – aux dernières estimations – est porteur du HIV. La seule solution consisterait à s'abstenir. Impératif donc, si l'appel des sens se fait trop fort, d'enfiler votre imperméable. En ville, les Kenyans l'ont très bien compris et tentent, dans la mesure de leurs moyens, de se protéger. Les supermarchés vendent des *condoms* de toutes sortes.

Deux mots de plus sur le sida

L'Ouganda voisin, l'un des pays les plus touchés au monde, aurait 1 personne sur 4 ou 5 contaminée. Le long de la « route de la prostitution », empruntée par les camionneurs venus des Grands Lacs, certains villages comptent 100 % de séropositifs.

Dans le chaos, tout part à la débandade : des charlatans prétendent avoir découvert le remède miracle, des prédicateurs fous conspuent le préservatif en le désignant comme responsable du sida (vous avez bien lu !), et les propres familles des malades les rejettent sous prétexte que, de toute façon, ils vont bientôt mourir... Pendant ce temps, l'industrie pharmaceutique occidentale se soucie de l'Afrique comme d'une guigne. En silence, l'Afrique se meurt...

SITES INTERNET

- ***www.routard.com*** • Tout pour préparer votre périple, des fiches pratiques, des cartes, des infos météo et santé, la possibilité de réserver vos prestations en ligne. Sans oublier *routard mag,* véritable magazine avec, entre autres, ses carnets de route et ses infos du monde pour mieux vous informer avant votre départ.
- ***www.karibunikenya.org*** • Site comportant plus de 200 pages rédigées en français sur tout ce qu'il faut savoir pour résider au Kenya. Bonnes adresses (galeries d'art, restaurants, etc.) qui s'adressent à des gens qui vivent là-bas.
- ***www.kws.org*** • Le site officiel du *Kenya Wildlife Service,* chargé de la gestion des parcs nationaux. Des infos, bien sûr, sur les différents parcs et sur les programmes de protection des milieux naturels, de la faune et de la flore. On aimerait tout de même en apprendre un peu plus. En anglais.
- ***www.magicalkenya.com*** • Site du *Toursit Kenya Board.* Assez complet sur le patrimoine et la culture du pays : parcs et réserves, traditions, culture... Plein d'infos utiles et une galerie de jolies photos en prime. En anglais.
- ***www.kenyaweb.com*** • Ce portail kenyan vous ouvre des liens vers l'histoire, les loisirs, l'économie, la population de ce pays. Et vous y trouverez aussi des services divers tels que la météo, les divertissements, etc. En anglais.
- ***http://masaimara.free.fr/kenya/kenya.htm*** • Visite virtuelle du Kenya : donne des infos sur le climat, la faune, la flore, la météo ; vous y trouverez même un lexique. Un site très complet.

SPORTS ET LOISIRS

Le Kenya est un pays très sportif. Nairobi compte 10 parcours de golf, 2 hippodromes et plusieurs stades de niveau international ! On pourra aussi pratiquer tennis, squash, bowling ou badminton.
Sur la côte, les hôtels offrent une pléthore d'activités. Pour les visiteurs, les hôtels de formule club proposent une adhésion temporaire qui donne accès à toutes les installations sportives (piscine, planche à voile, tennis, squash, golf, surf...) et souvent au restaurant. Il faudra payer un supplément pour les sports nautiques nécessitant un moteur : plongée avec bouteilles, ski nautique, pêche au gros.

L'héritage du passé colonial

– ***Le golf :*** le Kenya est un paradis pour les golfeurs. Le climat est idéal et les Anglais n'ont pas traîné. Le *Royal Nairobi Club* date de 1901 ! Il existe actuellement 36 parcours au Kenya, souvent magnifiques, où se déroulent des compétitions de niveau international. La plupart sont situés à plus de 1 500 m d'altitude, où la faible densité de l'air permet des *strikes* fabuleux. On gagne jusqu'à 10 % de distance ! Certains tour-opérateurs sont spécialisés dans les séjours golfiques. Renseignez-vous auprès de la *Kenya Association of Tour-Operators,* à Nairobi, ou auprès de *Leboo Safaris.*

– ***Le cricket :*** est pratiqué au *Nairobi Club.* Peu de public, mais grande décontraction. On peut assister à une partie et boire un verre avec les joueurs.
– ***Le polo :*** se joue au Jamhuri Park à Nairobi. Les visiteurs sont chaleureusement accueillis.

Les sports nautiques

– ***La voile et la planche à voile :*** l'alternance des vents de mousson permet de pratiquer la voile et la planche sans interruption.
– ***La plongée :*** la barrière de corail est l'une des plus belles au monde. La mer est toujours chaude, la visibilité excellente, sauf pendant la saison des pluies. La meilleure saison s'étale de septembre à avril. On peut observer les fonds depuis des bateaux à fond transparent, pratiquer la plongée en apnée ou avec bouteilles en louant sur place du matériel. On trouve de nombreux clubs sur la côte (à Diani, Shimoni, Nyali, Malindi). Ils proposent tous des stages d'initiation PADI en 5 ou 6 jours. Certains sont fermés en basse saison. Compter autour de 60 US$ (48 €) pour 2 plongées (matériel inclus). Liste des centres de formation PADI à l'adresse suivante :
■ ***PADI :*** 1251 E. Dyer Road 100, Santa Ana, CA, États-Unis. ☎ (1) 927-05-56-05. • www.padi.com •
– ***Le surf :*** à Malindi, l'absence de barrière de corail fait le bonheur des surfeurs.
– Enfin, le Kenya est mondialement réputé pour la ***pêche au gros*** (voir, plus haut, la rubrique « Pêche au gros »).

La pêche, la chasse, l'équitation et les randonnées

– ***La pêche à la truite*** se pratique sur les hauteurs des Aberdares et du mont Kenya. La pêche au gros au lac Turkana vous assurera de grandes prises, comme des perches du Nil pouvant atteindre parfois plus de 100 kg.
– ***La chasse*** à la pintade, aux perdrix, cailles, canards peut se combiner avec votre safari.
– ***L'équitation*** sur les hauts plateaux ainsi qu'à Nairobi, Mombasa et Malindi. Les balades sont organisées par des ranchs ou des clubs.
– ***Les alpinistes et les randonneurs*** apprécieront la beauté et la richesse des massifs montagneux : mont Kenya, Aberdares, Matthews Range, Cherangani Hills, Hells Gate, Chyulu Hills. Le *Mountain Club of Kenya,* à Nairobi, ☎ (020) 450-17-47, fournit des informations à ce sujet, ainsi que les guides très détaillés que l'on trouve dans les librairies de Nairobi. En particulier : *Mount Kenya & Kilimandjaro* et *Mountain Walking in Kenya.*

Les sports populaires

– ***Le foot :*** comme partout dans le monde, le football déchaîne les passions. L'équipe nationale, les *Harambee Stars,* se hisse fréquemment sur les podiums africains.
– ***La course à pied :*** le Kenya compte d'excellents coureurs de demi-fond. Avec deux médailles d'or olympiques, Kipchoge Keino fut le premier d'une longue série d'athlètes légendaires.
– ***Le rallye auto :*** le célèbre *East African Safari* se déroule chaque année à Pâques.
– ***Le volley-ball :*** l'équipe féminine a brillamment participé aux J.O. de Sidney, qu'on se le dise !

TÉLÉCOMMUNICATIONS

Téléphone

Les liaisons téléphoniques internationales fonctionnent raisonnablement bien, même s'il peut arriver que, pour factures impayées, le Kenya voie son accès au réseau réduit pour un jour ou deux...

Les communications internationales

Elles sont relativement chères (un peu moins de 200 Ksh/mn, soit 2,1 €, vers la France), mais bénéficient de tarifs réduits le soir (à partir de 21 h) et le week-end.
Dans les grandes villes, il est possible d'appeler depuis des cabines internationales fonctionnant avec des cartes vendues dans les bureaux de *Telkom Kenya* (ouverts de 8 h à 13 h et de 14 h à 17 h en semaine, de 8 h à 12 h le samedi) ou dans certains centres Internet. Il existe 2 types de cartes : la *Calling Card* et la *Phone Card* d'un montant de 200, 500, 1 000 et 2 000 Ksh (2,1 ; 5,3 ; 10,5 et 21,1 €). La *Phone Card* est l'équivalent de notre bonne vieille carte à puce. Concernant la *Calling Card,* il faut la gratter au dos pour révéler 2 codes confidentiels, puis il suffit de suivre les instructions. On peut téléphoner de n'importe quelle cabine, ce qui n'est pas le cas avec la *Phone Card*. De plus, la communication revient un peu moins cher. Pour téléphoner en France, une carte d'un montant de 500 Ksh (5,3 €) peut suffire si vous n'êtes pas trop bavard. Évitez de téléphoner des hôtels : certains prennent carrément jusqu'à 50 % de commission, voire davantage !

Les appels internationaux

– ***France → Kenya :*** 00 + 254 + indicatif régional (sans le zéro, soit obligatoirement 2 chiffres) + n° de votre correspondant à 4, 5 ou 6 chiffres (à l'exception de Mombasa et Nairobi, où tous les numéros comportent le plus souvent 7 chiffres) – soit un maximum de 14 chiffres et un minimum de 11 chiffres.
– ***Kenya → France :*** appel direct, 00 + 33 + n° de votre correspondant à 9 chiffres (c'est-à-dire sans le zéro initial). Opérateur international : ☎ 0195 ou 0196. Dans ce cas, charge minimum de 3 mn.

Les communications intérieures

Nouvelle numérotation

Le Kenya s'est lancé, en 2003, dans une vaste aventure de renumérotation. Tous les indicatifs régionaux ont été uniformisés à 3 chiffres et tous les numéros de Nairobi et Mombasa ont été uniformisés à 7 chiffres. Nous nous sommes efforcés de suivre les évolutions au plus près et de vérifier les numéros inscrits dans le guide, en espérant qu'il n'y ait pas de numéros erronés. Si vous souhaitez obtenir un détail complet de la nouvelle numérotation, consultez le site officiel de la *CCK (Commission Kenyane de la communication)* • www.cck.go.ke/newnumbers/implementframe.htm • et si un numéro a changé, essayez de le retrouver sur le site de Telkom, • www.telkom.co.ke •

Les appels locaux

Appel direct :
– dans la même circonscription, composez directement le numéro à 4, 5 ou 6 chiffres (à l'exception de Mombasa et Nairobi, où tous les numéros comportent 7 chiffres) sans l'indicatif régional ;

– vers une autre circonscription, composez d'abord l'indicatif régional à 3 chiffres suivi du numéro de votre correspondant ; voir le tableau des indicatifs ci-dessous.
– opérateur : ☎ 900 (obligatoire pour les n^os à 2 chiffres).

indicatifs tél. par circonscription

Nairobi	020	Kakamega	056
Kwale	040	Kisumu	057
Mombasa	041	Kisii	058
Malindi	042	Homa Bay	059
Voi	043	Murang'a	060
Machakos	044	Nyeri	061
Kajiado	045	Nanyuki	062
Garissa	046	Meru	064
Naivasha	050	Nyahururu	065
Nakuru	051	Karuri	066
Kericho	052	Thika	067
Eldoret	053	Embu	068
Kitale	054	Marsabit	069
Bungoma	055		

Les téléphones portables

La couverture nationale ne cesse de grandir. Le téléphone portable pourrait vous être d'une grande utilité, surtout si vous comptez partir seul ou pendant une longue période. La composition des numéros de portable est simple :
– ***pour un appel national :*** faire le 0 + l'indicatif à 3 chiffres de l'opérateur (722 pour *Safaricom* et 733 pour *Kencell*) + n° de votre correspondant à 6 chiffres (par exemple 0722-XXXXXX, ou 0733-XXXXXX).
– ***de France à Kenya :*** faire le 00 + 254 + l'indicatif à 3 chiffres de l'opérateur (soit 722 pour *Safaricom,* soit 733 pour *Kencell*) + n° de votre correspondant à 6 chiffres.

Accès Internet

Quelle que soit la ville, vous n'aurez aucun problème pour envoyer un e-mail, même dans les régions assez reculées (pourvu qu'il y ait quelques touristes dans le coin). Les cybercentres sont ouverts tous les jours jusqu'à 20 h ou 22 h. Le tarif est presque toujours de 1 Ksh/mn, parfois 2 Ksh/mn dans les petites villes.

TRANSPORTS

Le train

On ne veut pas vous faire trop peur, mais l'état des lignes et du matériel est assez déplorable et les accidents ne sont pas rares. Pour les acharnés, sachez que l'unique ligne en service traverse le pays d'est en ouest de Kisumu à Mombasa, en passant par Nakuru, Nairobi et Voi. Le réseau secondaire ne fonctionne plus. Un train de nuit relie Nairobi à Mombasa certains jours. Il offre des couchettes et une restauration.

DISTANCES APPROXIMATIVES EN KM ENTRE LES GRANDES ATTRACTIONS TOURISTIQUES

	AMBOSELI	BARINGO	KEEKOROK	KILAGUNI	HOMA BAY	MARA SERENA	MARSABIT	MERU MULIKA	MT. ELGON	MT. KENYA SAFARI CLUB	MT. LODGE	MONBASSA	MNARANI	NGULIA	NAIROBI	SAMBURU	SUNSET	NYAHURURU	TEA HOTEL	TRADE WINDS	TWO FISHES	VOI SAFARI
AMBOSELI																						
BARINGO	560																					
KEEKOROK	600	450																				
KILAGUNI	165	565	600																			
HOMA BAY	676	376	366	681																		
MARA SERENA	660	510	60	665	426																	
MARSABIT	455	565	950	875	796	900																
MERU MULIKA	670	450	645	675	596	630	435															
MT. ELGON	490	385	490	690	212	635	805	606														
MT. KENYA SAFARI CLUB	495	385	560	500	421	520	385	185	400													
MT. LODGE	480	370	525	485	486	525	490	290	495	115												
MONBASSA	400	790	830	295	916	890	1165	900	915	725	710											
MNARANI	470	860	900	365	796	960	1155	973	985	795	780	70										
NGULIA	155	485	625	50	701	685	880	675	710	520	505	245	315									
NAIROBI	220	280	330	275	406	390	585	400	415	225	210	500	570	295								
SAMBURU	625	435	570	630	557	650	245	190	560	140	245	955	925	650	355							
SUNSET	447	347	337	652	111	337	752	467	192	745	465	844	907	655	360	535						
NYAHURURU	465	200	355	470	316	415	465	280	325	565	170	695	765	490	195	235	270					
TEA HOTEL	540	240	290	545	136	290	465	460	260	745	350	270	840	556	270	415	107	180				
TRADE WINDS	435	825	865	330	941	925	1120	935	950	392	745	35	105	275	525	890	895	730	885			
TWO FISHES	405	825	865	330	941	925	1120	935	950	105	745	35	105	280	535	890	879	807	807	2		
VOI SAFARI	745	630	670	140	746	730	925	740	755	285	550	160	235	90	340	740	689	535	610	195	205	
WHISOERING PALMS	420	610	850	315	926	910	1105	920	935	760	730	20	40	265	520	875	864	715	790	55	57	185

L'avion

Tout d'abord, un bon conseil : n'oubliez pas de confirmer vos vols domestiques et internationaux 72 h avant le départ. La surréservation est une pratique courante et beaucoup de touristes restent en rade pour avoir négligé cette formalité.
La compagnie nationale *Kenya Airways* relie Nairobi à Mombasa, Malindi, Lamu et Kisumu plusieurs fois par jour. *Air Kenya* offre également des liaisons régulières. Des compagnies charters desservent les parcs et réserves au moyen de mono ou bimoteurs. Seulement si vous manquez de temps.
Le montant de la taxe d'aéroport est de 200 Ksh (2,1 €) pour les vols domestiques et 40 US$ (ou équivalent) pour les vols internationaux. Mais elle est habituellement incluse dans le prix du billet. Bien se le faire préciser.

Le bus

Impraticable en ville pendant les heures de pointe (de 7 h à 8 h 30 et de 17 h à 18 h). À Nairobi, le trajet ne coûte pas cher du tout. Sinon, les bus interurbains sont pratiques, pas chers et fréquents. Compter dans les 500 Ksh (5,2 €) pour un trajet moyen (Nairobi-Eldoret, Nairobi-Mombasa dans un bus de 2e classe). Il existe des bus de luxe très confortables à des tarifs encore raisonnables.

Le *matatu*

À l'origine, *matatu* signifiait « 3 cents ». *Senti tatu* en kiswahili.
Le *matatu* est tout à fait utilisable, très pratique et pas cher, et depuis la réforme de début 2004, il est en plus sûr, assez confortable et ponctuel. Désormais, tous sont blancs avec une bande latérale jaune, transportent 14 passagers, pas un de plus, sont équipés de ceintures et roulent à vitesse normale. Plus rien à voir avec l'ancienne version du *matatu,* une guimbarde surchargée (20 à 25 personnes pour 14 sièges), avec la musique à tue-tête et un entretien du bestiau pour le moins douteux. Après un mois de désordre total, où tous les Kenyans en étaient réduits à la marche (puisque presque aucun *matatu* ne satisfaisait aux nouveaux critères de sécurité !) tout le monde se dit aujourd'hui heureux d'avoir un transport collectif de qualité. Certes, les prix ont un peu augmenté, mais restent raisonnables. Exemple : Nairobi-Naivasha, 150 Ksh (1,5 €), Nairobi-Eldoret, 500 Ksh (5,2 €), etc. Ce qu'on a perdu en pittoresque, on le gagne en confort et en sécurité. N'oublions pas qu'avant la réforme, on dénombrait jusqu'à 10 victimes par jour dues aux accidents délirants des *matatus !*

Le taxi

Si vous prenez un taxi, assurez-vous qu'il a un permis et une licence, bref que c'est un vrai taxi (le soir, surtout) et mettez-vous d'accord sur le prix : le compteur est une rareté. Vous les trouverez principalement devant les grands hôtels, les restos, les cinémas. Prenez plutôt les gros taxis anglais, moins arnaqueurs et bien plus chouettes (presque une « limousine » au tarif d'un taxi) ! Les taxis sont de vraies mamans le soir et prennent grand soin de votre sécurité.

La voiture

On roule à gauche, les distances sont données en kilomètres, et l'essence est vendue au litre.
En ville, la vitesse maximale autorisée est de 50 km/h. Sur les axes principaux, elle est de 80 km/h pour les bus et les camions, et 100 km/h pour les

voitures. Les bus et les camions constituent un danger permanent. Le spectacle des dépassements vous fera froid dans le dos. Comptez 60 km/h de moyenne pour les grands trajets. Sur piste, il y a moins de monde, mais l'état du revêtement réduit la moyenne à 20 ou 30 km/h.

Respectez le code de conduite dans les parcs et les réserves.

NE ROULEZ JAMAIS LA NUIT. Les raisons sont multiples : animaux sauvages, bandits de grands et de petits chemins, piétons invisibles et carrioles imprévisibles, « gendarmes couchés » non signalés, nids-de-poule profonds comme des cratères... Il en arrive de partout, comme dans le plus féroce des jeux vidéo. Fermez les portes à clé, à l'arrêt comme en circulation. À Nairobi, la nuit, vous remarquerez que l'on ralentit à un feu, mais que l'on évite de s'arrêter, faites pareil.

La location

Pour louer un véhicule, il faut être âgé de 23 à 70 ans et posséder un permis de conduire national ou international valide. La location peut revenir très cher. Les prix varient du simple au double entre les compagnies internationales et les sociétés locales. La différence tient à la couverture d'assurance. C'est pourquoi une location bon marché n'est pas forcément une bonne affaire.

Les questions essentielles à se poser avant de signer

– ***Quel est le montant exact de la facture?***

Les brochures ne sont pas toujours claires. La formule du kilométrage illimité est parfois plafonnée (1 200 ou 1 500 km par semaine). Il faut ajouter l'assurance, la caution et le rachat éventuel de franchise.

– ***Qu'arrive-t-il en cas de panne?***

Le contrat prévoit parfois une assistance mécanique. Si vous avez décidé d'aller au Turkana, demandez si l'on ira vous chercher là-bas en cas de problème! Certaines compagnies proposent des véhicules de remplacement. Au garage, vous devrez généralement avancer le coût de la réparation et les pièces détachées. Les pneus et les pare-brise ne sont pas remboursés.

– ***Qui paie en cas de sinistre?***

En cas d'accident, il n'existe pas de constat à l'amiable. La seule chose à faire : ne rien toucher et appeler la police. Il faut alors remplir le formulaire *Claim form* délivré par votre assurance et le signer (par les deux parties). En cas de refus de l'autre personne en cause, n'hésitez pas à noter sa police d'assurance collée sur son pare-brise. Si les choses tournent mal, un seul réflexe : contactez votre consulat.

Les compagnies proposent en général une assurance « tiers collision » (*collision damage insurance* ou *CDI*).

Vous serez en principe couvert en responsabilité civile. Regardez le montant des couvertures (parfois dérisoires) en cas de dommage causé à un tiers.

Assurez-vous de l'existence d'une couverture « dommage matériel » *(collision damage)* dans le cas où vous seriez fautif : votre statut de « riche Européen » vous donnera bien souvent les torts en cas de sinistre.

Rachetez de préférence la franchise (*collision damage waiver* ou *CDW*) : vous ne paierez aucune réparation en cas d'accident causé par un tiers identifié. Les compagnies bon marché ou peu scrupuleuses fixent des franchises très élevées, pouvant dépasser le prix du véhicule. Dans ce cas, l'assurance au tiers ne vous servira pas à grand-chose et l'addition pourra être salée en cas de sinistre.

Souscrivez une « individuelle accident » (*personal accident Insurance* ou *PAI*). En cas de pépin, vous n'aurez pas à régler le coût d'une hospitalisation. Vérifiez auparavant que vous n'êtes pas déjà couvert dans votre pays de résidence par votre contrat d'assistance ou votre carte de paiement.

Contrôlez enfin l'*état du véhicule.* On vous présentera parfois de vraies épaves.
Vous trouverez un bon choix de 4x4. Le modèle économique le plus répandu est la *Suzuki Sierra.* Avec son châssis court et ses suspensions rigides, elle vous réduira le dos en compote si vous l'utilisez pour de longs safaris. Il vaut mieux payer un peu plus cher un véhicule confortable si vous souffrez de mal de dos.

L'achat, l'importation et l'exportation

L'achat d'un véhicule peut se justifier si vous souhaitez séjourner longtemps au Kenya ou encore traverser l'Afrique du Cap à Paris (par exemple). Un véhicule, même d'occasion, demande beaucoup de paperasse et beaucoup d'argent. Vous trouverez des annonces dans le journal *Nation* ou en consultant les panneaux d'affichage du *Yaya Centre* et du *Sarit Centre.*
Si vous venez au Kenya avec votre propre véhicule, l'Automobile Club vous aidera à accomplir les formalités d'entrée. La *AA of Kenya* propose d'autres services aux automobilistes : assurance du véhicule, assistance mécanique et médicale, information sur l'état des routes. Elle possède une douzaine d'agences régionales.
– ***Conseil :*** passez à l'ambassade de France. De nombreux fonctionnaires repartent à longueur d'année et revendent tout avant de partir : du Land Rover au frigo.

■ ***Automobile Association of Kenya :*** Nyaku House, Hurlingham, PO Box 40087, Nairobi. ☎ (020) 272-31-95 ou 54-12. Fax : (020) 682-51-19.
■ ***Auto Escape :*** l'agence *Auto Escape* réserve auprès des loueurs de gros volumes de location, ce qui garantit des tarifs très compétitifs. N° Vert : ☎ 0800-920-940. ☎ 04-90-09-28-28. Fax : 04-90-09-51-87. • www.autoescape.com • info@autoescape.com • 5 % de réduction supplémentaire aux lecteurs du *Guide du routard* sur l'ensemble des destinations. Il est recommandé de réserver à l'avance. Vous trouverez également les services d'Auto Escape sur • www.routard.com •

Le vélo et la moto

Le deux-roues n'est pas un transport adapté aux villes et aux grands axes. Le bas-côté est loin d'être stabilisé, il y a sans cesse des nids-de-poule et des piétons à éviter, sans compter ces curieux ralentisseurs « de côté » destinés à réveiller les conducteurs ivres qui zigzaguent trop près du bord.
Si vous tenez vraiment à faire de la petite reine au Kenya, on vous conseille de mettre le vélo sur le toit d'un bus pour les trajets dangereux et ennuyeux. Autre solution : passer par un tour-opérateur. Certains proposent des « safaris-vélo » très agréables dans les montagnes et dans les grands parcs.
Amis motards, sachez que vous ne pourrez pas rouler dans les parcs nationaux avec votre engin.

L'auto-stop

Le stop est facile sur les grands axes. Les routiers vous demanderont une participation. Elle doit être inférieure ou égale au prix du trajet en bus correspondant (renseignez-vous avant) et doit se négocier avant de monter.
Pour accéder aux parcs, on vous conseille de trouver dès Nairobi le véhicule qui se rend directement où vous souhaitez. Allez faire un tour au camping de *Upper Hill,* et à la *Youth Hostel* de Nairobi. Vous trouverez sûrement une voiture ou des gens prêts à partager une location.

Si vous êtes déposé à l'entrée du parc, vous ne pourrez pas y entrer à pied. Il faudra parfois du temps et des provisions : les cars de touristes et les rares particuliers qui accepteront de vous avancer n'iront pas forcément là où vous voulez. Aux heures d'ouverture et de fermeture des parcs, vous pouvez profiter de la navette qui transporte les employés des *lodges* ou de l'administration du *Kenya Wildlife Service.* Mais dans l'ensemble, cette solution reste quasi impraticable.

– ***Dernier conseil pratique :*** si vous dressez le pouce en l'air le bras tendu, les automobilistes ne comprendront pas forcément votre intention. Pour montrer votre intention de monter dans un véhicule, faites un grand geste de haut en bas avec le bras en direction de votre destination.

TRAVAIL BÉNÉVOLE

■ ***Concordia :*** 1, rue de Metz, 75010 Paris. ☎ 01-45-23-00-23. Fax : 01-47-70-68-27. • www.concordia-association.org • concordia@wanadoo.fr • Ⓜ Strasbourg-Saint-Denis. Travail bénévole. Logés, nourris. Chantiers très variés : restauration du patrimoine, valorisation de l'environnement, travail d'animation... Places limitées. Également des stages de formation à l'animation et des activités en France. Attention, voyage à la charge du participant.

LE CENTRE

NAIROBI

2 500 000 hab. env. IND. TÉL. : 020

Pour les plans de Nairobi, voir le cahier couleur.

L'une des grandes capitales les plus jeunes du monde (un peu plus d'un siècle !) mais pas l'une des plus monstrueuses. Comme il y avait de l'espace, les colons anglais bâtirent une ville large et aérée, et comme ils appréciaient de manière atavique la verdure, arbres et jardins n'y manquèrent point. Ville résolument moderne, on n'y trouve pas ces quartiers des villes africaines en banco typiques, comme dans l'ouest de l'Afrique.

Le City Square regroupe tous les bâtiments administratifs de la ville. Les gratte-ciel y ont poussé, mais toujours conservé une taille raisonnable. Même les 12 étages du Parlement, considérés comme audacieux à l'époque, font figure aujourd'hui d'architecture provinciale.

Nairobi est une ville sans charme, au trafic automobile éreintant, mais elle n'en possède pas moins un bout d'amorce de personnalité. Les trekkers urbains, tous sens aiguisés, sauront saisir le pouls de la ville. Quelques télescopages insolites, comme l'architecture néoclassique de la bibliothèque MacMillan coexistant avec la façade de style moghol de la grande mosquée. Les trekkers nocturnes, en revanche, remballeront vite leurs fantasmes. Après 19 h, on ne sort plus, mais là il s'agit d'un autre chapitre... Bref, pour conclure, Nairobi ne nous a pas franchement séduits et l'on ne saurait vous conseiller d'y rester trop longtemps ; entre les parcs nationaux et les rivages de l'océan Indien, il y a tellement de belles choses à voir au Kenya !

UN PEU D'HISTOIRE

Rien ne prédestinait ce morne plateau marécageux traversé par la rivière Nairobi à devenir la capitale du Kenya, si ce n'est qu'il s'étendait devant les premiers contreforts du Rift et qu'il fallut bien s'arrêter un instant pour prendre son élan. Jusqu'en 1898, le site n'était fréquenté que par les Massaïs et les Kikuyus qui y faisaient boire leurs bêtes en se regardant en chiens de faïence.
Le train de Mombasa, grand rhinocéros noir, y fit une pause dans sa course folle vers l'Ouganda. Ingénieurs et techniciens du « Lunatic Express », comme on l'appelait à Londres, y dressèrent leur quartier général pour mieux réfléchir aux innombrables problèmes qu'allait susciter la traversée du Rift. En 1899, le fameux Patterson, commença à construire la gare centrale et à diriger les travaux de ce qui devait devenir le City Square. La vie y était rude. Éradiquer la malaria malfaisante, lutter contre les hordes de rats qui envahissaient le chantier et les bidonvilles où logeaient les ouvriers indiens du chemin de fer, ne furent pas tâches aisées. Parfois, par mesure de salubrité et pour liquider un début d'épidémie de peste, des quartiers entiers de baraquements devaient être brûlés.
Mais cette ville western se construisait avec vigueur et devint le vrai centre administratif de la colonie. Au point qu'en 1907, elle détrôna Mombasa, désormais bien trop éloignée de l'action, comme siège du protectorat.
À dire vrai, les marécages résorbés, la vie se révélait plutôt sympa à Nairobi. À 1600 m d'altitude, son climat est très supportable une grande partie de l'année. Et à certaines périodes (juillet et août notamment), une petite laine est la bienvenue.

AVERTISSEMENT

Nairobi concentre tous les problèmes de sécurité d'une mégalopole moderne et africaine. Elle a même dépassé Johannesburg dans le triste palmarès des villes les moins sûres du monde... Lisez notre rubrique « Dangers et enquiquinements » dans le chapitre « Généralités ».
Dans le centre, *Moi Avenue* délimite deux quartiers bien distincts. Le centre-ville, à l'ouest, est cosmopolite et moderne. Il regroupe les commerces, les bureaux et la plupart des grands hôtels. À l'est, le quartier de River Rd est plus populaire et résolument africain. On y trouve des petits hôtels pas chers et une atmosphère des plus exotiques. De jour, on peut se promener dans ces deux quartiers en respectant les règles de prudence. Au nord, le campus de l'université et *Museum Hill,* quartier résidentiel verdoyant et aéré, relayé par ceux de *Westlands* et *Parklands,* mi-résidentiels, mi-commerciaux, sont des quartiers plutôt sûrs mais où l'on ne se déplace qu'en voiture. Autour du centre, certaines zones sont à déconseiller : traverser à pied Uhuru Park et Central Park peut être dangereux la nuit. Le soir, il faut absolument prendre un taxi pour aller dîner ou boire un verre. Le chauffeur vous déposera de porte à porte en vous chaperonnant d'un œil bienveillant. Mais il refusera de vous emmener dans certains quartiers de l'est et du nord de la ville (où de toute façon il n'y a rien à voir, alors ça tombe bien).

Arrivée à l'aéroport

✈ Arrivée au ***Jomo Kenyatta International Airport,*** à environ 15 km au sud-est de Nairobi (route de Mombasa). Très conseillé de fermer les bagages au départ avec un petit cadenas (ça décourage, mais ce n'est pas une garantie).

■ Plusieurs **bureaux de change** situés dans le hall des arrivées, convertissent devises et *traveller's*. Bien vérifier que le compte est bon ; il n'est pas rare qu'un ou deux billets manquent à l'appel ! À côté, un distributeur automatique de la banque *Barclays* (très fiable) accepte les cartes *Visa* et *MasterCard*, accessible 24 h/24. Pas de problème pour échanger des shillings (y compris la monnaie) contre des euros au moment du départ.

■ Les principales **agences de location de véhicules** ont un comptoir dans le hall d'arrivée, ouvert 24 h/24. Voir la rubrique « Adresses et infos utiles ».

■ Service de **fax, téléphone international et Internet** à la boutique *Bon Voyage*, dans le hall principal.

■ Attention, on nous signale quelques arnaques dans les boutiques *duty free* de l'aéroport ! Méfiez-vous des étiquettes erronées et recomptez bien votre monnaie !

Les transferts depuis l'aéroport

– Les gros **taxis** type londonien **(London Look Taxis)** ont généralement des prix fixes et ne posent pas de problèmes. Avec les autres, nécessité de marchander pour obtenir un montant d'environ 1 000 à 1 500 Ksh (10,5 à 15,8 €) la course. Avoir toujours l'appoint.
– ***Le bus de la Kenya Airways :*** pas cher et en principe sûr. Une dizaine de départs quotidiens. Dessert la plupart des grands hôtels.
– ***Le bus n° 34 de la Kenya Bus Services (KBS) :*** encore moins cher. Un bus toutes les 30 mn environ, dernier départ vers 21 h. Arrêts au terminal KBS et à la *Youth Hostel*. Si vous avez changé votre argent à l'aéroport, bien le dissimuler dans la pochette la plus secrète, avant d'aborder le bus. Pickpockets très habiles aux alentours et à bord du bus. De même, ne jamais se séparer de ses bagages à main et sacs photo.

Les connexions à l'aéroport domestique

✈ ***Wilson Airport*** *(hors plan général couleur par D7)* **:** sur Langata Rd, donc assez proche du centre. De là partent tous les vols pour les parcs nationaux et l'intérieur du pays, ainsi que les vols de la compagnie nationale *Air Kenya* pour la côte.
Les vols des autres compagnies à destination de la côte décollent de l'aéroport international *Jomo Kenyatta*.

Adresses et infos utiles

Information touristique

Il n'existe pas à proprement parler d'office du tourisme à Nairobi. La plupart des tour-opérateurs ou des agences affichent sur leurs devantures *Tourist Informations*. Il s'agit d'organismes privés qui n'auront comme objectif que de vous vendre un safari clé en main. Cela dit, il en existe de très sérieux qui peuvent s'avérer être de bonnes sources d'informations comme *Let's Go Travel (zoom couleur D3, 7)* par exemple (voir, plus loin, « Safaris »).

i ***Tourist Kenya Board*** *(plan général couleur D5)* **:** Kenya Retowers, Ragati Rd, Upper Hill, PO Box 30630. Dans une petite rue perpendiculaire à la Ragati Rd. ☎ 271-12-62 ou 271-99-26. Fax : 271-99-25. • www.magicalkenya.com • Ouvert du lundi au vendredi de 8 h à 17 h. Un organisme officiel qui a pour vocation de promouvoir le Kenya dans le monde entier. Quelques brochures très générales en papier glacé... On n'y apprend pas grand-chose.

■ Pour des infos sur les parcs nationaux et la vie sauvage, on pourra aller faire un tour au ***Kenya Wildlife Service*** *(hors plan général couleur par D7),* Langata Rd (voir, plus loin, « Safaris »).

– ***Publications :*** *What's on in Kenya,* gratuit et souvent obsolète. On préférera *Going out,* gratuit aussi, qui paraît tous les 2 mois et que l'on trouve dans les bars et quelques hôtels.

Poste et télécommunications

✉ ***Bureaux de poste : General Post Office*** *(zoom couleur D3),* à l'angle de Kenyatta Av. et de Koinange St. Ouvert en semaine de 7 h 30 à 18 h, le samedi de 9 h à midi. Sise dans un bâtiment moderne vaste et aéré, la poste principale de Nairobi regroupe tous les services nécessaires. Un autre bureau dans Moi Av. *(zoom couleur E3),* ouvert en semaine de 8 h à 17 h (le samedi jusqu'à midi) ou encore dans Haile Selassie Av. *(zoom couleur E4).*

■ ***Téléphone international*** *(zoom couleur E4)* **:** Haile Selassie Av., en face de la poste. Ouvert jusqu'à minuit.

@ ***Fax, téléphone et Internet :*** IMPOSSIBLE de ne pas trouver un endroit où surfer sur le Web à Nairobi ! Voilà quelques adresses... en sachant qu'il en existe des dizaines d'autres ! C/o ***Browse Internet Café*** *(zoom couleur E3,* ***4****),* Norwich Union Building, face à l'hôtel *Hilton,* au 4e étage. Très grand et moderne. Ouvert du lundi au vendredi de 8 h à 21 h (le week-end, de 8 h à 20 h). Fax, appels internationaux et e-mails. C/o ***Global Access*** *(zoom couleur E3,* ***5****),* Asili Cooperative Building (3e étage), à l'angle de Moi Av. et de Muranga Rd. Fax et e-mails. ***Wizkids,*** dans l'enceinte du Village Market, ouvert jusqu'à 18 h (17 h le dimanche). Un peu plus cher que ses homologues, mais connexions rapides. Enfin, le vaste ***Lezards*** *(zoom couleur D3,* ***6****)* sur Kenyatta Av., juste après l'angle avec Koinange St (ouvert de 7 h à 22 h ; connexions très bon marché), ou encore c/o ***Pie Communications*** *(zoom couleur D3),* dans Utali Lane, derrière la Maison française de Nairobi.

Argent, banques, change

Les banques pratiquent des taux de change différents, mais la commission est toujours la même (assez élevée). Préférer les bureaux de change *Forex,* qui sont légion en centre-ville, notamment dans le quartier du *Stanley Hotel (zoom couleur E3,* ***23****)* et autour du *Hilton Building (zoom couleur E3).* Ils sont ouverts entre 9 h et 17 h en semaine et le samedi matin. Côté banques, la *Barclays* offre le plus grand nombre de services, des taux parmi les plus avantageux, ainsi que des distributeurs automatiques (à éviter le soir et la nuit, bien sûr !). Évitez à tout prix de changer dans les hôtels : commission de bandits.
Le dimanche, changez à l'agence *Greenland* en centre-ville, ou au rez-de-chaussée à l'aéroport.

■ ***Barclays :*** principales agences en centre-ville, dans Mama Ngina St *(zoom couleur E3,* ***1****),* à l'angle de Moi Av. et de Kenyatta Av. *(zoom couleur E3,* ***2****)* ou encore au *Barclays Plaza (zoom couleur D3).* Ouvert du lundi au vendredi entre 9 h et 15 h et certains samedis matin. Change euros, dollars et *traveller's cheques.* Dans chacune, distributeur *Visa* et *Mastercard.*

■ ***American Express (Express Travel Group ;*** *zoom couleur E3)* **:** dans l'enceinte de l'hôtel *Hilton.* ☎ 222-29-06. Fax : 231-00-59. Agence ouverte du lundi au vendredi de 9 h à 15 h. Le seul endroit de Nairobi où l'on peut retirer de l'argent avec sa carte *American Express* ou acheter des chèques de voyage.

En cas d'urgence

■ ***Banque française :*** une seule, le ***Crédit Agricole Indosuez*** *(zoom couleur E4),* au rez-de-chaussée du Reinsurance Plaza. ☎ 222-50-16 ou 221-12-54. Fax : 221-41-66. Ouvert du lundi au vendredi de 8 h 30 à 14 h 30. Pour dépanner, elle peut arranger un transfert avec la France, mais compter 3 ou 4 jours.

■ ***Western Union :*** transferts d'argent liquide aux guichets de la *Postbank.*

Représentations étrangères

France

■ ***Ambassade de France*** *(zoom couleur D3)* **:** Barclays Plaza, 9th Floor, Loita St, PO Box 41784. ☎ 33-97-83 ou 21-48-48 (n° d'urgence 24 h/24). Fax : 22-05-51. • http://ambafr.iconnect.co.ke • Ouvert en semaine de 8 h 30 à 17 h 30 (13 h le vendredi).

■ ***La Maison française de Nairobi*** *(zoom couleur D3)* **:** à l'angle de Monrovia St et Loita St. Ouvert du lundi au samedi de 8 h à 18 h. Regroupe le Centre culturel français et l'Alliance française.

■ ***Centre culturel français*** *(zoom couleur D3)* **:** Monrovia et Loita Streets, PO Box 49415. Infos et réservations : ☎ 33-62-63 à 65. Fax : 33-62-53. • info@maisonfrancaisekenya.org • Ouvert en semaine de 8 h 30 à 13 h et de 14 h à 18 h. Fermé les week-ends et vacances scolaires. Un centre qui déborde d'activités. Excellentes programmations internationales de jazz, music-hall, expos, théâtre et séances gratuites de cinéma. Festival du Film européen en octobre. Prêt de livres et de vidéos à la bibliothèque (ouverte le samedi). Pour plus d'infos, téléphoner ou demander la brochure à l'entrée. Également un café-resto, *Le Jardin de Paris* (voir « Où manger ? »).

■ ***Alliance française :*** dans La Maison française *(zoom couleur D3),* PO Box 45475. ☎ 34-00-54 ou 79. Fax : 31-52-07. • afnairob@africaonline.co.ke • Ouvert de 8 h 30 à 13 h et de 14 h à 18 h. Fermé le samedi après-midi et le dimanche. Excellent accueil.

Belgique, Suisse, Canada

■ ***Ambassade de Belgique :*** Muthaiga, Limuru Rd, PO Box 30461. ☎ 252-24-95 ou 252-20-11. • ambabel@kenyaweb.com •

■ ***Ambassade de Suisse*** *(zoom couleur E3)* **:** International House, 7th Floor, Mama Ngina St, PO Box 30752. ☎ 222-87-35 ou 77-36. Fax : 221-73-88. • vertretung@nai.rep.admin.ch • Horaires restreints : 9 h à 13 h du lundi au jeudi, 9 h à 11 h le vendredi.

■ ***Canadian High Commission :*** Limuru Rd, à Gigiri, PO Box 1013. À l'extérieur de Nairobi, en direction du Village Market. ☎ 366-30-00. Fax : 366-39-00. Ouvert du lundi au jeudi de 7 h 30 à 16 h, jusqu'à 13 h le vendredi.

Autres

■ ***Ambassade de Tanzanie*** *(zoom couleur E4)* **:** Reinsurance Plaza, Taifa Rd, 10e étage, PO Box 47790. ☎ 203-10-56 ou 233-11-04. Ouvert du lundi au vendredi de 8 h à 14 h. Visa valable 3 mois délivré en 1 h (apporter 2 photos et 25 US$) ou à la frontière.

■ ***Ambassade d'Ouganda :*** Riverside Paddocks, Off Riverside Drive. ☎ 444-54-20 ou 444-90-96.

■ ***Ambassade d'Éthiopie :*** State House Av., PO Box 45198. ☎ 272-30-35 ou 53. Fax : 272-34-01.

Urgence, santé

■ ***ABC Pharmacy :*** ABC Place, Waiyaki Way. ☎ 444-24-02. Le propriétaire parle le français.

■ ***Kilimandjaro Pharmacy*** *(zoom couleur E3) :* au rez-de-chaussée de l'hôtel *Hilton,* City Hall Way. ☎ 233-17-44 ou 16-05. Ouvert jusqu'à 20 h 30.

■ ***Nairobi Hospital*** *(plan général couleur B-C5) :* Argwings Kodhek Rd. ☎ 272-21-60 ou 271-44-00. Portables : ☎ 0722-204-114 ou 115 et 0733-639-301 ou 302. • www.nairobihospital.org • Bonne réputation mais cher. Traite également les problèmes dentaires.

■ ***Aga Khan Hospital*** *(plan général couleur E1) :* 3rd Parklands Av., Parklands. Le 2e meilleur hosto de la ville. ☎ 374-00-00 ou 22 ou 375-02-90.

■ ***Flying Doctors Service*** *(hors plan général couleur par D7) :* Amref House, Wilson Airport, Langata Rd. PO Box 30125. ☎ 450-12-80 ou 65-21 à 24. Portables : ☎ 0733-639-088 ou 0722-214-239. Téléphone satellite : ☎ 873-762-315-580 et 88-21-65-11-05-794. • www.amref.org • emergency@flydoc.org •

■ ***Police :*** ☎ 222-22-22.

■ ***Urgence - Police - Pompiers :*** ☎ 999.

Les taxis

Ce sera votre principal moyen de transport à Nairobi. Après la tombée du jour, ils sont obligatoires. Privilégier si possible les gros *cabs* londoniens. Ils stationnent devant les grands hôtels et leurs chauffeurs sont en général connus. Les véhicules de la plupart des taxis « indépendants » sont dans un état allant du précaire à l'épouvantable.

– Tant qu'on reste dans l'hypercentre, une course coûte environ 200 Ksh (2,1 €), mais au-delà il faut négocier selon la distance et/ou le temps éventuel d'attente du chauffeur. Le soir et la nuit, les tarifs augmentent (normal !), surtout à la sortie des bars et des boîtes. La course varie alors entre 500 et 800 Ksh (5,3 et 8,4 €). Toujours se mettre d'accord sur le prix définitif avant de monter. Mais en général les chauffeurs sont sympas. Quelques compagnies :

Kenatco Taxis : ☎ 22-51-23 ou 23-07-71.

Hilltop Radio Call Taxis : ☎ 272-32-18 ou 70.

Jatco Taxis : ☎ 444-81-62 ou 60-96 (24 h/24).

Dial-A-Cab : ☎ 24-52-16 ou 18.

Agences de location de voitures

■ ***Hertz/UTC*** *(zoom couleur E3) :* Sarit Center, PO Box 1438. ☎ 231-11-43 ou 224-53-58. Fax : 231-11-47. Aéroport international : ☎ 722-20-37-42. • www.hertz.co.ke • Petit bureau au *Norfolk Hotel.*

■ ***Avis Rent A Car*** *(zoom couleur D3) :* University Way, PO Box 49795. ☎ 33-67-04 ou 33-30-82. Fax : 233-91-11.

■ ***Budget*** *(zoom couleur E3) :* Shimba St, PO Box 49713, au pied de l'hôtel *Hilton.* ☎ 222-35-81 ou 82. Fax : 222-35-84. • www.budget-kenya.com •

■ ***Market Car Hire*** *(zoom couleur D3) :* à la station *Kobil,* angle Koinange St et Banda St. PO Box 49713. ☎ 22-57-97 ou 33-57-35. Fax : 33-97-79.

■ ***Glory Car Hire*** *(zoom couleur D3) :* Diamond Bld, Groung Floor, Tubman Rd, PO Box 66969. ☎ 22-50-24 ou 22-44-28. Fax : 33-15-33. • glorycarhire@bidi.com •

Garages

Nairobi est une étape mécanique essentielle des raids transafricains. Si vous voyagez avec votre propre véhicule (auto ou moto), profitez-en pour faire une révision et le plein de pièces détachées avant de partir dans la nature. Dans les petits garages, on trouve des bricoleurs ingénieux et des réparateurs hors pair, mais les pièces ne sont pas toujours d'origine : attention à l'usure ! Voici quelques bonnes adresses qui ont fait leurs preuves...

Garages spécialisés 4x4

■ ***4 Wheels Drive Maintenance (ou Garage Matthews) :*** Langata Rd. ☎ 759-16-81. À environ 500 m du site Bomas, en direction de Karen. Spécialiste Land Rover et grosses réparations.

■ ***Garage Chaparal :*** on peut aller également au garage de Dominique Tissier, un Français sympa et compétent. Langata North Rd. ☎ et fax : 89-19-12. Portable : ☎ 0733-606-477. • chaparal@iconnect.co.ke • À environ 200 m avant le garage Matthews, en venant de Nairobi, prendre la latérite sur la droite puis le 2e chemin sur la gauche (n° 67).

Pièces détachées

■ Dans Kirinyaga Rd, près du grand rond-point d'Afrique : grand choix de pièces d'origine et de pièces fabriquées en Inde ou au Japon.

■ Pour Land Rover, on ira chez ***CMC,*** sur Lusaka Rd. Cher, mais bon choix.

Safaris

Infos

– ***Panneaux d'information et d'échanges :*** vous cherchez un camion pour la République démocratique du Congo, un compagnon de route pour l'Afrique du Sud, des tuyaux pour dormir pas cher en Tanzanie ou une moto d'occasion ? Consultez les panneaux de petites annonces *(notice boards)* de Nairobi. Ils ont la réputation d'être les plus efficaces d'Afrique. On en trouve à la *Youth Hostel (plan général couleur C4,* ***26****)*, ou à l'*Iqbal Hotel (zoom couleur E3,* ***12****)*, ainsi qu'au *New Kenya Lodge (zoom couleur E3,* ***13****)*. On peut même y recevoir du courrier ou laisser une lettre pour un ami. Celui du *Thorn Tree Café* (au *Stanley Hotel ; zoom couleur E3,* ***23****)*, autrefois mythique, est désormais boudé par les voyageurs.

■ ***Kenya Wildlife Service*** *(hors plan général par C-D7)* ***:*** Langata Rd, PO Box 40241. ☎ 450-10-81 ou 460-23-45 ou 450-66-71. Fax : 450-17-52. • www.kws.org • Ouvert en semaine de 8 h à 13 h et de 14 h à 17 h. Renseignements utiles et autorisations pour tout safari à caractère particulier : études zoologiques, botaniques, reportages animaliers, films commerciaux, etc.

■ ***Kenya Association of Tour-Operators :*** Longonot Rd, Upperhill, PO Box 48461. ☎ 271-33-48 ou 33-86 ou 272-65-17. Fax : 271-92-26. • www.katokenya.org • Cette association de tour-opérateurs possède une éthique qui garantit le respect du client et de l'environnement. Son site Internet donne les coordonnées des tour-opérateurs agréés et son service d'information sur place peut vous aider à concevoir tous les types de safaris, du plus simple au plus fou : camping, safari aérien, *incentive,* etc.

■ ***Automobile Association of Kenya :*** Nyaku House, Hurlingham, PO Box 40087. ☎ 272-31-95 ou 54-12. Fax : 682-51-19. Source de renseignements précis et actualisés sur l'état du réseau routier. Très utile pendant la saison des pluies.

■ ***Let's Go Travel** (zoom couleur D3, 7) :* Caxton House, Standard St, PO Box 60342. Non loin de la poste principale. À l'étage. ☎ 340-331 ou 213-033. Fax : 214-713. • www.letsgosafari.com • Autres antennes à Karen (☎ 882-505 ou 882-168) et à Westlands, *ABC Place,* Waiyaki Way (☎ 444-71-51 ou 10-30). Ouvert du lundi au vendredi de 8 h 30 à 17 h, et le samedi de 8 h 30 à 13 h. Cette agence de voyages, sûre et performante, est une mine d'infos pour les routards : documentation variée, horaires de transports, tarifs des *lodges,* excursions et itinéraires inédits pour les petits budgets. On peut y louer des véhicules, des kits complets de matériel de camping, et faire des réservations de vols, chambres, tentes, *bandas* et cottages.

Safaris-opérateurs

Tous les tour-opérateurs sont ouverts en semaine de 8 h à 17 h et le samedi de 9 h à 13 h environ.
Quelques généralistes :

■ ***Hoopoe Safaris :*** Wilson Aerodrome, PO Box 60155. ☎ 620-43-03. Fax : 260-43-04. • www.hoopoe-kenya.com • hoopoe@wanachi.com • Possède des bureaux aussi à Arusha, Dar es-Salaam et Londres. Très bonne réputation, matériel et véhicules (vraies Land Rover) en bon état, guides qualifiés.

■ ***Kobos Safaris :*** Mugoiri Rd, Kileleshwa, PO Box 72763. ☎ 387-03-33 ou 386-84-38. Fax : 386-04-96. • www.kobo-safaris.com • Pas la plus grosse agence, mais d'un professionnalisme éprouvé. Excellente sélection de guides et chauffeurs, intéressants circuits, efficacité et bon suivi des prestations.

■ ***Abercrombie and Kent :*** Mombasa Rd, PO Box 59749. ☎ 695-00-00 ou 554-57-35 ou 553-01-85. Fax : 225-31-73. • www.abercrombiekent.com • Une des agences les plus expérimentées du Kenya. Bons chauffeurs-guides et véhicules impeccables.

■ ***Travel Wild :*** Arbor House, Arboretum Dr. (Off State House Rd), PO Box 18725. ☎ 273-09-26, 27 ou 28. Fax : 273-09-29. • www.travel-wild.com • info@travel-wild.com • Une petite agence francophone où travaille notre copain Pierrot et qui concocte « sur mesure » des *trips* pour tous les goûts : safari animalier ambiance *Out of Africa* sous une tente de luxe, petite virée express ou plus « pole pole », séjour sportif pour ceux qui en veulent (trekking, VTT, rafting...). Du sérieux, de l'efficacité. On peut y aller les yeux fermés !

■ ***Leboo Safaris :*** PO Box 746, à Karen (00502). ☎ 89-02-45 ou 0733-750-803 (portable). Fax : 89-02-77. Contact France : ☎ 03-20-83-91-96. • www.leboosafari.com • Une agence montée par un Français tombé amoureux du pays il y a quelques années. Entre deux tournages de reportages, Didier et son frère organisent des safaris personnalisés, des trekkings à pied ou à dos de chameau « hors des sentiers battus » en alternant campings, bonnes tables, hébergements plus luxueux et anciennes maisons coloniales. On peut même finir tout en douceur sur la côte... Les tarifs (un peu plus élevés que la moyenne, la qualité a un prix...) varient bien sûr en fonction du nombre de postulants au départ.

■ ***Bushbuck Adventures :*** Gilfillan Peponi Rd, PO Box 67449. ☎ 612-30-90 ou 15-54. Fax : 612-15-05. • www.bushbuckadventures.com • Adepte de l'écotourisme, *Bushbuck Adventures* propose des safaris individuels ou en petits groupes proches de la nature et loin des sentiers battus. Les 5 camps de toile (prévus pour 10 personnes chacun) ont un minimum de confort. Celui de Massaï-Mara offre des possibilités de randonnées dans la réserve. Il y a aussi de belles randonnées au mont Kenya et dans les Aberdares. C'est assez cher, mais les prestations sont à la hauteur.

D'autres tour-opérateurs plus petits, mais possédant une bonne réputation :

■ ***Muthaiga Travel :*** Muthaiga Shopping Centre, Limuru Rd, PO Box 34464. ☎ 375-00-34 ou 36 et 374-24-91. Fax : 375-00-35. • www.supersafari.com • Bonne réputation.

■ ***Kenya Wildlife Trails :*** 408 Othaya Rd, Lavington, PO Box 44687. ☎ 387-25-81 ou 44-04. Fax : 387-35-74. • www.wildlifetrails.com •

■ ***Micato Safaris :*** View Park Towers, Monrovia St, PO Box 43374. ☎ 222-69-44 ou 63-64 ou 07-43. • www.micato.com • info@micatosafariskenya.com •

■ ***Twiga Tours :*** Sarit Center, Westlands, PO Box 39651. ☎ 374-31-23 ou 94-73 ou 77 et 375-05-63 ou 69. Fax : 374-17-14. • www.twigatours.com • twigasarit@nbi.ispkenya.com •

■ ***Wild Spirit Safari :*** Othaya Rd, Kileleshwa. ☎ et fax : 572-845. ☎ 24-99-67. Fax : 24-74-39. • infos@wild-spirit-safari.com • Une des bonnes adresses de Nairobi. Personnel compétent et avenant, désireux de faire découvrir leur pays. Tous les safaris sont sur mesure et étudiés afin d'éviter les sentiers battus. *Wild Spirit Safari* est aussi présente en Tanzanie et à Zanzibar. Bon rapport qualité-prix. Contact en France, ☎ et fax : 01-47-49-91-50.

Safaris-opérateurs pas chers

Il y a aussi de petits tour-opérateurs installés à la *YMCA* et à l'hôtel *Iqbal* (voir la rubrique « Où dormir? ») ainsi que de nombreux rabatteurs d'agences dans les rues du centre-ville (*Savuka Tours,* par exemple), parfois pénibles, il faut bien le dire. Si vous choisissez un « saf'op' » pas cher, vérifiez ce qui est inclus ou ne l'est pas. Parfois, les prestations peuvent être très décevantes (véhicules en mauvais état, suppléments imprévus), sans parler bien sûr des risques d'arnaque pure et simple. Alors étudiez bien votre coup ou... décidez-vous à casser votre tirelire!

Camping-safari

■ ***Gametrackers*** *(zoom couleur D3)* **:** au coin de Koinange et Mokhtar Daddah. ☎ 233-89-27 ou 231-36-17 ou 222-27-03. Fax : 233-09-03. • www.gametrackers.com • Une longue expérience du safari à petit prix, en 4x4, à pied, à vélo, et même en camion pour le Turkana. Circuits dans les grandes réserves et en Tanzanie, excursions en montagne et ascension du Kilimandjaro. Le confort est minimum, cela va de soi.

■ ***Best Camping Tours & Safaris LTD :*** I & M Building, Muindi Mbingu St, 1st floor, PO Box 40223. ☎ 222-96-67 ou 75. Fax : 221-79-23. • www.kenyaweb.com • Safaris dans les principaux parcs pour toutes les bourses, avec confort en rapport. Quelques formules recommandables pour les petits budgets.

■ ***Safari Seekers :*** Jubilee Insurance Building, Suite 522, 5th Floor, Kaunda St, PO Box 9165. ☎ 222-62-06 ou 224-50-61 ou 221-13-96. Fax : 233-45-85. • www.safari-seekerskenya.com • info@safari-seekerskenya.com • Safaris dans les grands parcs et excursions sur la côte. On dort sous la tente.

■ ***New Kenya Lodge Tours & Safaris :*** voir « Où dormir? ». Safaris à la carte, de 3 à 11 jours. Compter autour de 60 US$ (50 €) par personne et par jour en camping.

Vélo et rando

■ ***Bike Treks :*** Kabete Gardens, Karuna Rd (à Westlands, derrière le centre commercial Sarit), PO Box 14237. ☎ et fax : 444-63-71 ou (0722) 480-

077 (portable). • www.biketreks.co.ke • On peut aussi réserver par *Let's Go Travel*. Des idées originales de randonnées à pied et à vélo pour des séjours de 3 à 10 jours dans les parcs et les montagnes de l'Ouest. Bivouac le soir. Pas cher et convivial (groupes de 3 personnes minimum).

À dos de chameau

■ ***Yare Camel Club*** *(zoom couleur D3)* **:** Windsor House, 2nd floor, à l'intersection de University Way et Muindi Mbingu St, PO Box 63006. ☎ et fax : 221-40-99. • yare@africaonline.co.ke • L'organisateur du célèbre *Maralal Camel International Derby* (en août) possède un camp de base à Maralal, d'où il organise des virées mémorables à pied ou à dos de chameau, loin des pistes et des minibus. Compter dans les 500 US$ (417 €) par personne tout compris pour 7 jours. Équipe rodée.

En ballon, à cheval, en camion...

■ ***Balloon Safaris*** *(hors plan général couleur par D7)* **:** Wilson Airport, PO Box 43747. ☎ 460-50-03 ou 16. Fax : 460-43-13. • info@balloonsafaris.co.ke • Vols au-dessus du Massaï-Mara. Hors de prix.

■ ***Adventure Aloft*** *(zoom couleur E3)* **:** Kimathi House, Kimathi St, PO Box 40683. ☎ 221-83-21 ou 41-68. Fax : 233-21-70. • www.madahotels.com • Vols au-dessus du Massaï-Mara. Tout aussi exorbitant.

■ ***Raids & Aventure-Richard Bonham Safaris*** **:** Karen, PO Box 24133. ☎ 858-25-21 ou 44-75. Fax : 858-27-28. • www.richardbonhamsafari.com • bonham.luke@swiftkenya.com • Richard Bonham est un bourlingueur chevronné. À pied ou à cheval, il vous fera découvrir un Kenya sauvage et insolite. Il connaît particulièrement bien la région des Chyulu Hills et l'île de Kiwayu. Il prépare également des safaris en 4x4 jusqu'en Tanzanie, en s'occupant pour vous du logement et des activités.

■ ***Safari Camp Services*** *(zoom couleur D3)* **:** Barclays Plaza, Loita St, PO Box 44801. ☎ 759-13-99 ou 48 ou 21-87 • www.safaricampserv.com • Un vieux de la vieille. L'inventeur du *Turkana Bus* est bien rodé : plus de 1 000 départs à son actif ! Assis à l'arrière d'un camion aménagé, on découvre la région sauvage du lac Turkana et on bivouaque dans des endroits perdus au bout du monde. Le périple dure en moyenne 9 jours pour 555 US$ (463 €) environ. C'est spartiate mais inoubliable. Nombreux départs de juillet à septembre. Même formule pour la Tanzanie, avec le *Serengeti Bus*. L'agence propose aussi des safaris plus traditionnels dans les grands parcs.

Matériel de camping

■ ***Atul's*** *(zoom couleur D-E3,* ***8****)* **:** Biashara St. ☎ 222-80-64 ou 59-35. Ouvert de 9 h à 12 h et de 14 h à 17 h ; le samedi, jusqu'à 16 h. Magasin de tissus qui fait aussi de la location de tentes, sacs de couchage, tapis, jumelles, etc. Matos de haute montagne pour le mont Kenya. On peut aussi acheter, faire réparer ou vendre son matériel d'occasion.

■ ***Kenya Canvas*** *(zoom couleur D3,* ***9****)* **:** Muindi Mbingu St. À 100 m environ d'*Atul's*. ☎ 233-35-09 ou 55-31. Ouvert de 8 h à 17 h en semaine (jusqu'à 13 h le samedi). Le spécialiste de la toile : tentes, duvets. Vente seulement.

Loisirs

Librairies, journaux

Les librairies du *Sarit Centre* à Parklands *(hors plan général couleur par B1)* sont très fréquentées par la communauté européenne. C'est excentré mais on y trouve de nombreux titres épuisés en centre-ville.

– On trouve *Le Monde* et quelques autres titres au rez-de-chaussée du ***680 Hotel*** *(zoom couleur E3, **22**)*. Les journaux français sont disponibles chez plusieurs libraires depuis que *Nation* a décidé de les distribuer pour répondre à une demande croissante des expatriés français. Les prix sont 2 fois supérieurs au prix métropolitain.

■ ***Prestige Book Sellers & Stationnery :*** Mama Ngina St, près du cinéma 20th Century et du Blue Line. ☎ 222-35-15 ou 224-67-56.
■ ***Book Corner :*** Transnational Plaza, Mama Ngina St. ☎ 224-02-59 ou 60 et 233-29-68.
■ ***Primrose Sundries :*** 20th Century Plaza, Mama Ngina St. ☎ 222-39-08.

Piscines

L'accès aux piscines des hôtels est payant pour les non-résidents (de 100 à 300 Ksh, soit 1,1 à 3,2 €). On trouve les meilleures piscines dans les grands hôtels :

■ ***YMCA*** *(zoom couleur D3, **20**) :* grand bassin en plein air parfois utilisé par les écoles primaires, mais tranquille la plupart du temps. En revanche, pas toujours très propre. On peut siroter un verre à la terrasse.
■ ***Hôtel Panafric*** *(plan général couleur C4) :* au bout de Kenyatta Av. Dispose d'une belle piscine avec bar, dans un cadre reposant malgré la laideur des bâtiments alentour. Bout de gazon pour bronzer.
■ ***Holiday Inn (Mayfair Court Hotel;*** *plan général couleur C1, **35**) :* dans le quartier de Westlands, à 2 km au nord du centre-ville. Un havre de paix et de verdure. Grande piscine avec resto-buffet.
■ ***Hôtel Boulevard*** *(plan général couleur D2, **34**) :* Harry Thuku Rd. Piscine sur gazon. Végétation et parasols. Sympa, mais un peu bruyant.
■ Autre piscine au ***Milimani Hotel*** *(plan général couleur C4, **32**)*. Éviter la piscine du *Norfolk*, pas terrible et hors de prix !

Où dormir ?

Campings

⛺ ▲ ***Upper Hill Campsite*** *(plan général couleur C-D5, **10**) :* Menengai Rd, Upper Hill, PO Box 29886. ☎ 272-02-90. • www.oja-services.nl/kenya • Dans le quartier du Kenyatta Hospital, près de Ngong Rd (entrée face à l'ambassade d'Indonésie). Compter 250 Ksh (2,7 €) par campeur, douches (chaudes) incluses, 400 Ksh (4,2 €) par lit en dortoir de 10 places, ou 1 000 Ksh (10,5 €) pour une double. Location de tente pour 150 Ksh (1,5 €) la nuit, parking à 50 Ksh (0,5 €) par voiture et 100 Ksh (1 €) par petit camion. Plus qu'une AJ et un camping de poche, un vrai lieu de vie convivial. Il propose une poignée d'emplacements herbeux, quelques chambres basiques (moustiquaires) mais propres, un dortoir bien tenu... et surtout une ambiance fraternelle autour du billard ou du narghilé. Douches et w.-c. en commun pour tout le monde (bloc séparé pour les campeurs). Bonnes prestations : consigne à bagages, *lockers* pour les papiers, une salle de resto chaleureuse (service de 7 h à 23 h) et un pub miniature à la déco ethnique dans un bâtiment annexe. Pour nos lecteurs campeurs, l'adresse la plus sûre et la plus proche du centre.

⛺ ***Rowallan Camp*** *(hors plan général couleur par A6,* ***11****) :* Kibera Drive, PO Box 41422. ☎ 56-81-11 ou 57-07-94. Fax : 57-37-99. • kenscout@africaonline.co.ke • À 7 km du centre. De Ngong Rd, prendre à gauche vers Jamhuri Rd, puis à gauche vers Kibera Dr. et enfin à droite dans la forêt. Éviter d'arriver directement par Kibera Dr. depuis Ngong Rd : on traverse alors l'un des plus grands bidonvilles de la ville. Déconseillé d'arriver de nuit si l'on n'a pas de voiture. Compter près de 150 Ksh (1,6 €) par personne pour une tente. C'est le centre national des scouts kenyans, ouvert aux touristes. Installations extrêmement basiques : douche, eau froide, w.-c. En revanche, le site est beau et très bien ombragé. Planter sa tente près de l'office, c'est plus sûr.

Au centre

Bon marché

Dans le quartier de River Rd *(zoom couleur E3),* tout une brochette de *guesthouses* plus ou moins insalubres. Nous avons retenu les plus avenantes, mais rien ne vous empêche de jeter un œil aux voisines. Ce sont de bons endroits pour rencontrer d'autres voyageurs, afin de se grouper pour louer une voiture et partir en safari.

🏠 ***Iqbal Hotel*** *(zoom couleur E3,* ***12****) :* Latema Rd, PO Box 11256. ☎ 222-09-14. Tout près de Tom Mboya St. Doubles autour de 600 Ksh (6,3 €), sans petit dej'. Chambres petites aux couleurs étouffantes, pas jobardes mais propres et acceptables pour le prix. Si l'on est fauché on peut même en partager une avec un compagnon de hasard ! D'ailleurs, l'intérêt de l'adresse, c'est surtout de faire des rencontres et d'échanger des tuyaux (panneau de messages). L'accueil est excellent. Bien sûr, à ce prix-là, la douche (eau chaude le matin) et les w.-c. sont à l'extérieur. Il y a aussi une agence proposant des tarifs de safaris attractifs (bien étudier ce qui est inclus ou pas). Bref, c'est tellement routard que les autres tour-opérateurs viennent draguer le client jusque devant la porte de l'hôtel. Ils butent sur le gardien, qui veille au grain jour et nuit : l'entrée est gardée comme Fort Alamo ! Coffre pour ses valeurs à la réception.

🏠 ***New Kenya Lodge*** *(zoom couleur E3,* ***13****) :* River Rd, PO Box 43444. ☎ 222-22-02 ou 233-83-48. Fax : 260-35-60. • nksafari@yahoo.com • En dortoir de 3 ou 4 lits, compter 250 Ksh (2,7 €) par personne, et en chambre double 600 Ksh (6,3 €). Douche commune, eau chaude soir et matin. Thé et café à volonté. Voilà une *guesthouse* pour « sac-à-dos » très populaire, un peu en vrac. Pour sûr, ces murs ont dû en abriter, des tonnes de routards ! C'est l'occasion d'échanger des tuyaux. Sur place, une agence spécialisée dans les petits budgets propose des safaris autour de 60 US$ (50 €) par personne et par jour, mais bien étudier le contenu du programme. Annexe un peu plus loin, sur Duruma Rd.

🏠 ***Destiny Hotel*** *(zoom couleur E3,* ***14****) :* Duruma Rd, PO Box 72780. ☎ 225-31-24. Face au *Cana Lodge.* Doubles autour de 750 Ksh (7,9 €) avec petit dej'. Petit hôtel très correct et bien gardé. Chambres petites mais bien tenues, avec bains et w.-c. séparés. Pour l'eau chaude, appuyez sur le bouton ! Meilleur accueil qu'au *Cana Lodge.* Prudence le soir en rentrant, c'est le quartier des bus pour Mombasa.

🏠 ***Cana Lodge*** *(zoom couleur E3,* ***15****) :* Duruma Rd, PO Box 41237. ☎ 221-72-54. Doubles autour de

750 Ksh (7,9 €). Presque en face du *Destiny Hotel.* Même description : grille à la réception, gros verrous sur chaque porte et chambres petites mais pas chères avec bains et w.-c. Accueil un peu morne et chambres somme toute banales mais propres, avec moustiquaire (ce qui est loin d'être le cas partout !) et petit dej' copieux, alors allons-y... Prudence le soir tout de même.

Dolat Hotel *(zoom couleur E3, 16)* : Mfangano St, PO Box 45613. ☎ 222-86-63 ou 27-97. Fax : 222-16-24. Dans une rue parallèle à Tom Mboya St. Un peu moins de 750 Ksh (7,9 €) la double. Pas de petit dej'. Heureusement que les chambres sont mieux que le bâtiment lui-même, pas reluisant. Très dépouillé, mais eau chaude à toute heure. La rue est hyper-animée, pour ne pas dire franchement bruyante.

Prix moyens

Downtown Hotel *(zoom couleur D3, 17)* : Moktar Daddah St, PO Box 3834. ☎ 231-04-85 ou 224-05-01. Fax : 231-04-35. Compter 1 200 Ksh (12,7 €) la double. Petites mais sympathiques, eau chaude toute la journée, moustiquaire et w.-c. Bon accueil et atmosphère calme. Ne sert pas de petit déjeuner.

Terminal Hotel *(zoom couleur D3, 18)* : Moktar Daddah St, PO Box 66814. ☎ 222-88-17 ou 18. Fax : 222-00-75. Doubles autour de 1 300 Ksh (13,7 €), sans petit dej'. Dans le même genre que le *Downtown Hotel* d'à côté, mais avec une atmosphère un peu morne et un accueil routinier. Chambres propres dans des tons crème, w.-c., douche (eau chaude) et moustiquaire. Préférer celles de l'arrière, moins bruyantes. On peut aussi donner son linge à laver. Au rez-de-chaussée, bon petit resto africain. Pour le petit dej', le *Gold Star* est juste à côté (voir « Où manger ? »).

Samagat Hotel *(zoom couleur E3, 19)* : Taveta St, à l'intersection avec Accra Rd, PO Box 10027. ☎ 222-06-04. • samghotel@yahoo.com • Doubles à partir de 1 350 Ksh (14,2 €), petit dej' compris. Plutôt un bon *deal* dans sa catégorie. Ne pas s'attendre au grand luxe, mais à des draps propres, de l'eau chaude tout le temps, des w.-c., une moustiquaire et même un petit coin cuisine. C'est déjà pas mal. Belle vue sur la ville depuis certaines chambres. Accueil gentil. En revanche, rue très bruyante – le prix à payer pour une situation aussi centrale.

YMCA *(zoom couleur D3, 20)* : State House Rd, PO Box 63063. ☎ 272-40-66 ou 70. Fax : 272-88-25. • kenyaymca@net2000ke.com • Doubles de 1 200 à 1 500 Ksh (12,7 et 15,8 €) ou dortoir de 6 à 8 lits (avec ou sans salle de bains) entre 550 et 950 Ksh (5,8 et 10 €) par personne, le tout en *B & B.* Petite réduction pour les adhérents. *Half* et *full board* possibles. L'accueil et les services sont meilleurs qu'à la *YWCA.* Taxis le soir (indispensable !), parc et piscine appréciables. Cela dit, le bâtiment est âgé, le mobilier usé jusqu'à la corde, tout comme les douches et les w.-c. sur le palier. Les chambres sont aussi tristes que chez sa consoeur, mais elles sont moins chères. Machine à laver, mais pas de cuisine équipée pour faire sa popote. Heureusement, le resto est bon et pas cher.

YWCA *(zoom couleur D3, 21)* : Mamlaka Rd, PO Box 40710. ☎ 272-46-99 ou 47-89. Fax : 271-05-19. • ywca@iconnect.co.ke • Ouvert en permanence, mais après 22 h, il faut prévenir. Hébergement entre 1 700 et 2 600 Ksh (17,9 et 27,4 €) en *B & B.* Adhésion facultative. Superbe résidence en pierre et en bois du début du XXe siècle. Le bâtiment principal abrite les gazelles. Les chasseurs se contenteront de l'annexe, moins confortable (le braconnage est sévèrement contrôlé !). Enfin, pour les couples, on peut s'arranger... Demander à visiter plusieurs chambres, elles sont inégales. Franchement très cher pour ce que c'est, mais bon... Une AJ est une AJ, et celle-là n'est pas la plus moche de la famille. Beaucoup de jeunes sont ici pour longtemps, et donnent l'impression de compter les mouches : atmosphère ennuyeuse.

Plus chic

■ ***Six-eighty Hotel (680)*** *(zoom couleur E3, **22**)* **:** Muindi Mbingu St., PO Box 43436. ☎ 233-26-80. Fax : 233-29-08. • info@680-hotel.co.ke • Doubles standard autour de 3 500 Ksh (36,8 €) avec supplément de 600 Ksh (6,3 €) par personne pour le petit déjeuner. Réductions possibles. Immense hôtel très *busy,* avec plein de businessmen et de touristes qui courent dans tous les sens. Vu le niveau assez déplorable de l'hôtellerie du centre-ville, on est quand même bien content de le trouver, d'autant qu'il n'y en a pas des masses dans cette catégorie. Aux étages, un peu moins d'effervescence. Chambres très bien, aussi confortables qu'un 2-étoiles de chez nous, avec TV et sans charme. Plus on monte haut, plus la vue sur les gratte-ciels du centre-ville est imprenable.

NAIROBI

Chic

■ ***Stanley Hotel*** *(zoom couleur E3, **23**)* **:** à l'angle de Kenyatta Av. et de Kimathi St, PO Box 30680. ☎ 222-88-30 ou 333-32-33. Fax : 222-93-88. • www.sarovahotels.com • À partir de 200 US$ (167 €) la double. Ajouter 15 US$ (12,5 €) pour le petit dej'. Le tout-Nairobi est très attaché au plus vieil hôtel de la ville. Son histoire commence avec la construction du chemin de fer pour l'Ouganda. En 1902, une femme de tête du nom de Mayence Bent loue aux employés du rail quelques chambres au-dessus de Tommy Wood's Store sur Victoria St (actuelle Tom Mboya St). Très vite, l'hôtel acquiert une réputation internationale et change plusieurs fois de mains et de nom. En fait, il y eut successivement 2 *Stanley* et 3 *New Stanley* jusqu'à la période d'après-guerre pendant laquelle la célèbre famille Block lui donna son aspect moderne. Aujourd'hui, l'hôtel est devenu la résidence des hommes d'affaires de la capitale après une rénovation complète. Les temps changent. Autre concession à la modernité : une piscine en terrasse qui fait la joie des touristes, et un resto international chicos.

■ ***The Norfolk*** *(zoom couleur D3, **24**)* **:** Harry Thuku Rd, PO Box 58581. Réservations : ☎ 221-69-40 ou 67-96. Fax : 233-67-42. • www.lonrhohotels.com • Doubles à partir de 290 US$ (242 €) mais gros discount en basse et moyenne saison : compter alors entre 130 et 150 US$ (108 et 125 €). Une institution, un mythe, une légende qui commence comme un conte de fées, un jour de Noël 1904. À cette époque, Nairobi n'est encore qu'une bourgade dans la brousse. Le *Norfolk* devient rapidement le rendez-vous des grands chasseurs, des aventuriers et des pionniers en quête de fortune, de gibier et d'émotions fortes. C'est de là que part, en 1908, l'interminable caravane de Théodore Roosevelt. En 1927, l'hôtel devient le nouveau fleuron d'Abraham Block, qui fondera par la suite la fameuse chaîne des *Block Hotels.* Réputé dans le monde entier, l'endroit a attiré de nombreux artistes en mal d'inspiration. Dans *La Piste fauve* et *Le Lion,* Joseph Kessel y fait même allusion. L'hôtel s'est beaucoup agrandi, mais la modernisation n'a pas altéré le cachet du lieu. Les nostalgiques se plongeront dans les photos de l'épopée coloniale qui couvrent les murs des couloirs, et jetteront un œil à l'ancienne salle de danse *(ball room),* transformée en salle de séminaire *(shocking !).* La clientèle, très américaine, apprécie le parc magnifique et sa piscine, les chambres, les suites et les cottages tout confort décorés sobrement. Il existe plusieurs ailes dont une moderne, qui a conservé un certain cachet et possède des chambres plus vastes. Piscine, salon de beauté, location de voitures (bureau *Hertz*). Bonne cuisine au ***Lord Delamere Restaurant*** (voir « Où manger ? »).

En dehors du centre

Bon marché

Nairobi Backpackers *(plan général couleur B4, **25**)* **:** Milimani Rd. Dans la partie de la rue devenue une piste en terre battue. ☎ 272-48-27 (ou 0722-84-21-21, portable). • www.nairobibackpackers.com • Nuitée en dortoir de 6 ou 8 lits autour de 600 Ksh (6,3 €), double pour 1 300 Ksh (13,7 €) environ, petit déjeuner compris. À deux pas du centre-ville, cette minuscule AJ privée tenue par un expat souriant joue la carte de l'accueil et du confort. Atmosphère fraternelle garantie en raison du petit nombre de lits (deux dortoirs et une poignée de doubles), quelques efforts de déco dans la salle commune et des commodités convenables (douches chaudes et w.-c. en commun mais propres). Et puis la paillote dans la courette invite au bavardage à l'heure de l'apéro !

Youth Hostel *(plan général couleur C4, **26**)* **:** Ralph Bunche Rd, PO Box 48661. ☎ 272-30-12. • kyha@africaonline.co.ke • Réserver à l'avance, c'est souvent plein. Accès facile depuis le centre : en *matatu,* prendre la ligne 46 en direction du Yaya Centre ; à pied, le trajet dure 15 mn mais il présente certains dangers la nuit. L'auberge est ouverte et gardée jour et nuit. Accueil de 6 h 30 à environ 23 h. Compter entre 400 et 500 Ksh (4,2 et 5,3 €) par personne selon que l'on dort en dortoir de 3, 4 ou 16 lits (non mixtes) ou en chambre double. Location d'appartements avec salle de bains et cuisine autour de 1 500 Ksh (15,8 €) par nuit. Carte internationale des AJ exigée (en vente sur place : 540 Ksh, soit 5,7 €). C'est un bâtiment moderne doté d'un parking bien utile. Dortoirs basiques, mais les douches communes sont chaudes et les w.-c. souvent impeccables. Il faut apporter son cadenas pour les casiers. Terrasse sur le toit, agréable pour le farniente et la lessive. On peut faire sa popote dans une cuisine équipée ou se restaurer à la *Cafeteria.* Mais le plus sympa, c'est sa chouette atmosphère internationale et son personnel efficace et chaleureux. Il y a d'ailleurs un panneau d'annonces à l'entrée. On peut se faire envoyer du courrier ou laisser une lettre en attente. Bref, encore une étape de choix pour le routard.

Prix moyens

Sirona Hotel *(plan général couleur D2, **27**)* **:** Kolobot Rd, Parklands, PO Box 14034. ☎ 374-27-30 ou 374-39-69. Fax : 375-25-97. • sirona@bidii.com • Doubles rénovées autour de 2 600 Ksh (27,4 €), sinon prévoir environ 2 000 Ksh (21 €). Retiré dans un réseau de ruelles très calmes, le Sirona étire ses ailes le long d'une terrasse bien agréable à l'heure de l'apéro. Les chambres rénovées profitent de salles de bains nickel et de TV, mais les plus anciennes demeurent une très bonne affaire en dépit d'une déco un tantinet fanée. Salle de billard et bar équipé d'un écran TV géant.

Rwengoma Guesthouse *(plan général couleur B1, **28**)* **:** Lantana Rd, Westlands, PO Box 53612. ☎ 444-45-74. • andrewmreal@yahoo.co.uk • ou • justin@friendsfan.com • Depuis le rond-point de Chirimo Rd, descendre la Ring Rd Westlands jusqu'à la bifurcation. À 50 m du début de Lantana Rd, petit panneau très discret sur la gauche. Doubles à 3 600 Ksh (37,9 €) en *B & B.* Dans un lotissement surveillé d'un quartier résidentiel, cette petite maison de ville offre l'un des meilleurs rapports qualité-prix de Nairobi. Elle aligne 4 chambres avec moustiquaire d'une relative simplicité, mais correctes et propres. Salle de bains commune pour deux d'entre elles. Salon TV confortable et joli jardin fleuri pour se détendre.

NAIROBI

On peut y faire sa cuisine (service payant). Accueil charmant. Parking gardé.

▲ ***Heron Court Hotel*** *(plan général couleur C4,* ***29****) :* Milimani Rd, PO Box 41848. ☎ 272-07-40 à 43. Fax : 272-16-98. • www.heronhotel.com • Doubles autour de 2400 Ksh (25,3 €). Les chambres montrent quelques signes de fatigue, mais le niveau de confort correct et le bon entretien global font du *Heron* une adresse tout à fait fréquentable. Le hic, c'est le *Buffalo Bill's,* le bar de l'hôtel, et la présence d'expats qui attirent un grand nombre de sirènes locales, ce qui crée parfois une ambiance assez particulière... Ne pas laisser ses valeurs dans la chambre. Piscine.

▲ ***Parklands Villa*** *(plan général couleur C1,* ***30****) :* Plums Lane, PO Box 70589. ☎ 375-16-47. Compter entre 2000 et 2500 Ksh (21,1 et 26,3 €) pour une double, petit déjeuner compris. Gentil petit motel en U d'un étage. Chambres impeccables et confortables, avec des dessus-de-lit dorés et brodés d'un gros cœur et de fleurs rouges. De mémoire de routard, on a rarement vu un kitsch aussi percutant! Dans la cour, des genres de paillotes, version moderne (avec tuiles!) et des voitures, comme tout bon motel qui se respecte... En revanche, le *Plums,* juste à côté, fait généreusement profiter les voisins de ses soirées musicales!

Chic

▲ ***Trisan Hotel*** *(plan général couleur A4,* ***31****) :* Lenana et Turbo Rds, PO Box 43630. ☎ 271-30-45 ou 92 ou 93. Fax : 271-30-44. • www.afri caonline.co.ke/trisanhotel • Pas loin du Yaya Centre. Doubles à environ 4700 Ksh (49,5 €). Hôtel de dimension humaine dans un agréable quartier résidentiel. Chambres coquettes pour Nairobi, la plupart spacieuses, très propres et de bon confort avec moustiquaires, moquette, tapis et fauteuils fleuris. Différents salons et joli petit jardin (sans piscine) pour bouquiner. Ce n'est pas la folle ambiance, l'atmosphère peut même paraître un peu figée, mais au moins vous êtes sûr d'être au calme. Possibilité de se restaurer. Parking gardé.

▲ ***Milimani Hotel*** *(plan général couleur C4,* ***32****) :* Milimani Rd, PO Box 30715. ☎ 271-12-45. Fax : 272-46-85. • hotelmilimani@wananchi.com • Doubles avec baignoire autour de 5000 Ksh (53 €), mais tarifs négociables (ouf!). Le Milimani privilégie un entretien des plus... minimaliste! Peintures et moquettes en fin de vie, parties communes fanées... Les bons points : la piscine, le jardin terrasse aux pieds du bâtiment et une quiétude appréciée des insomniaques. Bref, en dépannage.

Très chic

▲ ***Fairview Hotel*** *(plan général couleur C4,* ***33****) :* Bishops St, PO Box 40842. ☎ 271-13-21 ou 271-00-90. Fax : 272-13-20. • www.fair viewkenya.com • Doubles entre 7500 et 8800 Ksh (79 et 92,6 €). Un peu excentré, mais justement à l'abri de l'agitation du centre-ville. Ancien *lodge* colonial entièrement rénové. Il en reste quelque chose dans l'atmosphère. Décor de lambris, parquet en bois. Ça sent bon la cire. Très agréable : jardin, fleurs, belles essences. Les chambres sont regroupées par bâtiments à taille humaine au milieu de cette saine verdure. Très confortables (bains, TV, moustiquaire, coffre, téléphone...), mais pas toutes sur le même modèle. Certaines disposent même de petites terrasses avec salons de jardins! Demander à en voir plusieurs. En particulier, les célibataires souffriront de l'exiguïté des *singles.* Sinon, on bénéficie de tous les services qu'on est en droit d'attendre : petit dej'-buffet, resto chicos, bar cosy... Réservation très conseillée. Question sécurité, l'hôtel s'est équipé d'un système électronique de surveillance dernier cri.

⌂ ***Hôtel Boulevard*** *(plan général couleur D2,* ***34****) :* Harry Thuku Rd, PO Box 42831. ☎ 22-75-67, 68 ou 69 et 33-72-21. Fax : 33-40-71. • www.hotelboulevardkenya.com • Doubles à environ 6 700 Ksh (70 €). Vaste hôtel de standing entouré d'un grand parc avec parking, piscine, parasols et tennis. Déco et musique neutres, style afro-international, à l'image des chambres confortables flanquées de balcons. Demander une chambre côté jardin pour échapper au vacarme de la route : calme champêtre et vue sur la rivière et le parc multicolore. On aperçoit aussi l'étonnant *Garden Bar,* dont le comptoir s'enroule autour d'un arbre. Le resto de l'hôtel est réputé pour son excellente cuisine de la mer à prix raisonnables et aux tonalités françaises : coquillages, poissons des lacs. La carte des vins tient la route. Bref, un hôtel surprenant et accueillant, où l'on fait même des rencontres insolites : les archéologues de passage se refilent l'adresse. Ils travaillent à côté, au muséum. C'est l'occasion de parler vieilles pierres avec d'éminents spécialistes autour d'une bonne bière.

⌂ ***Holiday Inn*** ***(Mayfair Court Hotel****; plan général couleur C1,* ***35****) :* Parklands Rd, PO Box 66807. ☎ 374-09-20. Fax : 374-88-23. • www.holiday-inn.com/nairobikenya • Doubles de 140 à 165 US$ (117 à 137,5 €). Ancien hôtel des années 1930, rénové de fond en comble sans avoir perdu son petit cachet. Fort belle architecture et déco « exotico-luxe ». Beaucoup de charme pour les chambres donnant sur le jardin intérieur, la piscine et la végétation exubérante. Elles sont spacieuses, avec tout le confort. Côté rue, un rideau d'arbres sépare les chambres de la circulation, mais sans parvenir à en atténuer la rumeur ! Beaucoup de succès, il est prudent de réserver. Deux restos relax, un *cocktail-bar,* deux piscines, centre fitness...

Où manger ?

Dans le centre

Très bon marché (moins de 200 Ksh – 2,1 €)

|●| Le midi, *le quartier de* ***River Rd*** *(zoom couleur E3)* est truffé de ***petits restos*** et ***snacks populaires*** très bon marché. Impossible de vous les citer tous ! Ce sont souvent des self-services qui proposent des plats traditionnels.

|●| ***Gold Star*** *(zoom couleur D3,* ***40****) :* Koinange St. ☎ 224-59-49. Ouvert de 7 h à 20 h. Fermé le dimanche. Le petit snack africain pas bégueule, simple, propre et populaire avec sa moquette rouge délavée, tout comme les rideaux. Bonnes salades, soupes onctueuses et petits dej' pantagruéliques.

|●| ***Simmers*** *(zoom couleur E3,* ***41****) :* voir « Où boire un verre ? ». Ce bar sert de petits plats typiques vraiment pas chers.

Bon marché (de 200 à 500 Ksh – 2,1 à 5,3 €)

|●| ***Malindi Dishes*** *(zoom couleur E3,* ***42****) :* Gaberone Rd, en face de l'*Abbey Hotel.* Ferme à minuit et pour la prière (musulmane). Cantine populaire qui sert de délicieux currys (poulet, bœuf), du *tilapia* grillé (parfois un peu trop longtemps à l'avance) accompagnés de ragoût de haricots ou de pommes de terre, de banan plantain ou de riz. Vraiment pas cher et très nourrissant. Le cadre est assez propre, même si les mouches peuvent parfois être agaçantes. Il y a une petite mosquée dans l'arrière-

salle et un gigantesque poster de La Mecque sur le mur du fond.

I●I ***Roasthouse*** *(zoom couleur E3, **43**) :* Kilome Rd, au bord du rond-point. ☎ 224-37-76. Complexe resto-bar-disco sur 3 niveaux. En bas, cafétéria bof-bof. Au 1er, excellente *steak house* où l'on peut déguster un *nyama choma* (viande grillée que l'on désosse et découpe devant vous). Compter 220 Ksh (2,3 €) le kilo de bœuf. Qui dit mieux? Différents accompagnements, dont le traditionnel *ugali*. Au 2e, bar ouvert 24 h/24, un peu destroy sous son toit de tôle, où parfois un DJ est invité. Un ensemble sympa et pas cher.

I●I ***Calypso*** *(zoom couleur E3, **44**) :* au rez-de-chaussée de la Bruce House, Standard St (en contrebas de la rue). ☎ 33-50-97. Ouvert du lundi au samedi de 7 h à 17 h 30. Les petites faims pourront s'en sortir à bon marché. Une cantine de quartier efficace, fief des employés africains du centre-ville. Salle agréable avec ses nappes à carreaux et ses boiseries, prolongée par une petite terrasse donnant sur une cour intérieure. Petits dej' le matin, sandwichs variés ou bons repas de currys rapidement expédiés pour le *lunch*.

I●I ***Nairobi Java House*** *(zoom couleur E3, **45**) :* Mama Ngina St. ☎ 231-35-64. Ouvert du lundi au samedi de 7 h à 19 h. Idéal pour siroter un bon café chaud ou glacé et prendre un snack. Bonnes salades et sandwichs pas mal. Plat du jour, soupes, quiches, etc. Service rapide et plus que professionnel. Java House devient même petit à petit un nom de marque car il vend dorénavant son café et ses T-shirts. Bref, une cafétéria à l'européenne.

Prix moyens (de 500 à 1 000 Ksh – 5,3 à 10,5 €)

I●I ***Green Corner*** *(zoom couleur E3, **46**) :* Moi Av. (et City Hall Way). ☎ 233-58-64. Ouvert du lundi au samedi jusqu'à 20 h. Cadre banal et propret mais animé le midi. Snack avec une salle à l'étage, un bar au milieu et une terrasse presque panoramique (on a bien dit presque!). Cuisine correcte : *T-bone, sirloin*, pizzas, sandwichs divers. Soirées musicales presque tous les soirs, avec danse le week-end.

I●I ***Twigs*** *(zoom couleur E3, **46**) :* à côté du *Green Corner*. Même maison et même téléphone. Ouvert tous les jours de 9 h 30 à 22 h. L'intérieur n'a rien de folichon, et on préfère la terrasse qui fait ce qu'elle peut, malgré sa moquette verdâtre! Mais la cuisine est plus élaborée que celle de son voisin. Bonnes grillades qui arrivent crépitantes sur leur assiette en fonte. Buffet le midi. Clientèle locale (en semaine, les employés du coin) et quelques expats. L'après-midi, salon de thé. Bons gâteaux.

I●I ***Trattoria*** *(zoom couleur E3, **47**) :* Town House, Wabera St. ☎ 234-08-55. Resto italien ouvert tous les jours jusqu'à minuit. Attention, l'addition peut grimper très facilement à 1 000 Ksh (10,5 €) avec boisson et dessert. Mais pizzas et sandwichs ne dépassent pas les 500 Ksh (5,3 €). Très jolie façade avec une terrasse très animée où se retrouvent touristes, locaux et expats de tous horizons. Service un peu désorganisé et plats parfois exécutés à la va-vite, revers de la médaille au succès de l'établissement... On y va donc plus pour la terrasse qui se cache derrière un véritable mur de verdure que pour une vraie gastronomie. Bonne halte pour un café ou une glace. Spectacles musicaux le mercredi soir.

I●I ***Le Jardin de Paris*** *(zoom couleur D3, **48**) :* à la Maison française. ☎ 221-90-95. Ouvert du lundi au vendredi de 9 h à 19 h 30. Une terrasse reposante dans un cadre moderne et en bordure d'un jardin verdoyant... avec tout de même les p'tites nappes à carreaux façon bistrot! Toutes sortes de sandwichs (baguette excellente!) aux fromages ou à la charcuterie, salades, quiches mais aussi quelques plats plus cuisinés comme le steak au poivre.

Très chic (plus de 2000 Ksh – plus de 21,1 €)

|●| ***Alan Bobbe's Bistro*** *(zoom couleur D3, **49**) :* Caltex House, Koinange St. ☎ 222-49-45 ou 222-60-27. Fermé le samedi midi et le dimanche. Réservation conseillée. Compter dans les 2000 Ksh (21,1 €) le repas complet, sans les vins. Mais c'est de la haute voltige ! Le patron, super sympa, est un Anglais francophile, le chef un Franco-Kenyan, et la cuisine est donc d'inspiration française. Tous les produits sont frais, achetés directement chez les fermiers des Highlands ou aux pêcheurs. Beaucoup de plats de la mer. Quelques exemples pour vous faire saliver : le tournedos au marchand de vin, la truite des montagnes, le *poussin in casserole* (véridique !), sans compter les suggestions à l'ardoise. Ah ! Sacrebleu, quelle bonne cuisine de terroir ! Et la salle : toute riquiqui, aux tons rouges et surannés, étonnante dans cet environnement agité. Marquises, lustre Murano d'époque et banquettes sonnent délicieusement rétro. Il faut dire que c'est le rendez-vous du tout-Nairobi depuis 1962 ! Sidney Pollack s'y est délecté les papilles. Et nous aussi, en toute modestie.

|●| ***Travellers*** *(zoom couleur E3, **50**) :* Mama Ngina St. ☎ 225-00-00. Au rez-de-chaussée de l'hôtel *Hilton*. Ouvert midi et soir (jusqu'à 22 h 30). Carte et buffet de cuisine européenne. Décor fait d'un bric-à-brac très étudié (vous n'y pensez pas... on est tout de même dans l'enceinte de l'un des hôtels les plus chic de Nairobi !) sur le thème du voyage, comme le suggère le nom ; vieilles malles, souvenirs des colonies, tenues d'explorateurs. Malgré tout, l'ambiance reste un peu aseptisée (à l'image de l'hôtel *Hilton*). Devise au mur en français dans le texte : « Bon vin, bonne chère et joyeuse compagnie rendent la vie agréable » ! Ne pas venir trop tard cependant, les mets ayant tendance à trop cuire ou à manquer, on ne voudrait pas contredire cet excellent dicton !

|●| ***The Lord Delamere Terrasse & Bar*** *(zoom couleur D3, **24**) :* Harry Thuku Rd. ☎ 221-69-40 ou 221-67-96. Service de 9 h à 23 h. L'addition dépassera facilement les 2000 Ksh (21,1 €), sans parler des vins. C'est la terrasse du *Norfolk*, donc tenue correcte exigée. Sous la grande tonnelle rafraîchissante se côtoient riches Kenyans, expats et touristes. Carte tournante mais spécialités de viande et quelques fruits de mer. La *steak kidney & mushroom pie* est un must. Au bar, *happy hour* de 17 h à 18 h 30 et animation au piano tous les soirs.

À Westlands et au nord de Nairobi

Westlands est l'un des quartiers les plus prisés de Nairobi pour sa riche vie nocturne et ses restaurants réputés. Il bénéficie de la désaffection dramatique du centre-ville (à cause des problèmes de sécurité). Restez tout de même prudent le soir ! Prenez un taxi pour vous déplacer.

Bon marché (moins de 500 Ksh – 5,3 €)

|●| ***Ashiana*** *(plan général couleur B-C1, **51**) :* Apic Centre, Mpaka Rd. Ouvert tous les jours de 10 h à 22 h. Dans le centre commercial en brique. Genre de petite cafétéria de quartier à l'intérieur clean. Bonne cuisine indienne végétarienne à prix doux, servie par un personnel courtois.

|●| ***Village Market*** *(hors plan général couleur par E1, **52**) :* Limuru Rd. Peu après United Nations Av., à une quinzaine de kilomètres du centre-ville. Le centre commercial préféré des expatriés. Déco style mini-Disneyland, avec rochers, cascatelles et chutes d'eau, bassins et petits ponts. Les uns à côté des autres, toute une série de p'tits restos (pizzeria, chinois, libanais... et même un bar à vins !), mais les becs

sucrés ne rateront pas l'occasion d'aller déguster une des glaces d'Arlecchino (ouvert tous les jours de 8 h à minuit). Certains avec une agréable terrasse donnant sur l'animation.

De prix moyens à un peu plus chic (de 500 à 1 200 Ksh – 5,3 à 12,6 €)

Addis Ababa *(plan général couleur B1, **53**) :* Woodvale Grove, Westlands. À l'étage. Ouvert tous les jours midi et soir jusqu'à 22 h 30. Fermé le dimanche midi. Considéré à juste titre comme l'un des meilleurs restaurants éthiopiens de Nairobi. Longue salle, tables rondes et tabourets bas comme il sied au pays. Atmosphère un peu tamisée et calme, voire feutrée, musique éthiopienne, accueil timoré. Nombreuses spécialités d'Abyssinie, ça va de soi : *kikil* (mouton cuit à l'ail), *kitifo* (viande servie en tranches fines avec *engera* ou *kocho*) etc. Pour goûter aux spécialités, commander le *mixed,* assortiments servis dans un grand plat sur une fine crêpe d'*ingera* (farine de riz et de blé). À l'éthiopienne, pas de couverts. Vous apprécierez les différents petits rituels maison et vous ressortirez repu !

Anghiti *(plan général couleur B1, **54**) :* New Rehema House, Rhapta Rd. Depuis le rond-point de Chirimo Rd, descendre la Ring Rd Westlands jusqu'à la bifurcation. Dans le bâtiment sur la patte d'oie. ☎ 441-25-89. Ouvert de 12 h 30 à 14 h 30 et de 19 h à 22 h 30. Prévoir de 1 000 à 1 500 Ksh (10,5 à 15,8 €) pour un repas. Les dimensions raisonnables de la salle préservent une atmosphère conviviale, la déco sobre n'a rien d'austère et la cuisine ouverte dévoile le spectacle fascinant du chef et de ses marmitons au travail. Une hésitation ? Et si l'on vous dit que les plats ne trahissent pas la grande tradition culinaire indienne, avec juste ce qu'il faut d'épices pour stimuler les papilles... convaincu(e) ? Parking gardé.

Le rustique *(hors plan général couleur par B1, **55**) :* General Mathenge Dr. De Parklands Rd, remonter la Ring Rd Westlands qui coupe la Mathenge Dr. à 500 m. ☎ 375-30-81. Ouvert du lundi au samedi de 9 h 30 à 19 h (minuit le mercredi). Fermé le dimanche. Crêpes fourrées et petits plats autour de 500 Ksh (5,3 €). Le rustique cache bien son jeu. Au lieu d'une vieille auberge de campagne, on a plutôt affaire à un bistrot gentiment branché doublé d'une salle d'expos pour artistes kenyans prometteurs. Cadre bien léché, aux terrasses paisibles ornées de luminaires design, prolongées par un beau jardin luxuriant. La patronne fait le tour des tables, glissant le conseil d'ami pour la crêpe aux quatre fromages ou les raviolini. Cosy !

Pavement *(plan général couleur B1, **56**) :* Westview Centre, Ring Rd. ☎ 444-17-11. Ouvert de 10 h à 23 h (jusqu'à 1 h ou 2 h du jeudi au samedi). Le soir, compter environ 1 000 Ksh (10,5 €) pour un repas. Très large espace aéré au cadre plaisant (tables de bois façon *beergarten,* lampadaires pour délimiter les sections). Clientèle branchouille, mais on y trouve nombre d'employés du coin, ravis de se sustenter dans une atmosphère relax. À midi, belle collection de sandwichs, *saladmenus.* Le soir, davantage de grillades, de plats thaïs et japonais. La carte fait aussi l'inventaire des saveurs méditerranéennes. Prenez garde, les serveurs ont une fâcheuse tendance à pousser à la consommation. Ah oui, entrée gratuite pour les dîneurs à la boîte voisine, à la déco hyper-flashy (voir la rubrique « Où boire un verre ? Où sortir ? »).

Chic (autour de 1 500 Ksh – 15,8 €)

Haandi *(plan général couleur B1, **57**) :* The Mall, Westlands. ☎ 444-82-94 ou 95. À l'étage de ce qui fut le 1er centre commercial du quartier. Ouvert tous les jours midi et soir. Très grande salle, vous pourrez déplier vos cartes routières. Cadre cossu, chaises en osier, lumière tamisée, musique de là-bas, clientèle chicos pour l'une des meilleures cuisines indiennes de Nairobi, dit-on. On confirme, c'est raffiné, goûteux, notamment sauces et chutneys. Carte longue comme les bras de Shiva : *punjabi methi mutton* (aux oignons, gingembre, *chili,* ail et feuilles de *methi*), *roganjosh* (mouton au curry) etc. Attention, les accompagnements et les taxes renchérissent drôlement l'addition.

|●| ***Mediterraneo*** *(plan général couleur B1, **58**)* **:** Pamstech House, Woodvale Grove. ☎ 444-74-94. En face du Sound Plaza. Ouvert tous les jours jusqu'à 22 h. L'italien chic du coin, même si, à midi, on peut s'en sortir à prix raisonnables. Salle agréable et tamisée avec une pléthore de serveurs. Plancher en bois et mezzanine, lierre et plantes factices lui confèrent une atmosphère chaleureuse. Clientèle d'hommes d'affaires et de familles indiennes. Bon choix à la carte : *agnello al forno, pasta* et pizzas diverses. Le soir, il vaut mieux réserver.

Vers Hurlingham et au sud de Nairobi

Bon marché (moins de 500 Ksh – 5,3 €)

|●| ***Leos Café*** *(plan général couleur A4, **59**)* **:** Argwings Kodhek Rd. Sur la gauche en arrivant du centre, sur le flanc gauche de la Barclay's Bank. Ouvert tous les jours de 10 h à 17 h. En voilà un qui ne sacrifie pas au rite de la publicité, il n'a même pas d'enseigne ! Il faut reconnaître que le bouche à oreille suffit à remplir sa minuscule salle. Chaque midi, les habitués accaparent la poignée de tables de cette *botteghe,* un genre d'épicerie locale à l'italienne mâtinée de *panineria.* Le présentoir exhibe quelques fromages et charcuterie en provenance de la botte, impeccables pour un *panini* sans histoire. Plats de pâtes moins crédibles, on se contentera donc d'un bon *espresso* pour la fin.

|●| ***Nairobi Java House*** *(hors plan général couleur par A5, **60**)* **:** Adams Arcade, Ngong Rd. ☎ 57-35-83. Ouvert de 7 h à 20 h 30, jusqu'à 22 h le vendredi et le samedi. Les inconditionnels du petit noir devraient trouver ici leur bonheur. Les grains issus de productions locales sont torréfiés sur place, moulus, puis déclinés sous toutes leurs formes, de l'*espresso* au *cappuccino* en passant par le café glacé. Résultat tout à fait convaincant. Et puis la terrasse donne l'occasion de prolonger la pause jusqu'à l'heure du déjeuner, où les pâtisseries cèdent la place aux salades, sandwichs et autres petits plats corrects. Atmosphère très occidentale.

|●| ***Three Wheels*** *(hors plan général couleur par A5, **60**)* **:** Ngong Rd. Situé sur la gauche en arrivant du centre, peu après le *Ngong Hill's Hotel.* ☎ 57-45-62. Ouvert de 10 h à environ minuit du lundi au jeudi, beaucoup plus tard le reste de la semaine. Convivial et bon enfant, le Three Wheels ne s'embarrasse guère d'infrastructures compliquées. En guise de toiture, le ciel étoilé fait bien l'affaire, et les frondaisons suffisent à calmer l'ardeur du soleil si nécessaire. Les habitués s'y réunissent pour son Nyama Choma réputé... histoire de faire le plein d'énergie avant d'embraser la piste de danse !

|●| ***Motherland Inn*** *(hors plan général couleur par A5, **60**)* **:** Ngong Rd. ☎ 56-08-96. Situé sur la gauche, après le *Ngong Hill's Hotel.* Musique éthiopienne le vendredi et le samedi à partir de 19 h. Un resto éthiopien, un peu excentré mais possédant une bonne réputation. Petites salles intimes avec tapis et tables basses (après la paillote extérieure, pas d'erreur !). Au menu, le *mixed dish special* est pléthorique (c'est en fait un *beyaynetu,* c'est-à-dire... un peu de tout !). Également les traditionnels *alicha, kitfo, tibs* et autre *doro wott.*

Sélection de vins éthiopiens (quand la route est bonne entre les deux pays !) à prix touristiques, mais encore abordables. Nous conseillons de goûter le *tej*, vin traditionnel qui se boit à la *birille*, c'est-à-dire au goulot ! Attention en repartant... Bon service et agréable lavage des mains à l'éthiopienne. Désolé pour les accros de la cigarette, le resto est non-fumeurs ! À l'extérieur, un grand bar kenyan avec piste de danse et concerts le vendredi et le samedi.

Prix moyens (de 500 à 1 000 Ksh – 5,3 à 10,5 €)

IOI ***Resto du Sagret Hotel Equatorial*** *(plan général couleur C4,* ***61****) :* Milimani Rd. ☎ 272-09-33. Ouvert tous les jours, midi et soir. En entrant, à gauche. *Nyama choma* très réputé autour de 600 Ksh (6,3 €). Tables bien espacées les unes des autres, sous des paillotes réparties dans une grande cour intérieure autour d'un bar. Clientèle africaine affamée de viandes grillées, en affaires dans la capitale ou en compagnie d'une récente conquête à l'abri des regards indiscrets... Il faut commander directement à la caisse et choisir son morceau de barbaque en vitrine : poulet entier, morceaux de bœuf, d'agneau ou de chèvre, grillés en direct *live*. Accompagnement de frites en sus et bières fraîches *available*. Seul bémol : le service est un peu long et pourrait être plus souriant.

IOI ***The Cellar*** *(hors plan général couleur par A4,* ***62****) :* Oloitoktok Rd, Valley Arcade. ☎ 57-51-56. Ouvert tous les jours de 8 h à 23 h. Un resto au cadre agréable et reposant, avec sa grande terrasse en bois vernis posée au sein d'une pelouse spacieuse et ombragée. Avec un peu d'imagination, on se croirait presque dans son jardin (pour les veinards qui en ont un !). À midi, en semaine, *Cellar buffet* différent chaque jour (africain, continental, italien, oriental...), sandwichs. Prix très raisonnables. Le soir, on se rabattra sur une carte riche en viandes : *T-Bone* steak, steak au poivre, *chili steak, chicken tikka...* et le samedi midi, on profitera du *family barbecue*. Brunch chaque dimanche pour les lève-tard.

IOI ***La Salumeria*** *(hors plan général couleur par A4,* ***63****) :* dans le Valley Arcade Shopping Centre, Gatanga Rd (Dhanjay Apartments). ☎ 57-52-26. Ouvert tous les jours midi et soir, sauf le samedi midi. Une adresse pour mordus de la cuisine italienne ou expats, car assez excentrée. Derrière la façade quelconque d'un bâtiment moderne, on découvre un genre de petite auberge mignonnette avec ses briques rouges, ses tuiles romanes, ses nappes à carreaux... et hop, le tour est joué ! Voilà un cadre à la fois coquet, sympathique et décontracté. Accueil à la hauteur. Plats traditionnels : queue de bœuf à la romaine, osso buco, pâtes faites maison (s'il vous plaît !), etc. Mon tout arrosé d'un p'tit vin de là-bas ou d'un valpo et vous voilà rassasié ! Patron accueillant et francophone.

Un peu plus chic (autour de 1 200 Ksh – 12,6 €)

IOI ***Le Carnivore*** *(hors plan général couleur par D7,* ***64****) :* Langata Rd. ☎ 60-59-33. Après le Wilson Airport, puis sur la gauche (bien indiqué). Ouvert midi et soir jusqu'à 23 h 30. Spécialités de viandes autour de 1 200 Ksh (12,6 €). Réservation hautement recommandée. Ici, de la viande, rien que de la viande, grillée au charbon de bois. Les classiques sous toutes leurs formes : bœuf, porc, mouton, poulet et quelques bébêtes sauvages suivant arrivage : gazelle, antilope, zèbre, crocodile, plus rarement de la girafe. Avec toutes les sauces d'accompagnement maison. Mais ne pas arriver trop tard, car les viandes restent sur le feu... Atmosphère très touristique, ça va de soi (point de chute de tous les groupes avant de rentrer au pays !), mais adresse incontournable, une véritable institution. D'autant plus que les viandes sont bonnes, le service diligent et l'environnement somme toute agréable (terrasses protégées, arbres et fleurs). Petite astuce pour alléger l'addition : *Le Carnivore* est aussi connu pour sa boîte, le Simba Saloon (voir les rubriques « Où boire un verre ? Où sortir ? » et « Boîtes »). On y sert les mêmes viandes à prix plus raisonnable... à condition de supporter les rafales de décibels !

À l'est de Nairobi

– Trois bonnes adresses non loin de la maison de Karen Blixen : ***The Karen Blixen Coffee Garden, Rusty Nail*** et ***The Horseman.*** Voir la rubrique « Dans les environs de Nairobi ».

Nairobi by night

– ***Les bars et les boîtes*** sont souvent éloignés les uns des autres. Taxi indispensable. Si vous voulez sortir un lundi ou un mardi, les deux seuls endroits peuplés sont le *Florida 2000* et le *New Florida Night Club.* Le mercredi, c'est la soirée du *Carnivore.* En fin de semaine, le choix est assez large.
– ***Les cinémas*** proposent un éventail de films indiens et américains. Les salles du centre-ville correspondent à des standards internationaux. Celles du quartier de River Rd sont plus folkloriques, mais prudence le soir. Quelques salles : le ***20th Century,*** sur Mama Ngina & Standard St, le ***Nairobi*** sur Aga Khan Walk, le ***Fox Drive-In*** sur Thika Rd (films exclusivement indiens) et le ***Kenya Cinema*** sur Moi Av., à côté du *Florida 2000.* Quelques nouvelles salles plus « modernes », comme celle du ***centre commercial Sarit*** *(hors plan général couleur par A1)* au nord-ouest du centre-ville ou du ***Village Market*** *(hors plan général couleur par E1, **52**).* La programmation est exclusivement d'origine hollywoodienne. Programme dans les journaux comme *Nation* ou *The Standard.*
– ***Côté culturel :*** quasi le néant. Heureusement, on peut tomber sur un bon spectacle du ***Centre culturel français*** (Loita St) ou du ***Goethe Institute*** (☎ 222-46-40 ou 221-13-81) juste à côté. Pour les amateurs de théâtre, le ***Kenya National Theatre,*** sur Harry Thuku Rd, près du *Norfolk,* propose une riche programmation africaine et internationale. Infos au ☎ 22-51-74. Parfois une pièce correcte au ***Phœnix Theatre*** (intersection Parliament Rd et Haile Selassie Av.). ☎ 222-55-06 ou 221-26-61.

Où boire un verre ? Où sortir ?

Ici, la nostalgie n'est guère derrière le comptoir. Dans la journée, seuls les terrasses du *Simmers,* du *Norfolk* et le bar de l'*African Heritage* (en principe les samedis après-midi quand il y a des danses kenyanes ; ☎ 225-14-14) sont agréables. La nuit, à Nairobi, rien d'extraordinaire, mais quelques ambiances très différentes à découvrir. Prévoir un budget pour les taxis !

Bars

🍸 ***Gipsy Bar – Tropicana Restaurant*** *(plan général couleur B1, **70**) :* à Westlands, face à la *Barclays Bank.* ☎ 444-09-64. Animé jusque tard dans la nuit par des DJs, mais vraiment bondé le vendredi soir, jour béni des fêtards branchés de Nairobi. Très apprécié des expats et des Vénus-Lolitas de la *middle class,* mais surtout connu comme l'un des bars du circuit gay de la capitale. Tout ce petit monde aime s'y retrouver autour de plusieurs bières, en prenant bien soin d'envahir le trottoir, histoire de discuter du dernier modèle de 4x4 tout droit sorti du concessionnaire ! Resto hispanisant, *Le Tropicana,* au 1er étage, pour ceux qui voudraient s'incruster.

🍸 ♪ ***Zanze Bar*** *(zoom couleur E4, **71**) :* au 5e étage du Kenya Cinema Plaza dans Moi Av., à côté du *Florida 2000.* ☎ 222-25-68 ou 35. Entrée gratuite, sauf le samedi après 20 h. L'opposé du *Gipsy :* le vrai rade africain, pittoresque avec ses murs recouverts de troncs genre bambous, ses ventilos tropicaux et ses peintures naïves. Clientèle de jeunes Kenyans essentiellement. Ici, il faut parler plus fort que la musique. Le week-end, on se convulse sur la piste au rythme du *kouassa,* du *soukous* et du reggae. Il y a même des groupes le jeudi à partir de 20 h.

🍸 ♪ ***Klub House I*** *(plan général couleur C1, **30**) :* Ojijo Rd, à Parklands. Quartier jouxtant Westlands, près du *Parklands Villa.* ☎ 374-98-70. Le temple du billard au look de saloon branché. Ambiance surchauffée en fin de semaine sur la petite piste de danse ou devant les écrans vidéo du 1er étage. Très populaire parmi la communauté kenyane.

🍸 ♪ ***Simmers*** *(zoom couleur E3, **41**) :* Muindi Mbingu St. ☎ 21-76-59. Face au *Six-eighty Hotel.* Immense terrasse en plein centre-ville, parfaite pour siroter un verre à n'importe quelle heure de la journée. Mais l'ambiance bat vraiment son plein en soirée, lorsque les musiciens font vibrer à l'unisson habitués et danseurs occasionnels. Fait également resto.

🍸 ♪ ***Bar du Stanley Hotel*** *(zoom couleur E3, **23**) :* ouvert de 11 h à 23 h. C'est l'ancien *Safari Bar* du *Stanley Hotel,* relooké et rebaptisé *Exchange Bar* (sic !), sans doute pour faire moderne... Il n'empêche, ce vestige de l'époque des pionniers dégage encore une atmosphère très *British Colony :* barmen stylés, chauffeuses cossues, rideaux en bonbonnière et surtout ces éventails au plafond actionnés mécaniquement, très amusants ! Chic et cosy donc, mais avec une forte ambiance de business dans l'air. En effet, les photos étonnantes de l'épopée coloniale (Karen Blixen, Hemingway avec ses trophées de chasse et les hallucinantes photos du safari de Roosevelt en 1908) ont été littéralement « chassées » du bar (au même titre que son nom de baptême, sans doute !), remplacées par les fringants portraits des 20 dirigeants les plus actifs du *Nairobi Stock Exchange* ! Les temps changent, donc, pour ne pas dire qu'ils s'*exchangent* (oh, funny !). Heureusement, le pianiste distille encore ses mélodies suaves et nostalgiques tandis que, du haut de ses 1,82 m en talons aiguilles, une chanteuse de charme susurre chaque soir quelques sensuelles promesses...

– Au pied du *Stanley Hotel,* une autre ancienne institution de Nairobi ayant définitivement perdu son âme : le ***Thorn Tree Café,*** où Hemingway venait affiner sa cirrhose en racontant ses histoires de chasse. On y sert des petits dej', *lunches* ou *diners* à la carte, et des apéros à des prix exorbitants. L'endroit ressemble dorénavant à une cafétéria. Aujourd'hui, Hemingway irait « cirrhoter » ailleurs...

🍸 ***The Lord Delamere Terrasse & Bar*** *(zoom couleur D3, **24**) :* le bar du *Norfolk,* voir « Où manger ? ».

🍸 ♪ ***Le Jockey*** *(zoom couleur E3, **50**) :* c'est le pub de l'hôtel *Hilton.* ☎ 225-00-00. Rendez-vous des hommes d'affaires et des expats. Un vrai pub anglais : décor façon acajou, banquettes de skaï, AC, moquette et brique rouge. Musique *live* tous les jours, avec un registre très large : un style différent chaque soir.

🍸 ♪ ***The Outside Inn*** *(hors plan général couleur par D7) :* à Karen, à 5 mn du *Karen Shopping Centre.* Réfugié au cœur d'un bunker au charme très discutable, l'*Outside Inn* s'organise autour d'une courette intérieure agréable. Connu pour ses bons concerts et apprécié de la communauté française.

Bars-boîtes

🍸 ♫ ***Pavement*** *(plan général couleur B1,* ***56****) :* au rond-point de Westlands (Westlands Round-About), au nord-ouest du centre-ville. ☎ 444-17-11. Y aller en taxi. Ouvert jusqu'à l'aube le week-end. Entrée payante (environ 400 Ksh, soit 4,2 €). Concerts de jazz le mardi, *Disco nights* mercredi, vendredi et samedi, soirée salsa le jeudi. Le resto-bar-boîte à inclure dans votre tournée si vous avez décidé de faire le tour du Nairobi branchouille ! Tout ce que la capitale compte de Kenyans noirs ou blancs de la *middle class,* d'expats ainsi que de *young Indian girls just arrived from London* et de touristes en quête de branchitude, s'y mélangent pêle-mêle. Les dîneurs y accèdent gratuitement.

🍸 ♫ ***Cactus Bar*** *(zoom couleur E3,* ***46****) :* au-dessus du *Green Corner.* ☎ 233-58-64. Ouvert tous les jours. Ambiance et rencontres garanties les vendredi et samedi. On y danse, on y boit, on y discute dans une ambiance populaire et bon enfant.

Le meilleur pour la fin

🍸 ♫ ***Le Psy's Bar*** *(hors plan général couleur par D7,* ***72****) :* dans le Langata Shopping Center, en face de la route qui mène au *Carnivore.* Facile à repérer avec sa terrasse bleue. Fermé le lundi et le mardi. Gratuit pour les filles, 100 Ksh (1 €) pour les garçons. Une boîte locale très populaire, à la déco colorée tendance ethnique. Chaque soir, il s'y passe quelque chose et l'ambiance est souvent au rendez-vous en fin de semaine. Le mercredi, le jeudi et le dimanche : petit concert jazz, entrée gratuite ; le vendredi, les DJs se succèdent derrière les platines pour des soirées (payantes) hybrides riches en décibels ; le samedi : concert et ambiance très rock'n'roll ! Payant. Ici, Blancs et Noirs n'hésitent pas à se mélanger.

Boîtes

Il n'est point besoin de spécifier les prix d'entrée à chaque fois, car ils sont modestes : de 100 Ksh (1 €) pour les moins chers à 400 Ksh (4,2 €) pour les plus chers.

🍸 ♫ ***Citizen*** *(plan général couleur D7,* ***74****) :* situé près de l'aéroport Wilson. Emprunter Langata Rd jusqu'à son croisement avec Mbagathi Way. Prendre la petite rue aussitôt à gauche, opposée au Mbagathi Way. Le bar-discothèque se trouve à 200 m du rond-point sur la droite. Entrée payante les vendredi et samedi (parfois le mercredi), après 19 h. Musique « African Soul », c'est-à-dire en fait de la funky américaine style Michael Jackson ou Kool and the Gang. Très prisé des Kenyans aisés pour qui il est très valorisant de se fondre dans le modèle américain : casquette Nike, chaîne en or qui brille et T-shirt des Lakers. Orchestre africain et une sacrée chouette atmosphère. La bière coule à flots derrière la « cage » des serveurs. Possibilité de manger du *nyama choma.* Ne pas venir trop tôt. À partir de 23 h, ça commence à chauffer sous les grandes paillotes de palme. Une des boîtes-bars les plus authentiquement africaines de Nairobi !

♫ ***Le Carnivore*** *(hors plan général couleur par D7,* ***64****) :* Langata Rd. Voir « Où manger vers Hurlingham et au sud de Nairobi ? ». Entrée payante sauf pour les dîneurs. Le dimanche, l'*African soul music* est à l'honneur. Mais on ne trouvera ici que la jeunesse noire dorée (si l'on ose dire !) de Nairobi. Le mercredi, changement de rythme, *Le Carnivore* devient l'un des endroits les plus peuplés, les plus vivants, les plus chauds de la capitale, avec ses soirées plutôt pop-rock. On peut enchaîner sur le ***Psy's Bar,*** en face (voir « Où boire un verre ? Où sortir ? »), jusqu'à 5 h.

🍸 ♫ ***Florida 2000*** (Commerce House, Moi Av., *zoom couleur E4,* ***75***) et ***New Florida Night Club*** (le champignon juste au-dessus de la station *Total* à l'angle de Koinange et Market Sts. ☎ 221-50-14 ou 233-48-70 *(zoom couleur D3,* ***76****)*. Entrée payante, mais boissons à prix modiques. Son afro-funk, lumière tamisée. Il y a toujours de l'ambiance, surtout au moment des shows (vers 23 h au *New* et minuit au *2000*), et jusqu'à 6 h du matin. À vrai dire, le vent de folie qui souffle ici est surtout le fait d'une forte concentration de sirènes tarifées, notamment somaliennes ou éthiopiennes, prêtes à toutes les audaces avec les jeunes blancs-becs. Pas d'illusions à se faire, donc !

🍸 ♫ ***Choices*** *(plan général couleur E5,* ***77****)* **:** Baricho Rd et Hola (*off* Lusaka Rd). ☎ 555-22-22. Boîte installée dans un ancien garage au sous-sol. Murs couverts de graffiti. Style assez *destroy*. Du point de vue musique, c'est éclectique : funky, *lingala,* blues vers minuit parfois. Clientèle mixte rugissante. Long comptoir. Au 1er étage, snooker.

À voir

★★ ***National Museum*** *(plan général couleur D2)* **:** Museum Hill. ☎ 374-21-31 ou 32. • www.museums.or.ke • Ouvert tous les jours de 9 h 30 à 18 h. Entrée payante : 200 Ksh (2,1 €) pour les adultes. Le principal musée de Nairobi mérite une visite pour son très riche panorama de la culture et de l'histoire naturelle du Kenya. Chacun y trouvera son compte, du botaniste fasciné par la flore locale à l'archéologue féru de préhistoire. Mais si les crânes fossilisés de nos ancêtres ne vous enthousiasment pas, pas de panique ! Les superbes portraits peints par Joy Adamson composent une incroyable fresque des ethnies du Kenya. De part et d'autres, toutes sortes d'objets de la vie quotidienne (vêtements, bijoux, armes...) donnent de l'épaisseur au sujet. Quant aux bambins, les immenses collections d'animaux empaillés et de squelettes devraient les occuper un moment. Dans le genre, l'impressionnante carcasse de cachalot ou la tortue géante (350 kg et 2 m de long !) font partie des incontournables. Le tout est complété par une petite galerie d'art contemporain. Bref, une étape idéale pour préparer son voyage. Boutique de souvenirs et d'artisanat, librairie.

★ ***Snake Farm*** *(plan général couleur D2)* **:** en face du National Museum. Ouvert tous les jours de 9 h 30 à 18 h. Même tarif que le musée. Un brin décati, il intéressera surtout ceux qui veulent voir la fosse aux serpents avec le cobra cracheur, les mambas et autres boomslangs, lézards du Nil. Sinon, il regroupe quelques bassins vétustes dans le jardin avec serpents, tortues et un alligator des États-Unis à comparer avec le croco d'Afrique, son célèbre « collègue ». Impressionnant python de 7 m de long. Les entomologistes trouveront leur bonheur avec la collection d'insectes africains, comme l'étonnant *stick insect* ressemblant à s'y méprendre à une branche d'arbre. La visite comprend encore une poignée d'aquariums où survivent quelques spécimens provenant des lacs kenyans, ainsi qu'un petit jardin présentant différentes essences locales.

★ ***Railway Museum*** *(plan général couleur E4)* **:** Station Rd. Sur la droite de la gare (quand on lui fait face), à environ 500 m. Ouvert tous les jours de 8 h 15 à 16 h 45. Entrée : 200 Ksh (2,1 €).
Ce musée insolite enchantera les amoureux du « cheval de feu » et les autres. À l'intérieur d'un vaste hangar, histoire de la création des chemins de fer kenyans à travers une mine de souvenirs. Tout une époque !

En vrac : maquettes de locos, vélorail, vieux standard de gare, photos anciennes jaunies. Noter celle du viaduc en spirale d'Eldoret ou le curieux ascenseur pour wagons sur la ligne de l'Ouganda. Avez-vous remarqué cette photo qui en dit plus qu'aucun discours : des coolies indiens cassant des cailloux et, à côté, l'ingénieur anglais, son casque colonial et son porteur d'ombrelle. Un ticket de train pour la célèbre gare au nom le plus long du monde (Llanfairpwll...) nous plonge au cœur du pays de Galles. Nombreux plans et cartes... Également une section racontant la navigation sur lac Victoria.
À l'extérieur, expo de pittoresques locos (dont celle utilisée pour le film *Out of Africa*) et wagons. La plupart sont en piteux état. En fait, peu de différence avec ceux qui sont encore en circulation ! Possibilité de grimper dans celle où un passager fut dévoré par un lion du Tsavo en 1900.

Les Archives nationales *(zoom couleur E3)* : ouvert en semaine de 8 h 30 à 16 h 30 et le samedi jusqu'à 13 h. Entrée gratuite. C'est le grand bâtiment à colonnades (l'ancienne *Bank of India*) sur lequel on retombe sans cesse... Il mérite un détour. Les « collections » proviennent du patrimoine de l'ancien vice-président Joseph Murumbi. Expo d'objets provenant de différents pays d'Afrique : masques, statues, meubles, lances et boucliers... Admirable galerie de peintures. Portraits et photographies à l'étage, où se trouvent les véritables Archives nationales.

Balade dans le centre

Le centre-ville se visite aisément à pied. Ses points d'intérêt sont en revanche assez limités, Nairobi, ville moderne et récente, ne possédant guère de passé architectural significatif. Cependant, les inlassables trekkers urbains pourront déceler, de-ci de-là, les différences de style dans ce siècle qui vient de s'écouler ; quelques clins d'œil architecturaux ou esthétiques insolites.
– Voici les quelques balises d'un itinéraire cohérent.

Du City Square, on bute inévitablement sur le **Kenyatta Conference Center** *(zoom couleur E4)*, l'édifice le plus haut de la ville avec ses 28 étages et son curieux chapeau chinois inversé au sommet. À côté, la salle de conférence en forme de hutte. Possibilité de grimper dans la tour. Se renseigner au rez-de-chaussée.

À l'autre extrémité, la **Court House** *(zoom couleur E4)*, reconnaissable à son porche en avancée, surmonté de 6 colonnes. On oubliera vite la cathédrale et son architecture indigente.

Le **parlement** *(zoom couleur E4)* se reconnaît à sa tour-horloge carrée. Pour assister aux sessions, demander un *permit* dans la « galerie publique ».

Devant le parlement, le **mausolée de Kenyatta** (entre Parliament Rd et Uhuru Hwy).
– Gagner la **Kenyatta Avenue** *(zoom couleur D3-4)*, les Champs-Élysées locaux, qui divise la ville en deux. L'autre moitié se révèle moins monumentale.

Sur Kenyatta, au coin de Wabera, quelques édifices coloniaux des années 1930 en pierre grise, comme la **Pan Africa House,** avec ses fenêtres sculptées style Renaissance et son porche à colonnes.

Au bout de Wabera, la **McMillan Library** se reconnaît à son architecture néoclassique. Elle contient plus de 110 000 ouvrages.

Juste derrière, insolite contraste architectural, la **Jamia,** la grande mosquée de rite sunnite. Superbe façade principale avec ses porches à

colonnes surmontés de balustrades et de 3 coupoles argentées, le tout encadré de 2 puissants minarets. En fonction de l'humeur du moment, possibilité d'y entrer en dehors des offices. Demander poliment et respecter les règles (enlever ses chaussures, pas de short ou bermuda, pas de bras nus ni décolleté, etc.).
– À deux pas de la mosquée, le ***marché municipal*** (traité ci-dessous, rubrique « Les marchés »).

Vers le Centre culturel français, sur Loita, élégant ***Barclays Plaza*** (qui abrite, à propos, l'ambassade de France ; *zoom couleur D3*). La ***Loita House*** propose aussi son harmonieuse architecture bleutée.
– Au coin de River Rd et de Moi, un gros bâtiment colonial en grès vert datant de 1920 et de style très *british*. C'est l'immeuble de la secte des ismaéliens. Possibilité de jeter un œil au rez-de-chaussée. Quelques bancs avec plaques de cuivre. Photos de l'Aga Khan se pesant en lingots d'or pour le Golden Jubilee de 1937.

Les marchés

– ***Le marché municipal*** *(zoom couleur D3)* **:** Market St et Muindi Mbingu St. À côté de la grande mosquée. Ouvert de 8 h 30 à 16 h. Immense hall où, au milieu, vous pourrez avoir un panorama complet des fruits et légumes du Kenya. Derrière, la viande et le poisson. C'est ici que les autochtones trouvent le poisson le plus frais et le moins cher.
Après, on tombe sur les marchands de souvenirs. Pas de panique ! La sollicitation reste paisible. Diantre, nous ne sommes pas à Marrakech ! On peut toujours refuser de s'arrêter à un stand poliment. Avec le sourire, un peu de temps, il peut même y avoir des moments de grâce.
En tout cas, pas mal de choix et, si tout n'est pas d'une qualité extra, vous trouverez toujours l'objet ou le cadeau correspondant à ce que vous étiez prêt à dépenser. Marchander, évidemment. Beaucoup d'animaux sculptés, « clubs » *(manai rongos)*, pierre de savon *(soap stone)*, *kangas* (tissus imprimés avec proverbes), ou encore toute la panoplie du guerrier massaï ou samburu.
– ***Le marché dit « de l'Aga Khan »*** *(plan général couleur E1)* **:** sur Limuru Rd. En face de l'Aga Khan Hospital et près du parc municipal. Là aussi, l'un des préférés des autochtones et des expats. Propre, animé, bon accueil et gens souriants (si, si !). Quelques vedettes du marché : *caralas* (légumes cuits à l'huile), miniconcombres, *doudis* (très *sweet,* cuits dans l'huile aussi), *soussous,* bananes plantain, manioc, *drum sticks,* citrouilles, *koundés* (feuilles vertes qu'on mange avec l'*ugali*), tous les légumes traditionnels, toutes les graines, tous les fruits. Goûter à l'*houmda* (petit fruit vert acide) et au *jamboura* (fruit rouge un peu âpre). Fait aussi office de marché de gros. Tous les petits commerçants de Nairobi et de sa banlieue viennent s'approvisionner ici. Sinon, les routards en quête d'exotisme iront flâner du côté de Diamond Plaza, un quartier indien à deux pas de l'Aga Khan Hospital : saris, et épices.
– ***Le marché massaï*** **:** le mardi de 9 h à 14 h 30, près du rond-point d'Afrique, le vendredi (mêmes horaires) au Village Market (au nord de Westlands) et le dimanche au Yaya Centre *(plan général couleur A5)*. Plusieurs dizaines de femmes massaïs viennent y vendre leur artisanat à des prix souvent plus intéressants qu'en pays massaï. En particulier, les parures faites de petites perles *(beaded jewels)*. Choisir de préférence le jour du Village Market : moins de pression de la part des vendeurs et possibilité de marchander (en douceur toujours).
– ***Le Village Market*** *(hors plan général couleur par E1, **52**)* **:** Limuru Rd. Peu après United Nations Av., à une quinzaine de kilomètres du centre-ville.

Un vaste centre commercial sur trois niveaux, conçu principalement pour une clientèle d'expats. Atmosphère un tantinet aseptisée, mais bonnes prestations : piscine, ciné, cybercafé, banques, supermarché bien achalandé et une kyrielle de restos et bars. Marché massaï le vendredi.

– ***Nakumatt :*** Kenyatta Av. *(zoom couleur D3)* au pied de l'*I & M Tower* et Kimathi St *(zoom couleur E3)* en face du *Stanley's Hotel*. Ouvert de 8 h 30 à 20 h 30 ; le dimanche, de 10 h à 18 h. Populaire, supermarché où l'on trouve quasiment de tout à bons prix.

➤ DANS LES ENVIRONS DE NAIROBI

👁👁 ***La maison de Karen Blixen :*** Karen Rd, Karen. ☎ 88-27-79. On passe par Langata Rd (au sud-ouest) ou Ngong Rd (à l'ouest). Pour y aller, bus n° 24 depuis Mfangano St, à côté de la station de bus (terminal du centre ; *zoom couleur D4*). Sinon, bus n° 111, à prendre à l'Afwa Centre (quartier de la gare ferroviaire), puis descendre au *Karen Shopping Centre* pour continuer avec le bus n° 24. Mieux vaut louer un taxi à plusieurs. Ouvert tous les jours de 9 h 30 à 18 h. Entrée : 200 Ksh (2,1 €). Voici la demeure mythique de la baronne, petite maison toute simple isolée dans un beau parc. Dans *Out of Africa,* elle fut seulement filmée de l'extérieur, les scènes intérieures furent tournées dans une autre demeure.

Visite assez émouvante par son atmosphère un peu sombre et intime ; en semaine, vous serez souvent seul(e). En entrant, on est tout de suite saisi par une odeur, un parfum qui flotte... Le temps semble s'être figé. On éprouve alors un sentiment mêlé de nostalgie, de respect, et peut-être bien aussi d'admiration. L'espace d'un instant, on aimerait que tout s'anime, que tout reprenne vie, mais non, la visite s'effectue dans le plus grand calme, chaque pièce conservant jalousement une part du secret de la vie de la baronne.

La maison fut construite par un fermier suédois en 1912. Karen Blixen s'y installa en 1914 et la quitta en 1931. Elle tomba amoureuse du coin et ne se lassait pas d'admirer les Ngong Hills tous les matins. Bien sûr, elle aurait dû analyser la terre locale (trop acide) avant d'acheter la propriété et de tenter d'y planter du café. Mais on comprend fort bien, devant cette nature splendide, son coup de foudre.

Transformée en école après son départ, la maison perdit quasiment tout son ameublement, mais pas sa structure ni son décor. Aujourd'hui, elle est remeublée d'époque, parfois avec des pièces d'origine retrouvées. Dans la première pièce (à gauche en entrant), se trouvait le bureau de la ferme. Nombreuses photos évocatrices : Karen Blixen avec son chien, son mari, son amant, Finch-Hatton, qui mourut en 1931 dans un accident d'avion dans la région de Tsavo. Ce dernier est enterré dans les collines du Ngong, d'où l'on pouvait voir la ferme africaine (et vice versa). Également exposé, le dernier cliché de la romancière, 3 mois avant sa mort (en 1962, à l'âge de 77 ans). Dans la bibliothèque, beau lambris de l'époque. Après la salle à manger, les chambres à coucher. Commode et penderie d'origine, ainsi que la coiffeuse dans la salle de bains. La petite bibliothèque fut apportée par Denys Finch-Hatton. Dans la chambre de Karen Blixen, les habits sont ceux de Meryl Streep dans le film.

Dehors, de l'autre côté de l'entrée principale, la cuisine. À l'époque, les cuisines étaient séparées du corps de la maison pour éviter les odeurs. Demander à voir aussi, pas loin, les derniers vestiges de l'usine à café. Sinon, balade bucolique et romantique dans le parc au milieu des superbes essences. Au loin, les Ngong Hills se découpent dans le ciel (voir plus loin).

🐘🐘 ***Le David Sheldrick Wildlife Trust :*** PO Box 15555. ☎ 89-19-96. • www.sheldrickwildlifetrust.org • Accès par la dernière porte d'entrée du parc national de Nairobi. Ouvert tous les jours entre 11 h et 12 h pour assister à la tétée et à la récréation des bébés éléphants. Entrée gratuite mais donation souhaitée.
Un orphelinat fondé en 1977 par Daphne Sheldrick, en souvenir de la lutte de son mari contre les braconniers du parc national de Tsavo. Les bébés éléphants sont recueillis lorsque leurs parents sont retrouvés abattus pour leurs défenses... Si l'on ose dire ! La visite se déroule un peu comme un mini-show à l'américaine, mais c'est pour la bonne cause et l'on vous défie de ne pas craquer pour ces adorables bestioles, bien plus fragiles qu'on ne l'imagine une fois privées de leur mère. Chaque jour, les gardiens aident les éléphanteaux à retrouver les soins élémentaires que leurs mères auraient dû continuer à leur prodiguer. Ainsi, on tend des couvertures pour qu'ils y enfournent leur trompe, comme sous le ventre de maman, et on leur déverse des pelletées de terre sur le corps afin qu'ils jouent et se roulent dans la fange comme des enfants ! Bref, venez vous rendre compte par vous-même et n'arrivez pas en retard si vous voulez voir les phacochères déboulant à 11 h pétantes sur le site !
Compréhension de l'anglais courant nécessaire. Bien sûr, petite boutique, dons, pétitions et adhésions sollicitées en fin de visite, mais en toute liberté bien sûr. Visite attachante, et l'occasion de découvrir, s'il en était encore besoin, toute la fragilité de la nature lorsqu'elle est maltraitée...

🐘 ***Le Langata Giraffe Centre :*** bien indiqué depuis Langata Rd. ☎ 89-09-52 ou 89-16-58. • www.giraffecentre.org • Y aller en taxi. Ouvert tous les jours de 9 h à 17 h 30. Entrée : 500 Ksh (5,3 €). Uniquement pour ceux qui ne peuvent résister au plaisir assez unique de nourrir les girafes, car c'est cher et sans intérêt si vous avez programmé un safari !
C'est tout à la fois un centre pour la préservation des girafes Rothschild et pour l'éducation écologique des enfants, fondé par le duc Leslie Melville. La tour d'observation est décorée à l'intérieur de dessins d'écoliers sur les thèmes du respect de la nature et des animaux (ils sont très beaux et d'ailleurs à vendre !). Possibilité de nourrir la demi-douzaine de girafes en stage dans le centre (mais elles n'aiment pas trop les caresses sur le museau !), avant qu'elle ne soit réintégrée dans la nature et remplacée par six autres. Parfois, quelques « phacos » *(warthogs)* y traînent leur joie d'être nourris et logés. Petite cafétéria où l'on peut se restaurer à prix moyens.

🐘 ***Bomas du Kenya :*** Forest Edge Rd (transversale à Langata Rd). ☎ 89-18-01 ou 89-07-93 ou 95. Prendre le bus n° 124 ou 126, en face de l'hôtel *Hilton* ou le *matatu* n° 125 près de la gare. En principe : spectacles du lundi au vendredi à 14 h 30 ; le week-end, à 15 h 30. Une visite guidée du village précède et suit la représentation. Entrée : 600 Ksh (6,3 €) ; réductions. Chargé de promouvoir la diversité culturelle kenyane, cet organisme propose chaque jour un spectacle de danses traditionnelles exécutées par une troupe de professionnels. Un musée en plein air présente également une quinzaine d'ethnies au travers de leur habitation, leur artisanat, etc. Intéressant surtout pour prendre un bon bol d'air dans le grand parc à l'ombre des eucalyptus.

🐘 ***Les Ngong Hills :*** à moins de 10 km de Karen Dukas, on arrive à *Ngong Hills Village,* point de départ de belles balades dans les collines. Curieusement, l'un des versants est couvert de végétation très verdoyante, tandis que l'autre (vers la Rift Valley) se révèle beaucoup plus dénudé et sec (à notre avis, c'est que les nuages s'accrochant aux crêtes des collines y sont pour quelque chose !). Collines sacrées pour les Massaïs, qui interprétaient leur forme comme celle d'une main de Dieu saisissant une poignée de terre (d'où les mamelons suggérant le poing serré, la jointure des doigts et du métacarpe). Karen Blixen décrit merveilleusement cet endroit dans *La Ferme africaine.*

Pendant longtemps, une superbe randonnée de 5-6 h sur la crête (on accédait au relais de TV en voiture) permettait de saisir de remarquables panoramas. Aujourd'hui, c'est franchement déconseillé en raison des nombreuses agressions sur les randonneurs, proies faciles dans cette nature sauvage. Les détrousseurs attendent sagement le retour des promeneurs sur le seul chemin praticable ! Ne pas tenter le diable. Ne pas hésiter, si votre programme vous y amène vers midi, à déjeuner dans le coin. Voici quelques excellentes adresses dans un environnement très agréable.

Où manger ?

🍴 ***The Karen Blixen Coffee Garden :*** Karen Rd. ☎ 88-21-38. À 500 m environ de la demeure de Karen Blixen. Bien signalé. Ouvert tous les jours jusqu'à minuit. Plats principaux de 600 à 800 Ksh (6,3 à 8,4 €). Éminemment *british !* La Swedo House, une demeure pleine de charme datant de 1912, déploie sa terrasse sur une vaste pelouse tirée à quatre épingles colorée par de superbes bougainvillées. Carte assez étendue, avec des spécialités occidentales classiques mais bien tournées (pavé de saumon, fricassée de crabe, *T-bone steak...*). L'après-midi, thé, *scones* et *cakes* à déguster avant (ou après) une partie de billard ou de fléchettes. Détente garantie ! On peut aussi loger dans de beaux cottages (chers).

🍴 ***Rusty Nail :*** à Karen. ☎ 88-24-61. Au rond-point, après la station *BP,* continuer sur Dagoretti Rd sur 200 m jusqu'au niveau du grand pylône sur la gauche. Ouvert tous les jours de 9 h 30 à 22 h 30. Plats principaux autour de 700 Ksh (7,4 €). À l'abri des regards indiscrets, un merveilleux jardin déroule ses massifs en paliers devant une jolie demeure ocre à tuiles romaines. Excellente cuisine européenne, à déguster sur une agréable terrasse surplombant le paysage, ou dans une salle chaleureuse au bar surmonté d'un entrelacs de poutres. Beaucoup de monde en soirée.

🍴 ***The Horseman :*** Karen Dukas. ☎ 882-033 ou 884-560. Dans le *Karen Shopping Centre* sur Langata Rd, avant la route menant à la maison de Karen Blixen. Ouvert tous les jours de 10 h à 22 h (plus tard pour le bar). Pizzas et burgers pour 400 Ksh environ (4,2 €), ou plats de viande autour de 800 Ksh (8,4 €). C'est à ce célèbre carrefour que fut retrouvé le corps de l'amant de l'héroïne dans le film *Sur la route de Nairobi,* de Michael Radford (et tiré d'un vrai fait divers). Il avait été « révolvérisé » par le vilain mari jaloux. Les touristes n'y viennent pas vraiment en pèlerinage, mais s'arrêtent volontiers pour l'atmosphère reposante de ce vaste pub à l'anglaise. Au choix, une salle de restaurant cosy pour goûter aux spécialités de gibier (théoriquement), ou deux salles fraîches et ombragées dans un genre de grande paillote. On y sert une cuisine plus simple : pâtes, pizzas, ou quelques spécialités asiatiques et kenyanes. La qualité de la viande varie.

On peut également préférer le cadre luxuriant du ***Ranger's*** (voir « le parc national de Nairobi »).

LE PARC NATIONAL DE NAIROBI

L'un des parcs les plus incroyables du monde ! Pensez, situé à moins de 6 km du centre de la ville. On a tous à l'esprit ce poster fameux vantant les mérites du Kenya et montrant 3 guépards assis et contemplant de leur savane, avec un semblant d'air ironique, la forêt des buildings du centre et le Kenyatta Conference Center... Ce fut le 1er parc créé au Kenya (en 1946). D'une superficie assez modeste (114 km^2), il est clôturé sur 3 côtés pour empêcher les animaux de s'égarer en ville dans les zones urbaines et sur le

tarmacadam de l'aéroport ! Ouvert au sud, c'est un va-et-vient perpétuel de bêtes, plus ou moins dense suivant les saisons et le rythme des pluies.
Il est de bon ton, dans certains cercles de routards exégètes, de dire que ce parc ne vaut pas tripette, comparé au Mara et autres Samburu ! D'abord, tous les parcs possèdent leur propre personnalité et celui de Nairobi proposant, à 15 mn de voiture (s'il n'y a pas d'embouteillages sur la Langata Rd, bien sûr), un panorama quasi complet de la faune du pays, possède à l'évidence la sienne propre ! Ensuite, le seul conseil que nous pouvons effectivement donner, c'est de le visiter en premier, comme mise en route en quelque sorte, comme balade d'initiation, avant d'affronter les autres. En fin de voyage, pour peu que les mouvements d'animaux soient faibles, la comparaison avec les parcs que vous auriez visités avant ne tiendrait évidemment guère.
Pour résumer donc, si proche de la civilisation, et survolé sans cesse par les avions de l'aéroport international mitoyen, le parc de Nairobi peut vous garantir à coup sûr toutes les variétés d'antilopes, gazelles, gnous, etc., ainsi que girafes, autruches, buffalos, hippos, crocos, et quelques hyènes (peu, car tuées jadis par les Anglais, à cause de la proximité de la ville). Plus difficiles à apercevoir quand même : guépards et lions. Surtout qu'un certain nombre de lions ont été abattus ces dernières années ! En revanche, depuis sa désignation officielle de « Rhino Sanctuary », le parc de Nairobi est idéal pour rencontrer des rhinocéros (plus de 50). Et, dans tous les cas, avec un bon guide et de la chance, tout peut arriver dans les parcs kenyans ! Ne manquent que les éléphants, mais là, on peut comprendre...

Quand et comment y aller ?

– La meilleure période est la saison sèche, de février à mars et d'août à début octobre. En effet, pendant les pluies, les animaux partent au sud, et refluent au nord dès que la sécheresse recommence. Ils ont la garantie de trouver dans le parc un certain nombre de points d'eau permanents.
– Routes de terre tout à fait carrossables et directions assez bien indiquées. On peut s'y rendre avec un véhicule de location. Bien sûr, la balade de 4-5 h avec une agence reste la solution la plus populaire.
– Choisir d'y aller de bonne heure le matin ou à partir de 14 h 30 l'après-midi, pour bénéficier de l'heure magique (17 h-18 h). En milieu de journée, chaleur et lumière vive écrasent tout relief et couleur !
– Les samedi et dimanche, balade organisée en bus avec un ranger pendant environ 3 ou 4 h. Payant. Départ à 14 h. S'adresser aux services de l'*Education Department,* situés à la Main Gate (Langata Rd).
– Tarifs : 23 US$ (18,4 €).
– À part un tout petit itinéraire indiqué plus loin, il est interdit de sortir du véhicule...

La balade

Entrée par la Main Gate (Langata Rd) ou l'East Entrance. Ouvert de l'aube aux environs de 6 h jusqu'à 18 h. En principe, possibilité de demander à l'entrée dans quel coin ont été repérés des animaux le jour même. Approximativement, on vous indiquera les carrefours où lions et guépards ont été aperçus le plus récemment. Sinon, se fier aux dons du guide-chauffeur ou à ses intuitions.
L'un des meilleurs coins pour l'observation et les pique-niques est l'*Impala Picnic View Point.* On verra un maximum de gazelles et zèbres dans les savanes ondoyantes de l'ouest du parc. En descendant vers la White Grass Ridge et la Middle Ridge, quelques bosquets d'arbres livreront leurs pre-

mières girafes et buffalos. Le sud-est du parc est le plus vallonné et accidenté. Certaines falaises peuvent atteindre 80 m. La frontière sud est marquée par la rivière Mbagathi.
– Ne pas manquer la seule balade pédestre, vers l'*hippo pool* de la rivière Athi. Bien indiqué. Après avoir garé le véhicule, on suit sur 1 km environ le bord de la rivière, au milieu des *fever trees.* Ces acacias aux troncs jaunes prennent littéralement des teintes or en fin de journée. Très conseillé d'y aller vers 16 h 30-17 h.
Hippos durs à voir quand même, car passant la plupart du temps dans l'eau. Entendre leur grognement caractéristique n'est pas une garantie d'en apercevoir un ! Crocos plus faciles car ils glissent souvent au fil de l'eau. N'oublions pas les oiseaux, avec près de 400 espèces répertoriées dans le parc ; du très laid marabout avec son goitre à la souveraine grue couronnée, en passant par l'élégant et altier serpentaire. Enfin, on peut voir des tortues près de l'*hippo pool.*
Petit mémorial sur un tertre pour rappeler que, dans un accès de fièvre écolo environnementale et pédagogique, les autorités y brûlèrent un jour 12 t de défenses d'éléphants.
– On peut aussi faire une petite marche le long du ***Nairobi Safari Walk.*** Main Gate (Langata Rd). ☎ 60-08-00 ou 46-12-78. Ouvert tous les jours de 8 h 30 à 17 h 30. Entrée : 8 US$ (6,4 €). Cela ne vaut pas une vraie incursion dans l'un des nombreux parcs du pays, certes. Mais ce petit sentier agréable de 2 km à vocation pédagogique permet d'avoir un aperçu rapide des 3 principaux écosystèmes que l'on rencontre au Kenya (milieux humides, savane et forêt). Les écoliers venus par cars entiers aiment beaucoup !

Où manger ?

|●| ***Ranger's :*** à la Main Gate du parc. ☎ 60-73-29. Ouvert tous les jours de 8 h à 22 h. Compter environ 1 000 Ksh (10,5 €) pour un repas. Bien pratique pour les visiteurs du parc, mais surtout intéressant pour son cadre inattendu aux portes de Nairobi. Il occupe un genre de *lodge* en bois sur pilotis, ourlé de terrasses noyées dans la végétation luxuriante du parc. Cuisine africano-internationale moyenne (*nyama choma,* plats de pâtes...).

QUITTER NAIROBI

En bus et *matatus*

Commençons par une règle d'or que l'on ne se lasse pas de répéter : prendre de préférence les bus qui circulent le jour. On ne tient pas à avoir un discours parano-alarmiste, mais les bus de nuit ne sont pas à l'abri de braquages malencontreux ou de tout autre incident !

■ ***Bureau central de réservations*** *(zoom couleur D3,* ***3****) :* Muindi Mbingu, en face de la Mombasa House. Ouvert tous les jours de 8 h à 20 h. Bureau tout neuf où l'on peut réserver n'importe quel bus longue distance et pour n'importe quelle compagnie. Pratique et moins compliqué qu'à la gare routière !

Terminal du centre *(zoom couleur F4) :* Uyoma St et Temple Rd. Bus desservant principalement l'Ouest et le Nord-Ouest. Plusieurs quotidiens pour Kisumu, Kitale, Eldoret, Nyahururu, etc. Difficile de préciser la fréquence, tant celle-ci varie en fonction de l'affluence. Passez au bureau central de réservations.

Country Bus Terminal *(Machakos ; hors zoom couleur par F3)* **:** entre Landhies Rd et Pumwani Rd. Impossible d'énumérer tous les *matatus*, donc voici les principales destinations : pour Kangari, Eldoret, Kitale, Naivasha, Thika et Gilgil. Plusieurs bus par jour pour Kisumu, Nyahururu, Meru-Malia (Akamba), Nyeri-Meru, etc. Départs fréquents.

Petits terminaux de bus *(zoom couleur E3)* **:** dans le quadrilatère Duruma Rd et Accra Rd. Peugeot et *matatus* pour Nakuru, et Kisumu, Isiolo, Méru. Pour se rendre à Mombasa, préférer les bus. La compagnie la plus confortable (la plus chère aussi) est ***CoastLine Bus*** *(zoom couleur E3)*, au croisement d'Accra Rd et Duruma Rd. ☎ 221-75-92 ou 224-51-90. Pour Mombasa, départs à 8 h 30, 10 h et 13 h ; 750 Ksh (7,9 €) la place. Mêmes horaires pour Kisumu.

En train

Le train n'est pas la meilleure solution de transport au Kenya. Les lignes sont très anciennes (lire « Un peu d'histoire » !) et il y a déjà eu des accidents mortels suite à des déraillements, vous voilà prévenu ! Pour les acharnés :

Gare ferroviaire *(plan général couleur E-F4)* **:** guichet ouvert de 8 h à 19 h (jusqu'à 16 h les mercredi, samedi et dimanche). ☎ 222-12-11. Personnel serviable. Consigne à bagages pas chère, à gauche en entrant dans le hall et une autre à 100 m de l'entrée sur la droite. Mêmes horaires d'ouverture que le guichet.

➢ ***Pour Mombasa :*** 1 départ tous les jours à 19 h. Arrivée vers 8 h 30. Première et 2e classes en *sleepers* (compter respectivement 3 000 et 2 100 Ksh, soit 31,6 et 22,1 €). Dîner et petit dej' inclus.

➢ ***Pour Kisumu :*** départ les lundi, mercredi et vendredi à 18 h 30. Arrivée le matin. Compter 1 355 Ksh (14 €) en 1re classe, la moitié en 2e.

En avion

Les vols internationaux

✈ ***Aéroport Jomo Kenyatta :*** informations vols : ☎ 682-21-11 ou 24-72.

■ ***Kenya Airways/KLM*** *(zoom couleur D3)* **:** Barclays Plaza, rez-de-chaussée, Loita St, PO Box 19002. Réservations : ☎ 327-47-47. Fax : 327-47-77. Portable : (0733) 601-388. À l'aéroport : ☎ 682-23-42 ou 76 ou 22-23. Fax : 682-22-74 ou 02-92. • reservations.kenya@klm.com • (pour Kenya Airways) et • reservations@klm.com • (pour KLM).

■ ***British Airways*** *(zoom couleur E3)* **:** International House, 11th Floor, Mama Ngina St. ☎ 327-70-00. À l'aéroport : ☎ 682-25-55. • contactba.i.kenya@britishairways.com •

■ ***SN Brussels :*** Bandari Plaza, Westlands, PO Box 43708. ☎ 444-60-02 ou 30-70 ou 32-98. Fax : 444-11-47.

■ ***Swiss International Airlines :*** Ambank House, 11th Floor, University Way, PO Box 44549. ☎ 374-40-45. À l'aéroport : ☎ 682-24-59. • swissairlines@africaonline.co.ke •

■ ***Air Canada :*** Kantaria House, 2nd Floor, Muindi Mbingu St, PO Box 46163. ☎ 224-36-06 ou 221-31-84.

■ ***Air Tanzania :*** Chester House, Koinange St, PO Box 20077. ☎ 233-62-24 ou 63-97.

■ ***South African Airways :*** Lonrho House, Kaunda St, PO Box 34203. ☎ 222-96-63 ou 74-86 ou 87.

Les vols intérieurs

✈ ***Wilson Airport :*** Langata Rd. ☎ 450-16-58.

■ ***Air Kenya :*** Wilson Airport, PO Box 30357. ☎ 460-57-45 ou 450-16-01 à 04. Fax : 460-29-51. • info@airkenya.com •

Les compagnies de charters

✈ Les nombreuses sociétés d'aviation légère sont basées à l'***aéroport des vols intérieurs.*** On en recommande deux parmi les plus fiables. Elles proposent un large éventail de mono et bimoteurs et de destinations (au Kenya et dans les pays de l'Afrique de l'Est).

■ ***East African Air Charters :*** Wilson Airport, PO Box 42730 - 00200, City Square. ☎ 460-38-58 ou 59 ou 60. Fax : 450-23-58.

■ ***Boskovic Air Charters :*** Wilson Airport, PO Box 45646. ☎ 450-12-10 ou 460-07-41. Fax : 460-96-19.

Vers la côte

✈ Les vols pour la côte partent de l'***aéroport international Jomo Kenyatta,*** sauf les vols *Air Kenya* qui partent tous de l'***aéroport domestique.***

➢ ***Pour Mombasa :*** le prix est comparativement beaucoup plus élevé que les liaisons côtières. Les fauchés prendront le bus. Plusieurs vols quotidiens pour Mombasa avec *Kenya Airways* et *Air Kenya.*
➢ ***Pour Lamu :*** 1 vol direct quotidien par *Air Kenya* qui poursuit sur Kiwayu. Deux vols quotidiens avec *Kenya Airways.*
➢ ***Pour Malindi :*** 1 vol quotidien avec *Air Kenya.*
➢ ***Pour Kisumu :*** 3 à 4 vols par semaine avec *Kenya Airways.*
➢ ***Pour Ukunda (Diani Beach) :*** environ 3 vols par semaine avec escale à Mombasa.

Vers les parcs

✈ Les départs se font du **Wilson Airport.**

➢ ***Pour le Massaï-Mara, Amboseli, Samburu, Nanyuki et Lewa Downs :*** avec *Air Kenya,* 1 à 2 fois par jour. Vols possibles également pour le Kilimandjaro.
➢ ***Pour Kisumu :*** *Kenya Airways* dessert Kisumu tous les jours.
– Les compagnies de charters comme *Boskovic Air Charters* et *East African Air Charters* desservent tous les aérodromes des parcs kenyans depuis le Wilson Airport.

EXCURSIONS AU DÉPART DE NAIROBI

MACHAKOS

Plus qu'un site particulier, c'est l'ambiance qui règne dans cette région toute proche de Nairobi qui est attractive. Les gens y sont très accueillants. Paysages granitiques très vallonnés. En saison des pluies, c'est particulièrement verdoyant.

Comment y aller?

➢ ***De Nairobi :*** *matatus* très réguliers qui vous conduisent jusqu'à Machakos pour 100 Ksh (1,1 €). De là, si on veut continuer plus loin, on peut, de la place centrale de Machakos, reprendre un *matatu* pour Kiatineni, puis Mbooni Dispensary.

À voir

Le principal intérêt de la région réside dans la multitude de pistes ou de petits sentiers qui sillonnent les collines. On peut les emprunter soit à Machakos, soit un peu plus loin, sans guide, sans destination particulière. On découvrira très vite un petit village, un ruisseau, un col ou un sommet dégagé, et on y sera très vite accompagné par un groupe de gamins souriants et intrigués.

Sur la route de *Mbooni Dispensary,* possibilité de voir le ***rocher géant*** coupé en deux (*split rock,* en anglais). Les habitants se feront un plaisir de vous indiquer comment vous y rendre, voire de vous y emmener à pied (partir tout de même tôt le matin de Nairobi si l'on veut faire cette visite dans la journée).
Certains campent dans les petits villages : pourquoi pas? Il suffit de demander aux habitants d'abord.
– À *Wamunyu,* il existe une ***coopérative d'artisans Akambas*** qui réalisent de remarquables sculptures sur bois; ce sont d'ailleurs eux qui produisent le plus gros de l'artisanat de bois au Kenya.

LES FOURTEEN FALLS

Faciles d'accès à partir de Nairobi ou de Thika, elles peuvent mériter un détour pour leur cadre agréable au pied de l'Ol Doinyo Sabuk, volcan éteint (sans grand intérêt, lui), et parce qu'elles impressionnent par leur largeur à défaut de hauteur (15 m).

Comment y aller?

➢ ***De Thika :*** *matatu* qui mène vers l'est et Kitui via la grande route A3. Le chauffeur vous déposera sans problème à l'arrêt « 14 Falls ». De là, 30 mn de marche sur des pistes jusqu'aux chutes à proprement parler. En revanche, soyez prudent et renseignez-vous avant car il y a déjà eu quelques problèmes d'insécurité ces derniers temps.

➤ *DANS LES ENVIRONS DES FOURTEEN FALLS*

Éviter le *parc de l'Ol Doinyo Sabuk* (peu d'animaux, pas de vues dégagées), et n'allez aux ***Chania Falls*** et autres ***Thika Falls*** que si vous avez du temps à perdre ou un coup à boire (au *Blue Post Hotel* bien sûr).

MAGADI-NATRON

☺☺ Contrairement à ses grands frères géologiques Bogoria et Nakuru, le lac Magadi est totalement ignoré des touristes. Le deuxième lac le plus bas de la vallée se distingue par sa très forte concentration en soude, favorisant la formation d'une étrange croûte blanche à sa surface en période de forte chaleur. Le spectacle de ce miroir scintillant et craquelé donne parfois le sentiment d'avoir atterri sur la lune ! Impression encore renforcée par les installations industrielles fantomatiques destinées à l'exploitation du sel. La route depuis Nairobi réserve de bien belles surprises. Aussitôt après les derniers contreforts des Ngong Hills, les paysages domestiqués par l'homme cèdent la place aux superbes vues sur l'immense fracture rectiligne du Rift. La route plonge alors dans la vallée, émaillée de troupeaux conduits aux marchés par les bergers massaïs, traversée à l'occasion par un troupeau de zèbres ou une bande de babouins en goguette. Mais le plus inattendu, c'est la rencontre avec un groupe de jeunes guerriers hérissés de sagaies, d'arcs et de flèches. Et là, à 100 lieues du premier complexe touristique, on se dit qu'on est bien loin du folklore du Massaï-Mara !

Comment y aller de Nairobi ?

➢ ***En matatu :*** départs réguliers de la gare centrale de Nairobi pour la ville de Magadi. Comme pour tous les *matatus* qui partent un peu loin (105 km), il faut attendre un petit moment avant de partir. C'est cependant un site qu'il est essentiel de découvrir en voiture individuelle, car la route mérite de nombreux arrêts. De plus, sans voiture, on est bloqué dans la bourgade de Magadi et on ne peut pas découvrir les circuits proposés plus bas.
➢ ***En voiture :*** en arrivant à Magadi, la route est fermée par une barrière. Il ne s'agit pas d'un péage, mais seulement d'un poste de contrôle où l'on se contente de décliner son identité et les raisons du voyage.

Où dormir ?

Il n'y a aucune infrastructure hôtelière à Magadi-ville. Soit on se contente d'une excursion d'une journée avec retour le jour même à Nairobi. Soit, pour le *Nguruman Escarpment* (2 jours ou plus), on campe. Penser alors à demander les services d'un gardien massaï. On peut encore choisir de faire une étape au site archéologique *d'Olorgesailie.* Le musée tient à la disposition des voyageurs quelques *bandas* basiques (prévoir 500 Ksh, soit 5,3 €, pour les anciens et 800 Ksh, soit 8,4 €, pour les récents), ou propose différents emplacements à 200 Ksh (2,1 €) pour planter sa tente. Apporter l'intégralité de son équipement (vivres et matériel). Point d'eau et w.-c. sommaires à disposition.
La dernière solution, de loin la plus onéreuse, consiste à réserver une nuit au récent *lodge* de ***Shombole.*** Situé à une bonne heure de piste de Magadi-ville, sur la route de Natron, il profite d'une situation exceptionnelle hors des sentiers battus. Les mauvais élèves en orientation peuvent être pris en charge dès Magadi. Infos et réservations auprès de ***Let's go Travel*** à Nairobi (voir rubrique Safari dans « Adresses et infos utiles »).

Où manger ?

On trouve tout le ravitaillement nécessaire à Magadi sur la place principale, y compris de l'essence. Petite alternative pour les aventuriers : le ***Simba Club,*** genre de cantine aux allures de caserne, propose un service de restauration dans une petite cahute derrière le bâtiment principal. Deux à trois plats différents chaque jour. Bien pour un bol de riz et un morceau de poulet à prix très modéré.

À voir

🏛🏛 ***Le site d'Olorgesailie :*** situé à peu près à mi-chemin entre Magadi et Nairobi, peu après le hameau d'Oltopesi. On y accède depuis la route principale par une piste très praticable de 1,5 km. Entrée : 200 Ksh (2,1 €). Le tarif comprend l'entrée au musée et une visite guidée (obligatoire) des chantiers de fouilles. Déployé au cœur d'une plaine aride aux reflets laiteux, le plus grand site préhistorique du Kenya a livré de précieux témoignages de l'occupation humaine dans la région. Découvert en 1916 par le géologue J.W. Gregory, Olorgesailie n'a pourtant été méthodiquement fouillé qu'à partir de 1942 par les incontournables époux Leakey. Le couple a mis au jour toutes sortes d'outils, et, plus étonnant, différents ateliers de bifaces. Les Leakey ont également établi qu'un lac recouvrait très certainement la région, attirant à la fois les animaux et les peuplades de chasseurs. Le minuscule musée présente quelques crânes et la panoplie de chasse d'un *Homo erectus,* tandis que la visite guidée tente de nous familiariser avec les travaux des archéologues. Quelques trouvailles pimentent la balade, comme l'os d'un éléphant préhistorique, deux fois plus gros que celui de son cousin contemporain. Rien de bien spectaculaire, mais un voyage émouvant dans le temps jusqu'à l'aube de l'humanité.

🏛 À Magadi même, petite citée ouvrière tirée au cordeau, pas grand-chose à voir, sauf peut-être : les ***installations industrielles*** vieillissantes posées au milieu des immenses étendues de sel.

🏛 Un peu plus loin : pour ceux qui ont le courage de marcher sous 35 °C sans ombre... on peut traverser la 1re branche du lac, puis les 2e et 3e chaussées. Après la 1re branche toute blanche, on y découvre des immensités rouges peuplées de flamants batifolant dans le reflet sombre d'un escarpement volcanique.

➤ *LA PISTE MAGADI-LAC NATRON*

– ***Quelques précisions importantes :*** pour toutes les pistes au départ de Magadi, avoir impérativement un 4x4. On vous conseille aussi vivement de vous faire accompagner par un guide massaï. Pour 200 à 500 Ksh (2,1 à 5,3 €) – à négocier toujours d'avance – vous éviterez bien des galères et c'est souvent très enrichissant. Enfin, ne pas s'engager sur ces pistes pendant la saison des pluies.
On peut rejoindre facilement le hautement célèbre ***lac Natron*** (Tanzanie) et ses flamants au pied du ***volcan Shombole*** (1 564 m) par une piste très poussiéreuse (1 h 30 de route). Malheureusement, il y a plusieurs bifurcations, d'où la nécessité de prendre un guide à Magadi. Si, malgré tout, vous décidez de tenter l'aventure seul, il faut toujours demander la direction du lac Natron ou viser à droite du Shombole, qui domine de sa silhouette toute la région.
Pour ceux qui rêvent de voir le lac Natron au moins une fois dans leur vie, c'est l'itinéraire de loin le plus facile et le plus rapide pour s'y rendre. Côté tanzanien, cela tient plutôt de l'expédition. Le livre *40 Circuits au Kenya,* du Français Philippe Oberlé, peut s'avérer ici très utile !

➤ *LA PISTE MAGADI-NGURUMAN ESCARPMENT (2000-2500 M)*

Cet itinéraire long (2 h 30 de route) – et très escarpé sur la fin – mérite le détour pour les courageux et les amoureux de la nature à l'état pur. On y voit de magnifiques cascades, des panoramas fantastiques et une faune importante. *Attention :* en cas de pluie, il ne faut pas tenter cet itinéraire !

➢ ***Tronçon Magadi-Ewaso Ngiro :*** traverser le lac en prenant la piste sur la droite de l'usine, aussitôt en arrivant du poste de contrôle. Puis tout droit pendant à peu près 1 h, jusqu'à une cabane de péage plantée devant un pont. Prévoir 200 Ksh (2,1 €) par personne pour traverser la rivière (Ewaso Ngiro) juste après. Le village d'Ewaso Ngiro à proprement parler se trouve au pied de l'escarpement (à 7 km du pont). Si la piste est impraticable ou fermée pour le dernier tronçon, remonter la rivière sur la droite après le pont. On déniche sur la berge quelques sites agréables, suffisamment plats pour planter sa tente et se baigner.

➢ ***Tronçon final :*** on vous le rappelle, guide massaï indispensable. Hélas, l'anglais n'est pas forcément courant ici. Mais on se fait comprendre facilement en indiquant qu'on veut aller au *Maji Kubwa,* qui signifie littéralement « grande eau » et qu'on prononce « madji couboua ». Le but est en fait d'atteindre le plateau de l'escarpement à environ 1 500 m où rivières (d'abord une petite, puis la grande, dite Maji Kubwa) se succèdent, donnant lieu à de belles cascades.
Malheureusement, la piste n'a plus été entretenue depuis des lustres et n'est pas toujours ouverte. Si, après renseignements pris sur place, elle se révèle impraticable, terminer la balade à pied (ce n'est d'ailleurs pas beaucoup plus long ainsi). Si la piste est purement et simplement fermée, se rabattre sur les emplacements le long de la rivière *Ewaso Ngiro.*

➢ Dans le village d'***Ewaso Ngiro,*** la piste principale se sépare en deux. On prend alors la branche de gauche. Au bout de 15 mn, on passe dans un village, puis juste à côté d'une cabane de pompage blanche. On traverse ensuite une petite rivière à gué. Même si la piste y paraît étroite, ne pas hésiter à se mouiller les roues, car le fond de la rivière est solide. Puis on longe l'escarpement sur 2 km de piste très caillouteuse. La piste tourne alors à gauche, au 1er embranchement (peu marqué, il est vrai). La piste est difficile et caillouteuse. Si le 4x4 coince vraiment à cause de la pente, il est plus sage de s'arrêter et de poursuivre à pied (pas beaucoup de perte de temps).

Site véritablement saisissant : possibilité de camper n'importe où, même s'il n'y a pas beaucoup d'herbe ici. On domine la plaine et on peut s'offrir de superbes ***balades à pied*** dans un *bush* peu dense, soit vers des ***cascades*** qu'on découvre en longeant à pied les rivières dans le sens de la descente (ne pas avoir peur des quelques branches par-ci par-là), soit en montant jusqu'en haut de l'escarpement (2300 m). La ***vue*** est géniale et la ***faune*** omniprésente (gazelles, zèbres... mais sans prédateurs). Un petit secret : sur la plus grande rivière, une cascade, qu'on atteint depuis la piste en 15 mn de marche acrobatique (mais sans danger), mesure environ 100 m, ce qui constitue un des records kenyans. Et il n'y a pourtant pas un touriste !

LA RÉGION DE LIMURU

Si l'on dispose d'un véhicule, la région de Limuru offre la possibilité de faire des balades sympas à travers les champs de thé. Limuru se trouve à 35 km de Nairobi. Deux routes possibles : la Wayaki Way ou l'ancienne route en direction de Banana Hill. On peut prendre un thé ou déjeuner au *Kent Mere* (bien indiqué sur l'ancienne route).

LE PARC NATIONAL D'AMBOSELI

IND. TÉL. : 045

« La réserve était immense. Elle s'étendait sur des dizaines et des dizaines de lieues, brousse tantôt courte et tantôt boisée, tantôt savane et tantôt collines et pitons. Et toujours la masse colossale du Kilimandjaro, sommé de ses neiges, veillait sur les espaces brûlants et sauvages. Les bêtes étaient partout. Jamais je n'avais vu galoper autant de zèbres... bondir tant de gazelles... »

Joseph Kessel, *Le Lion*.

Le 2e parc le plus visité du Kenya (après le Massaï-Mara). D'aucuns diraient même le premier. Les touristes ont quelques bonnes raisons. Même si un troupeau d'éléphants ingurgitant ses tonnes d'herbage, placidement, devant le Kilimandjaro, demeure la carte postale la plus célèbre du Kenya, il n'en reste pas moins que ce spectacle *in vivo* se révèle bien l'un des plus grands moments d'émotion esthétique (ou autre) du voyage. La région fascina Hemingway et lui inspira, bien sûr, *Les Neiges du Kilimandjaro*. À propos de clichés, il est de bon ton aussi chez certains voyageurs de dénigrer le parc : il serait victime de la sécheresse et quasi liquidé par le tourisme de masse, il n'y aurait presque plus d'animaux, le Kili aurait été délocalisé en un endroit plus humide, etc.
C'est vrai que la sécheresse sévit depuis une dizaine d'années mais, concernant les animaux, il n'y en a jamais eu autant qu'aujourd'hui. Il y en a partout... pas besoin de les chercher ! Seul le lion se fait rare, le guépard est du genre misanthrope, et le rhino a disparu. Mais voyons un peu plus en détail...

LE PLUS VIEUX PARC DU KENYA

D'abord réserve animalière dans les années 1940, il fut ensuite décrété parc national. Les choses n'ont cependant pas été faciles. Depuis la nuit des temps, des tribus massaïs vivaient dans la région et menaient leurs bêtes à paître sur la réserve. Les déprédations de l'écosystème causées par les troupeaux furent telles que le gouvernement créa, au début des années 1970, des zones de protection animale interdites aux Massaïs. Cela engendra des révoltes durant lesquelles les Massaïs se vengèrent sur les animaux, tuant pas mal de lions, tandis que les braconniers s'en donnaient à cœur joie et exterminaient les rhinocéros noirs. Finalement, un compromis fut trouvé. Certaines terres furent rendues aux tribus, des points d'eau créés pour leurs troupeaux et les limites du parc renégociées. Ainsi, en 1977 fut créé officiellement le parc national d'Amboseli.
Pas vraiment grand donc (moins de 400 km^2), il donne raison aux pires clichés lorsqu'on arrive par l'ouest (Namanga Gate). On traverse d'abord l'Amboseli Lake (un bon tiers du parc), qui n'a de lac que le nom, puisqu'il est à sec la plus grande partie du temps. Il ne se remplit timidement qu'après de fortes pluies, mais son niveau dépasse rarement 50 cm ! Végétation pauvre d'arbustes et acacias maigrichons, couverts de poussière. Pour peu que le vent souffle, s'élèvent alors des colonnes de poussière en tourbillons qui se déplacent. Mirages permanents bien qu'il n'y ait pas d'eau. Et puis tout à coup, c'est la surprise : des taches verdoyantes, remplies de centaines d'animaux (sur des surfaces somme toute assez réduites). Même en saison la plus chaude ! Point de mystère dans tout cela. Ces marais *(swamps, marshes)* sont nourris pour la plupart par des sources souterraines provenant du Kilimandjaro. Celles-ci traversent les roches poreuses de l'ancien magma volcanique. Ce qui explique ce vert permanent toute l'année.

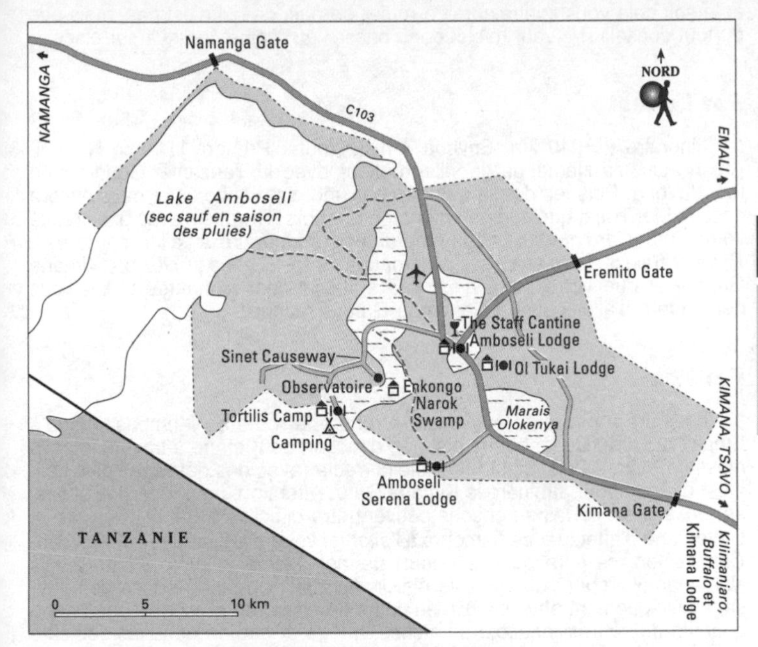

LE PARC NATIONAL D'AMBOSELI

Végétation dense de bosquets de papyrus, palmiers nains, roseaux et ajoncs où, sur la même diapo, vous pourrez réunir jusqu'à 10-12 animaux différents. Surtout des éléphants (on peut en compter jusqu'à 1100 sur l'ensemble du parc, mais ils n'y séjournent pas tous en même temps), des buffles, gnous, zèbres, gazelles, antilopes, hippos, phacochères, girafes, hyènes, etc., et de nombreuses variétés d'oiseaux (près de 400 espèces), dont de nombreux hérons, aigrettes, pique-bœufs... Le guépard se fait plus rare (les touristes ont modifié ses horaires de sortie), il chasse à midi au lieu des soir et matin, rapporte moins de gibier, fabrique moins de progéniture, le cycle infernal, quoi! Le lion se fait encore plus rare (une vingtaine environ), et le rhino a disparu. Il existe un projet de réintroduction de rhinocéros mais à l'extérieur du parc.
Plusieurs dangers menacent le parc à terme : les éléphants d'abord, ces gros gloutons à qui il faut 150 kg de verdure chacun quotidiennement, et qui brisent pas mal de choses autour d'eux. Mais surtout, un phénomène physico-chimique bien particulier : la remontée des eaux alcalines. En période sèche, l'évaporation intense provoque alors une accumulation de sel à la surface, néfaste pour la végétation et pour les racines des acacias.
Last but not least, les phénomènes d'érosion dus au va-et-vient perpétuel des dizaines de minibus quotidiens. Dans les années 1970-1980, ils s'en donnèrent à cœur joie, érodant la mince couche de terre qui recouvre le magma. Aujourd'hui, les véhicules doivent strictement rester sur la route. Le hors-piste est interdit pour préserver les nouvelles pousses fragiles et ne plus peindre le vert tendre du paysage en ocre gris! Ce n'est bien sûr pas toujours respecté!

Comment y aller?

Il est bien entendu possible d'effectuer l'aller-retour dans la journée, mais vous louperiez la balade à l'aube et ses superbes tableaux pleins de lumière, et le soir cela vous contraindrait à rouler de nuit, ce qui n'est pas, mais pas du tout conseillé ! Il vaut mieux donc passer au moins une nuit sur place...

Par l'ouest

➢ Itinéraire de 240 km. Environ 4 h de route. Prendre la route Nairobi-Arusha jusqu'à Namanga, la ville-frontière avec la Tanzanie. Goudronnée tout du long. Puis les derniers 80 km par une piste cahotante, mais encore acceptable. Trajet quelque peu monotone parfois ! Si vous n'avez pas crédité votre *SmartCard,* il vaut mieux emprunter cet itinéraire à l'aller, car le seul *Point of Sale* du parc se trouve à Namanga Gate. Si vous arrivez par Kimana Gate – et que votre carte n'est pas suffisamment alimentée –, on vous demandera d'aller payer à Namanga Gate. Pratique !

Par l'est

➢ Itinéraire à peu près équivalent. Prendre la route de Mombasa jusqu'à Emali (125 km). De là, bonne piste en direction de Kimana à travers le pays massaï (94 km). Puis, 30 km de piste correcte (avec des passages plus délicats) à droite pour atteindre la Kimana Gate. Attention, en saison des pluies, se renseigner ; certains tronçons peuvent être difficiles à franchir.
L'avantage d'effectuer ce parcours à l'aller (si vous avez crédité votre *Smart-Card,* sinon, ce sera pour le retour) permet d'éviter d'avoir à faire 2 fois Namanga-Nairobi et de varier le plaisir. À Emali, on plonge dans des paysages typiquement africains. Et, en cours de route, on rencontre une bonne quantité de zèbres, phacos, autruches, gnous et girafes dans les secteurs les plus arborés, bien avant (ou bien après) l'entrée du parc. Quelques points d'eau où se rassemblent les pasteurs. Traversée de villages massaïs bien moins touristiques que par l'itinéraire ouest, et on trouve à se loger pour bien moins cher (voir la rubrique « Où dormir ? Où manger ? »).

Quand y aller ?

– *De janvier à mars :* petite saison sèche. Les animaux se concentrent massivement dans les *swamps.*
– *De mars à mai :* longue période des pluies. Avantage, tout est vert. Désavantage, animaux très dispersés et herbes hautes (ce qui cache les plus petits, CQFD !).
– *De juin à octobre :* longue saison sèche.
– *De novembre à décembre :* petite saison des pluies.

Où dormir ? Où manger ?

À l'intérieur du parc, quatre *lodges* luxueux. Réservation obligatoire en haute saison et ultra-conseillée le reste du temps. Logement pas cher à Kimana et Namanga.

Camping

Bien entendu, la façon la plus démocratique et meilleur marché pour séjourner dans le parc. Nécessité d'avoir néanmoins son véhicule car en dehors de tout (c'est souvent, nous direz-vous, un avantage !).

⩓ ***Public Campsite (group ranch) :*** PO Box 18, Namanga, Amboseli. Compter 300 Ksh (3,2 €) par personne. Un peu en dehors des limites du parc, au sud-ouest de la « colline d'observation ». Pour y accéder, il faut entrer dans le parc et donc s'acquitter de la taxe. W.-c. extrêmement rustiques, réservoir d'eau (mais ne point oublier son eau potable quand même). Douches tout aussi rudimentaires avec bassine. Géré par les Massaïs. Évidemment en pleine nature, avec de nombreux petits espaces disséminés derrière des boqueteaux d'acacias et des buissons pour planter la tente. Possibilité d'avoir un guide.

Lodges et camps

Sachez que tous les *lodges* affichent leurs tarifs en pension complète *(full board)*. La demi-pension est possible, mais elle n'est pas forcément intéressante, ni très pratique car, en dehors des ces quatre *lodges,* il n'y a pas de resto dans le parc. Enfin, sachez que d'avril à juin, c'est la basse saison.

🏠 🍽 ***Amboseli Lodge :*** PO Box 30139, Nairobi. ☎ (045) 220-79. Réservation à Nairobi : ☎ (020) 233-88-88, 89 ou 90. Fax : (020) 21-99-82. Réservation à Mombasa : ☎ (041) 231-22-07. Fax : (041) 231-22-19. Au milieu du parc. De 100 à 180 US$ la double selon la saison (80 à 144 €). Près de 120 chambres de bon confort dans des maisonnettes en bois (pour la plupart) qui regardent paisiblement le Kili et qui rappelleraient presque certaines habitations traditionnelles norvégiennes... N'en oublions pas pour autant la piscine. Le meilleur rapport qualité-prix du parc.

🏠 🍽 ***Ol Tukai Lodge :*** à côté du précédent. PO Box 40075, Nairobi. ☎ (045) 52-22-75. Réservation à Nairobi : *Block Hotels,* ☎ (020) 554-07-80 ou 553-54-12. Fax : (020) 554-59-48. • www.blockhotelske.com/properties/oltukai1.htm • Doubles de 130 à 200 US$ (104 à 160 €), selon la saison. Rénové de façon superbe. Là aussi, archi de bois s'intégrant fort bien à l'environnement. Voir l'immense hall à la remarquable charpente. Pour le même prix, demandez une chambre en prise directe avec le *swamp* et les éléphants. On a l'impression que les animaux sont payés par l'office du tourisme pour parader devant le *lodge.* Excellent confort et charme. Chambres spacieuses, intérieur de pierre et belle déco. Piscine dominant l'horizon et terrasse couverte. Buffet copieux.

🏠 🍽 ***Amboseli Serena Lodge :*** PO Box 48690, Nairobi. ☎ (045) 52-26-22. Fax : (045) 52-24-30. Réservation centrale : ☎ (020) 271-10-77. Fax : (020) 271-81-03. • www.serenahotels.com • Doubles à 250 US$ (200 €). Presque 2 fois moins cher en basse saison. Complètement inséré dans l'environnement local et construit dans le style d'une *manyatta* (village massaï). Véritable petite oasis avec beaucoup de fraîcheur. Une centaine de chambres enfouies dans la végétation et joliment décorées avec de l'artisanat massaï et un petit côté design. Elles ne sont pas très grandes mais, peu à peu, la direction entreprend des travaux pour les rendre plus spacieuses. Agréable piscine et multiples terrasses surplombant le *swamp* où il est très fréquent de voir des éléphants ou des Massaïs venant abreuver leurs troupeaux. Excellent accueil et propose une promenade guidée dans le parc.

🏠 🍽 ***Tortilis Camp :*** PO Box 39806, Nairobi. ☎ et fax : (045) 52-21-95. À Nairobi : ☎ (020) 460-40-53 ou 54. Fax : (020) 460-30-66 ou 40-50. • karelipeacock@africaonline.co.ke • Compter près de 440 US$ la double (367 €) et 520 US$ (434 €) avec *package (game drives...).* Réduction de 20 à 30 % en basse saison. Pas moins de 25 US$ le repas pour les non-résidents (21 €). Resto ouvert tous les jours. Situé au sud du parc, presque à la frontière tanzanienne.

Une quinzaine de tentes spacieuses et de très grand confort, protégées par des toits de chaume et dissimulées derrière des bosquets. Ameublement de charme, terrasse avec vue unique sur le Kili et la seule forêt de *tortilis* (acacias parasols) du parc. Superbe salle de bains tout en bois. Environnement bien sûr arboré avec pelouse impeccable ! Belle piscine. Sur la colline, la grande paillote-réception-bar-resto domine la situation. Délicieuse cuisine aux douces connotations italiennes. L'une des meilleures du Kenya. Service excellent. Location de voitures.

Où dormir ? Où manger en dehors du parc ?

À Namanga (côté ouest)

⛺ 🏠 🍽 ***Namanga River Hotel :*** Box 4. Dans le centre-ville. Doubles à 2450 Ksh (25,6 €), sans petit dej'. Possibilité de camper : 300 Ksh (3,1 €) par personne. Resto ouvert tous les jours, midi et soir. Prix moyens. Bungalows simples (w.-c., bains et moustiquaires), mais propres et assez spacieux, dans un grand jardin verdoyant et ombragé. Les uns sont en bois, les autres en pierre avec leurs toits en palmes séchées. Sur le plan culinaire, pas de miracle mais c'est correct. Le soir, on peut papoter dans le petit bar près du feu de bois qui crépite dans la cheminée (lorsqu'il fait froid, vous l'avez compris !).

🏠 🍽 ***Safari Lodge :*** Box 5. À côté du *River Hotel.* Compter 500 Ksh (5,2 €) pour une chambre (*single* ou *double*) et 300 Ksh (3,1 €) par personne pour camper. Resto ouvert tous les jours et repas à des prix d'avant l'indépendance. Entrée décorée de fresques, beaucoup plus rudimentaire, mais manager très sympa qui adore les oiseaux et ambiance bien routarde. Bungalows et sanitaires du genre préfabriqués un peu défraîchis. Grand jardin là aussi. Intéressant pour les petits budgets, mais pour camper, on vous conseille de loin son voisin.

Dans le coin de Kimana (côté est)

🏠 ***Amboseli Sopa Lodge :*** anciennement *Kilimanjaro Buffalo Lodge,* PO Box 72630 Nairobi. ☎ (020) 375-01-83 ou 02-35 ou 374-47-67. Fax (020) 375-04-60. • sopalodges@nbi.ispkenya.com • Nouvellement restructuré, le *lodge* est superbe ; vous y serez accueilli par Bambi, une impala élevée au biberon, et ses 6 descendants. À 25 mn de Kimana Gate, ce *lodge* abrite l'infrastructure de Maisha Trust • www.maishatrust.org •, l'organisme de protection de l'environnement créé par Alexis Peltier, Français enthousiaste et communicatif qui propose des survols de la région en ULM (voir, plus loin, la rubrique « Survol en ULM ») et des safaris en avion.

🏠 🍽 ***Kibo Slopes Cottages :*** à ***Loitokitok*** (au sud de Kimana). À l'entrée de la ville, après la police (bien indiqué). ☎ (045) 52-21-53 ou 20-91. À Nairobi : ☎ (020) 272-54-35. Fax : (020) 271-27-74. • info@kiboslopessafaris.com • Près de 3750 Ksh (38,7 €) pour 2 personnes en *B & B.* Petit hôtel tenu par un Autrichien. Très propre, confortable, bonne nourriture, au pied du Kilimandjaro. Au milieu d'un grand et joli jardin. Chambres plaisantes et confortables avec moustiquaires. Belle salle à manger. Organise des safaris et des treks pour escalader les montagnes du Kenya et de la Tanzanie. Location de voitures (en bon état !) avec chauffeur. Accueil agréable, bref une bonne adresse.

🏠 🍽 Petits ***hôtels*** pas chers du tout à l'entrée de ***Loitokitok.*** Simples mais propres. Idéal pour les petits budgets.

Où boire un verre?

Tous les *lodges* ont leurs bars avec leurs fréquentes animations nocturnes (danses massaïs...) et leurs bières fraîches. Pour parler franchement, on a bien aimé :

🍷 ***The Staff Cantine :*** juste en face d'*Amboseli Lodge.* Si vous ne logez pas dans ce dernier (ou bien au *Ol Tukai Lodge*), il vous sera difficile d'y aller car il est interdit de circuler en voiture la nuit. C'est la cantine et le lieu de résidence de tous les employés des *lodges* du parc. Oh... il ne s'y passe pas grand-chose. Juste quelques pensionnaires qui jouent au billard sous la lumière blafarde des néons après le boulot, qui sirotent un soda ou une bière chaude. Mais c'est surtout l'occasion assez unique de discuter beaucoup plus librement avec le serveur que vous aurez croisé quelques heures plus tôt au *lodge.* Pour un regard qui permet d'approcher certaines réalités... Juste un détail : si vous demandez au personnel du *lodge* de vous y conduire, faites-le discrètement... la direction du *lodge* ne serait pas du tout contente! Eh oui, le prix des boissons (et des bouteilles d'eau) y est 2 fois moins élevé!

La visite du parc d'Amboseli

– *Deux tranches horaires à ne pas rater :* de l'aube jusqu'à 8-9 h et de 16 h à 18 h (après ou avant, la luminosité dictatoriale du soleil tue couleurs et reliefs). D'autant que dans la journée, le Kili est le plus souvent dans les nuages. Le soir, les neiges prennent souvent une délicate teinte rose. Le matin, de bonne heure, il se découvre toujours plus ou moins.
– Un moment étonné par l'aridité du paysage (surtout à l'entrée ouest), vous vous apercevrez vite que le passage incessant de steppes sèches et poussiéreuses aux *swamps* verdoyants (voire luxuriants) se révélera être précisément le grand charme de la visite!
– Plusieurs routes ont été tracées par le passé et tous les carrefours sont balisés avec les kilométrages. C'est l'un des rares parcs que l'on peut sillonner sans guide et sans risque de se perdre.
– Quelques points d'intérêt :

🔭 En venant de Namanga Gate, prendre la route qui traverse le lac pendant la saison sèche (pas de panique, pas une seule goutte d'eau durant cette période). Évidemment, ne pas tenter l'expérience dès les premières pluies! On contemple alors un véritable mirage; au loin, de l'eau partout... mais qui s'évapore au fur et à mesure que l'on s'approche. Une vision quelque peu biblique...

🔭🔭 Si vous arrivez de la Kimana Gate, sur votre droite vont apparaître les ***Olo Kenya Swamps,*** bourrés de toute la faune d'Amboseli (à part les prédateurs). Une véritable arche de Noé en plein air! Avec un peu de chance, un hippo fera même quelques pas sur la berge pour se dérouiller les gambettes.

🔭🔭 En revanche, la photo mythique – avec les éléphants entre vous et le Kili – se réalise dans les 2 autres plaines marécageuses : ***Ol Tukai Orok Swamp*** et ***Enkongo Narok Swamp.*** D'ailleurs, vous aurez vite fait de repérer la concentration de 10 à 20 minibus au « bon spot ».
En particulier, l'Enkongo Narok se traverse au lieu-dit *Sinet Causeway.* De bonnes chances de voir des hippos, éléphants et buffles se rafraîchir.

🔭 ***Observation Hill,*** comme son nom l'indique, permet d'avoir une chouette vue circulaire du parc et une pittoresque plongée sur les *swamps.* C'est le seul endroit où l'on est autorisé (de 9 h 30 à 17 h, en principe) à quitter son véhicule pour marcher au « sommet » (ça ne vous empêche pas de vérifier qu'une bande de hyènes en mal de charognes ne traîne pas par là!).

Survol en ULM

Les ***Ultra Light Machines*** d'Alexis Peltier sont de grosses bécanes qui servent avant tout à établir régulièrement le recensement des éléphants et à étudier les migrations d'animaux. Alexis, photographe, pilote professionnel et résident au Kenya depuis 16 ans, vous invitera à participer à la surveillance des éléphants (il en connaît un rayon) en survolant en ULM la superbe région avec le Kilimandjaro en arrière-plan – il participe avant tout à l'étude et à la protection des voies de migrations animalières, et en particulier celles des éléphants. Ses grosses bécanes sont spécialement préparées tout-terrain ; une contribution de 60 US$ (48 €) pour un minimum de 20 mn de vol. Il peut aussi vous proposer un survol du Kilimandjaro en Cessna 206 pour 160 US$ (128 €) par personne (minimum 2 personnes, maximum 5). Il organise des safaris aériens personnalisés, dans toute l'Afrique de l'Est, hors sentier battu, là où aucune agence ne vous amènera. Compter de 130 à 300 US$ (104 à 240 €) par jour et par personne. Spécialisé dans la prise de vue aérienne et la production de film ou photo. • www.safariavion.com •
– *Renseignements :* PO Box 34304, Nairobi. Contactez Alexis Peltier sur ses portables : ☎ 0733-620-654, 0722-998-315 ou 0722-273-00-05. Satellite : + 88-216-211-070-02. • ulm@iconnect.co.ke • ou • info@safariavion.com • Contact à Monaco : ☎ 06-30-16-02-45.

LA RÉSERVE NATIONALE DE MASSAÏ-MARA

Le « parc » le plus connu et le plus fréquenté du Kenya. C'est la prolongation naturelle du parc du Serengeti en Tanzanie. Ne possède pas le statut de parc, puisque encore habité par les Massaïs.
Le « Mara » concentre tous les superlatifs (le plus beau, le plus grand nombre d'animaux, le seul où l'on ait toutes les chances de voir les « *Big Five* », etc.), occultant quelque peu les ombres du tableau, comme la perte d'identité progressive du peuple massaï. Quelques *manyattas* (villages) subsistent dans l'est de la réserve. Mais ceux qui étaient trop proches des portes d'entrée ont été rasés, afin d'assurer la sécurité des campings voisins. On ne va pas épiloguer sur le sujet ; toujours est-il qu'il reste de moins en moins de Massaïs à l'intérieur de la réserve, chasse gardée du tourisme.
Le Mara, c'est une réserve de 1 800 km² environ, à une altitude moyenne de 1 650 m. Le relief de plaines et collines ondulant mollement à perte de vue, moucheté de bosquets d'acacias et d'arbres isolés est peut-être à l'origine du nom *Mara* qui, en maa (langage massaï), signifie « tacheté ».
Bordé au nord-ouest par l'escarpement d'Esoit Oloololo, qui culmine à 2 000 m et où furent tournées plusieurs scènes d'*Out of Africa.* Au centre et vers l'est, de vastes plaines qui n'engendrent guère la monotonie, géographie tout en nuances, tout en subtilités, sachant varier ses points de vue et les chocs des rencontres avec les animaux. Enfin, à l'est, relief un peu plus vallonné avec les Ngama Hills. La proximité du lac Victoria joue énormément sur les changements de temps. Très capricieux celui-là ! Il peut pleuvoir dans un coin et faire un brillant soleil dans un autre. Même en saison sèche ! Régal des photographes que ces ciels gris comme du plomb pesant sur une savane baignée d'un jaune d'or lumineux.

ET LES ANIMAUX DITS SAUVAGES ?

Ils possèdent leurs territoires, s'y répartissant de façon très précise. Telle antilope ne broutant que les herbes hautes, telle autre passant derrière pour

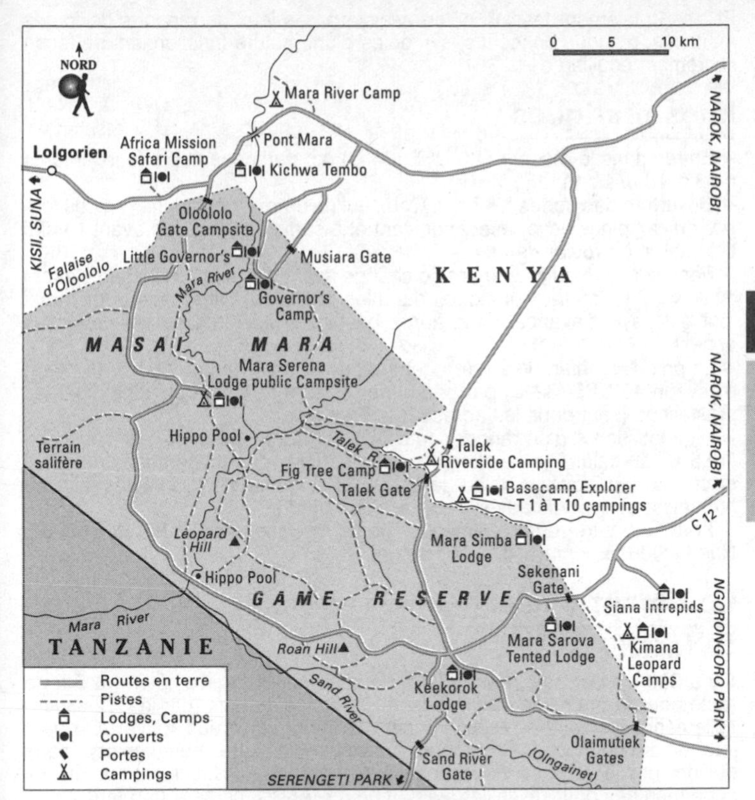

telle couche d'herbe. Enfin, telle gazelle attendant que les deux précédentes aient raboté la prairie pour déguster les toutes jeunes pousses. Il y a ainsi des codes, des règles, des logiques très précises au Mara en termes de déplacements des animaux. C'est ainsi qu'alternent zones étonnamment vides de gazelles et antilopes et d'autres, au contraire, qui les voient se concentrer.

La rencontre avec les prédateurs se fera en revanche de deux façons : classique, lorsque vous ou votre chauffeur aurez recueilli un tuyau d'un collègue ou bien simplement repéré un rassemblement de minibus autour d'un lion ou d'un léopard. Inattendue lorsque, au retour d'une balade sans histoire, le zèbre que vous regardiez d'un œil désabusé se fait soudain cravater par une lionne ou un guépard, devant vous, au moment où vous vous y attendiez le moins. Ça, c'est un truc à rater la photo, d'émotion !

Il y a aussi une chose qu'on nous avait dite : l'accoutumance incroyable des prédateurs aux minibus, mais on ne l'a jamais autant vérifiée que « dans le Mara » (comme on dit entre vieux habitués de la réserve). Les lionnes chassent naturellement, sans tenir compte du fait qu'un ou deux minibus puissent les observer à quelques pas.

Vous serez étonné de la placidité d'un troupeau de zèbres, passant tranquillement à quelques dizaines de mètres de lionnes en position d'affût, pourtant bien visibles des zèbres. C'est qu'entre bébêtes faites pour ne pas vivre ensemble, l'évaluation du danger est fonction de la distance de sécurité entre elles.

Et c'est totalement fasciné qu'on assiste à ces jeux de rapports de forces maîtrisés, presque consentis, symboles d'une nature fonctionnant de façon sacrément équilibrée !

Infos pratiques

– Entrée dans la réserve : 30 US$ (24 €) par personne et par jour ; enfants de 3 à 18 ans : 11 US$ (9 €).
– Ouverture des portes à 6 h 30. Ceux qui ne dorment pas dans l'un des *lodges* ou campings de la réserve doivent être sortis de l'enceinte avant 19 h. Il est interdit de rouler de nuit.
– Pensez à faire suffisamment de change avant d'arriver au Mara (à Nairobi ou à Narok) : les taux pratiqués dans les hôtels sont aberrants et même si tout est payé d'avance, vous aurez besoin de liquide pour les dépenses annexes.
– Le prix d'un safari de 2 h (en général, de 7 h à 9 h et de 16 h à 18 h) est d'environ 40 US$ (32 €) par personne. Ils sont rarement compris dans les prestations (sauf dans les adresses « Très chic »).
– La « location » d'un ranger coûte 500 Ksh (5,3 €) pour 4 h et 1 000 Ksh (10,5 €) au-delà. Elle ne s'impose pas, sauf si vous recherchez un animal discret ou peu courant (rhino, léopard) ou si vraiment vous voulez faire du hors-piste et que vous avez peur de vous perdre.
– Pour tout autre renseignement : The Mara Conservancy, PO Box 63457, Nairobi 00619. • mara1@bushmail.net •

Comment y aller ?

De Nairobi

Il y a 260 km de route, dont 50 km de piste sur la fin. Compter 4 à 5 h de route pour rejoindre en saison sèche les limites du parc (par la C12 essentiellement). De Nairobi, rejoindre ***Narok,*** important nœud routier. On peut jeter un œil au musée, sur la route principale. Quelques banques pour ceux qui ont oublié de faire du change à Nairobi, des stations-service et des supermarchés pour ravitailler les campeurs. Après, ce sera trop tard.

Narok Maa Cultural Museum : ouvert tous les jours de 9 h à 18 h. ☎ (050) 22-095. Entrée : 200 Ksh (2,1 €). Une seule salle, montrant des bijoux et parures massaïs, des ustensiles de la vie courante, armes, gourdes, etc. Reconstitution en plus petit de deux cases massaïs et belles photos.

➢ Pour Sekenani Gate, tourner à gauche 15 km après Narok vers la route C12. Enfin... « route », c'est vite dit. Ça reste quand même un mystère que pour accéder à un parc qui génère tant de millions de dollars, l'état des pistes soit si lamentable ! D'un autre côté, remarquez, ça permet de conserver à la balade un côté expédition, finalement bien dans la tonalité de nos fantasmes !

➢ Pour Oloololo Gate, prendre la direction de Ngorengore par la B3 puis tourner à gauche par la C13 pour Lemek. Même en saison sèche, très éprouvant pour une voiture normale. Et en saison des pluies, seul le 4x4 passe !

De Nakuru

Environ 130 km jusqu'à Narok (par Njoro et Mau Narok). Très rude pour une voiture normale. Là aussi, 4x4 conseillé (et obligatoire en saison des pluies). Renoncer à rejoindre Mau Narok par la « route » d'Elmenteita. Piste totalement défoncée, sans panneaux, avec cent occasions d'en perdre le fil. Il vaut mieux passer par Naivasha ou Nakuru.

De Naivasha

L'ancienne route de Nairobi rejoint plus vite la B3, mais festival de nids-de-poule. Là aussi, pistes sur les côtés bien moins cahotantes que la route elle-même. À main droite, on longe le beau volcan *Longonot.*

De Kericho (dans l'Ouest)

Nouvelle route qui part de Litein jusqu'à Bomet, puis la Mara River. De là, on rejoint l'héroïque C13.

Et pour les fauchés ?

Une excursion au Mara sera peut-être le point d'orgue de votre séjour au Kenya ; malheureusement, ce n'est pas donné. Les voyageurs individuels à petit budget devront prévoir une rallonge pour visiter cette réserve, et un minimum d'organisation afin de réduire les coûts.
Notre astuce : à Nairobi, se grouper avec d'autres voyageurs pour louer un minibus avec chauffeur. À titre indicatif, compter dans les 248 US$ (206 €) par jour. Plus on est (dans la limite des places disponibles, *of course*) plus on économise. Se renseigner dans les *guesthouses* de River Road sur les convois en partance, consulter leurs panneaux d'annonces (voir les « Adresses utiles » à Nairobi) et éventuellement y laisser un mot... Avec un peu de patience, on trouve toujours des copains avec qui partir.
Camper aux abords des *gates,* se faire la tambouille avec les provisions faites à la capitale. Reste le ticket d'entrée, très onéreux. De bout de ficelle en bout de chandelle, on arrive à s'en sortir pour 60 à 70 US$ (48 à 56 €) par jour et par personne.

Où dormir ? Où manger ?

Ne pas se faire trop d'illusions, il y a surtout des *lodges* et des *tented camps,* parfois superbes mais toujours très chers. Les autorités – aidées en cela par les *lodges* existants – ont toujours empêché la mise en place d'une hôtellerie moyenne, ceci afin de préserver le caractère sauvage de la réserve et, accessoirement, les intérêts financiers de tout le monde (sauf des visiteurs). Ce qui est sûr, c'est que les prix dépassent largement le confort et les prestations fournies. Toutefois l'esthétique et l'atmosphère de certains camps sont agréables. Heureusement, il y a aussi des campings, mais au confort très rudimentaire – voire absent...

Campings (environ 740 Ksh - 7,8 € - par adulte)

Deux types de campings les *special campsites* n'intéresseront pas les individuels, car ils doivent être réservés à l'avance contre une somme de 5000 Ksh par semaine (soit 52,6 €), plus le prix de chaque nuit. En plus, ils ne disposent pas tous de l'eau courante. Les *public campsites* sont libres d'accès et possèdent en général un robinet (voire une douche en plein air) et des toilettes à la rude. Toujours se renseigner auprès des rangers avant d'y aller (et pour payer). On peut aussi faire appel à leurs services pour la surveillance, sauf si le camp se trouve à côté d'une entrée (donc gardée). Embarquer la tente et toutes les affaires pendant les safaris.

⛺ ***Riverside Campsite** (KT 15)* **:** au bout de l'E177. À droite de Talek Gate. Belle pelouse pour planter sa tente. Douche et w.-c. rudimentaires, mais l'ensemble est assez bien tenu. Apporter son eau potable.

⛺ D'autres ***public campsites*** avant Talek Gate, de part et d'autre de la rivière. Numérotés de 1 à 10. Possèdent chacun un *pit toilet* (trou à la kenyane), mais pas d'eau (sauf celle de la Talek River, bien sûr). On trouve des magasins au village tout proche.

⛺ ***Ololo Gate Public Campsite :*** au nord-ouest, juste à côté de l'entrée. *Pit toilet* et eau courante (mais apporter son eau minérale). Bien gardé et dans un assez joli coin.

⛺ Possibilité également de camper à l'***Olaimutiek Gates.*** Aucune installation, mais les rangers peuvent vous fournir de l'eau pour vous laver et vous, apportez la vôtre pour boire. Ne rien laisser de valeur, bien sûr, dans la tente, et nourriture bien planquée *because* babouins (ils savent ouvrir les fermetures Éclair, les bougres !).

⛺ ***Mara Serena Lodge Public Campsite :*** juste avant le *lodge* du même nom. Très beau cadre mais isolé et sans aucun aménagement.

– Quant au *campsite de la Sand River Gate,* au sud, personne n'y va plus. Trop dangereux. Situé sur la frontière tanzanienne. Une touriste américaine y fut tuée, il y a quelques années. Dommage, buffles et éléphants s'invitaient parfois au petit dej'.

Prix moyens

⛺ 🏠 |●| ***Kimana Leopard Camps :*** peu avant Sekenani Gate, suivre sur 4 km la piste sur la gauche. Pour écrire : Robert Njapit, PO Box 798, Narok. ☎ 0722-988-094 (portable). Tentes vétustes autour de 2000 Ksh (21,1 €) pour 2, avec douche et w.-c. à l'intérieur. Camping pour 350 Ksh (3,6 €) par personne, avec sa propre tente. Sanitaires communs rudimentaires. Géré par des Massaïs très accueillants, d'autant qu'ils n'ont pas souvent l'occasion de recevoir des clients... Assez rustique, mais pas bien cher. Et là au moins, vous pourrez vous immerger totalement dans la culture locale et apprendre plein de choses en compagnie de vos hôtes. Cuisine traditionnelle sur commande. Organise des safaris.

LODGES ET CAMPS

Les prestations sont assez uniformes : confort classique, buffets de cuisine internationale clonés, sorties identiques. Seules différences notables : la situation géographique et l'environnement immédiat, à choisir avec soin.
Tous les prix indiqués concernent le logement en pension complète (*full board,* 3 repas par jour) pour 2 personnes. La basse saison concerne en général les mois d'avril à juin. La haute saison, eh ben... c'est tout le reste ! Avec parfois même une « très haute saison » autour de Noël et de Pâques.

Plus chic (moins de 200 US$, soit 160 €)

🏠 |●| ***Basecamp Explorer :*** près de Talek Gate, juste en-dehors de la réserve. ☎ (020) 257-74-90 à 92 ou 257-21-39. Fax : (020) 257-74-89. ● www.basecampexplorer.com ● Pour 2, prévoir dans les 203 US$ (168 €). Safaris à pied : 35 US$ (28 €) par personne. Camp écolo créé par un Norvégien et géré par un groupe de jeunes Massaï super sympas. On loge dans des tentes confortables abritées par un toit de paille ; certaines sont sur pilotis. Jolie construction de bois abritant le resto, le bar, et un petit salon en mezzanine avec vue sur la savane. Côté fonctionnement, comme on vous l'a dit, c'est é-co-lo ! L'eau des douches est réutilisée pour l'arrosage en saison sèche au lieu d'être rejetée dans la rivière, l'électricité est solaire et le chauffage de l'eau aussi, les déchets recyclables sont triés et les autres transformés en compost... Sachez que la plupart des camps de la réserve se contentent d'enterrer leurs ordures... Incroyable, non ? Mais au-delà de cette bonne action, le *Basecamp* est un lieu agréable, calme (seulement 15 tentes) et original. Une tour d'observation permet de scruter les animaux qui s'ébattent dans la plaine. Les Massaïs se sont spécialisés dans les safaris à pied : avec 2 ou 3 guides armés de lances, on traque les empreintes de bébêtes, on observe la flore, bref on apprend des tas de choses intéressantes et inoubliables.

🏠 |●| ***Siana Intrepids :*** ☎ (020) 444-66-51 ou 79-29 ou 72-46. Fax : (020) 444-66-00 ou 65-33. • info@heritagehotels.com • Environ 15 km de Sekenani Gate. Piste d'atterrissage à proximité. Compter 150 US$ (120 €) pour 2 en haute saison (mi-juin à septembre), 120 US$ (96 €) en basse (fin mars-mi-juin), et 130 US$ (104 €) en moyenne saison. L'un des moins chers. Fort bien situé, dans un coin vraiment sauvage mais un peu éloigné de la réserve. Environnement de belles essences. Tentes immenses style armée, enfouies dans la végétation tropicale et qu'on atteint par de petits sentiers. Très bon confort, salle de bains impeccable, déco stylée. Excellent accueil et cuisine internationale savoureuse. Jolie petite piscine et activités classiques (payantes, cela va sans dire !) : observation des oiseaux, coucher de soleil, safaris. Un plus pour les familles : des ateliers pour enfants, où l'on apprend à faire du feu comme les Massaïs et à reconnaître les empreintes d'animaux.

🏠 |●| ***Africa Mission Safari Camp :*** à environ 10 km d'Oloololo Gate (fléché). PO Box 15514, Nairobi. ☎ 603-878-45-64 (aux États-Unis). • deborah_aho@hotmail.com • Pour 2 en pension complète, autour de 100 US$ (84 €). Projet de développement (écoles, cliniques...) d'une organisation chrétienne. Géré par un couple d'Américains. Ce camp, qui d'ordinaire loge les collaborateurs des projets, accueille les touristes entre août et décembre. Quelques tentes toutes simples mais avec de bons lits. Et puis il faut dire que c'est vraiment moins cher que la moyenne, sans être trop éloigné de la réserve. Grand préau avec salle à manger, salle de bains et w.-c. communs en dur, extrêmement propres. Au moment où vous nous lirez, le camp se sera probablement agrandi et modernisé. Ce qui ne changera pas, c'est cette superbe vue sur la vallée, ouverte, offerte.

🏠 |●| ***Keekorok Lodge :*** réservations à Nairobi, PO Box 47557. ☎ (020) 253-23-29 ou (050) 225-25 ou 26. Fax : (020) 554-59-48. • wilderness@mitsuminet.com • Au cœur de la réserve. Doubles à 200 US$ (160 €) en haute saison ; autour de 160 US$ (128 €) en basse saison. Un des *lodges* les plus anciens, ouvert en 1965 mais qui a récemment changé de proprio. Architecture vieillissante de grand cottage à l'anglaise. Trois sortes de chambres : de vieux bâtiments rectangulaires au mobilier suranné, décoration tristounette et baignoires vétustes. Les *old timers* leur trouveront peut-être un charme désuet. Un bâtiment en longueur plus moderne, avec baies vitrées dans chaque chambre. Et enfin des chalets en « A », avec une touche un peu moderne. Grand et souvent rempli (quand même 180 places !). Piscine et lac à hippos au bord duquel on peut prendre un verre. À part ça, sachez qu'un zèbre qui avait réussi à se réfugier dans l'hôtel n'en fut pas moins croqué par des lions affamés, juste devant la salle à manger et ses clients médusés. Attention, la direction ne garantit pas le show à chaque fois ! Pour vous consoler, vous pourrez aller caresser Pork Chops, le phacochère de la maison, toujours en mal de tendresse.

⛺ 🏠 ***Fig Tree Camp :*** réservations par *Mada Hotels,* PO Box 40683. ☎ (020) 222-14-39 ou 221-83-21. Fax : (020) 233-21-70. • www.madahotels.com • Près de Talek Gate, dans une boucle de la rivière. Autour de 200 US$ (160 €) pour 2 en haute saison et 155 US$ (124 €) en basse saison. Manque quelque peu d'éclat. Bungalows de bois lambrissé peu intéressants, plan-plan mais confortables. En revanche, tentes sympas donnant sur la rivière. Accès à la réception par une passerelle et possibilité de prendre le thé dans un arbre. Piscine pas bien grande. Le camp se trouvant juste en bord de parc, il y a possibilité de faire un safari de nuit (ce qui est interdit dans le parc) avec d'impressionnants véhicules à 8 roues de l'armée britannique. Départ à 20 h et dîner au champagne ! Le tout pour 40 US$ (32 €) par tête.

🏠 🍽 ***Mara Sarova Tented Lodge :*** proche de Sekenani Gate. ☎ (020) 271-33-33 ou (050) 223-86. Fax : (020) 271-55-66. • www.sarovahotels.com • Compter 120 à 200 US$ (96 à 160 €) selon la saison. Sur un immense espace au gazon coupé au millimètre près, 75 tentes bien aménagées, au mobilier assez banal. Bains et w.-c., terrasse. En fait, ça ressemble au *Siana Intrepids,* mais dans un environnement moins sauvage et avec moins de personnalité dans l'architecture. En revanche, nous sommes à l'intérieur de la réserve. Excellent accueil et atmosphère détendue autour de la cheminée.

Chic (plus de 200 US$, ou 160 €)

Et pour quelques dollars de plus, comme disait Sergio Leone...

🏠 🍽 ***Mara Simba Lodge :*** réservations c/o *Mara Landmark LTD,* PO Box 66601, Nairobi. ☎ (020) 444-44-01 ou (050) 22-590. Fax : (020) 44-44-03. • www.marasimba.com • À la lisière de la réserve, rive sud de la rivière Talek. Compter environ 250 US$ (200 €) en haute saison et 180 US$ (144 €) en basse saison. Le plus remarquable ici, c'est cette architecture de bois et son jeu de niveaux s'intégrant superbement dans l'environnement. Chambres spacieuses et très confortables avec terrasses, disposées en petites unités de 6 chambres le long de la Talek River. Décor et ameublement chaleureux. La nuit, arbres éclairés et croassements des grenouilles prodiguent une atmosphère dépaysante. Bon, question buffet, c'est correct, mais peut vraiment mieux faire (et les desserts, c'est pas leur truc !). Bien entendu, de l'« écolo-luxe » pas donné. Piscine.

🏠 🍽 ***Mara Serena :*** PO Box 48690, Nairobi. ☎ (050) 222-53 ou 221-37. Fax : (050) 223-82. • www.serenahotels.com • En plein cœur de la réserve, dans le Mara Triangle, à 30 km d'Oloololo Gate. Compter 250 US$ (200 €) en haute saison et 150 US$ (120 €) d'avril à juin. Le *lodge* le plus « branché » du Mara ! Il accueille surtout une clientèle de Britanniques en tenue coloniale, nettement moins branchés. Chambres conçues dans le style architectural d'une *manyatta,* c'est-à-dire tout en arrondis et blotties les unes contre les autres, mais relookées selon un concept... afro-psychédélique ! Salle à manger et réception vraiment « tripantes ». Mais le vrai must de ce *lodge* réside dans sa situation. Bâti sur le flanc de la colline Limutu, il bénéficie d'un panorama exceptionnel, avec une vision plongeante à plus de 180° sur le Mara. Le *Mara Serena* est en fait l'un des postes privilégiés lors des grandes migrations annuelles des gnous ! Réservez donc super à l'avance si vous venez en août. La piscine possède une vue unique. Cuisine honorable, massages relaxants au retour du safari. Bref, une adresse tout confort, originale et judicieusement située.

🏠 🍽 ***Kichwa Tembo :*** ☎ (050) 224-64 ou 65. Fax : (050) 225-01. • kichwa@africaonline.co.ke • Compter 330 à 460 US$ (264 à 368 €) pour 2 selon la saison. Mais les safaris sont inclus dans le prix ! Entre les Musiara Gate et Oloolo Gate, un poil en dehors de la réserve. Le *Kichwa Tembo* (« Tête d'Éléphant » pour les intimes) fait un sans-faute dans le registre « calme et volupté ». Son « plus » réside dans la rangée de tentes sur l'immense pelouse à l'anglaise remarquablement entretenue. Il fait bon y rêvasser, face à l'immensité de la plaine qui s'étale au loin et entre deux plongeons dans la délicieuse piscine. Tentes superbes de simplicité et de luxe associés : mobilier en bois précieux, salle de bains tout confort. Côté plaisirs de la table, menu très honnête sans être inoubliable mais jolie carte des vins. Accueil souriant et très sympa ; spectacles de danse et musique chaque soir.

Très chic (plus de 500 US$, soit 400 €)

🏠 🍴 ***Governor's Camp et Little Governor's :*** réservations, PO Box 48217, Nairobi. ☎ (020) 273-40-00. Fax : (020) 272-64-27. • www.governorscamp.com • Accès par Musiara Gate ou par avion. Pas moins de 580 US$ pour 2 (464 €, incluant le lavage du linge et les safaris, Dieu merci !) et 350 US$ (280 €) en avril, mai, juin et novembre. Les clients paieront cher l'illusion de vivre au bon vieux temps de Karen Blixen. C'est l'un des plus chers, et à vrai dire on a du mal à justifier de tels tarifs. La seule explication, c'est probablement que la direction souhaite « faire le tri » de ses clients : n'entrent que les vraiment riches, d'où une atmosphère d'exclusivité renforcée par le petit nombre de places (seulement 34). Tentes kaki spacieuses, un peu élimées. Sanitaires en brique et décoration simple. Pour gagner le camp original, *Governor's Camp,* il faut prendre une barque sur la Mara River puis embarquer à bord d'un *Land Rover* ancien modèle. C'est Indiana Jones au pays des voyageurs fortunés ! Le *Governor's Camp* fut longtemps réservé aux autorités coloniales anglaises, et c'est ici qu'on amenait les membres de la Couronne et invités prestigieux. Pas de piscine, par contre, il faut aller au *Kichwa Tembo* (oui, à ce prix-là !). Cuisine d'excellente facture servie par des mitrons en toque blanche.

– D'autres *lodges* pour finir, qu'on a exclus de notre sélection : le *Mpata Safari Club,* fréquenté par les Japonais, étale luxe et clinquant inutiles ; le *Mara Safari Club* est très éloigné au nord de la réserve. Le *Sopa Lodge* (au sud de la réserve) est franchement surpeuplé. Le *Buffalo Safari Club,* à plus de 1 h de la frontière nord du parc, ne trouvera grâce qu'auprès de nos lecteurs voulant affûter leur langue allemande... Enfin, le dernier-né, l'*Olonana Camp,* propose une formule de safaris et de nourriture « à volonté », sur un joli site... mais à un prix définitivement inaccessible : plus de 700 US$ pour 2 personnes !

La visite du Mara

🐘🐘🐘 Recommandé d'avoir au moins 2 jours pleins dans le parc pour pouvoir en apprécier toutes les facettes. Dans cette arche de Noé sur terre, on trouve des animaux partout. Certains Européens visitent sans chauffeur, ni guide. C'est possible. Dites-vous quand même que ce sont souvent des expats ou des coopérants déjà familiarisés avec le pays. En période de saison sèche, les routes sont bonnes et il y a peu de risques de se perdre si l'on se contente des grands axes portés sur la carte.
Hors l'intérêt du Mara, c'est surtout les nombreuses pistes qui sillonnent la savane et, également, la possibilité du hors-piste. C'est le seul parc où il est autorisé. Mais là, on se retrouve enfermé dans une contradiction : même si l'appauvrissement de la végétation est moindre dans le Mara qu'ailleurs, grâce à la pluviométrie, il reste que des plantes ou jeunes arbustes écrasés par les roues d'un 4x4 mettront des mois, voire des années à se reconstituer. Donc, hors-piste à user avec parcimonie ! D'autant plus que la panne ou le risque de s'embourber en pleine nature, c'est pas du gâteau. On a connu le cas de 4 touristes tombés en rade à seulement 1 km de leur *lodge* – et qui s'étaient dit qu'ils pouvaient rentrer à pied. Eh bien, au bout de quelques centaines de mètres, pistés par une bande de hyènes affamées (mais en existe-il d'autres qu'affamées ?), ils durent se réfugier dans un arbre et y passer la nuit (une chance, il n'y avait pas de léopard dans l'arbre !). Il y a toujours la possibilité de se faire accompagner par un ranger

pour la journée. Demander aux *gates* ou dans les hôtels. Prix fixes (voir la rubrique « Infos pratiques ») mais ne pas oublier le caractère « obligatoire » qu'a pris le pourboire dans la tête des rangers. L'idéal, c'est de tomber sur un vrai « guide animalier ». Il y en a des fabuleux, capables de reconnaître excréments et empreintes pour déterminer le moment du passage d'une bête, de distinguer un serval à 300 m dans les hautes herbes ou de retrouver un léopard hors piste (avec un 4x4 bien sûr), alors que les minibus des agences se sont contentés de l'entrevoir depuis la route (et ne peuvent le suivre, *of course*!). Ne pas hésiter à lui demander de sortir des sentiers battus aussi. Pour surprendre des animaux bien sûr, mais surtout pour pouvoir rêver un peu. Quinze minibus en demi-cercle autour d'un lion en train de disputer paresseusement une patte de buffle à des charognards, ça manque vraiment de crédibilité et de poésie.

– ***Les sorties annexes :*** les *lodges* proposent tous des balades ornithologiques, des sorties « hippopotames au crépuscule », des pique-niques dans la brousse *(bushmeals)*. Compter 30 ou 40 US$ (24 à 32 €) par personne. Dans un autre genre, le survol du parc en ballon. Un rêve réservé aux grandes occasions : il n'en coûte pas moins de 385 US$ (308 €) par personne pour à peine plus de 1 h de vol! Prix identiques quel que soit l'endroit où vous réservez.

Où trouver les bébêtes?

– ***Les lions :*** ils se rencontrent quasiment partout, mais leur terrain de chasse de prédilection, c'est l'angle nord-ouest de la réserve, au pied de l'Esoit Oloololo Escarpment. Dans l'immense Paradise Plain, c'est un délice de voir les lionnes en chasse ou à l'affût sans que les véhicules ne paraissent les déranger. On a aussi rencontré des groupes importants dans les environs d'Olaimutiek Gate.

– ***Les guépards :*** l'observation des guépards perturbe gravement leur existence. Le guépard est gêné dans ses manœuvres par la traque des touristes qui révèlent sa présence de façon intempestive aux futures proies (gazelles et antilopes principalement). Son tableau de chasse diminue. Il devient moins efficace et forcé, à la longue, de changer parfois ses habitudes de chasse en abandonnant les périodes du matin et du soir pour le milieu de la journée. Moins de touristes, certes, mais il fait très chaud et le moment est évidemment moins favorable pour capturer des proies!

– ***Les léopards :*** à Léopard Gorge surtout, dans le triangle Musiara, *Mara Bridge* et *Mara Paradise Lodge*. Pas toujours simples à trouver. Ils passent toute la journée perchés sur les branches basses : essayez de repérer une queue annelée qui pendouille!

– ***Les éléphants :*** on retrouve souvent des groupes d'éléphants dans les grandes plaines centrales autour des bosquets, dans les couverts jalonnant les rivières (Talek, Mara, etc.). En fait, pas de problème, on est vraiment gâté!

– ***Les autres animaux :*** à la lisière des zones boisées et de la savane, les girafes. Buffles, dik-diks, kongonis et les quelques rares rhinos dans la Paradise Plain et dans la partie sud-est (le Bushland). Les grandes plaines centrales sont le royaume des zèbres, gnous, gazelles, phacochères, autruches et antilopes, plus les groupes d'éléphants itinérant d'une zone boisée à l'autre.

Ne soyez pas étonné de trouver de grandes étendues vides d'animaux, puis soudain d'en découvrir riches en faune. On pense généralement qu'outre le « broutage » d'herbe interactif (expliqué dans l'intro), les herbivores et autres *delicatessen* des gros chats se regroupent en un « réflexe anti-prédateurs ». En se nourrissant ensemble, toutes ces espèces pourtant différentes peuvent compter sur la vigilance des autres pour donner l'alerte en cas de danger. Hippos et crocos abondent dans la Mara River.

LA GRANDE MIGRATION DES GNOUS

L'un des temps forts du Mara, c'est la grande migration des gnous deux fois par an. Dans cet immense écosystème de 25 000 km² que représentent les parcs du Mara et du Serengeti, il se passe chaque année un étonnant phénomène. À partir de fin juin-juillet, de 1 million à 1 million et demi de gnous, accompagnés de quelques centaines de milliers de zèbres et gazelles de Thomson, transhument du sud du parc du Serengeti (en Tanzanie) vers le Mara. Pour une raison simple : au sud, l'herbe se fait rare, tandis que le Mara connaît dès mars-avril de fortes pluies (jusqu'à 1,20 m par an dans les Musiara Swamps au nord du Mara !). Quelques semaines avant la migration, toutes les femelles sans exception sont fécondées par des mâles survitaminés. Puis, poussées par une fantastique et mystérieuse pulsion, les centaines de milliers de bêtes partent en trombe vers de nouvelles pâtures.
Les itinéraires varient un peu d'une année sur l'autre. En revanche, pour les passages de rivières (grossies par les pluies), notamment sur la Grumeti (en Tanzanie) et la Mara, les hordes de gnous utilisent à chaque fois deux ou trois gués rituels. Et, chose incroyable, pas les plus faciles ! Le passage peut se révéler très abrupt, étroit, au point que dans leur folle précipitation, les gnous plongent, s'écrasent les uns sur les autres... Les plus faibles étouffent, se brisent les membres. Plusieurs milliers de bêtes se noient, au grand bonheur des crocos pour qui c'est le banquet du siècle. Charognards divers, vautours, marabouts, hyènes et chacals se partagent le reste. En tout cas, à cette occasion, on mesure l'extraordinaire équilibre écologique de la nature quand l'homme ne s'en mêle pas. Tout est nettoyé proprement. En outre c'est, pour les jeunes lions en rupture de meute et encore trop jeunes pour utiliser les services de femelles chasseuses, l'occasion de ne pas crever de faim. Traînards malades, jeunes paumés et épuisés assurent leur survie...
Cette ruée quasi suicidaire demeure pour le moment un mystère ! Simple instinct ancestral qu'aucune étude scientifique n'a jamais pu vraiment expliquer ? Moyen pour les gnous de se débarrasser de leurs collègues les plus faibles ? Les colonnes de gnous peuvent atteindre plusieurs dizaines de kilomètres de longueur. Elles parviennent au Mara de fin juillet à septembre. Rejointes d'ailleurs par d'autres venant des Loita Plains, au nord.
Lorsque l'herbe du Mara aura été bien tondue, aux alentours d'octobre, les gnous se remettront en marche vers le sud avec la même énergie. C'est à nouveau la saison des pluies là-bas. Pour les femelles, nécessité d'arriver à temps pour mettre bas. À partir de décembre, les petiots vont naître par centaines de milliers, se mettre sur leurs papattes, apprendre à échapper aux hyènes et chacals et... se préparer à la prochaine migration.
Ainsi en va-t-il de la vie des gnous, routards à vie, mais franchement monomaniaques dans leurs destinations !

L'OUEST

LES LACS DE LA RIFT VALLEY

Partie kenyane de la très longue faille (7 000 km !) qui disloqua le continent africain de la mer Morte au Malawi, la Rift Valley aligne tout du long de magnifiques lacs et de spectaculaires dépressions. Du nord au sud, vous trouverez les lacs *Turkana* (traité à la fin), *Baringo, Bogoria, Elmenteita, Naivasha, Magadi* (traité dans les environs de Nairobi) et *Natron* (en Tanzanie). Bordés de hautes falaises et d'anciens volcans. Vallée pas linéaire du tout d'ailleurs, cassée en maints endroits, offrant d'étonnants contrastes géographiques et climatiques. Dans ses portions les plus larges, la dépression peut atteindre 100 km !

0 20 40 km
OUGANDA
NASOLOT NAT. RES.
Nasolot
A 1
Soroti
A 104
Kapohorwa
Akeriemet
Chitui
C 45
Elgeyo Ma
Kapenguria
4 321
Mt Elgon
Kipsain
Endebess
SAIWA SWAMP NAT. PARK
Mbale
MT. ELGON NAT. PARK
C 45
Kitale
Cherangani
Chebiemit
A 1
Tororo
Iter
A 104
Webuye
A 109
Bungoma
A 104
C 51
Tambac
KAMPALA
Busia
Eldoret
C 31
C 33
C 39
Chepkc
Mumias
C 40
Kakamega
A 104
C 39
Kapsabet
Yala
B 1
Nandi Hills
Équateur
Usenge
Ndori
Kisumu
Ahero
C 35
Rusinga
LAC
Mfangano Island
1 752
Paponditi
Mt. Homa
Kendu Bay
Kericho
VICTORIA
Mbita
Homa Bay
C 23
Ongeng
A 1
RUMA N. PARK
Kisii
Sotik
C 20
B 3
C 18
Rongo
Bome
Keroka
Karungu
Kapkimolwa
Migori
Ngorengore
C 13
Nyabikaye
Talek Riv.
Mara River
MASAI MARA NAT. PARK
Keekorok Lodge
TANZANIE

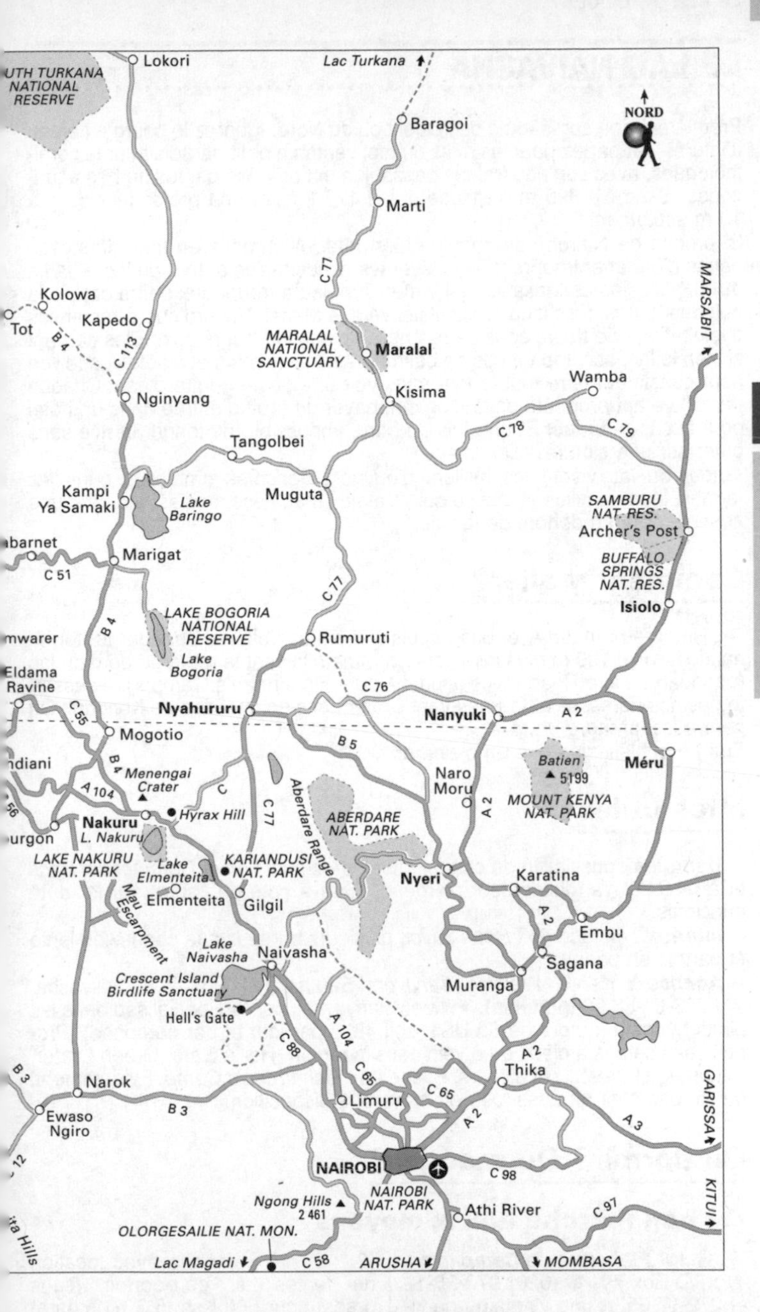

L'OUEST DU KENYA

LE LAC NAIVASHA

IND. TÉL. : 050

Première étape sur la route de l'Ouest ou du Nord. Ignorez le bourg – de peu d'intérêt – et partez pour les rives du lac, véritable petit paradis pour les ornithologues, avec son eau fraîche passablement envahie par les herbes aquatiques. Situé à 1 890 m d'altitude, il fait 177 km² et une profondeur de 7 à 10 m seulement.
Si proche de Nairobi, on imagine bien que les Anglais en firent leur résidence d'été et entreprirent de cultiver les riches terres autour du lac. À la fin du XIXe siècle, les Massaïs, qui y menaient leurs troupeaux paître depuis la nuit des temps, furent donc expulsés vers le Mara ! Aujourd'hui, d'immenses exploitations de fleurs sous serre ont remplacé les troupeaux. Elles cernent si bien le lac, accompagnées de bâtiments administratifs et d'hôtels, que l'on peut quasiment faire tout le tour sans voir une seule goutte d'eau. Chaque parcelle étant propriété privée, on doit payer un droit d'entrée dans un hôtel pour accéder au lac. Et une fois au bord, impossible de longer la rive sans buter sur une clôture... Dommage.
Autour du lac vivent les milliers d'ouvriers agricoles employés dans les fermes, leurs familles et tout ce qui va avec : magasins, écoles, etc. Bref une nouvelle ville en dehors de la ville.

Comment y aller ?

➢ Nombreux *matatus* et bus depuis Nairobi et Nakuru. Changer au terminal de la ville, 100 m plus loin, pour un *matatu* faisant la route du bord du lac (panneau « Lake Road », « Kongoni » ou « Fisherman's Camp »). Il dessert toutes nos adresses et tourne avant Crater Lake en direction de Kongoni. On peut aussi prendre un taxi.
Train à oublier : il arrive en pleine nuit.

Infos utiles

– ***Banques :*** possibilité de changer ses euros à la *Kenya Commercial Bank* et à la *Barclays* (distributeur d'argent), l'une à côté de l'autre sur la route principale.
– ***Internet :*** en face de l'*Hôtel Silver,* plusieurs bureaux à la connexion lente et parfois en panne.
– ***Agence :*** *Kenya Walking Survivors Safaris.* PO Box 746, Naivasha. ☎ 0733-62-88-99 (portable). • www@kenyawalk.com • Spécialisée dans les petits budgets (autour de 60 US$, soit 48 € par jour et par personne). Propose des safaris à pieds ou à vélo dans la région (Hell's Gate, Green Crater, Kakamega Forest...) et ailleurs. Basée au *Fischerman's Camp.* Évidemment, qui dit pas cher dit aussi peu de moyens à disposition.

Où dormir ? Où manger ?

De bon marché à prix moyens

⛺ 🏠 🍽 ***Fisherman's Camp*** *(plan, 1) :* PO Box 79. ☎ (020) 272-30-12 et 272-17-65. À une vingtaine de kilomètres au sud de Naivasha Town, en bord de lac. En camping, 200 Ksh (2,1 €) par personne avec location de tentes ; lit en dortoir (sans draps) pour 500 Ksh (5,3 €) ; chambres pour environ 800 Ksh (8,4 €) et *bandas self-contained* autour de

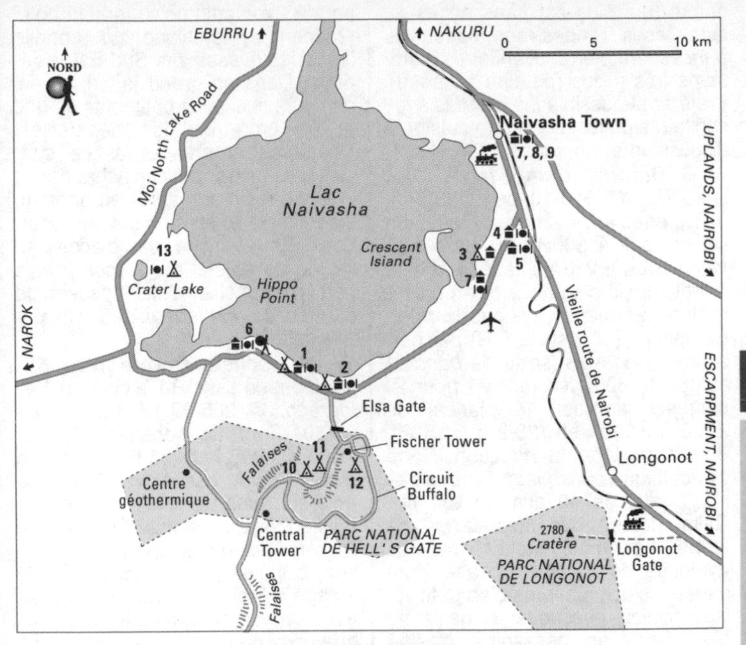

LE LAC NAIVASHA

■ Adresses utiles

- Gares ferroviaires

Où dormir ? Où manger ?

1 Fisherman's Camp
2 YMCA
3 Burch's Camp
4 Yellogreen Hotel
5 Fishers Towers
6 Elsamere Conservation Centre
7 Lake Navaisha Country Club
8 Hotel Silver
9 La Belle Inn
10 Endachata Reserve Camp
11 Naiburta Campsite
12 Camping Ol Ndumbai
13 Crater Lake Camp

À voir

6 Elsamere Conservation Centre

1 000 Ksh (10,5 €). Au resto, steak, tilapia ou *crayfish* entre 300 et 500 Ksh (3,1 et 5,3 €) et quelques snacks. Remarquablement situé en bord de lac, dans un parc arboré de *yellow fever trees.* Tous les modes de logement pour toutes les bourses. Espace de camping génial. Les *bandas* sont adaptés pour de petites familles (4 personnes), bien équipés pour ceux du bas (douche chaude matin et soir, w.-c., cuisine avec ustensiles). Les *bandas* du haut, plus rustiques, possèdent une belle vue sur le lac et sont plus frais. Droit d'entrée de 100 Ksh (1 €) pour les visiteurs à la journée. Nombreuses activités : bateau à rames ou à moteur, location de vélos, et même ski nautique !

***YMCA** (plan, **2**) :* Lake Rd, PO Box 1006. ☎ 501-90 ou 0733-999-472 (portable). • ymcacamp@maf.org • Avant le carrefour pour l'Hell's Gate. Camping pour 150 Ksh (1,6 €) par personne, location de tentes. Lit autour de 250 Ksh (2,6 €) en dortoir et 350 Ksh (3,7 €) en *self-contained.* Tous avec draps et moustiquaire. Fausse AJ (pas besoin de carte) sympa ; en revanche, le terrain est plutôt sec et sans ombre, qui plus est sans accès au lac. Cases rondes sommaires ou *bandas* en pierre. Sanitaires communs très rudes (douche au seau). Préférer si possible les *bandas* avec sanitaires privés. Il y a une cuisine à disposition et un accès Internet.

⛺ 🏠 ***Burch's Camp** (plan, 3) :* Lake Rd. ☎ 210-10 ou 0733-660-372 (portable). • vineyard@africaonline.co.ke • À 300 m du *Lake Naivasha Country Club,* sur la droite. Attention, simple pancarte en bois à l'entrée du chemin, ne pas la rater. Camping : 200 Ksh (2,1 €) par personne ; *rondavals* (sorte de *bandas*) autour de 600 Ksh (6,3 €) pour 2 ; *cottages* familiaux (4 places) de 2200 à 3000 Ksh (23,2 à 31,5 €). Bon accueil de la direction : une sympathique *british lady,* naturalisée il y a plus de 40 ans, et son fils. Calme total. Vous êtes dans une ferme. Les maisonnettes malindis (typiques de la côte océane) font penser aux chaumières d'un petit village gaulois que nous connaissons bien. Salon en mezzanine, cuisine en bas (plaques électriques), lits avec moustiquaires, douche et w.-c. Bref du charme et du confort. Dehors, grande et belle pelouse. Réservation conseillée, surtout le week-end.

🏠 🍽 ***Yellogreen Hotel** (plan, 4) :* au tout début de Lake Rd. ☎ 203-02-69. Compter 2000 Ksh (21 €) pour 2 avec petit déjeuner. Un hôtel vraiment sympathique qui rappelle les *guesthouses* du Sud-Est asiatique. Dans un grand jardin envahi de fleurs, plusieurs bâtiments de bric et de broc, un rien dépareillés. Chambres propres et assez spacieuses, avec douche chaude et w.-c. Le resto agréable sert une cuisine simple et les prix savent rester doux. En revanche, pas d'accès au lac de ce côté-ci de la route, mais rien n'empêche d'aller passer la journée au *Fisherman's Camp* par exemple.

🏠 🍽 ***Fischers Towers** (plan, 5) :* au début de Lake Rd, à côté du *Yellogreen.* ☎ 205-03-13. Fax : 203-05-40. Pour une double, compter 1500 à 1800 Ksh (15,8 à 19 €) en *B&B.* Resto, bar et réception se trouvent dans de jolies bâtisses de bois au toit de chaume. Chambres à l'arrière, de toutes les tailles et assez inégales. De la *single* genre « cage à lapin » à la suite immense avec salon et baignoire, il y a un pas que vous pourrez aisément franchir, vu les prix modestes. Eau chaude et w.-c. dans chaque piaule. Tables disséminées dans le jardin, ombragées par des paillotes. Cuisine peu engageante.

– Camping possible dans le parc national de *Hell's Gate Park,* face à la *YMCA* : voir le chapitre concerné plus loin.

Plus chic

🏠 🍽 ***Elsamere Conservation Centre** (plan, 6) :* PO Box 1497, Naivasha. ☎ 202-10-55 ou 0722-648-123 (portable). Fax : 202-10-74. • elsamere@africaonline.co.ke • À 25 km de Naivasha Town. Dans la demeure-musée de Joy Adamson. Compter environ 140 US$ (112 €) pour 2 en pension complète. Les enfants de moins de 7 ans ne sont pas acceptés. Pour les visiteurs extérieurs et sur réservation, repas entre 650 et 1000 Ksh (6,8 et 10,5 €). Notre adresse préférée dans le coin ! Presque une maison d'hôtes tant l'atmosphère est paisible et l'accueil personnalisé. Situées en bord de lac (sur lequel vous pouvez d'ailleurs naviguer parmi les hippopotames), cottages confortables dans un parc arboré, assidûment fréquenté par les étonnants singes colobes (ceux avec des franges !). Jolie décoration à l'anglaise, avec des portraits réalisés par Joy Adamson que l'on retrouve jusque dans la salle à manger. Copieux petit dej', buffet pour le *lunch* avec tables et chaises dans le jardin et table d'hôte commune le soir. Excellente cuisine, réellement ! Ne pas oublier d'aller faire un tour au petit musée consacré à Joy ou de prendre un excellent *afternoon tea* (lire la rubrique « À voir »).

Très chic

🏠 🍽 ***Lake Naivasha Country Club*** *(plan, 7)* **:** Lake Rd. ☎ 211-60 ou 209-25. Fax : 211-61. Réservations auprès de *Block Hotels,* PO Box 40075, Nairobi. ☎ (020) 253-54-12. Fax : (020) 254-59-48. • blockreservations@net2000ke.com • Doubles autour de 190 US$ (152 €) en *full board* en haute saison. Vieil hôtel *british* situé dans un parc majestueux. Malheureusement, les bungalows en dur face au jardin connaissent déjà le revers de la médaille des modernisations hâtives : sanitaires vieillissants, plus quelques problèmes d'électricité. Les vrais « plus » vont surtout au grand salon aux profonds fauteuils devant le bel âtre, à l'élégant *afternoon tea* dans le jardin, au buffet impressionnant, ainsi qu'au magnifique et immense snooker qui prend une pièce à lui tout seul ! Piscine, ponton sur le lac autour duquel paissent zèbres et waterbucks. Accueil et service plutôt agréables. Vous l'aurez compris, l'hôtel vaut surtout pour le site superbe. Accès aux visiteurs extérieurs autorisé, mais entrée payante : 100 Ksh (1 €). Location de vélos.

À Naivasha Town

Éviter de dormir dans les hôtels de la ville, bruyante et polluée. Pour dépanner :

🏠 🍽 ***Hotel Silver*** *(plan, 8)* **:** juste en face de la station de *matatus* en provenance de Nairobi. ☎ et fax : 202-08-74. • joshuaotieno@yahoo.com • Compter 1 000 Ksh (10,5 €) la double. Repérable à sa façade rose bonbon. Chambres pimpantes et propres avec moustiquaire, douche et w.-c. Très bien tenu, c'est ici que descendent souvent les chauffeurs de touristes. Et pour le routard, l'occasion de faire une étape économique. Beau petit snack-café.

🍽 ***La Belle Inn*** *(plan, 9)* **:** Moi Av., PO Box 532, Naivasha. ☎ 202-10-07. Plats entre 300 et 400 Ksh (3,2 et 4,2 €). Le seul resto digne de ce nom en ville. Il fait aussi hôtel, mais tellement à l'abandon qu'on ne vous le recommande pas ! Jolie maison coloniale de 1922 toute blanche, avec colonnade en terrasse. Vieux parquets et nappes vichy à l'intérieur. Ça fait un peu saloon au milieu de la bourgade. Nourriture correcte, bien qu'un peu grasse. Plats de poisson (tilapia, *crayfish, black bass*), de viande et quelques spécialités indiennes. Deux bars pour se désaltérer, mais on a un faible pour la nostalgique terrasse extérieure.

À voir

★★★ ***Crescent Island :*** presqu'île en forme de croissant de lune, c'est le bord émergé d'un petit cratère volcanique. Pour les amoureux de la nature, une superbe balade. Afin de bien profiter de l'île, prévoir au moins 2 h.
Pour y aller, 3 solutions : la plus sympa, en barque à moteur au départ du ponton du *Lake Naivasha Country Club.* Balade d'une dizaine de minutes jusqu'à l'île ; compter à peu près 1 000 à 1 200 Ksh (10,5 à 12,6 €) par personne selon le nombre de passagers. Réserver la veille au *Club* ou au *Fisherman's Camp* et convenir d'une heure précise pour le départ et le retour. Il y a aussi possibilité d'y accéder en voiture. Peu avant le carrefour qui mène au *Hell's Gate,* vous apercevrez un petit panneau « Sanctuary Farm ». Traverser la propriété privée, qui est en fait un club de polo, et tourner à droite à la fourche. Continuer jusqu'à une grille et une maison où il faudra payer un droit d'entrée de 1 000 Ksh (10,5 €) environ + 300 Ksh (3,2 €) pour garer le

véhicule. Mais il est bien plus rapide d'aller à Crescent Island à pied, en longeant la rive depuis le *Country Club* jusqu'à ladite maison : 5 mn de marche ! Dès la longue et étroite jetée en bois, le spectacle du ballet des oiseaux se révèle en soi déjà merveilleux : ibis, pélicans, hérons et autres échassiers, aigles pêcheurs, tisserins, « étourneaux superbes », pies-grièches fiscales tournent, paradent, virevoltent ou semblent soudain figés sur une branche pour la postérité, voire pour l'éternité, au diable l'avarice !
Débarqué sur place, partir à droite, vers la pointe. C'est la partie la plus intéressante. Balade en sous-bois en zigzaguant entre les buissons épineux. Sensation de calme et sérénité totale. On surprend alors des troupeaux de gnous peureux, des gazelles de Thomson et des zèbres, ainsi que des waterbucks, quelques girafes. Mais comme tous les animaux fuient à votre approche, mieux vaut emporter ses jumelles ! Et puis, curiosité du lieu, ces gazelles de Grant, dites « albinos », presque totalement blanchies par le temps en raison de l'absence de prédateurs sur l'île ! En fait, le seul prédateur présent est un petit chacal gris. Pour vous, donc, l'une des rares occasions de marcher librement en toute sécurité au Kenya. Nombreux cormorans nidifiant sur des moignons d'arbres morts à fleur d'eau, superbes aigles pêcheurs avec leur tête blanche... À la pointe de l'île, le long du cours d'eau, peut-être des hippos (mais sans garantie !). Attention, les grands waterbucks mâles peuvent être vindicatifs si l'on s'approche trop d'eux ; ils nous perçoivent alors comme un danger. Nez à nez, dans un sous-bois, c'est à nous de le contourner !

L'Elsamere Conservation Centre *(plan, **6**)* **:** voir « Où dormir ? Où manger ? ». Ouvert tous les jours de 15 h à 17 h 30. Visite : 400 Ksh (4,2 €). C'est l'ancienne demeure de Joy Adamson, zoologue spécialiste des lions, guépards et léopards, écrivain et très grande artiste peintre.
En 1956, son mari George fut contraint de tuer un lion qui l'attaquait. Il recueillit ses petits, dont la lionne Elsa qui devint la vedette d'un livre, puis d'un film, *Born Free*. Les Adamson achetèrent leur maison en 1967, mais c'est surtout Joy qui y vécut et y écrivit, George préférant la région semi-désertique du Kora (près du parc de Méru) pour y étudier ses lions.
Maison pleine de souvenirs, quasi-lieu de pèlerinage pour les amoureux de la nature et de l'œuvre des Adamson. Jardins magnifiques où évoluent les fameux colobes, ces singes noirs et blancs à l'élégante fourrure à franges. Lors de la visite de la maison, vous admirerez surtout les peintures originales de Joy, notamment la première fleur qu'elle peignit. Livres, photos, objets personnels, souvenirs, sa boîte de peinture, tout évoque cette forte personnalité.
(Sur Joy et George, voir aussi notre cahier « Vie sauvage » en fin d'ouvrage.)
Projection d'une vidéo de 40 mn et *afternoon tea* à 16 h sur l'agréable terrasse (très bons gâteaux). Expo sur l'environnement et boutique. Possibilité de location de bateaux et tours guidés pour l'observation des oiseaux. Enfin, quelques chambres pour y prendre pension.

Le Crater Lake Game Sanctuary : à une quarantaine de kilomètres de Naivasha Town. On s'y rend par Lake Rd. Les *matatus* prennent cette route, mais tournent au carrefour de Kongoni. L'idéal est d'avoir un vélo ou de prendre un taxi. Ouvert de 7 h à 18 h. Entrée : 100 Ksh (1 €) par personne et 50 Ksh (0,5 €) par véhicule.
Un peu oublié des circuits touristiques, ce lac de cratère est un joyau pour sa couleur émeraude, même si ses dimensions sont modestes. Cela permet d'ailleurs d'en faire le tour à pied sans guide : compter 1 h pour le lac et 2 h si l'on suit le rebord du cratère. C'est l'endroit idéal d'observation des singes colobes. Sinon, 38 espèces d'animaux : buffles, zèbres, girafes, dik-diks, impalas, léopards...

⛺ ***Campsite*** à environ 1 km de l'entrée du parc, tout droit. Seulement 150 Ksh (1,5 €) par personne. Douche et w.-c à disposition, ainsi qu'un petit coin à barbecue.

🏠 🍽 ***Crater Lake Camp*** *(plan, **13**)* : réservations à Naivasha : ☎ 202-06-13 ou 202-13-72. • crater@africaonline.co.ke • En pension complète, compter 10 500 Ksh (110,5 €) pour 2. Repas sur réservation : autour de 850 Ksh au déjeuner et 950 Ksh au dîner (8,9 et 10 €). Camp de toile superbe au bord du lac. Paradisiaque et diablement bien intégré dans la nature. Tentes confortables. Il y a même une suite nuptiale géniale, isolée, avec double jacuzzi et vitraux dans la salle de bains. Très bon accueil et peu de monde, donc au grand calme. Même si l'on n'y dort pas, on peut toujours venir y dîner en amoureux.

LE PARC NATIONAL D'HELL'S GATE

Appartenant au même parc national que le Longonot, Hell's Gate propose un paysage très différent, très, très sec. L'attrait principal du parc se situe dans la descente à pied des gorges, qui ont quelque allure de Pétra par endroits (c'est en Jordanie, on vous le rappelle !). Bien qu'il soit classé parc national, il est autorisé d'y circuler à pied et à vélo.
Hell's Gate est aussi le siège d'une importante activité géothermale. La vapeur d'eau qu'on va chercher parfois jusqu'à 1 700 m de profondeur fait jusqu'à 350 °C. Elle permet la production de l'électricité d'une bonne partie du Kenya.

Comment et quand y aller ?

Le parc se trouve sur la gauche de la route du lac (en direction de Crater Lake), peu après la *YMCA*. Des *matatus* l'empruntent à une fréquence peu élevée. Se faire déposer à l'embranchement, puis finir à pied jusqu'à l'entrée (1,5 km environ). Ouvert de 6 h à 18 h. Tarifs : 15 US$ par personne (12 €) ; réduction enfants.
Il serait trop long d'aller jusqu'au canyon à pied dans la journée, mais on peut camper dans la première vallée avant de se rendre le lendemain au canyon. Très conseillé d'effectuer cette balade dès l'aube. D'abord, beaucoup plus d'animaux, *of course* ! Ensuite, la chaleur, à partir de 10 h, est terrible. Dans cette vallée encaissée, ça devient un vrai four et, pour les cyclistes, c'est l'enfer !

Conseils élémentaires

– Même si la randonnée dans Hell's Gate ne demande pas d'expérience particulière, se munir d'excellentes chaussures de marche, car passages délicats, très glissants parfois, et sentiers bien usés.
– Ne pas oublier chapeau, nourriture et beaucoup d'eau.
– Ne jamais marcher seul et, s'il pleut fort, se renseigner auprès des rangers sur les possibilités de montée brutale des eaux dans la gorge !
– Il peut être judicieux d'acheter une carte du parc à l'entrée (100 Ksh, soit 1 €).

Où camper ?

S'inscrire et payer à l'*Elsa Gate*. Compter 8 US$ (6 €) par personne et par nuit.

⛺ ***Camping Ol Ndumbai*** *(plan,* ***12****)* **:** camping public bien situé en haut de la falaise, au sud de Fisher Tower. Accès par Twiga Circuit. Robinet et w.-c. Un peu d'ombre.

⛺ ***Naiburta Campsite*** *(plan,* ***11****)* **:** sur la falaise nord. Pas d'aménagements sanitaires ni d'eau courante.

⛺ ***Endachata Reserve Camp*** *(plan,* ***10****)* **:** un peu plus loin que le *Naiburta Campsite.* Ce *special campsite* doit être réservé à l'avance moyennant 5000 Ksh (52,6 €). Pas d'aménagements sanitaires ni d'eau courante.

À voir. À faire

Arrivée dans une large vallée bordée de hautes falaises. Végétation assez sèche et maigrichonne.

Apparaît la ***Fisher Tower,*** vestige volcanique où les damans ont élu domicile. Elle servit de décor pour des scènes de films : *Les Mines du roi Salomon* (avec Stewart Granger), *Mogambo* (avec Clark Gable et Grace Kelly), *Born Free,* etc.
– De là part une route pour les ***« Twiga et Buffalo Circuits »,*** qui permettent un itinéraire en voiture en boucle. À l'aube et au crépuscule, la vallée prend des teintes mordorées. Dans la journée, tout est écrasé par le soleil et une certaine déception peut naître (surtout si l'on sue à vélo).

Au bout de la route, parking et sentier pédestre pour la gorge. Prendre le chemin. Fourchette dans le bas de la descente : à gauche, sentier pour la ***Central Tower.***

À droite, départ d'une chouette balade à pied dans le canyon, le ***Njrowa Gorge.*** Parois s'élevant jusqu'à 120 m de hauteur. Passages très étroits où l'on n'aperçoit presque plus le ciel. Au bout de 700 m environ, il finit sur un cul-de-sac ou une petite escalade pour les plus audacieux.
Le « sentier » rejoint alors le *Nature Trail* et la *Central Tower.*
Quant à la partie finale, il suffit de suivre la rivière. Le canyon servit à plusieurs scènes de *Sheena, Queen of Jungle.* La faune du parc, pas aussi spectaculaire que celle du Mara ou d'Amboseli, comprend quand même zèbres, gazelles, phacochères, quelques buffles, dik-diks et klipspringers, kongonis, chacals divers. Léopards occasionnels. Pour se rassurer, se munir d'un gros gourdin.

LONGONOT

Voir les rayons du soleil couchant ou levant révéler les flancs déchirés du Longonot (2780 m d'altitude au sommet) est un des spectacles les plus saisissants de la Rift Valley. Son cratère très profond et régulier n'est pas mal non plus. Attention : c'est un parc national. L'entrée est donc payante : 15 US$ (12 €) par personne. Cela rend la marche évidemment un peu chère. Mais quand on aime, on ne compte pas, et vous allez vraiment aimer. Les fans de cratères fauchés se consoleront avec le *Menengai* au-dessus de Nakuru.

Comment y aller?

➢ ***De Naivasha :*** prendre un *matatu* jusqu'à la gare ferroviaire de Longonot puis marcher jusqu'à l'entrée par une piste d'environ 3 km.

À faire

➢ ***La promenade à pied jusqu'au cratère :*** l'une des plus belles randonnées qu'on puisse faire au Kenya. Elle est courte et facile d'accès. Compter 1 h jusqu'au cratère, puis encore 1 h jusqu'au sommet. La descente dans les gravats volcaniques, c'est fun. Possibilité d'effectuer la balade avec un ranger (500 Ksh, soit 5,3 € pour 4 h), mais ce n'est pas nécessaire. Si vous avez du temps, possibilité de faire le tour complet du cratère. Compter 2 h 30-3 h.
Très bonnes chaussures nécessaires, car le sentier est écroulé en maints endroits. Conseillé de démarrer à l'inverse des aiguilles d'une montre : pentes à grimper moins nombreuses et plus faciles.

LE LAC D'ELMENTEITA

C'est le plus petit de la vallée du Rift. Si vous apercevez de larges taches roses, point n'est besoin d'aller consulter l'ophtalmo. Ce sont seulement d'immenses colonies de flamants pour lesquels Elmenteita et ses eaux alcalines sont un lieu de résidence privilégié. Beau panorama depuis quelques *view points* aménagés. Le lac fut, à une époque, propriété du sinistre Lord Delamere.
Accès possible, mais en s'acquittant d'un droit de passage (300 Ksh, soit 3,2 €) car on traverse des propriétés privées. Voir avec le *lodge.* Compter 1 h 30 de marche pour cette balade.

Où dormir dans le coin ?

🏠 ***Lake Elmenteita Lodge :*** PO Box 561, Nakuru. ☎ (051) 85-02-28. Réservation à Nairobi : ☎ (020) 273-36-96 ou 97. Fax : 273-36-98. • reservations@wananchi.com • Chambres en pension complète de 100 à 180 US$ (80 à 144 €) de la basse à la haute saison. Ancienne résidence de Lord Cole, construite en 1916 (aujourd'hui, la réception et la salle à manger). Pour dormir, maisonnettes de 3 chambres chacune, en brique et tuiles bordelaises, dominant un jardin tout fleuri de bougainvillées, la fierté du *management*! Bon confort (baignoire et moustiquaire), couleurs gaies et tenue impeccable. Bar avec vieux parquet et cheminée où flotte encore un p'tit air colonial (malgré l'inévitable TV !). Accueil souriant et attentionné. Possibilité de faire du cheval et de visiter l'élevage d'autruches voisin. Jolie piscine et terrasse à l'anglaise pour le panorama, avec chaises et coussins, histoire de se dorer la pilule ! Longue planche de bois le long du muret, face au paysage, pour écrire ses cartes, lettres d'amour ou démarrer ses mémoires de routard...

NAKURU

IND. TÉL. : 051

La 4e ville du pays. Info révélatrice de la réalité profonde du pays : en 1996, un violent incendie éclata en ville, un pâté de maisons brûla entièrement et cela fit la une des journaux locaux le lendemain. Principale raison : toutes les voitures de pompiers étaient en panne ce jour-là et inutilisables ! Plus récemment, il est arrivé à peu près la même aventure à la mairie de Nairobi. Nakuru n'a aucun intérêt en soi, mais c'est une étape obligée avant d'aller visiter le parc, sans oublier de refaire le plein d'argent frais. Sorte de Nairobi en miniature, le centre est bétonné, bruyant et embouteillé. Attention, cette ville est réputée pour... ses vols de voiture et de pneus. Utilisez les parkings gardés !

UN PEU D'HISTOIRE

L'histoire de Nakuru débute avec celle du chemin de fer. Au début du siècle, c'est une simple gare pour le gros « rhinocéros de fer ». Avec le développement de la colonisation de la région (qui entraîna l'expropriation et l'expulsion des tribus massaïs et kikuyus), elle devint la plaque tournante du commerce agricole régional et gagna rapidement une grande importance – le chef des colons, Lord Delamere, possédant à lui tout seul 40 000 ha autour du lac Nakuru.
Celui-ci, après quelques déboires agricoles (échec d'implantation du mouton *because* maladies, échec de la culture du blé, etc.), se lança avec succès dans l'élevage des bovins. Il activa la mainmise sur le coin par les Blancs, en instituant le célèbre *one mile square plot* offert par le gouvernement anglais aux candidats fermiers grands-bretons, pour s'installer dans les Kenyan Highlands. De sévères mesures de coercition envers les Noirs et les Indiens les empêchant, quant à eux, d'y rester.
On ne parla bientôt plus que de White Highlands, et les colons blancs firent tout pour imposer leur contrôle sur la région. Non sans une certaine résistance surprenante de la part des autorités coloniales, qui souhaitaient que la colonisation soit moins brutale et respecte certains droits africains. Churchill lui-même, alors ministre du *Colonial Office,* s'opposa nettement à Delamere, et leurs relations furent franchement mauvaises.

Adresses utiles

🖂 ***Poste*** *(plan A1) :* ouvert du lundi au vendredi de 8 h à 17 h et le samedi de 9 h à 12 h.
■ ***Téléphone international*** *(plan A1) :* c/o *Telkom,* face au *Tropical Lodge.* Mêmes horaires que la poste. Cartes de téléphone. Fait la monnaie pour les cabines à pièces.
@ ***Internet et fax :*** c/o *Dona Communications,* Plutos Building, Kenyatta Av., 2e étage, porte 8. D'autres un peu partout en ville.
■ ***Banques :*** *Standard Chartered Bank (plan A1,* ***3****),* face à la poste ; ouvert de 9 h à 15 h en semaine et de 9 h à 11 h le samedi (bon taux et prend les chèques de voyage). *Barclays Bank (plan B1,* ***4****),* aux mêmes horaires. Distributeur accessible 24 h/24.
■ ***Agence de voyages :*** *Crater Travel (plan B1,* ***5****).* À quelques mètres de Kenyatta Av. ☎ et fax : 21-50-19. Pour faire des safaris autour du lac. Compter 1 000 à 1 500 Ksh (10,5 à 15,8 €) par tête selon le nombre de personnes dans le minibus.
■ ***Soins médicaux :*** *Pine Breeze Hospital,* après le musée d'Hyrax Hill sur la route de Nairobi, ouvert 24 h/24 ; *Nakuru Health Center,* Giddo Plaza. ☎ 21-55-99. En cas d'urgence, se faire emmener à Nairobi directement.
■ ***Journaux et magazines :*** *Nakuru Press,* Kenyatta Av., à côté de la *Barclays (plan B1,* ***4****).* En anglais *(Newsweek, Times...).*

Où dormir ?

Nombreux hôtels bon marché dans le centre, mais franchement misérables et pas forcément sûrs après la tombée de la nuit.

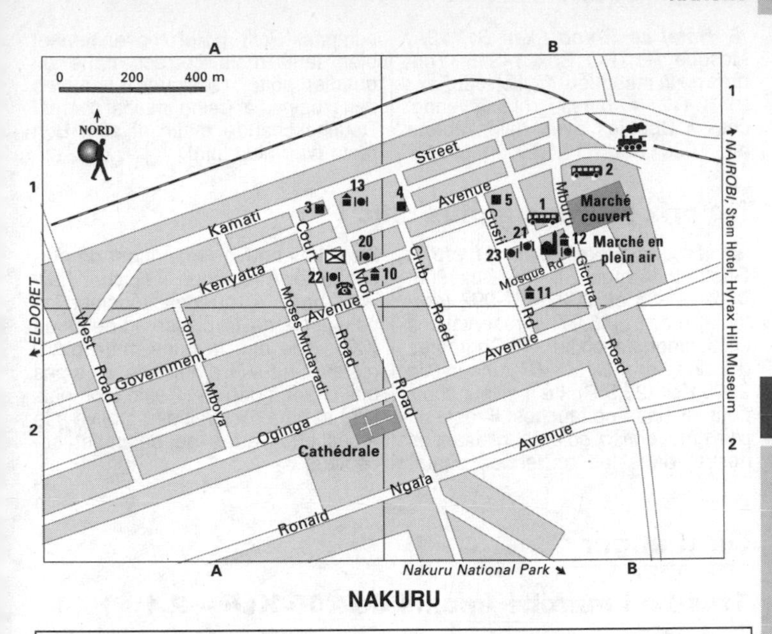

NAKURU

Adresses utiles

- Poste
- Téléphone international
- Gare ferroviaire
- **1** Terminal des bus
- **2** Terminal des *matatus*
- **3** Standard Chartered Bank
- **4** Barclays Bank et journaux
- **5** Crater Travel

Où dormir ?

- **10** Tropical Lodge
- **11** Mukoh Hotel
- **12** Hôtel Le Rhino
- **13** Midland Hotel

Où manger ?

- **12** Resto de l'hôtel Le Rhino
- **13** Resto du Midland Hotel
- **20** French Bakery
- **21** Mount Sinai Restaurant
- **22** Courtyard
- **23** Nakuru Sweet Mart et Tipsy

Très bon marché

Tropical Lodge *(plan A1, **10**)* : Moi Rd. ☎ 426-08. Environ 350 Ksh (3,6 €) pour 2 sans petit dej'. Pas très rutilant, mais encore acceptable quand on a un budget serré. Lits avec draps dans de grandes chambres vétustes. Sanitaires pas très brillants, avec quand même de l'eau chaude le matin.

Bon marché

Mukoh Hotel *(plan B1, **11**)* : au coin de Mosque Rd. Doubles avec ou sans bains, avec ou sans petit dej', de 500 à 1 000 Ksh (5,2 à 10,5 €). Pas mal entretenu et bon accueil des femmes de la maison. Draps propres, savon dans les chambres et douche chaude le matin. Essayer d'en avoir une sur le toit : superbe vue d'ensemble sur la ville. Petit resto au rez-de-chaussée et bar au 1er, là encore une bonne vigie pour observer l'animation du quartier.

Hôtel Le Rhino *(plan B1, **12**) :* Mosque Rd, PO Box 14316. Tout près de la mosquée. ☎ 421-32. Fax : 21-13-64. • hotelle_rhino@yahoo.com • Doubles avec bains autour de 1000 Ksh (10,5 €), petit dej' compris. Petit hôtel moyennement bien tenu mais correct, dans un quartier agité. Quelques chambres sans bains, à peine moins chères. Douche chaude matin et soir. Bon resto (voir plus loin).

De prix moyens à plus chic

Midland Hotel *(plan A1, **13**) :* Geoffrey Kamau St, PO Box 908. ☎ 21-21-25 ou 0722-471-992 (portable). Fax : 445-17. • reservations@midlandhotel.co.ke • Chambres doubles en *B & B* autour de 2800 Ksh (29,5 €). Le meilleur choix pour les pas trop fauchés. Il reste un p'tit côté *british colonial* plaisant et désuet dans les anciennes chambres. Les neuves manquent de personnalité. À l'époque « *Nakuru Railway Hotel* », où descendaient les passagers de 1re classe au début du XXe siècle et... la reine mère d'Angleterre. Faut être honnête, ça a pas mal changé depuis ! Resto (voir plus loin) et bars. Accueil peu motivé à la réception. Cartes de paiement acceptées.

Où manger ?

Très bon marché (moins de 200 Ksh - 2,1 €)

French Bakery *(plan A1, **20**) :* à côté de la KCB. Du pain, du vrai, enfin ! et de bons petits gâteaux, des milk-shakes, etc. Pour prendre le petit déjeuner ou le goûter. Entre nous, vous ne trouvez pas que ça se perd, le goûter ?

Mount Sinai Restaurant *(plan B1, **21**) :* Gusii Rd. Après le *Tipsy* et le *Nakuru Sweet Mart,* à l'angle. Ouvert jusqu'à 22 h. Grande salle banale, peu de choix, mais un bon poulet grillé-légumes, un *stew* ou un curry, à arroser avec un frais et onctueux *yogourt milk*.

Resto de l'hôtel Le Rhino *(plan B1, **12**) :* Mosque Rd. Au 1er étage. Ouvert jusqu'à 22 h. L'un des restos favoris des employés du coin. Bon marché et cuisine hyperconvenue : filet de perche, tilapia, steak, poulet au curry, etc. Salle agréable, accueil « peut-mieux-faire ». Bar à côté.

De bon marché à prix moyens

Courtyard *(plan A1, **22**) :* Court Rd. ☎ 21-15-85. Le seul restaurant digne de ce nom à Nakuru. Plats autour de 350 Ksh (3,7 €) ; pizzas et snacks à moins de 200 Ksh (2,1 €). Bonne cuisine internationale à prix doux, et surtout une carte bien plus évoluée que d'habitude. Vous nous direz, ça n'est pas un challenge bien difficile... Bonne sélection de plats végétariens, viandes accompagnées de sauces différentes (waouh !), poisson pas seulement frit (ouf !) mais aussi poché ou vapeur. En plus on mange dans un cadre plaisant, une bien jolie cour intérieure.

Nakuru Sweet Mart *(plan B1, **23**) :* Gusii Rd. Ouvert en journée uniquement, de 8 h à 19 h. Resto indien végétarien très propre, mais pas très hospitalier (tables et chaises en plastique blanc), proposant tous les jours un bon *thali* autour de 250 Ksh (2,6 €). Pléthorique et délicieux, il inclut même un excellent *lassi* – salé ou sucré – et un dessert ! Derrière le comptoir, dessous et dessus, bref partout, des montagnes de pâtisseries et de gâteaux de toutes formes et couleurs, ainsi qu'une dizaine de sortes de pain. Finir le repas avec un excellent *cappuccino.*

🍽 ***Tipsy*** *(plan B1,* ***23****) :* juste à côté de *Nakuru Sweet Mart,* un autre resto indien genre fast-food avec bidon de ketchup sur la table. Ici, on sert de quoi rassasier tous les indécrottables carnivores : *masala chicken* ou *mutton,* steaks garnis et *thalis* entre 200 et 300 Ksh (2,1 et 3,2 €). Cuisine goûteuse et, pour une fois, pas trop épicée. Cela dit, les amateurs trouveront tout une gamme de sympathiques arrache-gueule sur la table.

🍽 ***Resto du Midland Hotel*** *(plan A1,* ***13****) :* Kamati St. Ouvert midi et soir jusqu'à 22 h. Plats autour de 300 Ksh (3,2 €). Immense salle à manger et terrasse couverte agréables. En revanche, w.-c. vraiment pas propres : que penser des cuisines ? Service lent. Et pourtant, resto très fréquenté. Spécialités de poulet grillé à la broche, *T-bone, sirloin, stew,* tilapia...

Où dormir ? Où manger dans les environs ?

🏠 🍽 ***Stem Hotel*** *(hors plan par B1 et plan Le lac et le parc national de Nakuru) :* PO Box 1076. ☎ 21-31-95 ou 85-01-35. Fax : 85-12-73. À environ 8 km de Nakuru sur la route de Nairobi. Chambres doubles anciennes autour de 2500 Ksh (26,3 €) et plus récentes à partir de 3000 Ksh (31,6 €), petit dej' compris. Buffet à 500 Ksh (5,2 €). Le *Stem* est un peu le motel de Nakuru, parfait si l'on souhaite éviter l'agitation de la ville ou les adresses chères du parc national. Accueil et confort de bonne qualité. Les vieilles chambres sont vraiment ringardes, avec une moquette fatiguée : préférer les récentes. Sinon, c'est propre, avec moustiquaire, douche chaude et w.-c. Ambiance très africaine au bar. Deux restaurants, avec de bonnes spécialités indiennes et un *nyama choma* pour les connaisseurs. Piscine, sauna.

À voir

Le grand marché *(plan B1) :* bordant la gare des *matatus,* longeant Bondeni Rd. Le cœur du business agricole de la ville et exposition permanente de tous les produits de la région.

Autour du marché couvert, des centaines de stands où les habitants trouvent tout ce dont ils peuvent avoir besoin. Quincaillerie, braseros, poteries et la panoplie colorée de tous les fruits et légumes : ignames, choux, manioc, tabac, ananas, mangues, etc.

Tout au bout de Mosque Rd, le marché des bananes et les cabanes en bois des fripiers.

Achats

Marché d'artisanat : tous les jours sur Kenyatta Av., face à la poste. Plein de choix et bonne occupation si l'on « atterrit » à Nakuru un dimanche, quand tout, ou presque, est fermé... Justement, petite supérette à gauche du marché quand on le regarde, ouverte le dimanche, pour se réapprovisionner en pellicules photo (important, ça !).

➤ *DANS LES ENVIRONS DE NAKURU*

Le site archéologique et le musée d'Hyrax Hill *(plan Le lac et parc national de Nakuru) :* à 3 km de Nakuru, sur la route de Nairobi. Il y a une pancarte. Ouvert de 9 h à 18 h. Entrée : 100 Ksh (1 €).

Hyrax Hill, la « colline des Damans », est l'un des trois plus grands sites préhistoriques du Kenya. Découvert en 1926 par Louis Leakey, exploité dans les années 1937-1938, les fouilles continuèrent de temps à autre, jusque dans les années 1990. On y découvrit surtout des vestiges de l'âge de fer (1 000 à 1 500 ans av. J.-C.), mais aussi des témoignages du Néolithique, notamment des squelettes et tombeaux. Attention, visite peu spectaculaire en soi, mais si l'on a un peu de temps, on suit avec quelque intérêt les explications du guide.
Passons vite sur les reliques du musée et partons pour la balade à l'extérieur. Découverte guidée de 45 mn environ. Indépendamment de l'agréable environnement (même s'il y a peu d'ombre), intéressera surtout ceux qui sont motivés par le sujet (traces d'habitat, vestiges d'un fort préhistorique, cercles de pierre, sites funéraires). Certains squelettes de femmes furent retrouvés entourés d'outils et d'objets domestiques (au contraire des hommes). Cela indiquerait-il qu'il y a 3000 ans, la femme prenait une place prépondérante dans la société civile ? Ou, version plus pessimiste, qu'elles étaient déjà les seules à l'époque à assumer les rudes travaux des champs et les servitudes domestiques ? On termine la boucle par une visite à l'enclos des tortues : après tout, c'est archéologique aussi, une tortue !

Site archéologique de Kariandusi : en direction du lac Elmenteita, 1 km avant celui-ci, sur la gauche. Ouvert tous les jours de 9 h à 18 h. Entrée : 200 Ksh (2,1 €). Découvert par Leakey en 1928. Encore moins spectaculaire que *Hyrax Hill*. Retrouvées dans une faille, des pierres volcaniques taillées par l'*Homo erectus* il y a environ 1,5 million d'années avant notre ère. Une forme pour chaque usage. Quelques molaires d'éléphants fossilisées. Un second site, mis au jour en 1974 par Gowlett, propose une autre collection de cailloux qui feront peut-être la joie des spécialistes. Nous avons préféré la vue sur la carrière de diatomite (craie), en contrebas. On termine par le petit musée, où sont exposés les crânes de nos lointains ancêtres.

Le cratère du Menengai : culminant à 2272 m, dominant Nakuru de sa lourde silhouette endormie, le Menengai est le plus vaste cratère du Kenya (12 km de diamètre). Son ascension jusqu'au sommet, qui est en fait le bord du cratère, peut être faite soit en voiture, soit à pied (3 h aller-retour). En voiture, prendre la direction de l'hôpital puis du *Graceland Hotel* (par Crater Climb). Après l'hôtel, continuer tout droit par la Forest Rd, puis au village poursuivre tout droit. On peut se faire emmener jusque-là en taxi et effectuer les 7 km de montée à pied : indiquer « Crater Climb ». Mais aucun taxi n'acceptera de vous monter jusqu'en haut, la piste est dans un état lamentable.
Superbe vue d'ensemble. En haut, quelques vendeurs d'objets en *soapstone* attendent désespérément le client égaré. Une descente dans le cratère peut être tentée sans trop de difficultés. L'endroit est sympathique, mais, pour des raisons de sécurité, il est déconseillé d'y camper.
Pour pas mal d'habitants, le cratère du Menengai véhicule une image négative et rappellerait de mauvais souvenirs. Lors d'une des violentes guerres civiles entre Massaïs au XIXe siècle, l'une des tribus (les Ilaikipiaks) fut battue par les Ilpurkos. Des centaines de *moranes* furent massacrés sur le bord du cratère, beaucoup précipités dedans. *Menengai* signifierait « cadavre » en langue massaï. Nom prédestiné ou donné après coup ? Toujours est-il que les fumerolles qui montent de-ci de-là n'ont rien de rassurant...

L'usine de sisal de Mogotio : à une quarantaine de kilomètres au nord de Nakuru, par la B4. L'usine se trouve à l'entrée de Mogotio, sur la gauche, en venant de Nakuru. Petite visite sympa sur la route du lac Bogoria. C'est le lieu idéal pour apprendre « tout-ce-que-vous-avez-toujours-voulu-savoir-sur-le-sisal-sans-jamais-oser-le-demander » ! Visite très instructive. Sur place, un contremaître se fera un plaisir de vous expliquer tout ça en anglais même si, bien sûr, il attend une rémunération de votre part. Bref, vous apprendrez que tout est bon dans le sisal, cette agave d'origine mexicaine. On enlève d'abord le « vert » du sisal servant à nourrir les animaux, on le laisse sécher

8 h puis on le brosse. Demander à voir le brossage, très chouette, et vous repartirez sans doute avec l'une de ces superbes chevelures blondes séchant au soleil, excellente perruque pour l'occasion ! Le sisal entre dans la composition, entre autres, de sacs, cordes, tapis, revêtements de sol (appelé aussi coco) et, pour 25 %, dans la fabrication de jeans. Enfin, les résidus servent de garniture pour les matelas. « Rien ne se perd, rien ne se crée, tout se transforme » ! Au moment de laisser quelque chose, ne vous laissez pas trop embringuer dans une histoire de caisse commune pour soigner les ouvriers, mais donnez directement au guide, qui l'a bien mérité.

QUITTER NAKURU

En bus

Terminal des matatus** (plan B1, 2) :* face au grand marché. Ça tourne et ça vibrionne dans tous les sens. Véritable plaque tournante et régionale. *Matatus* dans toutes les directions. À titre d'exemple, compter 250 Ksh (2,6 €) pour ***Nairobi. *Matatus* pour ***Baringo, Bogoria*** et ***Kakamega.***

Terminal des bus** (plan B1, **1**) :* petit *booking office* à l'entrée du marché. ☎ 21-59-02. Départs chaque heure, toute la journée (et même la nuit) pour ***Nairobi avec *Eldoret Express.* Compter 2 h de trajet. Également des départs très fréquents pour ***Eldoret*** (2 h 30 de trajet), ***Kitale*** (3 h 30 de trajet), et ***Kisumu*** (3 h 30 aussi).

En train

***Gare ferroviaire** (plan B1) :* vivement déconseillé : trains peu sûrs, lents, trajets de nuit... Quelques horaires pour les acharnés :

➢ ***Pour Kisumu :*** 1 départ quotidien à 23 h 35, arrivée à 8 h.
➢ ***Pour Nairobi :*** départ le jeudi à 9 h 55 et tous les jours à 1 h 32 du matin.

LE LAC ET LE PARC NATIONAL DE NAKURU

L'entrée principale est à 3 km au sud de la ville. Ouvert de 6 h 30 à 19 h 15. Entrée : 30 US$ (24 €) par personne ; 10 US$ (8 €) pour les 3 à 18 ans. Paiement avec la *smartcard.* Si vous n'êtes pas motorisés, louez un taxi à la demi-journée ou voyez avec une agence (rubrique « Adresses utiles »). Encore un lac alcalin de 62 km^2 entièrement enserré dans le parc. Il connut de tout temps de grandes variations de profondeur et de superficie suivant la générosité des pluies. Dans les années 1940 et 1950, il s'évapora une ou deux années totalement. Gros problèmes écologiques alors, lorsque les tourbillons d'air arrachaient la soude du fond du lac et la dispersaient sur les terres agricoles environnantes.
Ces dernières années, il était menacé par un nouvel assèchement mais, avec le phénomène El Niño et les pluies importantes de début 1998, il a retrouvé un niveau correct. Avec le changement de salinité, le lac a été déserté par la célèbre colonie de flamants roses, partie au lac Bogoria, qui avait contribué à son image de marque de paradis ornithologique.
Mais aujourd'hui ils sont légion, tout comme les pélicans qui débarquèrent il y a quelques années, lorsque pour diminuer le taux de moustiques, on empoissonna le lac d'un tilapia supportant de vivre en eau alcaline.

Le parc fut créé au début des années 1960, d'abord comme réserve ornithologique. Sa superficie est d'environ 200 km^2. Aujourd'hui, pour protéger la réintroduction du rhinocéros noir, il a été entièrement clôturé (le seul au Kenya). Avec ses 20 km sur 10, ça en fait cependant plus qu'un super-Thoiry ! C'est l'un des parcs les plus agréables pour circuler en voiture particulière, même sans guide. Pistes excellentes et directions bien indiquées. Parmi les animaux présents en nombre : toutes variétés de gazelles, waterbucks, zèbres, buffles, babouins, autruches, chacals, phacochères, etc. Côté rhinos, la greffe a plutôt bien pris, puisque le parc en compte environ 130, dont 73 noirs. Bien que moins nombreux, les blancs (les plus gros, avec une mâchoire carrée) sont beaucoup plus faciles à voir, surtout dans le sud du parc, vers le *Lake Nakuru Lodge*. Les noirs, quant à eux, ont tendance à se cacher dans les buissons et à fuir la présence humaine. Sachez enfin que Nakuru est un point d'observation privilégié de ces grandes dames en chaussettes blanches que sont les girafes de Rothschild ! Lions et léopards en petite quantité (on a quand même vu une lionne alpaguer un phaco).

Dans les bois les plus denses, nombreux pythons géants. On raconte que le Makalia, un petit cours d'eau au sud du parc, fut un jour obstrué par un python agonisant après avoir ingurgité une gazelle trop grosse (bonjour le passage des cornes !). Seul absent de marque : l'éléphant. Remarquez, tant mieux pour une fois, ils auraient massacré tous ces beaux arbres ! En effet, beaux bosquets d'acacias et, vers le *Sarova Lion Hill Lodge,* la plus grande forêt d'euphorbes du pays. En remontant, par la piste ouest vers le nord, grimper la Baboon Cliff (falaise des Babouins) d'où l'on a le meilleur point de vue sur l'ensemble du parc.

– Pour information : ne faites pas comme tout le monde, roulez très très lentement, car on soulève immédiatement des tonnes de poussière très fine et vraiment insupportable pour le gosier et les narines sous ce climat très sec ! Malheureusement, peu de gens respectent cette règle élémentaire (et obligatoire !) de bonne conduite...

Où dormir ? Où manger ?

Des options variées et vraiment sympas (sauf les *lodges...*).

Campings

Seulement 2 campings publics. Compter 10 US$ (8 €) par personne. Les *special campsites* n'ont aucune facilité (ni eau ni toilettes).

Au nord

Backpacker Campsite : Main Gate, à l'entrée du parc. Pratique et facile d'accès, donc souvent très fréquenté et fatalement bruyant. Douche et w.-c. en état de marche.

Kampi Nyuki et Kampi Nyati : *special campsites* l'un à côté de l'autre au nord-est du lac, un peu avant le *Sarova Lion Hill Lodge.* Clairières sous les *yellow fever trees.*

Au sud

Makalia Campsite : *public campsite* tout au sud du parc. Après les *Naishi Bandas,* continuer tout droit. Très, très peu fréquenté. Sauf par notre copain, le baroudeur Jean-Pierre Moraux, qui l'adore pour sa situation sauvage. C'est vrai qu'il est très beau : petites chutes d'eau

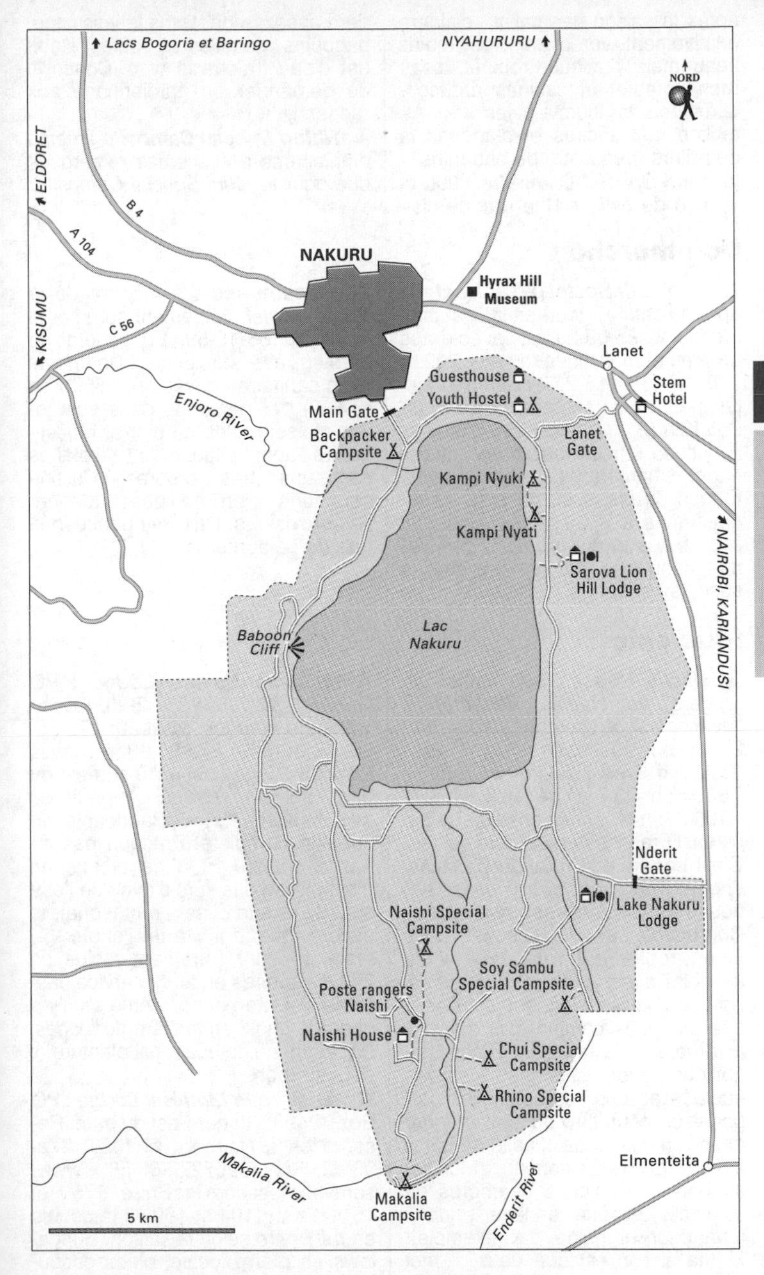

LE LAC ET LE PARC DE NAKURU

après la saison des pluies, clairière relativement verdoyante et, moins beau mais pratique, robinet d'eau (non potable) et cabines rudimentaires pour la douche et les w.-c. Attention aux affaires et planquez la nourriture, beaucoup de babouins !

⛺ ***Chui Special Campsite :*** 200 m au sud de *Naishi.* Une grande clairière assez aride. Dans le voisinage, babouins, gazelles et buffles. Robinet d'eau fraîche et w.-c. Conseillé de demander un gardiennage aux rangers.

⛺ ***Rhino Special Campsite :*** même emplacement et mêmes remarques que pour le *Chui Special Campsite.*

Bon marché

🏠 ⛺ ***Youth Hostel (WCK Hostel) :*** après l'entrée, tourner à gauche. Fléché. ☎ 85-09-29. Lits avec draps propres et moustiquaire entre 300 et 500 Ksh (3,1 et 5,2 €) par personne. On peut aussi camper à raison de 250 Ksh (2,6 €), mais peu d'ombre. AJ située sur un terrain sec et dégagé. Chambres dans des cases rondes de pierre ou de bois. Quelques-unes à 3 lits plus mignonnes avec bains et cuisine. Pas génialement tenu mais vraiment pas cher et assez sympa.

🏠 ***Guesthouse :*** à 1,5 km de la *Youth Hostel.* Également géré par le WCK. ☎ 85-15-59. En général, le gardien est sur place. Chambres avec sanitaires privés pour 800 Ksh (8,4 €) par personne dans trois jolies maisonnettes de pierre. Moustiquaire pour chaque lit, sanitaires communs très propres. Cuisine commune bien équipée ; apporter ses provisions. Une très bonne idée que de séjourner ici !

Plus chic

🏠 ***Naishi House :*** à la station de rangers de Naishi. Réserver à l'avance. ☎ à Nairobi : (020) 260-23-45 ou 250-10-81. Fax : 250-17-42. • www.kws.org • Tarifs : 7000 Ksh (73,7 €) de janvier à juin, 10000 Ksh (105,3 €) ensuite. Le top du top ! Franchement, le coin qui tue. C'est un vrai gîte rural de 8 places, une maison de pierre des années 1930 rénovée avec brio. Confortable, avec du cachet, dans un environnement divin. Il y a même un point d'eau artificiel où impalas, lions et buffles viennent s'en jeter une lampée, comme par hasard, juste devant la terrasse. Salon magnifique avec cheminée, cuisine équipée et tous ses ustensiles (apporter sa nourriture ou aller manger dans l'un des *lodges*), salle de bains avec baignoire ET douche... Mobilier de bois et d'osier, 2 chambres de 3 places et une annexe pour 2 (chauffeur et guide par exemple). Même si l'on est que deux, il faut louer la maison en entier. Mais si c'est pour un groupe d'amis, un couple ou une famille, c'est le pied !

🏠 🍴 ***Lake Nakuru Lodge :*** PO Box 561. ☎ (051) 85-02-28. Réservations à Nairobi : ☎ (020) 273-36-96. Fax : (020) 273-36-98. • www.lakenakurulodge.com • Au sud-est du parc, sur une colline. À partir de 14250 Ksh (152 €) la double en pension complète. Presque pas de basse saison. Et à ce prix-là, on n'est même pas sûrs d'avoir de l'eau chaude (matin et soir, en théorie), et encore, quand il y a de l'eau... Vétuste, bruyant (rarement moins de 200 personnes en tout), service passable. À éviter, donc, même s'il n'y a guère le choix en matière de *lodges.* En revanche, le buffet est plantureux et plutôt bon.

🏠 🍴 ***Sarova Lion Hill Lodge :*** PO Box 72493. Au nord-est du parc. Réservation à Nairobi : ☎ (020) 272-08-22. Fax : (020) 272-63-56. • www.sarovahotels.com • Entre 9750 et 15000 Ksh (104 et 160 €) la double en *full board* selon la saison. Bungalows en pierre locale, plutôt grisounette dans son genre. Dommage que les arbres cachent la vue sur le lac. Déco sobre et confort correct.

Ça reste ultra-cher pour ce que c'est... En plus, c'est bruyant. Lorsqu'un groupe arrive, toute une horde caricaturale de danseurs et de musiciens pieds nus vient se trémousser et chanter autour de la réception pendant un quart d'heure. Imaginez le cirque s'il y a 10 groupes qui arrivent dans la journée... Et à 19 h, ils remettent ça avec le show folklorique quotidien au bord de la piscine...

LE LAC DE BOGORIA

Notre coup de cœur dans la Rift Valley. Découvert en 1883 par l'explorateur Joseph Thomson, ce beau lac quasi inhabité a été élevé au rang de réserve nationale au début des années 1980. C'est là que, les bons jours, s'ébattent jusqu'à un million de flamants roses (un cinquième des flamants de la planète, dit-on). Réserve curieusement peu fréquentée par les tours et circuits, et c'est tant mieux. Cet isolement donne l'occasion de vivre des scènes incroyables. On a même croisé un babouin retournant de la chasse avec un flamant serré dans sa puissante mâchoire. Étrange. Soirées et aubes y sont douces à souhait. Sérénité des berges émouvantes qui comblera les plus romantiques de nos lecteurs. Pas très grand : 30 km², et peu profond, 8 m maximum. Eau du lac alcaline également, mais Bogoria ne connaît pas les mêmes problèmes d'évaporation que le Nakuru. Impossible d'en faire le tour autrement qu'à pied, les berges escarpées et la végétation luxuriante ne laissant aucune chance aux véhicules. En revanche, possibilité de pousser au moins jusqu'à la pointe sud du lac, là où la piste exige un 4x4 et un pilote aguerri.
Un superbe escarpement le domine à l'est. Sur la rive ouest, nombreuses sources d'eau chaude et quelques geysers pas très spectaculaires mais qui peuvent cracher jusqu'à 2 m. Autres particularités de cette réserve : pas de prédateurs. Un léopard s'y égare annuellement et les rangers sont toujours au courant. En revanche, vous retrouverez vos compagnons classiques : babouins, phacos, gazelles, dik-diks (rouler doucement), parfois le klipspringer et, avec de la chance, peut-être apercevrez-vous le rare grand koudou dont c'est le territoire favori. Paysages de rocaille et d'épineux. Beaux acacias tortilis.
L'idéal, c'est d'y camper pour, à l'aube, observer le fascinant ballet des flamants roses. Soleil jaillissant brusquement de derrière le Siracho Range, dernière vague du Laikipia Escarpment. La lumière commence alors à jouer avec les vapeurs d'eau chaude et à dévoiler progressivement au grand jour la chorégraphie magique des flamants. Des dizaines de milliers d'oiseaux qui, avec une grâce exquise, avancent, reculent, plongent ensemble la tête dans l'eau, la relèvent en même temps... Avec d'autres groupes dans le même mouvement mais souvent décalés, transformant le lac en une scène d'opéra sans limites, où plusieurs troupes immenses évolueraient sans concertation, mais harmonieusement. Avec le contre-jour, c'est un ruissellement de roses, de blancs et reflets d'argent se délayant dans les fumerolles des geysers.
Avertissement : être très, très prudent à l'approche des sources d'eau chaude (près de 100 °C !). Les bords sont glissants et il peut arriver aussi que, sous le poids, la mince couche de terre s'effondre par endroits sur des sources qui coulent en dessous. Devant nous, un touriste français s'est ébouillanté toute une jambe après une glissade (direct au Nairobi Hospital !).
– Ouvert de 6 h à 18 h. Entrée : 1 500 Ksh (15,8 €) par personne.

DEUX, TROIS CHOSES QUE JE SAIS DES FLAMANTS ROSES...

D'abord, il y en a deux sortes : le flamant nain *(Phœnipcoptérus minor),* c'est le plus courant. Il ne mesure pas plus de 1 m de hauteur et il est vraiment rose. L'autre, c'est le flamant... rose, mais qui, paradoxalement, l'est beau-

coup moins que le flamant nain. Plumage blanc avec des taches roses foncées sur les ailes. Bec plus foncé également (rose carmin). Sa taille peut aller jusqu'à 1,80 m.
Leur façon de se nourrir apparaît aussi comme originale. Ils plongent totalement la tête dans l'eau, de façon à ce que ce soit le crâne qui soit en dessous et le bec inférieur au-dessus. Les bords du bec sont garnis de lamelles très resserrées (à l'image des fanons des baleines) qui filtrent l'eau (aspirée puis refoulée par la langue). Ne resteront dans le bec que les particules comestibles. Pour le flamant nain, essentiellement des algues bleues microscopiques (*cyanophycées* pour nos lecteurs qui veulent en savoir plus) et des diatomées. Le grand flamant rose, quant à lui, possède des lamelles beaucoup moins serrées, laissant passer petits mollusques, vers, insectes, minuscules crustacés qu'il pêche dans des eaux plus profondes. Les spécialistes ont calculé qu'un million de petits flamants pouvaient ingurgiter quotidiennement jusqu'à... 180 tonnes d'algues microscopiques! Ces algues proviennent principalement des déjections des oiseaux et des grosses concentrations de matières minérales. Nos deux flamants, non seulement ne sont pas concurrentiels (menus différents), mais ne mangent pas aux mêmes heures.
Ceux qui camperont à Bogoria auront droit aux concerts nocturnes et très matinaux des flamants nains. Peut-être aurez-vous aussi l'occasion d'assister à une parade nuptiale. Il suffit que quelques mâles courtisent une femelle réceptive, puis qu'un groupe, une armée de plusieurs centaines de bestioles (mâles et femelles) peu après se forme autour, pour assister à un spectacle insolite. Les flamants, serrés les uns contre les autres, dressent la tête à la verticale, provoquant un vif afflux de sang qui rougit le cou sous les plumes. Cette masse flamboyante contraste bien sûr avec les autres groupes de flamants, peu émus et qui continuent placidement à se nourrir. Alors, les couples se mettent à se former.
À signaler qu'ils nidifieront dans d'autres lacs (Natron, Magadi, etc.). L'unique œuf sera couvé 4 semaines, alternativement par les deux parents. À 8 jours, le petiot quitte déjà son nid et va en... crèche. Celle-ci peut contenir plusieurs dizaines de milliers de nourrissons (voire 100 000 ou 200 000), gardés seulement par quelques adultes. Les parents viennent dans la journée nourrir leur petit en lui régurgitant la bouillie directement dans la bouche. Oncle Paul, comment les parents peuvent-ils alors reconnaître leur petit dans cette masse? Fiston, ceux-ci ont eu le temps, pendant les premiers jours au nid, de mémoriser leur cri. À 10 semaines, le jeune flamant nain pourra déjà voler.
Pour finir, le flamant rose (l'autre, celui qu'est pas rose) connaît trois ennemis : le marabout, cette odieuse et moche cigogne qui raffole de ses œufs, le pélican blanc, rude concurrent pour trouver les meilleurs sites de nidification, et les pluies trop violentes qui noient les nids (curieux, le marabout apprécie beaucoup moins les œufs de flamants nains!).

Comment aller à Bogoria?

➢ ***De Nakuru :*** à environ 114 km de Nakuru. Aucun problème avec une voiture traditionnelle. Route goudronnée (B4) qui monte vers Marigat. Trois kilomètres avant Marigat, route asphaltée à droite pour la Loboi Gate (à une vingtaine de kilomètres). Beaux paysages couleur brique rouge où s'insèrent quelques villages nandis. C'est la voie la plus rapide.
➢ ***De Nakuru (par Mogotio et Mugurin) :*** route plus courte en kilomètres, mais plus longue en temps. Véhicule 4x4 obligatoire. Prendre la B4 vers le nord. Tourner à droite à Mogotio. Environ 25 km de piste jusqu'à Mugurin. Puis encore une vingtaine de kilomètres pour la Maji Moto Gate. On arrive

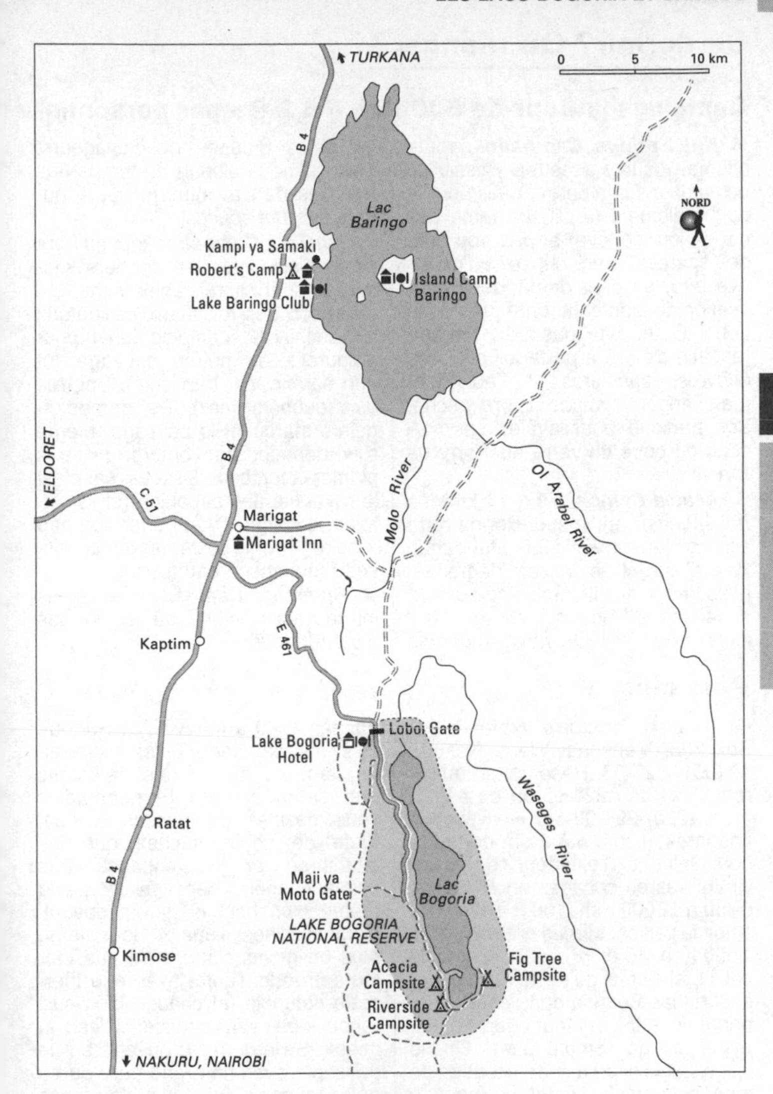

LES LACS BOGORIA ET BARINGO

alors directement aux *hot springs.* Variante pour l'Emsos Gate : de Mugurin, rouler 1 km puis tourner à droite sur une très mauvaise piste. Une quinzaine de kilomètres éprouvants (surtout les derniers).

➢ ***De Nyahururu :*** descendre vers Nakuru par la B5. À Sabukia, tourner à droite pour la piste de Kisinana (4x4 obligatoire). Puis de Kisanana, on rejoint Mugurin. Fin de parcours identique au précédent.

➢ ***En matatus :*** les voyageurs solitaires peuvent rejoindre la Loboi Gate depuis Marigat (bien desservie). Un à deux *matatus* par jour.

Où dormir ? Où manger ?

Campings (autour de 500 Ksh - 5,2 € - par personne)

⩓ ***Hot Springs Campsite :*** route bitumée pour y accéder. Possibilité de camper sur la berge, mais pour la nuit seulement (replier la tente dès que le jour se lève) et pas trop près des sources. Autre chose, si l'on arrive tard, on peut demander l'autorisation de planter la tente près de la Loboi Gate. Site pas très folichon (espace clôturé à partager avec les chèvres, sanitaires à l'abandon) mais rangers sympas. En revanche, très pratique pour avaler un morceau ou boire un verre au ***Papyrus Inn*** voisin.

⩓ ***Acacia Campsite :*** à 11 km des *hot springs,* vers le sud. Bonne piste accessible aux véhicules standards. Pas d'eau. W.-c. assez dégradés. Mais très beau site ombragé au bord du lac et superbe emplacement pour le lever du soleil. On y trouve parfois de petits groupes de voyageurs. Très calme la plupart du temps (les touristes ne s'aventurent guère au-delà des *hot springs*).

⩓ ***Fig Tree Campsite :*** tout au bout de la piste, mais les derniers kilomètres sont impraticables sans 4x4 en raison des ruisseaux caillouteux à franchir. Le camping idéal pour amoureux de nature sauvage (et non parano, car très isolé). Sol très dur (euphémisme !). De grands figuiers marquent le paysage. Même s'ils donnent de l'ombre, ne pas planter la tente en dessous, car c'est le royaume des babouins (et ils raffolent des figues). Apporter son eau à boire. Pour le reste, un gentil ruisseau fournit son eau fraîche.

⩓ ***Riverside Campsite :*** le moins intéressant. Éloigné du lac et pas d'eau du tout.

Plus chic

🏠 |●| ***Lake Bogoria Hotel :*** PO Box 208, Menengai West, Nakuru. ☎ (051) 427-33. Réservation à Nairobi : ☎ (020) 224-90-55 ou 41-11. Fax : (020) 224-90-66. • www.bogoriasparesort.com • À 2 km de la Loboi Gate, à l'extérieur du parc. Chambres ou cottages en *B & B* de 9750 à 12000 Ksh (108,3 à 133,3 €) selon la saison. Menus entre 1 300 et 1 500 Ksh (15 et 16,7 €). On signale cet hôtel parce qu'en fait... c'est le seul du lac Bogoria dans cette catégorie, voire le seul tout court (le *Papyrus Inn* ne compte pas) ! On ne sait si cela est dû à cette situation de monopole, mais l'hôtel ne nous a pas beaucoup plu... C'est une bâtisse « moderne », s'intégrant vaille que vaille dans le paysage, mais à vrai dire, cette architecture du style années 1960 a mal vieilli... Surtout, c'est mal entretenu. Quel laisser-aller, tant au niveau des bâtiments que de la cuisine ! Si néanmoins vous décidez d'y passer la nuit, faute de choix, sachez que les chambres et les cottages très conventionnels bénéficient quand même d'un bout de jardin devant. Deux piscines, l'une « normale », plus ou moins claire mais pas toujours en état, l'autre avec eau thermale naturelle (et chaude bien sûr) renouvelée sans cesse. C'est la mieux. Salle de resto ouverte sur le paysage, avec un grand parc où se baladent des autruches et de grands arbres où vont nidifier des dizaines de marabouts, donc un point positif. En revanche, cuisine graillonneuse. On n'insiste pas !

Où dormir dans les environs ?

🏠 ***Marigat Inn :*** à Marigat. Au centre du bourg, prendre la rue perpendiculaire à la route pour Baringo. À gauche, peu après la mosquée. Double autour de 400 Ksh (4,2 €). Au cœur d'un quartier pittoresque de baraques de bois. Atmosphère un tantinet Far West, renforcée par les habitués réfugiés à l'ombre de la terrasse pour échapper à la chaleur écrasante. Les chambres occupent des petits bâtiments cachés derrière le logis principal, réunis autour d'un jardinet en désordre mais pas désagréable. Confort honnête : moustiquaires, salle d'eau (froide) et w.-c. privés, petites terrasses pour égrener les heures en toute quiétude. Bien sûr, l'ensemble a beaucoup vieilli et les fissures font désormais partie du décor, mais cela reste la seule adresse valable pour loger au plus près du lac Bogoria.

LE LAC BARINGO

À une quarantaine de kilomètres au nord de Bogoria s'étend le lac Baringo. Là encore, rejoindre Marigat et route goudronnée tout du long. Contrairement à celui de Bogoria, c'est un lac d'eau douce dans une géographie différente. Espace complètement ouvert. Montagnes plus lointaines. Cinq fois plus étendu (168 km^2), 12 m de profondeur maximum.
Là aussi, c'est un sanctuaire d'oiseaux et le paradis pour les ornithologues. L'un des plus fameux *bird-addicts* détient toujours le record : plus de 300 volatiles repérés en 24 h sur les 450 répertoriés autour du lac. Celui-ci fut également découvert par l'explorateur Joseph Thomson en 1883. Contenant du poisson, on y trouve des oiseaux aquatiques en plus grand nombre (cormorans, hérons, pélicans, etc.) et bien sûr notre copain, le *fish-eagle* (aigle-pêcheur). Vous aurez d'ailleurs l'occasion de le voir à l'œuvre. Au cours de votre balade sur le lac, les guides en profitent pour vous faire acheter un ou deux tilapias aux pêcheurs (prix très modique). Un morceau de balsa dans le gosier du poisson et hop, le tour est joué, il ne reste plus qu'à attirer l'attention de l'aigle sur le tilapia flottant ! Ses rives sont souvent bordées de vastes champs de plantes aquatiques où prolifèrent crocodiles et hippos. Dans les îles et autour du lac vivent les Njemps, peuple de pêcheurs, cousins des Samburus et des Massaïs, et dont le dialecte est proche du massaï. Vous les verrez poser leurs lignes à califourchon, sur de frêles esquifs faits de troncs minces, de branches liées de bois léger (type balsa), jambes dans l'eau, ne craignant même pas les crocodiles. Cela dit, il paraît que les crocos ont suffisamment de poisson à se mettre sous la dent pour ne pas s'attaquer à l'homme !
– Entrée : autour de 200 Ksh (2,1 €) par personne, pour accéder au lac et au village.

Où dormir ? Où manger ?

À Kampi Ya Samaki

Excepté le *Island Camp Baringo,* toutes les adresses sont regroupées dans la bourgade de Kampi Ya Samaki au bord du lac. Un genre de village western, partagé par une longue *Main Street* avec ses petites boutiques de guingois en bois, aux pittoresques enseignes. Bureau de poste en face du *Bahari Lodge,* et connexions ***Internet*** chez Simon, face au *Lake Baringo Club.* Ouvert *grosso modo* de 7 h à 22 h. Tarif en fonction du nombre de mails envoyés ou lus (!).

Bon marché

🏠 ***Weavers Lodge :*** dans une rue parallèle à l'axe principal, côté continent. Double autour de 800 Ksh (8,4 €), petit déjeuner compris. Les chauffeurs de safari l'ont bien compris, le *Weavers Lodge* offre le meilleur rapport qualité-prix du coin. Une dizaine de chambres seulement, mais en bon état, avec moustiquaires, ventilo, douche et w.-c. Accueil très sympa de Willy et Enok, avec qui vous ferez plus ample connaissance autour d'une bière au bar, ou pendant une petite partie de billard. Parking.

Bahari Lodge : doubles pour environ 300 Ksh (3,2 €), douches et sanitaires en commun. Difficile d'avoir le coup de foudre pour les chambres, sombres et râpées, mais le resto-bar accueillant au rez-de-chaussée sauve la situation. Bonne ambiance, plats corrects et accueil sympa. Très apprécié des locaux.

Robert's Camp : PO Box 2, Kampi Samaki. À 1 km de l'intersection B4 et route du lac, dans un grand parc arboré. ☎ (051) 85-18-79. • robertscamp@africaonline.co.ke • Camping : environ 300 Ksh (3,2 €) par personne ; réduction enfants ; gratuit pour les véhicules. Location de tente pour 4. Également 3 *bandas* autour de 1000 Ksh (10,5 €) par personne. Enfin, différents cottages aux noms d'oiseaux autour de 5000 Ksh (52,6 €) pour 4 à 6 personnes. Excellent accueil des Robert, une famille avec plus de 40 ans de Kenya derrière elle. Trois formules : le camping avec emplacements espacés et sanitaires impeccables, les *bandas* très propres dans le style traditionnel avec moustiquaire, cuisine à l'extérieur, douche et w.-c. en commun (draps et serviettes fournis), ou les cottages. Choisir de préférence le « Hammerkop » : jolie maison sur pilotis, ourlée de terrasses et de balcons orientés face au lac. Très bel aménagement, de la cuisine équipée aux salons confortables, en passant par les chambres et les deux salles d'eau... le tout agrémenté de quelques objets de déco. Pour finir, sachez que la maison possède son propre resto, le *Thirsty Goat,* tout un programme ! Une de nos meilleures adresses au Kenya, c'est dit !

Plus chic

Soi Safari Lodge : PO Box 45, Kampi Samaki. ☎ (053) 512-42. • soisafarilodge2003@yahoo.com • Réservations à Nairobi : ☎ (020) 31-87-74. Doubles autour de 6000 Ksh (67 €) en demi-pension. Architecture plutôt réussie pour cette nouvelle structure, à l'image du resto aéré donnant sur le lac ou du bar en mezzanine surplombant le hall circulaire. Chambres réparties dans de petits cottages très confortables, avec AC, moustiquaires et salles de bains nickel en série. Piscine. Et puis, bien sûr, toutes les excursions classiques à la carte. Bref, des prestations proches de ses voisins prestigieux à des tarifs nettement plus démocratiques.

Lake Baringo Club : réservations à *Let's go travel* : Nairobi. ☎ (020) 444-71-51 ou 10-30. À côté du *Robert's Camp.* En haute saison, compter environ 2000 Ksh (127 €) pour 2 personnes en *full board.* En bord de lac, au milieu d'un parc verdoyant. Bungalows conventionnels bien blancs, assez frais, et servis avec moustiquaire ! Bonne cuisine. Possibilité pour les non-résidents d'y manger et d'utiliser la piscine. Petit droit d'entrée pour se baigner. Organise toutes les activités classiques, mais pas données. À signaler, une petite station-service à l'hôtel pour refaire le plein avant le prochain périple.

Chic

Island Camp Baringo : sur la grande île au milieu du lac. ☎ (051) 85-08-58. • www.islandcamp.com • Réservations à *Let's go travel* : Nairobi. ☎ (020) 444-71-51 ou 10-30. *Tented camp* à 21000 Ksh (221 €) pour 2 personnes en pension complète en haute saison, environ 15000 Ksh (158 €) en basse saison. Transferts depuis le continent compris. Une adresse exceptionnelle. Si vous en avez la pos-

LACS DE LA RIFT VALLEY

sibilité, ne pas hésiter à dormir sur l'île. C'est le plus vieux camp du Kenya, ouvert le jour du Nouvel An de 1972. Peu nombreuses pour préserver l'intimité des hôtes, les tentes spacieuses et confortables s'étagent sur la colline au milieu des arbres. Bien séparées entre elles, avec terrasse pour goûter au paysage serein. Pour en rajouter à votre félicité, l'une des meilleures cuisines du Kenya. Cuisine européenne avec une subtile touche africaine, jouant sur tous les registres. Grand buffet-barbecue chaque soir dans le jardin. Desserts succulents, service personnalisé. Pour l'apéro, une belle carte de cocktails qu'on déguste sur la grande terrasse face au soleil couchant. Une atmosphère propre à abandonner la vie de routard. Piscine panoramique ! Nombreuses activités à prix classiques.

À voir. À faire

Tout tourne autour du lac, bien sûr. Hôtels et *lodges* proposent tous des activités s'y rapportant, mais les pêcheurs se sont regroupés en association et proposent des prix plus attrayants (bureau à l'entrée du village, face au *Lake Baringo Club*). Les hôtels tenteront de vous dissuader en insistant sur le mauvais état de leurs embarcations, mais ces mêmes hôtels n'hésitent pas à les appeler à la rescousse en cas de forte affluence ! À vous de comparer les prix et l'intérêt des balades. Attendez-vous à être souvent sollicité. Négociez bien votre tarif et discutez avec d'autres voyageurs. De toute façon, il faudra trouver des compagnons de balade car un bateau (capacité de 7 personnes environ) se loue à l'heure, à partir de 2200 Ksh (23,1 €) environ chez les pêcheurs. Demander à voir le bateau avant, histoire de ne pas négocier pendant une plombe pour une coque trouée !
Avec un bon guide (contacter également la communauté de pêcheurs), le *bird-watching* se révèle vraiment un moment délicieux. Surtout en fin d'après-midi ou le matin de très bonne heure. On peut toujours essayer de se rapprocher ou d'égaler le record de l'ornithologue Joseph Thomson !
Pour les zoziaux, la meilleure période se déroule d'octobre à mars, quand, en plus de la riche faune locale, viennent hiverner tous ceux qui se gèlent les plumes en Europe.

Balades

➢ ***Au pied de la falaise*** cernant l'horizon du lac (à l'ouest), vous découvrirez beaucoup de *bush birds* et une bonne douzaine de sortes de calaos *(hornbills)* dont le très rare *Hemprich's hornbill.* Oiseaux de proie nombreux, faucons, milans, etc. Quelques aigles de verreaux résident dans la falaise, ainsi que le discret *white faced scops owl* (un hibou). Autres spécialités du coin, le *brown tailed rock chat* (oiseau tout marron), le *cliff chat,* qui chante joliment et présente un plumage orange et noir, nombre de colombes des bois et barbets, coucous, tisserins, cordons bleus (ailes brun clair et joues rouges), grenadiers rouge et bleu (festival de couleurs pour ces derniers).

➢ Les ***rives sud et ouest,*** bien marécageuses et herbeuses, abritent moult espèces, des pélicans, des hérons (goliath, pourpre, etc.), le petit squacco (crabier chevelu), des jacanas, la grande aigrette blanche, des martins-pêcheurs divers, la malachite (jolie petite huppe et corps orange et bleu), des ibis, des *spoonbills* (spatules), le *black winged stilt* (petit échassier noir et blanc) et toutes sortes de canards. Beaucoup d'oiseaux migrateurs aussi comme les *greenshank, little stint, sandpiper, black tailed godwit, whimbrel,* etc.

➢ ***Sur les îles,*** les gracieuses oies d'Égypte et le roi du lac, l'aigle-pêcheur. Séquence sympa avec eux, lorsqu'on les appelle (en dialecte, *fish-eagle*) en agitant un poisson. Impressionnante et majestueuse plongée de l'aigle à deux mètres de la barque (encore plus beau, quand y'a des petits, ils viennent alors en couple). Au passage, on a l'occasion de glisser à côté des crocos qui, effectivement, ne quittent guère les rives du lac ou des îles. Tandis que, placidement, les pêcheurs, à califourchon sur leur barque typique en osier ou pièces de bois ficelés, vaquent comme si de rien n'était. Visite chez les hippos un peu décevante. La plupart du temps, on ne voit que les oreilles (et encore), de loin, *because* distance de sécurité. Mieux vaut attendre la tombée de la nuit, pour surprendre ce cheval de fleuve pendant ses pérégrinations sur la berge. Gardez toutefois vos distances, surtout s'il s'agit d'une maman et de son petit. Sa charge peut être mortelle !
Balade dans les petites îles comme *Ol Kokwa* (sources d'eau chaude).

Autres activités

– Pour les sportifs, baignade au milieu du lac (ah, les courageux !), ski nautique, planche à voile, etc.
– Enfin, pour les amateurs, balades à dos de chameau (s'adresser au *Lake Baringo Club*).

QUITTER LE LAC BARINGO

Du lac Baringo, plusieurs choix se posent en termes de destinations. Redescendre sur Marigat et terminer la balade dans l'Ouest... Eldoret, Kitale, le mont Elgon, etc. Ça, peu de gens le programment pour des raisons évidentes de temps. Bon, va pour la route sud, on se réserve Maralal pour plus tard...
Sinon, ***bus*** réguliers pour Marigat et Nakuru.

VERS LE MONT KENYA ET MÉRU

➢ ***De Baringo à Nyahururu,*** nécessité de repasser par Nakuru. Sur la carte, ça fait bien sûr plus long, mais la route « est » se révèle beaucoup, beaucoup plus lente et rude. De Nakuru à Nyahururu, on franchit l'équateur (apprêtez-vous à le repasser quelques fois désormais !). Route goudronnée. Paysages délicieusement ondulants, larges vallées, riches cultures, thé, café, maïs, entre autres. On pénètre dans les White Highlands, région colonisée massivement par les Anglais, tant elle leur rappelait qui le Lake District, qui l'Écosse, qui le pays de Galles... D'ailleurs, la pluviométrie y est bien supérieure à celle du reste du Kenya. Habitat disséminé, champs parcellisés.
Une vingtaine de kilomètres après Nakuru, la route se met à grimper, livrant un ample panorama. Passage d'un col pour redescendre sur Nyahururu.

NYAHURURU

IND. TÉL. : 065

Ville commerçante assez banale et poussiéreuse, au cœur d'une région agricole spécialisée dans la culture des légumes et des céréales. Inutile d'y passer la nuit, d'autant que l'hôtellerie y est globalement déplorable ! À

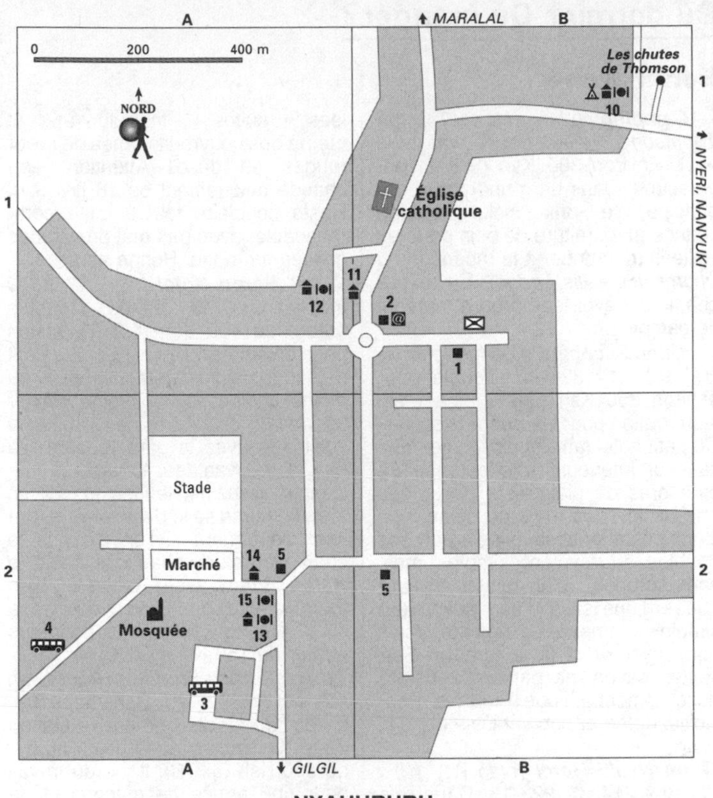

NYAHURURU

Adresses utiles

- Poste
- 1 Barclays Bank
- 2 Cooperative Bank of Kenya (change) et Cyber Café Rendez-Vous
- 3 Terminal des bus et *matatus*
- 4 Petit terminal des *matatus* pour Maralal
- 5 Station-service

Où dormir ? Où manger ?

- 10 Thomson's Falls Lodge et camping
- 11 Good Shepherd's Lodge
- 12 Nyaki Hotel
- 13 Baron Hotel
- 14 Nyahururu Stadium Hotel
- 15 Cona Coffee

moins que vous ne vouliez faire le plein de riches senteurs et de belles couleurs dans les marchés pittoresques, ou écouter le gazouillis des chutes de Thomson au jour déclinant... Attention, p'tite laine, on est à 2300 m et, certains soirs, il peut parfois faire frais ! Distributeur de billets à la ***Barclays Bank*** *(plan B1, **1**)* et connexions Internet possibles au ***Cyber Café Rendez-Vous*** *(plan B1, **2**)*, sis au 1er étage de l'immeuble voisin de la ***Cooperative Bank of Kenya.*** Ouvert de 9 h 30 à 18 h en semaine, jusqu'à 16 h le samedi.

Où dormir ? Où manger ?

Bon marché

⛺ ***Camping** (plan B1, **10**) :* au *Thomson's Falls Lodge* (voir plus bas). Environ 300 Ksh (3,2 €) par personne. Dans un grand jardin. En principe, le prix inclut douche chaude et fourniture de bois pour les veillées (demander à la réception du *Thomson's Falls Lodge*). En revanche, il faut avoir son propre matériel de camping.

🏠 ***Good Shepherd's Lodge** (plan A-B1, **11**) :* ☎ 320-24. Double pour environ 250 Ksh (2,6 €). La meilleure option pour les budgets serrés. Ce petit hôtel familial dissimule dans sa cour intérieure une poignée de chambres de plain-pied, désignées en fonction des mois du calendrier. Cette petite fantaisie mise à part, les doubles se révèlent simples mais sans surprise : bien tenues et flanquées d'une salle d'eau privée (un simple pommeau de douche, mais bon), avec w.-c. (à la turque). Serviette, savon et papier-toilette (à dose homéopathique !) fournis. Possibilité de garer son véhicule dans la cour.

🏠 🍴 ***Nyaki Hotel** (plan A1, **12**) :* PO Box 214. ☎ 223-13. Dans une ruelle en retrait entre l'église catholique et le rond-point. Doubles autour de 800 Ksh (8,4 €). Petit dej' anglais ou continental en sus. Plats à moins de 200 Ksh (2,1 €). Le seul petit hôtel digne de ce nom de Nyahururu ! On en pleurerait presque de bonheur... Hôtel calme car en retrait. Patron accueillant. Grande cour intérieure pour garer les véhicules (seul risque de bruit réel). Chambres réparties autour de ce « patio », propres, petites en *single* mais avec un « salon » pour les doubles (appelées « suites », faut suivre)... et même des couvre-lits ornés de cœur rouges en déco ! Attention, eau chaude uniquement de 18 h à 9 h. Resto populaire tout à fait recommandable, avec pas mal de viandes grillées au menu. Bonne adresse.

🏠 🍴 ***Baron Hotel** (plan A2, **13**) :* très central. ☎ 328-83. Doubles autour de 400 Ksh (4,2 €), suites pour environ 800 Ksh (8,4 €). Petit déjeuner en sus (formules plus ou moins copieuses). À moins d'avoir un *matatu* à attraper dès l'aube, le voisinage avec la gare routière n'a rien d'un avantage. Chambres anciennes assez mal tenues, mais avec tout de même salle d'eau et w.-c. privés. Dépannera si l'on n'a pas le choix. Au rez-de-chaussée, resto le *Baron Annex* assez clean et bien fourni en saison. Ouvert de 7 h à 19 h environ. Plats très honnêtes autour de 150 Ksh (1,6 €).

🏠 ***Nyahururu Stadium Hotel** (plan A2, **14**) :* ☎ 327-73. Dans le centre, à côté du stade, derrière la station *Total*. Chambres avec bains autour de 500 Ksh (5,3 €). Il y a du travail pour une armée de maçons et de plombiers, mais l'établissement est sûr et valable pour une nuit (pas plus !) en dépannage. Douche chaude le matin, mais pas de petit dej'. Bon accueil du patron.

🍴 ***Cona Coffee** (plan A2, **15**) :* à côté du *Baron Hotel*. Fermé le soir et le samedi. Plats à moins de 150 Ksh (1,6 €). Pour un repas très simple et pas cher, mais propreté aléatoire. Cela dit, cadre assez sympa (photos datant de l'indépendance sur les murs bleu ciel). *Samossas* et bon yaourt.

De prix moyens à plus chic

🏠 🍴 ***Thomson's Falls Lodge** (plan B1, **10**) :* PO Box 38. ☎ 220-06. Fax : 321-70. À 1,5 km environ, sur la route de Nyeri. Face aux chutes, vous l'aviez deviné. Doubles autour de 2400 Ksh (25,2 €) en *B & B* et 3300 Ksh (34,7 €) en demi-pension ; réductions enfants. Un *lodge* des années 1930 assez fatigué. Certaines chambres dans des cottages vieillots mais bien tenus, avec pourtant des façades au style étrange (ça fait un peu parpaing !). Étanchéité sonore un peu légère, attention au retour dans la soirée de votre voisin de palier. Bon, l'hôtel mériterait une petite rénovation et une révision de la robinetterie (eau chaude défaillante). Côté cuisine, buffet pas terrible, très fréquenté par les hommes d'affaires africains en séminaire (se dépêcher d'arriver pour manger à sa faim ou ne pas hésiter à réclamer ce qui n'est plus sur la table !). Le petit plus, c'est le feu de bois dans chaque chambre (le demander parfois), ainsi que dans le salon du *lodge*. Le soir, ambiance bon enfant autour d'une bière pas chère. Ne pas oublier d'aller voir les chutes, quand même, même si les charmantes vendeuses d'artisanat misent précisément sur elles... pour faire remonter leur chiffre d'affaires !

– Nous déconseillons le camping *Laikipia Club* à Rumuruti (à 40 km de Nyahururu). Gros problèmes de sécurité.

À voir

🔭🔭 ***Les chutes de Thomson*** *(plan B1)* **:** eh oui, puisque vous êtes venu pour cela. Découvertes par Joseph Thomson en 1883. Un drôle de gus qui arriva à 21 ans au Kenya et mourut chez lui, en Écosse, à 37 ans. Il introduisit le 1er appareil photo en Afrique de l'Est et arriva une fois à convaincre des Massaïs très belliqueux que l'appareil le rendait invincible. Un autre jour, en position difficile dans une confrontation qui allait tourner à son désavantage, il enleva spontanément ses fausses dents et la situation se détendit dans l'étonnement ahuri des Massaïs et un immense éclat de rire. Oui, mais les chutes ? Bon, on y arrive !
Elles plongent de 75 m de haut dans une gorge verdoyante. Dans un contexte bucolique total, ça vaudrait le détour et un « rhaa, loovely ! » Ici, ça fait vraiment touristique. Les cabanes de souvenirs les surplombant et les sollicitations des petits marchands empêchent quelque peu de rêver... Petit chemin permettant d'aller au pied des chutes. Avoir de bonnes chaussures (ni tongs, ni semelles glissantes !).

QUITTER NYAHURURU

🚌 ***Terminal des bus et matatus*** *(plan A2,* ***3****)* **:** *matatus* pour Méru, Isiolo, Nakuru Nyeri, Nanyuki, Naivasha. Bus pour Nairobi, Niery et Nakuru.
🚌 Après le marché et la mosquée : ***petit terminal des matatus pour Maralal*** *(plan A2,* ***4****).*

NYERI

IND. TÉL. : 061

Capitale administrative de la Central Province, à environ 160 km de Nairobi. Petite capitale aussi du pays kikuyu, porte d'entrée orientale de la région des Aberdares. C'est une ville plaisante, aérée et propre (assez élevée, prévoir une petite laine certains soirs). Région assez dense question population. Pas grand-chose à voir ni à faire. Ville commerçante-étape. C'est ici qu'est enterré Lord Baden-Powell, le créateur du scoutisme. ***Matatus*** pour Nairobi (compter 2 h de route), Nanyuki (environ 1 h), Nyahururu (1 h) et Nakuru (2 h).

Adresses utiles

✉ ***Poste*** *(plan A1)* **:** Kimathi Way. Ouverte de 8 h à 17 h en semaine, jusqu'à midi le samedi.

■ ***Change*** *(plan A1,* ***1****)* **:** sur Kenyatta Rd.

@ ***Internet*** **:** à la poste, ou à la boutique *Dorpix Internet (plan A1,* ***2****),* dans la 1re rue parallèle au nord du Kimathi Way. Ouvert tous les jours de 8 h à 18 h 30 environ. Connexions à faible débit mais petits prix.

Où dormir ? Où manger ?

Bon marché

Nyeri Star Hotel *(plan B2,* ***11****)* **:** PO Box 1321. ☎ 310-83. Juste après la gare des *matatus,* à droite en descendant vers Temple Rd. Resto ouvert tous les jours midi et soir. Double autour de 700 Ksh (7,3 €) avec petit déjeuner, 500 Ksh (5,2 €) sans. Petit hôtel de quartier organisé comme de coutume autour d'une cour intérieure, échappant du coup aux nuisances sonores de la gare routière. Chambres très basiques mais correctes, avec salle d'eau (douches chaudes). Resto populaire sympa et bon marché au 1er étage. Bon choix de viandes : *beef plain stew* et *beef curry,* ou poulet, accompagnés de *kienyenji* (nom swahili de l'*irio kikuyu*), d'*ugali* ou de *chapati.*

Ibis Hotel *(plan A1,* ***12****)* **:** PO Box 184. ☎ 48-58. Fax : 305-30. Dans la 1re rue parallèle au nord du Kimathi Way. Doubles autour de 750 Ksh (7,9 €). Bonnes infrastructures, à l'image de la cour intérieure couverte lumineuse, du restaurant correct et du bar. Chambres plus simples, mais très propres et équipées de salles d'eau avec douches chaudes. À la carte du resto, un peu sombre, l'inévitable *nyama choma,* steaks, poulet à petits prix. Une bonne affaire.

De bon marché à prix moyens

Central Hotel *(plan A1,* ***13****)* **:** Kanisa Rd, PO Box 1229. ☎ 302-96. Central, comme son nom l'indique. Doubles pour environ 850 Ksh (8,9 €), petit dej' inclus. Plats autour de 200 Ksh (2,1 €). Édifice en brique sans charme particulier, mais pas déplaisant. Accueil très courtois, mais chambres moyennement entretenues et distributeur de préservatifs dans les couloirs, fréquentation oblige ! Sinon, resto prolongé par une terrasse ombragée sympa pour une cuisine classique correcte (*nyama choma,* pâtes, etc.). Le bar sert de lieu de rendez-vous aux guides. Pas mal d'animation le week-end.

White Rhino Hotel *(plan A1,* ***14****)* **:** Kenyatta Rd, PO Box 30. ☎ 43-84. Doubles à 1 500 Ksh (15,8 €) avec petit déjeuner, 1 000 Ksh (10,5 €) sans. Vieil hôtel colonial qui a conservé quelque chose de sa personnalité d'antan. Grandes salles, longues terrasses, vérandas, meubles en bois foncé genre Lévitan années 1950. Malheureusement, l'ensemble a beaucoup vieilli, la décadence a gagné un peu de terrain et la lassitude, elle, envahit le personnel... La nostalgie n'est plus ce qu'elle était ! Chambres vastes mais complètement décaties. Resto bon marché et carte limitée : poulet, mouton, sandwiches. Pour le cadre, donc.

Batian Grand Hotel *(plan B2,* ***15****)* **:** PO Box 12100. ☎ 307-43. • batianhotel@wananchi.com • Doubles de 1 200 à 1 400 Ksh (12,6 à 14,7 €) avec petit dej', de 1 000 à 1 200 Ksh sans (10,5 à 12,6 €). Situé à deux pas du terminal des *matatus,* cet hôtel moderne vieillissant demeure une bonne affaire pour une étape. D'ailleurs, les chauffeurs de safari s'y ar-

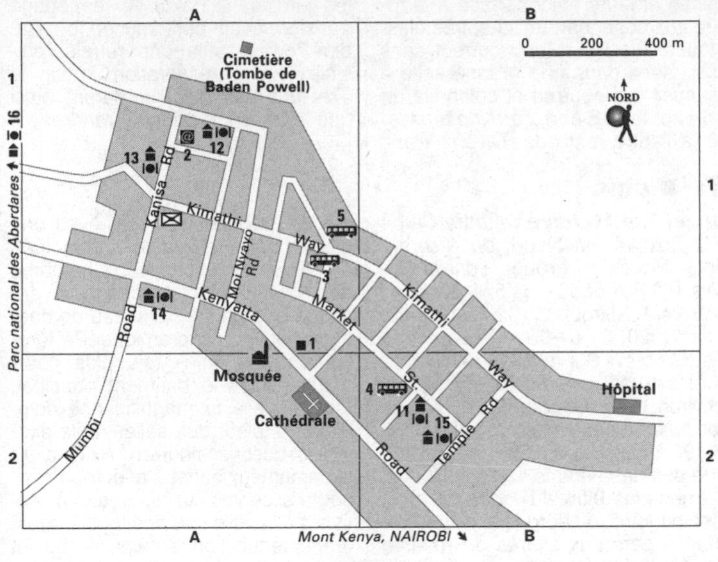

NYERI

■ **Adresses utiles**

- Poste
- 1 Change
- 2 Cybercafé
- 3 Matatus
- 4 Matatus
- 5 Bus

Où dormir ? Où manger ?

- 11 Nyeri Star Hotel
- 12 Ibis Hotel
- 13 Central Hotel
- 14 White Rhino Hotel
- 15 Batian Grand Hotel
- 16 The Outspan Country Club

rêtent volontiers (bon signe), appréciant ses chambres bien tenues, avec une ou deux gravures en déco et des salles d'eau privées (simples). Coffee shop dans une petite cour intérieure, restaurant et parking privé.

Plus chic

The Outspan Country Club *(hors plan par A1, 16)* : PO Box 24. ☎ 24-24, 26 ou 14. Réservations : *Aberdares Safari Hotels* à Nairobi. ☎ (020) 21-58-40 ou 24-70-19. • outspanhotel@wananchi.com • À la sortie de la ville, vers le parc des Aberdares. Chambre standard, *superior* ou cottage de 130 à 260 US$ (108,3 à 216,6 €) pour 2 personnes en *full board* (pension complète). Hôtel cossu des années 1930, dans un très beau parc. A conservé beaucoup de charme, notamment le salon avec sa cheminée en pierre, ses profonds fauteuils, ou la tête du *kob defassa* que la princesse Elizabeth vit mourir sous ses yeux en 1952... juste avant de devenir reine ! Belle terrasse donnant sur le mont Kenya. Les chambres dites « standard » suffisent amplement : agréablement désuètes et très confortables. Il suffit d'afficher le panneau « *You may light the fire* » pour avoir le plaisir de trouver une belle flambée à son retour ! Sinon, préférer les *superior*, très spacieuses avec leur salon-cheminée et leurs balcons face à la forêt, aux cottages familiaux très classiques. Piscine. Menu correct sans plus, servi dans une grande salle à manger aux poutres et colonnes en bois sombre. Sinon, carte de brasserie à l'autre resto, la *Tavern.* Dans les jardins, « Paxtu », le cottage transformé en petit musée où Baden-Powell coula une retraite paisible. Enfin, réservations pour le *Treetops* (parc des Aberdares), ainsi que le transport pour s'y rendre.

Très chic

🏠 🍽 ***The Aberdare Country Club :*** PO Box 449, à Nyeri, ou réservations auprès du groupe *Lonrho Hotels,* PO Box 58581. ☎ 556-20. Fax : 552-24. À Nairobi. ☎ (020) 21-69-40. Fax : (020) 21-67-96. • www.lonrhohotels.com • Sur la route de Nyahururu à Nyeri, peu après Mweiga (à environ 15 km de Nyeri). Doubles en *full board* (pension complète) de 150 à 190 US$ (125 à 158,3 €) ; réduction pour les enfants jusqu'à 12 ans. Le nec plus ultra du *lodge* de luxe. On pénètre d'abord dans un immense parc aux allures de réserve (450 ha), dévalant en pente douce la colline Mweiga. Superbe point de vue sur les phacos se baladant benoîtement en famille, les troupeaux de girafes, d'impalas et de zèbres vivant ici à l'année. L'immense *lodge* colonial domine l'horizon, avec une grasse pelouse fleurie et ponctuée de superbes essences. Chambres dans de confortables cottages à l'anglaise et, bien sûr, avec feu de cheminée et vue panoramique. Préférer les anciens, mille fois plus charmants. Dans le bâtiment principal, tout rappelle la magnificence coloniale. Ampleur des salles, bois exotiques, décor chaleureux. À signaler : le somptueux buffet à midi (non-résidents acceptés sur réservation). Activités à la pelle : piscine, golf 9 trous, tennis, équitation, safaris de jour et de nuit, pêche et même des... mariages dans le bush ! Reste à imaginer la tête de beau-papa et de belle-maman. Le *lodge* est l'organisateur des séjours à l'*Ark,* son « annexe » dans le parc des Aberdares.

À voir

👁 ***La tombe de Baden-Powell*** *(plan A1) :* pèlerinage obligatoire pour nos lecteurs anciens (ou actuels) scouts ! Dans le cimetière de l'église Saint-Peter (au nord de la ville). Accès libre.

En 1902, Lord Robert Baden-Powell fut, à 45 ans, le plus jeune général de l'armée anglaise. Il se « distingua » d'abord durant la guerre contre les Boers (colons hollandais) au début du XXe siècle, en Afrique du Sud (on espère seulement qu'il ne se distingua pas dans la création des premiers camps de concentration de l'ère moderne où moururent des milliers de Boers et leurs familles...). Après cette juste pique anti-britannique, revenons au sujet qui nous intéresse. Pendant cette guerre, ayant noté que ses jeunes « éclaireurs » – pour les missions de renseignements – faisaient montre d'une habileté et d'une débrouillardise remarquables sur le terrain, il eut l'idée de transposer ce savoir-faire (sens de l'observation de la nature, économie de survie, patriotisme, etc.) dans le civil.

Ce fut la naissance du scoutisme, organisé bien sûr sur le modèle militaire (uniforme, salut, grades, respect de la hiérarchie, valeurs religieuses, etc.). Le succès à l'époque fut considérable et le scoutisme, aujourd'hui, continue de mobiliser, de par le monde, des millions de jeunes (avec des variantes religieuses, laïques, etc.). À la fin de sa vie, il s'installa au Kenya et mourut en 1941 à Nyeri. Il repose dans un minuscule cimetière, tout simple, accroché au flanc d'une colline en pente douce. À ses côtés, sa femme, décédée une trentaine d'années plus tard. Chaque année, une commémoration est organisée au petit musée de l'*Outspan Country Club* (voir « Où dormir ? Où manger ? »).

LE PARC NATIONAL DES ABERDARES

Au cœur des White Highlands, l'un des parcs les plus hauts et les plus boisés du Kenya. Point culminant, le mont Lesatima à 3999 m (eh oui, l'érosion !). Terre particulièrement riche qui en fit l'une des grandes régions de colonisation par les Anglais, ce qui entraîna l'expulsion massive des Kikuyus de leurs terres. Nul ne sera donc étonné d'apprendre que l'épicentre de la révolte des Mau-Mau en 1952 fut le massif des Aberdares et le mont Kenya. La densité des forêts locales favorisait, bien entendu, l'action des guérilleros mau-mau.

Aujourd'hui, cette région attire beaucoup de touristes pour ses beaux paysages de landes et de forêts, ses nombreuses cascades et ses riches faune et flore. On peut même y pêcher la truite.

Cela dit, une grande partie du parc, le Salient (la plus forestière), n'est pas ouverte au public et réservée aux riches clients du *Treetops* et de l'*Ark,* deux *lodges* luxueux installés dans ses limites. À l'exception de ces deux endroits, où les visiteurs se contentent d'attendre patiemment à proximité des points d'eau, il est difficile de voir des bêtes. D'ailleurs, le parc est à déconseiller aux amateurs de safari. L'épaisseur des forêts tropicales rend malaisée l'observation des animaux, même si l'on dénombre environ 3000 éléphants de taille respectable ! Quant aux lions, inutile de s'esquinter les yeux, les derniers ayant été théoriquement transférés dans d'autres parcs. Nourris par certains *lodges,* les fauves s'étaient habitués à l'homme et n'hésitaient plus à l'attaquer.

– Ouvert de 6 h à 18 h. Entrée : 30 US$ (25 €) par adulte ; réduction enfants et étudiants. Attention, se munir au préalable de la *Smart Card.*

KENYA (Ouest)

Quand et comment y aller ?

L'Aberdare est l'une des régions les plus pluvieuses du Kenya. Le parc peut être fermé si les routes sont impraticables. Véhicule 4x4 obligatoire pour venir à bout de sérieux dénivelés. Si le temps est pluvieux, et si l'on conduit soi-même, mieux vaut renoncer. Mois les plus secs : août et septembre et de décembre à février. Attention, la nuit, il arrive qu'il fasse assez froid !

➢ En venant de ***Nyahururu,*** on trouve les Rhinos et Shamata Gates. De ***Naivasha*** ou ***Gilgil,*** la Mutubio Gate. Mais il se peut que certaines d'entre elles soient fermées, se renseigner avant. Les *lodges Treetops* et *Ark* possèdent leurs propres *private gates.*

➢ ***De Nyeri,*** vous trouverez les *gates* les plus utilisées : Kiandongoro et Ruhuruini. La Kiandongoro Gate est la porte d'entrée pour les Gura et Karuru Falls, incontestablement les plus belles du Kenya. Cependant, en cas de pluie, la piste pour la Kiandongoro Gate se révèle beaucoup plus pentue et difficile que celle de la Ruhuruini Gate.

Où dormir ? Où manger ?

Bon marché

⩓ On compte une petite dizaine de sites, comme le ***Reedbuck Campsite :*** à côté du *Fishing Lodge.* Compter environ 750 Ksh (8 €) par personne. Sommaire. Apporter les vivres et le matériel nécessaire, y compris le bois pour faire une bonne flambée... ou prévoir une petite laine pour les fraîches soirées.

Prix moyens

🏠 ***Fishing Lodge :*** Kiandongoro Gate. Réservations auprès du *Kenyan Wildlife Service* à Nyeri : ☎ 550-24. Tarif en fonction du nombre de résidents (de 1 500 à 3 000 Ksh environ – 16 à 32 € – par personne). Ce sont de grands *bandas* bien entretenus avec une cheminée, un vaste salon, bains et chambres séparées. Apporter les vivres pour préparer les repas. On y admire régulièrement les éléphants tout proches à la tombée de la nuit, avant d'aller se blottir auprès du feu : dépaysement garanti.

Très chic

À noter : il est interdit de rallier le *Treetops* ou l'*Ark* avec son propre véhicule. Départs depuis l'*Outspan* ou l'*Aberdare Country Club* à Nyeri.

🏠 🍴 ***The Ark :*** réservations à l'*Aberdare Country Club* (voir chapitre « Nyeri »), ou auprès du groupe *Lonrho Hotels,* PO Box 58581, à Nairobi. ☎ (020) 21-69-40. Fax : (020) 21-67-96. • www.lonrhohotels.com • Selon la saison, double de 160 à 260 US$ (133,3 à 216,7 €) en pension complète. Entrée du parc en sus. Enfants en dessous de 7 ans non acceptés. Ressemblant à un bateau (pour nous, plutôt à un toit de pagode) et environné d'animaux sauvages, on donna à ce *lodge* le nom d'*Ark* (« arche »). Caractéristique principale : un poste d'observation situé dans un site superbe en pleine nature. Plusieurs balcons donnent sur une grande mare où viennent boire les animaux. Pour les photographes, un petit avant-poste en pierre avec meurtrières horizontales. Atmosphère très, très touristique et clientèle huppée du monde entier qu'on a convaincue qu'elle allait se rendre dans un lieu exceptionnel.

Et tout sera fait pour le lui faire croire : d'abord, rendez-vous à l'*Aberdare Country Club.* Là, on vous demande d'emporter votre brosse à dents et une petite laine, de laisser le reste au club, et embarquement dans un car bringuebalant. Un grand frisson parcourt le voyageur. L'aventure au coin de l'acacia ! Transport en 40 mn par une *gate* privée au cœur du parc jusqu'au *lodge,* grand navire perdu dans la brousse. Derniers 200 m à pied, en empruntant une passerelle de bois jetée par-dessus la végétation luxuriante. Cela donnera-t-il aux lions le temps de nous croquer, aux éléphants l'occasion de nous piétiner ? Installation un peu décevante dans d'étroites chambrettes, style cabines de bateau bas de gamme (avec sanitaires tout de même). Le salon où pétille un bon feu de cheminée compense heureusement l'absence de chaleur de la déco. Mais là n'est pas l'essentiel : le cœur tangue à l'idée de voir les animaux de si près... attirés à la mare par des pains de sel opportunément semés sur leur chemin. Restent quelques courtes séquences émouvantes : une oie égyptienne défendant ses petits d'une mangouste trop gourmande, une civette croquant des lézards en embuscade, une genette s'aventurant sur une terrasse pour laper une tasse de lait. Et la belle lumière sur la mare, à l'aube, à savourer seul, quand tous les autres dorment. Seul avec gazelles et antilopes s'abreuvant un œil sur l'eau, l'autre sur le taillis...

Déjeuner le midi à l'*Aberdare Club* (copieux, beau buffet), le soir au *lodge* (très conventionnel, voire banal !).

🏠 🍴 ***Treetops :*** le grand rival de l'*Ark,* basé à 17 km de Nyeri. ☎ (061) 49-01, mais réservation et transport depuis l'*Outspan Country Club* à Nyeri (voir la rubrique « Où dormir ? Où manger ? »). Doubles autour de 280 US$ (233,3 €) en pension complète, entrée du parc en sus. Compter 180 US$ en basse saison (150 €). Enfants de moins de 7 ans *not welcome.* Départ pour le parc

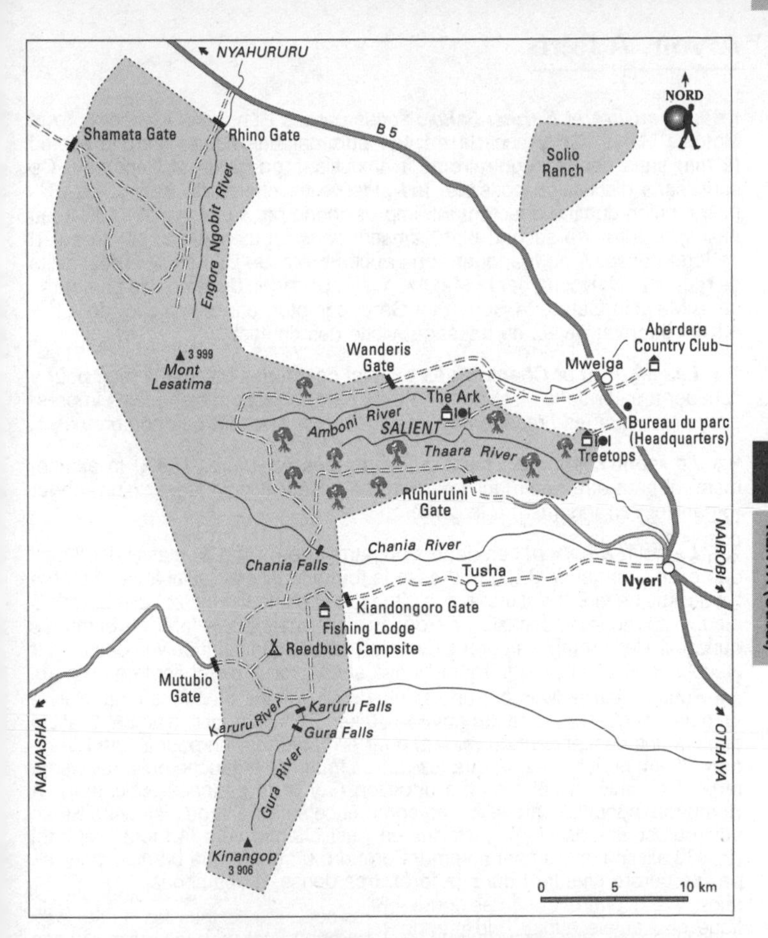

LE PARC NATIONAL DES ABERDARES

après un déjeuner à l'*Outspan.* Même principe qu'à l'*Ark,* mais là, au moins, y a-t-il une histoire ! Ce fut d'abord en 1932 un vrai *tree lodge,* nichant dans un banian géant avec une demi-douzaine de chambres seulement. C'est pendant son séjour en 1952 que la jeune princesse Elizabeth apprit la mort de son père George VI et qu'elle devenait reine. Le *lodge* fut incendié pendant la révolte des Mau-Mau et reconstruit en plus grand sur pilotis au milieu des arbres. Chambres minuscules, sanitaires et douches en commun (sauf 2, les veinardes) donnent ici encore plus l'impression d'aventure programmée... Seulement voilà, la forêt a reculé, la route passe à 3 km et les lumières des maisons voisines se devinent au loin. Il devient de plus en plus difficile de faire venir les animaux. Heureusement, les pains de sel vont là aussi sauver la situation... Souvenirs d'illustres clients qui donneront en prime aux visiteurs l'impression d'appartenir à une élite... Un bon point : excellente cuisine !

À voir. À faire

*** **_Les Gura et Karuru Falls :_** accès par les Ruhuruini, Kiandongoro et Matubio Gates. On y accède en 4x4 puis par une courte marche à pied (5 mn) sans danger, contrairement aux mises en garde de l'écriteau. Ce sont, sans discussion possible, les plus belles chutes du Kenya. La première, qu'on domine directement, impressionne par sa dénivelée (100 m au moins). L'autre, au second plan, s'inscrit dans un merveilleux site très vert de forêt dense. À ne manquer sous aucun prétexte. Des chutes, possibilité de regagner Naivasha par la Matubio Gate. Une idée de temps de parcours : de la Matubio Gate à la Ruhuruini Gate, compter, par temps sec, de 4 h à 4 h 30 de trajet (avec, au passage, visite des chutes).

** **_Les Maguru et Chania Falls :_** l'objet de courtes balades à pied pour y accéder à partir de la piste principale du parc. Elles sont bien moins impressionnantes que les précédentes, mais les touristes sont peu nombreux.

** **_Le mont Lesatima :_** point culminant des Aberdares (3 999 m exactement), il peut être gravi facilement en se faisant accompagner d'un ranger (organiser l'arrangement à la *gate*).

** **_Le mont Éléphant :_** en dehors du parc. Éperon sud du massif des Aberdares, ce sommet de 3 500 m dresse la forme familière qui lui a valu ce nom au-dessus de la Rift Valley, et constitue le but d'une longue et belle balade à pied. C'est surtout l'occasion de découvrir la magnifique forêt de bambous qui couvre les premières pentes des Aberdares et un point de vue unique sur Nairobi, la Rift Valley et le mont Kenya sans avoir à payer l'entrée du parc.
➢ Pour y aller de Nairobi : en *matatu* ou en voiture, même combat. Suivre la route Nairobi-Naivasha sur environ 60 km. Puis un pont l'enjambe. C'est là que les uns descendent du *matatu* pour en reprendre un pour South Kinangop (20 km de là) ; c'est là que les autres tournent à gauche puis traversent le pont en suivant cette même direction (il y a un panneau indicateur). À South Kinangop, la marche à pied commence sur une large piste vers Kinan gop Forest Station (1 h), puis sur un petit chemin vers le mont Éléphant (2 h 30 aller). Il faut impérativement prendre un guide à la barrière pour ne pas se perdre plus tard dans la forêt, très dense, de bambous.

Pour dormir, aux amoureux de levers de soleil sous l'équateur, nous recommandons le **_camping_** à côté de la cabane au sommet (prendre un bon duvet pour les nuits fraîches et un vêtement de pluie pour les éventuelles averses de l'après-midi).

➤ DANS LES ENVIRONS DU PARC DES ABERDARES

*** **_Le Solio Ranch :_** à 22 km de Nyeri, sur la route de Nyahururu. Bien indiqué. Ouvert tous les jours de 7 h à 18 h. Entrée : autour de 1 800 Ksh (19 €) par personne. Véhicule 4x4 obligatoire (possibilité de trouver un véhicule à l'*Outspan Country Club,* de Nyeri, ou à l'*Aberdare Country Club*). Guides disponibles sur place mais non obligatoires. Conseillé de se procurer la carte de la réserve. C'est une immense réserve clôturée (environ 8 000 ha), l'un des principaux sanctuaires du rhinocéros au Kenya. Ceux de Nakuru viennent d'ici. Il propose deux routes centrales (prendre plutôt celle de gauche) qui rejoignent toutes deux la North Fence Rd. Environ 9 km de la Main Gate à cette clôture nord.

La West Swamp Rd suit un petit cours d'eau, l'*Engare Moyok*. Environnement frais et verdoyant avec, le matin de bonne heure, une superbe aura dorée. Là encore, l'impression de traverser une arche de Noé terrestre. Les animaux sont tous là, sauf l'éléphant, et c'est tant mieux, *because* qu'est-ce qu'il ferait comme dégâts ici (et puis il y a le merveilleux Lewa Downs plus loin pour l'admirer !). Superbes girafes réticulées, buffles, zèbres, antilopes et gazelles apparaissant avec des contre-jours extra dans des sous-bois baignés de lumière. Mais la principale raison de votre visite, ce sont les rhinos noirs et blancs. On en compte environ 70, avec une majorité de rhinos blancs. Magnifiques, altiers, dans les espaces ouverts des Twiga et Patas Plains. Dans ces plaines ondoyantes à peine mouchetées de quelques bosquets, sentiment vivifiant d'une nature totale, même si la présence, à un moment donné, de la clôture électrique vous ramène un tantinet sur terre.

Où camper ?

Ⲁ Théoriquement, possibilité de camper dans différents ***campsites*** disposés autour de la réserve. Point d'eau et w.-c. Se renseigner sur place.

Où dormir ? Où manger sur la route de Nanyuki ?

De Nyeri à Nanyuki, plusieurs possibilités de séjourner pour ceux et celles envisageant un trek ou une simple randonnée sur les pentes du mont Kenya.

De bon marché à plus chic

I●I ***Trout Tree :*** sur la route de Nanyuki. Un grand panneau l'indique. Ouvert de 11 h à 16 h. Prix moyens. De la truite, rien que de la truite. Voilà, c'est dit, les carnivores n'ont qu'à bien se tenir ! Et puis avec tous ces bassins d'élevage enroulés autour du resto, ce serait tout de même dommage de ne pas profiter de la fraîcheur des poissons. Possibilité tout de même de choisir entre différentes spécialités (de truites !), plutôt bien préparées.

Ⲁ ⌂ I●I ***Naro Moru River Lodge :*** PO Box 18, Naro Moru. ☎ (062) 626-22. Fax : (062) 622-11. • www.alliancehotels.com/naromoru.htm • Presque à mi-chemin de la route Nyeri-Nanyuki. Un complexe touristique présentant d'intéressants prix et formules dans un très agréable environnement :
– *camping :* compter environ 5 US$ (4,2 €) par personne. Bien situé à flanc de colline, avec une belle vue dégagée (les jours sans nuages !) sur le mont Kenya. Sanitaires corrects ; douches chaudes (mais seulement pour les premiers arrivés) ;
– *formule Youth Hostel :* à côté du camping, en lits superposés *(bunk-beds)*. Environ 8 US$ par personne (6,7 €), mais spartiate. Sanitaires et douches à partager avec les campeurs. Préférer le camping si possible ;
– *chalets* pour 2 de 70 à 85 US$ (58,3 à 70,8 €), pour 4 à 6 personnes de 140 à 180 US$ (116,6 à 150 €), ou *Country Homes* (3 chambres) de 160 à 190 US$ (133,3 à 158,3 €). Possibilité de demi-pension et de pension complète. Chalets plein de charme, avec une belle hauteur sous plafond et un bon feu de cheminée pour faire danser les ombres. Cottages ou *Country Homes* avec cuisine, bains (baignoire et douche), chambres séparées avec moustiquaire et salon avec cheminée. Ils s'étagent sur de petites buttes, avec balcons donnant sur le grand parc fleuri, jalonné de belles essences. Rivière, mares, bosquets, massifs de fleurs confèrent beaucoup de charme à l'ensemble. Salle à manger tout en bois dans un coin du parc. Chaleu-

reuse atmosphère, nappes à carreaux, cuisine sans génie mais solide.
Nombreux services : piscine chauffée (gratuite), sauna, service de *laundry, video-room,* tennis, VTT, *shuttle* pour Nairobi, etc. Activités multiples : pêche à la truite, équitation, treks dans la montagne.
Bien sûr, location de matériel de montagne et d'escalade (tentes, duvets, etc.). Concernant l'ascension du mont Kenya, bonne expérience et guides confirmés. Au choix : randonnée à la journée, ou de 2 à 6 jours. Bref, une adresse très complète !

Serena Mountain Lodge : PO Box 123, Kiganjo. ☎ (061) 307-85. Fax : (061) 308-58. Réservations à Nairobi : PO Box 46890. ☎ 271-10-77. Fax : 271-81-02 ou 03. • www.serenahotels.com • Double de 150 à 250 US$ (125 à 208,3 €) en pension complète, accès au parc en sus. Enfants de moins de 7 ans non admis.
À environ 30 km de la route Nyeri-Nanyuki, après quelques passages difficiles en fin de parcours, ce petit *logde* en bois constitue une intéressante alternative aux établissements prestigieux des Aberdares. Enraciné sur les flancs du parc national du mont Kenya, il enserre une mare de taille moyenne où viennent s'abreuver buffles, antilopes et même éléphants... tout ce petit monde surveillé du coin de l'œil par les hyènes ! On observe les animaux depuis une vaste terrasse panoramique, un poste avancé souterrain, ou plus simplement depuis les balcons des chambres, toutes orientées face au point d'eau. Et si vous avez raté votre animal favori, inutile de faire le pied de grue toute la nuit. Un veilleur se chargera de vous prévenir. On y recense toutefois moins d'espèces que dans les Aberdares, mais le choix du *Serena Mountain Logde* se justifie pour son bien meilleur confort. Les petites chambres bardées de bois s'avèrent charmantes et confortables (bouillottes dans les lits pour parer aux nuits fraîches), les repas très convenables et le service impeccable. Organise des balades dans la forêt et propose différentes formules pour l'ascension du mont Kenya.

NANYUKI

IND. TÉL. : 062

En 60 km, le paysage change un peu de visage. La région n'est plus autant arrosée que les pentes du mont Kenya. On retrouve la poussière, une herbe plus jaune, et plus du tout l'impression de fraîcheur et d'activité bourdonnante laissée par Nyeri. Tout autour, de grands ranchs tenus par des cultivateurs d'origine anglaise, les fameux « Kenyans blancs », mais presque plus d'animaux sauvages. Nanyuki est aussi connue pour sa base aérienne de l'armée de l'air kenyane et pour être le siège d'un grand centre d'entraînement de l'armée britannique. Ville de peu d'intérêt, étape sur la route de Méru ou de Samburu.
Vous aurez passé probablement plusieurs fois l'équateur depuis Baringo-Bogoria, mais c'est à Nanyuki qu'on va essayer de vous prouver le passage de l'équateur « scientifiquement ». Attention, ne faites pas comme nous (et comme tout le monde !), et ne tombez pas dans le panneau ! Des jeunes, avec une bassine d'eau sur laquelle flotte un bout de bois, vont vouloir vous montrer la différence du champ magnétique entre le nord et le sud. Ils placent alternativement la bassine d'eau à 10 m de la pancarte indiquant le passage de la ligne et on est médusé en constatant qu'entre le nord et le sud, le bout de bois tourne en sens inverse, vérifiant ainsi le phénomène découvert par Coriolis. Un de nos lecteurs nous a mis sur la bonne voie : il s'agit d'une fraude pure et simple ! La force de Coriolis à l'équateur est nulle et ne se manifeste que dans le déplacement de grandes masses (des cyclones, par exemple). En fait, celui qui va tenter de vous duper « aide » le

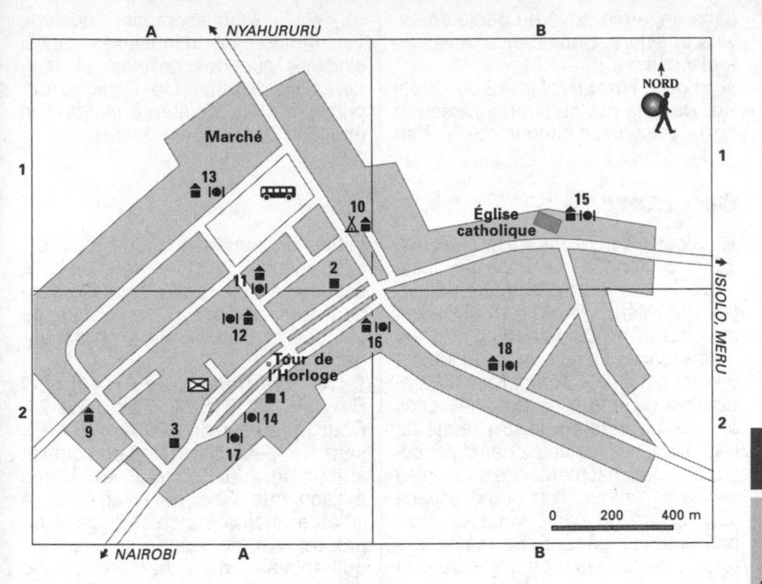

NANYUKI

■ **Adresses utiles**	10 Mount Kenya Paradise
✉ Poste	11 Joskaki Hotel
🚌 Terminal des *matatus*	12 Jambo House Hotel
1 Barclays Bank (distributeur automatique)	13 Ibis Hotel
2 Kenya Commercial Bank (change)	14 Mother's Choice Café
3 Station-service	15 Simbas Lodge
Où dormir ? Où manger ?	16 Equator Chalet
9 Youth Hostel	17 Restaurant Marina
	18 Sportsman's Arms

mouvement à démarrer dans le bon sens... Raison de plus pour refuser le prix ridiculement élevé d'un certificat de passage de la ligne !
Pour vos achats de souvenirs, visite intéressante à l'*Equator Woodcarvers Coop Society*. Suivre la route Nanyuki-Nyeri. Au bout de quelques kilomètres (avant la pancarte de l'équateur), tourner à droite (pancarte « Sweetwaters »). Petite coopérative de sculpteurs qu'on voit donc travailler et boutiques de vente. Bus et *matatus* réguliers pour Nairobi (environ 3 h de route), Nyeri, Méru et Isiolo.

Où dormir ? Où manger ?

Très bon marché

Camping : au *Mount Kenya Paradise (plan A1, **10**)*. Prévoir 150 Ksh (1,6 €) par personne. Possibilité de planter sa tente au calme, dans un jardin privé en pente douce vers la rivière. Sanitaires et douches à disposition.

🏠 ***Youth Hostel*** *(plan A2, **9**)* **:** Kieni Rd. Dans la rue du temple hindou et de la prison. Lit autour de 70 Ksh (0,7 €). Établissement décrépi, « chambres » minuscules, aussi sinistres que des cellules, et sanitaires inexistants. On l'indique par principe, mais à éviter, à moins d'en être à la dernière extrémité !

Bon marché

🏠 ***Mount Kenya Paradise*** *(plan A1, **10**)* **:** au fond d'une impasse, juste après le carrefour principal en direction de Méru. ☎ 317-10. Doubles pour environ 600 Ksh (6,3 €). Une renaissance. Depuis le changement de propriétaire, le *Mount Kenya Paradise* est devenu l'une des meilleures affaires du centre-ville. En retrait de l'agitation, les vastes chambres occupent des bâtiments de plain-pied ordonnés autour d'un grand espace vert. Salles de bains vétustes mais bon entretien général. Se méfier toutefois des soirées organisées dans le bar (très chouette) de l'hôtel.

🏠 |●| ***Joskaki Hotel*** *(plan A1-2, **11**)* **:** ☎ 314-03. Doubles de 500 à 600 Ksh (5,3 à 6,3 €). Bon, la déco fait plutôt dans le genre clinique, mais l'établissement est sûr et les chambres avec salles d'eau s'avèrent très convenables et bien tenues pour le prix. Et puis, en choisissant bien, on profite d'une vue sympa sur le parc déployé au pied de l'immeuble. Bar et restaurant au 1er étage.

🏠 |●| ***Jambo House Hotel*** *(plan A2, **12**)* **:** ☎ 327-31. Doubles autour de 450 Ksh (4,7 €), sans le petit dej'. Plats pour environ 150 Ksh (1,6 €). S'ordonne autour d'une cour intérieure. Rustique, parfois très vétuste, mais nettoyé tous les jours en général. Chambres inégales, certaines un peu mieux que d'autres. Bon accueil. Au 1er étage, resto et bar animé avec petite terrasse donnant sur la place. Choix limité de viandes et volaille. Bref, en dépannage.

🏠 |●| ***Ibis Hotel*** *(plan A1, **13**)* **:** PO Box 286. ☎ 315-36. Fax : 314-24. Doubles autour de 800 Ksh (8,4 €), sans le petit dej'. Repas complet autour de 400 Ksh (4,2 €). Même maison que l'*Ibis* de Nyeri (pas la célèbre chaîne française !), gage de propreté et de bonne tenue. Une quarantaine de chambres avec douche et w.-c., eau chaude, téléphone et souvent des moustiquaires. Bon choix de viandes au resto, réfugié au calme dans une cour intérieure couverte. Cuisine correcte. Bon accueil et service efficace.

|●| ***Mother's Choice Café*** *(plan A2, **14**)* **:** Kenyatta Av. Ouvert jusqu'à 20 h. Fermé le dimanche. Plats et petit dej' autour de 150 Ksh (1,6 €). Sympathique petite cantine locale où se retrouvent des habitués et quelques expats ayant flairé la bonne affaire. Pas de fioritures, mais plutôt une cuisine efficace et pas chère. Choix de steaks, poulet et currys assez copieux, ainsi que des omelettes, soupes et sandwichs. Simple et sympa.

Prix moyens

🏠 |●| ***Simbas Lodge*** *(plan B1, **15**)* **:** PO Box 211. ☎ 317-23. Prendre la route de Méru et tourner à gauche au niveau de l'église catholique. Doubles pour 1 400 Ksh environ (14,7 €), petit dej' compris. Plats autour de 250 Ksh (2,6 €). Excellent accueil. Chambres plaisantes et surtout très propres réparties autour d'une cour intérieure façon motel. Sinon, petit bâtiment neuf avec quelques chambres à l'étage (mais avec une vague vue sur le mont Kenya depuis la galerie et face à un arbre couvert de nids de tisserins). *Playground* pour les enfants, billard et TV pour tout le monde. Outre le menu du resto, il y en a un autre spécialisé dans le *nyama choma.* Coin tranquille et intéressant rapport qualité-prix. Parking privé.

🏠 🍽 ***Equator Chalet*** *(plan A-B2, **16**) :* PO Box 1147. ☎ 314-80 ou 81. En ville. Doubles autour de 1 200 Ksh (12,6 €). Plats entre 200 et 300 Ksh environ (2,1 et 3,2 €). Qui l'eut cru ? Cette façade sans prétention dissimule à l'étage un genre de patio très lumineux, égayé par quelques plantes vertes. Chambres à l'avenant, guillerettes avec leurs couvre-lits colorés et leurs petits noms d'oiseaux. Petit resto confortable pour une cuisine classique correcte. Parking privé. On regrette toutefois son emplacement peu stratégique, le long d'une rue turbulente.

🍽 ***Restaurant Marina*** *(plan A2, **17**) :* Kenyatta Av. ☎ 319-87. Ouvert tous les jours de 8 h à environ minuit. Joue dans la gamme « prix moyens », mais connaît parfois quelques écarts malvenus (viande dure et peu copieuse). Cela dépend des jours... Reste toutefois l'un des bars préférés des expats, qui se réunissent volontiers dans sa salle confortable ou sur la terrasse à l'étage.

Plus chic

🏠 🍽 ***Sportsman's Arms*** *(plan B2, **18**) :* PO Box 3. ☎ 323-47. Fax : 318-26. • www.sportsmansarms.com • Au croisement des routes de Nyahururu et de Méru, prendre à droite. C'est à 500 m environ. Double autour de 4 000 Ksh (42,1 €), ou cottages de 2 à 4 personnes pour 7 000 Ksh environ (73,7 €), petit déjeuner compris. Tarifs en *half* et *full board* possibles, sinon, menu autour de 800 Ksh (8,4 €). C'est l'adresse chic la plus prisée de la ville. Ancien hôtel colonial qui servit de quartier général à l'armée britannique en 1945. Il en reste aujourd'hui quelque chose dans l'atmosphère, entretenue par la présence au bar des militaires anglais du centre d'entraînement. Les nostalgiques choisiront les anciens bungalows en bois, conservés comme témoignages du passé, vieillissants mais moins chers. Les récents sont très classiques et bien équipés (TV, moustiquaires, cheminée et parfois une kitchenette). Quant aux chambres, elles sont conformes aux canons de l'hôtellerie moderne : fonctionnelles et confortables, avec moquette, TV, moustiquaires, salles de bains nickels et balcons. Possibilité de camper (mais pas de douche chaude). Piscine, jacuzzi, bain turc, salle de gym et... discothèque le week-end. Restaurant de bonne réputation (buffet).

Où dormir ? Où manger dans les environs ?

Chic

🏠 🍽 ***Sweetwaters Tented Camp :*** ☎ 324-09. Fax : 319-65. Réservations, *Lonrho Hotels,* PO Box 58581, Nairobi. ☎ (020) 21-69-40. Fax : (020) 21-67-96. • www.lonrhohotels.com • À une quinzaine de kilomètres de Nanyuki. Route de Nyeri, puis à droite (fléché). Compter 310 US$ (258,3 €) pour 2 personnes en haute saison (180 US$, soit 150 € d'avril à fin juin) ; réduction pour les enfants jusqu'à 12 ans. Mais entrée dans la réserve en sus (1 500 Ksh par adulte, soit 15,8 € ; réductions enfants). Situé sur une immense réserve privée de 11 000 ha. Toutes les tentes sont face à la savane et à la mare où viennent boire les animaux. Excellent confort. Tentes sur pilotis protégées par un toit de chaume. Le plus de cette adresse, c'est incontestablement la beauté lumineuse des soirées. Autour de la mare, ballets de zèbres, impalas, gazelles, girafes, grues couronnées, marabouts, souvent dans le même champ de vision. Rhinos et éléphants apparaissent plus rarement. Part de rêve total ! Bon, il y a juste le bruit du groupe électrogène ou de la CB, ainsi que la cuisine, assez moyenne, qui viennent perturber un peu cette belle harmonie. Sinon, parmi les activités proposées, piscine, safaris nocturnes, marches ornithologiques, balades à dos de chameaux, etc. Joli programme, non ?

Très chic

⌂ |●| ***Mount Kenya Safari Club :*** PO Box 35, Nanyuki. ☎ 300-00. Fax : 313-16. Même centrale de réservations que le *Sweetwaters Tented Camp.* Route de Nyeri, puis à gauche (bien indiqué). Après 9 km par la D488, on arrive au pied des pentes verdoyantes des premiers contreforts du mont Kenya. Chambres et cottages à tous les prix. De la *Club Twin,* autour de 380 US$ (316,6 €), aux grands *Riverside Cottages* de trois chambres à environ 1120 US$ (933,3 €), le tout en pension complète. L'un des hôtels les plus luxueux du Kenya, charme grandiose en prime, installé au milieu d'un paysage magnifique. William Holden en fut le proprio, et il compta de prestigieux adhérents comme Lyndon B. Johnson. On y a même vu la famille royale ! Le salon donne sur une immense pelouse en pente ondoyante parsemée d'étangs, avec des bosquets remplis d'oiseaux et une petite chapelle pour les mariages. Des dizaines de marabouts, ibis, pluviers nidifient des racines au faîte des arbres, accompagnés de pélicans, oies égyptiennes, hérons etc. Bref, l'arbre de Noé des zoziaux ! Au centre, la piscine panoramique chauffée face au mont Kenya... Cottages sur le côté ou éparpillés sous les grands arbres en contrebas. Si vous le pouvez, préférez les cottages *William Holden,* superbes (grand salon, cheminée, belle salle de bains, 2 chambres et une bouteille de vin à l'arrivée !) ou les *Riverside Suites,* avec leur vue sur la rivière et leur *touch* beaucoup plus nature. Remarquable cuisine servie dans l'impressionnante salle à manger de style « Tudor colonial », annoncée à l'entrée par d'impressionnantes défenses d'éléphant (mais pour le dîner, resto spécial pour les enfants de moins de 7 ans). Orchestre diffusant une musique internationale assez anachronique pour une clientèle principalement d'Américains, service impeccable, nécessité d'être en tenue correcte le soir. Un autre monde, à trois portées de sagaies de Goma ! Activités sportives : golf bien sûr, équitation, bowling, tennis, pêche, randonnées ornithos... et croquet !

Où boire un verre ? Où sortir ?

La présence du contingent anglais et des randonneurs en partance pour le mont Kenya justifie le maintien d'une petite vie nocturne à Nanyuki... avec son lot de sirènes, comme de juste. Place d'honneur pour le bar du ***Mount Kenya Paradise*** (voir ci-dessus). Cadre très agréable en raison des tables déployées en terrasse, ou réfugiées dans l'intimité de petits boxes ouverts sur le jardin. Bar coloré aux allures d'amphithéâtre. Sinon, le ***Buccaneer Club,*** la boîte du *Sportsman's Arms,* rassemble les aficionados des soirées discos.

À voir

Ne pas manquer de visiter, dans le domaine du *Mount Kenya Safari Club,* l'***animal orphanage*** de Stephanie Powers, ex-compagne de William Holden. Entrée payante. Destiné à la reproduction, il recueille, entre autres, rhinos, hippos pygmées, rares bongos des Aberdares, singes, grues couronnées et... une tortue âgée de plus de 130 ans !

KENYA (Ouest)

LE MONT KENYA

L'ascension du mont Kenya ou celle du mont Kilimandjaro? Que choisir? Pour certains, monter au sommet de l'un de ces monstres sacrés constitue l'unique raison d'un séjour en Afrique de l'Est. Cette ascension laissera à ceux qui la tenteront un souvenir inoubliable, en raison des panoramas magnifiques qu'ils découvriront au fur et à mesure de leur montée. L'ascension du mont Kenya est plus rapide (4 à 5 jours) que celle du mont Kilimandjaro, et moins onéreuse. Autre nuance : la différence d'altitude pourrait être mieux supportée ici que du côté tanzanien. Les voies d'accès y sont nombreuses et peu encombrées.
La plus grande partie du mont Kenya est incluse dans un parc dont l'accès est soumis à des droits d'entrée calculés par jour de présence.

TOPOGRAPHIE ET HISTOIRE

Le mont Kenya est le 2e sommet d'Afrique (5 199 m), après le Kilimandjaro (5 896 m) situé en Tanzanie. C'est un grand cône volcanique de 120 km de diamètre à la base, formé il y a 2,5 à 3 millions d'années. Il est probable qu'à l'origine il atteignait 6 000 m et comportait à son sommet un cratère qui, par la suite, fut érodé par les glaciers pour ne laisser subsister que des pointes acérées. Les deux pics du Batian (5 199 m) et du Nelion (5 189 m) feraient partie du bouchon du volcan, roches qui auraient refroidi dans la partie supérieure de la cheminée lors de l'éruption finale.
Le premier Européen qui a découvert le mont Kenya fût le Dr Krapf en 1849. C'est un aventurier austro-hongrois, le comte Teleki, qui en fit le premier l'escalade en 1887, atteignant les 4 350 m. En 1893, J. W. Gregory atteignit 4 730 m, et en 1899, finalement, MacKinder arriva pour la première fois au sommet du Baltian. Les pics les plus élevés reçurent à cette époque les noms de chefs massaïs renommés : Mbatiany, qui mourut en 1890, Nelieng (frère de Mbatiany) et Olonana (fils de Mbatiany).

LA FLORE

Le sol volcanique et les pluies ont rendu la zone du mont Kenya très fertile. Les champs cultivés (céréales, colza...) s'élèvent jusqu'à 1 900 m dans ce qui était autrefois une zone très boisée.
On distingue 6 étages de végétation au-dessus de la zone cultivée :
– *la forêt tropicale humide :* 2 100 à 2 400 m, grands arbres *(Podocarpus)*, fougères arborescentes ;
– *la forêt de bambous :* 2 400 à 2 800 m, forêt impénétrable où les bambous peuvent atteindre 12 m de hauteur ;
– *la forêt humide d'altitude :* 2 800 à 3 000 m, avec un arbre magnifique, l'*Hagenia abyssinica* ;
– *la zone des bruyères géantes :* 3 000 à 3 300 m, où celles-ci peuvent atteindre 4 m et plus ;
– *la zone alpine :* 3 300 à 4 300 m, où croissent les lobelies géantes aux grands épis de fleurs bleu-violet pouvant mesurer plusieurs mètres de hauteur, les séneçons géants aux larges feuilles vertes ; un peu partout apparaissent des tapis d'immortelles aux fleurs roses et au toucher pailleux ;
– *la zone glacière :* au-dessus de 4 300 m, où seuls quelques petites plantes et des lichens tentent de survivre au milieu des pierres et des rochers soumis au froid et au vent.

LA FAUNE

La faune est abondante, surtout dans les étages inférieurs : éléphants, buffles, plusieurs espèces de singes ; des léopards ont été vus à 4 200 m. L'animal le plus fréquent est l'hyrax (le daman). Les oiseaux sont nombreux et peut-être, la nuit, aurez-vous la chance d'entendre ululer le rarissime grand-duc de MacKinder *(Bubo capiensis)*.

COMMENT Y MONTER?

L'accès au Lenana Point (4985 m) ne présente pas de difficultés majeures pour de bons marcheurs, et nécessite de 3 à 5 jours selon votre condition physique, les conditions climatiques du moment, la voie d'accès choisie et le fait que vous empruntiez ou non un véhicule pour atteindre l'extrémité des pistes carrossables.
L'ascension des pics Nelion (5189 m) et Batian (5199 m) est réservée aux alpinistes (difficultés classées en catégorie 4 et 4+).

QUELLE EST LA MEILLEURE SAISON?

Le mont Kenya peut être gravi en toute saison, mais il est vivement recommandé d'éviter les deux saisons des pluies. Les périodes les plus favorables pour l'ascension sont de janvier à mi-mars et entre août et septembre. Les habitués du mont Kenya recommandent de s'équiper de bonnes chaussures de marche et, au début, de marcher lentement, et même très lentement. Une ascension trop rapide risque fort de déclencher le mal des montagnes, et cela concerne également les marcheurs les plus aguerris. Prévoir différentes plages de repos et évitez alcool et cigarettes.

LE CLIMAT

Par temps ensoleillé, la température diurne peut atteindre 15 °C à 4000 m et, la nuit, -10 °C.
Il pleut beaucoup sur le massif : 2500 mm à 3000 mm/an.
La journée type se présentera ainsi :
– du lever du soleil jusqu'à 10 h, temps ensoleillé ;
– à partir de 10 h, les nuages s'élèvent vers le sommet et, à 12 h, les pics sont dans les nuages ;
– de 12 h à 18 h, souvent pluie ou neige ;
– à partir de 18 h, les nuages descendent des pics et, à 20 h, se trouvent au-dessous de 3000 m.

LES PORTEURS ET LES GUIDES

À moins de bien connaître la montagne, il est conseillé de se faire accompagner par un guide pour éviter de se retrouver dans une situation difficile en cas de brouillard épais. Le tarif des guides, porteurs et cuisiniers varie selon la route que vous empruntez. Par la voie de Naro Moru, compter environ 400 Ksh (4,2 €) par jour et par porteur (charge maximum 16 kg) et 600 Ksh (6,3 €) par jour pour le guide. Par les voies de Chogoria et de Shirimon, les gages peuvent doubler, ou presque. Bien évidemment, les tarifs sont un poil majorés si vous passez par un hôtel. Toute journée commencée est due en entier. Si les bagages dépassent 16 kg, il convient de négocier le supplément avec le porteur.
Vous devrez fournir à chaque porteur un sac à dos pouvant contenir vos affaires et les siennes. Les porteurs-guides se chargent eux-mêmes de leur nourriture. Vous devrez acquitter un droit d'entrée minime pour vos porteurs.
Il est conseillé de donner un pourboire autour de 100 Ksh (1 €) par jour et par porteur si vous êtes satisfait de leurs services. Vous trouverez des porteurs aux villages de Chogoria, Naro Moru et dans les hôtels déjà cités.

ÉQUIPEMENT, HABILLEMENT

Vous pouvez louer certains équipements (tente, gants, chaussures, sac de couchage...) chez *Atuls* à Nairobi (Biashara St) ou au *Naro Moru River Lodge* (voir le chapitre sur le parc des Aberdares, « Où dormir ? Où manger sur la route de Nanyuki ? »), qui peut aussi s'occuper de l'organisation complète de votre ascension.
Il est impératif d'emporter des vêtements chauds et des vêtements de pluie, mais prendre garde à ne pas surcharger son sac.
Une liste type pourrait être ainsi constituée :
– chaussures de montagne ;

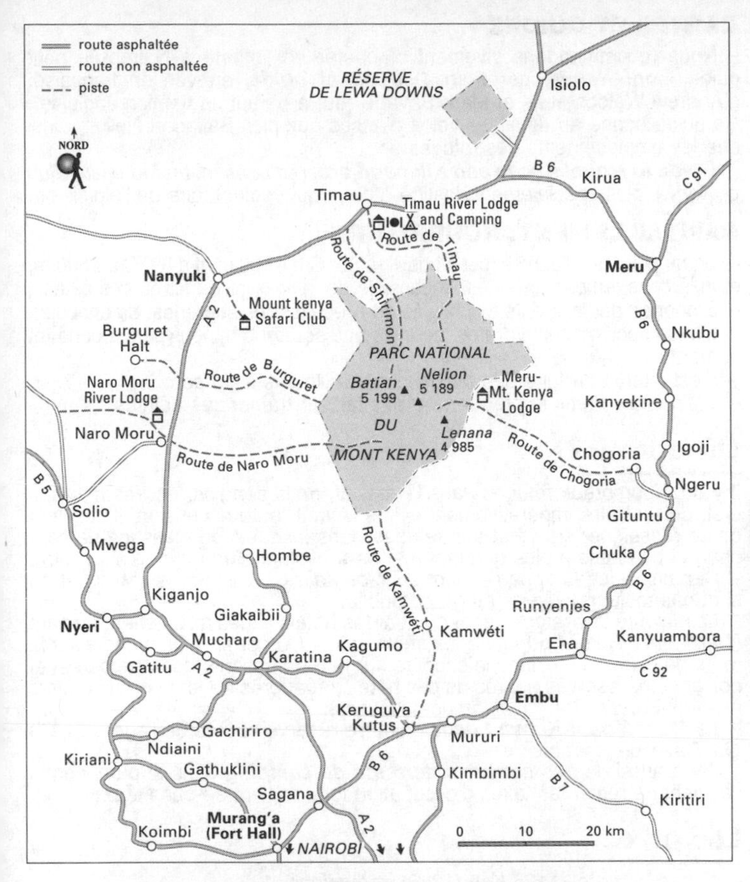

LE MONT KENYA ET SES ENVIRONS

- chaussures de marche ;
- chaussettes de laine, socquettes ;
- 2 pantalons, pull-over ;
- vêtements de pluie ou K-way ;
- casquette ou chapeau contre le soleil ;
- passe-montagne protégeant les oreilles ;
- gants ;
- lunettes de soleil + crème protection totale ;
- sac de couchage ;
- matelas gonflable ou tapis ;
- lampe électrique, allumettes, bougies, ficelles, couteau ;
- ustensiles de cuisine ;
- camping-gaz ou, mieux, réchaud à essence ;
- nourriture (soupes, œufs, sucre, glucose, lait, aliments lyophilisés...) ;
- eau potable et comprimés de Micropur DCCNA ;
- trousse de premiers secours, comprenant aspirine, baume pour les lèvres et éventuellement des comprimés d'acétazolamide (Diamox) pour le mal de montagne, en vente libre à Nairobi mais à prendre sur prescription médicale.

CARTES ET GUIDES

– Nous recommandons vivement d'acheter en librairie à Nairobi le petit guide ***Mont Kenya, carte au 1/50000 et guide,*** en version française, d'Andrew Walochowski et Mark Savage (ou, à défaut, la version anglaise). Ce guide donne en détail les voies d'accès aux pics Batian et Nelion, ainsi que les emplacements des refuges.
– ***Guide to Mount Kenya and Kilimandjaro,*** par J. Allan, du *Mountain Club of Kenya,* plus spécialement destiné à ceux qui veulent faire de l'alpinisme.

RAVITAILLEMENT, NOURRITURE

– Se rappeler que l'eau se met à bouillir à 85 °C à 4500 m et à 82 °C à 5500 m, et qu'à cette température il est impossible de faire cuire du riz ou des pâtes.
– Emportez des aliments lyophilisés ou précuits, des sucreries, du chocolat, des fruits secs ou déshydratés, pour ne pas souffrir d'hypoglycémie pendant la montée.
– Il est interdit de faire des feux de bois à l'intérieur du parc.
– Enfin, mais faut-il le préciser, ne pas laisser traîner ses détritus.

Où dormir ?

Il y a de nombreux refuges dans le massif, mais certains, en très mauvais état, doivent être impérativement évités. Avant toute ascension, il convient de se renseigner sur l'état des refuges dans lesquels on envisage de coucher, et ce d'autant plus que leur état peut évoluer d'une année sur l'autre.
– Certains refuges appartiennent au *Mountain Club of Kenya* (MCK) et ne sont pas toujours ouverts au grand public.
– La majorité des refuges appartient à des hôtels situés à l'extérieur du parc (***Naro Moru River Lodge,*** par exemple, voir « Où dormir ? Où manger sur la route de Nanyuki ? » dans le chapitre sur le parc national des Aberdares) et doivent être réservés auprès de ces hôtels ou auprès de leur correspondant à Nairobi (*Let's Go Travel,* groupe *Alliance*).
– Le ***Meru Mount Kenya Lodge*** doit être réservé auprès de l'agence *Let's Go Travel* de Nairobi.
– Il y a aussi de très nombreux ***terrains de camping*** dans le parc, dont il convient de régler les taxes d'occupation lors de l'entrée dans le parc.

Les prix

– *Entrée du parc :* 1125 Ksh (12 €), réductions.
– *Véhicules de moins de 6 places :* 200 Ksh (2,1 €).

L'ASCENSION DU MONT KENYA

Il y a 7 voies d'accès reconnues conduisant au sommet du mont Kenya, mais 3 seulement sont couramment utilisées, les autres sont beaucoup plus difficiles à suivre et nécessitent guides, boussoles et GPS.
Si vous ne possédez pas de moyen de locomotion personnel, vous pouvez atteindre le croisement des voies d'accès et de la route principale qui fait le tour du mont Kenya (Naro Moru, Nanyuki, Méru, Embu) en utilisant les bus qui partent de Nairobi et les *matatus* circulant d'une ville à l'autre. Faites-vous déposer au croisement avec les voies d'accès que les chauffeurs connaissent bien. Si vous disposez d'un 4x4, vous pourrez pénétrer beaucoup plus avant sur les voies d'accès et vous éviter 20 à 25 km de marche à pied.

La voie de Naro Moru : « la voie classique »

Naro Moru est un village situé sur la route Nairobi-Nanyuki, à 160 km de Nairobi. Quelques boutiques offrent des possibilités d'acheter des fruits et des légumes. Vous pouvez prendre des guides au *Naro Moru River Lodge,* au village de Naro Moru, sur le chemin vers l'entrée du parc, ou au *Mountain Rock Lodge* situé à 8 km au-delà de Naro Moru.

1er jour (Naro Moru-Met Station ; 25 km ; 6-8 h)

En partant de la route goudronnée, comptez 12 km sur une route de graviers jusqu'à l'orée de la forêt, puis 5 km pour atteindre l'entrée du parc (2400 m). Attention, l'accès au parc ferme à 18 h. Il vous restera encore 8 km (3 h) jusqu'à la station météorologique « Met Station », où vous trouverez plusieurs chalets *(bandas)* de 8 à 10 lits chacun. Prévoir environ 9 US$ (7,2 €) par personne. Il est aussi possible de camper à l'entrée du parc et près des *bandas*. Avec un 4x4, et en dehors de la saison des pluies, vous pouvez espérer gagner Met Station. Vous pourrez louer un moyen de transport au *Naro Moru River Lodge* pour vous conduire à l'entrée du parc. La marche entre l'entrée du parc et Met Station représente, de toute façon, un bon entraînement pour le touriste arrivant directement d'Europe.

2e jour (Met Station-MacKinder's Camp ; 10 km ; 5-6 h ; dénivellation, 1150 m)

Partir tôt, vers 7 h du matin, pour éviter le brouillard. À partir de Met Station, continuez la piste qui passe devant le relais radio de la police (3150 m). Attaquez ensuite le « Vertical Bog », zone marécageuse, déplaisante, très pentue, jusqu'au sommet d'où vous apercevrez le but de votre 2e étape : *MacKinder's Camp*. De la crête, vous pourrez emprunter soit le chemin du haut, avec des séneçons et des lobélies, mais souvent mouillé ; soit le chemin du bas, qui traverse le ruisseau (eau potable) et regagne *MacKinder's Camp* (ou *Teleki Lodge*). C'est un solide baraquement en pierre avec 40 lits, situé à 4200 m. C'est la meilleure cabane d'altitude du massif et, si vous craignez le mal des montagnes, il peut être intéressant d'y passer une nuit supplémentaire d'acclimatation. Prévoir autour de 12 US$ (10 €) par personne en dortoirs.
Dernière eau potable à MacKinder. Il est vivement conseillé de préparer un thermos de thé chaud pour l'ascension du lendemain.

3e jour (MacKinder's Camp-Pic Lenana ; 4 km ; 3 h 30 à 5 h 30 ; dénivellation, 785 m ; puis descente Pic Lenana-Met Station ; 14 km ; 5-6 h ; dénivellation, 1935 m)

Cette journée impose un départ vers 3 h du matin pour atteindre le sommet au lever du soleil et un retour à Met Station le même jour. C'est une journée fatigante. Vous passez tout d'abord devant la *Rangers' Station,* puis le sentier se divise en deux. Celui de gauche conduit au pic Pigott, le sentier principal suit la vallée, traverse des marécages puis deux ruisseaux et un éboulis de sable qui mène à l'*Austrian Hut* (4790 m) et enfin au sommet de la randonnée, le pic Lenana (4985 m), après avoir traversé un glacier couvert de neige dont l'ascension est facile. Du sommet, la vue est magnifique.
Lors de la descente, vous repassez à nouveau à MacKinder vers 8 h-10 h alors que les nuages, annonciateurs de pluie, montent de la Teleki Valley. Il vous faut encore 4 à 5 h pour regagner Met Station... et si vous êtes motorisé, vous retrouverez Nairobi le soir même, à moins que vous ne préfériez récupérer au *Naro Moru River Lodge* devant un verre de whisky bien mérité.

4e jour (retour, de Met Station à Naro Moru)

La voie de Chogoria, « la plus belle voie » (la Callas)

Chogoria est un village situé à l'est du mont Kenya, près de la route contournant le massif et passant notamment par Embu et Méru. Il est aisé de gagner Chogoria en empruntant un bus au départ de Nairobi, puis un des *matatus* faisant la navette Embu-Chogoria.
On peut trouver des guides-porteurs sur la route avant Chogoria ou au *Transit Hotel* de Chogoria. Vous pourrez, là également, louer un 4x4 qui vous emmènera à l'entrée du parc.

1er jour (Chogoria-Meru Mount Kenya Lodge ; 24 km)

Vingt-quatre kilomètres séparent Chogoria de l'entrée du parc à 500 m de laquelle se trouve le *Meru Mount Kenya Lodge* ou *Chogoria Lodge* (3 000 m). En saison sèche, ce trajet peut être fait en 4x4, mais en saison humide c'est quasiment impossible.
Le *Chogoria Lodge* est constitué de *bandas* en bois (refuges) et d'un bâtiment central. Vous devez apporter tout votre nécessaire de cuisine et de couchage. La location des *bandas* se fait chez *Let's Go Travel* à Nairobi. Compter environ 1 050 Ksh (11 €) par personne. Chaque *banda* comprend une cuisine et une chambre à 3 lits. En principe, il y a de l'électricité, mais les pannes de générateur sont fréquentes. Il est prudent d'apporter son camping-gaz.

2e jour (Chogoria Lodge-Mintos Hut ; 14 km ; 7 à 8 h ; dénivellation, 1 280 m)

Si vous êtes motorisé (4x4 seulement), vous pouvez poursuivre la piste pendant 5 à 6 km jusqu'au *road head,* laisser là votre véhicule et poursuivre l'ascension à pied.
Dans le cas contraire, soit en empruntant la piste carrossable, soit celle située sur votre gauche et passant par l'*Urumandi Hut* (3 km), vous pourrez aussi rejoindre le *road end* (3250 m), où se trouve un excellent terrain de camping. Ce sentier traverse de très beaux paysages de landes et d'*Hagénias.*
Vous devez ensuite regagner la *Mintos Hut* (4 300 m) par un sentier qui, après avoir traversé le torrent Nithi, le surplombe. La vue est magnifique tout le long du chemin, particulièrement sur les Vivienne Falls et la falaise « The Temple », qui domine majestueusement le torrent et le lac Michaelson.
Pas d'eau potable entre les *Chogoria Lodge* et *Mintos Hut.*
Il faut compter 7 à 8 h pour atteindre la *Mintos Hut* en partant du *Chogoria Lodge.* Le refuge est en très mauvais état, voire inutilisable, mais le site est intéressant pour camper. Pas de bois, utilisez un réchaud à gaz ou à essence, de préférence. L'eau du lac, polluée par les rejets de la *Mintos Hut,* doit être bouillie avant consommation.

3e jour (Mintos Hut-Pic Lenana ; 5 h ; dénivellation, 985 m ; puis retour à Mintos Hut ; 2 h)

Se lever très tôt car la route est très longue. Le sentier, bien marqué, remonte la vallée par un abrupt et atteint le lac Square Tarn. Il continue ensuite jusqu'à un col situé sous le pic Lenana et, après une légère descente, remonte à travers des éboulis jusqu'à l'*Austrian Hut.* Il faut compter 3 h 30 pour atteindre l'*Austrian Hut,* et 1 h 30 supplémentaire pour le pic en empruntant le glacier (crampons) ou en passant par l'arête. Le sentier est bien marqué avec des kerns (monticules en pierre de forme triangulaire).
Compter 2 h pour redescendre à la *Mintos Hut,* où il est conseillé de dormir, et éventuellement 3 à 5 h supplémentaires pour atteindre le *Chogoria Lodge.*

4e ou 5e jour (retour à Chogoria Village)

La voie de Shirimon : « la voie la moins fréquentée »

Cette voie, réputée la plus sèche, offre aussi de belles promenades en forêt tropicale.
L'entrée de la piste se trouve à 13 km de Nanyuki, en direction d'Isiolo, et vous pourrez vous y faire déposer par les bus ou les *matatus.*

1er jour (croisement-camping ; 19 km)

Si vous êtes motorisé (en 4x4 seulement), vous pouvez emprunter la piste sur 10 km jusqu'à l'entrée du parc (2440 m). La piste, ensuite en très mauvais état, se termine 9 km plus loin à 3150 m, où se trouvent un bon camping et des baraquements.

2e jour (camping-Shipton Caves ; 7 h ; dénivellation, 1000 m)

Prendre le sentier qui se détériore progressivement jusqu'à The Barow et vous fait traverser le torrent Liki North.
Peu après cette traversée, vous atteignez la *Liki North Hut* (3993 m). En très mauvais état, on se contente généralement de camper à proximité. Si vous préférez poursuivre votre ascension, descendez dans la MacKinder Valley et, par un sentier bien tracé, suivez le torrent jusqu'à Shipton Caves, où il est possible de camper (abri médiocre). Il faut compter 7 h de marche environ pour atteindre les Shipton Caves en partant de la tête du sentier.
Si vous ne possédez pas de matériel de camping, il est préférable de gagner *Shipton Camp,* où se trouve un refuge en bon état avec des lits. Prévoir environ 10 US$ (8,3 €) par personne.
Une autre possibilité consiste à dormir la première nuit à la *Liki North Hut* et la seconde à la *Kami Hut* (à éviter, car plutôt insalubre) ou à camper près de celle-ci. Cet arrêt est surtout indiqué pour ceux qui veulent faire le tour des pics. Il y a de l'eau potable près de la *Kami Hut.*

3e et 4e jours (Shipton Caves-Pic Lenana)

Descente sur Met Station ou la *Mintos Hut.*
Le 3e jour, vous avez deux possibilités au départ des Shipton Caves, la voie est ou la voie ouest.
– ***Voie ouest :*** en bifurquant à droite après les Shipton Caves, vous arriverez à la *Kami Hut* (4433 m) puis, en empruntant un sentier à droite, tout d'abord escarpé, vous atteignez le col d'Hausberg et, après une forte descente, les lacs Hausberg et Oblong. Enfin, en prenant soit à droite un sentier à travers les éboulis, soit à gauche un chemin plus escarpé, vous atteignez Artur's Seat, d'où vous apercevez la *Two Tarn Hut,* que vous atteignez en vous dirigeant vers le lac le plus bas. De la *Two Tarn Hut,* vous rejoignez la voie de Naro Moru près du Rangers Post, et enfin le *MacKinder's Camp,* où vous pouvez passer la nuit avant de faire le lendemain l'ascension du pic Lenana.
Pour échapper au mal d'altitude, il est préférable d'éviter de passer la nuit à la *Kami Hut* (4433 m) et de rejoindre le *MacKinder's Camp* (4160 m), pour dormir dans un refuge agréable et bien équipé. Prévoir autour de 12 US$ (10 €) par personne en dortoirs.
– ***Voie est :*** en bifurquant à gauche après les Shipton Caves, vous passez le *Shipton Camp* et ses baraquements et, empruntant un éboulis difficile, vous passez Simba Col puis atteignez le lac Square Tarn, qui marque le croisement avec la piste provenant de Chogoria. Vous pouvez camper à cet endroit, à moins que vous ne préfériez atteindre l'*Austrian Hut,* mais une telle étape, très physique, est déconseillée. Le jour suivant, vous pouvez faire l'ascension du pic Lenana en partant tôt le matin, et revenir le soir à MacKinder, Met Station ou la *Mintos Hut.*

5e jour (retour vers Naro Moru ou Chogoria)

L'utilisation de la voie de Shirimon nécessite donc, au départ de la *gate,* au minimum 5 jours. Elle permet d'emprunter pour le retour soit la voie Naro Moru, soit la voie Chogoria, et d'avoir du massif l'image la plus complète. Rappelons que le tour du massif est très « physique » et nécessite un entraînement préalable.

DE NANYUKI À MÉRU

On passe d'abord par la petite bourgade commerçante de Timau. Longue *Main Street* traditionnelle avec ses pittoresques boutiques. Peu après s'étendent d'immenses terres à céréales. Longues plaines ondoyantes, champs de blé dorés, piquetés d'euphorbes, composent, avec quelques prairies verdoyantes et les champs de terre rouge fraîchement labourés, un patchwork du plus bel effet. De-ci, de-là, quelques cônes volcaniques.

Où dormir ? Où manger en cours de route ?

⛺ ▲ 🍴 ***Timau River Lodge*** : réservations : PO Box 212, Timau. Peu après Timau, sur la droite. ☎ (062) 412-30. • timauriverlodge@hotmail.com • Camping autour de 300 Ksh (3,2 €) par personne, douches chaudes comprise et coin cuisine à dispo. Possibilité de louer une tente. *Bandas* équipés à partir de 1 250 Ksh (13,1 €) par personne, petit déjeuner compris. Menu autour de 600 Ksh (6,3 €), ou à la carte. Enclavé dans la forêt et recroquevillé dans la courbe d'une rivière chuchotante, le *Timau River Lodge* tient plus du camp de trappeurs que du complexe hôtelier. Les *bandas* ont adopté un style des plus rustiques, privilégiant systématiquement le bois brut (avec écorce !), des huisseries mal dégrossies aux salles d'eau dignes d'un refuge de haute montagne. Effet visuel réussi et bon niveau de confort... surtout lorsqu'une bonne petite flambée réchauffe l'atmosphère. Reste un système de chauffe-eau un poil archaïque et les coupures de courant à 22 h tapante, mais cela s'ajoute au parfum d'aventure qui plane sur le site...

▲ 🍴 ***Kentrout*** : PO Box 14, Timau. ☎ (062) 410-16. Fax : (062) 410-14. Réservation à Nairobi via *Let's go Travel* (voir « Adresses utiles » à Nairobi). Après Timau, sur la route de Méru. Trois kilomètres de piste. Parcours fléché. Resto ouvert de 11 h à 16 h 30. Cottages autour de 1 500 Ksh (15,8 €) par personne, petit déjeuner compris. *Lunch* pour environ 700 Ksh (7,4 €). Halte très agréable sous les arbres pour déjeuner après la chaleur de la route ! Petite rivière au doux chuchotement, en contrebas d'une jolie terrasse. Bonnes truites de montagne, servies en double exemplaire dans l'assiette ! Bien fraîches évidemment puisqu'elles sont élevées sur le site. Visite de la ferme de pisciculture et possibilité de nourrir les bébés truites (voraces !). Sinon, quelques jolis cottages de différentes tailles parsèment une prairie vraiment calme. Très confortables et bien finis, ils se démarquent par quelques touches de déco comme de petits objets artisanaux. Une étape idéale.

MÉRU

IND. TÉL. : 064

La dernière petite ville civilisée à l'est, avant les grands horizons semi-désertiques menant à la Somalie. Sauf pour ceux visitant le parc national et ceux se dirigeant vers la Chogoria Way pour faire l'ascension du mont Kenya, il n'y a aucune raison de dormir ici. D'autant plus que les Mérus, nous a-t-on dit, ne sont pas très ouverts. C'est là aussi une longue *Main Street* commerçante, très vivante et pas désagréable, sinuant parmi les collines. Importante pluviométrie dans le coin, ce qui explique la dense végétation qui enserre la ville. Gros marché à l'entrée de la ville sur la gauche (venant de Nanyuki). ***Bus*** et ***matatus*** quotidiens pour Nairobi (5 h de trajet), Isiolo ou Nanyuki.

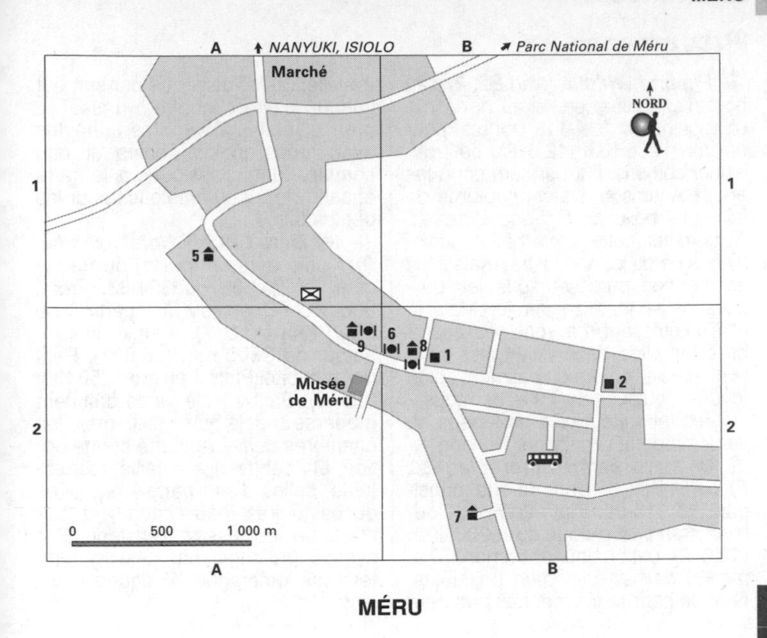

MÉRU

Adresses utiles

- Poste
- Terminal des *matatus*
- 1 Cooperative Bank of Kenya (change)
- 2 Barclays Bank (change)

Où dormir ? Où manger ?

- 5 Stansted Hotel
- 6 Angie's Café
- 7 Pig and Whistle
- 8 Meru Safari Hotel
- 9 Meru County Hotel

Où dormir ? Où manger ?

Bon marché

Stansted Hotel *(plan A1, **5**)* **:** un peu avant la grande poste, sur la droite en arrivant en ville. ☎ 311-19. Doubles autour de 450 Ksh (4,7 €). À quelques distances du centre-ville, un petit hôtel un peu à l'abandon et à la propreté limite. Toutefois, les chambres disposent de douches (froides), de w.-c. privés, et parfois même de moustiquaires. Parking. Bref, une roue de secours pour les voyageurs peu exigeants.

Angie's Café *(plan B2, **6**)* **:** rue principale. Avant le *Meru Safari Hotel* sur la gauche. Ouvert du lundi au samedi jusqu'à 18 h (dîner seulement sur commande). Plats autour de 150 Ksh (1,6 €). Déco agréable (banquettes en moleskine rouge, plantes vertes) et quelques notes de musique, pour ce gentil resto de quartier tenu par des Indiens charmants. Quelques hommes d'affaires cravatés y ont même élu domicile. Bon choix de *chicken masala, byriani, chicken curry, beef stew,* le tout servi avec des *chapatis,* un *ugali* ou un *kie nyenji* (nom swahili de l'*irio kikuyu*). Également quelques snacks et omelettes pour les petites faims.

Prix moyens

Pig and Whistle *(plan B2, 7)* **:** au bout d'une allée, en retrait de la rue principale. ☎ 314-11. Double pour environ 1 200 Ksh (12,6 €), petit déjeuner compris. Il fut un temps où les époux Adamson avaient coutume de faire une halte au *Pig and Whistle...* Aujourd'hui, cette vieille bâtisse coloniale a perdu de son lustre, mais il fait encore bon paresser sous les paillotes de la terrasse fleurie. Mais le plus intéressant, ce sont ses chambres réparties dans différentes maisonnettes à l'arrière du bâtiment : bien tenues, équipées de TV et de moustiquaires, et surtout bien protégées du vacarme de la circulation. Parking.

Meru Safari Hotel *(plan B2, 8)* **:** PO Box 6. Dans la rue principale. ☎ 315-00. Fax : 200-50. Doubles *standard* autour de 1 200 Ksh (12,6 €), petit déjeuner compris. Tarifs en *half* et *full board* possibles. Grande bâtisse fonctionnelle en centre-ville, qui se distingue par son bar flanqué d'une chouette terrasse au premier étage. Chambres correctes avec moustiquaires, bains et eau chaude. Plats classiques à la carte et sandwiches ou omelettes pour les petites faims.

Meru County Hotel *(plan A2, 9)* **:** juste après la poste, du même côté. ☎ 204-32 ou 304-63. Fax : 306-36. Doubles à partir de 1 500 Ksh (15,8 €), « junior suite » autour de 3 500 Ksh (36,8 €). Petit dej' compris. Plats à environ 250 Ksh (2,6 €). Bien sûr, le vaste bâtiment moderne a déjà bien vieilli, mais les chambres demeurent une bonne option en centre-ville : taille respectable, salles d'eau parfois équipées de baignoires (eau chaude) et balcons. Le tout assez bien tenu. Bar sympa prolongé par une grande terrasse ombragée et fleurie. Parking.

Où dormir ? Où manger dans les environs ?

Rock Hill Inn : à une dizaine de kilomètres avant Méru sur la droite, venant de Nanyuki. Attention, panneau très discret ! Doubles autour de 450 Ksh (4,7 €), petit déjeuner compris. *Nyama choma* au poids autour de 300 Ksh (3,1 €) ! Une trentaine de chambres dans des maisonnettes en dur, étagées à flanc de colline et noyées sous les arbres. Petites terrasses sous paillotes disséminées un peu partout. Décor tout à fait avenant, bien tenu mais... pas de salle de bains et sanitaires communs. On se lave au seau... d'eau chaude, fourni gracieusement par un patron souriant qui nous explique qu'il avait du mal à faire venir l'eau et à obtenir la pression suffisante ! Bar ombragé avec terrasse. Adresse sympa, parfaite pour éviter Méru.

À voir

Le musée de Méru *(plan A2)* **:** peu après le *Meru County Hotel.* Bien signalé. Ouvert tous les jours de 9 h 30 à 18 h. Entrée : 200 Ksh (2,1 €). Galerie sur la formation géologique de la région, la minéralogie et la faune locale, doublée d'une petite section ethnographique (bijoux, outils et armes des tribus de la région). Dans le jardin, cases traditionnelles reconstituées, quelques serpents vivants et fosse à crocos. Pas très palpitant et un peu tristoune. Petite boutique peu garnie, mais quelques objets artisanaux vraiment pas chers.

LE PARC NATIONAL DE MÉRU

À 370 km au nord-est de Nairobi et 85 km à l'est de la ville de Méru. Un des plus grands (870 km^2), mais aussi le mal aimé de la bande, car le plus à l'est et le plus éloigné. C'est là qu'eurent lieu, dans les années 1970-1980, les

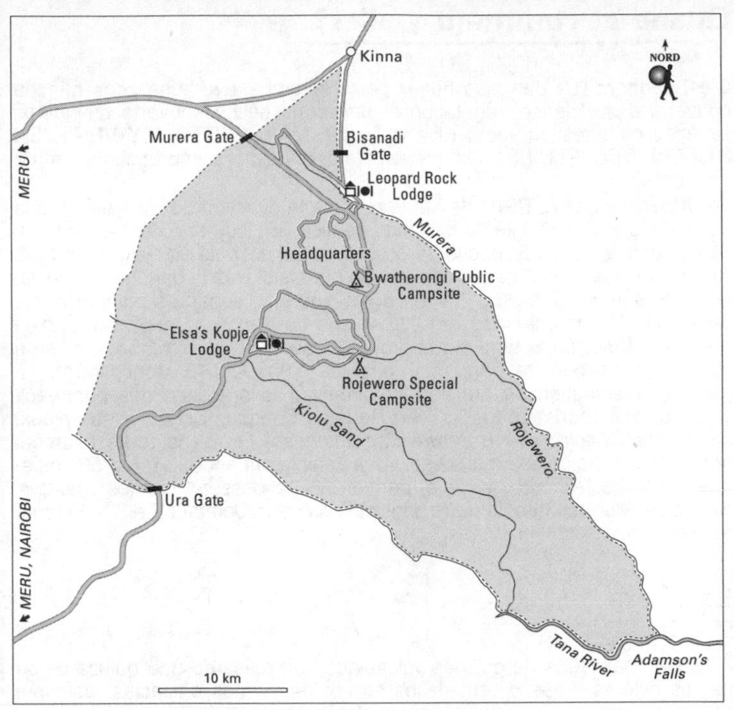

LE PARC NATIONAL DE MÉRU

plus grands massacres d'éléphants et de rhinos. À la fin des années 1980, les *poachers* tenaient même le parc. Il y a quelques années encore, des braconniers tirèrent sur un véhicule qu'ils avaient pris pour celui des rangers. Un touriste autrichien reçut une balle mortelle et le parc fut fermé. Aujourd'hui, il est rouvert, mais on y trouve encore très peu de touristes. Dommage, d'autant plus que d'importants crédits ont été débloqués par différents organismes, comme l'Agence Française de Développement, afin de réintroduire plusieurs espèces dans le parc (création d'un *rhino sanctuary*) et d'en faciliter l'accès. Des nouveaux *lodges* y ont même vu le jour. Aucune excuse pour bouder une si belle réserve, si différente de ses voisines du Samburu, des Buffalos Springs et du Shaba.
– Entrée : 27 US$ (22,5 €) ; réductions.

UN PEU D'HISTOIRE

C'est dans le parc de Méru que George et Joy Adamson démarrèrent leur histoire d'amour avec Elsa la lionne. Au sud du parc s'étend d'ailleurs la réserve de Kora, où George Adamson passa les dernières années de sa vie avant d'être mystérieusement assassiné en 1989 (si on continue comme ça, on va vraiment vous couper l'envie de le visiter, ce parc !). Néanmoins, il n'est pas inutile de se renseigner un peu sur la sécurité avant d'y aller, nul n'ayant une boule de cristal pour prédire l'avenir !

Quand et comment y aller?

C'est pourtant l'un des plus beaux parcs kenyans, avec une zone humide couverte d'une dense végétation et une zone sèche couverte d'épineux, savanes ouvertes où vécut Elsa la lionne. MAIS ÉVITER D'Y VENIR EN SAISON DES PLUIES, les pistes étant quasiment impraticables à ce moment-là!

➢ ***Itinéraire par la C91 :*** de Méru, prendre la direction de Nanyuki et, à la sortie de la ville, à l'angle de la station-service *BP,* tourner à droite. Mettre le compteur à zéro. *Km 5 :* passer la Greenland School puis Kianjai au *km 18,5. Km 26,5 :* passer l'intersection de la piste pour Isiolo sur la gauche puis le village de Muthara *(km 28).* Environ 8 km plus loin, superbes points de vue depuis les Nyambeni Hills! *Km 41 :* village de Kangeta. Au *km 46,5,* bien repérer la Burieruri School sur la droite car elle se trouve à 1,5 km environ avant la piste pour le parc (mal indiquée!). Au *km 48,* donc, tourner à gauche. Intersection en principe indiquée par la présence des panneaux « Kiringo Hill Tourist Lodge », « Art Reumea Boarding School » ou, mieux, par le bar *Check Point Burerure Bar-Guinness*! Fin de la route bitumée, début de la piste (assez mauvaise, voire pénible par endroits). *Km 53 :* mosquée blanche. *Km 66 :* Kiutine, dernier village desservi par les *matatus. Km 75 :* la Murera Gate, la porte principale du parc. Compter 2 à 3 h de route au total.

La visite

À l'ouest, paysages de collines volcaniques où musarde une quinzaine de petites rivières. Elles créent de belles coulées vertes d'acacias, palmiers doums et raphia.

Au moins 600 km de pistes pour voir les bêtes. Pendant la saison sèche, elles se concentrent autour des *swamps* de Mulika, Murera, Mugwango et Bwatherongi.

À voir, entre autres : le zèbre de Grevy, l'oryx, le petit koudou, quelques lions (descendants d'Elsa?), des girafes réticulées, des éléphants, des léopards (difficiles à voir), des babouins, des hippos... et beaucoup d'oiseaux. Et puis de très beaux paysages, si différents des autres parcs. Bon, Méru n'est pas le Mara! Ce parc possède l'originalité d'être globalement peu arrosé par les pluies tout en étant irrigué par de nombreux cours d'eau et rivières, d'où la présence d'herbes hautes. Cela dit, de temps à autre, on y brûle l'herbe pour mieux la faire repousser et attirer les gazelles et autres animaux friands de jeunes pousses. Il faut prendre le temps de découvrir le parc, de repérer les animaux cachés dans les herbes hautes et qui sont restés « timides », peu habitués à la présence de l'homme, contrairement aux autres parcs. Pister un animal à partir de ses traces ou de ses excréments (ah, tâter la bouse de buffle pour voir si elle est encore chaude!), regarder aussi les oiseaux à la jumelle (et Dieu sait qu'il y en a!), prendre le temps d'un bon café au milieu d'un *campsite,* et pas seulement accumuler les trophées de « chasse », c'est ce à quoi vous invite le parc de Méru. Parfois, on ne voit pas la queue d'une bête pendant 2 h! Voici une autre approche du safari que vous retrouverez plus difficilement ailleurs. Pour les passionnés et les inconditionnels, donc. Sachez-le avant d'y aller.

– ***Un bon conseil :*** si vous êtes intéressé par la visite du parc, demander à un ou deux rangers de vous accompagner pour la journée. Cela ne vous coûtera pas une fortune, vous assurera un guidage et une protection efficaces (c'est difficile, voire franchement périlleux de se repérer tout seul ici!)

et, surtout, ils sauront, dans bien des cas, vous faire partager leur passion. Mieux, si vous le pouvez financièrement, prenez un bon guide dans l'un des *lodges* que nous indiquons.

Où dormir ? Où manger ?

Campings

Bwatherongi Public Campsite : à environ 20 km de la Murera Gate. Joli site avec quelques *bandas,* de rustiques w.-c. et, en principe, un point d'eau.

Rojewero Special Campsite : superbe *special campsite* dans une grande clairière au milieu des herbes hautes, sous les arbres et le long de la rivière Rojewero. Attention, quelques hippos dans le coin ! Pas de *facilities.* Gardiennage très conseillé malgré la beauté des lieux inspirant plutôt la solitude... Cela vaut vraiment le coup d'y rester plusieurs jours !

Chic

Leopard Rock Lodge : PO Box 208, Maua, Méru. Réservations à *Let's go travel* : Nairobi. ☎ (020) 444-71-51 ou 10-30. À environ 11 km de la Murera Gate. Doubles à 450 US$ (375 €) environ, en haute saison et en *full board* ; 385 US$ (320 €) hors saison. *Lodge* magnifique bénéficiant d'une jolie situation au bord d'une rivière (parfois un ruisseau !), sous de grands arbres. Jolie salle de resto ouverte sur ce décor. Pas mal de bois utilisé dans la construction. Chambres luxueuses réparties dans différents bungalows. Service impeccable. Le tarif inclut des marches guidées.

Très, très chic

Elsa's Kopje Lodge : réservation chez *cheli & Peacock Ltd,* PO Box 39806, Nairobi. ☎ (020) 460-40-53 ou 54. Fax : (020) 460-40-50. • www.chelipeacock.com • À environ 20 km, soit 1 h de route, de la Murera Gate. En haute saison, compter environ 640 US$ (533,3 €) pour une double, tarif incluant la pension complète, 2 *gamedrives* de jour, *gamedrives* de nuit, balades à pied, transferts et service de blanchisserie. Cher, très cher même, mais superbe. Perché sur le rocher de la Mughwango Hill, premier camp de George Adamson, non loin de l'endroit où est enterrée Elsa la lionne. Les murs de la réception sont d'ailleurs constellés de très beaux portraits d'Elsa et de ses mentors, Joy et George Adamson, les « parrains » naturels du lieu. Le *lodge* offre une vue superbe et presque à l'infini sur le parc de Méru... Ah, cette piscine d'eau salée littéralement « taillée dans le roc » d'où l'on contemple la plaine sauvage à perte de vue, tout en restant bien à l'abri ! Les 8 bungalows disséminés sur ce caillou offrent bien plus que le confort minimum : salle de bains avec vue et large baignoire (ou douche), grand lit avec moustiquaire quasi « nuptial », petite terrasse pour la contemplation, sans parler de tous les petits détails qui rendent la vie tellement plus facile, comme ce talkie-walkie pour joindre la réception ! Certains bungalows sont accessibles par un pont suspendu et possèdent même une baignoire à l'air libre. Salon et salle de restaurant ouverts sur le paysage, très confortables. Cuisine créative et généreuse, un beau compromis entre la cuisine de maman et une véritable gastronomie. Enfin, l'autre « plus » de ce *lodge,* c'est l'équipe de guides professionnels qui vous donne un aperçu différent du safari au Kenya.

LA RÉSERVE DE LEWA DOWNS

Trente-deux kilomètres au nord du mont Kenya, une des plus belles réserves privées du Kenya et, paradoxalement, peu connue. Et puis, une interrogation, peut-être devrions-nous ne point être trop dithyrambiques à son sujet pour lui conserver justement son caractère intime, privilégié ? Enfin, non, c'est parti.

Une belle histoire d'amour, d'une réserve donc, que nous allons vous narrer sans réserve (ouarf, facile !). Il était une fois une très grosse famille de proprios qui possédait 20 000 ha de bonnes terres et qui décida d'en consacrer un jour une grande partie à préserver les animaux. Mais commençons plutôt par le début : il y eut là, au début du XXe siècle, un 1er ranch dirigé par un certain Alec Douglas. Il se maria en 1922, eut une fille, Delia. Vivant de façon fort simple, Alec Douglas survécut à la grave dépression qui frappa les éleveurs dans les années 1930. En 1945, il acheta des terres ailleurs et laissa Lewa Downs à sa fille Delia.

Celle-ci se maria en 1949 avec David Graig. La ferme devint prospère avec 16 000 moutons, 1 000 têtes de bétail. Vu son isolement, elle échappa aux troubles lors de la (juste) révolte des Mau-Mau. En 1971, les Graig durent céder leurs meilleures terres dans le cadre d'une (juste) redistribution aux agriculteurs autochtones. Cependant, le départ de plusieurs éleveurs du voisinage permit à la fille de Graig d'agrandir à nouveau la propriété. En 1982, constatant le massacre dramatique des rhinos (de 20 000 au Kenya en 1970, il en restait moins de 2 000 en 1980) la famille Graig décida de réduire son cheptel et de se consacrer désormais à la défense des rhinos.

Le premier (tant attendu peut-être qu'on l'appela « Godot ») arriva en 1984 à Lewa Downs. Anna Merz, grande spécialiste, y débarqua à la même époque, nantie d'une sérieuse expérience dans la défense des animaux en Afrique de l'Ouest. Elle contribua donc à la naissance de la 1re réserve (2 500 ha au début), clôturée pour vraiment protéger les rhinos, toujours menacés par les *poachers.* Aujourd'hui, ils sont une quarantaine, dont beaucoup sont nés dans la réserve. Plusieurs acquisitions menèrent le parc à 213 km^2. Seules quelques dizaines de mètres ne sont pas clôturées dans le coin nord-est pour permettre le va-et-vient sans entraves des éléphants (notamment avec le Samburu).

En 1983 fut créé le ***Lewa Wildlife Conservancy.*** Au-delà du rhino, la réserve vit donc le retour de l'éléphant et d'autres espèces comme la sitatunga (une rare antilope des marais). La population locale est en outre étroitement associée à cette œuvre. Aujourd'hui, beaucoup de familles dépendent du fonctionnement de la réserve et en assurent le succès. Le Lewa Wildlife Conservancy emploie 140 personnes dont 50 gardes. Depuis 1990, on n'a signalé aucun massacre d'éléphants, et les girafes s'y sentent si bien que l'on en retrouva bientôt plus de trois au kilomètre carré (record du Kenya). Il fallut, il y a quelques années, en héliporter 350 ailleurs !

KENYA (Ouest)

VÉGÉTATION

Du point de vue végétation, on a recensé 221 espèces différentes. On vous fera grâce de la liste, mais outre les *dry cedars* de la Ngare Ndare Forest, on trouve quasiment tous les acacias du Kenya : *abyssinica, mellifera, nilotica, senagalensis,* le fameux *tortilis* (acacia parasol), le lumineux *xanthophlœa* (plus connu comme acacia à fièvre jaune).

Mais celui qu'on préfère, c'est le *drepanolobium* (ou à « l'épine sifflante »). D'abord, si votre véhicule s'arrête pour dégager une branche, cassée par un éléphant, c'est que ses longues et dures épines sont capables de crever un pneu. Ensuite, cet acacia porte de grosses boules noires creuses et trouées dans lequel le vent siffle. Elles abritent aussi des fourmis virulentes qui piquent cruellement toute bête qui tenterait de les croquer. Ainsi impalas, gérénuks, girafes, etc. évitent de se retrouver avec les lèvres en feu. Seul, le rhinocéros noir ne les craint pas.

Comment y aller ?

➢ Venant **de Nanyuki,** arriver au carrefour des routes Isiolo et Méru, prendre à gauche celle d'Isiolo. Au bout de quelques kilomètres, piste en terre qui descend à gauche (en principe, pancarte). Une dizaine de kilomètres encore entre les champs de blé, pour la *gate* de la réserve.

Infos utiles

– Le parc est fermé pendant la saison des pluies du 1er avril au 15 mai. Sinon, ouvert tous les jours le reste de l'année.
– Individuels : droit d'entrée de 45 US$ (37,5 €) incluant le repas du midi et le guide. Conditions de visite pouvant changer. Contact : ☎ 314-05. Outre la grande hutte-salle à manger où les vieux rhinos viennent parfois dire bonjour, on trouve un tout petit musée où est retracée l'histoire de Lewa Downs et de l'œuvre d'Anna Merz.
Boutique où est présenté le meilleur de l'artisanat local. L'argent va directement aux artistes. Jolies œuvres kampas, petits fétiches en bois polychromes, statuettes en terre cuite présentées dans de ravissantes boîtes en fibres, vous craquerez sûrement !

Où dormir ? Où manger ?

Lewa Tented Camp : ☎ 314-05. Réservations à Nairobi : ☎ (020) 387-16-47. Fax : (020) 387-16-65 ou auprès de *Let's go travel* : Nairobi. ☎ (020) 444-71-51 ou 10-30. • lewa@swiftkenya.com • Au milieu de la réserve. Environ 450 US$ (375 €) la double en pension complète. La formule comprend les safaris. Une douzaine de tentes très confortables (toits en palme, bains, eau chaude, décor de charme). Tentes éparpillées sur de petites buttes face à l'ancienne ferme de la famille Graig, aujourd'hui la réception et la salle à manger. Paysages d'un charme sauvage insolent. Les groupes n'étant pas acceptés, seule une poignée d'individuels se partagent le plaisir de ce bout du monde romantique et exotique tout à la fois. Merveilleuses soirées sur la terrasse de la tente ou celle de la salle à manger. Douceur de vivre unique en ces temps barbares (bon, on arrête là !). Prévoir, si vous en avez les moyens, au moins 2 nuits sur place. Accueil tout à la fois chaleureux, pro et discret. Bonne cuisine. Produits d'une belle fraîcheur, petits plats élaborés. L'un des plus beaux petits dej' du Kenya, c'est dit ! Mais tout ça coûte quand même bien cher.

À faire

Balades dans la réserve

Programme de balades pour les gens qui y dorment avec des guides du camp. Celle du soir et celle de l'aube au minimum, en camion découvert. Les visiteurs dans la journée ont leur propre visite organisée avec un guide du Lewa Wildlife Conservancy (avec leur propre véhicule ou à pied). Impossible de tout décrire. Enchantement et émotions bien présents. Émerveillement devant tous ces paysages étonnamment diversifiés que vous allez traverser :

collines pelées ou couvertes de bosquets d'acacias, plaines ondoyantes, sous-bois bordant les *swamps* où vous aurez peut-être la chance d'entr'apercevoir la sitatunga, cette antilope d'eau si farouche.
En tout cas, tous les autres seront au rendez-vous : rhinos bien sûr, waterbucks, phacos, zèbres de Grévy (le plus beau avec son pyjama aux fines rayures), oryx, élands (eh oui, avec un « d » ; c'est une sorte d'antilope, voir le cahier « Vie sauvage » à la fin du guide), girafes, gazelles de Grant (mais curieusement, pas de Thomson !), chacals, klipspringers, hyènes, grands koudous, léopards, guépards (les plus difficiles à voir). Lions parfois, mais il ne faut guère y compter, ce n'est pas leur type d'écosystème. En revanche, régal avec les éléphants et les oiseaux. C'est le pied permanent. Il y a toujours un groupe d'animaux baignés de lumière le soir entre vous et le mont Kenya. Superbes ballets des autruches femelles, toutes ailes déployées. Éléphants se sentant si bien ici qu'ils deviennent parfois trop nombreux. Jusqu'à 200, alors que la réserve ne peut en supporter au maximum que 60-80 ! Vous constaterez vite les dégâts qu'ils commettent et comprendrez pourquoi, d'ailleurs, ça commence à être un problème.
Quant aux oiseaux, entre les permanents et les « de passage », impossible de tout énumérer. Juste quelques « résidents » : outardes (kori, hartlaub, etc.), calaos, tisserins, oiseaux des *swamps* (hérons de toutes sortes, pique-bœufs), hammerkops, grues couronnées, aigles « martial » ou *African hawks,* l'élégant *secretary bird* (serpentaire), kestrels (faucons), *helmeted guinea fowls* (pintades à casque), etc.

D'ISIOLO À KITALE

ISIOLO

IND. TÉL. : 064

La dernière ville d'envergure du Nord-Est. Porte d'entrée du semi-désert, ultime carrefour pour Marsabit, Moyale (l'Éthiopie), Wajir et Mandera. Quasiment « ville-frontière ». Profitez-en pour passer à la banque (retrait au guichet), à la poste et faire le plein d'essence ! D'ici, les voitures s'organisaient en convois pour monter au nord. Se renseigner sur place ou avant d'y aller, histoire d'être vraiment prudent.
Étape pour ceux qui ne peuvent se payer les *lodges* à Samburu et à Shaba. Ville poussiéreuse sans grand intérêt où l'on sent déjà une grosse influence somalienne. Type physique maure (teint clair), atmosphère un peu tendue. Belle mosquée. En revanche, on trouve peu d'alcool sur les comptoirs, influence islamique oblige. ***Bus*** quotidien pour Nairobi (4 h de route environ), via Nanyuki ; ***matatus*** pour Nairobi (4 h), Nanyuki et Méru (1 h de route).

Où dormir ? Où manger ?

Très bon marché

Bonne qualité globale des petites adresses d'Isiolo.

🏠 ***Classica Hotel*** *(plan A2, **5**)* **:** petit bâtiment en brique rouge à l'entrée de la ville, sur la gauche. S'adresser à la boutique en dessous. Doubles autour de 300 Ksh (3,2 €). Qui l'eut cru ? À voir la façade fanée et la cour intérieure en désordre, un quidam normalement constitué prendrait illico ses jambes à son cou ! Et pourtant, les chambres réservent une agréable surprise : simples mais fort bien tenues, dotées de salles d'eau très convenables (eau chaude) et de mousti-

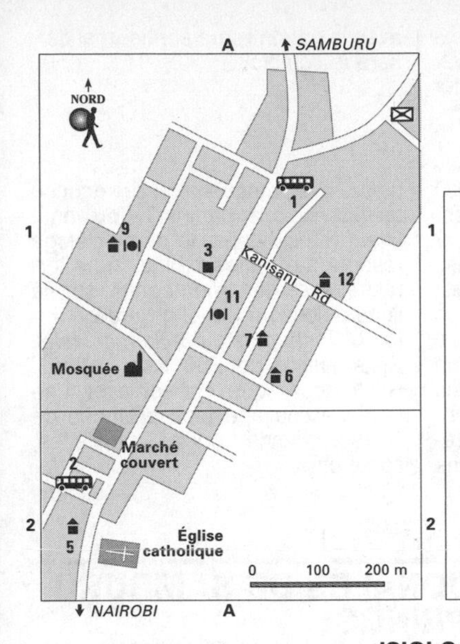

■ **Adresses utiles**

✉ Poste
1 Matatus pour le sud
2 Matatus pour l'est
3 Consolidated Bank of Kenya

Où dormir ? Où manger ?

5 Classica Hotel
6 Pasoda Hotel
7 Mocharo Lodge
9 Jahmuri Guest House
11 Frontier Lodge
12 Bomen Hotel

ISIOLO

quaires. Accueil sympa. Un de nos meilleurs rapports qualité-prix.

Pasoda Hotel *(plan A1,* ***6****)* **:** à droite de la rue principale, après le terminal des *matatus.* ☎ 521-70. Double pour environ 300 Ksh (3,1 €). Petit hôtel sans prétention très apprécié des locaux, donc souvent complet. Bar et resto dans une grande salle délavée aux tons bleus. Pendant 5 secondes on se croirait presque au Mexique ! Chambres rudimentaires avec sanitaires intérieurs et moustiquaire, mais propreté acceptable. Accueil sympa.

Mocharo Lodge *(plan A1,* ***7****)* **:** dans une petite rue parallèle à l'axe principal. ☎ 523-85. Double autour de 400 Ksh (4,2 €). Simple, mais très bien tenu, sécurité vraiment vigilante. Chambres autour d'une cour intérieure parsemée de plantes vertes. Possibilité d'y garer son véhicule. Sanitaires propres et eau chaude le matin. Moustiquaire. Également des suites avec TV et baignoires. Bon rapport qualité-prix.

Jahmuri Guest House *(plan A1,* ***9****)* **:** dans une rue parallèle à l'axe principal. ☎ 520-85. Doubles à 200 ou 300 Ksh (2,1 ou 3,2 €), selon le bâtiment choisi. À la manière de Janus, ce petit hôtel présente deux visages distincts. Côté pile, le vieux bâtiment distribue ses chambres rudimentaires autour d'une courette pas très folichonne, côté face, l'annexe aligne quelques doubles valables avec moustiquaires le long d'un parking fermé. Même fossé pour les sanitaires et douches en commun : mal entretenus pour les moins chères, correctes pour les autres. Bref, le petit supplément vaut le coup. Petit snack à côté.

Frontier Lodge *(plan A1,* ***11****)* **:** en plein centre dans la « contre-allée » de la route principale. Plats à 150 Ksh (1,6 €) maximum. Contrairement à ce que laisse croire son nom, il ne fait que resto mais il le fait 24 h/24 ! Le vrai rade kenyan, pas trop grand, sympa, affable et pas bégueule. Paranos de l'hygiène, se méfier néanmoins ! Goûter au *githeri,* par exemple, plat d'origine kikuyu à base de choux, haricots, maïs, pommes de terre, viande et *sukuma* (sorte d'épinard local), excellent. L'occasion aussi d'observer la vie sociale du bled ou de discuter avec le patron lisant son journal derrière le comptoir.

Prix moyens

🏠 ***Bomen Hotel*** *(plan A1,* ***12****)* **:** PO Box 67. Dans une rue calme perpendiculaire à l'axe principal. ☎ 522-72 ou 523-89. Fax : 522-25. Doubles autour de 1 500 Ksh (15,8 €), petit dej' compris. Tarifs en demi-pension et pension complète possibles. Le « grand » hôtel de la ville. Titre un peu ronflant toutefois, au regard des prestations faiblardes et de l'absence de caractère de l'établissement. Chambres convenables sans plus, avec moustiquaire, douche chaude, w.-c. et parfois TV ou ventilateur. Plus sympa, le dernier étage réservé aux suites profite d'une terrasse avec les montagnes sur la ligne d'horizon. Parking gardé.

|●| ***L'Oasis* :** resto du *Bomen Hotel.* Plats autour de 300 Ksh (3,2 €). Resto touristique correct avec une terrasse couverte bien protégée de la rue. Viande, poulet, omelettes, spaghetti...

LES RÉSERVES NATIONALES DE SAMBURU ET DES BUFFALO SPRINGS

L'antithèse du Shaba. Ici, tout donne une impression d'insolente opulence. Environ 165 km^2 de superficie. Vingt-cinq kilomètres d'oasis tout du long de la rivière Ewaso Ngiro, ici bien plus large et sablonneuse que lorsqu'elle traverse le Shaba. Nous avons souvent utilisé la métaphore de « l'arche de Noé terrestre » au cours de cet ouvrage, mais c'est ici que, vraiment, elle s'applique le mieux. Les tableaux composés par les animaux venant s'abreuver le soir se révèlent encore plus beaux que ce qu'évoquent les brochures de voyage les plus réussies ! La tranche horaire entre 17 h et 18 h devient ici carrément biblique avec sa merveilleuse lumière rasante donnant un avant-goût de ce que fut probablement l'Éden...
C'est la rivière qui marque la frontière avec la réserve des Buffalo Springs. Géographie un peu différente. Côté Buffalo, plus sec, plus mamelonné, sauf la rive de la rivière, aussi exubérante que celle côté Samburu. Malheureusement, la séparation des deux parcs ne facilite guère leur visite, à moins de prévoir un sérieux budget pour passer régulièrement d'une rive à l'autre. Avantage : on échappe à la curée lorsque les véhicules prévenus par CB s'agglutinent autour d'un animal très recherché... mais du coup cela occasionne pas mal de frustrations pour ceux qui restent coincés en face !
– Entrée : 30 US$ (25 €) par personne et par parc ; réductions.

Où dormir ? Où manger ?

Comme pour le Mara, pas d'intermédiaire entre le *lodge* luxueux et le camping. Après avoir pas mal roulé notre bosse au Kenya, s'il y a un seul parc ou réserve où nous vous conseillons de camper dans le pays, c'est bien à Samburu. Nulle part ailleurs, vous n'aurez l'occasion d'aller chercher une casserole d'eau pour vous nettoyer le museau, à deux doigts d'un énorme crocodile (attention, quand même). Le Samburu, c'est une intimité avec la vie animale sauvage assez extraordinaire !

Campings

En dehors de la réserve

⩓ ***Samburu Cultural Center :*** vers Samburu, à 1 km d'Archers Post, sur la gauche (suivre le panneau « Campsite »). En dehors de la réserve donc. Compter environ 300 Ksh (3,2 €) par personne, et le même tarif par groupe pour le gardiennage. Coin tranquille, pas loin de la rivière. Emplacements disséminés parmi les hauts buissons. Le gardien fournit l'eau au seau pour la toilette et le bois pour le feu de camp. W.-c. rustiques à la kenyane.

À l'intérieur de la réserve

⩓ ***Campings publics*** à gauche du pont (Uaso Bridge) qui mène du Samburu aux Buffalo Springs. Les *campsites* s'étirent le long de la rivière (côté réserve de Samburu) jusqu'au Wardens Office. Possibilité de leur demander de l'eau. Campings un peu bruyants lorsqu'il y a les clients des safaris d'agences – mais ça rassure aussi quelque peu ceux ou celles qui n'aiment pas trop camper seul(e)s ! Sinon, on peut choisir de rester à proximité du poste des Rangers. Ce sont de simples clairières, délicieusement ombragées avec parfois des w.-c. à la kenyane.

⩓ D'autres ***campsites*** s'étirent cette fois-ci à droite du pont, vers l'ouest. Ils appartiennent à des agences de Nairobi et sont souvent vides. Pour une nuit, personne ne viendra vous titiller. En général, aucune facilité. Parfois, des w.-c. à la kenyane en mauvais état.

Lodges

🏠 🍽 ***Samburu Lodge :*** PO Box 63, à Isiolo. ☎ 307-78 ou 79. Réservation à Nairobi auprès de *Wilderness Lodges,* PO Box 42788. ☎ (020) 55-95-29 ou 53-23-29. Fax : (020) 55-18-06. Au bout de la route principale traversant la réserve (bien indiqué). Doubles autour de 200 US$ (167 €) en *full board.* Environ 30 % de réduction en basse saison. En bord de rivière, bien sûr. Bungalows en pierre au toit de palme pour les cottages, avec mobilier bourgeois, lit *king size* et petits coussins. Un peu kitsch mais douillet. Sinon, choix entre des *bandas* assez standard, ou des chambres... standard, justement, dans un bâtiment à l'arrière. Un peu de promiscuité à l'étage, cela dit, mais un poil mieux que les *bandas.* Tout au même tarif et moustiquaires pour tout le monde (à l'inverse des ventilateurs : les réclamer). Atmosphère un peu touristique, car point de chute de pas mal de groupes. Un des moins chers aussi (ceci explique cela !). Piscine. Resto moyen mais fréquentable. Activités diverses. Station-service pour les baroudeurs intrépides !

🏠 🍽 ***Intrepids :*** ☎ 308-11 ou 304-53. Fax : 200-22. Réservation à Nairobi : PO Box 74888. ☎ (020) 444-66-51. Fax : (020) 444-66-00. • www.heritage-eastafrica.com • Vers l'ouest de la rivière. Doubles autour de 330 US$ (275 €) en *full board.* Réduction de 50 % en basse saison. Luxueux camp de toile en bord de rivière. Magnifique de simplicité... et de luxe discret. Une trentaine de tentes très rapprochées, montées sur pilotis avec toit protecteur et... balcons dominant la rivière, comme de bien entendu. Meubles de style colonial, en bois verni (du véritable teck du mont Elgon, s'il vous plaît !), lit *king size* avec baldaquin, un bureau pour monsieur et un pour madame, terrasse ombragée par les arbres, belle salle de bains en pierres apparentes (sous la tente, un tour de force !). Un camp qui a su préserver une intimité très *british.* Petite piscine pour les intrépides, nombreux services...

🏠 🍽 ***Samburu Serena Lodge :***

réservations : PO Box 48690. ☎ 308-00 ou 01. Fax : 307-59. À Nairobi : ☎ (020) 271-10-77. Fax : (020) 271-81-03 ou 02. • www.serenahotels.com • Doubles de 150 à 250 US$ (125 à 208 €) en pension complète, selon la saison. De l'autre côté de la rivière Ewaso Ngiro, à droite du pont. C'est un *Serena,* donc architecture s'insérant bien dans le paysage et déco métissée afro-branchouillo-design ! Salle de restaurant et salons clairs et aérés, surplombant la rivière et ses rivages luxuriants. On peut même apercevoir à l'occasion le rare léopard, attiré par des morceaux de viandes judicieusement disposés dans la ligne de mire de l'hôtel. Chambres ton sur ton dans de petits cottages souriants avec terrasse. Bon confort général. Ventilo et moustiquaires. Bonne organisation et nombreux services (bon change notamment). Beau et grand buffet le soir mais cuisine assez moyenne. Bar sympa. Petite piscine. Boutique. *Crocodile pool.*

🏠 🍽 ***Larsens :*** réservation à Nairobi auprès de *Wilderness Lodges,* PO Box 42788. ☎ (020) 55-95-29 ou 53-23-29. Fax : (020) 55-18-06. Un peu avant le *Samburu Lodge.* Tarifs incohérents ! En *full board,* doubles normales autour de 280 US$ (233 €), ou 180 US$ (150 €) en basse saison ; grandes pour près de 400 US$ (333 €), ou 225 US$ (187 €) hors saison. Quel gâchis ! Du temps de sa gloire, le Larsens faisait partie des *tented camp* références. Aujourd'hui, les tentes désertées cachent leur ameublement fatigué derrière des toiles délavées. Lors de notre passage, un repreneur s'était manifesté avec la ferme intention de tout rénover. Affaire à suivre...

– Côté réserve des Buffalo Springs, les campings proches de la Ngare Mara Gate (*Champagne Ridge* et *Kubi Panya*) sont fortement déconseillés. D'abord, loin de la rivière et complètement isolés. Risques trop grands de vol. Ne sont d'ailleurs quasiment plus utilisés. De même, les campings du secteur de la Chokaa Gate ne sont pas exempts de problèmes. Isolés : prévoir un *askari* ou renoncer. Terrains secs et broussailleux sans ombre, mais trou d'eau sans croco pour se rafraîchir (voir ci-dessous).

À faire

Balade à Samburu et aux Buffalo Springs

– Côté Samburu, quasi impossible de se perdre, la réserve s'étendant de la rivière au pied des montagnes sur une bande de 500 à 1 000 m de large. Pistes de terre rouge accessibles aux voitures normales, pendant la saison sèche. En revanche, 4x4 obligatoire aux premières pluies. Peu de pancartes (si ce n'est pour les *lodges*), et ça n'a pas trop d'importance. Végétation de bosquets maigrichons et d'épineux clairsemés vers la montagne.
Chouette circuit de 12 km autour du mont Koitogorr (1 245 m). La piste part au niveau du *Larsens* et remonte vers le nord, longeant la montagne à l'est et à l'ouest. Pas de « Big Five », mais des dik-diks, zèbres de Grévy, oryx, pintardes et outardes pour meubler le bush, sec comme un coup de trique. Superbe vue sur les montagnes alentour.
Plus on se rapproche de la rivière, plus cela devient verdoyant. Apparaissent alors les palmiers doums et d'épais buissons. Bords de rivière ombragés par les tamarins et de beaux acacias couverts de lianes et autres feuillages parasites. Au plus fort de la saison sèche, il y a toujours un filet d'eau qui court au milieu et âprement disputé. C'est à l'aube et en fin d'après-midi qu'il faut suivre tout doucement la piste qui épouse les méandres de la rivière.
Parfois, elle aboutit à une clairière au bord de l'eau où l'on peut s'asseoir et goûter l'extraordinaire spectacle de la vie autour. Il se passe toujours quelque chose. Un chamelier mène ses 100 chameaux s'abreuver ; à 300 m, une

petite horde d'éléphants traverse placidement le cours d'eau, tandis que des dizaines de babouins font la fête au-dessus de votre tête. Si vous descendez sur la rive, attention aux crocos, ce n'est vraiment pas un mythe.
– Un conseil, si vous avez prévu de visiter les deux parcs, réservez-vous la rive sud de la rivière (côté Buffalo Springs) pour la fin d'après-midi. Là, sur la piste suivant la rive, le 4x4 se révèle quand même plus pratique. Roulant comme un escargot, le 4x4 va surprendre tout le monde : un rare oryx baïsa qui se croyait seul, des dik-diks et gérénuks assoiffés, élands, zèbres de Grévy, buffles, etc. Le tout nimbé d'une aura dorée avec, au détour d'un virage, un soudain contre-jour qui vous masquait une famille d'éléphants qui traversait la piste. Nul ne saura qui a eu le plus peur, mais à voir le jeu d'oreilles du jeune mâle protégeant mère et petits, ça ne rigole pas. À certains méandres, sur fond de montagnes duvetées de rose, la rivière livre des diapos idylliques : dans le même champ, dans la superbe lumière rasante du crépuscule, apparaissent waterbucks et impalas, girafes réticulées, babouins frondeurs, phacos et toutes sortes d'oiseaux : marabouts, *saddle bill stork* (cigogne au bec rouge en forme de selle), autruches somaliennes aux pattes bleues, l'aigle « martial », outardes, pintades, tisserins divers...
– Au sud de la rivière Ewaso Ngiro s'étend la réserve des Buffalo Springs, piquetée de mamelons rocheux à la maigre végétation. C'est là que vous apercevrez peut-être le guépard guettant les gazelles s'abreuvant aux petites mares des Ngare Mara, Isiolo, Keromet ou Majiya Rivers. Là aussi, dans les creux façonnés par les ruisselets, reverdit la végétation qui redevient plus dense et cache animaux et petits échassiers.
– À l'est de la réserve, les Buffalo Springs. Dans le secteur, possibilité de faire trempette dans un trou d'eau aménagé, petit souvenir laissé par une bombe italienne pendant la Seconde Guerre mondiale. Aire de camping à proximité.

LA RÉSERVE NATIONALE DE SHABA

Tient son nom du mont Shaba qui culmine à 1 623 m au sud de la réserve. Moins connue que ses prestigieuses voisines de Samburu et des Buffalo Springs, elle n'en possède pas moins une vraie personnalité et une grosse qualité : beaucoup moins de monde. Il n'est pas rare de sillonner les pistes plusieurs heures durant avant de croiser un véhicule. Les animaux se font plus rares, mais l'absence de nuisances sonores rend perceptible le moindre halètement et fait de chaque rencontre un moment magique. Pour autant, si vous faites les trois réserves, il vous faudra acquitter un droit d'entrée pour chacune d'entre elles !
Si c'est la plus grande des trois avec ses 239 km², c'est aussi la plus « déserte » (pas mal de *campsites* mais un seul *lodge* !). Nous vous recommandons donc vivement de prendre un ou deux rangers avec vous, pour des questions d'orientation, d'abord, mais aussi de sécurité. Il y a eu des problèmes à Shaba il y a quelques années et cela peut toujours revenir, même sporadiquement. À bon entendeur !
Joy Adamson adorait cette réserve et travailla à la réintroduction du léopard. Elle écrivait un livre à ce sujet, lorsqu'elle y fut assassinée en 1980 dans de mystérieuses conditions, probablement par des braconniers. Choisir de visiter la réserve de très bonne heure le matin ou à partir de 16 h. Il peut faire très, très chaud la journée, et toutes les couleurs sont écrasées par la lumière. Contraste entre le bush semi-désertique et les oasis verdoyantes le long de la rivière Uaso Nyiro, sous le regard vigilant du mont Bodech et des kopjes (collines rocheuses isolées).
– *Gate* fermée de 18 h à 6 h. Aucune circulation dans la réserve entre ces horaires. Entrée : 30 US$ (25 €) ; réductions.

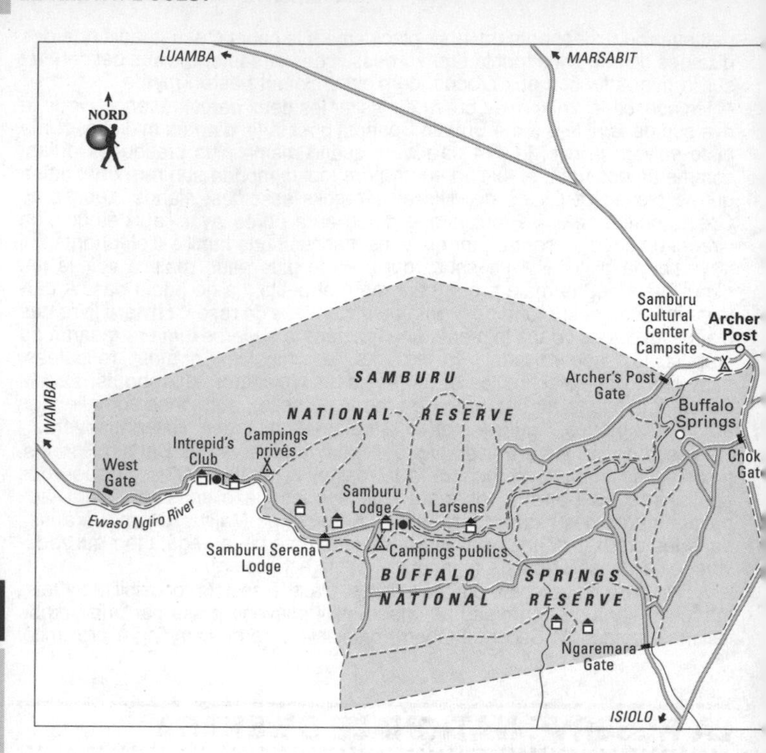

Comment y aller ?

➢ ***Route Isiolo-Marsabit :*** à une vingtaine de kilomètres d'Isiolo (et 3 km avant Archer's Post), piste à droite pour Shaba. Huit kilomètres pour parvenir à la Natorbe Ogura Gate. Paysage étrange, piste toute blanche traversant des chaos de pierres volcaniques noires. Puis, une palmeraie où viennent s'abreuver les troupeaux de chameaux. Attention, chameliers très agressifs si l'on prend des photos des bêtes (peut-être possèdent-elles une âme !).

Où dormir ? Où manger ?

Campings

– ***Rappel :*** se renseigner sur les éventuels problèmes de sécurité liés aux visites des *poachers* (relire l'intro) ! Se faire accompagner par un *askari* (contacter les rangers) pour garder le campement. Nourriture du gardien à votre charge.
– Possibilité de camper près des sources essentiellement. C'est la nature à l'état totalement sauvage. Et s'il n'y a plus guère de lions, au moins s'attendre à voir parfois buffles et éléphants traverser le camping...
– Aucunes *facilities* nulle part, bien sûr.
– Inutile de camper à la ***Natorbe Ogura Gate :*** c'est un peu la zone et les rangers ont « mieux à faire » que de surveiller votre campement... sauf bakchich, bien sûr ! Les *campsites* indiqués sur la carte des réserves ne sont pas toujours ouverts. Vérifier auprès des rangers.

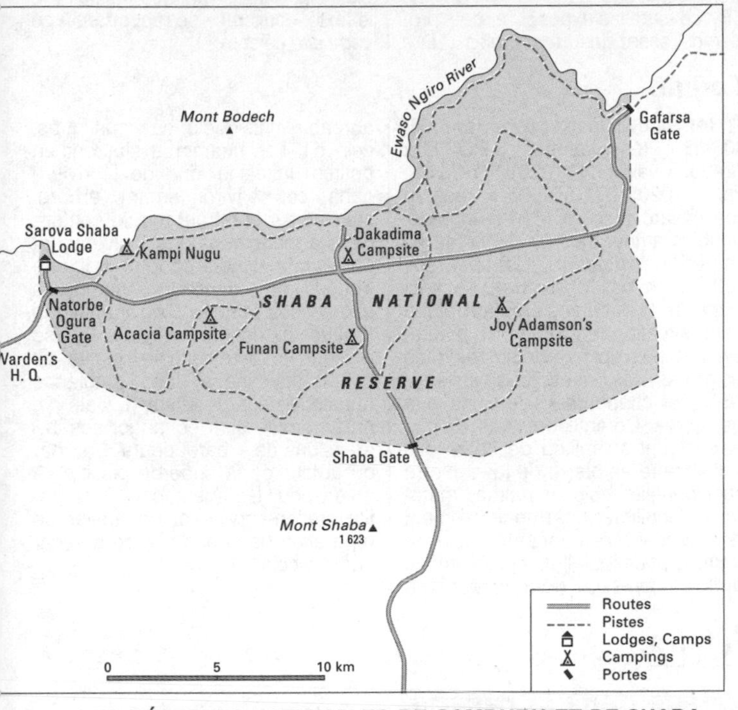

LES RÉSERVES NATIONALES DE SAMBURU ET DE SHABA

– En principe, sont accessibles :

Kampi Nugu : le plus proche de la *gate* (environ 3 km). Terrain mi-sableux mi-rocailleux en bord de rivière, mais sans ombre. Petit et public, donc vérifier qu'il n'y a pas déjà trop de monde. Bien pour une arrivée tardive dans la réserve.

Dakadima Special Campsite : derrière le rocher du même nom, au bord de la rivière Ewaso Ngiro. Superbe site entre des palmiers doums, un banc de sable et des rochers donnant du relief au *campsite*. Quasiment une oasis, dans cette réserve si aride !

Funan Special Campsite : très bien situé, avec une jolie vue à 360° sur l'horizon. En plus, bien aménagé : très spacieux, sous les arbres, bref le grand charme. D'ailleurs, les tour-opérateurs l'ont bien compris. On y voit souvent des tentes vertes en rang d'oignons avec la douche accrochée au piquet !

Kacho Ragoda Special Campsite : sympa. Vue sur la montagne Sororo. En bord d'un lit de rivière, souvent asséchée, mais point d'eau pour les animaux après les pluies.

Dudubatu Special Campsite : au bord de la rivière Ewaso Ngiro, plus au nord (à environ 20 km de la *gate*). Joli plateau, assez grand, avec quelques arbres.

Acacia Campsites : éviter le n° 1, tristounet. Le n° 2 est plus grand, sous les acacias, mais pas plus aménagé pour autant, un peu au milieu de nulle part.

Joy Adamson's Special Campsite : le plus éloigné et le plus aventureux des *campsites*. À vrai dire, totalement déconseillé sans 4x4 et sans guide ni rangers, car il se trouve à environ 35 km de la *gate* par des pistes de rocaille volcanique propres à éclater plusieurs pneus en même temps, si on n'y prend garde ! Et se retrouver en rade tout seul dans ce coin et sans CB, ce serait s'exposer à des problèmes assez insurmontables... Lire plus loin, dans la rubrique « À faire », le texte « culturel » se rapportant à ce *campsite* célèbre.

Lodge

🏠 |●| ***Sarova Shaba Lodge*** : ☎ (064) 306-38. Réservations : PO Box 72493, à Nairobi. ☎ (020) 271-33-33. Fax : (020) 271-55-66. • reservations@sarova.co.ke • Bien indiqué. Doubles autour de 170 US$ (142 €) en pension complète (120 US$, soit 100 €, en basse saison). Le seul *lodge* de la réserve, profitant d'une belle situation en bord de rivière. Sympathique colonie de singes dans les arbres, des grivets tous plus adorables et chapardeurs les uns que les autres. Comme de vrais clients, ils évoluent au milieu de cette jolie architecture en pierre de lave, pierre traditionnelle, bois et palme, matériaux s'équilibrant harmonieusement et se fondant bien dans un décor de sources et cascatelles traversant les jardins. Impression de fraîcheur bien agréable mais quelques moustiques, cela dit. Les chambres s'étirent en petites unités le long de la rivière dans cet environnement arboré, spacieuses et offrant tout le confort. Salle à manger, salons à niveaux et bar autour duquel chaque soir une troupe de danseurs samburus exerce ses talents. Lieu touristique (beaucoup de groupes), ce qui se ressent un peu dans la qualité du buffet, moyenne, et dans l'ambiance (musique ringarde le soir !). Cela dit, on en profite pour échanger ses impressions de « baroudeurs » au bar ou autour de la superbe piscine. À noter, pour les aventuriers, une petite station-service et un atelier de réparation de pneus. Ça peut servir dans le coin !

À faire

Balade dans la réserve

Pendant la saison sèche, possibilité de rouler en voiture normale (dès les premières pluies, 4x4 obligatoire). Routes de terre avec quelques passages caillouteux et d'autres très sablonneux. Pendant la période sèche, redoutable poussière.

La réserve possède deux axes : horizontalement, de la Natorbe Ogura Gate à la Gafarsa Gate. En fait, tout cela est très théorique. Peu de pancartes et, à mi-parcours, plus rien n'indique la Gafarsa Gate ni le *Joy Adamson's Campsite.* Les pistes partent dans tous les sens. C'est la confusion totale. L'autre axe (vertical) lie le *Dakadima Campsite* (au nord) à la Shaba Gate (au sud). En dehors de ça, multiples pistes et diverticules. On ne risque guère de se perdre si l'on prend le Bodech comme référence au nord, mais ne pas s'aventurer avant la tombée de la nuit.

Quelques coups de cœur, comme ça : lorsque la piste centrale frôle la rivière, nombreux waterbucks, gazelles de Grant, dik-diks, zèbres de Grévy, babouins, grues couronnées, pintades, autruches de Somalie, etc. Et puis la « spécialité » de la réserve peut-être : les gazelles-girafes, étonnantes avec leur long cou si mince ! Également, le *swamp* du *Funan Campsite* (route de la Shaba Gate). Grands tortilis. Le matin de bonne heure, ballet des *weavers* (tisserins), *sandgrouses, finches,* etc. Quelques éléphants et buffles passent en voisin. Les bords de l'Ewaso Ngiro au *Dakadima Campsite* (buffles et éléphants également).

Pistes autour du rocher Dudubata (881 m), où l'on assiste aux repas des graciles gérénuks dans un environnement paisible et poétique à souhait (ah, les nuances du jour déclinant). C'est dans le coin aussi que vous aurez le plus de chances d'apercevoir des hyrax (damans) et le rare *klipspringer* (oréotrague sauteur).

Et puis, bien sûr, le coin du *Joy Adamson's Campsite.* Très éloigné (voir le paragraphe sur les campings dans « Où dormir ? Où manger ? »), il n'en demeure pas moins chargé d'émotion. Joy Adamson y étudia les léopards et y commença l'écriture d'un ouvrage qui leur était consacré, avant d'être assassinée. Une petite stèle avec une plaque en anglais lui rend hommage sur place. Sachez qu'en 1980, ses cendres furent disséminées au-dessus du site par un petit avion... Et puis, les léopards continuent de lui rendre hommage puisque, lors de notre dernier passage, nous avons croisé avec surprise et bonheur une maman léopard et sa progéniture...

DE SAMBURU À MARALAL ET BARINGO PAR WAMBA

Itinéraire beaucoup plus rapide que de repasser par les routes du Sud. En outre, complètement en dehors des sentiers battus et permettant d'avoir un petit aperçu des paysages du Nord. Vous traverserez le pays samburu profond. Nombreux *moranes* faisant du stop. N'hésitez pas à les prendre, ce n'est pas tous les jours que cela vous arrivera de faire monter dans votre voiture de farouches guerriers avec leur merveilleuse coiffure ocre rouge et leur paquet de sagaies !
D'Archer's Post, vous emprunterez pour une vingtaine de kilomètres la même route. Tout au fond se profile la magnifique falaise du mont Ol Doinyo Sabaki. Au km 17, après un pont, tournez à gauche pour la piste de Wamba (C79). À main droite, vous longerez les premiers contreforts des *Matthews Range* qui culminent à 2688 m.
Wamba est à 5 km de la route principale (pancarte et bidon de 200 l au carrefour). Longue et large *Main Street* montant la colline.

⌂ Possibilité de dormir au ***Saudia Lodge.*** Très rudimentaire, mais tenu par une famille sympa.

Boutiques pittoresques, comme toujours dans les bourgades rurales. Curieusement, même si le coin n'est pas touristique, les commerçants vous réclameront de l'argent pour prendre leur devanture en photo. Pourtant, ici, on ne peut guère accuser le tourisme de masse d'avoir corrompu les mentalités !
Jusqu'à Maralal, piste très correcte, livrant parfois de belles échappées sur la plaine. Goudron quand la piste grimpe trop sec (en prévision des pluies, les véhicules ne pourraient pas monter). Vue remarquable sur les gorges des Karisia Hills. Premier carrefour important (Rumuruti 87 km, Maralal 43 km, Wamba 63 km et Isiolo 153 km). Puis traversée du plateau de Lorochi, ras comme un crâne de *marine* (prononcer « meurine »). Aucun arbre, le plateau est livré aux moutons et aux chèvres. Deuxième carrefour (Maralal 20 km, Rumuruti 96 km et Wamba 86 km).

MARALAL

IND. TÉL. : 065

Comme Isiolo, la dernière grande ville avant d'aborder le grand Nord (brrrr !). C'est en général ici que s'arrêtent les groupes d'agences de voyages, avant de se lancer vers le lac Turkana. Sertie au milieu de verdoyantes collines, ce n'est pas une ville désagréable, mais ne peut représenter quand même un but en soi ! On y trouve tout : deux stations-service, une poste, une banque et une foultitude d'hôtels, tous plus crades les uns que les autres (à deux exceptions près). Quelques balades sympas dans les environs, comme celle du World's View.
AVERTISSEMENT : une bande de jeunes désœuvrés assaillent continuellement les quelques touristes de passage pour leur proposer leurs services. Vraiment très collants ! Être ferme avec eux bien sûr (sans vous départir de votre sourire), pour qu'ils vous laissent tranquille ! Être également vigilant sur la sécurité.

Adresses utiles

■ ***Change à la banque KCB :*** ouvert du lundi au vendredi de 9 h à 15 h ; le samedi, de 9 h à 11 h. Accepte les *traveller's*.

Bus et matatus : au rond-point de la station *Shell*. Toutes directions.

■ ***Garage « Bhola » :*** en face de la station *Shell*. Très compétent et honnête, bon à signaler. Reconnaissable aussi à son ancienne enseigne « Total ».

■ ***Mohamud Ismail :*** en face de la station *Shell*, grande boutique où vous trouverez tout pour dépanner. Attention, vraiment pour dépanner, car assez cher.

Où dormir ? Où manger ?

Prix moyens

Yare Club and Campsite : route de Wamba. ☎ et fax : 622-95. À quelques kilomètres de la ville. Location de *bandas* à 1 600 Ksh (16,8 €) pour 2 personnes. Camping avec sanitaires corrects : 200 Ksh (2,1 €) par personne. En pleine nature, un sympathique complexe hôtelier. Architecture tout en bois, plaisante. Accueil chaleureux de la patronne. Possibilité de se restaurer : *camel biltong* (viande séchée de chameau en lamelles), *cheeseburger, chicken's stew*, currys, snack divers. On trouve même un *cape wine* à 750 Ksh (7,9 €) la bouteille et du vin de papayes. Au mur, des lettres de Wilfred Thesiger. Bar très convivial avec une belle carte d'alcools. Demander à la patronne la bande-son *Fifties-Sixties* (Neil Sedaka, Chubby Checker, etc.). Elle apprécie les connaisseurs. *Game room*. Possibilité de se balader pour la journée à dos de chameau. Vente de légumes frais.

Jamaru Hotel : du grand rond-point, passer devant le *Buffalo Lodge* jusqu'au rond-point suivant. C'est à droite. Hôtel reconnaissable aux « crocos » devant. Doubles avec bains à 750 Ksh (7,9 €). Pas brillant, brillant, mais le mieux des pas chers. Plaisante salle à manger avec bon choix de viandes (*filet steak* au poivre, *breaded crumbed chicken, beef* Strogonoff ou curry, etc.).

Autres hôtels pas chers : ***Mid point Hotel*** (prétend être le meilleur hôtel de la ville, mais en fait très sommaire, voire sale) ; ***Kimaniki Lodging*** (vraiment rustique !). Quant au ***Buffalo Lodge,*** il se révèle aussi très basique et spartiate !

Hard Rock : dans la rue de la station *Shell*. Ça vaut le détour, pour compléter vos Hard Rock Café de par le monde (mais pas de T-shirts pour votre collection !). Murs roses et cuisine pas chère ; *fried beef* avec *ugali* et *chapati, mboga* (légumes frits), riz pilaf, *samosa,* etc.

De prix moyens à plus chic

Maralal Safari Lodge : PO Box 70. ☎ 62-220. Réservations à Nairobi : ☎ (020) 224-68-26. Fax : (020) 221-40-99. Un peu en dehors de la ville. Dans un beau jardin, ensemble de chalets en bois plaisants et confortables. Certains avec mezzanine. Salle à manger panoramique donnant sur l'unique point d'eau du coin. Les animaux y défilent en permanence : zèbres, buffles, babouins, ververts, phacos, impalas, etc. Heureusement, car cuisine banale (mais accueil sympa). Grand salon avec profonds fauteuils devant la cheminée où crépite le bon feu de bois (nuits fraîches). Prix des chambres tout à fait raisonnables. Petite piscine.

KENYA (Ouest)

À voir. À faire

Le grand marché : tous les légumes et fruits classiques. Plus une section stands de vêtements et textiles divers. Étoffes samburus aux mêmes prix qu'à Nairobi (450 Ksh, soit 4,8 €).

Le musée de la maison de Kenyatta : sur une colline en haut de la ville (route du Turkana). Ouvert tous les jours. Les Anglais exilèrent quelque temps le futur président Kenyatta ici, en 1961. Par beau temps, il pouvait voir le mont Kenya par la fenêtre. Son bureau et son tabouret. Et c'est tout ! Pièces vides, aucun panneau explicatif, ni photo. À l'évidence, cela recouvre surtout un intérêt sentimental pour les Kenyans.

Fête

– ***Le Maralal International Camel Derby :*** chaque année, en août, le grand événement de l'année.
Pittoresques courses de chameaux suivies par des milliers de personnes. Grosse atmosphère en ville. Pensez à réserver si vous allez au *Maralal Safari Lodge* ou au *Yare Club*.

➤ DANS LES ENVIRONS DE MARALAL

Balade au World's View

Une super-promenade de 2 h en voiture (aller-retour) vers l'un des plus fascinants panoramas du Kenya. Suivre la route du Turkana. À la sortie de la ville, peu après le *Maralal Safari Lodge,* au carrefour, bien prendre la branche de droite. Vous traverserez une partie du ***Maralal National Sanctuary.***
À 20 km environ de Maralal, tourner à gauche pour le village de *Poror*. Vous passerez d'abord un étang à gauche, puis une école et la *Chagoror Canteen.* Arrivée à un carrefour en T, prendre à gauche (l'autre branche rejoint la route de Turkana). Après quelques centaines de mètres, laisser la piste de gauche et aller tout droit (à hauteur de la *Poror Group Tree Nursery*). Quelques kilomètres à travers d'immenses champs de blé ondoyants vous mènent à l'un des plus fantastiques ***points de vue*** qu'on connaisse (*World's View,* comme on l'appelle ici).
Y aller de bonne heure le matin. D'abord parce que la lumière est idéale (le soir, vous aurez le soleil de face, photos guère possibles) et ensuite, peut-être n'y aura-t-il personne pour faire payer un droit d'entrée dans cette ridicule cabane avec barrière perdue en plein champ !
Vous arrivez au bout de l'escarpement Losiolo. Sous vos pieds, 2000 m de vide et la Seguta Valley. Face à vous, un panorama qui, par temps clair, porte très, très loin. Les yeux restent scotchés devant un paysage d'une telle ampleur. Hélas, il nous faut rentrer maintenant...

De Maralal au lac Baringo

Route passant par Kisima et Muguta. Après le goudron, bonne piste. À Tangulbei, petit barrage pour abreuver les animaux. Itinéraire alternant latérite sèche, terre rouge, tôle ondulée, chaussées caillouteuses, goudron dans les montées (très dégradé), mais dans l'ensemble assez roulant.

En cours de route, ***villages pokots.*** Très différents des Samburus. Les Pokots sont très noirs de peau. Femmes aux visages particulièrement expressifs. Grande réputation d'épouses qui ne se laissent pas faire et à

l'énergie proverbiale. Finies les couleurs chatoyantes des Samburus, ici les colliers sont marron, les pagnes ou robes aux teintes sombres, les tabliers en cuir. Grosses boucles d'oreilles dorées et bijoux en général très élaborés.
– Dernière portion de l'itinéraire goudronnée, livrant un ultime point de vue sur le lac Baringo (voir à ce chapitre).
– On retrouve alors la route de Nakuru. À Marigat, on bifurque vers l'ouest pour les candidats au mont Elgon (par Eldoret et Kitale) et les randonneurs avides de marche tonique dans les Cherangani Hills.

De Baringo à Eldoret

Bel itinéraire goudronné pas très touristique et qui va donner le tournis à ceux qui n'aiment pas les changements d'altitude. De Marigat, ça monte, ça descend, ça remonte depuis Koriéma sur les *Tugen Hills,* grand doigt posé vers le nord sur la Rift Valley. Beaux points de vue.

Arrivée à ***Kabarnet,*** ville commerçante et active. Il y fait toujours frais (beaux légumes au marché). *KCB* (change), station-service, hôtels.

Dormir à l'***hôtel Sinkoro,*** à côté du terminal des *matatus.* Compter 940 Ksh (9,9 €) la double. Chambres propres avec bains (mais pas d'eau chaude) et petit dej'. Bien tenu. Bar et billard au 1er étage.

– Redescente sécos sur la *Kerio Valley.* On change encore de climat (enlevez les Thermolactyl !). On retrouve la chaleur, les épineux, la végétation pauvre. Fond de vallée plat et boisé. La Kerio River y a creusé de petites gorges. Eau en permanence. Route qui musarde désormais vers le nord, au pied de l'Elgeyo Escarpment (prolongement des Cherangani Hills). Nombreuses termitières hautes et étroites (jusqu'à 4 m de haut). Puis virage vers l'ouest. Ruches dans les arbres. Petites bananeraies et champs de papayes.

À ***Chepsigot,*** ça recommence à grimper. La végétation redevient dense, beaux euphorbes. Montagne très peuplée et nombreuses sources. On retrouve la bonne fraîcheur des sommets. Chaque mètre carré est cultivé. Dans la vallée apparaissent la réserve et le lac de Kamnarock.

Pour camper, le ***Kessup Lelin Campsite,*** à flanc de montagne avec beau panorama. Quelques *bandas* à louer.

Avant ***Iten,*** nouveau belvédère sur la vallée, au sommet de la côte de Cherangani. À Iten, grand marché. Fruits et légumes d'un côté de la route, friperie de l'autre.
– Dernière ligne droite pour Eldoret (30 km). Traversée d'un vaste plateau aux terres grasses et fertiles.

ELDORET

IND. TÉL. : 053

S'il y a une ville où vous n'avez aucun intérêt à passer la nuit, c'est bien Eldoret. Ce n'est pas qu'elle soit désagréable, mais il n'y a vraiment rien à y faire. Pourtant, c'est la capitale régionale, la principale ville universitaire du Nord, et l'ex-président Arap Moï songeait même à en faire la capitale du Kenya, carrément ! Ben mon vieux, y'a du boulot... Tout est à construire, ou presque. Ah, si ! Il y a déjà un bel aéroport international (!) construit sur ordre de Moï, mais il a tellement servi à la contrebande d'armes que le nouveau pouvoir a décidé de le fermer (d'autant qu'il ne servait rigoureusement à rien !). Voici toutefois quelques infos pour ceux qui ne parviennent pas à rejoindre à temps Kitale ou Kisumu.

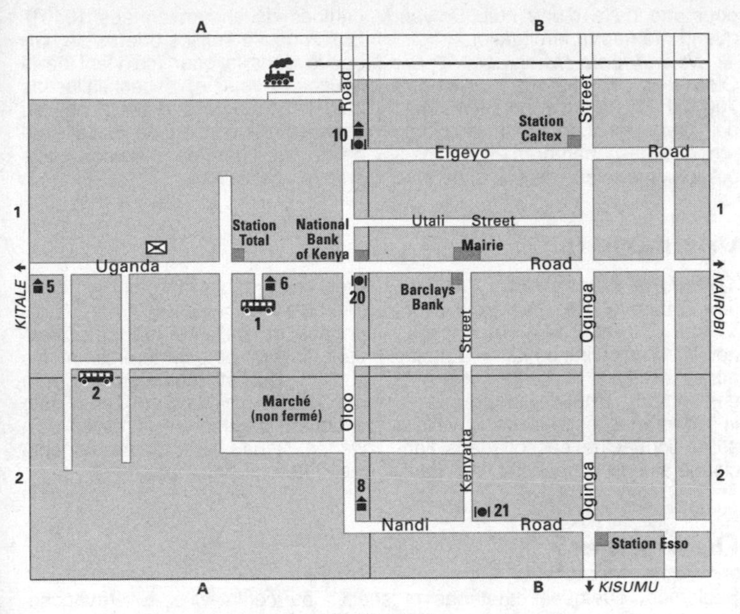

ELDORET

Adresses utiles

- Poste
- Gare ferroviaire
- 1 Gare des bus et *matatus*
- 2 Bus Akamba

Où dormir ?

- 5 Eldoret Valley Hotel
- 6 Mahindi Hotel
- 8 New Lincoln Hotel
- 10 Eldoret Wagon Hotel

Où manger ?

- 10 Restaurant de l'Eldoret Wagon Hotel
- 20 Will's Pub and Restaurant
- 21 Sizzlers

– On trouve des ***distributeurs d'argent*** et des guichets de ***change*** dans les principales banques du centre ville.

Où dormir ?

Plusieurs hôtels de passe sordides (pléonasme) à éviter. L'hôtellerie chic est désespérante et l'hôtellerie moyenne n'existe pas. Passez votre chemin, on vous dit !

Bon marché

Eldoret Valley Hotel *(plan A1,* ***5****)* **:** Uganda Rd. ☎ 323-14. Doubles et *single* avec bains à moins de 400 Ksh (4,2 €), petit dej' en plus. Parmi les moins moches de sa modeste catégorie. Bon petit resto en bas.

Mahindi Hotel *(plan A1,* ***6****)* **:** à côté de la gare routière. Compter 600 Ksh (6,3 €) la double avec bains. Ça se rapproche du cloaque mais on n'y est pas encore tout à fait. Les chambres sont correctes pour une halte d'une nuit. Bruyant quand même, vu la situation.

🏠 ***New Lincoln Hotel*** *(plan A2, **8**)* **:** Oloo Rd. ☎ 822-093. Compter 700 Ksh (7,3 €) la double sans petit dej'. Cet hôtel du temps de la colonie propose des chambres à peu près propres, meublées de bric et de broc (lampes de chevet années 1940 !). Si l'on passe sur les odeurs de barbaque dans la cour (ça vient de la boucherie voisine) et les salles de bains qui doivent dater... oh, au moins de l'invention de la salle de bains par l'homme, l'endroit reste encore acceptable.

Prix moyens

🏠 ***Eldoret Wagon Hotel*** *(plan A1, **10**)* **:** Elgeyo Rd, PO Box 2408. ☎ 622-70. Fax : 624-00. • wagon hotel@africaonline.co.ke • Doubles autour de 2250 Ksh (23,7 €), petit dej' compris. L'hôtel « un peu chic » le moins inacceptable de la ville, à notre goût. Que ce soit dans l'ancienne aile ou la nouvelle, les chambres ne respirent pas le neuf. Meubles en contreplaqué, téléphones en bakélite orange... Mais cela reste un bon compromis, moins cher et pourtant moins sur le déclin que *l'Hotel Sirikwa* d'en face. Resto évoquant vaguement la forme d'un wagon. Repas bon marché. Accepte les cartes de paiement.

Où manger ?

Seulement quelques cafétérias et snacks au centre-ville. En revanche, presque pas de restaurant au sens classique du terme.

KENYA (Ouest)

🍽 ***Restaurant de l'Eldoret Wagon Hotel*** *(plan A1, **10**)* **:** Elgeyo Rd. Capable d'offrir un menu correct (avec choix de 2 plats) pour 450 Ksh (4,7 €) environ.

🍽 ***Will's Pub and Restaurant*** *(plan A1, **20**)* **:** en face de la *KCB*. ☎ 623-79. Ouvert du matin au soir. Le bar ferme vers 3 h. Plats autour de 220 Ksh (2,3 €). Loin d'être enthousiasmant, côté assiette. On tape plutôt dans la catégorie des snacks, pas mauvais mais pas franchement originaux non plus. Bidon de ketchup et de *chili* sur la table, frites et *chapatis* en accompagnement d'une viande ou d'un poisson frit. Le cadre, en revanche, est très *sea, sex and sun,* avec des paillotes (à l'intérieur), des plantes et un aquarium.

🍽 ***Sizzlers*** *(plan B2, **21**)* **:** Kenyatta St (et Nandi Rd). Fermé le dimanche (comme tout le reste...). Cafétéria propre. Cuisine là encore sans originalité, mais correcte et bon marché. Surtout pour le midi, car ferme de bonne heure le soir.

QUITTER ELDORET

En bus ou *matatus*

🚌 ***Gare des bus et matatus*** *(plan A1, **1**)* **:** l'habituelle pagaille des *matatus* dans laquelle on distingue ceux pour Kitale, Kisumu, Nakuru, Nairobi, etc. Également pour Kakamega (la forêt) et Malaba (frontière ougandaise).

🚌 ***Bus Eldoret Express*** **:** à la gare routière. Bus pour Nairobi par Nakuru environ toutes les heures. Également pour Kisumu et Kitale.

🚌 ***Bus Akamba*** *(plan A1-2, **2**)* **:** deux bus de 1re classe, matin et soir, pour Nairobi ; 5 h de route. Deux quotidiens pour Kampala (Ouganda) à 11 h 30 et 1 h du mat'. Compter 6 h de trajet, très confortable (bons bus et route excellente).

En train

🚂 ***Gare ferroviaire*** *(plan A1)* **:** Station Rd. Ça fait un bail que la ligne de chemin de fer ne transporte plus de passagers.

KITALE

IND. TÉL. : 054

L'étape idéale avant de se lancer vers le mont Elgon ou d'aborder les Cherangani. Agréable bourgade agricole posée à 1 800 m d'altitude, Kitale possède des petits hôtels sympas, des banques et cybercafés, ainsi que de bonnes connexions avec les villes alentour. Beaucoup de quincailleries et magasins de semences et engrais, car c'est le point de chute de tous les agriculteurs du coin.

Adresses utiles

– Plusieurs ***banques,*** mais souvent des queues de plusieurs heures pour faire du change. Essayer la petite agence de la *KCB (plan A2,* ***3****).* Pour le distributeur, préférer la *Barclay's (plan B2,* ***4****).*

@ ***Prince Cybercafé*** *(plan B2,* ***5****)* **:** Askari Rd. Ouvert de 8 h à 20 h. Pas cher. Pas rapide non plus.

Où dormir ? Où manger ?

Bon marché

🏠 🍴 ***Alakara Hotel and Restaurant*** *(plan B2,* ***10****)* **:** à l'entrée de la ville, sur la gauche. ☎ 302-95. Fax : 302-98. Doubles plaisantes à 900 Ksh (9,5 €), petit dej' inclus. Certainement le meilleur endroit où loger. Fort bien tenu, sûr, avec téléphone, douche ou baignoire et eau chaude tout le temps. Resto au rez-de-chaussée. Cuisine copieuse et bon marché (moins de 200 Ksh, soit 2,1 € le plat), ni bonne ni mauvaise, bref très classique : *fish* ou *chicken curry, burgers,* fritures diverses servies dans de grands plats en inox. Vieux bar tout en bois ouvert jusqu'à minuit. Parking fermé et gardé.

🏠 🍴 ***Executive Lodge*** *(plan B2,* ***11****)* **:** en face de l'*Alakara.* Presque que des simples ; seulement 1 double avec douche autour de 800 Ksh (8,4 €) petit déjeuner inclus. Chambres banales mais propres. Sanitaires exigus. Ameublement désuet. Bonne sécurité (grille à l'entrée et parking). À côté, grand resto pas cher ouvert jusqu'à 22 h 30. On peut ensuite se vautrer sur les banquettes du bar, autour du billard.

🏠 🍴 ***Bongo Hotel and Restaurant*** *(plan A2,* ***12****)* **:** Moi Av., PO Box 530. ☎ 205-93. Doubles à 800 Ksh (8,4 €), petit dej' compris. Chambres avec bains. Pas trop de lumière, et entretien assez négligeant. Mais toujours dans la bonne humeur... Resto animé et nourriture très classique.

🏠 ***Kahuroko Lodging*** *(plan A2,* ***13****)* **:** à côté de la station *Mobil.* Doubles à 600 Ksh (6,3 €). Pour les nostalgiques des hôtels à l'africaine. Traverser la salle de resto pour atteindre la cour. Chambres à l'étage. Peu de doubles. Sommaire quoique avec bains. On ne peut pas dire que ce soit bien tenu, mais pour le prix on peut s'en contenter.

Plus chic

🏠 🍽 ***Kitale Club** (hors plan par B2, 14) :* route d'Eldoret, PO Box 30. ☎ 313-30 ou 38. Fax : 309-24. Peu avant l'entrée de la ville. Doubles de 3700 à 4400 Ksh (39 à 46,3 €) en *B & B.* Club de golf du temps des *British,* possédant de nombreuses chambres. Les anciens cottages ont un charme désuet, avec leurs baignoires à pieds. Les plus modernes ont TV et cheminée. Tous sont très spacieux et confortables, avec parquet. Les prix paraissent tout de même un poil surestimés. Peut-être un relent d'élitisme dans tout ça... Mais ça plaira à celles et ceux qui apprécient les atmosphères un peu *stiff* et collet monté, nimbées de nostalgie coloniale. Interdiction de pénétrer dans les chambres avec des chaussures à pointes (non, sans rire !). Au resto, menu autour de 400 Ksh (4,2 €). Bar-salon avec tous les trophées en vitrine. Agréable terrasse donnant sur la piscine. Sauna, squash et snooker accessibles contre une adhésion temporaire (500 Ksh, soit 5,2 €).

À voir

👁👁 ***Le musée de Kitale** (plan B2) :* ☎ 206-70. Ouvert tous les jours de 8 h à 18 h. Entrée : 200 Ksh (2,1 €). Une visite à ne pas manquer.
– *Dans le bâtiment principal :* les collections léguées par le lieutenant-colonel Stoneham, fondateur du musée. Il les ramena d'Angleterre au Kenya. Intéressant, car toujours le reflet d'une époque, avec ses clins d'œil, ses contradictions. Ainsi cette collection de médailles gagnées contre... les Nandis, les Mau-Mau, ou lors des aventures coloniales (Soudan, Égypte). Belle section de minéraux, insectes, papillons. Section préhistorique et ethnographique : jolis dioramas. Objets kambas (de grands sculpteurs), colliers pokots, coiffes turkanas, armes, etc. Médecine pokot (herbes, etc.). Histoire naturelle : serpents, lézards, animaux naturalisés dont un guépard absolument raté. Instruments de musique.
– *Au sous-sol :* animaux sauvages, crâne d'éléphant et d'hippo, arbres du Kenya, trophées de chasse de lords anglais.
– *Dans les jardins :* reconstitution de huttes et greniers traditionnels des ethnies de la région (nandi, luo, luhya, etc.). Enclos des serpents et crocos.
– Et surtout, *le nature trail.* Alors là, un truc épatant, les derniers vestiges de la « Riverine Forest », qui existait il y a très longtemps. Moins d'un kilomètre de long à faire à pas tranquilles, doucement, sans parler. Arbres parasités par une opulente végétation, lianes enveloppant certains arbres et se transformant quasiment en tronc à mi-parcours, figuiers géants, larges plantes aquatiques. Certains passages humides distillent une bienheureuse fraîcheur. Un copain ornithologue (amateur éclairé depuis de nombreuses années) y a même découvert, à son grand étonnement, quatre oiseaux qu'il n'avait jamais vus auparavant, ainsi qu'un turaco de Ross pas toujours facile à voir. Nombreux petits reptiles, lézards, insectes, etc.

👁👁 ***Treasures of Africa Museum** (hors plan par B2) :* en entrant dans Kitale, sur la droite (c'est fléché). PO Box 2335. ☎ 308-67. Le seul musée privé de cette importance au Kenya. Ouvert de 8 h 30 à 12 h 30 et de 14 h à 17 h 30 tous les jours, sauf le dimanche. Entrée : 250 Ksh (2,6 €). Plus encore que les collections, certes rares et précieuses, vous allez rencontrer l'un des derniers découvreurs de l'Afrique, un vrai dinosaure, un être haut en couleurs et pour tout dire un peu allumé. Il s'agit de John Wilson, un vieil Écossais qui a collectionné pendant plus de 30 ans des objets des ethnies turkana (nord du Kenya), akarimojong (Ouganda) et d'ailleurs dans le monde. En comparant ces objets, pour la plupart des outils agricoles ou des parures ornementales, on est frappé par leurs similitudes. Plus surprenant encore. Délaissant les méthodes traditionnelles de l'archéologie, M. Wilson

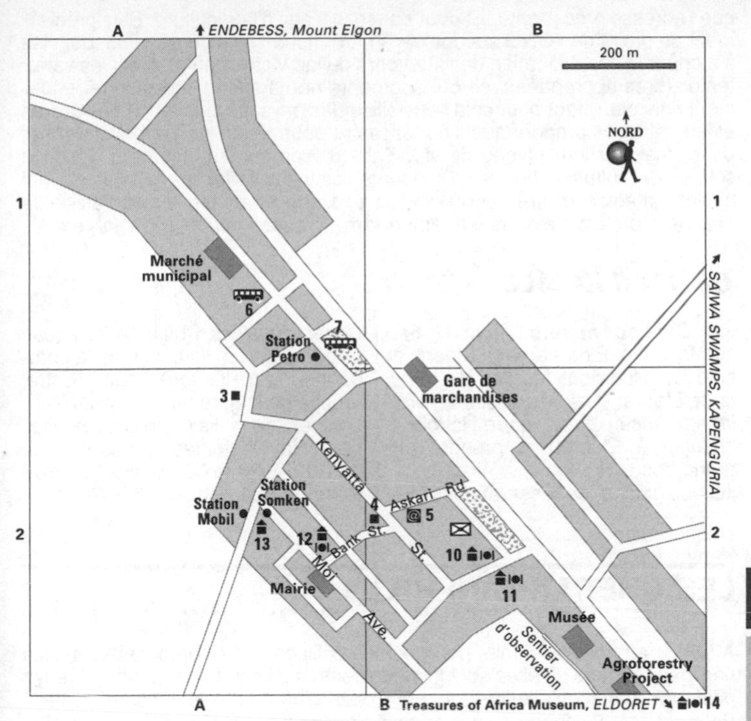

KITALE

■ Adresses utiles	Où dormir ? Où manger ?
Poste	10 Alakara Hotel and Restaurant
3 KCB	11 Executive Lodge
4 Barclay's	12 Bongo Hotel and Restaurant
5 Prince Cybercafé	13 Kahuroko Lodging
6 Gare des *matatus*	14 Kitale Club
7 Eldoret Express	

s'est intéressé aux similitudes linguistiques entre ces différents objets : en effet, leurs noms se ressemblent dans plusieurs langues pourtant très éloignées. Il a ainsi réussi à établir plus de 400 corrélations entre l'akarimojong et l'espagnol, et 800 avec... le gaëlique écossais ! D'autres liens ont été trouvées entre le turkana, l'assyrien, l'égyptien, l'hébreu et même le tibétain ! Faut avouer que ça nous a un peu laissé comme deux ronds de flan, et on se demande si justement, ça n'en est pas, du flan. Mais les rapprochements sont troublants. Ce bric-à-brac de poteries, de coiffes et d'outils finit par vous tourner la tête... La théorie de John Wilson, c'est qu'il a dû exister une langue universelle, peut-être disparue vers l'ère glaciaire, et que les échanges entre peuples étaient sûrement plus approfondis que ce que l'on croit. Mais il reste prudent sur le pourquoi du comment. Si vous comprenez suffisamment l'anglais, allez donc en discuter avec lui !

Olof Palme Agroforestry Project *(plan B2)* **:** à côté du Kitale Museum. ☎ 201-39. • www.viskogen.org • Visite gratuite. Beaucoup plus terre-à-terre que l'adresse précédente. Et pour cause, il s'agit d'horticulture. Plus précisément du projet de l'ONG suédoise « Vi » (« nous »), lancé en 1983, qui vise à stopper la désertification des alentours du lac Victoria en plantant les variétés d'arbres appropriées, ce qui augmente par la même occasion le rendement agricole. Il faut pour cela sensibiliser les paysans aux vertus des arbres et leur faire comprendre quels bénéfices ils pourront en tirer, à moyen terme, pour améliorer leur niveau de vie. Salle d'expo sur les différents types de sols et de cultures, herbier. Et dehors, on peut visiter les jardins, ce qui devient intéressant si quelqu'un vous explique en même temps l'utilité de chaque arbre : certains retiennent la terre, d'autres coupent le vent, etc.

QUITTER KITALE

- ***Gare des matatus*** *(plan A1,* ***6****)* **:** sur la route Eldoret-mont Elgon, à côté du Municipal Market. *Matatus* pour Eldoret, Nakuru, Kisumu, Malaba... Aucun direct pour Nairobi : changer à Eldoret ou prendre un grand bus.
- Le guichet de réservations d'***Eldoret Express*** *(plan A1,* ***7****)* se trouve dans un vieux bus de la compagnie, sur le terre-plein central proche de la gare ferroviaire (se renseigner, ça a l'air provisoire). Bus pour Nairobi toutes les heures de 4 h 30 à 20 h 30 ; prévoir 7 h de route (et 500 Ksh, soit 5,3 €).

LES CHERANGANI HILLS

À 50 km au nord de Kitale, pourquoi les collines des Cherangani sont-elles négligées ? Parce qu'elles sont loin des centres d'intérêt principaux du Kenya peut-être ; parce qu'elles ne font pas l'objet d'un parc national sans doute. Pourtant, les paysages y sont magnifiquement contrastés et les gens (tribu pokot) éminemment sympathiques. Et puis, pour une fois, il n'y a aucun droit d'entrée à payer. Randonneur, tu trouveras ici ton paradis dans un paysage qui, en l'espace de 50 km, passe du riche plateau cultivé de Kitale aux plaines arides du Nord, via des sommets ondulés couverts de conifères, puis terriblement escarpés culminant à 3581 m. Certainement l'un des plus beaux endroits du Kenya.

Comment y aller ?

➢ ***De Kitale :*** *matatus* très réguliers jusqu'à *Kapenguria* (à l'ouest des Cherangani). De là, en prendre un 2e en direction de *Lodwar* via Ortum et Marich Pass (environ 4 départs par jour). Également plein de camions qui empruntent cette route. On peut aussi commencer la rando au sud des Cherangani, par le village de Kapsowar (matatus depuis Eldoret). On peut organiser sa balade à l'avance par l'intermédiaire de *Sirikwa Safaris* (voir « Où dormir ? Où manger ? »).

Où dormir ? Où manger ?

Pour camper, la zone est sûre et les gens accueillants. En demandant poliment, on peut s'installer à proximité d'une rivière.
En revanche, pour trouver à manger, c'est un peu la galère. À Kapenguria déjà, c'est le désert. À Ortum, encore pire. La seule solution est de faire ses provisions à Kitale ou de manger dans les lieux indiqués ci-dessous.

Prix moyens

⛺ ***Marich Pass Research Centre :*** sur la route Kitale-Lodwar, 20 km après Ortum. Panneau sur la droite. Camping pour 250 Ksh (2,6 €) par tête, *bandas* pour 2 autour de 950 Ksh (10 €) avec bains extérieure et 1 500 Ksh (15,8 €) en *self-contained.* Très sommaire, pour un prix qui l'est moins. Mais c'est un coin admirable, arboré, au bord de la rivière Murun, frais, isolé. Peu de chercheurs y viennent en fait, et le centre accueille surtout des groupes de scolaires venus d'Angleterre ou des États-Unis pour un « stage nature ». Vous rencontrerez peut-être David Roden, un vieil Anglais passionné de la région qui vous fera rêver aux plus beaux itinéraires vers les sommets, les rivières ou les grottes environnantes. Organise des balades orientées culture et nature.

Plus chic

⛺ 🏠 🍽 ***Sirikwa Safari :*** PO Box 332, Kitale. Le *lodge* est à environ 5 km après la route pour Saiwa Swamp, sur la route de Kapenguria. ☎ 0722-883-530 ou 0733-793-524 (portables). • sirikwabarnley2002@yahoo.com • Doubles à 3 500 Ksh (36,8 €) en *B & B.* Deux fois moins cher dans les grandes tentes. À ces prix, rajouter 10 % de taxes. Camping : 375 Ksh (4 €) par personne ; avec tente fournie, 1 125 Ksh (11,8 €). Repas entre 500 et 750 Ksh (5,3 et 7,9 €). Géré par la famille Barnleys, installée ici depuis des générations. Leur maison, bâtie dans les années 1950, est une oasis 100 % *british* au milieu d'un paysage de toute beauté (le Limousin, plus les flamboyants). Quelques chambres d'hôtes à l'intérieur. Dans le jardin, des tentes aménagées comme dans les parcs (mais salle de bains à l'extérieur). Un doux gazon pour camper, et de bons aménagements (w.-c. nickel et douches chaudes). Reste les délicieux dîners maison. On vous souhaite d'être là le jour du poulet farci. Avec un peu de chance, vous arriverez un jour où il n'y aura pas trop de monde. Balades ornithologiques avec guides, porteurs fournis pour les randonnées dans les Cherangani et au mont Elgon. Une excellente source d'informations pour visiter la région.

Randonnées à pied

➢ En 1 ou 2 jours, escalader un des sommets, descendre le long d'une rivière dans la plaine ou visiter une grotte sont autant de buts : la région est très spectaculaire, avec des changements radicaux de paysages. De la dense forêt de pins des collines, on passe aux cols rocailleux parsemés de buissons épineux et de cactus, vers Ortum et Marich Pass. Pour plus de précisions, demander à *Sirikwa* ou au *Research Center.*

➢ Pour l'avoir fait, nous recommandons de monter à ***Parua,*** à 70 km de Kitale et 30 km de Marich Pass. On y accède en prenant dans Sebit la piste à droite (le panneau est bien visible sur le bord de la route). Après 10 km de piste parfois très pentue, on arrive au village, perché à 2 300 m. Si l'on n'y va pas à pied, le 4x4 est obligatoire. De là, on grimpe à pied sur l'escarpement qui domine le village au nord (3 000 m). Rassurez-vous, la montée n'est pas très difficile, car on contourne la superbe falaise par la droite avant de la surplomber. Quand on arrive sur le haut, l'effet est grandiose : vue infinie vers les plaines d'un côté et les Cherangani de l'autre. Le site est d'autant plus enthousiasmant qu'on trouve, cas sans doute unique en Afrique, des habitants encore à cette altitude.
On peut prendre un guide (gamin du village) pour cette montée d'environ 3 h. C'est très certainement l'un des souvenirs les plus inoubliables du Kenya.

➤ *DANS LES ENVIRONS DES CHERANGANI HILLS*

Musée de Kapenguria : au centre de Kapenguria, bourgade perdue dans la montagne, qui compte plus d'arbres que de maisons. Ouvert de 8 h à 18 h. Entrée : 200 Ksh (2,1 €). Deux thèmes sont ici abordés : la lutte pour l'indépendance et les cultures des ethnies pokot et cherangani. L'endroit a joué un rôle dans la lutte de Kenyatta et de ses comparses, puisque c'est ici qu'ils furent emprisonnés pendant les 6 mois précédant leur procès, en 1952. On visite les cellules de Jomo Kenyatta, Fred Kubaï, Paul Ngei et les autres, contenant chacune des éléments biographiques et des clichés d'époque. Autre section, les objets cheranganis (peaux, ornements, instruments de musique) et les huttes pokots. Remarquez la porte des huttes de femmes, très étroite afin de gêner l'entrée d'éventuels agresseurs. Très belle galerie de photos (rituels, maquillages). Un musée pas inintéressant si vous passez dans le coin.

Parc national de Saiwa Swamp : tout petit parc de 3 km² situé à 21 km au nord de Kitale, juste avant Kapenguria. Ouvert de 6 h à 18 h. Entrée : 15 US$ (12 €) par adulte, 5 US$ (4 €) par enfant. Camping : 8 US$ (6 €) par personne. Parc ouvert en 1974 afin de protéger la très rare antilope sitatunga. Forêt tropicale et marais abritent plein de bébêtes à plumes (grues couronnées, ibis sacrés, martins-pêcheurs, turacos de Ross, aigles) et à poils (*bushbucks, bush duiker,* mangoustes, genettes, singes colobes, vervet et de Brazza...). Et puis le cas particulier du porc-épic, si inclassable... Une petite balade sympa, mais pourquoi faut-il donc à chaque fois se ruiner en tickets d'entrée ?

Le barrage de Turkwell : construit par les Français, c'est le plus haut barrage voûté d'Afrique (150 m), à 120 km au nord de Kapenguria. On vous l'indique pour mémoire, car il faut – en théorie – solliciter une visite par courrier, et que l'endroit est très isolé. De plus, il n'a jamais assuré une production d'électricité à la hauteur des prévisions.

La réserve de Nasolot et le parc national de South Turkana : de part et d'autre de la route de Lodwar. Entrée : 15 US$ (12 €). Si vous possédez à la fois le temps et l'argent... Mais guère d'animaux à voir, à part quelques éléphants que l'on peut traquer à pied accompagné par des rangers. À Nasolot, beaucoup d'oiseaux et une race d'antilope rare.

LE PARC NATIONAL DU MONT ELGON

Là encore, l'un des moins connus et des moins fréquentés du Kenya. À cause de son éloignement, bien sûr, et du plus petit nombre d'animaux à voir. Mais les amateurs de hors-piste ne regretteront pas le détour. Le parc national fait environ 170 km² et comprend donc cet ancien volcan vieux d'au moins 15 millions d'années. Il possède 3 sommets : le Koitoboss (4185 m), côté kenyan, le Lower Elgon (4300 m), coupé en deux par la frontière avec l'Ouganda, et le plus haut, le Wagagaï (4322 m), situé en territoire ougandais. Son ascension permet de traverser plusieurs types de végétation bien distincts. Après les champs quasi briards ou beaucerons des plaines qui l'entourent, on découvre à sa base une magnifique forêt humide, avec des arbres gigantesques. Au-dessus, une végétation très dense de petits arbres et de bambous et, pour finir, des landes et prairies d'altitudes, piquées de superbes séneçons géants.
Si la faune locale n'est bien sûr pas aussi riche que celle du Mara, elle reste cependant intéressante. Bébêtes que vous verrez à coup sûr : les classiques *waterbucks* (cobes defassas), *bushbucks* (guibs arnachés), *reedbucks, giant forest hogs* (sangliers), gracieux singes colobes, babouins, servals (au pluriel

cerveaux ?), genettes, hyrax (damans), porcs-épics, etc. Quelques léopards (bien planqués) et hyènes tachetées, très discrètes. Beaucoup d'oiseaux, un régal ! Notamment, parmi nos préférés : l'oiseau-souris *(blue naped mouse-bird),* reconnaissable à son plumage gris, sa longue queue, sa p'tite nuque bleu clair, le *little bee eater* (petit mangeur d'abeilles), vert et au poitrail rouge, le *white bellied go-away bird,* avec sa crête grise et son ventre blanc.

L'un des points d'intérêt du parc est la visite de grottes où les éléphants vont gratter le sel sur les parois. Difficile de voir les éléphants eux-mêmes, vu qu'ils opèrent généralement de nuit. Prévoir une journée pour la magnifique montée au mont Koitoboss. Cela sera la seule occasion pour vous, au Kenya, de grimper à plus de 4000 m en moins d'une journée ! Quasiment pas de problème de *soroche* (mal de l'altitude). Une grosse différence avec le mont Kenya.

– Entrée : 15 US$ (12 €) par personne ; 5 US$ (4 €) pour les moins de 18 ans.

– Possibilité d'embaucher un ranger pour la balade (1 000 Ksh, soit 10,5 € la journée, plus le pourboire bien mérité), mais ce n'est pas obligatoire. D'un autre côté, la « location » de rangers est une bonne occasion d'avoir le temps de discuter et de se connaître. À vous de voir ! Si vous décidez d'y aller seuls, il faudra juste signer une décharge à *Chorlim Gate,* l'entrée principale. Le seul danger, c'est de se faire charger par un buffle (très rare). Si ça arrive, couchez-vous par terre avec les mains sur la tête. Il paraît, hein... Nous on a pas eu l'occasion d'essayer...

– Véhicule obligatoire. On peut louer un 4x4 au *Delta Crescent Campsite* (voir « Où dormir ? »).

KENYA (Ouest)

Comment y aller ?

➢ ***De Kitale :*** prendre la route d'Endebess (goudronnée). À 12 km de Kitale, prendre la piste sur la gauche sur 15 km. La principale entrée est *Chorlim Gate.* Il en existe deux autres : la *Kimothon Gate,* au nord, et la *Kossowai Gate,* au sud, fermées depuis belle lurette.

Où dormir ? Où manger ?

Campings

Comme pour le Samburu, un vrai bonheur que de camper ici ! Se faire enregistrer au *gate.* Compter 8 US$ (6 €) par personne. En principe, les piétons peuvent se rendre aux campings en se faisant accompagner par un ranger.

⛺ ***Kapkuro :*** à 500 m de l'entrée. Ombragé, belle pelouse plate, bois gratuit pour le feu de camp, robinet d'eau, w.-c. Contre les babouins, disposer des serpents en plastique autour de la tente. Imparable ! (Contre les buffles, on n'a rien trouvé !)

⛺ ***Rongaï :*** notre préféré, à 2 km de *Chorlim Gate.* Vaste clairière, très beaux arbres. Bois de chauffage à volonté. Petit ruisseau en contrebas. Douche et w.-c.

⛺ Également un site public juste à côté de *Chorlim Gate.*

Logements en dur

🏠 ***Bandas*** à l'intérieur du parc : 2250 Ksh (24 €) la chambre pour 2 ou 3 personnes. Douche et w.-c. S'adresser aux rangers.

🏠 |●| ***Delta Crescent Campsite :*** 4 km avant Chorlim Gate, sur la gauche. ☎ 314-62. ● nakatari@africaonline.co.ke ● *Bandas* tout ronds, tout mignons pour 1 500 Ksh (15,8 €) petit dej' et rideaux en rayures de zèbres compris. Nouveaux *bandas self-contained* autour de 2500 Ksh (26,3 €) pour 2. Tentes à louer, à partir de 600 Ksh (6,3 €) pour 2 ; planter sa propre tente coûte plus cher : 350 Ksh (3,7 €) par personne. Eau potable (traitée), resto (sur commande), et un terrain immense et très bien entretenu. Le resto tout en bois fait penser à une auberge alpine, et son bar avec billard est très prisé le week-end par les gens de Kitale. Derrière, on peut visiter la petite réserve animalière (entrée : 100 Ksh, soit 1 €) qui rassemble 3 girafes, des gazelles ainsi que deux gentils rhinos blancs que l'on peut même caresser. Un endroit de rêve pour les campeurs et pour les autres. Loue des 4x4 pour aller au Mont Elgon : à partir de 4000 Ksh (42,1 €) par jour, essence et chauffeur inclus.

Mont Elgon Lodge : ☎ (020) 233-08-20 ou (0722) 866-480 (portable). Fax : (020) 222-78-15. • po_ayukoh@yahoo.com • Doubles en *B&B* pour 4000 Ksh (42,1 €) ; compter 5400 Ksh (56,8 €) en pension complète. À 2 km de *Chorlim Gate.* Genre petit manoir de campagne du Yorkshire, construit par un Anglais dans les années 1920. Salles immenses, grande cheminée et boiseries sombres. Repris et géré par l'État, il périclite tout doucement, faute d'entretien. Du coup, les prix paraissent exagérés. Pourtant il garde un charme inimitable, d'autant qu'ici, on est souvent tout seul au monde. Il arrive même que l'hôtel soit vide pendant plusieurs semaines d'affilée. Reste la compagnie du personnel, absolument charmant mais toujours un peu perdu dès qu'un client arrive. L'habitude manque, vous comprenez... Chambres disposées 2 par 2 dans des cottages. Assez décaties mais correctes, spacieuses, avec salle de bains. Eau chaude soir et matin, sur demande. Électricité jusqu'à 23 h. Cuisine d'une extrême banalité, vraiment pas terrible. Mais le lieu nous a tout de même conquis, grâce à son grand jardin et aux soirées paisibles près du grand feu de bois du salon...

À faire

Balade aux grottes

Bien compter une demi-journée. Employer un ranger vous permettra de les trouver du premier coup. Certaines grottes furent longtemps habitées par les Elkonys, une des tribus kalenjins.

La grotte de Kitum : pas la plus intéressante, mais l'approche en est sympa. À 500 m de la piste, chemin bien marqué. Grotte assez basse, peu de chances que des éléphants puissent y gratter du sel. Mais, en cours de route, que de beaux arbres : le géant *Podocarpus falcatus* (genre de séquoïa), l'*Olea africana* (olivier), le *Croton macrostychus* (teck), le *Juniperus procera* (genévrier), et tant d'autres...

La grotte de Makingeny : super (et courte) approche. À 300 m de la piste. Immense ! Entrée en arche avec une mince chute d'eau tombant d'en haut. On aura dérangé au passage quelques *bushbucks*. De gros crottins témoignent du passage occasionnel d'éléphants. Aller jusqu'au fond, derrière la grosse pierre de travers. Là vivent des milliers de chauves-souris. Si elles ont estimé que vous avez troublé leur quiétude, elles sortiront en escadrilles vrombissantes au-dessus de vous, pour s'engouffrer dans une cheminée. Terriblement impressionnant !

À gauche de l'entrée (quand on est face à la grotte), noter les longues traînées dans le mur, résultat du travail des éléphants venus gratter le sel avec leurs défenses. À propos, il paraît à l'évidence impossible qu'ils aient creusé la caverne comme il est écrit dans tant de guides (ou il aurait fallu quelques milliers d'années !). En revanche, ils ont clairement creusé la paroi sur au moins 1 m (en témoigne cette sorte d'encorbellement dans le roc).

La grotte de Chepnyali : à environ 50 m de la piste. Beaucoup moins imposante que la grotte de Makingeny.

La montée au mont Elgon

En saison des pluies, 4x4 obligatoire. Sinon, une voiture normale ou même un minibus suffisent. Sans gâcher le plaisir, il est possible d'effectuer l'aller-retour dans la journée. Bien sûr, partir aux aurores. Comme le dit un proverbe kenyan : « Celui qui se lève tard ne peut jamais voir la tortue se brosser les dents le matin ». Si vous voulez prendre un ranger avec vous, réservez la veille. Mais pour l'avoir fait seul, on peut vous confirmer qu'un ranger n'est pas nécessaire.
L'approche de 32 km s'effectue en... 1 h 30 (en saison sèche) ! Eh oui, piste particulièrement cahotante. Au début de la montée, arbres géants et torsadés. Viennent ensuite d'impressionnantes bambouseraies. Au carrefour à mi-chemin, prendre à droite. Arrivée enfin dans une végétation alpino-tropicale, genre landes clairsemées et paysages totalement ouverts. À 3 500 m, plate-forme au bout de la piste pour garer le véhicule.
Et maintenant, hardi petit pour les 500 derniers mètres de dénivelé. Sentier bien apparent à gauche. Si les premières centaines de mètres paraissent abruptes, rassurez-vous. Après, la sente glisse en douceur à flanc de montagne. Passage à droite d'un énorme rocher, puis on entend progressivement le clapotis clairet d'un petit ruisseau. Il servira tout autant de fil conducteur que le sentier, assez bien dessiné.
Flore magnifique, notamment ces variétés de fleurs séchées, edelweiss locaux, en bosquets généreux. Apparition des lobélias et des premières forêts de séneçons, sorte de croisement entre un gros chou monté trop vite et un palmier rabougri. D'autres séneçons à ras de terre, une variante qui ne poussera guère plus. Particularité : elles retiennent l'eau de pluie pour hommes et bêtes. Curieuse fleur jaune (genre de soucis) qui éclôt sans tige, à même le sol. On a scrupule à l'écraser.
Traversée du ruisseau. Rencontre inopinée avec des antilopes. On ne sait qui est le plus étonné des deux. Quand la vallée se rétrécit vers la caldeira, nouvelle belle forêt de séneçons. Dernières centaines de mètres sur un terrain pierreux. Arrivée à la caldeira. D'un pas nonchalant, vous aurez mis, allez, disons 2 h maxi pour monter...
Voilà, vous ne regretterez pas la p'tite laine emportée (on est quand même à 4 000 m !). Paysages grandioses, sérénité absolue, air tonique. Une pause avant les derniers 185 m de dénivelé, qui demanderont 1 h de grimpette environ. Le Koitoboss s'élève en une terrible paroi basaltique qu'on contournera soigneusement par la gauche en empruntant le sentier des buffles. Voyez ces deux dômes abrupts, majestueux et menaçants lorsqu'ils se drapent dans la brume...
Retour au parking en 2 h environ. Descente vers la sortie du parc en 1 h 30. Calculez, c'est très faisable dans la journée, même avec de grands enfants entraînés à la randonnée (y compris l'arrêt aux grottes). Autre choix, descendre se balader dans le cratère verdoyant jusqu'aux sources d'eaux chaudes de la Suam River (avoir une carte ou se faire accompagner par un ranger). Possibilité de planter la tente au bord de la caldeira. Super « youkaïdi-youkaïda » le soir autour du feu de camp et réveil type commencement du monde...

– On peut aussi envisager de passer en Ouganda, pour peu que l'on ait fait le nécessaire à l'ambassade ougandaise de Nairobi. Plusieurs randonneurs au long cours tentent cette jolie excursion.

LA RÉGION DU LAC VICTORIA

On ne s'attend pas à trouver une telle mer intérieure au Kenya. Avec ses 70 000 km², c'est le plus vaste lac d'eau douce du monde après le lac Supérieur aux États-Unis. C'est aussi la région la plus densément peuplée du Kenya et l'un des endroits les plus touchés par le sida en Afrique : les spécialistes parlent de 70 % de personnes séropositives dans la région d'Homa Bay. C'est le berceau du Nil naissant, source qui a suscité tant de convoitises avant et après sa découverte par Speke et Burton.
Mais le trafic lacustre a fortement décliné, et aujourd'hui seuls quelques bateaux de fret continuent de traîner péniblement leur carcasse de tôle sur les eaux. Au final, ne point trop fantasmer, les rives présentent peu d'intérêt, si ce n'est dans la partie sud-ouest où les montagnes s'élèvent pour former de beaux caps et de belles baies, si chers à nos lecteurs bretons.
Quant au problème de cette jacinthe d'eau venant d'Ouganda qui proliférait dangereusement sur les rives kenyanes, étouffant tous les autres organismes vivants, il a été à peu près résolu. La campagne d'éradication s'est montrée très efficace. Page santé : éviter de se baigner dans le lac à cause du risque de bilharziose. Bien se protéger des moustiques, en saison des pluies surtout : le paludisme est ici dans ses petits souliers.

KISUMU

IND. TÉL. : 057

Point de chute facile pour des excursions autour du lac Victoria. Peu de charme pour cette ville d'aspect décousu, la 3e plus peuplée du pays. L'atmosphère est relax, malgré la chaleur souvent étouffante qui y règne. En fait, plus que relax : il ne se passe rien. Le port est quasi déserté ; les entrepôts vides et le chemin de fer brinquebalant ne donnent qu'une vague idée de l'effervescence commerciale de jadis. Plus étonnant encore : bénéficiant d'un environnement superbe sur les rives du lac, parmi la verdure, la ville s'est bâtie... dos à la « mer », comme si le lac n'était qu'un détail sans importance. Du coup, on a vraiment l'impression que l'endroit est « sous-exploité » : alors qu'il pourrait être un *spot* touristique de premier ordre, on ne croise que très, très peu de touristes à Kisumu !

Comment y aller et en repartir ?

➢ ***En train :*** 3 trains par semaine depuis Nairobi. Arrivée à 7 h 30 après 12 h de trajet, repas à bord. Départ vers ***Nairobi*** à 18 h 30 les dimanche, mardi et jeudi. Tarif : 1 355 Ksh (14,2 €) en 1re classe, moitié moins en 2e.
➢ ***En bus :*** chaque compagnie possède son propre guichet. On vous recommande *Eldoret Express,* fiable. Liaisons très fréquentes avec ***Nairobi*** (également des bus de nuit) ; compter 6 h de route et environ 400 Ksh (4,2 €). Pas de problème pour ***Nakuru, Naivasha, Eldoret, Kitale.*** Certaines compagnies ont des directs de nuit pour ***Mombasa.***
➢ ***En matatu :*** rejoignent ***Homa Bay, Kisii*** et ***Kakamega.***

Infos utiles

■ ***Banques :*** distributeurs à la *Barclays* et à la *Standard Chartered,* place principale.

@ ***Cybercafés*** nombreux au centre-ville.

– Pour se déplacer en ville, une spécialité locale bien plus *fun* que le taxi : les *boda-boda,* vélos-taxis. On s'assied sur le porte-bagages, rendu moelleux grâce à un petit coussinet à franges. Rigolo et pas cher !

Où dormir ?

Bon marché

☗ ***YMCA :*** en face du marché municipal et tout près de la station de bus. PO Box 1618. ☎ (0722) 80-39-39 (portable). Point de chute pour les budgets riquiqui. Compter 250 Ksh (2,6 €) le lit. Cependant, les sanitaires à partager ne sont guère brillants, et sans eau chaude. Accueil un peu suspicieux (difficile de visiter les chambres).

Prix moyens

⛺ ☗ |●| ***Kisumu Beach Resort :*** de l'autre côté de la baie, au nord, environ 6 km en direction de l'aéroport. Prendre un taxi. ☎ (0733) 74-93-27 (portable). Environ 1 500 Ksh (15,8 €) pour 2 sans petit dej'. Camping possible : 300 Ksh (3,2 €) par personne. Bien qu'excentré, c'est de loin notre coin préféré. Grandes cases rondes au toit de paille avec 2 doubles, douche chaude et w.-c., moustiquaire, un vaste lit (prévu pour 4 ou 5 personnes au bas mot !) et beaucoup de calme. Ombragé, en retrait par rapport à la plage. Paillotes au bord de l'eau pour siroter une bière bien chaude (on blague !) et se prélasser à l'ombre, dans une ville qui manque souvent de fraîcheur. En plus on profite pleinement du lac. Bistrot, billard, filet de volley, le tout sous les cocotiers et flamboyants. La chaleur rend le service plutôt... comment dire ? apathique... D'ailleurs tout l'endroit invite à la paresse. L'ensemble est un peu miteux, mais pour faire dodo, c'est un excellent choix.

☗ ***Havilah Guesthouse :*** en plein centre, sur la place des banques. ☎ (0733) 85-16-06 (portable). Doubles à 1 300 Ksh (13,7 €). Petit hôtel sûr et très propre, avec des chambres claires égayées par des dessus-de-lit à fleurs. Douche chaude matin et soir, moustiquaire, terrasse sur le toit et cuisine équipée à disposition. Excellent accueil.

☗ ***Palms Guesthouse :*** Omollo Agar, en face de la YMCA. ☎ (0722) 22-15-93 (portable) ou 448-36. Compter 1 300 Ksh (13,7 €) la double sans petit déjeuner. Très propre, avec bains et moustiquaire. Chambres pas grandes du tout (les *singles* sont carrément à déconseiller aux claustro). Resto et bar à l'ambiance bon enfant. Un peu cher quand même, comme tous les hébergements décents à Kisumu. Parking gardé.

Plus chic

☗ Pour les accros au luxe, reste l'***Imperial Hotel,*** le plus chic de la ville. ☎ 222-11 ou 226-61 (on ne les donne pas tous : ils ont pas moins de 12 lignes !). Fax : 226-87. • imperial@africaonline.co.ke • Du clinquant à 4 750 Ksh (50 €) la double standard en *B & B,* avec 30 % de réduc' du vendredi au dimanche.

Où manger ?

|●| À côté du *Kimwa Annexe,* dans la rue derrière la *Barclays,* plusieurs ***barbecues*** où grillent poulet et brochettes.

I●I ***Kimwa Annexe :*** à 50 m du *Vault,* dans la rue perpendiculaire. Compter 200 Ksh (2,1 €) maxi pour le repas. Grand self-service où l'on peut goûter une excellente cuisine swahilie. La preuve, c'est toujours rempli de locaux. On choisit sa viande, son légume (notamment un très bon *matoke,* purée de banane plantain), sa boisson et on s'installe dans la salle haute de plafond et aérée. Mezzanine à l'étage.

I●I ***The Vault :*** place principale, juste à côté de la *Barclays.* Ouvert tous les jours jusqu'à 23 h. Pizzas et pâtes autour de 350 Ksh (3,6 €) ; viandes et poissons à partir de 450 Ksh (4,7 €). L'un des plus curieux restos qu'on ait vus : il se trouve dans une ancienne banque et a gardé cette atmosphère guichetière... On s'y croirait, si bien qu'on finit par se demander ce que les tables font là. Dans le même bâtiment, il y a aussi un casino (c'est d'un goût...) ! Côté bouffe, c'est italien et ça fait du bien, de temps en temps, de s'envoyer une petite pizza ou des bolognaises.

I●I Restaurant de l'***Imperial Hotel :*** considéré comme la meilleure table de la ville. Compter dans les 1 000 Ksh (10,5 €) le repas.

À voir

⚲⚲ ***Kisumu Museum :*** en entrant dans la ville, sur la gauche. Ouvert de 6 h 30 à 18 h. Entrée : 200 Ksh (2,1 €). La 1re salle d'expo est un peu fourre-tout : galerie d'animaux empaillés, avec notamment une superbe mise en scène d'un lion en train d'écharper un gnou, des instruments de musique, lances et coiffes rituelles... Section animalière plus vivante avec une série d'aquariums présentant les principales espèces du lac Victoria et dehors, un vivarium à serpents, dont les ultra-venimeux cobras cracheurs, mambas verts ou noirs et vipères à cornes. Quelques tortues sommeillent dans un enclos, ainsi que deux crocodiles. Reconstitution de cases traditionnelles luyo.

➤ *DANS LES ENVIRONS DE KISUMU*

⚲⚲ ***Kakamega Forest :*** à 45 km de Kisumu, sur la route d'Eldoret. Le plus simple pour s'y rendre : depuis Kisumu, prendre un *matatu* pour Eldoret ou Kitale et se faire déposer à environ 15 km au nord du centre (fléché sur la droite). De la route, reste 1 km à pied. Depuis Eldoret, demander au chauffeur de vous laisser 15 km avant Kisumu et finir de la même manière. Ouvert de 6 h à 18 h. Entrée : 10 US$ (8 €), et 5 US$ (4 €) pour les enfants.
Classée en partie parc national, c'est la seule forêt tropicale du Kenya. Pour s'y balader, un guide est obligatoire. On en trouve au QG des rangers, à gauche après l'entrée. Sans guide, vous avez 90 % de chances de vous perdre et 100 % de passer à côté des espèces les plus discrètes. En effet, faune et flore hyper-riches : plus de 300 espèces d'oiseaux répertoriées, plein de singes (*red-tail, poto,* colobes), végétation tropicale primaire, etc. Longues et belles balades à faire à pieds, armé de jumelles.

⛺ ☗ ***Udo's Campsite :*** camping et *bandas* gérés par le *KWS,* environ 1 km après l'entrée du parc. ☎ (056) 306-03. Compter 8 US$ (6 €) par personne dans les cases, 10 US$ (8 €) par personne en camping. Propre, mais évidemment 10 fois trop cher pour ce que c'est. Douche en plein air et latrines à la rude. Le confort devrait s'améliorer, des aménagements sont prévus. Beau coin verdoyant, cuisine à disposition.

HOMA BAY

Avec sa baie tranquille et son centre mi-moderne mi-crasseux, la ville d'Homa Bay est à 2 h 30 de voiture et 3 h de *matatu* de Kisumu (105 km de mauvaise piste, un départ chaque heure). Avant, un ferry permettait de rallier Kisumu et les ports étrangers autour du lac. Mais le bateau est en réparation depuis décembre 2003 et ça peut durer longtemps. De toute façon, c'était encore plus lent qu'une charrette à âne...
Le port de Homa Bay pue le poisson séché, et comme il n'y a rien d'autre à voir, aucune raison de séjourner ici. En revanche on peut y changer de *matatu* pour rejoindre Mbita et retirer de l'argent (banque *Barclays*).

Où dormir? Où manger?

Hippo Buck Hotel : 2 km après Homa Bay, sur la route de Mbita. ☎ (059) 221-32. Fax : (059) 224-96. Le seul endroit décent si vous restez bloqués ici. Chambres avec salle de bains et petit dej' autour de 1 400 Ksh (14,7 €) la double. Aucun charme mais nickel. Calme impérial. Resto-bar.

MBITA

IND. TÉL. : 059

Joli village posé au bout d'un cap, c'est la porte d'entrée vers les îles assez sauvages (mais habitées) de *Rusinga, Mfangano* et *Takawiri.* Nous sommes à 45 km de piste de Homa Bay (environ 1 h de route), desservie par quelques *matatus.* C'est une excursion parfaite pour ceux qui souhaitent sortir des sentiers battus tout en restant dans un environnement agréable.
Dans les environs, signalons l'existence du parc national de Ruma, 12 km avant Mbita. Visite déconseillée, car au-delà du problème de l'accès (piste quasi impraticable) et du peu d'animaux à voir, le parc est infesté de mouches tsé-tsé, porteuses de la très dangereuse « maladie du sommeil ». Heureusement, la baie et les îles sont épargnées.

Comment se déplacer?

➢ ***Aller sur les îles :*** en barques à moteur, souvent surchargées et brinquebalantes. Elles relient Mbita à l'île de Takawiri, puis à Sena, la capitale de l'île de Mfangano, en 1 h à 1 h 30 et pour moins de 80 Ksh (0,8 €). Départs vers 8 h, 14 h et 17 h avec à chaque fois le retour dans la foulée. À vérifier quand même, ça peut changer. Sinon, il reste les bateaux du *Safari Village* (voir « Où dormir? »), que l'on peut louer à la journée. Quant à Rusinga, elle est reliée à Mbita par un pont.
– ***De l'autre côté de la baie :*** un ferry – survivant d'une époque! – fait la liaison entre Luanda (pas en Angola, mais au nord de la baie, à 1 h 30 de route de Kisumu) et Mbita en 45 mn. Ce qui rend possible le circuit suivant : de Kisumu, on vient passer un moment relaxant à Mbita et sur les îles, on revient par le ferry en traversant la baie et retour à Kisumu.

Où dormir ? Où manger ?

Deux adresses super sympas rendent ce village encore plus agréable.

■ ***The Elk Guesthouse :*** à côté de la station de bus et de *matatus.* Seulement 400 Ksh (4,2 €) la double. On ne s'attend pas à trouver ici une aussi jolie petite *guesthouse.* Chambres propres avec douche (froide) et moustiquaire, ouvertes par un Norvégien qui possède aussi l'adresse suivante. Très bon accueil du gérant et petit jardin avec trois papayers et quelques fleurs.

■ Iol ***Lake Victoria Safari Village :*** 3 km avant l'embarcadère de Mbita (fléché). Si vous êtes en *matatu,* descendez au carrefour et finissez en *boda-boda.* ☎ (059) 221-82 ou (0721) 91-21-20 (portable). Fax : (059) 221-90. • www.safarikenya.net • Compter 3600 Ksh (37,9 €) pour 2 en *B & B,* 6800 Ksh (71,6 €) en pension complète. Superbe endroit ! Palmiers, plage, paillotes, relaxation totale des nerfs, bruit de la mer... euh, du lac. Lapsus révélateur. Les huttes de style norvégo-kenyan (ben oui, faut croire que ça existe) sont très confortables, avec tout ce qu'il faut. Resto et bar ; location de bateaux pour les îles. Selon le nombre d'endroits à visiter, compter entre 7000 et 9000 Ksh (73,7 et 94,7 €) pour le bateau entier.

MFANGANO ISLAND

Grande île montagneuse d'environ 17000 habitants. Population de pêcheurs et agriculteurs très pauvres, mais accueillants. Belles randonnées à faire sur de petites sentes embaumées, notamment par les *fig trees,* la *lentana* (parfum très marqué) et la *yellow olianda* (fleur jaune qui pousse en buisson devant les maisons ; elle porterait bonheur et les gens en gardent parfois un bourgeon dans la poche). Beaucoup d'oiseaux : tisserins, aigles-pêcheurs, milans, cormorans et *hammerkops* (les ombrettes : oiseaux marron à tête de marteau). Autour de l'île, crocos et hippos. Pour protéger leurs jardins de ces derniers, les paysans édifient des haies de cactus en bord de plage. L'île est chrétienne, mais se partage entre une vingtaine de chapelles. Néanmoins les gens ont conservé un fond de croyances animistes. Un îlot à l'ouest présente un caractère magique. Il y régnerait un python sacré. Quand la terre crie famine, on sacrifie une chèvre pour qu'il pleuve. Pour l'habitat, cases carrées faites d'argile mélangée à de la bouse et couvertes de longues herbes sèches. Quand les enfants deviennent grands et se marient, ils construisent la leur en face de celle de leurs parents, porte vers la montagne (celle des parents vers la mer). L'industrie locale, c'est le moulin à grain où les habitants se pressent pour broyer leur maigre récolte de maïs ainsi que la fabrique de pirogues. Le bois vient d'Ouganda. Il faut 2 semaines pour en fabriquer une, qui naviguera de 5 à 10 ans suivant la qualité.

L'une des attractions sont les peintures rupestres d'une grotte située sur la côte nord, près d'Ukula. Compter 2-3 h aller-retour. Très conseillé de prendre un guide. On ne connaît ni la date, ni l'origine de ces peintures, qui revêtent un caractère un peu sacré pour les habitants.

■ Arrivé à Sena, possibilité de dormir ***chez l'habitant*** sans trop de problème. Il suffit de demander.

■ En principe, on peut aussi vérifier s'il y a de la place à la ***Government Resthouse*** et y passer la nuit contre une petite contribution.

■ Le seul vrai hôtel de l'île, le ***Mfangano Island Camp,*** est un camp de pêche au gros aux tarifs inaccessibles (plus de 500 US$ la double !).

Iol Petite ***épicerie*** où l'on ne trouve pas grand-chose. Apporter son eau minérale et quelques provisions. On trouve bien sûr des fruits.

KERICHO

IND. TÉL. : 052

On ne peut pas aller dans l'Ouest sans s'arrêter dans la région de Kericho, 80 km avant Kisumu. Le paysage des champs de thé à l'infini est remarquable. Il faut s'y promener pour s'imprégner de ce vert lumineux. Les petites cités ouvrières blanches ajoutent une touche géométrique à cet ensemble. Possible de visiter les plantations. Il suffit de s'arrêter et d'aller jeter un œil : les travailleurs sont charmants !

LE THÉ

Une ressource importante pour le Kenya qui est le 3e producteur mondial, derrière l'Inde et le Sri Lanka. Ce sont les Anglais qui ont, bien sûr, mis en place cette culture intensive et parfaitement organisée. Le site s'y prêtait pour deux raisons : l'altitude (2000 m) et les pluies quasi quotidiennes qui s'abattent en fin de journée sur le secteur. On peut acheter ce thé, d'une belle couleur sombre et dorée, dans les magasins d'usine en bord de route. En quittant Kericho pour Kisumu, on quitte aussi les plantations de thé pour celles... de canne à sucre ! C'est ce qu'on appelle de la complémentarité, ça !

Où dormir ? Où manger ?

🏠 🍽 ***Kericho Garden Lodge :*** à l'entrée de la ville, en venant de Nakuru. Chambres doubles avec bains (eau chaude) et w.-c. pour 800 Ksh (8,4 €) petit dej' inclus. Gentil petit hôtel désordonné, au milieu d'un jardin dont la pelouse a bonne mine. Un rien cra-cra aux entournures, mais l'accueil chaleureux fait passer la pilule. Resto et bar sympas, ambiance plus calme qu'au centre.

🏠 🍽 ***Mid West Hotel :*** à côté de l'église, peu avant le centre. ☎ 206-11. Doubles à 2000 Ksh (21 €), suites autour de 3550 Ksh (37,3 €) avec petit déjeuner. Grand hôtel dont le compteur est resté bloqué sur les années 1960. Bâtiment et mobilier d'époque, bien laids donc, et chambres râpées comme du gruyère. Bon confort quand même, jardin et restaurant pas cher.

AU NORD DE KITALE

LE LAC TURKANA

IND. TÉL. : 054 (Kitale) et 069 (Marsabit)

Le lac Turkana est un mythe, 250 km de long, 50 km dans sa plus grande largeur. On a découvert sur ses rives les plus vieux squelettes dits humains *(Homo habilis)*. La chaleur y est l'une des plus intenses d'Afrique (on est à moins de 400 m d'altitude). On dit que plus de 10 m d'eau s'évaporent, en cumulé, par an, ce qui fait la forte salinité du lac. Mais en 1998, avec les pluies importantes provoquées par El Niño, le lac s'est étendu. On y trouve des crocodiles monstrueux et des perches du Nil en abondance, preuve, dit-on, du passé du lac comme source du Nil.
Enfin, c'est sa fantastique couleur jade (son autre nom est *Jade Sea*), contrastant avec le désert alentour, qui lui vaut d'être considéré par pas

mal de résidents et de touristes comme l'un des plus beaux sites naturels du Kenya. La rive est du lac est généralement considérée comme plus intéressante que la rive ouest. L'itinéraire le plus fascinant passe par *Maralal, Baragoi, South Horr, Loyangalani, North Horr, Marsabit* et *Isiolo.*

Comment y aller?

Sans agence

➢ ***En matatu :*** quasi impossible. Les seuls *matatus* circulant dans le coin font Maralal-Baragoi (ville fort peu sympathique!), Maralal-Lodwar et, plus aléatoirement, Archer's Post-Marsabit.

➢ ***En avionnette :*** certaines compagnies desservent Loyangalani.

➢ ***En véhicule de location :*** partir au minimum à deux 4x4. Emporter plusieurs jerricans d'essence. Pas de station-service en dehors de Maralal, Isiolo et Marsabit. Possibilité d'être dépanné dans une mission (North Horr, Maikona...), mais sans garantie. Emporter nourriture et eau en abondance.

Avec une agence

■ ***Gametrackers :*** voir « Adresses et infos utiles » à Nairobi. Deux circuits en camion : Nairobi-Samburu-Marsabit-Chalbi Desert-Turkana-Maralal-Nairobi; et Nairobi-Baringo-Maralal-Turkana-Maralal-Samburu-Nairobi. Le premier est plus intéressant pour les immensités désertiques du Chalbi Desert. Le second est pratique pour ceux qui disposent de peu de temps : ils peuvent ainsi combiner avec Baringo.

■ ***Safari Camp Services :*** voir « Adresses et infos utiles » à Nairobi. Propose également un safari en camion en 7 jours effectuant Nairobi-lac Baringo-South Horr-lac Turkana et Loyangalani-retour Maralal-réserve de Samburu-Nairobi.

Avertissement

Il y a eu dans les années 1980 des bisbilles rudes entre tribus turkanas et rendilles. Plus récemment, quelques heurts liés à la sécheresse et à un début de famine, avec pour conséquence des vols de bétail. On dit que quelques villages auraient brûlé. Bien que l'armée kenyane ait remis pas mal d'ordre dans la région de Marsabit, celle-ci est toujours considérée comme peu sûre à cause des pillards somalis. Les véhicules se rendant d'Archer's Post à Marsabit sont encore parfois obligés de voyager en convoi, protégés par l'armée et les chauffeurs refusent souvent d'emmener des touristes dans la région. Si l'on veut s'y rendre de façon autonome, bien se renseigner sur la situation. Ne jamais partir avec un seul véhicule et prendre un guide.

À voir. À faire

L'intérêt réside avant tout dans le côté sauvage et non touristique de l'itinéraire. Grande richesse culturelle des tribus du Nord (rendille, turkana, samburu, etc.), qui n'ont guère modifié leur mode de vie traditionnel. Beauté des paysages, cela va sans dire.

➢ Pittoresque **piste** de Maralal à Loyangalani. Ne pas s'attarder à *Baragoi,* ville peu ouverte. À *South Horr,* on trouve une mission catholique, mais pas d'essence (on l'a déjà dit avant). Hôtels très sommaires. Superbe environnement.

Loyangalani, la « capitale » du lac, est en fait un village de cases et baraques rudimentaires avec poste de police, poste, piste d'atterrissage, un *lodge* haut de gamme, 2 campings, quelques *bandas.*
À quelques kilomètres vit la plus petite tribu du Kenya, les El Molo (500 personnes). Possibilité de visiter le village et de prendre des photos, mais c'est évidemment payant. Balades possibles (s'informer au *lodge*) aux monts Kukal et Porr, ainsi qu'à South Island, sur le lac. Guides bien sûr très conseillés.
➢ Reprendre la C77. À *North Horr,* une mission, ainsi qu'à *Maikoni.*

La traversée du désert de Chalbi est assez fabuleuse. Attention, non réalisable pendant la saison des pluies.

Arrivée à ***Marsabit,*** mélange animé de toutes les ethnies du Nord-Est. Brutale rupture avec le désert. Le mont Marsabit est couvert d'une forêt très dense. Beau lac Paradise. Dans la réserve, on trouve nombre d'animaux : buffles, hyènes, léopards, éléphants aux défenses très longues. Se renseigner pour savoir si la réserve est ouverte.

LE SUD-EST

MOMBASA HIGHWAY

Ce cordon ombilical relie l'Ouganda et le Kenya à la mer. Sur ce ruban de bitume, le code de la route n'est plus qu'un souvenir. Les bus et les camions-citernes kamikazes se poursuivent et doublent des camions poussifs dans un bruit d'enfer. Assis au bord de la route, les babouins assistent, imperturbables, à ce ballet infernal. Le trajet est fortement déconseillé la nuit : le gabarit des véhicules n'est pas éclairé et la vie grouille au bord de la route. Parfois, des éléphants, pas vraiment conscients que les temps ont changé, traversent la *highway* pour aller de Tsavo Est en Tsavo Ouest (et vice-versa).

Infos utiles

– ***Essence :*** tous les 40 km environ. Stations approvisionnées régulièrement.
– ***Garages :*** à Mtito Andei, les ateliers de réparation situés à côté des stations-service sont réputés chez les chauffeurs routiers. Tous types de réparation. Négocier ferme.

Où dormir ? Où manger ?

À Mtito Andei

Porte d'entrée pour Tsavo Ouest et les hébergements du nord de Tsavo Est.

⌂ ***Tsavo Inn :*** *B & B* à prix modérés. Chambres simples avec moustiquaire. Pas de ventilo. Baignoire et w.-c. propres dans des salles de bains qui ont bien vécu. Idéalement situé près de l'entrée du parc, si vous êtes à pied.

– Voir aussi nos adresses au nord de Tsavo.

À Voi

Camping

⩓ Possibilité de camper au ***Red Elephant Safari Lodge,*** à l'entrée du parc (Voi Gate). Voir la rubrique « Où dormir ? Où manger ? » dans le chapitre sur le parc de Tsavo Est.

De prix moyens à plus chic

⌂ ***Silent Resort Inn :*** ☎ et fax : (043) 27-27. À gauche de la rue principale, quand on va vers le centre et le parc. Doubles à 1 350 Ksh (14,2 €). Comme son nom l'indique, dans un coin calme. Tout nouveau, tout beau et à taille humaine. Chambres claires et confortables, avec téléphone, TV, etc.

⌂ |●| ***Distaar :*** ☎ (043) 302-77. En venant de Nairobi, tourner à gauche au premier carrefour vers Voi, puis prendre la rue en terre à droite après la station *BP*. Hôtel africain situé dans un petit immeuble du centre-ville. Chambres propres avec moustiquaire, douche et w.-c. Petit snack-resto. Idéal si l'on est à pied : la gare ferroviaire et la gare routière (bus et *matatus*) se trouvent à 100 m.

⌂ ***Tsavo Park Hotel :*** ☎ (043) 300-50. Fax : (043) 302-85. • tsavoh@africaonline.co.ke • Dans la rue principale, dans le centre. Doubles à 2 600 Ksh (27,4 €), petit dej' compris. Le petit hôtel de standing local. Bien géré, bien tenu, chambres correctes. Gère aussi le camping près de l'ancien *Aruba Lodge* et y organise des *bush barbecue* (voir la rubrique « Où camper ? Où manger ? Où boire un verre ? » dans le chapitre sur le parc de Tsavo Est).

LA RÉGION DE TSAVO

La région de Tsavo s'étend de Nairobi à la côte. C'est une grande plaine de savane qui se déroule jusqu'à l'océan Indien. Elle est irriguée par les eaux claires des chaînes volcaniques qui courent le long de la frontière tanzanienne. Le territoire est immense. Les tribus massaïs, kambas et taïtas se sont installées en périphérie de ces vastes étendues semi-désertiques qui demeurent un lieu de passage des grands courants migratoires humains et animaliers d'Afrique de l'Est.

DU RHINOCÉROS DE FER AUX BRACONNIERS : LES TROIS GUERRES DE TSAVO

Au XIXe siècle, le sultan de Zanzibar ouvre la porte aux explorations des grandes puissances coloniales. Sauvage et délaissée jusqu'alors, la région de Tsavo s'embrase rapidement.

La première des guerres est celle du chemin de fer. La construction d'une voie entre Mombasa et le lac Victoria nécessite une organisation de choc : 32 000 coolies sont amenés de la colonie indienne. Les obstacles rencontrés lors de la traversée de Tsavo provoquent une hécatombe et des arrêts de travaux fréquents. Pendant neuf mois, des lions mangeurs d'homme harcèlent les équipes, dévorent 28 Indiens et de nombreux Africains. Le superintendant Ryall est même dévoré dans son wagon, comme le relate le colonel Patterson dans son fameux ouvrage *The Man-Eaters of Tsavo*. Il faut ensuite composer avec les tribus kambas et massaïs, hostiles à l'arrivée du « rhinocéros de fer » sur leur territoire.
Lorsque la Première Guerre mondiale éclate, les troupes germaniques s'amassent à la frontière du Tanganyika. Le commandant allemand Paul von Lettow-Vorbeck s'illustre à Tsavo par des actions de guérilla audacieuses contre le chemin de fer. Il n'hésite pas à traverser la voie ferrée à bicyclette pour s'infiltrer dans les lignes adverses ! Plus de 5 000 Anglais et Africains périssent sur ce champ de bataille. À l'ouest du parc, le cimetière indien de Maktau rappelle ce triste épisode.
La paix retrouvée, le tourisme reprend son essor. Les grands troupeaux de Tsavo attirent de nombreux chasseurs professionnels. Les exploits de Denys Finch-Hatton et du baron Bror von Blixen font la renommée du parc. Sur leur trace, les aristocrates de la brousse au style impeccable lancent le safari de luxe avec champagne et symphonie pastorale. Les braconniers emboîtent le pas, mais le parc manque de moyens financiers et humains pour traquer des trafiquants astucieux et chevronnés.
Dans les années 1970, le massacre prend de telles proportions que l'avenir des parcs et des réserves, source principale de devises, semble compromis. En 1977, l'État déclare la guerre aux braconniers. À Tsavo, des batailles meurtrières opposent les unités antibraconnage à des groupes aguerris de trafiquants. En 2 ans, près de 1 000 braconniers sont arrêtés. Les massacres diminuent, mais la faune a déjà payé un lourd tribut. Lors de son ouverture en 1948, le parc compte plus de 20 000 éléphants. En 1991, le chiffre est estimé à 7 000. Les rhinocéros ont eu moins de chance. Les braconniers ont eu raison de la vigilance des rangers qui gardaient jour et nuit les derniers spécimens d'une population riche de 5 000 têtes après la guerre. Quelques couples d'Afrique du Sud ont été réintroduits avec beaucoup de prudence.

LE PARC DE TSAVO

En 1948, une grande partie de la région de Tsavo devient parc national. Tsavo est l'une des plus grandes réserves animalières du monde avec une superficie de 20 800 km², soit l'équivalent d'un pays comme Israël. Son découpage torturé reflète un accouchement difficile. Le chemin de fer coupe le parc en deux, il a fallu contourner le massif très peuplé des Taita Hills et la zone de pêche du lac Jipe. Le tracé final ressemble au profil d'une tête d'éléphant ! Ce nouveau statut ne change pas grand-chose pour la faune. Les grands troupeaux d'éléphants, de buffles et de rhinocéros subissent un braconnage intensif et périssent en nombre lors de la grande sécheresse des années 1970. Heureusement, le braconnage a fortement diminué et la population d'éléphants de Tsavo reste la plus importante du Kenya.
Plus de 100 autres espèces de mammifères habitent le parc. Léopards, lions, girafes et antilopes se retrouvent le long des cours d'eau où barbotent crocodiles et hippopotames. En dehors des points d'eau, l'immensité du territoire rend l'observation de la faune très aléatoire : on peut voir quelques grands troupeaux dans des espaces à vous couper le souffle, ou rien du tout. En fait, alors que, dans le parc d'Amboseli, la réserve de Massaï-Mara,

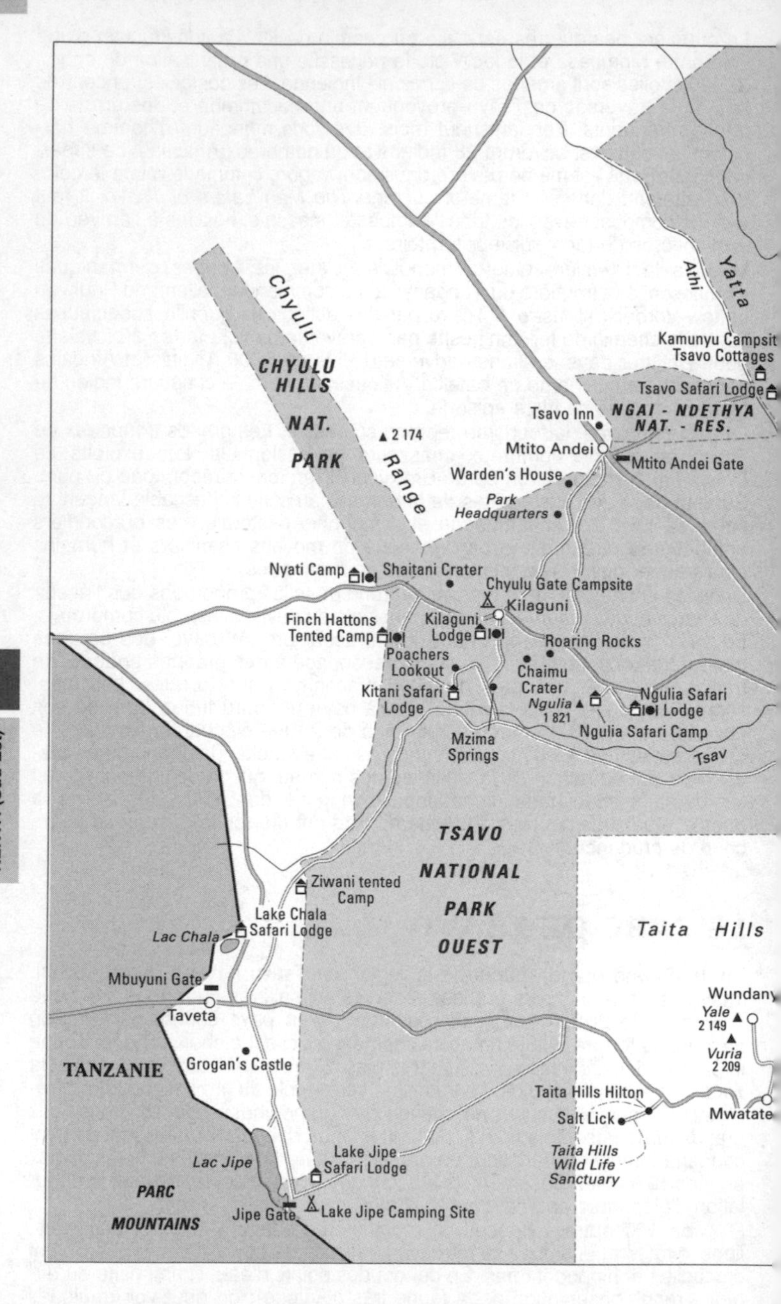
Chyulu
CHYULU HILLS NAT. PARK
2 174
Range
Athi
Yatta
Kamunyu Campsit
Tsavo Cottages
Tsavo Safari Lodge
Tsavo Inn
NGAI - NDETHYA NAT. - RES.
Mtito Andei
Mtito Andei Gate
Warden's House
Park Headquarters
Nyati Camp
Shaitani Crater
Chyulu Gate Campsite
Kilaguni
Finch Hattons Tented Camp
Kilaguni Lodge
Roaring Rocks
Poachers Lookout
Chaimu Crater
Kitani Safari Lodge
Ngulia 1 821
Ngulia Safari Lodge
Ngulia Safari Camp
Mzima Springs
Tsav
TSAVO NATIONAL PARK OUEST
Ziwani tented Camp
Lake Chala Safari Lodge
Lac Chala
Taita Hills
Mbuyuni Gate
Taveta
Wundany
Yale 2 149
Vuria 2 209
TANZANIE
Grogan's Castle
Taita Hills Hilton
Salt Lick
Mwatate
Taita Hills Wild Life Sanctuary
Lake Jipe Safari Lodge
Lac Jipe
PARC MOUNTAINS
Jipe Gate
Lake Jipe Camping Site

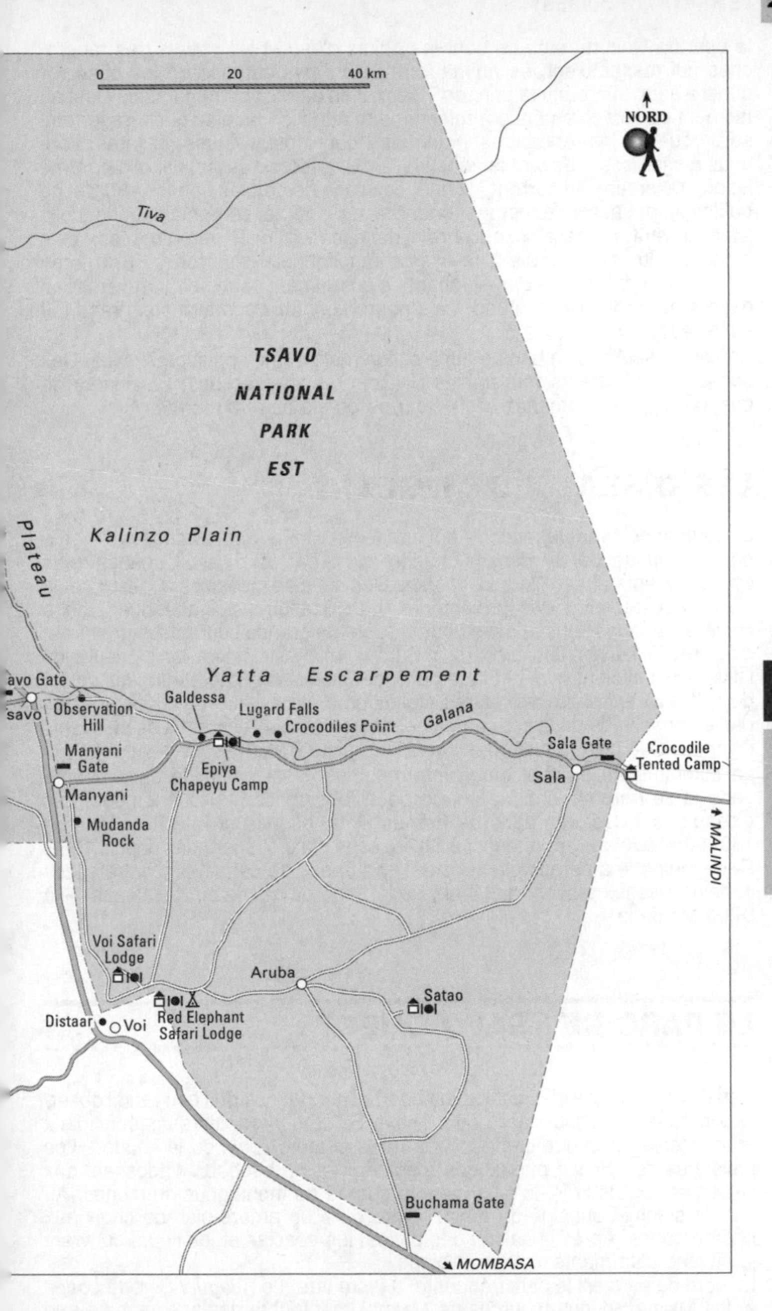

LE PARC DE TSAVO

le parc de Nakuru, etc., ce sont les points d'eau et les marais très rapprochés qui rassemblent les animaux et qu'on a la garantie de les observer quasi à coup sûr, dans le parc de Tsavo, il en est tout autrement. Ici, c'est au moment où l'on commence à relâcher son attention ou à se décourager que se produisent les rencontres inopinées : genre magnifiques (et rares) koudous qui jaillissent devant le véhicule, aigle qui fonce sur un dik-dik, énorme hippo traversant un torrent, lionne cavalant derrière un phaco, horde de buffles se prélassant dans une fondrière sur la route, serpentaire qui décolle juste devant le pare-brise... Bref, des scènes plus surprenantes, plus fugaces, plus rares, mais à la charge émotionnelle plus forte. Et de toute façon, il y aura toujours des éléphants à un moment donné pour traverser en dehors des clous et un grand mâle sourcilleux qui vous fera son grand jeu d'oreilles !

En saison sèche, une berline suffit si l'on reste sur les principaux axes. Des panneaux indicateurs très fiables balisent les intersections. En dehors de ces axes, on recommande le 4x4 et une bonne carte du terrain.

LES OISEAUX DE NGULIA

Chaque année vers le mois de décembre, le *Ngulia Safari Lodge* (voir « Où dormir ? Où manger ? » dans le chapitre sur le parc de Tsavo Ouest) offre un spectacle digne du meilleur Hitchcock. Des nuées d'oiseaux s'abattent sur le plan d'eau au pied des projecteurs. L'explication est inattendue : on a construit le *lodge* sans le savoir sur la route de grands courants migratoires ; d'octobre à janvier, les oiseaux d'Europe et d'Asie fuient les rigueurs de l'hiver et s'envolent vers l'Afrique du Sud. Les oiseaux migrateurs, qui volent de nuit, s'aident de la lune et des étoiles pour établir leur route. Désorientés par les brouillards de la côte africaine, ils perdent de l'altitude. Les puissants éclairages du point d'eau constituent une piste d'atterrissage salutaire.

La communauté ornithologique internationale s'est émue de cette découverte et se retrouve chaque année pour l'observation du phénomène. Les oiseaux sont capturés dans de grands filets, bagués et relâchés. Plus de 180 000 spécimens appartenant à 30 espèces ont été répertoriés depuis 1969. Cette méthode a permis d'apprécier l'endurance de certaines d'entre elles : certains oiseaux arrivent du Liban, de la Syrie ou même du Kazakhstan – à 6 000 km de là !

LE PARC DE TSAVO OUEST

Des deux Tsavo, celui-ci est le plus beau : l'abondance de l'eau rend l'observation de la faune plus facile qu'à Tsavo Est. On y rencontre les principaux mammifères, ainsi que des espèces rares comme l'oryx ou le koudou. Les paysages de collines parsemées d'épineux et de baobabs s'adossent aux superbes Chyulu Hills, la plus récente chaîne de montagnes du monde. Au loin, le sommet enneigé du Kilimandjaro offre un arrière-plan de choix aux photographes. Après la saison des pluies, les acacias et les fleurs couvrent la savane d'un manteau rose et blanc.

Le nord du parc est le plus fréquenté, à juste titre. Le *Kilaguni Serena Lodge* et les Mzima Springs (sources de Mzima) méritent le déplacement. Le sud du parc est presque désertique. Les pistes sont rares. On y croise des amateurs de grands espaces et de safaris d'aventure.

Comment y aller ?

En voiture

➢ ***Depuis Nairobi et Mombasa :*** on accède au parc par l'A109 qui relie les deux villes. La Mtito Andei Gate est l'entrée nord, la plus fréquentée, la plus carrossable. Elle est située à 230 km de Nairobi (compter 3 à 4 h selon le trafic) et ferme à 18 h 15. Seconde entrée 50 km plus au sud, la Tsavo Gate.
➢ ***D'Amboseli :*** la Chyulu Gate ferme à 18 h 30. La route n'est pas très bonne entre les deux parcs, le 4x4 est recommandé en saison des pluies. Pas beaucoup d'animaux, mais on traverse de jolis paysages.
➢ ***Depuis les Taita Hills et la Tanzanie :*** l'A23 coupe le parc d'est en ouest. Le goudron s'arrête 40 km après Voi. La piste se dégrade à l'approche de Taveta. On accède au parc par la Maktau Gate, à l'est, les Mbuyuni Gate et Ziwani Gate, à l'ouest. Les pistes vers le nord du parc sont peu fréquentées.
– ***Essence :*** aux *Kilaguni Serena Lodge* et *Ngulia Safari Lodge.*

En train, en bus et en stop

Les transports publics longent le parc et le coupent en son milieu. Malheureusement, on ne voit aucun animal sur le trajet.
➢ Les ***trains*** s'arrêtent tous les jours à Voi et, moins fréquemment, à Maktau et Taveta. Après, il faut rejoindre le parc en bus ou en stop (gros trafic à Voi).
➢ Les ***bus*** qui relient Nairobi à Mombasa passent à proximité des Mtito Andei Gate et Tsavo Gate. Ensuite, il faut faire du stop pour entrer dans le parc. C'est parfois très long. On peut éventuellement profiter du véhicule de service des 2 *lodges,* qui passe en début et en fin de journée. Les bus de la ligne Voi-Taveta peuvent vous arrêter aux Maktau Gate et Mbuyuni Gate, mais les chances de trouver un véhicule vers le nord sont quasiment nulles.

Où dormir ? Où manger ?

Campings

⛺ ***Chyulu Gate Campsite :*** situé 500 m à gauche avant d'entrer dans le parc. Site calme, entouré d'acacias. Abris en *makuti* pour l'ombre. Barbecue à disposition. Eau. Sanitaires sales. Les babouins sont parfois très collants.

⛺ ***Kamboya Campsite :*** à 8 km de la Mtito Andei Gate. Pas de végétation, sanitaires sommaires.

Prix moyens

🏠 ***Ngulia Safari Camp :*** à 56 km de la Mtito Andei Gate et 48 km de la Tsavo Gate. Réservation à Nairobi par *Let's Go Travel* ☎ (020) 444-71-51 ou 10-30. Compter 2700 Ksh (28,4 US$) pour 2 personnes. Six maisons en pierre accrochées à la face nord de la Ngulia Mountain, dans un site sauvage. Intérieur monacal, mais bien tenu : une cuisine, une chambre avec moustiquaire et une salle de bains avec douche, lavabo et w.-c. Lampes à pétrole pour la nuit. Pas d'eau chaude, ni ventilo, ni resto. Apporter ses provisions. Mais dans le silence du matin, sur une vaste terrasse, on contemple la vallée en prenant son petit dej', et ça, c'est vraiment magique. Tout en bas, une source où viennent éléphants, hippos, parfois léopards et même, avec de la chance, quelques lions. Non seulement un très beau rapport qualité-prix, mais, pour ceux fuyant les atmosphères trop touristiques, c'est l'adresse idéale. Un de nos coups de cœur, c'est dit !

Plus chic

🏠 🍴 ***Kilaguni Serena Lodge :*** PO Box 2, Mtito Andei. ☎ (045) 522-471. Réservation à Nairobi par *Serena :* ☎ (020) 271-05-11. • www.serenahotels.com • À 35 km de la Mtito Gate. Premier *lodge* du Kenya construit dans un parc national, le *Kilaguni Serena Lodge* fut inauguré en 1962 par le duc de Gloucester en personne. Le bâtiment principal en pierre s'est étoffé à plusieurs reprises. Peu esthétique, mais toutes les chambres donnent sur la vallée, sauf les n°s 10 à 13. Les anciennes chambres, les plus authentiques, sont de plain-pied. Le confort est d'une grande simplicité : 2 lits et une salle de bains avec eau courante, douche, lavabo et w.-c. Petite piscine anecdotique mais très propre. La salle de resto est l'attrait principal du *lodge* : une salle rustique ouverte sur les Chyulu Hills et les contreforts du Kilimandjaro. L'impressionnante charpente du toit de palme résonne du chant des oiseaux. Bonne cuisine. Service empressé, pas de fausses notes. On nous a même proposé du champagne au petit dej' ! La nuit tombe comme un envoûtement. Le rituel immuable peut commencer : on sirote d'abord un apéritif à la lueur du crépuscule en commentant l'arrivée des fauves autour d'un point d'eau naturel doucement éclairé. Puis on se glisse vers les tables. Dans la lumière tamisée des bougies, les animaux se rapprochent. Hyrax et genettes s'aventurent sur les tables. Le jour, il y a moins d'animaux, mais les fauchés viendront prendre un verre ou un déjeuner, pour l'atmosphère et pour le site.

🏠 🍴 ***Ngulia Safari Lodge :*** PO Box 42, Mtito Andei. ☎ (043) 300-91 ou 00. Fax : (043) 300-06. • http://ngulialodge.kenya-safari.co.ke/ • Réservation à Nairobi par *AT & T.* Petit frère du *Kilaguni Lodge,* construit en 1969. Vue magnifique de la terrasse, mais la comparaison s'arrête là. Le *lodge* est posé au bord d'un escarpement qui dégringole sur la plaine, 200 m en contrebas. Grandiose comme un décor de théâtre. Cette impression est renforcée par le plan d'eau creusé en face du resto pour attirer les éléphants, et les appâts qu'on offre le soir à la mascotte, un léopard presque domestiqué. On est logé dans un grand bâtiment, plutôt inesthétique. Attention : les chambres n°s 53 à 55 n'ont pas de vue. Les autres s'ouvrent sur les Ngong Hills. Vraiment magnifique. Deux lits avec moustiquaire. Salle de bains propre et tout confort. Piscine.

🏠 🍴 ***Nyati Camp :*** sur la C103, juste avant d'arriver à la Chyulu Gate. Une piste part à gauche et grimpe dans la montagne. Doubles à 130 US$ (en pension complète ; 109 €). Accroché à la pente d'un contrefort des Chyulu Hills, un *tented camp* possédant un certain charme et, bien sûr, remarquablement situé. Tentes installées sous paillotes, avec salle de bains et eau chaude. Propre, site bien entretenu. *Night game* et *nature trail* (guidé par des Massaïs) inclus dans le prix. Panorama sur la plaine exceptionnel.

🏠 ***Kitani Safari Lodge :*** réservation à Nairobi par *Let's Go Travel. Lodge* luxueux, chambre double et moustiquaire dans une belle frondaison d'acacias. Compter environ 155 US$ (129 €) la nuit en pension complète.

Très chic

🏠 🍴 ***Finch Hattons :*** Kampi Ya Simba. À Nairobi : ☎ (020) 231-03-35 ou 36. Fax : (020) 221-77-78. • www.finchhattons.com • Au sud de la Chulyu Gate. Doubles à 350 US$ (pension complète et taxes comprises ; 292 €). De fin avril à fin juin, moins cher. Le plus luxueux des *tented camps* du Tsavo. D'abord, site exceptionnel. Établi dans une véritable

KENYA (Sud-Est)

oasis nourrie par une importante source qui créa de grandes mares à hippos. Tentes spacieuses au confort intégral disséminées le long des mares (les nos 1 à 7 sont les mieux situées). Élégant mobilier, tapis, lampes en cuivre, minibar, salle de bains en pierre, etc. Des passerelles relient tentes et édifices communs. Le camp n'étant pas clôturé et étant proche du terrain de chasse d'une tribu de lions, l'impression de dépaysement se révèle totale. Le soir, les clients sont obligatoirement raccompagnés à leur tente. En effet, il arrive que les hippos aillent brouter dans leurs parages ou qu'un éléphant s'y égare. Rien de dangereux, mais le *staff* de l'hôtel a l'habitude et sait mettre à l'aise par son assurance et son expérience. Enfin, c'est la preuve de l'insertion totale du camp dans le milieu naturel ! Superbe salle à manger avec cheminée de pierre, plancher en bois verni, vaisselier, chandeliers, luxueuse argenterie, verres en cristal, la totale... Excellents repas, vous vous en doutez. Bar, confortable salon, bibliothèque, belle piscine complètent cette adresse idyllique, nécessitant bien sûr de casser sa tirelire. Possibilité de visiter le *Finch Hatton Camp,* mais on n'y est guère encouragé (entrée à 27 US$, soit 22,5 €, assez dissuasive !).

À voir

La chaîne volcanique des ***Chyulu Hills*** court sur 80 km et culmine à plus de 2000 m d'altitude. Son apparition, il y a 4 ou 5 siècles, a bouleversé la physionomie de la région : les pics, culminant à 2170 m, arrêtent les nuages. L'eau de pluie s'infiltre dans la roche volcanique, puis serpente dans la vallée entre deux couches de lave de porosité différente. Elle rejaillit enfin, créant de véritables oasis dans la région : le lac Jipe et le lac Chala, les sources de Mzima (Mzima Springs) et celle du Finch Hatton.

Les Mzima Springs : deux plans d'eau entourés d'une végétation luxuriante de palmiers doums et de raphias géants. Filtrée par la cendre volcanique des Chyulu Hills, l'eau jaillit fraîche et cristalline à raison de 282000 l/mn. Mombasa, qui manque cruellement d'eau, capte environ 10 % de l'eau des sources dans une énorme conduite qui descend en pente douce jusqu'à la côte. On accède à cette oasis par un sentier pédestre qui résonne de chants d'oiseaux.
Près de la rive, il existe une aire de pique-nique délicieusement ombragée. Un observatoire sous-marin construit par un passionné permet de découvrir la vie sous-marine. Avec beaucoup de chance, vous verrez les hippos et les crocodiles évoluer dans une eau limpide. Pas d'illusions, le plus souvent, seuls quelques barbeaux et poissons de vase nagent à portée de vue.

Le cratère et la coulée de lave de Chaimu : Chaimu est un vestige apocalyptique d'une éruption qui eut lieu il y a 4 siècles environ. Pour la tribu kamba, ce cratère est la manifestation du démon *(Chaimu).* Ils n'ont pas tort. Le cratère s'est éventré au cours de l'irruption. La lave s'est répandue en deux coulées parfaitement symétriques. Vierge de toute végétation, la roche noire est constellée de plaques jaunes : du soufre, ramené à la surface lors de l'explosion. On accède au cratère à pied par le sud.

Le Poachers Lookout : comme son nom l'indique, cette colline sert de plate-forme d'observation pour la lutte contre le braconnage. Le panorama est magnifique sur les dômes volcaniques de la région : le Kilimandjaro au nord-est, les Ngulia Hills à l'est et les Chyulu Hills au nord. Remarquer aussi le long ruban noir qui serpente au nord depuis la gueule calcinée d'une bouche de volcan en forme de cône : il s'agit de la coulée de lave de Shaitani.

La coulée de lave de Shaitani : la lave du cratère de Shaitani (« du diable ») s'est solidifiée en un ruban noir qui serpente dans la vallée. On la traverse en venant d'Amboseli.

Les Roaring Rocks : énormes blocs de roche posés à flanc de colline, prêts à dévaler sur la piste en contrebas. Par bonheur, ils restent obstinément immobiles. Un décor parfait pour l'attaque de la diligence. D'ailleurs, on peut jouer aux Indiens en accédant au sommet par une petite piste. D'en haut, vue panoramique sans nuages de fumée.

LE PARC DE TSAVO EST

IND. TÉL. : 043

Tsavo Est est une plaine aride où pousse une steppe avec des arbres, une sorte de savane en somme. L'impression d'immensité est encore plus forte qu'à Tsavo Ouest. La rivière Athi creuse son lit dans la lave du plateau de Yatta avant de se jeter dans l'océan. Elle attire une faune abondante qui se déplace parfois en énormes troupeaux : éléphants, buffles, zèbres, girafes massaïs, élands et autruches se regroupent autour des plans d'eau pendant la saison sèche. La partie nord du parc est fermée au public : on y mène des expériences scientifiques telles que la réintroduction d'espèces. Dans ce no man's land, les intrus sont assimilés à des braconniers et traités comme tels.

LES ORPHELINS DE LADY SHELDRICK

Tsavo Est est le royaume de l'éléphant. On y rencontre les plus grands troupeaux du Kenya. Ils apparaissent à l'improviste, chassant crânement les autres mammifères des plans d'eau. Le spectacle est particulièrement grandiose au pied du *Voi Safari Lodge.* Et, sans boire, on voit beaucoup d'éléphants rouges : la boue dans laquelle ils se vautrent est particulièrement ocre à Tsavo.
Les éléphants possèdent même un orphelinat à l'entrée du parc. Il fut créé par Daphne Sheldrick, l'épouse du célèbre directeur du parc après la guerre. Celui-ci mourut de chagrin lorsqu'il fallut abattre des éléphants affamés lors de la grande sécheresse des années 1970. Éléonor, la mascotte de l'orphelinat, est célèbre en Angleterre. Elle a été remise en liberté après avoir adopté à son tour de nouveaux orphelins.
Pour l'anecdote, le camping du Voi Gate a dû fermer ses portes. Les pensionnaires de l'orphelinat voisin s'aventuraient jusque dans les tentes à la recherche de nourriture ! Lady Sheldrick est à présent très âgée. Son orphelinat ne se visite plus.

Comment y aller?

En voiture

➢ ***De Nairobi et Mombasa :*** l'accès principal du parc est la Voi Gate, 6 km à l'est de Voi. Autres accès : la Manyani Gate, 36 km au nord de Voi, et la Buchuma Gate, 50 km au sud.
➢ ***De Malindi :*** de la côte, on atteint la Sala Gate après 110 km d'une piste roulante et monotone. Il faut de bonnes suspensions mais le 4x4 n'est pas nécessaire, sauf en saison des pluies. Pendant cette période, la Galana déborde et la route est parfois coupée. Attention aux passages de gué non signalés.
➢ L'entrée de Tsavo Est à Mtito Andei est un corridor qui dessert uniquement les hébergements du *Tsavo Safari Camp* et du *camping de Kamunyu.*

La Galana River borde la piste et empêche l'accès au parc plus au sud. Un 4x4 est nécessaire en saison des pluies.

En bus et en train

Voi possède une gare routière et une gare ferroviaire. Donc facile depuis Mombasa et Nairobi. Le problème est de convaincre un car de touristes ou un véhicule de vous emmener au parc, 6 km à l'est ! Demander aux rangers : leur véhicule passe en général très tôt le matin. Moins aléatoire : la navette du personnel du *Voi Safari Lodge*. Téléphoner pour prévenir à l'avance (1 à 2 allers-retours quotidiens avec le centre-ville).

Où dormir ? Où manger ?

Au nord de la Galana River

⛺ 🏠 ***Kamunyu Campsite & Tsavo Cottages :*** à 26 km de Mtito Andei. On y accède par Mtito Andei Est. Un site gardé, reposant et ombragé au bord de la rivière. Un peu cher, mais tout nouveau tout beau : douches propres et eau chaude au feu de bois, w.-c. et lavabos neufs. Également 2 cottages faits de parpaings neufs et de tôle ondulée rutilante. Quel dommage ! Lampe à pétrole et moustiquaire. Une cuisine collective équipée avec frigo, gaz et ustensiles.

Au centre

Camping et hôtels bon marché

Voir nos bonnes adresses à Voi (Mombasa Highway).

Plus chic

🏠 🍽 ***Voi Safari Lodge :*** ☎ (043) 300-19 ou 27 ou 35. Fax : (043) 300-80. • http://voilodge.kenya-safari.co.ke/ • Réservation à Mombasa au ☎ (041) 447-18-61 à 65. Fax : (041) 447-29-70. • http://mombasabeachhotel.kenya-safari.co.ke/ • À Nairobi : ☎ (020) 222-97-51. Fax : (020) 22-26-61. Doubles à 200 US$ (167 €). *Lodge* en bois et en pierre superbement intégré dans la végétation. La beauté du site fait oublier la foule de touristes venue de la côte, qui manque parfois de discrétion. Toutes les chambres ont une vue splendide sur la plaine, sauf la n° 21, masquée par la végétation. Au 3e étage, on domine en prime le plan d'eau. Le restaurant est entouré d'arbres où des chorales d'oiseaux multicolores et des hyrax facétieux viennent se percher à la tombée du jour. Les visiteurs de passage peuvent déjeuner au très raisonnable buffet du restaurant. En revanche, pour les pensionnaires, contrairement à tant de *lodges,* petit dej' assez médiocre. Piscine.

🏠 ⛺ 🍽 ***Red Elephant Safari Lodge :*** ☎ (043) 307-49. • www.felix-safaris.com • À 500 m de l'entrée du parc (Voi Gate). Doubles à 80 US$ (67 €). Beau *lodge* construit il y a 5 ans en pleine brousse. Accueil sympa. Seize chambres correctes avec bains. Immense salle à manger dont on remarquera le travail sur la charpente. Petite piscine. Accueille aussi les campeurs (340 Ksh, soit 4,5 US$ par personne). Fourniture de bois pour barbecue et grillades.

Au nord de Voi

Les *tented camps*

🏠 🍽 ***Epiya Chapeyu Camp :*** réservation à Nairobi : ☎ (020) 374-97-96 ou (0733) 743-210 (portable). Fax : (020) 375-09-90. • bigi@wanchi.com • Au bord de la rivière Galana, près des Lugard's Falls, dans un coin d'une grande beauté sauvage. Doubles à 120 US$ (en pension complète ; 100 €). Ouvert il y a 9 ans. Patron italien tombé amoureux de la région et qui saura vous en parler. Simplicité des tentes, confort correct, ensemble bien tenu, totalement inséré dans le paysage. Accueil fort cordial. Excellente cuisine à dominante italienne. Pizzas, lasagne, *pasta*, etc., bien entendu, entièrement maison. Très bon rapport qualité-prix en conclusion et un de nos coups de cœur !

Très, très chic

🏠 🍽 ***Galdessa Camp :*** réservation à Nairobi : ☎ (020) 612-09-43 ou 10-74 et (0722) 744-614 (portable). Fax : (020) 612-10-99. • www.galdessa.com • À une cinquantaine de kilomètres au nord de Voi et 25 km à l'est de la Manyani Gate. Le camp est situé sur la route des Lugard's Falls. Doubles à 325 US$ (271 €) par personne (en pension complète, boissons et activités comprises). Supplément pour la période de Noël. Réduction de 25 % en avril, juin, novembre et jusqu'au 15 décembre. Fermé en mai. Le charme naturel et raffiné des safaris d'autrefois (mais qui se paie fort cher, bien entendu). Ce *tented camp* domine la rivière Galana devant le Yatta Escarpment. Crocos et hippos s'y ébattent gaiement. Palmiers doums et toits de palmes rafraîchissent les tentes spacieuses. Mobilier en tronc d'arbre et bois sculpté. Belle salle de bains en pierre, w.-c. en bois, *safari showers.* Eau chaude par énergie solaire. Dîner au feu de bois. Admirer le living room-salon de charme, avec sa belle charpente, ses profonds fauteuils, sa cheminée et les impressionnants ossements d'éléphants et de rhinos. Safaris à pied dans les parcs alentour.

Où camper ? Où manger ? Où boire un verre ?

🍸 On peut aller boire un pot au ***Tsavo Safari Lodge,*** situé à quelques kilomètres du *Kamunyu Campsite & Tsavo Cottages* (voir « Où dormir ? Où manger ? », ci-dessus), de l'autre côté de la rivière Athi (fléché). Caché sous une végétation luxuriante, ce *tented camp* luxueux n'est accessible qu'avec le Zodiac du *lodge.* Un endroit tranquille (même un peu trop), impeccablement tenu, avec piscine et safaris dans Tsavo Est.

⛺ 🏠 🍽 🍸 Possibilité de camper ***à côté de l'ex-Aruba Lodge,*** 29 km à l'est de la Voi Gate. Renseignements au *Tsavo Park Hotel,* à Voi (chapitre « Mombasa Highway »). On peut éventuellement y louer des tentes. L'hôtel organise aussi un sympathique barbecue en plein air le midi, à prix abordable. Sinon, pour étancher une vieille soif, bar et bière fraîche à côté du marché artisanal.

⛺ À environ 7 km de Voi Gate, ***« camping » de Ndololo.*** La pompe à eau ne fonctionne plus depuis belle lurette, mais belle clairière pour lecteurs(trices) aventureux(ses).

Plus chic

🏠 🍽 ***Satao :*** réservation à Mombasa, *Southern Cross Safari,* Ratna Square, Nyali. ☎ (041) 447-19-60 ou 71. Fax : (041) 447-12-57. • www.southerncrosssafaris.com • Situé à 18 km à l'est de l'ancien *Aruba Lodge.*

Doubles à 170 US$ (en pension complète ; 142 €). Camp luxueux situé sur un point d'eau. Le soir, difficile d'être plus proche des animaux. Tentes avec ventilo, grande salle de bains en pierre et *safari shower*. Eau chaude le soir. Terrasse s'ouvrant sur la plaine. Resto. Feu de camp. Le midi, on mange en plein air, sous les tamariniers, dans un jardin fleuri... avec peut-être des éléphants passant à quelques centaines de mètres...

Crocodile Tented Camp : ☎ (043) 301-24. Fax : (043) 301-23. Réservations à Mombasa : *African Safari Club,* ☎ (041) 548-55-21 ou 25. Situé au bord de la Galana River, près de la Sala Gate. Camp de tentes idéalement placé sur la route de Malindi, un peu usé mais chic et confortable. Cadre enchanteur. Tous les soirs, on nourrit d'énormes crocodiles presque domestiques. On peut planter sa tente à l'écart (des crocodiles).

Où camper de façon insolite et « constructive » ?

Westerveld Conservation Trust : • www.westerveld.nu • Sur la piste entre le Mudanda Rock et les Lugard's Falls, enfin, quelque part au sud du Yatta Escarpment. C'est un organisme œuvrant à la conservation de l'environnement qui construit de petits barrages dans la brousse près des points d'eau pour développer la végétation, y assurer une vie animale (crocos, oiseaux, etc.) et garantir des points de chute pour les éléphants et autres bestioles assoiffées. Et ça marche ! Possibilité de participer une petite semaine aux travaux de façon volontaire et de camper sur les lieux mêmes. Une expérience unique pour s'immerger en pleine nature sauvage, apprendre à la découvrir et apporter sa petite pierre au combat pour la préservation de notre chère terre. D'autant que Peter Westerveld, né en Tanzanie, écologiste acharné, à l'initiative de ce projet, connaît bien sûr cette région d'Afrique comme sa poche et qu'il n'est pas avare d'infos. Un conseil : si ce tourisme constructif vous intéresse, vous y prendre à l'avance pour les dates, car Peter, qui se bat aussi pour les éléphants sur d'autres terrains, n'est pas présent ici de façon permanente. Indépendamment de ces activités, il propose aussi des safaris (toujours suivant sa philosophie) au Kenya et dans les pays limitrophes. Intéressant : des safaris à pied de 2-3 h, tôt le matin ou en fin d'après-midi, accompagnés de gardes expérimentés. Compter 12 US$ (10 €). Réservation obligatoire. Évitez de porter des vêtements de couleurs voyantes, pas de blanc non plus. Pour tous renseignements et obtenir la brochure des activités proposées, téléphoner ou envoyer un fax.

À voir

Le Mudanda Rock : s'arrêter au parking, puis gravir à pied les quelques marches jusqu'au sommet. Ce monolithe orangé domine la plaine comme le célèbre Ayers Roc en Australie. De taille infiniment moindre, il offre néanmoins un panorama saisissant sur les deux Tsavo. C'est un observatoire de premier plan pour la lutte contre le braconnage. Faites comme les rangers : prenez vos jumelles. L'eau de pluie ruisselle sur les 2 km de roche striée, et vient alimenter un plan d'eau naturel en contrebas. Pendant la saison sèche, des troupeaux de buffles fréquentent l'endroit. Il y a encore quelques années, il n'était pas rare d'y voir se baigner des centaines d'éléphants.

Le plateau de Yatta : l'une des plus grandes coulées de lave du monde. Il s'étend sur 360 km depuis la région de Nairobi jusqu'au sud du parc. La Galana s'est taillé une route à travers la lave. C'est l'*escarpement de Yatta*. La piste qui longe la gorge entre les Sala Gate et Manyani Gate

offre des vues magnifiques sur la falaise, les palmiers doums et les bancs de sable peuplés de crocodiles. Il y a deux haltes pour se dégourdir les jambes :
– ***Les Lugard's Falls*** sont une succession de rapides : la Galana traverse une faille étroite du rocher. Les crocodiles attendent en contrebas que les poissons ballottés leur tombent tout droit dans la gueule ! Le débit est surtout impressionnant pendant la saison des pluies. Superbe chaos de roches aux multiples couleurs et graphismes élaborés. Pour la petite histoire, Lord Lugard fut le 1er gouverneur de la Couronne britannique en Ouganda. Il quitta l'Angleterre pour oublier une triste histoire d'amour (snif) et suivit la route des négriers, le long de la Galana, pour rejoindre son poste.
– ***Le Crocodile Point :*** ce belvédère surplombe la Galana River. Il faut vraiment des jumelles pour deviner les crocos camouflés en troncs d'arbres qui lézardent au soleil.

Le lac d'Aruba : créé en 1952, le lac artificiel d'Aruba contient les crues de la rivière Voi et constitue un réservoir en cas de sécheresse. Malgré ses 85 ha de superficie, il s'est déjà asséché à plusieurs reprises ! Éléphants, buffles et pélicans s'ébattent sur les rives. Beau panorama depuis l'ancien *Aruba Lodge,* 29 km à l'est de la Voi Gate. Entrer dans l'enceinte. Le lac est au bout. Sympathique café avec terrasse où l'on trouve de la bière fraîche. Petit marché artisanal où dans le fatras d'objets très touristiques, on trouve quelques intéressantes pièces d'artisanat. Notamment des statuettes longiformes, souvent anciennes, en ébène ou autre bois très dur et qui évoquent un peu Giacometti. Marchandage obligatoire et ici, pour une fois, vous aurez le temps d'en éprouver tous les plaisirs.

LES TAITA HILLS

Le massif montagneux des Taita Hills est planté comme une sentinelle au milieu de la plaine de Tsavo. C'est un univers à part, délaissé par l'histoire et les cars de touristes. Les nuages s'accrochent à des pics volcaniques qui culminent à plus de 2000 m. La pluie ruisselle en cascades à travers une végétation unique : isolé du reste du monde, le massif forestier a développé ses propres espèces d'oiseaux et de plantes, qui attirent les scientifiques du monde entier.
Cette tour d'ivoire est aussi un refuge pour l'espèce humaine : le peuple taita est une mosaïque de clans réfugiés dans la montagne à la suite de conflits ethniques. Chacun a sa légende. Les Wanyas affirment que leurs ancêtres venaient d'Égypte. L'agriculture intensive a fait la réputation et la richesse des Taitas, et l'oasis est désormais menacée de surpeuplement.

Comment y aller ?

➢ ***De Voi :*** la route est un ruban de bitume qui passe à travers d'immenses plantations de sisal et de coton. Le macadam disparaît rapidement, et laisse place à une piste large et assez roulante jusqu'à Taveta. Ne pas louper la bifurcation à droite à Mwatate, 24 km après Voi. C'est la seule route d'accès goudronnée. On grimpe rapidement à 1500 m d'altitude.

LE SANCTUAIRE DE LA VIE SAUVAGE

Le sanctuaire de la vie sauvage étend ses 110 km de savane (avec des arbres) au pied du massif montagneux des Taita Hills. Ce parc animalier est géré par le groupe *Hilton.* Toutes les espèces de mammifères sont représentées : éléphants, lions, buffles, guépards... On organise des safaris nocturnes et en ballon. Malheureusement, l'accès au parc est exclusivement

réservé aux clients et deux des 3 *lodges* que le *Hilton* possède dans l'enceinte ont dernièrement fermé.
L'hébergement au Salt Lick répond aux standards internationaux *Hilton* mais, avec de tels tarifs, la qualité du confort et de l'accueil devrait être irréprochable, ce qui n'est pas le cas.

Salt Lick : ☎ (043) 302-43 ou 50 ou 70. Fax : (043) 300-07. • saltlick@africaonline.co.ke • La mascotte des brochures touristiques est un village sur pilotis d'inspiration africaine, composé de cases rondes en ciment reliées par des passerelles.

À faire au départ de Wundanyi

➢ Le village affairé de ***Wundanyi*** est le point de départ idéal pour une ***randonnée*** rafraîchissante ***dans la montagne.*** On supporte d'ailleurs facilement une petite laine. Hôtels et restaurants sont peu touristiques et offrent des vues imprenables sur la plaine qui se déroule en contrebas.

➢ Pour les ***balades dans la forêt*** et l'***ascension des pics,*** on peut s'adresser à un guide sur place.

➢ On peut redescendre en voiture dans la ***vallée*** par la piste est : de Wundanyi, poursuivre au nord jusqu'à la forêt de Ngongao. Puis prendre à gauche. On passe entre les pics de Vuria et Yale qui culminent à plus de 2000 m.

LA RÉGION DU LAC JIPE

La région du lac Jipe est une plaine aride parsemée de buissons et d'acacias. Elle s'adosse à la chaîne volcanique qui relie le Kilimandjaro à l'océan Indien. Coincée entre deux massifs, la ville de Taveta est une porte d'accès naturelle vers la Tanzanie. Autour, la région est restée sauvage. Le lac Jipe et le lac Chala surgissent au milieu de ces paysages âpres comme par enchantement. À l'écart du tourisme de masse, ils ne livrent leur mystère qu'aux voyageurs peu pressés.

LE LAC CHALA

Lac de cratère spectaculaire : un cercle parfait, une eau turquoise et immobile qui se détache sur le Kilimandjaro. Sa profondeur dépasse 100 m ! L'eau vient du Kilimandjaro par le fantastique réseau souterrain du sol volcanique, mais ce n'est qu'une étape : du lac Chala, elle poursuit sa route vers la Tanzanie, passe sous la mer pour réapparaître, fraîche et limpide, 360 km plus loin, à... Zanzibar !
Au XIXe siècle, le sultan fit authentifier la source et réclama officiellement la souveraineté de Zanzibar sur ce lac !
L'eau est limpide et attirante. Mais on vous déconseille fortement de faire trempette ; en février 2002, une Anglaise s'est fait croquer par un croco !

Comment y aller ?

➢ ***De Taveta :*** de l'embranchement situé 3 km avant Taveta sur la route principale (venant de Voi), faire 8 km plein nord vers Oloitokitok (c'est indiqué). Prendre à gauche au panneau « Lake Challa Safari Lodge ».

Où dormir ? Où manger ? Où boire un verre ?

Malgré la beauté du coin, le camping sauvage n'est pas recommandé pour des questions de sécurité. Il y a des antécédents.

■ |●| Y ***Lake Chala Safari Lodge :*** ☎ (043) 535-24-31. Doubles à 7500 Ksh (79 €) en demi-pension. Déjeuner à 700 Ksh (7,4 €). Bénéficie d'une situation exceptionnelle, au bord du cratère. Pour dormir, une vingtaine de cottages. Rien de vraiment luxueux, simple, propre, c'est tout. Seule la vue est remarquable. Ça ne justifie pas un tel prix ! D'ailleurs, les affaires vont mal, peu de personnel, *lodge* la plupart du temps vide. Reste le site bien sûr. Possibilité d'y boire un verre ou de grignoter. Déjeuner sans éclat et service long.

LE LAC JIPE

Le lac Jipe apparaît comme un mirage dans le désert au terme d'un trajet cahotant et poussiéreux. Ses eaux cristallines surgissent au pied du massif des Pare Mountains. L'arrivée est spectaculaire, surtout le soir au coucher du soleil. La vie se presse autour du lac, fuyant la sécheresse alentour. Arbres et roseaux ourlent le rivage tandis que des myriades d'oiseaux s'envolent au passage des hippopotames et des crocodiles. Sur la berge, on aperçoit parfois la horde rare et discrète des zèbres de Grévy amenés du nord du Kenya en 1977.

Le lac est peu profond (10 m) et la chaleur provoque une intense évaporation. Pourtant, le lit n'est jamais à sec, même pendant les pires sécheresses, parce que le Kilimandjaro constitue son principal réservoir. Les neiges éternelles et la pluie s'infiltrent dans la roche et rejaillissent plus loin dans la vallée.

Le découpage administratif du lac est tout aussi insolite : la moitié du lac se trouve en Tanzanie et la partie sud appartient au parc de Tsavo. Celle-ci abrite un sanctuaire ornithologique d'une grande richesse que l'on peut approcher en barque. Le nord du lac est réservé à la pêche du tilapia. Ce poisson fait vivre le village de baraquements qui s'étire non loin du défunt *Lake Jipe Safari Lodge.*

Comment y aller ?

En voiture

➢ ***De Taveta :*** la piste vers le lac commence 2 km après le pont sur la rivière. Le trajet est éprouvant et le 4x4 est obligatoire. Compter plus d'1 h pour parcourir les 35 km jusqu'au lac.

➢ ***De Voi :*** la route (A23) est un ruban de bitume qui disparaît à Mwatate, quelques kilomètres après le *Hilton,* et laisse place à une piste large et assez roulante. La piste vers le lac Jipe se prend au niveau de la Maktau Gate, 19 km après le *Hilton.* Elle est monotone, peu fréquentée, mais praticable en toute saison. Compter 2 h pour faire les 105 km depuis Voi.

En transports en commun

Pas de bus, pas de *matatus.* Il faut avoir son véhicule.

En avion

Piste d'atterrissage pour petits coucous à 2 km de l'ex-*Lake Jipe Safari Lodge.*

Où dormir?

Camping

⛺ Possibilité de ***camper*** à l'entrée du parc, ***à la Jipe Gate.*** Rangers sympas. Cinq nouveaux *bandas* ont été construits juste à côté. Bien sûr, propres et à prix modérés.

À voir. À faire

🏛🏛 ***Les rives du lac :*** la piste qui longe le lac en direction de Taveta est superbe. On passe au milieu du village de pêcheurs de *Kachélo.* Demeures de torchis rouge couvertes de roseaux, que les femmes coupent et mettent en botte au bord du lac. Les filets sèchent devant. Une petite communauté bien sympathique. On peut poursuivre vers le château de Grogan (voir le Grogan's Castle dans la rubrique « Dans les environs du lac Jipe »). Par temps clair, on distingue au loin les neiges du Kilimandjaro.

– ***Dhow safari :*** s'adresser aux rangers. Calé dans un petit boutre de Lamu, on glisse sur le lac à la rencontre des hippos, des crocodiles et des nuées d'oiseaux.

➤ *DANS LES ENVIRONS DU LAC JIPE*

🏛 ***Le Grogan's Castle :*** à 20 km du lac sur la piste de Taveta, par une route superbe mais éprouvante. Ancienne demeure d'Ewart Scott Grogan, un Britannique ingénieux et excentrique qui fit fortune dans le sisal.
L'ancien colonel de Sa Majesté est l'un de ces pionniers hors du commun qui jalonnent l'histoire coloniale du Kenya. À Nairobi, un quartier porte son nom. En 1898, il traversa l'Afrique à pied depuis Le Cap jusqu'au Caire pour prouver son amour à la femme de sa vie. Quel panache! Il créa dans la région aride et perdue de Tsavo la plus grande exploitation de sisal du Kenya.
Construit dans les années 1930, le château domine l'immense propriété. À mi-chemin entre palais hollywoodien et blockhaus, il reflète la personnalité mégalo et parano du personnage. Une célèbre actrice américaine voulut racheter le bâtiment qui s'effondre lentement. Elle renonça devant l'ampleur des travaux. À présent abandonné, le château reste habité par l'esprit de son propriétaire. Les villageois ne s'en approchent pas, par peur des fantômes.

Visite du château de Grogan

En principe, il faut l'autorisation écrite du propriétaire, un Grec qui réside à Taveta. Si vous parlez le swahili, vous pouvez aussi parlementer avec l'*askari* qui garde le château, mais c'est plus dur.
Le château est construit dans l'axe d'une piste rectiligne de 20 km qui permettait à Grogan de surveiller la frontière depuis Taveta jusqu'au lac Jipe! À l'approche du château, la piste se transforme en une large *allée* plantée de flamboyants où il aimait parader comme un prince à bord de son automobile.

On passe les *douves,* qui contenaient à l'époque une quarantaine de chiens féroces.
Ne pas manquer les deux *salles à manger* avec vue panoramique, et la table de réception qui mesure plus de 7 m de long! Tout venait d'Europe, même les baignoires des salles de bains (il n'y avait pas de route à l'époque).
Sous les toits, on accède au *bunker,* où il passait des heures à scruter le Tanganyika dans la crainte permanente d'une invasion par les troupes allemandes.

LA CÔTE KENYANE

La côte kenyane, l'océan Indien : l'endroit pour se reposer de la poussière des pistes, pour souffler après un safari en brousse. Des plages de sable fin et blanc s'étendent à perte de vue, bordées de palmiers, de dunes et de forêts de casuarina. Au large, une barrière de corail presque ininterrompue protège de superbes lagons aux eaux turquoise. Elle offre aux plongeurs des paysages sous-marins qui comptent parmi les plus beaux au monde. Avec un masque et un tuba, on est aussi rapidement récompensé; l'observation de poissons multicolores aux formes parfois surprenantes et étranges glissant parmi les massifs de coraux est un spectacle superbe et inoubliable. Les brochures des agences proposent une multitude de loisirs et les tour-opérateurs remplissent la plupart des hôtels. Mais il reste encore des coins retirés pour lézarder tranquillement loin de la foule.
La richesse de la côte est aussi culturelle. Berceau de la culture swahilie, les cités millénaires parlent encore de conquistadores et d'invasions arabes. Partout, les mosquées rappellent la ferveur religieuse d'un peuple resté fidèle à ses traditions. La vie s'égrène doucement dans la torpeur tropicale. Depuis le port moderne et affairé de Mombasa jusqu'à la ville anachronique de Lamu, il faut découvrir cette atmosphère hors du temps, rythmée par les vents de mousson, comme à l'époque glorieuse des voiles latines venues d'Orient.

LES BOUTRES

Peut-être tiré de l'arabe *but* – « bateau à voile » –, le boutre a été pendant plus de 1000 ans le moyen de communication privilégié de l'Afrique orientale. Ce sont les Perses et les Arabes qui, établissant les premiers liens commerciaux réguliers avec la région, introduisirent l'embarcation. Profitant des vents de la mousson d'hiver soufflant depuis le nord-est, les navigateurs venaient échanger textiles, blé, vin, verroterie, et repartaient les cales chargées de bois précieux, d'ivoire, de cornes de rhinocéros – déjà! – et d'esclaves. De juin à octobre, les grands boutres reprenaient le chemin contraire, au gré des vents de la mousson inverse.
Aujourd'hui, la navigation se résume principalement au cabotage entre la Somalie et la Tanzanie. Seules quelques embarcations font encore le grand voyage jusqu'en Arabie – plus rarement encore jusqu'en Inde. Dans les soutes, coprah et coton dissimulent des articles de contrebande, bien plus rentables que les autres marchandises.
À Matondoni, sur l'île de Lamu, on construit encore les *jahazis,* ces boutres de haute mer qui ont fait la légende de la côte : en bois de palétuvier, isolés avec de la fibre de coco. De Mombasa, on peut parfois s'embarquer pour Lamu, Pemba ou Zanzibar, entre sacs de ciment et vaches affolées. Le

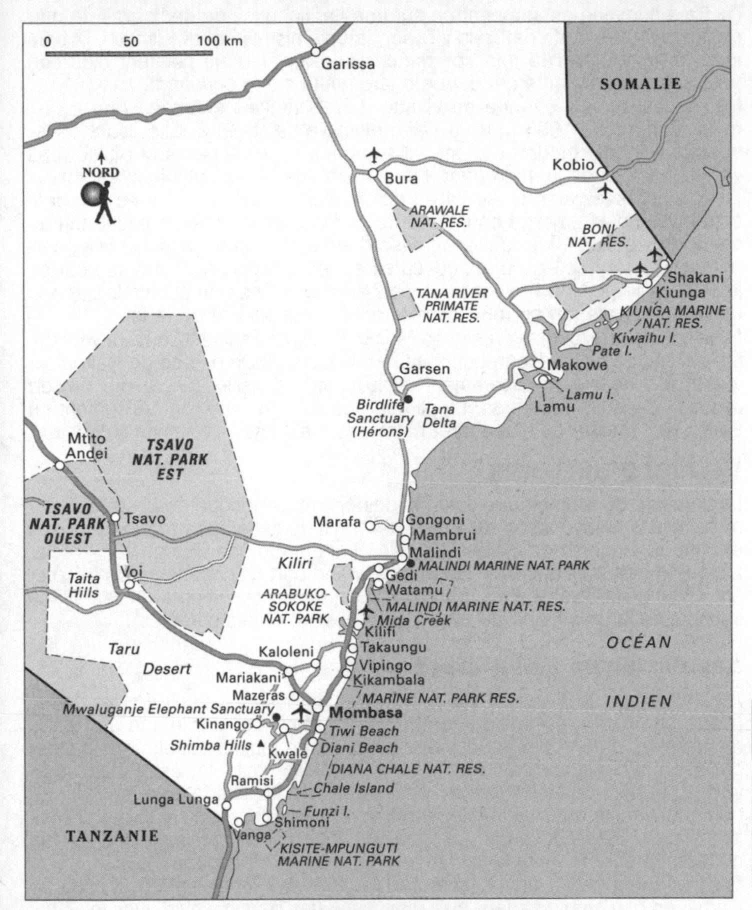

LA CÔTE KENYANE

voyage n'est pas de tout repos, le pont peu confortable. Mais le passage est une expérience unique, aux couleurs des récits d'Henri de Monfreid.

MOMBASA

IND. TÉL. : 041

Pour les plans de Mombasa, voir le cahier couleur.

Mombasa est la porte océanique de l'Afrique de l'Est. Son trafic ne se limite pas aux frontières du pays, il s'étend jusqu'en Ouganda, au Rwanda, au Burundi et à l'est de la République démocratique du Congo (ex-Zaïre). Toute

l'activité humaine est concentrée sur une île, flanquée de deux bras de mer qui forment des ports naturels : Tudor, la baie historique, et Kilindini, la baie industrielle. Du fait de son commerce florissant, l'île ne contient plus son petit million d'habitants qui déborde largement sur le continent.
Peu à peu, la ville change de visage. Les fameuses défenses *(the tusks)* furent érigées en 1956 pour la visite officielle de la reine. Elles sont devenues le symbole moderne d'une ville qui oublie peu à peu son passé. Les vieilles habitations se lézardent. Les vénérables hôtels coloniaux capitulent les uns après les autres. Au milieu du chantier, le fort Jésus, avec son petit côté mystérieux, émerge comme le dernier vestige intact d'un passé tumultueux. À ses pieds, les ruelles étroites dégringolent dans la vieille ville, serpentent autour des échoppes obscures et des demeures coloniales pour se jeter dans le port où croisent des boutres aux voiles triangulaires. Dans la moiteur tropicale, on se fond dans le rythme nonchalant de la foule.
Pourtant, peu de touristes restent à Mombasa : l'hôtellerie est souvent vétuste, il n'y a pas de plage. Heureusement, on n'atteint pas la parano de Nairobi, la vigilance s'impose principalement la nuit dans la vieille ville autour du fort Jésus et dans les banlieues. La plupart des touristes que l'on croise sont en transit vers la côte ou l'aéroport : Mombasa n'est pas une station balnéaire.

UN PEU D'HISTOIRE

Le comptoir de Mombasa existait certainement à l'époque de la Grèce antique, mais la 1re évocation date de 1154 (récit du géographe arabe Al-Idrisi à la cour de Roger II de Sicile). La ville connaît son âge d'or au XVe siècle, lorsque Kilwa, en Tanzanie, est le plus grand port de commerce de la côte. On échangeait l'ivoire, l'or, les épices contre des vêtements et des tissus indiens, de la porcelaine de Chine et de Perse, et des céréales.

Les Portugais à Mombasa

Au XVe siècle, le Portugal fut le 1er pays européen à atteindre les Indes (Goa), par la mer, en contournant le continent africain par le sud. But de la manœuvre : obtenir des épices directement et à moindre coût, sans passer par les marchands du Moyen-Orient (la vieille route terrestre des caravanes). Parties de Lisbonne, les caravelles remontaient la côte de l'Afrique très haut vers le nord, puis elles traversaient l'océan, avec l'aide des pilotes swahilis recrutés sur place. La côte africaine constituait donc une escale nécessaire pour les marins avant leur voyage vers l'inconnu.
Premier Européen à ouvrir la route maritime des Indes (1497), Vasco de Gama, en bon ambassadeur qu'il était, tissa des liens d'amitié avec les cités swahilies. En 1498, il atteignit Mombasa après 9 mois de navigation. Ralliés à l'Empire turc qui prêchait la guerre sainte contre les chrétiens, les habitants de la ville tentent de couler son navire. Vasco poursuit sa route vers Malindi, où il reçoit un accueil chaleureux en vertu d'une règle simple : « Les ennemis de Mombasa sont les amis de Malindi. » L'expression est d'ailleurs devenue un proverbe portugais. Décidés à ne pas laisser le meilleur port de la côte aux mains des Turcs, les Portugais saccagent Mombasa à plusieurs reprises. À chaque fois, la fière cité renaît de ses cendres.
En 1589, elle accueille en triomphe la flotte de Mirale Bey, pirate turc légendaire qui vient de tenter, sans succès, de s'emparer de Malindi. Ce Turc picaresque a déjà évincé les Portugais de Muscat (Mascate, Oman). Excédés, ces derniers envoient à ses trousses une flotte de vingt navires et 900 hommes. Mombasa assiégée s'embrase sous le feu croisé des canons turcs et portugais. Pendant la bataille, de nouveaux ennemis arrivent : une horde de 15000 cannibales de la tribu des Zimbas originaire du nord du Zambèze. Les anthropophages déferlent sur l'île et massacrent les survivants. Entièrement décimée, Mombasa capitule. Mirale Bey finit ses jours en Europe, où il se convertit au christianisme.

Maîtres des lieux, les Portugais construisent l'imposant fort Jésus à partir de 1593. Les Arabes d'Oman avaient juré qu'ils les chasseraient de la côte. Ils reprennent la ville lors du Grand Siège de 1698. Après 2 ans et 9 mois de lutte héroïque, les derniers survivants européens du fort succombent à la faim et aux épidémies, juste une semaine avant l'arrivée des renforts de Goa. Les Portugais, affaiblis, tentent de reconquérir la ville à plusieurs reprises, mais en vain. En 1729, ils sont vaincus par les Arabes d'Oman, et se replient définitivement au Mozambique (où ils resteront jusqu'en 1975 !).

Mombasa à l'heure de l'Islam

Les nouveaux maîtres de la ville – et de la côte – viennent des déserts de sable du sud de la péninsule Arabique. Dans leurs sacs, une denrée spirituelle qui va révolutionner la côte : l'islam. Mombasa devient un avant-poste de cette nouvelle religion conquérante. La ville est soumise à l'autorité successive des Mazrui (les sultans d'Oman), puis de Zanzibar (colonie d'Oman dans l'océan Indien). Le règne de Sayyid Saïd, sultan tout-puissant de Zanzibar, apporte un essor économique sans précédent. Mombasa s'ouvre à l'Occident.
Le christianisme est réintroduit par des missionnaires protestants : Johann Ludwig Krapf et Johannes Rebmann. Un capitaine zélé et intrépide du nom de William Owen établit le 1er protectorat anglais, de sa propre initiative. Il quitte les lieux rapidement. La pression anglaise s'accentue. Les négociations menées par Sir Bartle Frere avec le sultan de Zanzibar aboutissent à l'interdiction des marchés d'esclaves en 1873, puis à l'abolition définitive de l'esclavage en 1907. Frere fonde Freretown, une colonie pour les esclaves affranchis (face à la vieille ville).
Après de nombreuses intrigues politiques et militaires, les Britanniques et les Allemands se répartissent l'Afrique de l'Est en zones d'influence.

Du protectorat britannique jusqu'à aujourd'hui

En 1888, la côte kenyane devient protectorat britannique contre le versement d'une rente annuelle au sultan de Zanzibar. La « British East Africa » lance la 1re ligne de bateaux à vapeur entre les ports de l'Afrique orientale, et construit une route de Mombasa vers l'intérieur du pays. Le début du commerce avec le lac Victoria entraîne la construction de l'Uganda Railway. Il faut 5 ans et plus de 32 000 coolies indiens pour que la 1re locomotive apparaisse enfin sur la rive du lac Victoria.
En 1906, Nairobi devient la capitale du pays et ponctionne une kyrielle de commerces et d'administrations. Mombasa ne s'effondre pas pour autant. L'électricité arrive en 1908 avec les premières voitures. La création du port moderne et du terminal ferroviaire donne encore plus de puissance à la ville. Son influence sur la côte grandit. Conséquence : Mombasa concurrence Zanzibar, dont le déclin s'amorce. Les deux guerres mondiales dopent l'économie de Mombasa (ravitaillement, armes, mouvements des navires de guerre). Aujourd'hui, c'est le premier port d'Afrique de l'Est.
Le port de containers de Kilindini a remplacé le vieux port des boutres. La manne touristique a modifié en profondeur l'infrastructure de la région : réseau routier, aéroport international, hôtels de luxe. La tradition musulmane et l'accueil de réfugiés africains provoquent une poussée démographique que la ville ne maîtrise plus.

Comment y aller ?

Mombasa est reliée au continent par un pont au nord, une digue à l'ouest et un ferry au sud. L'aéroport est situé à 10 km à l'ouest de la ville. Les bus et le train arrivent au centre de l'île.

Arrivée à l'aéroport

✈ ***L'aéroport :*** ☎ 343-32-11 à 19.

■ ***Change :*** dans le hall extérieur du terminal 1, plusieurs bureaux de change acceptent *traveller's cheques* et devises étrangères. Généralement ouverts à l'arrivée de chaque vol.

■ ***Navettes hôtelières :*** de la côte nord jusqu'à Diani Beach, de nombreux hôtels disposent d'une navette gratuite pour leurs clients. Pensez à demander à votre hôtel lors de la réservation.

■ ***Location de voitures :*** la plupart des loueurs de Mombasa peuvent mettre une voiture à votre disposition à l'aéroport.

Bus : la compagnie *Crack* assure un service de navettes avec Mombasa (terminus : poste principale) de 5 h 30 à 20 h 30. Le départ s'effectue en principe toutes les 30 mn devant l'aérogare, mais le service est irrégulier. Il n'y a pas de liaison directe avec les côtes sud et nord.

Taxis : les taxis de Mombasa n'ont pas de compteur – il est donc important de s'entendre sur le prix de la course au préalable, et de s'assurer que le taxi possède une licence. On vous conseille ***Kenatco :*** ☎ 222-75-03 ou 11-19. • kenatco @todays.co.ke • Leurs taxis sont fiables et très reconnaissables. Le prix des courses est fixé selon un barème que vous pouvez consulter dans le véhicule. Les autres compagnies sont plus exotiques, parfois moins chères. Mais il y a déjà eu des histoires, surtout la nuit.

Pour aller sur la côte, le taxi est plus direct que le bus. Voir notre rubrique « Quitter Mombasa ».

Adresses et infos utiles

Informations touristiques

***Information Bureau** (zoom couleur D3-4) :* sur Moi Av. ☎ 222-54-28. • mcta@ikenya.com • À droite avant Kisumu Rd, en venant du centre. Ouvert du lundi au vendredi de 8 h à 16 h 30 (fermeture pour la pause déjeuner, parfois), le samedi de 8 h à 12 h. Ce syndicat d'initiative assure la promotion des adhérents de la *Mombas & Coast Tourist Association,* qui regroupe hôtels, restos, transporteurs et organisateurs de safaris de haut standing. Les petits budgets resteront sur leur faim. Réservations d'hébergement avec commission.

■ ***Journaux gratuits :***

– *Kenya Coast* est le plus sérieux des journaux gratuits distribués au Kenya. Paraît tous les 2 mois. Exemplaires disponibles dans les hôtels en quantité très limitée et souvent périmés.

– *What's On :* guide mensuel d'annonces pour l'Afrique de l'Est. Très généraliste. Intérêt limité.

Poste et télécommunications

✉ ***Poste principale** (zoom couleur D4) :* Digo Rd. ☎ 222-49-59. Ouvert du lundi au vendredi de 8 h à 18 h, le samedi de 9 h à 12 h.

■ ***Telkom Kenya** (zoom couleur D4, **1**) :* Nkrumah Rd. Vente de *Calling Card* et de *Phone Card.*

@ ***Internet :*** *Mombasa Coffee House (zoom couleur D4, **44**),* voir « Où manger ? ». Ouvert de 9 h à 21 h (jusqu'à 17 h le dimanche). *Info Café (zoom couleur D4),* Mikidani Rd, à 100 m de Ambalal House. ☎ 231-21-33. Ouvert en semaine de 7 h 30 à 21 h 30, le samedi de 8 h à 20 h et le dimanche de 10 h à 18 h. On attend sur des fauteuils superconfortables qu'un poste se libère.

Ou encore *Talkworld Bureau (zoom couleur D4)*, Nyeri St, entre les restaurants *Island Dishes* et *Recoda*. Ouvert tous les jours de 9 h à 23 h.

Change

Pour changer devises et *traveller's cheques*, on n'a que l'embarras du choix. Plusieurs bureaux de change s'égrènent le long de Moi Av. et de Nkrumah Rd. Le bureau de change *Pwani* prend une commission légèrement inférieure à la plupart des banques. On vous proposera peut-être de changer au noir dans la vieille ville. À éviter ; le gain est minime par rapport aux risques que vous prenez. Les banques acceptent la carte *Visa* et plus rarement l'*Eurocard MasterCard*, mais seule la banque *Barclays* propose un distributeur de billets.

■ ***Barclays :*** l'agence de Nkrumah Rd (à l'angle de Mwenye Aboud Rd ; *zoom couleur D4, **2***) est ouverte de 9 h à 15 h (et les 1er et dernier samedi du mois, de 9 h à 11 h). Elle dispose d'un distributeur de billets accessible 24 h/24 acceptant cartes *Visa* et *MasterCard*. Autre agence à l'angle de Kenyatta Av. et Abdel Nasse Rd, en face de *MacKinon Market (zoom couleur D3)* avec distributeur accessible 24 h/24 également.

■ D'autres banques assurent le change sur Nkrumah Rd *(zoom couleur D4)*, comme la **Consolited Bank of Kenya** (face à la cathédrale) et la **Kenya Commercial Bank** (Treasury Square).

■ ***Crédit Agricole Indosuez*** *(zoom couleur D4, **3**)* **:** Palli House, Nyerere Av. ☎ 231-58-16, 18 ou 19. Ouvert du lundi au vendredi de 8 h 30 à 14 h 30.

■ ***Pwani :*** Abdel Nasse Rd, en face de *MacKinon Market (zoom couleur D3)*. Ouvert tous les jours de 8 h 30 à 17 h, sauf les dimanche et jours fériés.

■ ***Express Travel Services*** *(American Express ; zoom couleur D4, **4**)* **:** Nkrumah Rd (à l'angle de Baluchi St), PO Box 90361. ☎ 231-65-29 ou 52-78. Fax : 231-44-08. Ouvert en semaine de 8 h à 12 h 30 et de 14 h à 17 h ; le samedi, de 8 h 30 à 12 h 30.

■ ***Western Union*** *(zoom couleur D3-4, **5**)* **:** Post Bank, Moi Av. ☎ 231-44-24 ou 69-44. À 100 m des grandes défenses. Ouvert en semaine de 8 h 30 à 16 h ; le samedi, de 8 h 30 à 11 h.

Représentations étrangères

■ ***Consulat de France*** *(hors plan général couleur par B1, **6**)* **:** PO Box 90262. Dans les locaux de la société Delmas Kenya Ltd. ☎ 343-52-61 ou 62 ou (0733) 602-101 (portable, 24 h/24). • gm@delmas.co.ke • M. Michael Smewing. Ouvert du lundi au vendredi de 8 h à 18 h et le samedi de 9 h à 13 h.

■ ***Consulat de Belgique :*** Ganjonic Clinic, 1er étage, Moi Av., PO Box 91276. ☎ 222-62-49 ou (0733) 641-001 (portable). Fax : 447-40-55. • llavreys@africaonline.co.ke • M. Ludo Lavreys.

■ ***Consulat de Suisse :*** PO Box 34211. ☎ et fax : 447-37-82 ou (0722) 415-417 (portable). • safarisp @africaonline.co.ke •

■ ***Consulat de Tanzanie :*** Palli House, 3e étage, Nyerere Av., au-dessus du Crédit Agricole *(zoom couleur D4, **3**)*, PO Box 1422. ☎ 222-85-95 ou 70-77. Fax : 222-28-37. • tancon@africaonline.co.ke •

Urgences et soins

■ ***Tourist Police Unit*** *(zoom couleur D4)* **:** Central Police Station, Makarada Rd. ☎ 222-55-01.

■ ***Mombasa Hospital*** *(zoom couleur E4)* **:** à côté de Mama Ngina Dr. ☎ 231-21-90 ou 91 ou 20-99. Derrière le *Provincial Commissioner's Office*. L'ancien hôpital privé de la Couronne britannique jouit d'une excellente réputation. C'est le premier où aller 24 h/24 en cas de pépin. On peut consulter pendant les permanences ou prendre rendez-vous en visite privée (plus cher).

■ ***Aga Khan Hospital :*** Vanga Rd. ☎ 222-77-10 à 15.

– Éviter absolument le *Coast Provincial Hospital.*

Loisirs

Dans les librairies, peu de choix pour les cartes et les livres. Beaucoup de titres concernant la région ne sont plus réimprimés. Presse locale gratuite : voir, plus haut, « Informations touristiques ».

■ En centre-ville, aller faire un tour chez ***Bahari Bookshop,*** sur Moi Av.

■ Livres et presse anglaise au ***Bahati Book Centre,*** sur Moi Av.

■ ***Wasons :*** City House, Nyerere Av. ☎ 222-37-20. Journaux et magazines européens.

■ La meilleure librairie du coin se trouve sur la côte nord, ***Books First,*** au centre commercial Nakumatt Nyali (*plan La côte au nord de Mombasa, B3).*

■ ***Cinémas :*** *Le Kenya (zoom couleur D4),* Nkrumah Rd. Au nord de Mombasa, *Nyali Cinemax (plan général couleur E3)* est LE cinéma flambant neuf de la ville. ☎ 447-00-00.

Compagnies aériennes

■ ***Kenya Airways*** *(zoom couleur D4, **7**)* ***:*** Electricity House, Nkrumah Rd, PO Box 99302. ☎ 222-12-51 à 58 pour les bureaux et ☎ 222-76-13 à 19 pour les réservations. Fax : 231-38-15. Ouvert du lundi au vendredi de 8 h 15 à 17 h et de 8 h 30 à 12 h le samedi. À l'aéroport : ☎ 343-45-41 ou 59 ou 86.

■ ***Air Kenya*** *(zoom couleur D4, **8**)* ***:*** TSS Towers, Nkrumah Rd, PO Box 84700. ☎ 222-97-77 ou 91-06. • akalmba@airkenya.com • Ouvert de 8 h à 17 h en semaine et de 8 h à 12 h 30 le samedi. Au Moi International Airport : ☎ 43-39-82. Fax : 43-52-35.

Transports routiers et ferroviaires

🚌 ***Gares routières des navettes KBS*** *(plan général couleur C5).* Les bus urbains sont bondés, les horaires aléatoires. Attention au vol.

🚆 ***Gare ferroviaire*** *(plan général couleur C3)* ***:*** à l'extrémité ouest d'Haile Selassie Rd.

– *Réservations :* ☎ 231-22-20, et à Nairobi : ☎ (020) 222-12-11.

– *Consigne (Left Luggage Office) :* ouvert tous les jours de 7 h 30 à 19 h 30. Tarif par jour et par bagage.

Taxis

Les taxis de Mombasa n'ont pas de compteur. Négocier avant, ou utiliser l'une des compagnies qui fonctionnent au forfait. Leurs taxis sont garés devant les grands hôtels. On vous conseille, répétons-le, *Kenatco* et ses Mercedes blanches. C'est plus cher mais plus sûr le soir. (Voir également la rubrique « Arrivée à l'aéroport ».)

■ ***Kenatco Taxis :*** Ambalal House, Nkrumah Rd, PO Box 88988. ☎ 222-75-03 ou 11-19.

■ ***Principaux arrêts de taxis :*** Biashara St et Haile Selassie Rd.

Location de voitures

■ ***Hertz/UTC :*** Moi Av., PO Box 84782. ☎ 231-50-79 ou 222-98-34 à 39. Fax : 231-45-49. • utcnbf@africaonline.co.ke •

■ ***Avis :*** représenté par l'agence *Bunson Travel Service.* Voir « Agences de voyages ».

■ ***Glory Car Hire :*** Transocean House, Moi Av., PO Box 85527. ☎ 231-35-61 ou 42-84. Fax : 222-11-96.

Safaris

Safaris-opérateurs

■ ***Safari Seekers :*** Diamond Trust Arcade, Moi Av., PO Box 88275. ☎ 222-82-76 ou 01-22 ou 23. • www.safari-seekerskenya.com • Agence principale à Nairobi. Excursions sur la côte et safaris au parc de Tsavo. On dort sous la tente.

■ ***Ketty Tours & Safaris :*** Diamond Trust Arcade, au rez-de-chaussée, Moi Av., PO Box 82391. ☎ 231-22-04 ou 51-78. Fax : 231-13-55. Ce généraliste propose des excursions bien faites de 1 à 3 jours dans les environs.

■ ***Rhino Safaris :*** Rhino House, Nyerere Av., PO Box 83050. ☎ 231-11-41. Fax : 231-57-43. • rhinomsa@africaonline.co.ke • Safaris-camping en bus et minibus de courte durée dans la région, dans les grands parcs et en Tanzanie.

■ ***African Quest Safari :*** Palli House, Nyerere Av., PO Box 99265. ☎ 222-70-52 ou 27-80. Fax : 231-65-01. • www.africanquest.co.ke • Excursions le long des côtes nord et sud. Safaris au parc de Tsavo, Masaï Mara, Amboseli, Shimba Hills. Agence très sérieuse.

Agences de voyages

Deux agences sérieuses :

■ ***Bunson Travel Service :*** Southern House, Moi Av., PO Box 90201. ☎ 231-13-31 à 33. • www.bunsonkenya.com • info@mombasa.bunsontravel.co.ke •

■ ***Friendly Travels & Tours :*** Makadara Rd, PO Box 87016. ☎ 231-24-93. Fax : 222-96-39.

Croisières autour de l'île

Une visite du port de Mombasa en bateau présente peu d'intérêt. Comme tous les endroits stratégiques du pays, l'accès est réglementé, la photographie interdite.
On évitera aussi l'excursion vers le marché flottant, dernier avatar du marketing touristique où le bateau est assailli de vendeurs de souvenirs.
– Deux compagnies proposent des croisières à thème plus intéressantes :

■ ***Jahazi Marine :*** Floating Market, Kisauni, Zakhem Rd, PO Box 89357. ☎ 447-22-13. Fax : 447-24-14. ● jahazi@africaonline.co.ke ● Le bureau n'est pas loin de Malindi Rd. Embarcadère situé sur Tudor Creek, à l'ouest de Nyali. Le boutre fait le tour de la ville au coucher du soleil. Selon les jours, il s'arrête au fort pour un spectacle son et lumière suivi d'un barbecue dans l'enceinte, ou au resto de plein air du *Bamburi Nature Trail,* avec visite nocturne du sanctuaire animalier.

■ ***Tamarind Dhow Safaris :*** déjeuner ou dîner romantique à bord d'un boutre dans la baie de Tudor. Voir la rubrique « Où manger? » dans le chapitre « Le nord de Mombasa (Nyali, Bamburi, Shanzu) ».

Divers

■ ***Alliance française** (zoom couleur D3-4, **9**) **:*** Freed Blg, 2nd Floor, Moi Av., PO Box 99544. ☎ 222-33-06. Fax : 222-50-48. ● afmba@africaonline.co.ke ● Ouvert du lundi au vendredi de 9 h à 18 h 30 et le samedi de 9 h 30 à 12 h. Quelques revues françaises.

Où dormir?

On ne dort pas à Mombasa pour le plaisir. L'hébergement traditionnel est assez vétuste et les nouveaux hôtels pour hommes d'affaires n'ont aucun charme. Certaines *guesthouses* (non citées) connaissent des problèmes de sécurité. Si vous le pouvez, allez sur la côte. À Mombasa, à quelques rares exceptions, il n'y a pas de différence de prix entre haute et basse saison.

De bon marché à prix moyens

🏠 ***Glory** (zoom couleur D3, **20**) **:*** Haile Selassie Av. ☎ 222-02-65. Doubles de 700 à 900 Ksh (7,4 à 9,5 €), avec (ou sans) douche et w.-c. Hôtel assez sommaire que la direction rénove peu à peu. Les chambres avec ventilo devraient être bientôt en *self-contained.* Et tant mieux, car si la propreté des douches est correcte, celle des w.-c. communs est parfois douteuse... Si vous n'êtes pas à 200 Ksh près, prenez donc plutôt une chambre avec bains. Grande fresque naïve à l'entrée.

🏠 ***Evening Guesthouse** (zoom couleur D4, **21**) **:*** Mnasi Mosi Rd. ☎ 222-13-80. En face du *Mombasa Sports Club.* Doubles de 600 à 700 Ksh (6,3 à 7,4 €) selon que l'on prend une chambre avec ou sans douche et w.-c. Petit dej' en sus. Genre grosse demeure particulière, ça donne un côté moins anonyme. Bien que d'apparence assez sommaire, bien tenue dans l'ensemble; la peinture est refaite régulièrement, les draps et les serviettes sont propres. Il y a des moustiquaires et les lits sont grands! Mais, attention, certaines *singles* sont minuscules et sans véritable fenêtre. Au rez-de-chaussée, un resto à la carte très limitée (poulet entier, chevreau grillé et ragoût de bœuf-*ugali*), mais pas cher. Service jusqu'à 21 h. Petit bar également qui peut être bruyant en fin de semaine. Enfin, l'accueil n'est pas le point fort de la maison, mais à ce prix...

🏠 ***Glory** (zoom couleur D3, **22**) **:*** à l'angle de Meru Rd et Kwa Shibu. ☎ 222-82-02 ou 32-39. Doubles s'échelonnant de 900 à 1 600 Ksh (9,5 à 16,8 €). Succursale du *Glory.* Même genre. Central, sans aucun charme, mais propreté acceptable. Ventilo ou AC, sanitaires collectifs ou privés, frigo et TV pour les chambres les plus chères. D'une manière générale, elles sont assez inégales; demander à en voir plusieurs.

🏠 ***YWCA** (zoom couleur D4, **23**) **:*** à l'angle de Kiambu Av. et de Kaunda Av., PO Box 90214. ☎ 31-28-46 ou 22-98-56. À 5 mn du centre-ville. Compter 500 Ksh (5,3 €) par personne. Toutes petites chambres avec ventilo et moustiquaire, mais parfois sans fenêtre et la literie n'est pas de première qualité. Elles s'ordonnent autour d'un patio fleuri et arboré, mais c'est bien là leur seule qualité. Douches et w.-c. sur le palier, mal tenus. Les garçons au rez-de-chaussée, les filles à l'étage. Pas folichon tout ça ! Service de blanchisserie. Salle à manger pour les petits dej', le *tea time* et les repas. Bien sûr, parmi les moins chers de l'île, mais vraiment pour *addicts* des *Y* (prononcer « ouaï » !). Pour dépanner.

– Voir aussi nos adresses à Likony (au sud) et à Kikambala (au nord).

Prix moyens

■ ***New Palm Tree Hotel*** *(zoom couleur D4,* ***24****)* **:** Nkrumah Rd. ☎ 231-52-72 ou 26-23 ou 69-03. Un peu moins de 1 500 Ksh (15,8 €) la double. Un des derniers hôtels d'architecture coloniale à Mombasa. Sa large façade blanche porte quelques marques de fatigue. Ne pas s'y fier. Dans le grand hall d'entrée, un resto pour le petit dej' et un vaste escalier qui monte aux étages. Les chambres sont distribuées autour d'une vaste terrasse intérieure sous arcades. Elles sont simples, propres, assez petites mais hautes de plafond, avec ventilo. Salle de bains carrelée avec douche, lavabo et w.-c. parfois un peu déglingués. Quand même, on trouve tables et chaises devant la chambre au milieu des plantes vertes, pour prendre le frais, le soir, en terrasse. Moment bien agréable.

■ ***Excellent Hotel*** *(zoom couleur D3,* ***25****)* **:** Haile Selassie Av., PO Box 90228. ☎ 222-76-83. À côté de la station *Total.* Doubles à 1 200 Ksh (12,6 €) avec ventilo et à 1 900 Ksh (20 €) avec AC. Voici l'un des rares petits hôtels propres, clairs et spacieux de la ville. Chambres avec moustiquaire. Celles sur le côté sont bien sûr moins bruyantes. Salle de bains avec baignoire, lavabo et w.-c. En revanche, ne rien laisser de précieux dans les chambres, il y a déjà eu des problèmes. Resto africain au rez-de-chaussée. Le plus proche de la gare centrale et de la gare routière.

■ ***Hôtel Splendid*** *(zoom couleur D3-4,* ***26****)* **:** à l'angle de Meru et Msanifu. ☎ 222-09-68 ou 08-17. Fax : 231-27-69. Doubles de 1100 à 1 800 Ksh (11,6 à 18,9 €). Hôtel des années 1950, central et calme. Boiseries défraîchies, meubles style Lévitan, atmosphère surannée et certaines portes ne paraissent pas bien solides... Chambres basiques, mais spacieuses. Sanitaires propres mais d'aspect usé, tout comme les serviettes. À quand un petit *lifting*? Éviter absolument les chambres *singles,* sans fenêtre. Les plus chères sont cependant satisfaisantes (tapis, meubles sculptés, frigo, etc.). Sur le toit, un bar-resto agréable qui domine la ville, avec concert le samedi soir (voir « Où boire un verre ? »).

■ ***Hôtel Hermes*** *(zoom couleur D3,* ***27****)* **:** Msanifu Kombo St, PO Box 98419. ☎ 231-35-99. Doubles à 1200 Ksh (12,6 €). Hôtel qui se dégrade hélas de plus en plus (certaines salles de bains sont vraiment limites !), tout en essayant de se maintenir tant bien que mal. Ventilo ou AC qui fait plus de bruit que d'air frais... À notre avis, en dernier recours. Au rez-de-chaussée, on aime cependant le petit resto vieillot avec son plafond très haut, ses billards et sa clientèle indienne de vieux habitués. Cuisine très correcte.

■ |●| ***Oceanic Hotel*** *(plan général couleur D5,* ***28****)* **:** Mama Ngina Dr., PO Box 90371. ☎ 222-34-96 ou (0733) 795-415 (portable). Fax : 222-57-81. Doubles de 1800 à 2200 Ksh (18,9 à 23,2 €), selon la saison avec AC et en *self-contained.* De l'air, du large, de l'espace ! Situé à la pointe sud de l'île, l'*Oceanic* est comme une proue qui s'enfonce dans la mer. Il voit passer les voiliers et les navires qui mettent le cap sur l'océan. Cependant, depuis quelques années, le style « années 1950 » de l'hôtel se fane pas mal. Demander une chambre dans les deux derniers étages pour la vue. C'est globalement propre, spacieux, mais moquettes, rideaux et dessus-de-lit sont souvent bien fatigués. Assez inégal. Demander à en voir plusieurs. Si on recherche quelque chose d'impeccable au retour d'un safari, il vaut mieux se rabattre sur une autre adresse. D'autant que l'eau de la piscine n'est guère renouvelée et que, le week-end, elle reçoit beaucoup de monde. Au pied de l'immeuble, le *Swagat,* un resto indien à la carte, bon et à prix moyens (voir la rubrique « Où manger ? »). La disco ferme à minuit. En plus de la vue, le ferry de Likony n'est pas loin. Ceux qui partent au sud apprécieront.

Manson Hotel *(zoom couleur D4,* ***29****) :* Kisumu Rd, PO Box 83565. ☎ 222-23-56 ou 24-19. Fax : 222-24-22. Dans une rue perpendiculaire à Moi Av. Doubles de 1 650 à 2 000 Ksh (17,4 à 21,1 €) selon que l'on souhaite une chambre avec ventilo ou AC. Immeuble moderne en brique rouge. Certaines chambres sont un peu bruyantes, d'autres ont un vis-à-vis peu agréable. Essayer de visiter avant. Balcon. Salle de bains spacieuse et propre avec douche, w.-c. et lavabo. Billard au rez-de-chaussée.

Lotus Hotel *(zoom couleur D4,* ***30****) :* PO Box 90193. ☎ 231-32-07 ou 34. Fax : 231-17-89. À l'angle de Mvita Rd et de la rue passant devant la cathédrale. Doubles à 2 500 Ksh (26,3 €). Hôtel au premier abord agréable, possédant même un certain charme. Hall d'entrée joli et accueillant. Dans le patio, fontaine et plantes grasses. Malheureusement, il y a du laisser-aller depuis quelque temps et la clim' n'est franchement pas des plus silencieuses... Dommage ! Bar et bon resto au rez-de-chaussée (voir « Où manger ? »).

Plus chic

MOMBASA

Orchid Bay Hotel *(plan général couleur D2,* ***31****) :* PO Box 81915. ☎ 447-32-38 ou 30-85 ou 34-98. Fax : 447-12-63. • wwworchid-bay.visit-kenya.com • Route de Malindi, juste après le New Nyali Bridge, à droite. Doubles à 3 200 Ksh (33,7 €). Cet hôtel en bord de baie s'élève dans un site remarquable. Cadre et décor particulièrement plaisants, bien que les couloirs soient un peu sombres. Chambres impeccables avec AC, moustiquaire et grand balcon pour jouir du jardin et de la vue. Piscine. Attention, la nuit, la direction lâche les chiens. Vous voilà prévenu ! Que ne ferait-on pas pour votre sécurité... Resto aéré donnant sur l'estuaire. Cuisine classique et quelques influences libanaises.

Royal Court Hotel *(zoom couleur D3,* ***32****) :* Haile Selassie Rd, PO Box 41247. ☎ 231-23-17 ou 89. Fax : 231-23-98. • royalcourt@swift mombasa.com • Compter près de 3 450 Ksh (36,3 €) pour 2 personnes. Joli hall d'entrée avec pas mal de plantes vertes, à la déco un brin mauresque. Chambres classiques, très propres, de bonne tenue avec AC et frigo (il suffit de demander) mais pas de moustiquaire. Au dernier étage, bon resto italien qui offre une vue panoramique sur la ville et sur ses nombreux minarets. L'un des rares hôtels pour hommes d'affaires de Mombasa.

Chic

Pour les hôtels beaucoup plus classieux, il faut se rendre sur la côte nord à 9 km du centre-ville. Voir le nord de Mombasa (Nyali, Bamburi, Shanzy).

Où manger ? Où boire un verre ?

Bon marché (moins de 500 Ksh – 5,3 €)

IOI ***New Chetna*** *(zoom couleur D3, **40**) :* Haile Selassie Rd. ☎ 222-44-77. Ouvert tous les jours de 8 h à 21 h. Le rendez-vous populaire de la communauté indienne. Dans la salle principale, ouverte uniquement aux heures d'affluence, on se croirait presque dans un petit resto de New Delhi avec de vieux messieurs respectables qui lisent le journal en chemise blanche, des chaises en bois magistrales. Dans la journée, on aura droit uniquement à la salle du fond, un genre de garage transformé en salle de resto populaire. Le matin, petit dej' indien. On va chercher au comptoir des épices et des céréales venues d'ailleurs. À la carte : les meilleurs *masalas* et *chapatis* de la ville. Plats du sud de l'Inde. Le *full dinner* satisfera les gros appétits. Mais rassurez-vous, pizzas et *burgers* également... Le paradis des végétariens et des gourmands : les pâtisseries du dimanche midi sont sublimes. Les jeudi et vendredi, bonne *jamnagri ganthia*.

IOI ***Recoda*** *(zoom couleur D3, **41**) :* Nyeri St. Ouvert le soir uniquement (à partir de 18 h). Ne vous fiez pas aux apparences : ce petit resto aux murs crème et bleu et au cadre très dépouillé prépare l'une des meilleures cuisines swahilies de la vieille ville, servie, la plupart du temps, dans de grandes bassines en plastique. Dans les assiettes (elles-mêmes souvent en plastique), de délicieux plats à base de poisson, de salades et de légumes. Venez tôt, car l'adresse est très populaire dans le quartier. Succursale sur Moi Av. (à la hauteur des grandes défenses).

IOI ***Salt'n'Sweet*** *(zoom couleur D4, **42**) :* Moi Av. ☎ (0722) 412-371 (portable). Ouvert tous les jours midi et soir jusqu'à 23 h 30. Resto de spécialités pakistanaises. Décor un peu kitsch, chaises vertes et dorées, ventilos qui brassent bien. Genre cafétéria clean et colorée. Accueil souriant, service efficace. Cuisine sérieuse et goûteuse. Ne pas rater le *mutton byriani* des mardi et mercredi, absolument délicieux, servi copieusement et tout plein de parfums et d'épices qui flattent le palais. Les vendredi, samedi et dimanche, c'est le poulet à la pakistanaise et le *fish curry.* Le soir, un peu plus de choix : *chicken tikka, shish kebab,* homard thermidor, etc. Sinon, tous les jours, steak ou poulet traditionnels et plats végétariens.

IOI ***Island Dishes*** *(zoom couleur D3, **43**) :* à l'angle de Nyeri St (la rue du resto *Recoda*). Ouvert le midi et le soir jusqu'à minuit tous les jours. Petites salles toutes blanches (l'une avec AC et donc bien fraîche) pour une des cuisines les moins chères de la ville. Oh, pas de la grande gastronomie et peu de choix (genre poulet ou mouton-riz-salade). Le soir, la carte est plus fournie et le week-end, on peut y déguster quelques spécialités swahilies comme le *Viazi Vya nazi* ou le *Ndizi za nazi,* à base de lait de coco. Copieux et propre.

Snacks & *breakfasts* (moins de 500 Ksh – 5,3 €)

IOI ***Mombasa Coffee House*** *(zoom couleur D4, **44**) :* Moi Av. ☎ 22-33-19. Ouvert jusqu'à 18 h. Dans la salle aux grands murs jaunes, roses et bleus, à la déco kitsch, les ventilos brassent une agréable odeur de café. Ici, on sert le meilleur arabica de la ville. Le patron italien est l'agent du *Kenya Coffee Board* à Mombasa. Des sacs entiers sommeillent dans l'arrière-boutique avant d'être finement moulus. Les affamés se contenteront d'un bon poulet, d'un *beef pilau* ou d'un curry. Sandwiches divers. Le dessert est aussi une fête : on craque devant les délicieux *pine apple pies, queen cakes* et les meilleures glaces de la ville, qui sont fabriquées chez *Gelateria,* le temple de l'*ice cream* à Malindi.

La musique funk pour faire branché ne trouve pas sa place dans ce temple du savoir-vivre.

🍽 ***Pistacchio*** *(zoom couleur D3-4, **45**) :* Chembe Rd. ☎ 222-19-89. Dans une rue perpendiculaire à Moi Av. Ouvert du lundi au samedi de 8 h 30 à 21 h. Agréable petit resto dans un décor de bois et de brique, avec terrasse sur la rue, réputé pour la qualité de ses glaces et sorbets aux parfums exotiques (la mangue est exquise). Également de savoureuses omelettes, des crêpes, des snacks divers, des spaghetti mais aussi un *lunch buffet* à prix très raisonnable. Petit dej' le matin. Pas de bières.

Prix moyens (de 500 à 1 000 Ksh – 5,3 à 10,5 €)

🍽 🍸 ***Le Bistro*** *(zoom couleur D4, **46**) :* Moi Av. ☎ 222-94-70. Service de 9 h 30 à 22 h 30. Petit bistrot avec sa clientèle branchée d'Africains et de touristes sans le sou. Terrasse sur le trottoir. À l'intérieur, déco chaleureuse dans les tons rouges, vieux comptoir de bois, chaises de bistrot en fer forgé, banquettes recouvertes de tissus africains. Petit dej', *nyama choma,* poissons, calamars frits en salade, grillades et steaks délicieux. En semaine, buffet à midi. Le soir, on peut trouver l'endroit un peu bruyant. Rien ne vous empêche alors de manger d'abord calmement dans la salle du resto juste à côté (même proprio, même carte, mêmes tarifs) avant d'aller siroter un petit verre au bistro et d'y prolonger la soirée, si le cœur vous en dit.

🍽 🍸 ***Dishes of Africa*** *(zoom couleur D4, **47**) :* ☎ 231-21-85. Au sein d'une ancienne carrière ! Prendre Mikidani Rd, puis la première à droite après NSSF Building, enfin à gauche au bout de la rue. Près de *Coast Car Park* (c'est là où s'entassent toutes sortes de véhicules en attente d'acheteurs). Ouvert tous les jours de 10 h 30 à 22 h 30. Voilà un coin de verdure inattendu. Trois paillotes et des tables dispersées sur une pelouse ombragée, à l'écart de l'agitation. Le soir, l'endroit est éclairé par des guirlandes de loupiotes multicolores, les vendredi et samedi soir, la musique zaïroise est souvent à l'honneur. Ambiance très familiale le dimanche après-midi ; les enfants se laissent glisser sur le toboggan ou profitent allègrement des balançoires. Peu de choix : *nyama choma,* poulet et *beef* composent l'essentiel de la carte, mais tant pis, on s'y sent si bien !

🍽 🍸 ***Lotus Hotel*** et ***bar du Karibu*** *(zoom couleur D4, **30**) :* ☎ 231-32-34. Ouvert tous les jours de 12 h à 14 h et de 19 h à 22 h 30. Là encore, un havre de tranquillité à l'écart de l'agitation de la ville. Cour intérieure et fontaine rafraîchissante (enfin, lorsqu'elle fonctionne...) pour le bar. Côté restauration, salle simple mais agréable, aérée et ornée de *batiks* pour une cuisine très correcte. « Spagheti bolognise » *(in the text),* steak, chevreau et poisson grillés, *T-bone,* currys divers. Le *bar Karibu* sert de la bonne *Guinness.* Sympa pour faire une pause avant de repartir à l'attaque.

🍽 ***Swagat*** *(plan général couleur D5, **28**) :* Mama Ngina Drive. Au pied de l'immeuble de l'*Oceanic Hotel.* Ouvert tous les jours jusqu'à 22 h. Un bon resto indien à la carte. Mouton *rogan gosht* (style cashmiri), *tandoori* aux oignons, *murh tikka lawabhdar* (poulet sauce tomates), etc. Quelques plats traditionnels : steak, *T-bone, burger...*

De chic à très chic (plus de 1 000 Ksh – 10,5 €)

Voir la rubrique « Où manger ? » dans le chapitre « Le nord de Mombasa (Nyali, Bamburi, Shanzu) ». On ira déguster une succulente viande au ***Hunters Steak Bar*** *(plan général couleur E3, **48**),* des poissons et des fruits de mer réputés au ***Tamarind Restaurant*** *(plan général couleur E3, **49**),* ou on profitera d'un dîner romantique à bord du ***Tamarind Dhow*** *(plan général couleur E3, **49**).*

Où sortir ?

Quelques adresses sympathiques pour une pause en journée comme ***Dishes of Africa*** *(zoom couleur D4, **47**)* ou le ***bar du Karibu*** *(zoom couleur D4, **30**)* – voir « Où manger ? ». En revanche, la vie nocturne de Mombasa s'est déplacée sur la côte nord. Il reste des bars à filles pas toujours recommandables.

🍸 ***Le Bistro*** *(zoom couleur D4, **46**) :* voir « Où manger ? ». Bar ouvert tous les jours jusqu'à minuit. Dans cet endroit où la patine du temps a fait son œuvre, les uns s'attardent au rez-de-chaussée autour de leur plat tandis que les autres grimpent vite à l'étage pour une partie de billard entre copains ou pour siroter une bière fraîche accoudés au comptoir. Il est l'heure d'oublier travail et soucis ; ça papote, ça rit, la musique funky couvre les voix et les ventilos en action. L'insouciance gagne les esprits.

🍸 ***Rooftop Splendid Restaurant*** *(zoom couleur D3-4, **26**) :* sur la terrasse de l'*Hôtel Splendid* (voir « Où dormir ? »). Ouvert du lundi au samedi. Une terrasse très aérée avec plein de verdure et des paillotes qui dominent la ville. Idéal pour prendre un verre et se reposer les mollets quelques minutes en journée. On vous déconseille en revanche d'y manger ; plats très moyens et service excessivement lent !

♪ ***New Florida Nightclub & Casino*** *(plan général couleur D5, **60**) :* sur Mama Ngina Dr. ☎ 231-31-27. Ouvert tous les jours. Entrée payante. Gratuit pour la gent féminine le vendredi. La célèbre disco en bord de mer a connu ses heures de gloire et soigne sa tristesse avec des filles de joie. En semaine, la piste est parfois aussi vide que la piscine. Musique afro-internationale : *lingala,* funk, soul. Tables bien agréables quand souffle la brise au clair de lune. À l'étage, casino aux couleurs psychédéliques, ouvert de 9 h à 4 h du matin.

– Éviter en revanche ***Le Casablanca,*** Mazi Moja Rd. Ce bar-disco à 2 étages est le rendez-vous des play-boys en costard, des filles très câlines bien roulées mais roublardes et des jeunes Européens en quête de frissons exotiques. Il y aurait déjà eu des problèmes avec des poudres magiques versées malencontreusement dans des verres... À défaut d'être dissuadé, soyez vigilant !

À voir

La vieille ville

La vieille ville est blottie autour du fort Jésus, à l'est de l'île. Le fort mérite la visite : c'est un bel exemple de fortification de la Renaissance. Il offre des panoramas saisissants sur le port et les vieux quartiers. S'il vous reste du temps, allez flâner parmi les vieilles demeures coloniales qui, malheureusement, ne sont guère entretenues. Un conseil : ne vous aventurez pas seul dans les ruelles. Les guides eux-mêmes ont parfois des gardes du corps ! Les guides agréés ont une guérite devant le fort. Bien se mettre d'accord au préalable sur le tarif et la durée de toute excursion.

👁👁 ***Le fort Jésus*** *(zoom couleur E4) :* PO Box 82412. ☎ 222-24-25 ou 59-34. Ouvert tous les jours de 8 h 30 à 18 h. Entrée : 200 Ksh (2,1 €). Son et lumière en français certains jours, de 19 h 30 à 20 h.
Les Portugais construisirent ce fort au XVIe siècle pour conforter leur position sur la côte. Fer de lance de la chrétienté en terre païenne (d'où son nom), il fut conçu par l'architecte en chef du Portugal en Inde. Les formes angulaires

de ses bastions permettaient à 2 canons de nourrir les feux croisés en tout point du rempart. Bétail, magasins, quartiers privés et réservoirs d'eau de pluie (recueillie sur le toit de l'église !) assurèrent la subsistance de ses occupants pendant de longs sièges. Malgré son air pimpant, le fort fut abîmé à plusieurs reprises : lors du siège arabe de 1696 qui dura presque 3 ans, lors des bombardements anglais de 1875, puis lorsqu'il fut aménagé en prison en 1895, après la proclamation du Protectorat britannique. Heureusement, d'importants travaux de restauration furent entrepris en 1958. Le fort servit de prison pendant 4 ans après l'indépendance avant son ouverture au public. Ne pas rater les belles fresques du XVIIe siècle, réalisées au charbon de bois par des marins et des soldats.

– ***Le musée :*** il présente une riche collection de porcelaines Ming et de céladons, qui atteste de la richesse des échanges avec l'Asie (Turquie, Chine, péninsule Arabique, Inde, Perse). Certaines pièces datent du IXe siècle ! Parmi les objets d'artisanat swahili, remarquer les 2 cornes de cérémonie *(mbus)* en bois et en corne de buffle, dont l'une appartenait au sultan de Pate au XIXe siècle. Le musée abrite aussi les trésors du *Santo Antonio de Tannà.* Cette frégate portugaise fut coulée devant le fort par les canons arabes lors du Grand Siège de 1697. En 1977, elle révéla aux plongeurs une collection importante de poteries intactes et de cadavres de bouteilles éclusées par l'équipage avant l'abandon du navire ! Quelques vitrines également consacrées à la culture *mijikenda* et plus spécifiquement au groupe des *Giriamas.* Remarquez la maquette du fort et son étrange forme humanoïde.

Le vieux quartier *(zoom couleur E3-4)* **:** un dédale de ruelles étroites. Dans ces *kitotos,* juste assez larges pour laisser passer un chameau et son bât, dévalent à présent les carrioles chargées d'eau, d'agrumes ou de pommes de terre.

Il reste une centaine de *portes sculptées,* parfois de véritables chefs-d'œuvre (comme à Zanzibar). Prises de guerre ou commandes particulières, elles exprimaient le statut du propriétaire et son origine. Les *demeures coloniales* datent du début du XXe siècle aux années 1930. Leur architecture est un mélange d'influences swahilie, indienne et britannique. Ne pas manquer la *Wachangamwe St,* avec sa rangée d'échoppes pittoresques, et les maisons de *Ndia Kuu* habitées par les Indiens depuis la construction du chemin de fer. En chemin vers le vieux port, on passe devant le très sélect *Mombasa Club,* où la reine Élisabeth séjourna pendant les cérémonies de l'Indépendance en 1963. *Leven House* est l'ancienne propriété du sultan de Zanzibar, Sayyid Saïd. Elle ne paie pas de mine, mais accueillit pourtant des pionniers célèbres : le missionnaire Ludwig Krapf et sa femme en 1844, les explorateurs Burton et Speke, à la recherche des sources du Nil en 1856.

Le *vieux port* accueillit pendant plus de 1 000 ans les boutres des commerçants arabes et indiens. Aujourd'hui, quelques bateaux de la péninsule Arabique viennent encore charger le bois de mangrove au début de l'année.

Old Law Courts Gallery *(zoom couleur D-E4)* **:** Nkrumah Rd, à 100 m du fort Jésus. Ouvert du lundi au vendredi de 8 h à 16 h 30. Gratuit. Expositions temporaires de peintures, de sculptures, etc.

La ville nouvelle

Jaïn Temple *(zoom couleur D3)* **:** Langoni Rd, à une centaine de mètres de MacKinon Market. Visite tous les jours de 10 h à 12 h 30. Gratuit. Se déchausser. La communauté jaïn de Mombasa compte environ 2 000 membres. Datant de 1963, c'est le 1er temple jaïn édifié en Afrique selon les règles de l'architecture traditionnelle indienne. Les architectes sont d'ailleurs venus spécifiquement d'Inde et le marbre utilisé a été amené par bateau du Gujarat (État de l'ouest de l'Inde). À l'intérieur, c'est un véritable festival de couleurs. Colonnes torsadées. Dans le sanctuaire, au milieu, trône

Lord Parshvanath auquel est dédié le temple. On remarquera la superbe porte entièrement recouverte d'argent, là encore, tout droit venue d'Inde (comme le lustre). Photos interdites.

Swaminarayan Temple *(zoom couleur D3)* **:** à l'angle d'Haile Selassie Rd et de Bajuni Rd. Ouvert tous les jours de 7 h à 11 h 30 et de 15 h 30 à 19 h 30. Gratuit. Là encore, ne pas oublier de se déchausser. Un important lieu de prière pour la communauté hindoue. Et oui, rappelons au passage que les Indiens sont arrivés en nombre à la fin du XIXe siècle ; il fallait de la main-d'œuvre pour construire l'Uganda Railway. Certes, ce temple (1960) ne peut rivaliser de splendeur avec les temples traditionnels indiens. Mais une petite visite rapide se justifie, ne serait-ce que pour mieux appréhender la diversité culturelle et l'âme même de Mombasa. Sur la porte d'entrée sont représentées les différentes réincarnations des trois principaux dieux hindous : Vishnou, Brahma et Shiva. Sous le porche, remarquez Ganesh, à gauche (le dieu à tête d'éléphant) et Hannuman, à droite (le dieu singe), les deux fils de Shiva. Au rez-de-chaussée, la salle de prière est réservée aux femmes. À l'étage, c'est pour les hommes.

Plages

Pas de plages à Mombasa. Les plus proches sont ***Nyali Beach,*** à 8 km (voir « Les plages » de « Le Nord de Mombasa »), et ***Likony Beach,*** à 4 km au sud.

Artisanat et marché

Curio et Kikoi (artisanat et vêtements)

On trouve les derniers *kangas* à la mode dans les petites ***boutiques*** de *Biashara St.* Dans la vieille ville, entre le fort Jésus et le vieux port, pas mal de boutiques d'artisanat qui regorgent de statuettes en bois. Les bronzes proviennent d'Afrique de l'Ouest. Quelques boutiques également où l'on peut acheter des bijoux avec des pierres semi-précieuses de la région : la tsavorite (verte) et la tanzanite (bleue).

Ne pas oublier d'aller faire un tour au ***Bombululu Workshops & Cultural Centre.*** Tarifs assez élevés toutefois. (Voir le Nord de Mombasa : Nyali, Bamburi, Shanzu.)

Marché

– Le ***marché de MacKinon*** *(zoom couleur D3)* est le plus pittoresque et le plus vieux de la ville. Du lundi au vendredi jusqu'à 15 h et le week-end jusqu'à midi. Il date du XVIIIe siècle. Fruits exotiques, parfums mélangés de café, de thé et d'épices. À côté, une annexe avec le marché à la viande (âmes sensibles, s'abstenir !) et aux poulets.

QUITTER MOMBASA

En bus

Les compagnies sont groupées *grosso modo* par destination sur deux sites :

Gare routière devant le *New People Hotel,* sur ***Abdel Nasser Rd*** *(zoom couleur D3).* Plus d'une dizaine de compagnies desservent les localités de la côte nord, plusieurs fois par jour. Difficile et surtout inutile de les citer toutes ; elles changent en permanence de nom. Voici simplement celles qui paraissent un peu plus fiables.

➢ ***Pour Malindi et Lamu :*** 1 à 2 départs par jour avec les compagnies *C-Line* (dessert Malindi uniquement), *TSS Express* et *Mombasa Raha* (ou *Mombasa Liners*).
➢ ***Pour Méru, Kitale, Nakuru, Kericho, Kisii, Garissa, etc. :*** avec *Mombasa Liners.*

Gare routière sur ***Jomo Kenyatta Av.*** et ***Mwembe Tayari Rd*** *(zoom couleur D3).*
➢ Pas moins de 7 départs quotidiens pour ***Nairobi*** (préférer les bus qui partent tôt le matin) et 1 départ pour ***Kisumu*** avec les *Coast Bus (zoom couleur D3).* Bus supplémentaires en haute saison. Guichet de réservation situé au niveau du rond-point. ☎ 222-01-58 ou 09-16. Ouvert 24 h/24. Compagnie un peu plus chère que les autres (compter 700 Ksh pour Nairobi, soit 7,4 €), mais tellement plus sûre et plus confortable ! La compagnie *Akamba Bus,* sur Jomo Kenyatta Av., propose également 2 bus quotidiens pour Nairobi. Possibilité de rejoindre ***Kampala*** et ***Kisumu*** mais changement à Nairobi. ☎ 649-02-69. Guichet de réservation ouvert de 6 h 30 à 21 h 30.
➢ ***Pour Tanga et Dar es-Salaam*** (Tanzanie) ***:*** 2 départs quotidiens avec la compagnie *Interstate 2000.* Guichet de réservation situé au niveau du rond-point, face à *Coast Bus.* ☎ 649-07-76. Ouvert de 6 h à 21 h. Compter environ 5 h pour Tanga (400 Ksh, soit 4,2 €) et près de 12 h pour Dar es-Salaam (900 Ksh, soit 9,5 €). Pour Dar es-Salaam, éviter absolument le bus du soir. Bus également pour Nairobi.

En *matatu*

➢ ***Pour la côte nord :*** ils circulent le long d'Abdel Nasser Rd et Digo Rd *(zoom couleur D3).* Principaux arrêts : *New People Hotel, poste principale.* On peut aller jusqu'à Malindi.
➢ ***Pour la côte sud :*** ils se prennent à Likony *(plan général couleur C5-6),* juste après la traversée du ferry. Jusqu'à Ukunda ou Kwale. À Ukunda, prendre un autre *matatu* pour poursuivre plus au sud (attention, il n'y a pas de bus qui dessert les plages de la côte sud).

En taxi

Une alternative au *matatu* pour rejoindre sans galère les hôtels de la côte. Abordable à condition de se regrouper. Pour Tiwi et Diani Beaches, les fauchés prendront le taxi jusqu'au ferry de Likony. La traversée en bac est gratuite pour les piétons. Sur l'autre rive, *matatu* pour la côte sud. Attention : ils ne s'arrêtent pas forcément aux plages.

En train

Gare ferroviaire *(plan général couleur C3)* ***:*** Haile Selassie Rd.
➢ ***Pour Nairobi :*** avec le *Lunatic Train.* Quatre départs par semaine (en général, les mardi, mercredi, vendredi et dimanche) à 19 h. Arrivée à Nairobi le lendemain vers 9 h, quand tout se passe bien... Compartiments à 2 lits en 1re classe, 4 lits en 2e classe. Sièges en 3e classe. Resto-usine : 2 à 3 services. Le prix comprend le dîner, la fourniture des draps et le petit dej'. Pour les tarifs, se reporter à la rubrique « Budget » dans les « Généralités ». Ce train de nuit rejoint Nairobi à la vitesse moyenne vertigineuse de 50 km/h. Avantage : il fait gagner une journée de voyage.

En avion

Si vous venez de la côte sud, il faut prendre le ferry de Likony pour rejoindre l'aéroport. Prévoyez large.
➢ ***Pour Nairobi :*** vous n'aurez pas de mal à trouver un vol. Réservez à l'avance en haute saison et n'oubliez pas de reconfirmer votre vol : avions souvent pleins.
➢ ***Pour Malindi et Lamu :*** avec *Air Kenya.* En principe, 1 vol quotidien tôt le matin, avec prolongement sur Kiwayu.
➢ ***Pour Ukunda (Diani Beach) :*** près de 3 vols par semaine avec *Air Kenya.*
➢ ***Pour Zanzibar :*** plusieurs vols par semaine avec *Kenya Airways* et *Air Kenya.*

En bateau

Il n'y a plus de bateau pour les voyageurs au départ de Mombasa pour Lamu, Dar es-Salaam ou Zanzibar.
Néanmoins, si l'appel du large devient insupportable, vous pouvez tenter votre chance auprès du *Yacht Club de Mombasa (plan général couleur C4).* Téléphonez au responsable : ☎ 231-33-50; prenez un verre au bar, ou bien consultez le panneau d'annonces dans le hall d'entrée du club. Une adhésion temporaire (pas chère) vous permettra de mettre une annonce. Mais il n'y a pas beaucoup de passage. Il vaut mieux prendre contact avec l'*Aquamarine* ou *Kenya Marine Land (plan La région de Kikambala,* ***23****),* PO Box 70, Mtwapa. ☎ 548-58-66 ou 52-48. Fax : 548-52-65. • www.kenyamarineland.com • klm@africaonline.co.ke • Davantage de possibilités mais qui restent tout de même limitées.
Vous pouvez aussi vous adresser au *Yacht Club de Kilifi.* Vous y trouverez de nombreux voiliers au mouillage car l'anneau (la taxe de stationnement, en somme) est moins cher qu'à Mombasa.
– Enfin, ***si vous sortez du territoire kenyan,*** vous devez déclarer votre départ au District Commissioner's Office.

LA CÔTE AU SUD DE MOMBASA

La côte méridionale de Mombasa est une bande continue de sable fin bordée de palmiers. Derrière ce bord de mer s'étendent de grandes plantations de cocotiers et de noix de cajou. Au large, le récif de corail forme une barrière ininterrompue qui protège des lagons somptueux et des îles coralliennes.
Trait d'union avec Mombasa, le ferry de Likony donne accès à la route du Sud qui file vers la Tanzanie. Les plus belles plages commencent 20 km plus loin, de Tiwi jusqu'à Diani Beach.

LIKONY

IND. TÉL. : 041

Likony est célèbre pour son ferry qui relie la côte sud à l'île de Mombasa. On y trouve aussi deux lieux d'hébergement sympas pour les campeurs et les petits budgets. Les amateurs de bronzette iront à la plage déserte de Shelly

Beach : quelques résidences et un énorme (et affreux) complexe de 3500 touristes, le *Shelly Beach Hotel*. Si vous avez le temps, taillez la route plus au sud.

Likony Ferry

C'est le dernier ferry de la côte encore en fonctionnement. Une institution. Un ballet de cargos avale un flux continu de piétons et de véhicules. La sortie sur l'autre berge se fait dans le plus grand désordre. Un projet japonais de pont à haubans gigantesque sommeille dans les cartons depuis une vingtaine d'années. En attendant, il ne faut pas se laisser surprendre par la durée de la traversée.

■ ***Likony Ferry :*** PO Box 95187. ☎ 222-62-20 ou 96-80. Fax : 222-28-65.

Horaires et attente

– Service continu indépendant des marées. Fréquence : 15 mn le jour, de 20 à 30 mn la nuit.
– La traversée est rapide, mais jusqu'à 1 h 30 d'attente en voiture pendant les heures de pointe : de 6 h à 8 h, de 12 h à 14 h et de 17 h 30 à 19 h 30.
– Passage gratuit pour les piétons. Payant pour les voitures.

Où dormir ? Où manger ?

Bon marché

▲ ⌂ |●| ***YWCA*** *(plan général couleur* Mombasa *C6,* ***21****)* ***:*** PO Box 96009, Mombasa. ☎ 245-18-45. Camping à 100 Ksh (1 €) par personne. Chambres de 450 à 550 Ksh (4,7 à 5,8 €) par personne, petit dej' compris. On le recommande surtout pour le camping : grand parc ombragé avec vue sur l'estuaire. Beaucoup de place pour planter sa tente. Bloc sanitaire vieux mais propre, avec douche et w.-c. On peut aussi dormir dans le bâtiment. Chambres assez rudimentaires pour 2 à 5 personnes, avec ventilo et moustiquaire. Resto.

Prix moyens

⌂ |●| ***ACK Guesthouse*** *(Anglican Church of Kenya Guesthouse ; plan général couleur* Mombasa *C6,* ***20****)* ***:*** PO Box 96170, Mombasa. À 5 mn à pied du ferry. ☎ 245-16-19. • ack@digitec.africaonline.com • Compter 800 Ksh (8,4 €) par personne. Réservation conseillée en décembre et à Pâques. Un endroit charmant, calme et accueillant, propriété de l'Église du Kenya *(The Church of the Province of Kenya)*. Grand parc planté de candélabres, de manguiers et d'arbustes magnifiques. Petites chambres avec ventilo et moustiquaire montrant quelques signes de fatigue mais qui restent malgré tout bien tenues. Salle de bains avec douche, lavabo et w.-c. Repas sur réservation. Coffre pour les objets de valeur. Grande piscine ouverte aux non-résidents (mais payante), un peu trop bétonnée à notre goût. Terrasse agréable avec snack, boissons et billard. Le meilleur rapport qualité-prix de Mombasa.

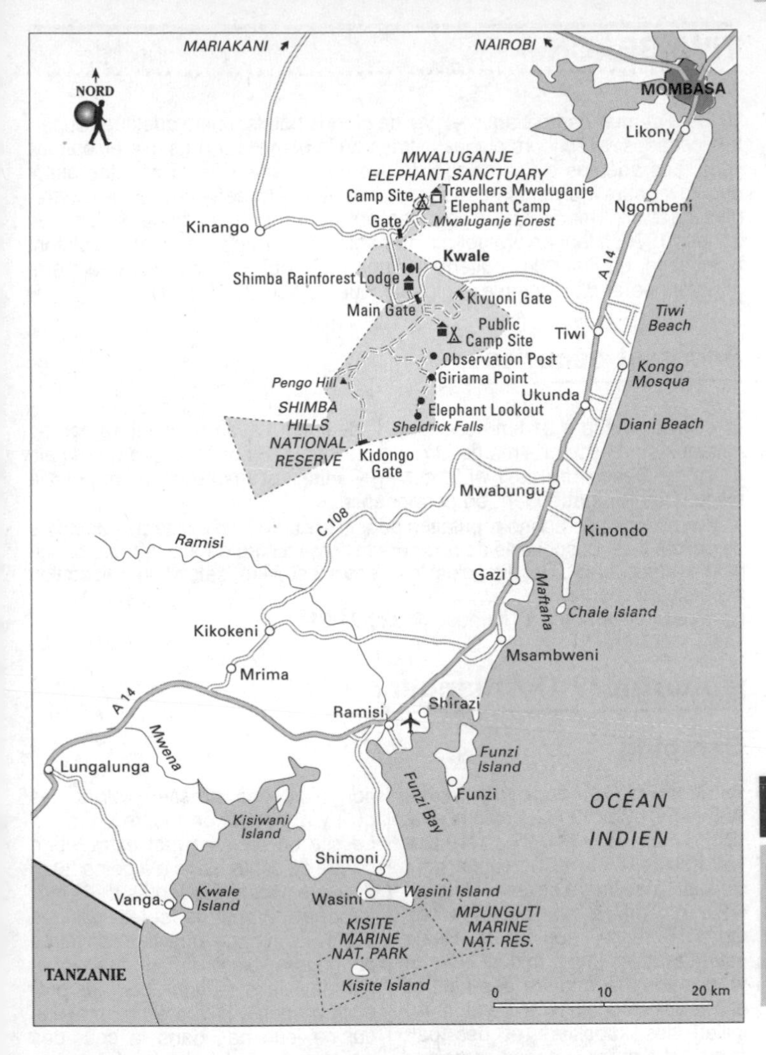

LA CÔTE AU SUD DE MOMBASA – VUE D'ENSEMBLE (PLAN I)

Plage

Shelly Beach se trouve à 1 km du ferry de Likony. Prendre un *matatu* au ferry et descendre au niveau du terrain de foot. La plage n'est pas large. On peut se baigner à marée basse. La barrière de corail est à 2 km (oubliez la plongée). Beaucoup d'algues à la saison des pluies. Un peu décevant tout de même. Pas de resto.

TIWI BEACH

IND. TÉL. : 040

Un bord de mer paradisiaque et pas de grands hôtels. Juste quelques superbes cottages, avec leurs plages intimes où la blancheur du sable éblouit les yeux. Les adeptes du camping y trouveront un site idéal. Tiwi attire plutôt des voyageurs individuels et des routards en quête de quiétude : le contre-pied de Diani Beach. Les hippies en ont fait un quartier général dans les années 1970. Il faut en profiter maintenant, car les *package-tours* se pointent à l'horizon, profitant de l'ouverture d'une route qui n'attend plus que d'être goudronnée et d'un complexe gigantesque au sud de la plage.

Accès et sécurité

➢ Tiwi est situé à 21 km de Likony. L'idéal est d'avoir une voiture car les cottages sont assez retirés de la route principale. Sinon, prendre un *matatu* à Likony. Descendre au Tiwi Shopping Centre, à l'embranchement pour la plage. Des taxis attendent en permanence.

– Tiwi n'a pas une bonne réputation pour la sécurité : il n'existe pas de poste de police. Il est déconseillé de rejoindre la plage à pied depuis la route principale, surtout la nuit. De plus, c'est loin ; entre 3 et 5 km, selon l'endroit où l'on souhaite se rendre.

✉ ***Poste et police :*** à Ukunda. ☎ 320-21-21.

Où dormir ? Où manger ?

Camping

⛺ 🏠 🍴 ***Twiga Lodge*** *(plan II, A1, 40)* **:** PO Box 80820, Mombasa. ☎ 512-67 ou 510-97. Compter 150 Ksh (1,6 €) par personne pour camper. Chambres à environ 1 200 Ksh (12,6 €), même prix pour les cottages ! Petit dej' non inclus. Resto ouvert tous les jours, midi et soir. Le rendez-vous légendaire des hippies et des transafricaines en camion. Au milieu des kapokiers et des palmiers, chambres en *self-contained* ou cottages traditionnels avec douche mais w.-c. extérieurs. L'ensemble a bénéficié d'un petit coup de peinture bien mérité. Un nouveau bâtiment disgracieux (une barre de béton) tente de sortir de terre, mais la direction n'est pas pressée ; alors dès qu'il y a 4 sous, on monte un mur... Le site de camping est extra : une bande de sable blanc d'à peine 20 m de large sépare les tentes de la mer turquoise. Vous ne serez pas les seuls. Dommage que les sanitaires communs soient si sommaires et parfois sales. Boutique pour les produits de base. Resto à prix moyens qui ne joue pas dans la cour des grands, mais cuisine correcte et plats copieux. Une condition tout de même : prenez du poulet ou du poisson, mais pas de bœuf, à moins d'avoir la mâchoire (ou le dentier) bien accrochée !

Bungalows avec restaurant

Réservation recommandée pendant les vacances scolaires, notamment à Pâques et à Noël.

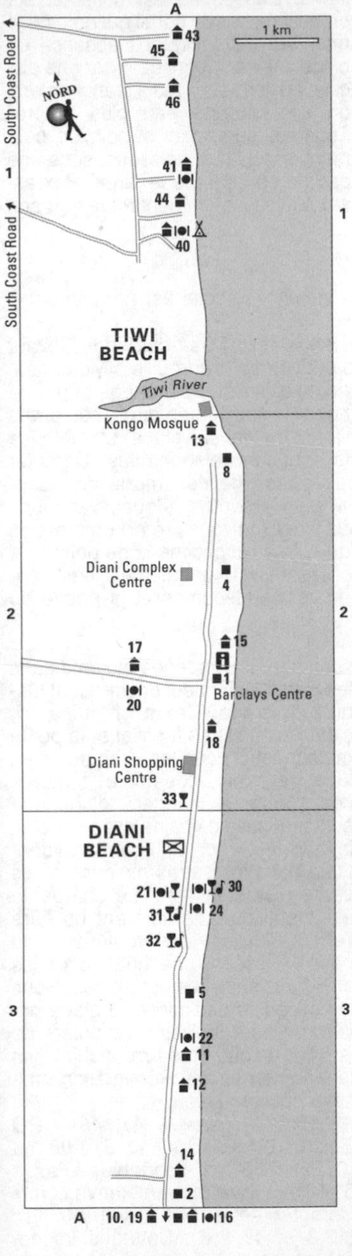

■ **Adresses utiles**

- Informations touristiques
- Poste
- 1 Barclays
- 2 Diani Forex Bureau
- 4 Diani Reef Bookshop & Hotel
- 5 Jadini Beach Bookshop & Hotel
- 8 Piscine du Southern Palms
- 16 Piscine du Bokoboko

Où dormir ?

- 10 Cottages de M. Guerlais
- 11 Nomad
- 12 Ocean Village Club
- 13 The Indian Ocean Beach Club
- 14 Diani Beachalets
- 15 Warandale Cottages
- 16 Bokoboko
- 17 Glory Palace Hotel
- 18 Vindigo Cottages
- 19 Galu Sea Lodge
- 40 Twiga Lodge
- 41 Tiwi Villas
- 43 Sand Island Beach Cottages
- 44 Coral Cove Cottages
- 45 Capricho Beach Cottages
- 46 Maweni

Où manger ?

- 16 Bokoboko (Le Coco de Mer)
- 20 Coast Dishes
- 21 Tandoory Bay Restaurant
- 22 Treetop Restaurant & Beach Bar
- 24 Ali Barbou's
- 30 Fourty Thieves

Où boire un verre ? Où sortir ?

- 21 Tandoory Bay Restaurant
- 30 Fourty Thieves
- 31 Shakatak
- 32 Bushbaby
- 33 Legend Casino

LA CÔTE AU SUD DE MOMBASA – TIWI BEACH ET DIANI BEACH (PLAN II)

⌂ |●| ***Tiwi Villas*** *(plan II, A1,* ***41****)* **:** PO Box 1418, Ukunda. ☎ (0722) 774-669 (portable). Compter entre 800 et 1 200 Ksh (8,4 et 12,6 €) pour 2 personnes, sans le petit dej'. Petits cottages pour 2 à 6 personnes ; préférer ceux qui ont été restaurés. Les plus chers sont gentiment alignés face à la mer. Moustiquaire, frigo, douche, lavabo et w.-c. Clientèle jeune. L'ensemble est construit sur un petit rocher de corail qui domine la mer. Vue magnifique. L'absence de plage est « compensée » par une piscine en terrasse, mais franchement, on aimerait une eau plus propre ! Tous les jours, midi et soir, on peut manger poulet et poissons, sous une paillote qui regarde le large. Prix assez élevés, notamment au restaurant.

Villas et cottages

Réservation recommandée pendant les vacances scolaires, notamment à Pâques et à Noël.
Hébergement en maisons individuelles sans resto *(self-catering)*. Il vaut mieux prévenir de son arrivée : le proprio peut être en vadrouille à Mombasa. On fait sa popote ou on loue les services d'un cuisinier. Le ménage peut être fait par un employé. On peut vous fournir des lits supplémentaires, des draps ou des moustiquaires. Les proprios habitent souvent sur place. L'ambiance est conviviale, voire familiale. Les tarifs sont très raisonnables. Compter entre 15 et 25 % de réduction en basse saison (février, mars, juin, septembre et novembre en général, mais il peut y avoir quelques variations selon les cottages). Certains peuvent vous louer (ou vous prêter) un masque et un tuba pour barboter et admirer quelques beaux spécimens de poissons. Pour l'approvisionnement, les commerces sont à Ukunda, mais des vendeurs passent tous les jours avec des fruits, des légumes et la pêche du matin (poisson ou homard).

⌂ ***Sand Island Beach Cottages*** *(plan II, A1,* ***43****)* **:** PO Box 5516, Diani. ☎ 512-33 ou (0722) 395-005 (portable). • www.mombasaonline.com/sandisland • Près de 2500 Ksh (26,3 €) pour 2 personnes et 3800 Ksh (40 €) pour 4 personnes. Chambres dans un bâtiment en retrait pour dépanner les fauchés (1 000 Ksh, soit 10,5 €), avec sanitaires et douche à l'extérieur. La famille Foster loue 6 jolis cottages aux murs blancs et toit de palme. L'endroit est tranquille et ombragé en bordure de mer. Les maisons accueillent 2 à 6 personnes. Véranda, salon avec mobilier en bois, lits avec moustiquaire, sanitaires corrects. Cuisine équipée.

⌂ ***Coral Cove Cottages*** *(plan II, A1,* ***44****)* **:** PO Box 200, Ukunda. À 5 mn à pied de *Twiga Lodge*. ☎ 512-95 et (0722) 732-797 ou (0733) 577-708 (portables). ☎ et fax : 510-62. • www.coralcove.tiwibeach.com • Près de 2500 Ksh (26,3 €) pour 2 personnes et 4000 Ksh (42,1 €) pour 4 personnes. Prix identiques toute l'année. Maisons pour 4 personnes, noyées dans les frangipaniers qui descendent jusqu'à la plage. Ce qu'on aime ici, c'est l'accueil très familial et la petite maisonnette pour les amoureux en lune de miel : rideaux et tentures cosy, salle à manger, kitchenette équipée, salle de bains avec douche, lavabo et w.-c. Équipement identique dans les autres maisons, mais cadre plus sommaire. La charpente est métallique. Ils auraient pu faire l'effort d'utiliser des matériaux du pays ! À l'écart, une hutte pour les cow-boys solitaires et fauchés. Sous les cocotiers de l'adorable plage privée, on peut feuilleter les polars de la bibliothèque ou se rafraîchir dans le lagon turquoise. Réservation possible pour un safari.

⌂ ***Maweni*** *(plan II, A1,* ***46****)* **:** PO Box 96024, Likony. ☎ 510-08 ou (0722) 755-721 (portable). Fax : 512-25. • www.maweni-kenya.com • Compter entre 1 740 et 4 500 Ksh (18,3 et 47,4 €). Cottages impeccables pour 2 à 8 personnes, engloutis sous les bougainvillées et les flamboyants. Certains ont beaucoup de charme : de l'espace, belle déco (ameublement en bois, rideaux qui volent au passage d'une brise...), terrasse face à la mer. Cuisine équipée. Eau chaude. Plage à 100 m en contrebas. Le patron allemand est un baroudeur costaud, du genre « Viking repenti ». À la demande, il organise des safaris d'aventure pour les vrais cow-boys ou des excursions plus calmes dans la région de Shimoni et des Shimba Hills.

🏠 ***Capricho Beach Cottages*** *(plan II, A1, **45**)* **:** PO Box 5177, Diani. ☎ 512-31. Fax : 510-10. • www.dianibeach.com/cottages/capricho • Réception ouverte de 8 h à 11 h et de 16 h à 17 h. Fermé en mai. À partir de 2200 Ksh (23,2 €) pour 2 personnes et jusqu'à 4100 Ksh (43,2 €) pour 6 personnes. Les maisons blanches aux grands toits de *makuti* qui dégringolent gracieusement jusque sur la pelouse sont disséminées dans un parc planté de frangipaniers et de bougainvillées, surplombant la mer. C'est un contraste de couleurs saisissant. Assurément, la patronne a la main verte ! Les cottages, construits en hauteur, profitent d'une agréable brise marine. Véranda, cuisine équipée, sanitaire avec douche, lavabo et w.-c. Eau chaude. Piscine d'eau de source et plage privée, donc pas de *beach-boys.* Idéal pour se ressourcer.

Plage

Tiwi Beach est une plage de sable fin magnifique, entrecoupée de criques, de rochers de coraux et de lagons aux eaux turquoise. À marée basse, on peut se baigner dans des baignoires naturelles ou rejoindre la barrière de corail à pied (200 m), grâce aux bancs de sable affleurants. Idéal pour la plongée.

DIANI BEACH

IND. TÉL. : 040

À 37 km de Mombasa, Diani Beach est l'étoile de la côte méridionale avec son lagon turquoise, son sable blanc et l'absence d'algues tout au long de l'année. Le gouvernement kenyan a lancé la station balnéaire de Diani dans les années 1970 en s'efforçant d'éviter les barres de béton : les hôtels se fondent dans la végétation de l'ancienne forêt primaire, dont Jadini, au sud, est le plus grand lambeau.

Forcément, vous ne serez pas seuls. Destination favorite des tour-opérateurs, Diani offre une pléthore de services et de loisirs. Les voyageurs individuels paient le prix fort. En haute saison, il vaut mieux réserver chez un agent pour obtenir un tarif négocié.

Comment y aller ?

➢ Il n'y a pas de bus entre Mombasa et Diani. Si vous n'avez pas réservé par l'intermédiaire d'une agence et que vous ne souhaitez pas prendre le taxi (très cher), il ne reste plus que le *matatu.* Descendre à Ukunda puis prendre un autre *matatu* jusqu'à Diani, distant d'environ 1,5 km.

Se déplacer à Diani

– Méfiez-vous des distances : la plage s'étale sur plus de 10 km, les hôtels et les commerces sont très espacés. Pas de bus. Le transport le plus pratique est le *matatu.* Le taxi est cher. Le tarif est fixé par zones. Certains hôtels disposent de navettes. Il est parfois possible de louer un vélo, mais de manière informelle ; ne pas hésiter à se renseigner sur place.

– Le soir, les trajets à pied sont à éviter pour des raisons de sécurité. Prendre un taxi (ou un *matatu*) ; certains restos en fournissent un gratuit sur demande. La route qui relie Ukunda à Diani est dangereuse pour les piétons, de jour comme de nuit. Pour résumer, vous ne sortirez pas beaucoup de votre hôtel, d'ailleurs la plupart d'entre eux proposent des tarifs en demi-pension.

Adresses et infos utiles

Informations touristiques et agences

Les excursions et les safaris proposés par les hôtels ne manquent pas. Les organisateurs de safaris vers le sud ont leur agence à Diani. Excursion d'une journée en boutre autour de l'île de Funzi, de Wasini. On visite le village de pêcheurs, puis barbecue ou repas dans un resto. Baignade, plongée en apnée, farniente. Tous les ingrédients d'une journée paradisiaque. On vient vous chercher à l'hôtel. Compter environ de 55 à 95 € par personne pour une journée.

I-Point *(plan II, A2)* **:** dans le *Barclays Centre.* PO Box 5070, Diani. ☎ (0733) 621-403 (portable). • richkari96@yahoo.com • Ouvert du lundi au vendredi de 9 h à 18 h (jusqu'à 16 h le samedi). Une agence privée qui dispose d'une belle petite collection de brochures sur les hôtels et les tour-opérateurs du coin. Peut appeler un hôtel pour réserver, mais attention, uniquement un hôtel qui paie sa cotisation ! Vente de *Calling Card* et de *Phone Card.*

■ ***Adventure Centre* :** agence au *Leopard Beach Hotel.* PO Box 281, Ukunda. ☎ 320-23-31 ou 30-55. Fax : 320-31-54. • www.wasiniisland.com • Ouvert tous les jours de 7 h à 19 h. Plusieurs excursions à choisir selon son budget *(Wasini Island Restaurant & Kisite Dhow Tour, Wasini Island Dolphin Safari, Wasini Ndogo, Wasini & Kisite Express)* ; excursion en boutre, plongée ou *snorkelling* dans le parc marin de Kisite et déjeuner sur l'île de Wasini. Franchement inoubliable ! Une véritable équipe professionnelle, dirigée par Sally qui travaille en appui auprès des populations locales et dans le plus grand respect de l'environnement. Une partie de l'argent est reversée aux communautés de Shimoni et de Wasini pour des projets socio-éducatifs.

■ ***Dolphin Dhow* :** dans le *Barclays Centre (plan II, A2).* PO Box 85636, Mombasa. ☎ et fax : 320-21-44. • www.dolphindhow.com • Ouvert tous les jours de 7 h 30 à 17 h 45. Excursion d'une journée sur l'île de Wasini et au parc national marin de Kisite : plongée dans les jardins de coraux et barbecue sur le boutre. On peut observer les dauphins dans la baie (et même se baigner avec, s'ils sont là, évidemment).

■ ***Funzi Sea Adventures* :** PO Box 1108, Ukunda. ☎ 320-20-44 ou (0722) 762-656 (portable). Fax : 320-23-46. • funzicamp@africaonline.co.ke • À 100 m sur la gauche après le *Barclays Centre (plan II, A2),* en direction de Kongo Mosque. Ouvert du lundi au samedi de 8 h à 18 h. Une journée d'excursion avec barbecue et canoë dans les méandres de l'estuaire de la rivière Ramisi (île de Funzi). On joue à cache-cache avec les rayons du soleil, les oiseaux et les crocodiles. Les amateurs d'exploration amazonienne resteront sur leur faim, mais le paysage est mystérieux et magnifique. On peut aussi coucher sur l'île dans un camp de toile luxueux (cher).

■ ***Chale Island Paradise* :** Diani Baazar. PO Box 4, Ukunda. ☎ 320-32-35 ou 36 ou 22-78. Fax : 320-33-20. Centre de réservations pour les séjours sur l'île de Chale. Pour ceux qui tiennent absolument à faire une excursion ou passer une nuit sur l'île de Chale. Uniquement au cas où la côte n'aurait plus aucun secret pour vous !

■ ***Ketty Tours Travels & Safaris :*** Diani Shopping Centre *(plan II, A2),* au niveau de la station-service. PO Box 82391, Mombasa. ☎ 320-35-82. Leur agence centrale se trouve à Mombasa. ☎ (041) 231-51-78. Agence sérieuse qui propose différents safaris.

Spécial raids à moto

■ ***Fredlink Co. Ltd :*** PO Box 85976, Mombasa. ☎ 320-24-68 ou (0733) 284-939 et (0722) 878-465 (portables). • www.motorbike-safari.com • À 50 m du *Tandoory Bay Restaurant (plan II, A3, **21**).* Frédéric, un jeune compatriote sympathique et passionné de motos qui a travaillé avec *MSF,* propose des raids à moto (ou en 4x4) d'une journée à une semaine au Kenya et en Tanzanie. Compter un minimum de 100 € par jour, selon la durée. On dort sous une tente ou dans un *lodge.* Possibilité de circuit à la carte. Assistances technique, logistique et médicale sérieuses. Une expérience différente et sympa qui permet de découvrir de superbes paysages et des villages africains reculés.

Poste et télécommunications

✉ ***Poste*** *(plan II, A3)* **:** ouvert du lundi au vendredi de 8 h à 12 h 30 et de 14 h à 17 h ; le samedi, de 9 h à 12 h.

■ @ ***Téléphone et Internet :*** vente de cartes téléphoniques à l'agence *I-Point* (voir « Informations touristiques et agences »). Dans les hôtels, on paie 3 fois le tarif d'une carte téléphonique. Deux fois dans les compagnies suivantes :

■ ***Golden Phone :*** Diani Shopping Centre *(plan II, A2),* à 50 m de la station-service. ☎ 320-33-14. Ouvert de 9 h à 18 h 30 en semaine et jusqu'à 14 h 30 le samedi.

■ ***Diani Link :*** Diani Shopping Centre *(plan II, A2).* Ouvert de 9 h à 13 h et de 14 h à 18 h en semaine, de 9 h à 14 h le samedi.

Change

Pas de problème pour changer *traveller's cheques* et devises étrangères.

■ ***Barclays*** *(plan II, A2, **1**)* **:** au *Barclays Centre.* ☎ 320-24-48 ou 23-75. Distributeur pour cartes *Visa* et *MasterCard,* disponible 24 h/24.

■ ***CBA :*** agence au Diani Shopping Centre *(plan II, A2).* ☎ 320-22-64. Ouvert de 8 h 30 à 14 h du lundi au vendredi et de 9 h à 11 h le samedi. Carte *Visa* acceptée au guichet.

■ ***Diani Forex Bureau*** *(plan II, A3, **2**)* **:** ☎ 320-22-05. Ouvert du lundi au vendredi de 9 h à 13 h et de 14 h à 17 h ; le samedi de 9 h à 13 h 30.

Location de voitures

■ ***Ketty Tours & Car Hire :*** voir « Informations touristiques et agences ».

■ ***Glory Car Hire :*** au Diani Shopping Centre *(plan II, A2).* PO Box 85527, Mombasa. ☎ 320-30-76 ou 22-76. Sinon, contacter *Glory Palace Hotel* (voir « Où dormir ? »).

■ ***Fredlink Co. Ltd :*** voir « Spécial raids à moto ». Location de 4x4 exclusivement.

■ ***Essence*** à côté du Diani Shopping Centre.

Urgences et soins

■ ***Médecins :*** deux médecins donnent des consultations dans les hôtels de Diani (voir avec la réception).
■ ***Appels d'urgence :*** ☎ 320-22-07 (numéro d'urgence du ***Diani Beach Hospital***).
■ Il y a aussi un cabinet médical au Diani Shopping Centre : ***Diani Beach Hospital,*** ☎ 320-24-35 ou 36. Fax : 320-30-80.
■ ***Police :*** ☎ 320-21-21, à Ukunda.

Librairies, journaux

Deux endroits où l'on trouve quelques exemplaires de la presse anglaise, des livres et cartes. Pas toujours très bien fournis...

■ ***Jadini Beach Bookshop & Hotel*** *(plan II, A3, **5**).*
■ ***Diani Reef Bookshop & Hotel*** *(plan II, A2, **4**).*

Piscines

■ ***Southern Palms*** *(plan II, A2, **8**) :* ☎ 320-37-21 ou 320-33-60 à 64. • www.southernpalmskenya.com • Architecture arabe. Deux piscines délirantes et gigantesques serpentent entre les dômes arabisants, les paillotes du bar et les îlots de verdure. Accès payant (300 Ksh, soit 3,2 €). Belle plage.
■ ***Bokoboko*** *(hors plan II par A3, **16**) :* voir « Où manger? ». Bon d'accord, il n'y a pas la plage, mais la piscine est si calme, si loin de la frénésie des grands hôtels ! Et puis Yolanda est si charmante !

Où dormir ?

Hélas, pas grand-chose pour les petits budgets ! À Diani, les tarifs changent selon la saison. La haute saison est relativement variable d'un établissement à l'autre, voire parfois d'une année à l'autre (pour un même établissement, tout dépend du business...). *Grosso modo,* de décembre à février et de juillet à septembre, vous aurez toutes les chances (ou les risques !) de payer le prix fort.

Bon marché

⌂ ***Corner Guesthouse :*** PO Box 855, Ukunda. ☎ 320-33-55. Notre seule adresse à Ukunda, à l'embranchement avec la route de Diani. Compter 650 Ksh (6,8 €) pour 2 personnes. Alors évidemment, la *guesthouse* n'est pas en bordure de plage... mais en journée, les *matatus* pour Diani sont nombreux. Une dizaine de chambres avec ventilo, assez petites et réparties de part et d'autre d'un long couloir. Bien tenues, tout comme les douches et w.-c. communs. Petite fresque mignonnette dans chacune des chambres. Une bonne alternative pour les petits budgets qui fuiront les hôtels chers de la côte.

Prix moyens

⌂ ***Bokoboko*** *(Le Coco de Mer; hors plan II par A3, **16**) :* ☎ et fax : 320-23-44. • www.bokoboko-kenya.de • Près de 2600 Ksh (27,4 €) la double. Un peu plus cher avec l'AC. Prix fixes toute l'année. On adore la patronne, Yolanda, qui a créé un petit paradis seychellois à l'écart de l'agitation. Le *Bokoboko* est noyé dans la végétation tropicale où l'on a parfois la visite de l'énorme tortue seychelloise. Gare aux singes perchés sur les baobabs qui se font un malin plaisir de balancer des fleurs. Six chambres avec 2 lits, douche, lavabo et w.-c. parfaitement tenues. Toujours un petit bouquet de fleurs fraîches. Piscine agréable. Pas d'heure pour le petit dej'. Les gens qui viennent ici deviennent des amis et reviennent l'année suivante. Fait également restaurant (voir « Où manger ? »).

Glory Palace Hotel *(plan II, A2, 17)* : à 200 m environ de la route principale de Diani. ☎ 320-30-76. Entre 2000 et 3000 Ksh (21,1 et 31,6 €) la double. Prix intéressants en basse saison. Chambres simples et correctes avec douche, w.-c., ventilo ou AC (pour les plus chères). Pas de moustiquaire. Piscine, mais la qualité de l'eau est souvent douteuse. Resto à prix moyens. Accueil insipide.

– Ne pas oublier de jeter un coup d'œil aux cottages qui permettent de se loger à des prix particulièrement intéressants, surtout si l'on voyage à 3 ou 4 personnes. Mais, dans ce cas, il faut se faire soi-même le petit dej'.

Chic

Nomad *(plan II, A3, **11**)* : PO Box 1, Ukunda. ☎ 320-21-55. Fax : 320-23-91. • nomad@africaonline.co.ke • Généralement fermé en mai. Toute une gamme de prix qui varie presque tous les mois : compter un minimum de 50 € en basse saison (mai et juin) pour 2 personnes en *B & B* et près de 150 € de mi-décembre à mi-janvier en demi-pension (obligatoire). Retour aux sources. Un camp de *bandas* étalés dans la cocoteraie. Les chalets en bois, tout mignons avec leur toit en palmes séchées, ont 2 lits avec moustiquaire et une salle de bains avec douche et w.-c. De la véranda, on se laisse emporter par le chant des oiseaux dans la forêt voisine, le ressac des vagues et le bruissement des palmes sur la plage. Quelques cottages également, plus spacieux. Clientèle jeune et décontractée. Pour les repas, resto de poisson renommé. Le bar de la plage est très fréquenté. Très bon centre de plongée PADI *(Diving the Crab)*. Carte de paiement *Visa* acceptée uniquement.

Ocean Village Club *(plan II, A3, **12**)* : PO Box 88, Ukunda. ☎ 320-27-25 ou 21-88. Fax : 320-33-96. • oceanvc@compufoto.com • Compter entre 4600 et 6000 Ksh (48,4 et 63,2 €) par personne selon la saison. Demi-pension obligatoire. Réservation possible en France par *Nouvelles Frontières*. Les amoureux de la nature vont aimer : cet hôtel a conservé les grands arbres de l'ancienne forêt primaire. Tamariniers, manguiers, bougainvillées et hibiscus dégringolent en cascades sur d'adorables cottages au toit de *makuti*. En revanche, le marbre du resto et de la réception ne s'imposait pas. Pour le reste, on aime : la déco des chambres est réussie : mélange de bois, de terre cuite et de murs blancs. Grande moustiquaire. Salle de bains luxueuse avec douche, lavabo et w.-c. Véranda et petit salon. AC très silencieux. Un gigantesque eucalyptus d'Ouganda soutient le toit parasol du resto principal. Le buffet propose tous les jours une cuisine de bon niveau. Le soir, animation et dîner à thème : barbecue, fruits de mer, poisson, entrées. Un autre resto au cachet méditerranéen s'avance sur la plage. Il est réputé pour ses fruits de mer. Piscine design et belle plage privée sous les cocotiers, plongée, tennis, planche à voile, excursions. Personnel aimable et accueillant.

The Indian Ocean Beach Club *(plan II, A2, **13**)* : PO Box 73, Ukunda. ☎ 320-37-30 ou 35-40 ou 50. Fax : 320-35-57. • www.theindianoceanbeachclub.com • Réservation à Nairobi : ☎ (020) 221-07-78. Entre 110 et 120 € la double. Demi-pension possible. Baobabs, mosquée, cocotiers. Un cadre insolite : l'estuaire de la rivière Tiwi. Les bungalows blancs au toit de palme sont disséminés le long de la plage. Architecture et mobilier d'inspiration mauresque. À l'intérieur, ce n'est que luxe, confort et charme. Grande moustiquaire sous le plafond à poutres. Le soir, orchestre et piano-bar au resto. Les deux baobabs près de la réception auraient environ 600 ans !

Cottages

▲ ***Cottages de M. Guerlais*** *(hors plan II par A3,* ***10****)* **:** dans la résidence *Palm Park 1,* entre le *Neptune Hotel* et le *Bokoboko.* Pas d'enseigne particulière. Compter entre 1 100 et 1 500 Ksh (11,6 et 15,8 €) selon le cottage. Pour 2 à 6 personnes. En journée, contacter *Bakary,* le gardien, ou Monica, une Allemande qui réside à *Palm Park 2* (lotissement juste derrière le *Palm Park 1*). M. Guerlais, un Français qui vient régulièrement au Kenya, met à disposition 2 maisonnettes ravissantes avec leur toit en *makuti,* au cœur d'un joli jardin et dans un cadre intime. Cuisine équipée, bains, ventilo et moustiquaire. La plus grande dispose d'un superbe *sitting room* aménagé sous la charpente. Un très bon plan pour un rapport qualité-prix imbattable ! Malheureusement, il n'est pas possible de réserver, mais tentez votre chance tout de même...

▲ ***Diani Beachalets*** *(plan II, A3,* ***14****)* **:** PO Box 26, Ukunda. ☎ 320-21-80. Réception ouverte de 8 h à 13 h et de 15 h à 18 h. De 1 150 à 2 600 Ksh (12,1 à 27,4 €) pour une *maisonnette,* un *chalet* ou une *beachette.* Prix très raisonnables en basse saison. Les cottages, avec leur toit de tôle ondulée, n'ont pas un charme immense mais ils sont propres, dans un coin tranquille, loin de l'agitation du centre et tout près de la mer. Ils peuvent accueillir 2 à 6 personnes, avec cuisine équipée, salon, bains, eau chaude, douche, lavabo et w.-c. Draps, serviettes et moustiquaires disponibles. Cuistot à la demande. Le supermarché n'est pas loin et des vendeurs passent tous les jours chargés de poissons, fruits et légumes.

▲ ***Vindigo Cottages*** *(plan II, A2,* ***18****)* **:** PO Box 17, Ukunda. ☎ 320-21-92. Fax : 320-20-98. • vindigocottages@hotgossip.co.ke • Réception ouverte de 8 h à 16 h (13 h le dimanche). Compter de 2000 à 3500 Ksh (21,1 à 36,8 €) pour un cottage en haute saison (avril, juillet et août). On est tout près de Diani et de ses *shopping centers* et pourtant, on a l'impression d'être isolé en pleine nature. Sur un petit promontoire qui domine la mer, près d'une dizaine de cottages espacés au sein d'une végétation verdoyante de palmiers, de flamboyants, de frangipaniers, etc. Les cottages disposent d'une cuisine équipée, de salle de bains et moustiquaire. Un petit côté vieillot mais peu importe, il est tellement agréable de s'installer sur la terrasse face à la mer. Un endroit très reposant.

▲ ***Galu Sea Lodge*** *(hors plan II par A3,* ***19****)* **:** PO Box 5557, Diani. ☎ 320-33-10 ou 20-09. Fax : 320-33-07. • galusealodge@hotgossip.co.ke • De 3 500 à 4 000 Ksh (36,8 à 42,1 €) pour un cottage. Voilà une adresse de charme que l'on aime beaucoup ! Six maisons noyées dans une végétation luxuriante et pouvant accueillir 6 personnes ; 3 chambres avec moustiquaires, 2 salles de bains, une cuisine, une immense salle à manger, une terrasse en bois au 1er étage et un petit jardin. Les plus chères ont vue sur la mer. Piscine. Un bain de chlorophylle assuré parmi de vénérables baobabs, de majestueux palmiers, des rampes dégoulinantes de bougainvillées ! On s'y sent tellement bien que certains n'hésitent pas à s'y installer pour s'abandonner à la peinture.

▲ ***Warandale Cottages*** *(plan II, A2,* ***15****)* **:** PO Box 11, Ukunda. ☎ 320-21-86. Fax : 320-30-48. • warandalecottages@yahoo.com • Réception ouverte de 8 h à 16 h. Fermée le dimanche. À partir de 3800 Ksh (40 €) pour un cottage. Éventail de prix tirant vers le haut. Réduction de 50 % en basse saison. Habitat compact de cottages tout blancs qui ressemble à un petit village aux ruelles étroites, bordé d'une haie de palmiers. Au début, vous vous perdrez ; il faut s'y faire ! Situé sur un rocher corallien qui domine la plage. Cottages simples et à la déco charmante (briques, murs blancs, touches de couleurs chatoyantes...) avec 1 ou 3 chambres, cuisine équipée. Il y a même des duplex ! Cuisinier et maître d'hôtel disponibles. Piscine de poche à l'arrière. Supermarché proche et les pêcheurs passent tous les jours.

Où manger ?

Bon marché (moins de 500 Ksh - 5,3 €)

Ⓘ ***Coast Dishes*** *(plan II, A2,* ***20****)* : à l'entrée de Diani, en venant d'Ukunda. Ouvert tous les jours de 9 h à 23 h. Un resto populaire avec de simples tables recouvertes de toiles cirées et disposées sous une paillote. Poulet et *beef* cuisinés à toutes les sauces : curry, biriani, pilau, masala et bien d'autres... Pas mal de choix donc. Nourriture très correcte, plats copieux, et surtout, service rapide, pour ne pas dire très rapide (c'est suffisamment rare pour être souligné !).

Ⓘ ***Tandoory Bay Restaurant*** *(plan II, A3,* ***21****)* : en bordure de route. Ouvert tout le temps... Une terrasse avec ses tables de jardin, sous une grande paillote éclairée la nuit par des guirlandes de loupiotes multicolores. Quelques jeunes filles tentent leur chance avec le chaland en essayant de vendre des dessous féminins... mais tout cela n'est pas très insistant. S'y côtoie une clientèle de vieux messieurs respectables venus faire une partie de billard, de bandes de copains sirotant une bière fraîche, d'Anglo-Saxons de retour d'une transafricaine attablés autour d'un whisky ou d'une vodka. La musique congolaise fait parfois une petite incursion, mais *Bob* revient toujours en force ! Côté restauration, rien de très sophistiqué : poulet, saucisse ou steak-frites. Juste correct. Service lent et chats quémandeurs.

De prix moyens à plus chic (de 500 à 1 200 Ksh - 5,3 à 12,6 €)

Ⓘ ***Bokoboko*** *(Le Coco de Mer ; hors plan II par A3,* ***16****)* : ☎ 320-23-44. Ouvert tous les jours de 8 h à minuit. Une paillote tenue par la charmante Yolanda, avec de la musique des îles pour rappeler le pays, les Seychelles. Il faut venir pour l'apéritif et savoir patienter : tous les produits sont frais, rien n'est fait à l'avance, mais l'attente est largement récompensée. Après le rituel du lavage des mains, on vous apporte des plats raffinés, mariage harmonieux des cuisines seychelloise et swahilie : bœuf mahé, poulet créole, poisson cuit au lait de coco, fruits de mer aux épices, crabes, homards grillés, un vrai festival, superbement présenté.

Ⓘ ***Treetop Restaurant & Beach Bar*** *(plan II, A3,* ***22****)* : le restaurant dans la palmeraie du *Nomad.* Le bar de la plage *(Beach Bar),* ouvert tous les jours de 9 h à 17 h, est très fréquenté. En maillot de bain, les pieds dans le sable, affalé dans des fauteuils, on grignote de délicieux poissons grillés, des *samosas* bien épicés et des salades. Groupe de musique le dimanche. Le soir (service jusqu'à 22 h), on s'installe sous la grande paillote au chapeau pointu *(Treetop Restaurant),* où les lampes diffusent une douce lumière tamisée et l'ambiance est plus intime, pour déguster une cuisine réputée de produits de la mer : langoustes, crevettes, crabes, et les poissons rapportés par le club de pêche (espadon, thon, marlin, etc.). Un peu plus cher, bien sûr.

Ⓘ ***Fourty Thieves*** *(plan II, A3,* ***30****)* :

voir « Où boire un verre? Où sortir? ». On y vient en effet surtout le soir, mais on peut aussi y prendre un petit dej' anglais à partir de 9 h. La carte offre un large choix : sandwichs, salades, pâtes, poissons et fruits de mer (langoustes...). Un endroit calme. En journée, on peut louer un catamaran.

Beaucoup plus chic (plus de 1 500 Ksh – 15,8 €)

|●| ***Ali Barbou's** (plan II, A3, **24**) :* ☎ 320-20-33 ou 21-63 ou 22-57. Ouvert le soir de 18 h à minuit. Fermé à Noël. Réservation conseillée. Cadre surréaliste : on descend par un escalier dans une grotte naturelle. Le style est chic et romantique; on dîne à la lueur des bougies dissimulées dans de petites anfractuosités de la paroi, sous la voûte étoilée. La cuisine est excellente, mais peu créative. On tourne autour des viandes et des fruits de mer. Goûter le steak au brandy. Belle carte de vins kenyans, français et sud-africains. C'est tout de même l'un des restaurants les plus réputés de la côte!

Où boire un verre? Où sortir?

🍸 ♪ ***Fourty Thieves** (plan II, A3, **30**) :* ☎ 320-30-03. ● www.georgebarbour.com ● Ouvert tous les jours de 9 h jusqu'à l'aube. Fermé à Noël. Disco les mercredi, vendredi et samedi à partir de 21 h. Le patron de ce bar-disco ouvert face à la plage possède aussi le restaurant à côté, c'est un joyeux plaisantin (Ali Barbou et les 40 voleurs). Plein de tables basses dont certaines sont posées sur le sable blanc avec des fauteuils d'où l'on ne se relève plus! L'ambiance est détendue. On s'amuse beaucoup dans sa discothèque. Les soirées à thème ont du succès. Pas de chéries ventouses ni de hordes soiffardes : on vient ici pour passer un bon moment dans une ambiance de fête.

🍸 ♪ ***Shakatak** (plan II, A3, **31**) :* ☎ 320-31-24. Ouvert tous les jours à partir de 17 h. Entrée payante (gratuite pour les filles le lundi). Restaurant à l'extérieur. Spécialités italiennes, allemandes et grecques. Grillades. Brunch le dimanche à partir de 11 h avec groupe musical africain. Véritable boîte de nuit à l'intérieur avec piste de danse, bar, masques aux couleurs fluo sur les murs, grosses boules étincelantes, etc. Musique funk, soul et africaine. Quelques filles triées sur le volet.

🍸 ♪ ***Bushbaby** (plan II, A3, **32**) :* ouvert tous les jours, 24 h/24. Entrée libre. Grande terrasse en plein air et en bord de route, couleur locale : sièges en plastique blanc et peintures naïves sur des murs vert pomme. Cour intérieure également avec des soirées *reggae night,* les lundi et vendredi (entrée payante). Ambiance germano-africaine animée : on vient ici pour la bière pas chère et les filles faciles. Ça fume pas mal aussi... Musique funk et africaine pour chauffer les esprits. Snacks pour les petits creux. Déconseillé aux femmes jalouses car les étrangers sont très sollicités (à différents sujets d'ailleurs), qu'ils soient accompagnés ou non.

🍸 ***Tandoory Bay Restaurant** (plan II, A3, **21**) :* voir « Où manger? ».

🍸 ***Legend Casino** (plan II, A2, **33**) :* ouvert tous les jours de 20 h à 2 h, ainsi que le dimanche après-midi. Rien que le bâtiment vaut le détour! C'est une immense paillote à la déco arabo-africaine. La toiture est une véritable prouesse architecturale! À quand les trapézistes se balançant dans le vide? De grandes banquettes aux coussins monstrueux et ornées de moustiquaires vous tendent les bras. Ambiance feutrée à tendance chic et piano blanc sous un escalier monumental conduisant au casino. Un brin mégalo tout ça!

À voir. À faire

La plage : elle est si belle... L'eau n'est jamais profonde et on peut se baigner à marée basse. Récif à 500 m de la plage, toujours couvert (apporter un masque). Ne pas tenter de rejoindre Tiwi Beach en traversant l'estuaire de la Tiwi River à la nage : il y a pas mal de courant.
À l'estuaire de la Tiwi River, le site est étonnant, entouré de baobabs, mais sécurité mal assurée après 17 h.
La mosquée de Kongo date du XVIe siècle. C'est le dernier vestige de l'ancien port swahili de Diani. Prix de la visite exorbitant, et surtout, rien à voir à l'intérieur !

Le récif de corail : se rejoint à la nage ou en *ngalawa,* ces pirogues à balancier originaires de Madagascar. On peut louer des masques à l'hôtel.
– ***La plongée sous-marine :*** pratiquée par plusieurs clubs bien équipés. Pas mal de monde. Les clubs les plus pro :

■ ***Barracuda Diving School & Watersports :*** au *Papillon Reef Hotel.* PO Box 5438, Diani. ☎ 320-22-83 ou (0733) 876-686 (portable). • www.baracudadiving.com • Un peu moins cher.

■ ***Diving the Crab :*** basé à l'hôtel *Nomad* (antenne au *Southern Palms Beach Resort*). PO Box 5011. ☎ 320-34-00. Fax : 320-23-72. • www.divingthecrab.com • Instructeur parlant le français.

➢ ***Les excursions en boutre :*** elles longent la plage jusqu'à l'estuaire de la rivière Tiwi.
– ***La pêche au gros :*** se pratique toute l'année. La barrière et la haute mer ne sont pas loin. On peut commencer à pêcher 15 mn après le départ. Poisson toute l'année. S'adresser à :

■ ***Nomad Boats :*** même entrée que l'hôtel *Nomad* (voir « Où dormir ? Chic »). ☎ 320-21-55. Fax : 320-23-91. • nomad@africaonline.co.ke • L'un des plus anciens clubs de Diani. Trois bateaux de 9 m pour 4 à 6 personnes. Initiation même pour les enfants. Réservation 24 h à l'avance. Tarifs réduits entre avril et novembre.

LES SHIMBA HILLS

IND. TÉL. : 040

Les Shimba Hills sont une réserve nationale qui ondule doucement sur des collines boisées. À 400 m d'altitude, le silence et la fraîcheur offrent une agréable alternative aux plages encombrées et à la chaleur de la côte. Le parc est situé à moins d'une heure de Mombasa. Il n'y a pourtant jamais foule. Il est vrai que la faune se fait très discrète et les longues minutes d'observation ne sont pas toujours récompensées. Au pied du superbe *lodge,* on peut cependant voir des léopards, des troupeaux de buffles et d'éléphants. Shimba est aussi le dernier refuge d'une espèce rare et magnifique : l'antilope des sables. Par temps clair, on aperçoit le Kilimandjaro.

ANIMAUX RARES ET FORÊT PRÉHISTORIQUE

La réserve des Shimba Hills est le vestige d'une ancienne forêt tropicale. Une partie de la végétation est constituée de cycades, l'ancêtre de l'arbre, à mi-chemin entre le palmier et la fougère. Parmi les animaux, des éléphants, des buffles, des léopards, des hyènes, des pythons et le plus grand papillon du

Kenya : l'empereur ou machaon grand porte-queue. L'introduction de la girafe est purement fortuite. Des contrebandiers furent pris avec des spécimens à Mombasa (il y a des transports plus discrets !). Les animaux furent libérés dans la plus proche réserve. Les collines abritent les 200 derniers spécimens d'antilopes des sables du Kenya. Le gardien *(warden)* du *lodge* organise des excursions pédestres pour découvrir la richesse naturelle de ce site.

Comment y aller ?

➢ ***En voiture :*** l'accès par la route côtière est de loin la solution la plus confortable. Le parc est bien indiqué depuis l'embranchement principal, 10 km au sud de Likony. La piste de Mariakani est cahotante et parfois impraticable pendant la saison des pluies.

➢ ***En matatu et navette :*** à Likony, prendre un *matatu* pour Kwale. La porte du parc est à 3 km du village. La navette du *lodge* assure la liaison entre le parc et les hôtels de la côte. Depuis Ukunda, il n'y a pas de *matatu* direct. Prendre alors un *matatu* pour Likony puis descendre à l'embranchement qui mène à Kwale et attendre un autre *matatu* en provenance de Likony.

Où dormir ? Où manger ?

Se reporter à *La côte au sud de Mombasa, vue d'ensemble (plan I).*

Camping

⛺ ***Camping public :*** Réservation au centre du *K.W.S.* à Mombasa : ☎ (041) 231-27-44 ou 45. Compter 600 Ksh (6,3 €) par personne pour camper et 1 500 Ksh (15,8 €) par personne pour un *bandas.* Pas de petit dej'. Possibilité de faire la cuisine mais supplément à payer. Le site est ombragé, la vue magnifique : on domine les collines jusqu'à la mer. Pas d'eau courante. Citerne et w.-c. très sommaires. Quatre *bandas* en ciment gris équipés de 2 lits doubles et de moustiquaire. Le gardien peut vous aider pour la cuisine.

Plus chic

🏠 🍽 ***Shimba Rainforest Lodge :*** dans le parc, à 5 km de Kwale. ☎ (040) 40-77. Réservations à Nairobi : *Block Hotels* : ☎ (020) 553-54-12 ou 5554-07-80. Fax : (020) 554-59-54. • www.blockhotelske.com • Près de 250 € pour 2 personnes en pension complète. Deux fois moins cher en basse saison. *Lodge* construit dans les arbres, devant un plan d'eau où viennent s'abreuver jusqu'à 200 éléphants. Jimmy, le vieux mâle, se trouve régulièrement coincé dans le portique d'entrée, obligeant les clients à passer par la cuisine ! L'accueil est remarquable de gentillesse et d'efficacité. Le bois, omniprésent, renforce l'impression de chaleur et de convivialité. Le plan d'eau s'anime à la tombée du soir. On sirote un verre sur l'une des terrasses, reliées entre elles par des escaliers et des passerelles en bois. Lumières tamisées, voix basses. On se fait discret, naturellement. Le délicieux dîner de viande et de poisson est servi avec beaucoup de classe. Les chambres, à colombages, sont petites et décorées simplement. De leur terrasse dévalent des lianes et des cascades de plantes. Devant, le plan d'eau éclairé. Autour, la forêt mystérieuse résonne de cris d'animaux. Les sanitaires, en pierre grise, sont à l'étage : douches, lavabo et w.-c. impeccables. Le *lodge* organise des randonnées et des safaris dans le parc.

À voir. À faire

➢ ***La promenade du Sundowner :*** agréable promenade, organisée par le *warden* du *lodge* de 17 h à 19 h, s'il n'y a pas trop d'éléphants. Sous son escorte, on s'enfonce dans la jungle, sur la trace des buffles et des éléphants. Feu de camp et collation au coucher du soleil.

➢ ***Les Shedrick's Falls :*** sentier pédestre rafraîchissant dans la forêt. Compter 2 h aller-retour. On laisse sa voiture à l'*Elephant Lookout* et on descend le sentier vers le fond de la vallée. Bruits, ombres et odeurs nous font retrouver les impressions de l'homme primitif devant les mystères de la nature. À l'approche des chutes, il est opportun d'avertir discrètement les animaux de son arrivée (en entonnant par exemple sa chanson de scout préférée). L'arrivée sur les chutes est impressionnante, surtout en saison des pluies. L'eau descend de 25 m dans une piscine naturelle, où l'on peut se baigner si l'on est accompagné d'un ranger.

Le Giriama Point : panorama sur les collines qui descendent en pente douce vers l'océan Indien.

➢ DANS LES ENVIRONS DES SHIMBA HILLS

Mwaluganje Elephant Sanctuary : à une dizaine de kilomètres de Kwale, bien indiqué à la sortie du village. ☎ (040) 41-21 ou (0722) 343-050 (portable). • www.mwaluganje.org • Ouvert tous les jours. Entrée : 15 US$ (11,8 €) par personne (supplément véhicule). Visite possible (mais pas nécessaire) avec un guide ; réserver un jour à l'avance. Contrairement aux Shimba Hills, vous êtes sûr d'y observer des éléphants.
Créée au milieu des années 1990, cette réserve est l'aboutissement d'un long processus de négociation entre les populations locales et les partenaires de la protection de l'environnement. Parcourue par une rivière, cette petite vallée constitue un corridor écologique naturel pour de nombreux pachydermes. Les destructions de cultures, que provoquaient les 200 éléphants recensés à certaines périodes, généraient d'importants conflits avec les populations. Il y a même eu mort d'hommes. Il a donc été décidé de créer une réserve ceinturée sur trois côtés par une clôture électrique ! Il fallait y penser, et surtout, il fallait oser... mais ça marche ! Les conflits se sont apaisés. Enfin, certains pachydermes, plus malins et rageurs que les autres... lancent parfois un tronc d'arbre sur les malheureux fils électriques et en profitent pour faire une petite escapade !
Le long des 9 km de piste correcte, c'est une balade agréable en bordure de rivière ; les éléphants viennent régulièrement s'y abreuver et s'y rafraîchir. Il n'est pas rare d'y voir des buffles et l'antilope des sables. Pour un léopard ou un lion, il vous faudra être beaucoup plus chanceux.
À l'entrée de la réserve, jetez un coup d'œil aux papiers et enveloppes confectionnés à base de déjections d'éléphants et de papier recyclé. Original.

Où dormir ? Où manger ?

Campsite : à environ 8 km de l'entrée principale, à l'intérieur de la réserve. Compter 100 Ksh (1 €) par personne pour une tente. En pleine nature. Sanitaires très sommaires, point d'eau et douche au seau.

Travellers Mwaluganje Elephant Camp : non loin du camping. Réservations au *Travellers Tiwi Beach Hotel.* PO Box 87649, Mombasa. ☎ (041) 245-12-02 ou 06. Fax : 245-12-07. Un peu moins de 80 € par personne en pension complète. Une vingtaine de tentes luxueuses sous des *bandas* en bois et dissimulés en pleine nature. Le grand calme... Les animaux sont tout proches et les éléphants viennent fréquemment s'abreuver au point d'eau qui n'est qu'à 50 m à peine de la terrasse du camp.

Travellers Manold River Restaurant : à environ 1,5 km de l'entrée de la réserve. Ouvert tous les jours de 12 h 30 à 14 h 30. Un peu cher, mais c'est le seul resto du coin. Pas de carte fleuve, juste un menu-buffet qui change régulièrement. Évidemment, on ne vient pas ici pour la qualité de la cuisine, mais pour le cadre et pour sa super-situation stratégique ! C'est une agréable terrasse en bois sur pilotis avec son toit de palme qui domine la rivière. Confortablement assis et en se sustentant tranquillement, on a tout le loisir d'admirer les pachydermes s'ébrouer, balancer leur trompe et leurs larges oreilles... D'autres se cachent au loin, sous l'ombre frêle des baobabs. On en oublierait presque ce qu'il y a dans l'assiette.

L'ÎLE DE FUNZI

Funzi s'étend à quelques coups de pagaie de la côte. L'île est entourée de mangroves, d'îlots inhabités et de bancs de sable. Parfois des dauphins croisent dans la baie où pêchent les Shirazis. Leur village pittoresque est né avec le commerce des esclaves. L'ouverture au tourisme est récente et élitiste. Claudia Schiffer y tourna un spot publicitaire.
Il existe deux façons de découvrir l'endroit : une belle excursion d'une journée en boutre avec *Kinazini Funzi Dhow Safaris,* ou une découverte en canoë proposée par *Funzi Sea Adventures.* Ces deux opérateurs ont une agence à Diani Beach. En revanche, les rivages de l'île ne permettent pas la pratique du *snorkelling.* On peut également dormir sur l'île dans un luxueux camp de toile, dans la tradition des grands safaris africains.

Comment y aller ?

Embarcadère de Bodo Beach (panneau à 35 km au sud d'Ukunda sur la route de la Tanzanie).

Où dormir ? Où manger ?

Très chic

Funzi Island Safari Lodge : ce camp luxueux appartient à *Funzi Sea Adventures* (voir « Adresses et infos utiles » à Diani). Compter près de 140 US$ (110 €) par personne (transport depuis Diani, excursions et pension complète). Sous leur toit de *makuti,* les tentes offrent un confort raffiné : mobilier swahili, véranda avec lit pour la sieste, douche et w.-c. Le soir, feu de camp. La cuisine est délicieuse : crabes, langoustes, homards, vin. Le patron est un ornithologue averti (et distingué) de la trempe des explorateurs anglais.

SHIMONI

IND. TÉL. : 040

Ce petit village constitue le site le plus important pour la pêche au gros de la côte. En face du village, le détroit de Pemba dépasse 300 m de profondeur. C'est un repère de gros malabars qui dépassent les 400 kg : marlins, requins tigres, bonites. On vient à Shimoni pour son club de pêche au gros, le plus

réputé d'Afrique, et son embarcadère qui donne accès au magnifique parc marin de Kisite ainsi qu'à l'île de Wasini. Le soir, rien de spécial à faire, si ce n'est déambuler sur la place principale où les quelques gargotes et bars populaires concentrent la vie nocturne. À moins que vous ne préfériez assister à la projection d'un film vidéo dans la petite salle bringuebalante qui fait office de cinéma public.
– Pas de banque ni de bureau de change.

Comment y aller?

➢ ***De Mombasa :*** emprunter la route pour Lungalunga. Tourner à gauche 1 km après Ramisi, puis continuer sur 15 km de piste. En bus, il faudra descendre à cette bifurcation et faire du stop. Sinon, prendre un *matatu* jusqu'à Ukunda. De là, prendre un autre *matatu* jusqu'à Shimoni.

Où dormir? Où manger?

De bon marché à prix moyens

⩓ ▲ ***Eden Wildlife Trust Camp :*** ☎ 520-28 (pour obtenir la maison de gardiennage) ou 27 (pour obtenir le bureau de réservation). Compter 50 Ksh (0,5 €) pour camper et 750 Ksh (7,9 €) pour un *bandas,* prix par personne. Pas de petit dej'. Site géré par *Kenya Wildlife Service.* Une dizaine de tout petits *bandas* restaurés avec 1 ou 2 lits; certains disposent de w.-c. et de douche privés. Moustiquaire aux fenêtres. L'endroit très ombragé est chouette. Plusieurs petits sentiers serpentent sous un couvert végétal dense. Un coin est réservé pour planter la tente. Sanitaires communs rudimentaires mais globalement propres. On peut faire sa cuisine et manger autour d'une grande table commune. Un site qui ravira ceux qui ont un petit côté Robinson.

Chic

▲ |●| ***Shimoni Reef Lodge :*** réservations au *Papillon Reef Hotel* de Diani Beach. PO Box 5291, Diani. ☎ 520-13 ou 15. Réservation à Nairobi : ☎ (020) 222-01-25 ou à Mombasa : ☎ (041) 447-17-71. De 90 à 120 US$ (70,1 à 94,8 €) pour 2 personnes en demi-pension, selon la saison. Réduction souvent intéressante si paiement cash. Connu pour son centre de plongée PADI, ce petit *lodge* attire essentiellement les plongeurs. C'est aussi le paradis des oiseaux! Les cottages pour 2 à 4 personnes sont bien tenus : intérieur blanc égayé par des tissus colorés, salon, chambre avec moustiquaire, ventilo. Salle de bains avec douche, lavabo et w.-c. Éviter les cottages proches du groupe électrogène situé à l'entrée. Barbecue sur la terrasse et vue sur la mer. Piscine. Boutres pour la plongée. Cartes *Visa* et *MasterCard* acceptées.

▲ |●| ***Pemba Channel Inn & Fishing Club :*** PO Box 86952, Mombasa. Réservations à Mombasa : ☎ (041) 649-12-65 ou (0722) 205-021 (portable). • www.pembachannel.com • Compter de 220 à 270 US$ (173,8 à 210,6 €) pour 2 personnes selon la saison, en pension complète. Ce petit hôtel familial et chaleureux est l'un des meilleurs clubs de pêche d'Afrique. On loge dans des *bandas* simples et très mignons au sein d'une belle pelouse : véranda, ventilo, moustiquaire, grande salle de bains avec douche, lavabo et w.-c. Excellent dîner servi sur la terrasse, genre table d'hôte. Pas de plage mais une piscine agréable. Si l'on ne pêche pas, on ira quand même jeter un œil à la liste des records dans le *club-house* où s'alignent les trophées de marins.

Où camper ? Où manger dans les environs ?

⛺ 🏠 🍽 ***Mwazaro Beach :*** PO Box 14, Shimoni. De la route principale (A14), prendre la piste vers Shimoni. À 7 km, tourner à gauche au panneau, puis continuer sur 1 km. Près de 300 Ksh (3,1 €) par personne pour une tente et 1200 Ksh (12,6 €) en demi-pension pour un *bandas.* Village de bungalows dans un site superbe et sauvage. D'un côté, la mer, de l'autre, la mangrove. Sable blanc et eau turquoise. L'accueil est vraiment sympa. On y rencontre des babas allemands très cool dans un trip « retour à l'essentiel ». Pas d'électricité ni de téléphone. Abris pour les tentes, ainsi que des bungalows (de 2 à 3 lits) entièrement constitués de palmes, à même le sable (ça a l'air de tenir !) avec des coquillages bénitiers en guise de lavabo. Douche et w.-c. communs, propres. Le resto en terrasse sert une cuisine swahilie savoureuse à base de produits de la mer. Promenades en bateau ou à pied dans la mangrove. On peut vous fournir des masques et des palmes pour découvrir la barrière de corail au large ou dans le parc marin. Une étape idéale pour les campeurs.

À voir. À faire

👁👁 ***Shimoni Slave Cave :*** dans le village. Ouvert tous les jours de 8 h 30 à 10 h 30 et de 13 h 30 à 18 h. Entrée : 100 Ksh (1,1 €). Le site est géré par la population locale et l'argent collecté sert à financer les guides et différents projets socio-éducatifs dans le village. C'est une grotte naturelle en corail et un haut lieu de l'histoire de Shimoni. Près de 5 km de réseau souterrain ont été recensés (mais on ne visite pas tout) ! Pendant des siècles, les galeries ont servi de refuge aux habitants pour échapper aux attaques répétées des Massaïs. Shimoni s'appelait d'ailleurs *Kaoni,* qui signifie « pas vu » en dialecte local. À partir du XVIe siècle, des centaines d'esclaves y furent enchaînés avant d'être embarqués pour Zanzibar. On voit d'ailleurs encore quelques anneaux accrochés à la paroi. La grotte communiquait autrefois avec la mer ; il est prévu de rouvrir le passage, mais tout dépendra des financements disponibles...

👁👁 ***Le parc national marin de Kisite-Mpunguti*** et ***l'île de Wasini,*** bien sûr ! Voir ci-après.

LE PARC NATIONAL MARIN DE KISITE-MPUNGUTI

Considéré à juste titre comme le plus beau parc marin du Kenya. Il s'étend autour d'un petit groupe d'îlots et de récifs, à 8 km au large de Shimoni. Kisite est en fait un tout petit rocher bordé d'une plage de sable blanc et dénué de végétation. Sous l'eau, la richesse de la faune est stupéfiante : des poissons de toutes les couleurs et aux formes souvent étonnantes (poissons-perroquets, poissons-chirurgiens, poissons-clowns, etc.) qui tourbillonnent autour de coraux multicolores dans une eau turquoise, la plus transparente de la côte. L'observation des fonds marins se fait à marée basse *(low tide)* ; la visibilité est bien meilleure.

Comment y aller ?

➢ On y accède ***en boutre,*** ces embarcations à fond plat qui permettent d'approcher l'îlot sans endommager les coraux. Le trajet dure environ 1 h. Il existe deux possibilités pour se rendre au parc :

– des capitaines (opérateurs privés) attendent à l'embarcadère de Shimoni. Ils proposent une excursion comprenant souvent la location du matériel de plongée et un barbecue sur la plage (mais attention, il n'y a pas d'ombre). Jetez un œil à la marchandise avant de conclure : le boutre est souvent une barcasse ou un tacot à moteur et non le beau voilier dont vous aviez rêvé. Les masques sont souvent hors d'âge. De plus, ils ne possèdent que rarement de moyens de communication en cas de problème ; la mer peut parfois réserver des surprises et il y a déjà eu des incidents (comprenez, des « sauvetages ») ;
– on vous conseille donc de vous adresser plutôt à une agence professionnelle ; c'est un peu plus cher, mais le matériel est meilleur et plus sûr. S'adresser à *Adventure Centre* (Wasini Island Restaurant & Kisite Dhow Tours) ou à *Dolphin Dhow* (voir « Adresses et infos utiles » à Diani).
L'excursion d'une journée que propose l'*Adventure Centre* est inoubliable. Agence très sérieuse.

Adresses utiles

■ ***Kisite Marine Park Office :*** ☎ 520-27 ou 28, à Shimoni. Généralement ouvert de 6 h à 18 h. Au centre du village, prendre à droite au carrefour en T. Ticket à retirer à l'office avant toute excursion vers le parc.
■ ***Wasini Island Diving Centre :*** le centre de plongée d'*Adventure Centre* (bureau sur l'île de Wasini : ☎ 522-90 ou 524-10, et agence de réservation à Diani Beach : ☎ 320-23-31 ou 30-55). • www.wasini-island.com • Prix intéressants. Boutres pour le parc marin. Location d'équipement neuf pour la plongée en apnée. Matériel performant et instructeur permanent. Expéditions sous-marines vers l'île de Pemba. Apporter sa carte de qualification.

L'ÎLE DE WASINI

IND. TÉL. : 040

L'île de Wasini est la plus méridionale de la côte. À l'écart de l'histoire et des grands circuits touristiques, elle a conservé un charme authentique et sauvage. L'île abrite deux villages, Mkwiro et Wasini, accrochés à leur caillou aride : il n'y a pas d'eau sur l'île. Les boutres vont la chercher sur le continent. Une noria de voiles traverse le détroit en période de sécheresse. Ancienne colonie arabe de l'âge d'or swahili, Wasini conserve une forte tradition musulmane.
L'ouverture au tourisme a suscité de vives controverses au sein du village. Elle demeure toutefois limitée à un camp de *bandas* et un restaurant. Le principal pourvoyeur de visiteurs, l'*Adventure Centre,* a développé un écotourisme intelligent, respectueux des coutumes locales et de l'environnement. Pas d'argent ni de cadeaux pour les gamins : il existe une cagnotte au resto. Les dons sont répartis entre l'école, le dispensaire et la caisse du village *(madrasa),* gérée par le conseil des anciens.

Comment y aller ?

➢ En bateau depuis Shimoni. Sur le quai, des coques de noix pour les fauchés.
➢ Les jolis boutres de Wasini peuvent venir vous chercher à Shimoni si vous avez réservé au *lodge* ou au restaurant.
➢ L'*Adventure Centre* organise de très belles excursions à partir de Diani ou de Shimoni.

Où dormir ? Où manger ?

▲ ⌂ |●| ***Mpunguti Lodge :*** PO Box 19, Shimoni. ☎ 522-88. Compter 200 Ksh (2,1 €) pour camper et 1 000 Ksh (10,5 €) en demi-pension pour une chambre (prix par personne). Petit supplément en haute saison. Possibilité de s'y restaurer de bon marché à prix moyens. Masoud est un hôte charmant et un homme d'affaires avisé. Il a créé tout seul un ensemble de cottages proprets accroché au bout du village de Wasini. Le site est agrémenté de papayers, baobabs et bougainvillées. Il offre un panorama magnifique sur le détroit. Les bungalows groupent 2 ou 3 chambres louées séparément sous un toit de *makuti.* Oubliez l'intimité : les murs ne montent pas jusqu'au plafond. L'intérieur est très simple et propre. Sanitaires sur le palier : douches à l'eau douce et w.-c. à l'eau de mer ! On peut planter sa tente en retrait, mais pas d'ombre et pas de vue. Les cottages ne sont pas beaucoup plus chers. Au resto qui domine la mer, Masoud propose une délicieuse cuisine swahilie et montre avec fierté sa riche collection de coquillages. Il propose aussi des excursions en boutre dans le parc marin. Ah oui, n'oubliez pas non plus de visiter son petit musée (voir ci-après).

|●| ***Wasini Island Restaurant :*** bureau sur l'île de Wasini : ☎ 522-90 ou 524-10, et agence de réservation à Diani Beach : ☎ 320-23-31 ou 30-55. • www.wasini-island.com • Sous une grande paillote de *makuti,* on vous sert une cuisine swahilie raffinée et créative : chair de coco marinée au citron et grillée au feu de bois, crabe de la mangrove au gingembre, poisson *piri piri,* poisson grillé sauce swahilie, plateau de fruits tropicaux, café. Alternative pour les végétariens. La présentation est tout aussi travaillée. On utilise des assiettes et des couverts en bois et une massue pour le crabe ! Sally et son équipe sont aux petits soins pour leurs hôtes. Un endroit très sympa mais assez cher. Cartes *Visa* et *MasterCard* acceptées.

À voir

Le village de pêcheurs : il mérite une visite. Portez une tenue conforme à la tradition islamique. Dénués de tout, les habitants ont développé des trésors d'astuce pour la vie de tous les jours. Le grand toit en zinc que vous verrez à l'entrée du village est le collecteur d'eau de pluie, souvent à sec. Comme il n'y a pas de source dans l'île, les habitants vont chercher l'eau en boutre sur le continent ! Les gamins fabriquent eux-mêmes leurs jouets et leurs friandises ; ils ramassent des cosses de baobab, en extraient les graines qu'ils font bouillir à la casserole avec du sucre et des colorants. Les maisons de boue séchée entourent les vestiges de la cité swahilie du XVIe siècle : une mosquée et des tombes d'imams au milieu des baobabs. Les ruines se détachent sur fond de mer turquoise, sous un ciel limpide. Remarquez également, à l'entrée du village, les vestiges de l'édifice dans lequel attendaient les esclaves au XVIIIe siècle avant de rejoindre Zanzibar. Au chantier naval, on construit des boutres sans plan, au jugé. C'est la tradition. Pour l'étanchéité, on bourre les interstices de fibres de coton trempées dans de l'huile de coco qu'il faut changer fréquemment.

Wasini Women Board Walk (le jardin de corail) : dans le village. Entrée : 100 Ksh (1,1 €). Site géré par la communauté des femmes du village et dont l'argent sert à financer des projets socio-éducatifs, comme à Shimoni. On déambule sur un ponton qui serpente dans un paysage lunaire assez extraordinaire, composé de rochers coralliens aux formes insolites et au sein de la mangrove. Petit belvédère pour observer le coucher du soleil et le vol des chauves-souris. Pendant les grandes marées, la mer recouvre cette étendue. C'est là que sont pêchés les crabes que l'on déguste au *Wasini Island Restaurant.* On récolte également les petites plantes vertes (genre de salicornes) qui se développent. Elles se dégustent en salade avec des tomates et du jus de coco.

On ne manquera pas non plus d'aller faire un tour au petit ***musée*** de Masoud au *Mpunguti Lodge* qui rassemble, pêle-mêle, des fragments de poteries chinoises, hollandaises (certaines auraient plus de 300 ans !) et que Masoud a lui-même trouvés en retournant le sol de l'île, *like a crazy man !* Gratuit.

LA CÔTE AU NORD DE MOMBASA

La côte septentrionale de Mombasa possède de belles plages et un riche passé historique. Les estuaires aux eaux turquoise délimitent des régions bien distinctes, plus sauvages à mesure que l'on s'éloigne de Mombasa. Les rivières qui s'y jettent ouvrent des brèches profondes dans la barrière de corail. La mer s'y engouffre avec force. Les bateaux y trouvent une porte d'accès naturelle qui a fait la fortune de Kilifi et de Malindi. Après l'époque pittoresque des traversées en ferry, les estuaires se sont endormis à l'ombre des ponts. La route côtière est un ruban ininterrompu jusqu'à l'archipel de Lamu.

LE NORD DE MOMBASA (NYALI, BAMBURI, SHANZU)

IND. TÉL. : 041

De Nyali à la crique de Mtwapa s'étend la banlieue nord de Mombasa. La construction du Nyali Bridge, en 1931, a lancé un tourisme chic et précoce dont le très *british Nyali Beach Hotel* fut le fleuron. Aujourd'hui, les plages sont denses et bordées d'hôtels en tout genre. Nyali conserve le cachet et les vestiges de la colonie anglaise. Au nord, Bamburi et Shanzu ressemblent plus à la Costa del Sol. Il y a du monde et de l'animation (trop à notre goût). C'est le quartier des agapes nocturnes de la jeunesse de Mombasa.

Adresses utiles

Poste et télécommunications

✉ ***Poste*** *(plan B2)* **:** centre commercial de Bamburi. Poste restante.

@ ***Téléphone, fax et Internet :*** plusieurs sociétés privées (tarif téléphonique 2 fois plus cher que celui des cartes téléphoniques) :
– *Telkom Kenya :* centre commercial Nakumatt Nyali *(plan B3).* Vente de *Calling Card* et de *Phone Card.*
– *Unique Communication Centre :* Bamburi (à côté de la *CBA ; plan B2,* ***2****).* Ouvert tous les jours jusqu'à minuit. Téléphone, fax et borne d'accès Internet (si vous avez un micro). Autre agence à Shanzu (centre commercial face à l'*Intercontinental Hotel*).
– *Books First :* centre commercial Nakumatt Nyali *(plan B3).* Accès Internet à l'étage. Ouvert de 8 h à 22 h, même le dimanche (jusqu'à minuit les samedi et vendredi).
– *Phone Home :* centre commercial The Planet *(plan B3).* Ouvert de 7 h à minuit. Téléphone, fax et Internet.

Banques

Pas de problème pour changer *traveller's cheques* et devises étrangères.

■ ***Barclays*** *(plan B2,* ***1****) :* à Bamburi. ☎ 548-75-47. Fax : 548-71-34. Distributeur acceptant cartes *Visa* et *MasterCard,* accessible 24 h/24.

■ ***CBA*** *(plan B2,* ***2****) :* à Bamburi. ☎ 48-58-89. Fax : 548-54-29. Ouvert du lundi au vendredi de 9 h à 14 h 30. Possibilité de retirer de l'argent au guichet avec une carte *Visa.*

Centres commerciaux

■ ***Nakumatt Nyali*** *(plan B3) :* à Bamburi. Ouvert du lundi au samedi de 8 h 30 à 20 h 30 et de 10 h à 18 h le dimanche. LE nouveau centre commercial de la côte nord avec plein de boutiques et un grand supermarché où l'on trouve de tout, et notamment du vin kenyan.

■ ***The Planet*** *(plan B3) :* à côté du *Nakumatt Nyali.* Un peu désaffecté aujourd'hui ; pas mal de boutiques ont déménagé dans le nouveau centre.

■ Autres centres plus petits : à Nyali, ***Ratna Square*** *(plan A4,* ***6****)* et à Shanzu, ***Indiana*** (près du *Serena Beach Hotel ; plan B1,* ***14****).*

Location de voitures

■ ***Gupta's :*** centre commercial *The Planet (plan B3).* ☎ 548-72-14. Le spécialiste du 4x4 et des berlines à prix raisonnables.

Librairie

■ ***Books First :*** centre commercial *Nakumatt Nyali (plan B3).* Livres de poche, de collection et revues en anglais. La mieux fournie de la côte nord de Mombasa.

■ Adresses utiles

- ✉ Poste
- **1** Barclays
- **2** CBA
- **5** Piscine du Whitesands
- **6** Ratna Square
- **12** Piscine du Giriama Beach Hotel
- **13** Piscine du Voyager Beach Resort
- **15** Piscine du Reef Hotel

Où dormir ?

- **10** Shanzu Transitional Workshop & Girl Guides
- **11** Bamburi Beach Villa
- **12** Giriama Beach Hotel
- **13** Voyager Beach Resort
- **14** Serena Beach Hotel
- **15** Reef Hotel
- **16** Nyali Beach Hotel

Où manger ?

- **14** Sokoni Plaza Serena Beach Hotel
- **21** Whistling Pines
- **22** Rainforest Café & Club
- **23** Tamarind Restaurant & Tamarind Dhow
- **24** Shanzy Sea Haven
- **25** Oasis
- **26** Moorings
- **27** Hunters Steak House

Où boire un verre ? Où sortir ?

- **30** Pirates
- **31** Tembo Disco
- **32** Mamba

■ À faire

- **13** Buccaneer Diving
- **40** James Adcock Fishing Club

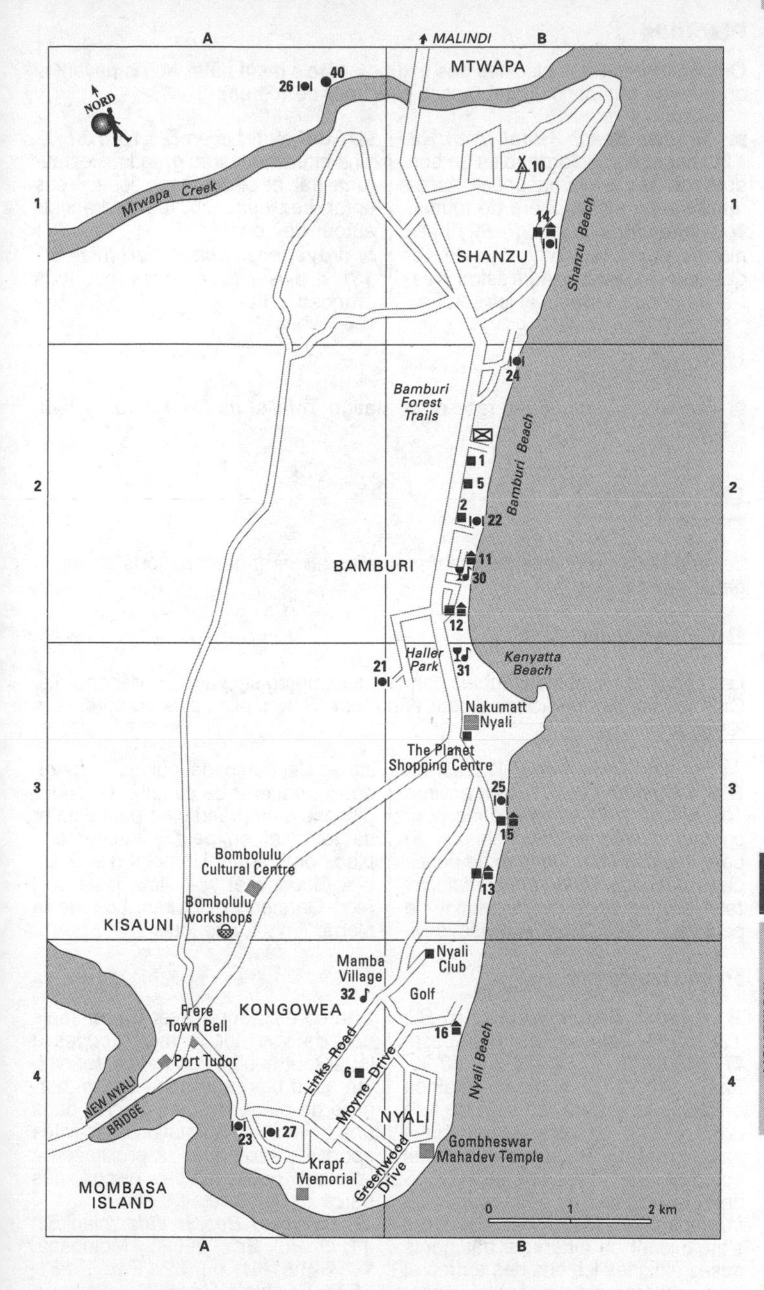
A
MALINDI
B
MTWAPA
NORD
26
40
Mrwapa Creek
10
14
SHANZU
Shanzu Beach
1
24
Bamburi Forest Trails
Bamburi Beach
1
5
2
22
2
BAMBURI
11
30
12
Haller Park
21
31
Kenyatta Beach
Nakumatt Nyali
The Planet Shopping Centre
3
25
15
Bombolulu Cultural Centre
13
Bombolulu workshops
KISAUNI
Mamba Village
Nyali Club
32
Golf
Frere Town Bell
KONGOWEA
16
Port Tudor
Links Road
6
Moyne Drive
Nyali Beach
4
NEW NYALI BRIDGE
NYALI
23
27
Gombheswar Mahadev Temple
Krapf Memorial
Greenwood Drive
MOMBASA ISLAND
0
1
2 km
A
B

LA CÔTE AU NORD DE MOMBASA

Piscines

On peut profiter des piscines des luxueux hôtels de la côte. Accès payant si on ne loge pas dans l'hôtel (assez cher tout de même).

■ ***Giriama Beach Hotel*** *(plan B2, **12**) :* bar et piscine agréables en bordure de plage. Atmosphère assez familiale. La moins chère de toutes.
■ ***Whitesands*** *(plan B2, **5**) :* belle piscine paysagère entourée de végétation tropicale. Admission restreinte (tenue correcte et joli sourire).
■ ***Reef Hotel*** *(plan B3, **15**) :* 3 bassins classiques très grands. Restaurant, bar et plage magnifique. Vous entendrez beaucoup parler français autour de vous !
■ ***Voyager Beach Resort*** *(plan B3, **13**) :* plusieurs piscines pas très grandes. Cher.

Urgences

■ ***Police :*** à Bamburi, en face de la station *Total* et du *Bora-Bora.* ☎ 548-53-16.

Où dormir ?

Le long de la côte, tous les établissements alignent des prix forts durant la haute saison.

Bon marché

Les campeurs sont indésirables par ici. Le camping sauvage est déconseillé. On vous donne une adresse pour dépanner. Sinon, allez plus au nord, vers Kanamai.

⛺ ***Shanzu Transitional Workshop & Girl Guides*** *(plan B1, **10**) :* environ 100 Ksh (1,1 €) par personne pour camper et près de 250 Ksh (2,6 €) pour une chambre. De la route principale, direction l'*Intercontinental Hotel.* Ne pas louper, sur la gauche, le panneau « Coca-Cola », presque illisible. Ce camp de guides héberge aussi un atelier de couture. Le public dispose d'un grand parc pour planter sa tente et on peut y trouver une place ombragée. Un point d'eau. Un bloc douche et w.-c. tout juste correct. Gardien et clôtures. Loin de la plage. Il n'y a pas foule.

Prix moyens

🏠 ***Giriama Beach Hotel*** *(plan B2, **12**) :* PO Box 86693, Mombasa. ☎ 548-67-20 ou 57-26 ou 50-90. Fax : 548-63-66. • giriama@africaonline.co.ke • De 2400 à 3000 Ksh (25,3 à 31,6 €) pour 2 personnes selon la saison. Demi-pension. Hôtel compact dans une végétation tropicale de palmiers du voyageur et de frangipaniers. Mais les chambres s'organisent en différents bâtiments assez éloignés les uns des autres et l'atmosphère est agréable, reposante, un brin plus familiale que celle des autres hôtels du coin. Chambres propres avec balcon mais pas de vue sur la mer. *Lodges* à louer tout équipés pour 4 personnes. On aime bien aussi son bar en bordure de plage avec sa piscine dans une belle cour. Animation et activités sportives classiques. À proximité de la plage publique, des discos, des parcs et des arrêts de bus.
🏠 ***Bamburi Beach Villa*** *(plan B2, **11**) :* PO Box 82623, Mombasa. ☎ 548-61-61 ou 62. Fax : 231-45-53. • brollo@net2000ke.com • Prix intéressants en basse saison : 3000 Ksh (31,6 €) pour 2 personnes.

Ristourne souvent accordée. Deux fois plus cher en avril, août et décembre. Une vingtaine d'appartements pouvant accueillir jusqu'à 5 personnes dans des barres d'immeubles qui dégagent un petit côté HLM. Mais appartements spacieux, avec balcon, bien tenus et bien équipés (chambres avec moustiquaires, AC, bains, cuisine). Certaines familles y résident parfois un long moment. Piscine et plage publique de Bamburi à moins de 5 mn à pied.

De chic à très chic

🏠 ***Voyager Beach Resort*** *(plan B3, **13**)* **:** PO Box 34117, Mombasa. ☎ 447-51-14. Fax : 447-25-44. Réservations à Nairobi par *Heritage Hotels* : ☎ (020) 444-66-51. Fax : (020) 271-65-47. • www.heritagehotels.com • Compter entre 100 et 120 US$ (83,5 et 100 €) la double en pension complète, selon la saison. Ajouter près de 25 US$ (21 €) pour une *superior room*. Décoré sur le thème de l'aventure, de la mer et du bon temps de la course aux épices. Vieux boutre à l'entrée, sacs de riz et de café dans le hall, barque-comptoir... Autour de la hutte centrale coiffée d'un gigantesque toit de *makuti* (admirez le travail de charpente !), deux bâtiments blancs s'alignent le long du parc. À l'intérieur, des chambres simples, petites mais bien agencées, avec AC, salle de bains avec lavabo, w.-c. et une grande douche avec un banc (pour deux ?). Au resto, buffet correct. Belle piscine en terrasse au-dessus de la plage. Centre nautique avec école de plongée PADI. Animation en saison et pas mal de groupes.

🏠 ***Nyali Beach Hotel*** *(plan B4, **16**)* **:** PO Box 90581, Mombasa. ☎ 447-15-51 ou 68. Fax : 447-28-77. À Nairobi, réservation à *Block Hotels* : ☎ (020) 553-54-12 ou 19. • blockreservations@net2000ke.com • Doubles à environ 100 US$ (83,5 €) en *B & B*. Formule demi-pension possible. Fier bastion de la colonie anglaise. Le prince Phillip est descendu ici en 1996. C'est l'un des premiers hôtels de la côte. En 1946, Eva et Harry Noon ouvrent un établissement chic pour les notables de Mombasa. L'esprit est resté malgré l'inflation du nombre de chambres (tout confort) et la standardisation de la déco (très *british*). À midi, resto de fruits de mer sur la plage. Terrasse surplombant la piscine, resto en plein air dominant la plage ourlée de cocotiers, bref, on surplombe tout le temps. Le soir, tout le monde s'habille chic, genre croisière aux Caraïbes. Animation musicale et spectacle de danse. Les hyperactifs auront le choix : disco et casino, golf gratuit, grand parc, belle piscine (presque olympique !), centre nautique, tennis et squash.

🏠 ***Reef Hotel*** *(plan B3, **15**)* **:** PO Box 82234, Mombasa. ☎ 447-17-71 ou 72. Fax : 447-43-49. • reefmsa@swiftmombasa.com • À côté du *Voyager Beach Resort*. Doubles de 80 à 140 US$ (67 et 117 €) selon la saison, en demi-pension. Grand hôtel classique très choyé par les tour-opérateurs français ; d'ailleurs tout est écrit en français. Une centaine de chambres de bon confort donnant sur un beau jardin tropical. Accès direct à la plage. Trois piscines.

Beaucoup plus chic

🏠 ***Serena Beach Hotel*** *(plan B1, **14**)* **:** PO Box 90352, Mombasa. ☎ 548-57-21 ou 72-20 à 29. Fax : 548-54-53. • www.serenahotels.com • À partir de 250 US$ (209 €) la double en haute saison (180 US$ soit 150 €, d'avril à juin). Pension complète. Grand complexe hôtelier de style swahili. Effort louable : l'architecture et la décoration se retrouvent jusque dans les chambres (murs blancs, bois et balcon). Les petits bâtiments sont groupés en deux zones : les *village rooms* sont centrales, les *garden rooms* à l'écart, plus chères et plus tranquilles. Confort international avec AC. Le restaurant *Jahazi* est réputé pour ses fruits de mer. La clientèle est assez jeune, car le centre sportif est du genre dynamique. Animation le soir et disco. Excursions en boutre et visite du parc marin voisin. Navette régulière et gratuite avec Mombasa (sauf le week-end).

Où manger ?

De bon marché à prix moyens (moins de 1 000 Ksh - 10,5 €)

Il n'existe pas à proprement parler de restaurants bon marché sur la côte nord, très touristique. Un repas complet tournera vite autour de 800 Ksh (8,4 €). Pour rester dans une fourchette « bon marché », il faudra se rabattre sur les snacks et les sandwiches.

Whistling Pines *(plan A-B3, **21**)* : à l'intérieur de Haller Park. ☎ 0722-520-523 (portable). Fermé le lundi soir. Pas besoin de payer le soir pour y accéder (à l'entrée de Haller Park, suivre le panneau sur la droite). Le resto est niché au creux d'un vallon verdoyant entouré de points d'eau. Sous la grande paillote en chaume, on savoure de délicieux poissons, des steaks de croco et d'autruche accompagnés de légumes craquants ou de simples sandwiches. Les produits sont frais. Ils proviennent des élevages et des cultures de la ferme du parc. Les petits vins français et sud-africains (à prix corrects) tiennent bien la route. Les citadins de Mombasa se retrouvent ici dans une ambiance conviviale. La nature s'anime au crépuscule. À la lueur des bougies, l'endroit prend des airs de petit *lodge* perdu dans la brousse.

Shanzy Sea Haven *(plan B2, **24**)* : ☎ 548-53-51. On vous propose de vite oublier la salle de resto pour vous installer sur la terrasse ombragée, qui s'avance vers le large telle la proue d'un navire. Comme sur un bateau, il y a souvent du vent, mais on y est si bien ! Et vous n'avez pas encore tout vu ! On y déguste une excellente cuisine inventive qui éveille les sens. La présentation des plats est délicate, le service prévenant (mais parfois un peu lent ; ici on ne tue la bébête que si le client est là !). Spécialités de poissons et de fruits de mer : *lobster thermidor* flambée au brandy, *crab a'la king* avec sa sauce aux champignons et parfumée au *Sherry* (un pur délice !), coquilles Saint-Jacques. Le poulet à la crème et au vin est aussi bien tentant... Un havre de paix et de gâteries culinaires parfois perturbé par une musique funky. On a beaucoup aimé, même si la direction ne nous a pas fait bonne impression.

Oasis *(plan B3, **25**)* : derrière le *Reef hotel*. ☎ 447-47-53 ou 0733-73-69-24 (portable). Ouvert le soir du mardi au vendredi, les samedi et dimanche, midi et soir. Le resto italien par excellence, perché sur une terrasse aérée et bordée de plantes vertes. Quelques belles tables aux nappes blanches et rouges. Un cadre agréable et calme. Un accueil simple et décontracté. Une musique à mi-chemin entre ballades pop-rock et country. Bref, sans chichis... Bonnes pâtes *carbonetti, napoli,* à la bolognaise, *gorgonzola* et excellentes pizzas. Quelques viandes également sympathiques : filet de poulet au jus de citron, bœuf au poivre vert, etc. Un bon rapport qualité-prix.

Rainforest Café & Club *(plan B2, **22**)* : ouvert midi et soir. Tables aux nappes tendance léopard sous des paillotes au milieu des palmiers. Sandwiches et salades pour les petites faims, mais la maison se distingue par ses spécialités de poulet à la sauce thaïe, jamaïcaine, indienne, éthiopienne, etc. Les fruits de mer ne sont pas oubliés : langoustines *piri piri* et homard. Quelques plats végétariens également. La cuisine est bonne, les plats joliment présentés, mais on aimerait manger sans être agacé par la TV qui couvre le doux murmure d'une chute d'eau ! Service un peu lent et prix un tantinet trop élevés. *Night-club* les mercredi, vendredi et samedi. Gratuit pour les *eaters*.

Sokoni Plaza Serena Beach Hotel *(plan B1, 14)* **:** le snack du *Serena Beach Hotel* a deux avantages, il est ouvert 24 h/24 et on peut se faire servir sur la plage ; le bord de mer est magnifique. Salades, soupes et gril à prix moyens. On peut aussi opter pour le restaurant, dont le cadre n'est qu'élégance et raffinement. La carte propose principalement des poissons et des fruits de mer. Plus cher bien sûr, mais les prix restent très raisonnables.

Moorings *(plan A1, 26)* **:** ☎ 548-70-14. Fermé le lundi. À côté du *James Adcock Fishing Club*, un petit resto flottant, tout en bois, bien agréable. Pas beaucoup de choix cependant. Les pêcheurs et les voileux de la région s'y réunissent pendant le week-end. Groupes de musique certains soirs.

De chic à très chic (plus de 1 500 Ksh – 15,8 €)

Hunters Steak House *(plan A4, 27)* **:** passer devant le *Tamarind Restaurant*, puis tourner à gauche au panneau. ☎ 447-47-59. Ouvert tous les jours, midi et soir. On a le choix entre une salle climatisée ou un jardin verdoyant et fleuri. Le régal des amateurs de bonne viande : steaks savoureux, *T-bone*, tartare, escalope « Gordon bleu » (dans le texte), viandes exotiques sauvages. Les végétariens ne sont pas venus pour rien. Les soupes à l'ail ou au poisson sont particulièrement réussies. Le cuistot est un vrai chef cuisinier, et il connaît du beau monde. On voit des photos de lui avec l'Aga Khan. Cependant, c'est aussi un ancien chasseur de grands fauves (ça, c'est moins sympa) ; les peaux tendues au mur sont des trophées personnels.

Tamarind Restaurant *(plan A4, 23)* **:** Silos Rd. ☎ 447-46-00, 01 ou 02. Ouvert tous les jours, midi et soir. Un bon repas oscillera entre 2 000 et 2 500 Ksh (21,1 et 26,3 €). Une institution et un classique du tourisme côtier qui fait chèrement payer sa réputation. Le resto en terrasse offre une belle vue sur l'île de Mombasa. Le port des boutres et la vieille ville se détachent sur une mer d'azur. En cuisine, on vous prépare des produits de la mer à la carte, travaillés avec beaucoup de finesse : crabes aux épices, homard swahili à l'ail et au safran, langoustes *piri piri* au jus de citron, poisson au lait de coco.

Tamarind Dhow *(plan A4, 23)* **:** ☎ 447-46-00, 01 ou 02. Ouvert le mardi et le jeudi midi, et généralement tous les soirs. Réservation obligatoire. Pour un *diner*, compter près de 5 250 Ksh (55,3 €). Moins cher pour un *lunch*. Au pied du resto, un boutre somptueux largue ses amarres ; *Nawalilkher* est l'un des plus gros d'Afrique de l'Est. Il fut construit à Lamu dans le village de Matondoni, réputé pour ses constructions navales traditionnelles. Il navigua pendant 10 ans entre l'Afrique et les pays du Golfe avant de regagner Mombasa, pour le plus grand plaisir des touristes. Pas besoin d'avoir le pied marin : à midi et le soir, le boutre passe devant le fort Jésus et la vieille ville, puis jette l'ancre au calme dans la baie de Tudor. Le dîner aux chandelles sous la voûte étoilée est d'un romantisme torride. Service en costume traditionnel. Menu fixe à base de délicieux fruits de mer ou de viandes grillées sur le pont. On finit la soirée bercé par les mélodies suaves d'un groupe africain.

Où boire un verre ? Où sortir ?

♩ **Mamba** *(plan A4, 32)* **:** à l'entrée de Mamba Village. ☎ 447-51-80 ou 84. Ouvert le vendredi soir et le samedi soir. Gratuit pour les filles le vendredi. La boîte en vogue de la côte où la jeunesse vient s'éclater et « rapper » en swahili. Le cadre est très sympa. C'est une grande paillote allongée qui évoque la forme d'un navire, au sein d'une ancienne carrière à ciel ouvert. On y accède d'ailleurs par un escalier qui descend de manière assez raide. Tout autour, des terrasses surplombent la piste de danse comme dans un amphithéâtre. La direction se plaît à préciser que c'est l'une des plus grandes boîtes d'Afrique ! Toutes les tendances musicales sont les bienvenues, mais à partir de 4 h les tonalités deviennent plus africaines.

Pirates *(plan B2, **30**)* **:** ☎ 548-60-20 ou 71-19. Ce complexe de loisirs draine la jeunesse européenne et indienne de Mombasa. C'est d'abord un restaurant de spécialités grecques (comme le patron) et indiennes, assez cher. C'est ensuite un parc aquatique très populaire le week-end. C'est enfin la boîte en vue de la côte nord, agréablement ouverte sur la plage de Kenyatta. On danse les mercredi, vendredi et samedi (entrée payante). Tous les âges, tous les styles. La grosse fête.

Tembo Disco *(plan B3, **31**)* **:** ☎ 548-50-74 ou 78. Ouvert tous les jours. Gratuit le lundi et le mardi pour les filles. Une grande paillote aérée avec sa piste de danse où s'entasse la jeunesse africaine et européenne de Mombasa. Un coin billard à l'écart. Quelques jeunes filles de compagnie, mais tout est contrôlé... Le week-end, ça chauffe souvent jusqu'à 7 h. Rap, soul, funk et *lingala.* Restaurant de poissons et fruits de mer pas cher mais pas terrible.

À voir

Haller Park *(plan B2-3)* **:** *Baobab Farm,* PO Box 81995, Mombasa. ☎ 548-59-01 ou 04. Fax : 548-64-59. • www.baobabadventures.com • Ouvert de 8 h à 17 h (mais on peut s'y promener jusqu'à 18 h). Entrée : 450 Ksh (4,7 €). En *matatu* (route côtière), descendre devant l'entrée Haller Park, bien indiquée. Parc animalier insolite, créé dans une ancienne carrière. Les animaux sont nourris à 16 h. Serpentarium, pépinière, étangs, ferme d'élevage de poissons et de crocodiles. Excursion sur réservation pour la ferme d'autruches. On peut aussi participer à la plantation d'arbres dans le parc.

En 1954, la compagnie *Cement Holding* de Zurich lança la première cimenterie d'Afrique. Dans la carrière à ciel ouvert, on creusa le corail sur 10 m jusqu'au niveau de la mer. Quinze ans après, le site fut abandonné : un univers minéral où le taux de salinité empêchait définitivement la végétation de repousser. Un ingénieur agronome suisse du nom de René Hallerlance releva le défi. En 1971, il planta 26 espèces d'arbres dans la rocaille, dont trois ont survécu.

Vingt ans plus tard, son audace est récompensée : là où les experts avaient affirmé que la vie était inconcevable, s'étendent à présent des étangs ombragés, des vertes collines peuplées d'animaux, un élevage de crocodiles et des plantations expérimentales, dont les résultats bénéficient à l'économie de la côte. Chaque espèce introduite a son utilité : poissons et volatiles dévorent larves d'insectes et parasites, les algues flottantes *(nil carbages)* ralentissent l'évaporation et fertilisent le sol. Enfin, la tortue seychelloise (la doyenne du parc, avec ses 300 ans bien tassés) tond le gazon gratis ! On trouve aussi des mammifères menacés comme l'oryx, l'éland, et plus de 130 espèces d'oiseaux. Sally est la mascotte du parc : un hippopotame ramené du lac Naivasha.

Bamburi Forest Trails *(plan B2)* **:** *Baobab Farm,* voir Haller Park. À environ 3 km au nord de l'entrée de Haller Park, sur la même route. Horaires d'ouverture identiques. Entrée : 200 Ksh (2,1 €). Les *matatus* passent juste devant. Là encore, une ancienne carrière réhabilitée en 1987 sur le même principe que Haller Park. C'est aujourd'hui un espace vert très boisé et parcouru sur près de 15 km par 4 sentiers différents réservés à la marche, au jogging, aux vélos (avec location possible). Il y a même un parcours santé et une douche pour se rafraîchir après l'effort ! Il faut absolument visiter le *Butterfly Pavilion,* un projet consacré à la protection des papillons. Dans la « maternité », on peut observer différentes espèces de chenilles ; certaines ressemblent à de véritables mille-pattes ou à des araignées velues... Mais le must de la visite est incontestablement la « nurserie » où l'on admire, perché sur un belvédère ou assis près d'une petite mare bucolique, des dizaines de papillons qui voltigent parmi une végétation luxuriante (le matin, ils sont plus actifs). Superbe ! Et pour finir la balade, rien de mieux que de s'installer quelques instants sur la *Sunset terrace,* posée sur l'eau, en sirotant une *soft drink.*

Gombheswar Mahadev Temple *(plan B4)* **:** à Nyali, à 500 m environ au sud de *Nyali Beach Hotel.* Visite de 7 h à 17 h 30, tous les jours. Gratuit, mais contribution financière très appréciée. Se déchausser. Un petit temple hindou aménagé dans une grotte naturelle qui donne sur la mer. Selon la légende, un troupeau de vaches se serait réfugié dans cette cavité pour échapper à l'abattage. Arrivé sur les lieux, leur malheureux boucher qui les recherchait aurait été chassé par des cobras. Pour les hindous, pas l'ombre d'un doute ! Il ne pouvait s'agir là que de la manifestation de la volonté de Shiva ! D'autant plus qu'à l'entrée de la grotte, sur la paroi, apparaissent très nettement la tête de Ganesh (le dieu à tête d'éléphant) ainsi qu'une marque noire en forme de triangle, considérée comme une représentation de Shiva. Tous les jours, dans une atmosphère de recueillement embaumée par l'encens, les hindous déposent des fleurs d'hibiscus, de bougainvillées et versent un peu de lait sur la stalagmite à la forme arrondie qui représente, là encore, Shiva.

À **Nyali,** deux monuments discrets méritent également une halte sur votre route. Au 1er embranchement après le pont de Nyali se trouve le tout petit *clocher de Frere Town (plan A4).* À cet endroit vivait une communauté d'esclaves libres, fondée en 1874 par Sir Batle Frere, qui joua un rôle essentiel dans l'abolition de l'esclavage. La cloche avertissait les habitants d'une attaque imminente d'Arabes esclavagistes.
Le *mémorial de Johan Ludwig von Krapf (plan A4)* est situé au bout de la route qui conduit au *Tamarind Restaurant.* Ce pasteur allemand rejoignit Mombasa en 1844. Il établit la 1re mission d'Afrique de l'Est à Rabai, dans l'arrière-pays de Mombasa. Mais il est plus connu comme explorateur intrépide. En 1849, il confirma que le sommet du mont Kilimandjaro était couvert de neige. Livingstone venait juste de débarquer en Afrique. La femme de Krapf et son enfant succombèrent à une crise de malaria.

Mamba Village *(plan A4)* **:** ☎ 447-27-09 ou 23-61. Ouvert tous les jours de 8 h à 18 h. Entrée : 600 Ksh (6,3 €) pour l'ensemble du site (450 Ksh, soit 4,7 € pour la ferme et 150 Ksh, soit 1,6 € pour le jardin botanique). Ferme de crocodiles, la plus grande d'Afrique. Près de 5000 crocodiles du Nil dans des enclos de béton pitoyables. Les crocodiles finissent à la casserole et en chaussures italiennes. Rien ne justifie le prix d'entrée. Dans le jardin botanique, quelques serpents dans des cages minuscules, un aquarium sans grand intérêt. Seuls les passionnés d'orchidées pourront y admirer quelques beaux spécimens d'Afrique et d'Amérique du Sud. Vente de plantes carnivores qu'il ne faut bien sûr pas acheter ; ces espèces sont protégées en France et en plus, elles ne tiendront pas une semaine !

Bombolulu Cultural Centre *(plan A3)* **:** dans le village de Bombolulu. ☎ 447-17-04 ou 53-24. Fax : 447-35-70. • www.epdkbombolulu.com • Ouvert du lundi au samedi de 8 h à 17 h. Entrée : 320 Ksh (3,4 €). Visite guidée. Reconstitution d'habitations traditionnelles de différentes ethnies (Swahilis, Giriamas, Bukusus, Massaïs, Luos, etc.). Resto sous une paillote. Prix moyens.

Les plages

La barrière est à 2 km. Baignade possible à marée basse. Mer agitée et trouble de mars à juillet.

Nyali Beach est une plage superbe bordée de cocotiers. Attention aux courants de l'estuaire de Mombasa. Beaucoup de touristes et de *beach-boys.* La petite crique située devant le *Voyager Beach Resort (plan B3,* ***13****)* est un endroit tranquille.

Kenyatta Beach est LA plage publique qui se remplit en fin de semaine, avec vendeurs de brochettes et de boissons. Ceux qui ne savent pas nager peuvent y louer des chambres à air en guise de bouée... Parking et accès à côté du *Pirates (plan B2, **30**).*

Plus au nord, ***Bamburi Beach*** et ***Shanzu Beach*** sont squattées par une succession de petits hôtels et d'énormes complexes touristiques (beurk !).

À faire

Les hôtels proposent activités sportives et excursions pour tous. On peut faire des balades à cheval en réservant au *Mamba Village.*
– Les amateurs de plongée iront au :

■ ***Buccaneer Diving*** *(plan B3, **13**) :* centre de plongée situé au *Voyager Beach Hotel.* ☎ 548-51-63 ou 73-72. Fax : 447-15-11. • www.buccaneerdiving.com • Ouvert tous les jours.

– Pour la pêche et la voile, une adresse loin des hordes :

■ ***James Adcock Fishing Club*** *(plan A1, **40**) :* PO Box 321, Mtwapa. ☎ et fax : 548-55-27. À 100 m du pont, tourner au panneau « Mombasa Aquarium », puis à gauche vers *Mtwapa Veterinary Clinic.* Location de bateaux pour 3 h minimum ou à la journée. Cher. James partage sa passion, sans frime et dans la bonne humeur. On peut partir au large taquiner les fauves. La saison commence en août et s'achève en avril. Au menu : marlin, espadon, thon et wahoo. On peut aussi pêcher dans la crique ou explorer la mangrove. À côté du club, resto le *Moorings* (voir plus haut, dans la rubrique « Où manger ? »).

Artisanat

Bombululu Workshops *(plan A3) :* à côté du *Bombululu Cultural Centre.* Ouvert du lundi au vendredi de 8 h à 12 h 45 et de 14 h à 17 h. Centre créé en 1969 pour offrir du travail à 150 handicapés. L'artisanat des ethnies kenyanes est bien représenté : bijoux, sculptures, tissus, vêtements, travail du cuir et du sisal. Un grand choix à prix d'usine. On peut aussi manger sur place.

LA RÉGION DE KIKAMBALA

IND. TÉL. : 041

De Mtwapa Creek à Kilifi s'étend une plaine monotone plantée de sisals. Les hôtels sont groupés sur les plages de Kikambala et de Kanamai, à 27 km de Mombasa. On y trouve de bonnes petites adresses, loin des tarifs et de la

■ **Adresse utile**

✉ Postes

Où dormir ?

10 Kanamai Conference & Holiday Centre
11 Continental Beach Cottages
12 Sun'n'Sand

Où manger ?

20 Whispering Palms
21 Porini Village
22 Kingfisher
23 Aquamarine Restaurant

Où boire un verre ? Où sortir ?

30 Sea Top Lodge

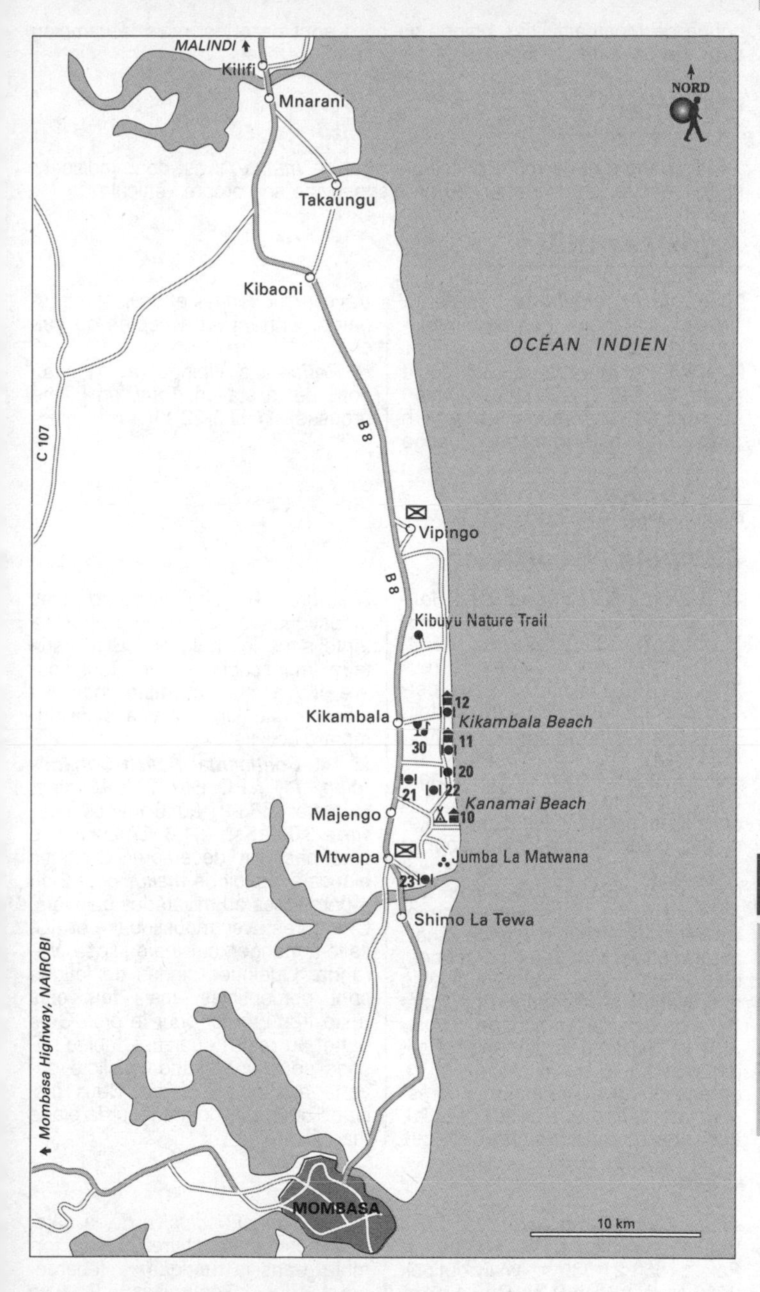

LA RÉGION DE KIKAMBALA

cohue de Mombasa. Les plages du nord sont désertes, mais le camping sauvage pose des problèmes de sécurité.

Comment y aller?

➢ En dehors de la route principale, pas de *matatu*. Il est donc indispensable de louer un taxi (cher) ou de disposer de son propre véhicule.

Adresses utiles

✉ ***Poste et téléphone :*** postes à Vipingo et Mtwapa. Pas de communications internationales.

■ ***KCB :*** à Mtwapa, à côté de la poste. ☎ 548-60-09 ou 21. Ouvert du lundi au vendredi de 9 h à 15 h (jusqu'à 11 h le samedi). Change *traveller's cheques* et devises étrangères. Carte *Visa* acceptée au guichet.

■ ***Police :*** à Vipingo (à 1 km au nord de la station *Total*, en pleine brousse). ☎ 563-22-11.

Où dormir?

Camping et cottages

Kanamai Conference & Holiday Centre *(plan, **10**)* ***:*** PO Box 46, Mtwapa. ☎ 563-24-42. Fax : 563-20-48. • kanamai@iconnect.co.ke • Près de 150 Ksh (1,6 €) par personne pour camper ou en dortoir, 1 400 Ksh (14,7 €) pour une double. Petit dej' en sus. À partir de 1 650 Ksh (17,4 €) pour un cottage. Prix fixes toute l'année. Réservation conseillée pendant les congés kenyans, notamment en avril, août et décembre. Centre d'hébergement de l'Église situé dans la palmeraie, au bord d'une plage lumineuse et sauvage. Beaucoup d'espace. Charmants cottages (de 2 à 6 personnes) bien tenus. Salon, chambre double avec ventilo et kitchenette équipée. Salle de bains avec douche, lavabo et w.-c. Repas à la demande. Petit dej' très tôt le matin. Alcool et cigarette interdits. Thé matin et après-midi. Le centre est aussi une AJ, avec de grands dortoirs et des chambres en *self-contained* avec moustiquaires. On peut planter sa tente sous les palmiers. Bloc sanitaire impeccable. Accueil tout sourire. Il y a aussi un resto, mais qui n'ouvre que lorsqu'il y a suffisamment d'activité.

Continental Beach Cottages *(plan, **11**)* ***:*** PO Box 124, Mtwapa. ☎ et fax : 563-21-90. Cottages à environ 3000 Ksh (31,6 €). Deux fois plus cher en décembre. Cottages blancs avec toit de *makuti* pour 2 ou 4 personnes au milieu des palmiers. Chambres avec moustiquaire et AC, salle à manger, cuisine équipée. Véranda. Quelques signes de fatigue sont perceptibles, mais tout cela reste très correct pour le prix. Gros buffet au resto; quelques tables posées sous une grande paillote ouverte aux quatre vents. Deux piscines et un bar donnant sur la plage magnifique.

Club

Sun'n'Sand *(plan, **12**)* ***:*** PO Box 2, Kikambala. ☎ 563-26-21. Fax : 563-21-33. • www.outlook2000.net/sun&sand • De 110 à 130 US$ (92 à 108 €) pour 2 personnes selon la saison. Le plus grand club *all inclusive* de la côte. Voir nos commentaires sur la formule, dans la rubrique « Hébergement » des « Généralités ». On y va surtout par curiosité, et parce qu'il y a de l'espace. Architecture de style mauresque revisité. Hébergement dans de grands bâtiments à 3 étages avec toit de *makuti.* Chambres tout confort. Repas en formule buffet, possibilité de choisir au dîner l'un des 3 restaurants à la carte : chinois, italien et barbecue. Trois piscines originales. Les visiteurs peuvent aussi profiter du resto et des loisirs en payant une adhésion pour la journée (minimum de 1 300 Ksh par personne, soit 13,7 €).

Où manger ?

Les tout petits budgets trouveront quelques gargotes le long de la route.

Prix moyens (de 500 à 1 000 Ksh – 5,3 à 10,5 €)

🍽 ***Kingfisher*** *(plan, **22**)* **:** ☎ (0722) 415-047 (portable). Ouvert tous les jours jusqu'à 22 h. Petit resto de poissons et fruits de mer installé au calme dans la palmeraie de Kanamai, avec un jardin verdoyant. Ici tout est frais : les pêcheurs du resto partent en mer au petit matin. Goûter le poisson aux épices façon Mombasa, la pieuvre *(octopus)* à la sauce créole, les superbes homards et les langoustes grillées. Les carnivores trouveront aussi leur bonheur avec les grillades au barbecue. Si vous le souhaitez, on peut venir vous chercher et vous reconduire à votre hôtel.

🍽 ***Porini Village*** *(plan, **21**)* **:** en bordure de route principale. ☎ 563-20-14. Ouvert tous les jours. Resto seychellois entouré d'un jardin luxuriant. Le rituel est respecté : lavage des mains, dégustation sans couverts, cuisine des îles raffinée (poulet au citron, poulet *bokoboko,* poisson au lait de coco, langouste sauce créole). Nombreux plats pour les végétariens. Service assez lent.

🍽 ***Whispering Palms*** *(plan, **20**)* **:** PO Box 5, Kikambala. ☎ 563-20-04. Le resto ne se distingue pas vraiment par son cadre : c'est une salle assez dépouillée avec une grande baie vitrée. En revanche, pour un prix modeste, ce club propose un buffet généreux midi et soir. Mais s'il n'y a pas suffisamment de monde, c'est à la carte. Plats internationaux et cuisine de la côte sans surprise. La carte des vins propose une bonne variété de crus français, italiens et sud-africains. Animation tous les soirs au bord de la piscine. On peut y dormir aussi, à un tarif très raisonnable pour un club de la côte. Les chambres ont un petit parfum des années 1970.

Chic (autour de 1 500 Ksh – 15,8 €)

🍽 ***Aquamarine Restaurant*** *(plan, **23**)* **:** à l'entrée de Mtwapa, suivre le panneau sur la droite. ☎ 548-65-883. Ouvert tous les jours, midi et soir. Une paillote aux murs blancs et une belle terrasse en bordure de Mtwapa Creek sous quelques palmiers ; le cadre est soigné, reposant et fort agréable. On y déguste une bonne cuisine variée (on a d'ailleurs du mal à faire son choix !) qui jongle avec des saveurs françaises, orientales et africaines. Un mélange des genres réussi. En empruntant l'escalier qui mène au resto, levez la tête et vous apprendrez plein de choses intéressantes : quel est donc le poisson le plus rapide de la mer ? Combien pèse un bébé éléphant à sa naissance ? Le resto propose également des mini-croisières avec repas sur le bateau. Mais là, c'est encore plus cher.

Où boire un verre ? Où sortir ?

🍸 ♪ ***Sea Top Lodge*** *(plan, **30**)* **:** le seul bar africain perdu au milieu des clubs de touristes. On aime bien ses boissons à quat' sous, sa grande paillote en *makuti* et l'accueil un peu désabusé du patron : il ne voit plus grand monde depuis que la bière à volonté est comprise dans le forfait des hôtels ! Le soir, quelques Européens irréductibles viennent se joindre à la clientèle locale et aux filles de petite vertu. Ça bouge en fin de semaine avec la disco africaine, les vendredi, samedi et dimanche en haute saison. Quelques piaules basiques à tarif plancher (450 Ksh par personne, soit 4,7 €) avec service blanchisserie pour les voyageurs de fortune. On vous conseille d'être vigilant au bar comme au lit. Il y a déjà eu de la fauche.

À voir. À faire

Le Kibuyu Nature Trail : ouvert tous les jours de 8 h à 18 h. Entrée : 200 Ksh (2,1 €). Petit parc (initiative d'un écrivain poète) particulièrement destiné à un public jeune, citadin et local. Le Dr Edwin Muinga veut faire redécouvrir à ses frères mijikendas la forêt de leurs ancêtres. Oiseaux, poissons et plantations s'accrochent au rocher.
La principale attraction est un réseau de grottes souterraines, habitées dit-on par les esprits, qui furent découvertes accidentellement, lors d'un forage en 1992. On descend avec des lampes à 30 m par un escalier en spirale, pour rejoindre la rivière Kibuyu et une faune insolite : mille-pattes, chauves-souris, lézards, crabes noirs. Claustrophobes et âmes sensibles, s'abstenir. Certains passages sont très étroits, c'est peu éclairé... bref, visite plutôt sportive !

Jumba la Matwana : à 3 km à l'ouest de la route principale. Ouvert tous les jours de 8 h à 18 h. Entrée : 200 Ksh (2,1 €). Cité modèle de l'âge d'or swahili, moins imposante que Gedi, mais le site en bord de mer est magnifique. Cette ville-fantôme qui compta près de 2000 habitants fut redécouverte à l'occasion des fouilles de 1972.
Fondée autour de 1350 puis abandonnée un siècle plus tard, la cité tire son nom d'un mot swahili qui signifie « la grande maison aux esclaves ». Les commerçants perses ou arabes y attendaient la mousson pour rentrer au pays. Ils exportaient l'ivoire, les dents d'hippopotame, la corne de rhinocéros, les écailles de tortue et l'ambre de mer, achetaient des vêtements et des objets en métal (couteaux, bijoux). Les pèlerins pour La Mecque s'y rassemblaient avant le départ. Cette florissante petite ville sombra dans le déclin suite à une épidémie, à une invasion ou à la salinisation des puits (3 causes avancées par les historiens, qui ne sont jamais d'accord !).
Le site s'étend sur environ 12 ha et de nombreux vestiges restent encore ensevelis. Des fouilles devraient reprendre lorsque les financements nécessaires auront été rassemblés. Avis aux généreux donateurs... Dans un espace ombragé très agréable, on visite 8 maisons et 3 mosquées en pierre de corail. Les habitations traditionnelles en terre et toit de palme séchée ont disparu.
– *La mosquée près de la mer :* la mieux préservée. Pas de minaret, le muezzin montait sur des marches. Devant l'entrée, plusieurs citernes pour se purifier avant la prière et des socles en pierre de corail pour se sécher les pieds et enlever la corne ! Dans le hall, vestige d'un muret de séparation : les femmes musulmanes venaient prier à la mosquée. Dans la « nef », le *mihrab* donne la direction de La Mecque.
– *La tombe avec une inscription :* les tombes étaient généralement regroupées au nord des mosquées (vers La Mecque). Donc, à 15 m de la mosquée, vous trouverez une stèle mortuaire en corail du XVe siècle. Un passage du Coran est remarquablement sculpté autour d'une épitaphe devenue illisible.
– *La maison aux nombreuses portes :* elle a des embrasures de forme gothique. Curieusement, les ouvertures ne sont pas alignées : le plafond des maisons était couvert d'une couche de 50 cm de ciment de corail et retenu par des poutres en bois. Lorsqu'il s'effondrait, on se contentait de reconstruire un étage sur les décombres, en surélevant les murs et les

portes de 1 m ! Il fallait y penser. Les pièces semblent avoir été divisées en appartements pour accueillir des visiteurs : sans doute des commerçants en escale.
– Les autres maisons sont équipées de w.-c. et de citernes, ce qui est inhabituel pour l'époque.
– À l'entrée, petit musée de poche où sont exposés quelques fragments de poterie trouvés sur place.

Plage

À ***Kikambala Beach,*** le récif de corail se promène à 1 ou 2 km de la côte : on peut marcher jusqu'à la barrière à marée basse. Il faut attendre la marée haute pour se baigner. Rester au bord : algues et oursins toute l'année.

KILIFI

IND. TÉL. : 041

Kilifi est le chef-lieu d'un district agricole qui s'étend jusqu'au parc de Tsavo. De nombreux fermiers des Highlands s'y sont installés, montant des fermes laitières, ou des résidences secondaires pour les plus riches. Des yachts superbes et des bateaux de pêche hauturière mouillent dans la crique : le tourisme est aisé et discret. Jusqu'en 1991, le ferry mettait un peu d'ambiance. Puis on construisit le pont. À présent, la ville est juste un lieu de passage, une étape avant Malindi et Lamu.

Adresses utiles

Poste *(plan B1)* **:** poste restante.

■ ***Telkom Kenya*** *(plan B2,* ***3****)* **:** vente de *Calling Card* et de *Phone Card.*

Gare des bus et matatus *(plan B1)* **:** tout le trafic côtier s'arrête ici.

Internet *(plan B1,* ***4****)* **:** *Kilifi Book.* ☎ 752-54-08 ou 52-88. • kilifi@africaonline.co.ke • Ouvert du lundi au jeudi de 7 h 30 à 12 h 30 et de 14 h à 17 h 30 (jusqu'à 12 h le vendredi et 16 h le samedi). Assez cher.

■ ***Barclays*** *(plan B1,* ***1****)* **:** ☎ 752-20-24 ou 51. Fax : 752-24-36. Distributeur acceptant cartes *Visa* et *MasterCard,* accessible 24 h/24.

■ ***KCB*** *(plan B1,* ***2****)* **:** ouvert de 8 h 30 à 17 h en semaine (jusqu'à 12 h le samedi).

Où dormir ?

Il existe bien un hôtel bon marché, le ***Tushauriane Boarding & Lodging,*** juste derrière la gare routière, mais franchement, on vous le déconseille. Quelques chambres au ***Highway Bar & Restaurant*** *(plan B1,* ***20****),* mais difficile de fermer l'œil avant minuit sans boules Quiès.

Prix moyens

Dhow's Inn B & B *(plan A2,* ***10****)* **:** PO Box 431. ☎ et fax : 752-20-28. Près de 1200 Ksh (12,6 €) pour 2 personnes. Petit supplément en haute saison. Bâtiment récent avec toit en *makuti* dans un jardin tropical et coquet où picorent parfois quelques poules. Chambres simples et propres avec moustiquaire. Salle de bains avec douche, lavabo et w.-c.

Ventilo à la demande. En bord de route et donc un peu bruyant la journée. Demander une chambre dans le bâtiment situé en retrait, plus calme. Resto vide : il vaut mieux prévenir pour manger.

Trattoria Al Ponte *(plan A2, **11**)* **:** PO Box 1214. Panneau sur la gauche après le pont. Compter 1 200 Ksh (12,6 €) pour 2 personnes. Prix fixes toute l'année. Chambres simples et fonctionnelles avec moustiquaire, ventilo, douche et w.-c. Propre. Quelques peintures naïves sur les murs en guise de déco. Atmosphère assez familiale. Fait également resto ; cuisine italienne à prix moyens.

Chic

Sea Horse Club *(plan A1, **13**)* **:** ☎ 752-25-13. Réservations à Mombasa par *African Safari Club* : ☎ (041) 548-55-20. Doubles à 5 250 Ksh (55,3 €). Rapport qualité-prix très intéressant en basse saison. Formule club *all inclusive* possible. Dans la végétation tropicale autour de petits plans d'eau, des bungalows tout ronds, entièrement refaits qui s'agencent au sein d'un petit vallon. Grand luxe : AC, douche, w.-c., lavabo. Piscine et chouette terrasse sur la crique. Un des rares endroits de la côte où l'on peut assister à un coucher de soleil ! École de plongée, voile, pêche en haute mer et autres activités sportives.

Où manger ? Où boire un verre ?

De très bon marché à bon marché (de 200 à 500 Ksh – 2,1 à 5,3 €)

Highway Bar & Restaurant *(plan B1, **20**)* **:** à la sortie de Kilifi, en bordure de route en direction de Malindi. Ouvert tous les jours. Un resto avec son jardin verdoyant et sa cour intérieure. Plats du jour à choisir entre poulet et steak. Le soir, l'ambiance est populaire et la musique africaine. On y boit une bière, on y joue au billard et la grande fresque très naïve (!) sur le mur laisse rêveur... Dispose également de quelques chambres bon marché, mais bruyantes.

Prix moyens (de 500 à 1 000 Ksh – 5,3 à 10,5 €)

Kilifi Boat Yard *(plan A2, **23**)* **:** en bordure de Kilifi Creek. ☎ 752-50-67. En venant de Kilifi, prendre à droite la rue à l'angle de *Dhow's Inn B & B,* puis la route goudronnée en sens opposé aux *Mnarani Ruins.* S'engager sur la première latérite à droite puis suivre le panneau indicateur sur environ 2 km. C'est le restaurant du chantier naval de Kilifi. Ouvert tous les jours jusqu'à 21 h. On s'installe sur une terrasse ombragée par quelques palmiers et les tables sont posées sur le sable. Le choix se résume à quelques plats du jour : poisson ou poulet-frites. Mais l'endroit est si calme et le doux dandinement des voiliers sur l'eau invite tellement à la rêverie. Et puis, on ne sait jamais... avec tous les petits voiliers qui font escale ici, on vous proposera peut-être une escapade sur l'eau.

Plus chic (plus de 1 000 Ksh – 10,5 €)

Dhow's Bar *(plan A1, **22**)* **:** ouvert tous les jours. Bar-restaurant du *Sea Horse Club* ouvert aux visiteurs. Comptoir original en forme de boutre. De la terrasse, coucher de soleil fantastique sur la crique. Piscine. Bon restaurant sous une superbe charpente mise en valeur le soir par un éclairage réussi. Buffet à prix intéressant, plus cher à la carte. Poissons ou grillades.

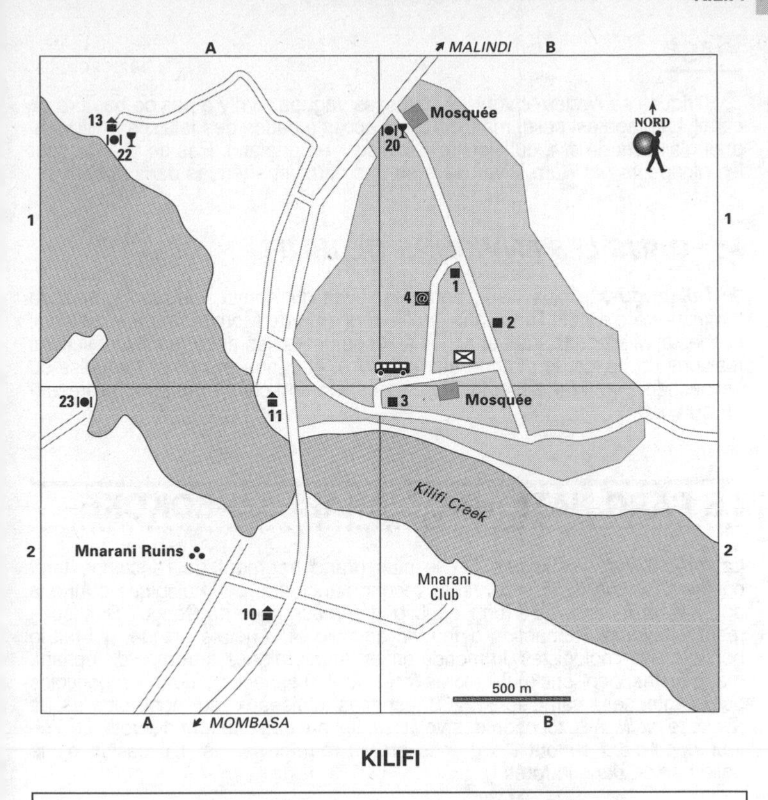

KILIFI

- **Adresses utiles**
  - Poste
  - Gare des bus et *matatus*
  - **1** Barclays
  - **2** KCB
  - **3** Telkom Kenya
  - **4** Kilifi Book
- **Où dormir ?**
  - **10** Dhow's Inn B & B
  - **11** Trattoria Al Ponte
  - **13** Sea Horse Club
  - **20** Highway Bar & Restaurant
- **Où manger ? Où boire un verre ?**
  - **20** Highway Bar & Restaurant
  - **22** Dhow's Bar
  - **23** Kilifi Boat Yard

À voir. À faire

Les ruines de Mnarani *(Mnarani Ruins ; plan A2)* **:** ouvert tous les jours de 7 h à 18 h. Entrée : 100 Ksh (1,1 €). Vestiges anecdotiques d'une cité swahilie qui connut une relative prospérité entre les XIVe et XVIIe siècles. Les historiens tentent de déchiffrer les nombreuses inscriptions qui ornent notamment la mosquée. Le profane ne trouvera d'autre intérêt que le site, d'où l'on voyait jadis le va-et-vient du ferry.

La baie de Kilifi : la mer s'enfonce loin dans les terres et s'ouvre sur un lac. Chouettes croisières en boutre dans les palétuviers. Le plan d'eau est indiqué pour les sports nautiques et l'apprentissage de la plongée sous-marine.

Plage

Criques sauvages et ventées. Grosses vagues : il n'y a pas de barrière de corail. La plage est belle, mais difficile d'accès à cause des falaises (Kilifi viendrait d'ailleurs de *cliff,* qui signifie « falaise » en anglais). Pas de chance pour les plongeurs : la Rare River déverse des eaux limoneuses dans la baie.

➤ *DANS LES ENVIRONS DE KILIFI*

Takaungu : le plus vieux port d'esclaves du Kenya. Lieu isolé, hors du temps, terre d'exil de l'ancienne famille régnante de Mombasa. Les habitants, Arabes et Mijikendas, sont attachés aux coutumes des ancêtres. Il faut voir les maisons en banco, le marché aux poissons, la crique et la mer turquoise où les pêcheurs vont ramasser les écrevisses. On dort chez l'habitant (se présenter au chef).

LE PARC NATIONAL D'ARABUKO-SOKOKE

La forêt d'Arabuko-Sokoke est le plus grand fragment de l'ancienne forêt côtière d'Afrique de l'Est. C'est le second sanctuaire ornithologique d'Afrique après la forêt congolaise (en République démocratique du Congo). Son isolement a favorisé l'apparition d'une vie animale et végétale unique, qui fait le bonheur des zoologistes du monde entier : musaraignes à trompe d'éléphant, mangoustes, papillons multicolores (près de 270 espèces), fourmis arboricoles ou chanteuses, caméléons, 230 espèces d'oiseaux au nom pittoresque *(Sokoke pipit).* À l'exception des volatiles, les animaux se font discrets. Le visiteur appréciera surtout les grands arbres rafraîchissants. L'occasion d'une belle balade dans la forêt.

UN SANCTUAIRE MENACÉ

Les cités swahilies exploitaient déjà la forêt pour le copra (résine utilisée dans la fabrication des laques et des vernis), la construction navale et la parfumerie (musc de civette). Aujourd'hui, la forêt pourrait bientôt disparaître, victime du braconnage, du défrichage et de l'exploitation abusive du bois : plantation de sisal et de noix de cajou, bois de charpente pour les hôtels de la côte. Sur les 420 km^2 de forêt, le parc national ne couvre que 6 km^2 !

Comment y aller ?

➢ ***De Mombasa ou Kilifi :*** pour se rendre directement au parc, le plus simple est de prendre un *matatu* en direction de Malindi et de descendre devant le Visitor's Centre.
➢ ***De Watamu :*** nombreuses excursions organisées par certains hôtels.

Adresse utile

■ ***Sokoke Forest Guides Associations :*** sur la route de Mombasa, 1 km au sud de la bifurcation pour Watamu. ☎ (042) 324-62. • www.naturekenya.org/foasf.htm • Ouvert tous les jours de 7 h à 18 h. Brochures et informations sur la faune et la flore.

Où camper ?

⩓ ***Sokoke Pipit Campsite :*** à côté du *Visitor's Centre.* ☎ (042) 324-62. Compter 200 Ksh (2,1 €) par personne. Possibilité de commander le petit dej'. Un tout petit camping ombragé avec un point d'eau. Sanitaires rudimentaires et douche au seau.

À faire

Fait rare, l'entrée du parc est gratuite.

➢ ***Balades :*** à pied (2 sentiers pédestres), à vélo (location à Watamu) ou en voiture (une piste balisée de 32 km, 4x4 nécessaire). Perché dans un arbre, *l'Arabuko-Sokoke Forest Tree House* offre un bon point de vue sur la forêt. On peut aussi faire des balades avec un ranger d'une demi-journée ou d'une journée en passant la nuit dans la forêt (camping sauvage). Prévenir au moins la veille. Payant.

➢ ***Découverte ornithologique :*** meilleur moment pour les oiseaux entre 6 h et 9 h 30. Se faire accompagner d'un ranger. On peut aussi s'adresser au *Turtle Bay Beach Club,* à Watamu, qui organise une excursion pour les passionnés de la vie sauvage en présence de zoologistes compétents.

GEDI

Oubliée pendant des siècles, la cité de la jungle garde encore tous ses mystères. L'enchevêtrement des pierres et de la végétation donne au site une atmosphère particulière. Une visite insolite, à faire de préférence en fin de journée. Possibilité de s'y restaurer.

UN PEU D'HISTOIRE

Fondée vers la fin du XIIIe siècle, la ville reste longtemps à l'écart du monde : Portugais, Arabes et Swahilis ignorent son existence. Pourtant, le nombre de porcelaines retrouvées sur le site prouve que sa population était relativement prospère.
La ville fut temporairement abandonnée au XVIe siècle, lorsque Mombasa, détruite par les Portugais en 1528, lança une expédition punitive contre leurs alliés. Gedi fut réoccupée puis abandonnée avec l'invasion des Gallas de Somalie, qui s'installèrent dans la région. Au XIXe siècle, les Massaïs s'allient aux Arabes de Lamu et de Zanzibar pour venir à bout de l'empire galla, qui s'effondre. Gedi n'est plus qu'un tas de ruines. Une autre thèse avance le retrait de la mer – qui aurait provoqué l'abaissement du niveau de la nappe phréatique – comme raison de l'abandon définitif du site.
Son nom est une déformation de *Gede,* prénom galla qui signifie « précieux », peut-être le nom du dernier chef à avoir occupé la ville.
En 1948, le site est déclaré parc national.

Comment y aller ?

➢ En *matatu* depuis Mombasa, Kilifi, Watamu ou Malindi. Gedi se trouve à l'intersection de la route côtière et de celle menant à Watamu.

À voir

– ***Visite :*** ☎ 563-20-65. Ouvert tous les jours de 7 h à 18 h. Entrée : 200 Ksh (2,1 €). Visite guidée sur demande.

La ville comptait 2500 à 3000 habitants. Construites en boue et bois de palme, la plupart des habitations populaires ont disparu. Édifiés en corail, les lieux de culte et les maisons de notables ont survécu. L'ensemble était protégé par un mur d'enceinte haut de 3 m. Un second mur fut construit à la fin du XVIe siècle pour protéger le cœur de la ville. Son soubassement est encore visible au sol.

🕵 ***La tombe datée*** *(The Dated Tomb)* **:** cette dalle funéraire ovale a permis à l'archéologue James Kirkman d'estimer l'âge de la ville. Elle porte une épitaphe sur laquelle on devine la date de 802 dans le calendrier islamique (1399 en calendrier grégorien).

🕵 ***La Grande Mosquée :*** édifiée au XVe siècle puis rebâtie 100 ans plus tard. Elle possède un puits et une citerne pour les ablutions. Un petit escalier accède au toit pour l'appel à la prière. Le minaret n'existait pas dans la région. Sur la façade nord de la mosquée, un *mihrab* finement sculpté dans le corail, recouvert jadis de plâtre et de porcelaine chinoise. À droite, le *minbar,* sorte de chaire pour le prêche de l'imam. Pas de fenêtres : des lampes étaient réparties dans les niches encore visibles le long des murs. On utilisait l'huile de ricin, qui ne faisait pas de fumée (une idée à retenir pour le plafond de votre appartement).

🕵 ***Le palais :*** il comprend des salles de réception, deux cours d'audience et un quartier pour les domestiques. Sous le sol de la cour, deux puisards recueillent l'eau de pluie. Un réseau de drainage élaboré court dans les rues et les maisons de la ville. W.-c. swahilis d'une étonnante modernité : petite pièce carrée scindée par un muret. D'un côté les latrines, et de l'autre, un siège pour se laver, un lavabo et même un bidet ! (Nous ne sommes qu'au XVe siècle, mes amis.)

🕵 ***Les maisons :*** elles illustrent la singularité des techniques de construction swahilies. Les murs sont en pierre de corail. Les blocs sculptés sont découpés dans le corail vivant, plus tendre que la pierre fossilisée. Le poids considérable des toits en ciment n'autorisait pas des portées de poutres supérieures à 2 ou 3 m, ce qui explique la petite dimension des pièces. Pas de fondations : on construit de larges murs sur 1 m de hauteur, puis on laisse le sol se stabiliser pendant un an avant de continuer. Certains murs sont ornés de graffiti représentant des animaux sauvages ou des boutres *(House of the Dhow).*

🕵 ***Le musée :*** poteries, céramiques et ustensiles domestiques de Chine, d'Inde et d'Espagne retrouvés sur le site. Certaines pièces datent du XIVe siècle. Au fond, ne vous y trompez pas, objets et ameublement swahilis beaucoup plus récents.

🕵 ***Kipepeo Butterfly Farm :*** à l'entrée du site de Gedi. ☎ (042) 323-80. Ouvert tous les jours de 8 h à 17 h. Entrée : 100 Ksh (1,1 €). Un genre de grande volière où sont élevés des papillons qui seront exportés pour des collectionneurs aux État-Unis notamment. D'accord, ça évite le pillage des populations de papillons dans la forêt d'Arabuko-Sokoke... Pour ceux qui n'ont pas l'occasion de visiter le *Bamburi Forest Trails* et son *Butterfly Pavilion* à Bamburi.

WATAMU

IND. TÉL. : 042

On vient à Watamu pour les jardins de corail et les espadons. Le parc national marin et les clubs de pêche au gros y ont acquis une réputation mondiale amplement justifiée. Pourtant, il n'y a pas foule. Le soir, la clientèle d'habi-

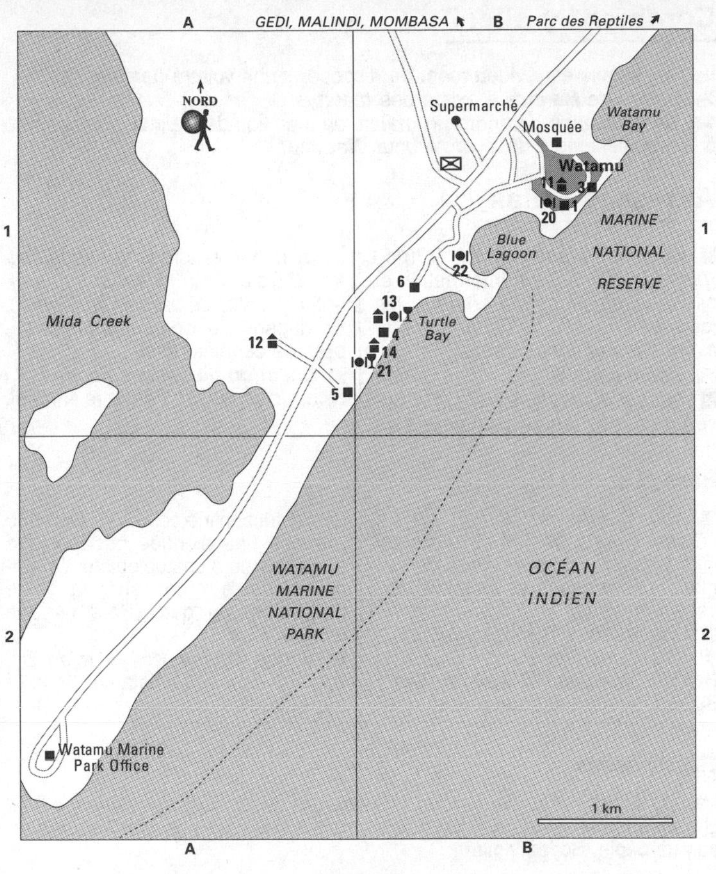

WATAMU

■ **Adresses utiles**

- ✉ Poste
- 1 Telkom Kenya
- 3 Subira - Bata Shoe (location de vélos)
- 4 Aqua Ventures
- 5 Diving Centre Turtle Bay
- 6 Scuba Diving Kenya

Où dormir ?

- 11 Villa Veronika
- 12 Bustanya Eden
- 13 Ocean Sports
- 14 Hemingway's

Où manger ? Où boire un verre ?

- 13 Barracuda Restaurant
- 20 Hôtel Dante
- 21 Hemingway's Restaurant
- 22 Mapango

tués s'endort sagement dans les quelques hôtels qui jalonnent le front de mer. Les nuits de Malindi sont autrement plus chaudes. Nous, on s'en moque. La plage et la plongée méritent amplement le déplacement. On dit que Watamu est la septième plus belle plage du monde, alors...

Comment y aller ?

Le plus simple est évidemment de disposer d'une voiture personnelle.
➢ Sinon, ***de Malindi,*** il existe des *matatus.*
➢ ***De Mombasa :*** prendre un *matatu* en direction de Malindi et descendre à l'embranchement de la route pour Watamu.

Adresses utiles

■ ***Watamu Marine Park Office*** *(plan A2)* ***:*** ☎ 323-93. Information et billetterie du parc. Ouvert tous les jours de 7 h à 18 h. Ticket à retirer avant d'entrer dans le parc.
✉ ***Poste*** *(plan B1).*
■ ***Telkom Kenya*** *(plan B1,* ***1****)* ***:*** ouvert de 8 h à 17 h en semaine et de 8 h à 12 h le vendredi. Vente de *Calling Card* et de *Phone Card.*
– Il n'y a plus de banque à Watamu. En dépannage, on peut changer auprès de certains hôtels.
■ ***Location de vélos :*** *Subira-Bata Shoe (plan B1,* ***3****).* Fermé le samedi.

Plongée

■ ***Aqua Ventures*** *(plan B1,* ***4****)* ***:*** à l'*Ocean Sports.* ☎ 324-20. • aquav@africaonline.co.ke • Centre de formation. Excursions et location. Excellent matériel.
■ ***Diving Centre Turtle Bay*** *(plan A1,* ***5****)* ***:*** au *Turtle Bay Beach Club,* PO Box 10, Watamu. ☎ 322-26. Fax : 322-68. • www.turtledive.com • stiger@africaonline.co.ke • Le club propose une plongée pédagogique en présence d'un zoologiste. On apprend à mieux connaître la faune multicolore du parc. Pour ne pas plonger idiot.
■ ***Scuba Diving Kenya*** *(plan B1,* ***6****)* ***:*** PO Box 160, Watamu. ☎ 320-99. Fax : 324-30.

Glass boats

Les *boat-men* de la plage vous proposeront des excursions parfois moins chères que celles des grands hôtels, mais ils ne sont pas tous assurés en cas de pépin. Soyez vigilant.

Où dormir ?

De bon marché à prix moyens

🏠 ***Villa Veronika*** *(plan B1,* ***11****)* ***:*** PO Box 57. Chambres de 800 à 1 200 Ksh (8,4 à 12,6 €) pour 2 à 3 personnes. Quelques shillings supplémentaires en haute saison. Petit dej' uniquement : formule *B & B.* Résidence très africaine construite autour du jardin et de son restaurant. Dans la cour, les gamins se chamaillent tandis que les femmes font la lessive et la cuisine. Chambres avec moustiquaires et ventilo, simples mais bien tenues. Salle de bains avec douche et w.-c. Draps changés tous les jours. Bon accueil.

🏠 ***Bustanya Eden*** *(plan A1,* ***12****)* ***:*** PO Box 276. ☎ et fax : 322-62. Fermé d'avril à juin. Près de 700 Ksh (7,4 €) par personne. Supplément pour les fêtes de fin d'année. Cinq bungalows autour d'un jardin luxuriant. On n'est pas au bord de la mer (10 mn à pied), mais le site est calme ; l'accueil de Rosmarie et de Collins est très chaleureux. On se sent en famille. Les chambres sont confortables : ventilo, salle de bains avec douche et w.-c. Bar dans le jardin. Au resto, sous une paillote, de très bonnes spécialités africaines et, bien sûr, des fruits de mer. Si vous le souhaitez, on vient vous chercher à l'aéroport et Collins peut organiser des excursions dans les environs.

Chic

≜ ***Ocean Sports*** *(plan B1,* ***13****)* **:** PO Box 100. ☎ 320-08 ou 322-88. Fax : 322-66. • www.oceansports.net • De 95 à 110 US$ (75 à 86,9 €) pour 2 personnes selon la saison. Premier hôtel de Watamu, construit en 1957. Ravissants cottages restaurés, en bois et blottis dans les bougainvillées. Sol en brique et belle déco. Salle de bains avec douche ou baignoire et w.-c. On a littéralement craqué pour les lits et leurs moustiquaires en couleur ; vite, que le *guy* referme la porte pour qu'on se roule dedans ! Certains bungalows ont un étage pour les groupes. Atmosphère familiale, tranquille et décontractée. On vit les pieds dans le sable et tout le monde s'appelle par son prénom. Clientèle d'habitués kenyans et anglais : on sert le thé tous les jours à 17 h ! Un resto agréable sur la plage : le *Barracuda* (voir « Où manger ? »). On y rencontre les groupes de plongeurs qui s'entraînent à l'*Aqua Ventures.* L'école d'apprentissage de l'hôtel est l'une des plus réputées de la côte.

Beaucoup plus chic

≜ ***Hemingway's*** *(plan B1,* ***14****)* **:** PO Box 267. ☎ 326-24 ou 320-06. Fax : 322-56. • www.hemingways.co.ke • Chambres doubles à partir de 305 US$ (241 €). Entre 50 et 60 % de réduction de mi-mars à fin juillet. Pension complète. L'élégance et le charme britannique. On peut venir vous chercher à l'aéroport de Malindi. L'hôtel est superbement situé. Deux grandes piscines dominent la plage blanche et la mer turquoise de Turtle Bay. La terrasse sur la mer est *so romantic* au crépuscule. Il y a d'ailleurs pas mal de jeunes couples en lune de miel. On loge dans de grands bâtiments modernes. Les chambres de style *british* sont meublées en rotin. La clim' est l'une des plus silencieuses de la côte. Un vrai moteur de Rolls ! Salle de bains moderne avec douche, lavabo et w.-c. Frigo et coffre. Le soir, tenue correcte exigée. Dîner aux bougies sous les cocotiers. Le matin, buffet pantagruélique et raffiné, dans la grande tradition du *breakfast* anglais. Pendant la journée, nombreuses activités sportives, visite du parc marin. L'*Hemingway's* est aussi un centre de pêche au gros mondialement réputé.

Où manger ? Où boire un verre ?

Bon marché (de 200 à 500 Ksh – 2,1 à 5,3 €)

|●| ***Hôtel Dante*** *(plan B1,* ***20****)* **:** ☎ 322-43. Ouvert jusqu'à minuit. Petit resto sans trop d'histoire... Il n'y a pas foule d'ailleurs. On regrette évidemment que l'ancien toit de *makuti* ait été remplacé par de l'éverite. Mais que voulez-vous, c'est le progrès... *Pasta,* poisson et inévitable poulet-frites. Musique de fond ou bien radio swahilie.

Prix moyens (de 500 à 1 000 Ksh – 5,3 à 10,5 €)

|●| 🍸 ***Barracuda Restaurant*** *(plan B1,* ***13****)* **:** le resto-bar de l'*Ocean Sports* est installé sur la plage magnifique de Turtle Bay. Ouvert tous les jours. Les tables sont mignonnettes avec leurs nappes colorées. Au bar, les trophées d'espadons s'alignent sous un grand toit en *makuti.* Atmosphère décontractée de groupes de plongeurs et de pêcheurs. On vous prépare les grands classiques de la côte pour un prix raisonnable. Spécialités très fraîches de poisson et de crustacés (crabes, lan-

goustes). L'adresse est bien agréable aussi, juste pour prendre un verre. En revanche, la potence aux poissons qui se dresse sur la terrasse est bien lugubre... Allez... il suffit de lui tourner le dos !

🍴 ***Mapango** (plan B1, **22**) :* ☎ 324-11. Ouvert tous les jours, midi et soir. Perchée sur un petit belvédère qui surplombe la baie, cette paillote avec sa grande baie vitrée dispose d'une vue imprenable. Tout comme sa terrasse avec sa piscine. L'architecture est soignée. Tout est très clean, on regretterait presque son côté trop bien léché. Eh oui, la patine du temps n'a pas encore fait son œuvre. La carte propose des poissons et des fruits de mer mais aussi des kilomètres de pâtes ! Il y a de l'Italie dans l'air ! Le dimanche midi, barbecue avec *live band*. Clientèle très européenne.

Plus chic (plus de 1 000 Ksh – 10,5 €)

🍴 🍸 ***Hemingway's Restaurant** (plan B1, **21**) :* le restaurant en terrasse de l'hôtel *Hemingway's* domine l'une des plus belles plages de la côte. Le soir, formule *diner* à prix raisonnable. À la carte, les prix s'envolent vite. Le service est discret et efficace. La cuisine internationale et africaine est sans surprise, mais les spécialités de poisson et de fruits de mer sont fraîches et bien travaillées. Bon steak avec des légumes qui viennent directement de la ferme de l'hôtel. La terrasse de l'*Hemingway's* est aussi un endroit idéal pour prendre un verre à l'ombre des cocotiers ou au bord de la piscine. Au bar, le trophée de marlin rappelle au profane que l'hôtel est un club de pêche réputé, où l'on arrose pas mal les prises de la journée : grosse ambiance le soir. Chacun paie sa tournée. On se fait vite de nouveaux amis.

À voir. À faire

⛱ ***Les plages :*** une eau turquoise ourlée de sable blanc. Trois baies somptueuses et si romantiques à la tombée du jour. « On ira... où tu voudras quand tu voudras. » (Lire la rubrique « Les plages ».)

– ***La pêche au gros :*** *Hemingways Fishing,* à l'*Hemingway's (plan B1, **14**).* ☎ 326-24. Fax : 322-56. Équipement d'excellente qualité. Excursion pour la journée ou la demi-journée pour débutants et confirmés. Spécialiste de l'espadon et du marlin.

➢ ***Balades à vélo :*** en bord de mer ou en forêt (Arabuko-Sokoke Forest). Location chez *Subira-Bata Shoe (plan B1, **3**).*

– ***Le parc marin :*** en plongée ou à bord d'un bateau à fond plat. Voir « Dans les environs de Watamu ».

Les plages

⛱ Trois criques magnifiques de sable blanc se détachent sur la mer turquoise. Un îlot en forme de tortue a donné son nom à la plus belle des trois : ***Turtle Bay.*** Près de la plage, des récifs pour observer les poissons. Algues pendant les périodes de tempête sur Turtle Bay, les autres n'en ont quasiment pas car elles sont protégées par la barrière.
À Turtle Bay, on a l'occasion de voir tous les soirs la pesée de la pêche du jour. Si vous ne connaissez pas les espadons, c'est impressionnant.

➢ *DANS LES ENVIRONS DE WATAMU*

Droit d'entrée pour *Mida Creek* et pour le parc national marin : 375 Ksh (3,9 €; même ticket). S'adresser à *Watamu Marine Park Office,* voir « Adresses utiles ». Deux coins fabuleux à ne pas rater :

ꝏ *Mida Creek (Marine Reserve) :* un paradis ornithologique entouré de mangroves et peuplé de marabouts, flamants, hérons et autres superbes volatiles. Pendant l'été austral, les oiseaux migrateurs d'Europe et d'Asie viennent se réchauffer les plumes en Afrique. Le site abrite une espèce protégée de mérous géants. On y accède en boutre à marée haute uniquement. Deux possibilités : s'adresser à un *boat-man* ou bien à un hôtel. *Hemingway's Fishing (plan B1, **14**), Ocean Sports (plan B1, **13**)* et *Turtle Bay Beach Club (plan A1, **5**)* proposent des excursions régulièrement. On peut y pique-niquer.

ꝏ ***Le parc national marin de Watamu*** *(Watamu Marine National Park)* **:** le parc des superlatifs... 1 500 espèces de poissons, 150 variétés de coraux. L'une des plus riches variétés au monde, l'un des plus beaux parcs du Kenya avec Wasini. On rencontre parfois des dauphins, des requins-baleines, des tortues et des raies manta. La meilleure saison s'étend d'octobre à mai. Venir à marée basse : les coraux sont plus proches. Ils s'étagent entre 10 et 30 m de profondeur : idéal pour la plongée sous-marine. Les clubs de Watamu sont très réputés sur la côte (voir « Adresses utiles »).

MALINDI

IND. TÉL. : 042

La 2e ville de la côte est une station balnéaire cosmopolite, largement investie par la communauté italienne. On la surnomme d'ailleurs « Little Italy ». Rome a même installé une base de lancement de satellites dans la région ! Il reste peu de vestiges de la riche cité qui accueillit Vasco de Gama en route vers les Indes, et la plupart des boutres ont disparu avec l'aménagement de la route entre Malindi et Mombasa. On vient encore à Malindi pour l'ambiance et la fête. Capitale du « sex tourism » dans les années 1970, la ville s'anime le soir dans la grande tradition des bacchanales et autres plaisirs épicuriens. Les lève-tôt et les sportifs de jour ne sont pas oubliés. Hemingway y lança la mode de la pêche au gros dans les années 1930.
La surenchère et la flambe ne font pas l'affaire des petits budgets. Si vous cherchez l'authenticité, Malindi n'est pas pour vous. C'est d'abord le point de départ d'excursions dans la région, d'un safari à Tsavo, ou la dernière étape avant l'archipel de Lamu.

LA PÊCHE : UNE AFFAIRE DE TRADITION

Jadis, on capturait le requin à bord de larges boutres appelés *mashuas.* Le long du rivage, on pratiquait la pêche en pirogue à balancier *(ngalawa)* au moyen d'une gaffe à crochets. Enfin, les pêcheurs les plus habiles attrapaient jusqu'à 100 kg de poissons dans la matinée avec une ligne accrochée au gros orteil ! Aujourd'hui, on voit encore au mouillage quelques *horis* effilés originaires de la côte indienne de Malabar. Mais la flotte la plus importante est celle des bateaux de pêche hauturière. De grands bancs de poissons migrent toute l'année au large de la côte. Malindi est mondialement réputée pour la pêche au voilier et à l'espadon.

UN PEU D'HISTOIRE

La girafe de l'empereur et l'amitié portugaise

Malindi est d'abord un comptoir de commerce maritime, probablement connu au début de l'ère chrétienne. Au XVe siècle, la Chine développe ses échanges avec l'océan Indien. Malindi offre un cadeau insolite à l'empereur Ming : une girafe, acheminée en boutre durant plus de 6 mois ! Stupeur à la cour. L'animal est accueilli comme un dieu (autant présenter une licorne à la

cour de Charles VI !). L'ambassadeur de Malindi est escorté en grande pompe pour son retour : une flotte de 62 navires et pas moins de 37000 hommes ! Malindi accueille avec intérêt celui que Mombasa a rejeté : Vasco de Gama est un allié de choix contre son éternelle rivale. Le cheikh met à sa disposition son meilleur navigateur : il conduira Vasco jusqu'en Inde. Cette amitié avec le Portugal dure près d'un siècle. Malindi devint alors le centre des activités portugaises au nord du Mozambique. Le port est idéalement situé sur la route des vents de mousson.
En 1585, un pirate turc du nom de Mirale Bey s'empare des possessions portugaises de Faza, Pate et Mombasa. Malindi échappe au pillage grâce à la ruse d'un capitaine portugais, Mendes de Vasconcellos. Pendant la nuit, il fait déposer deux canons sur un îlot de sable au large de la ville assiégée. Sous les bombardements, la flotte turque prend le large, croyant affronter une véritable armada !

Le déclin

La prospérité de Malindi prend fin en 1593 lorsque les Portugais transfèrent leur quartier général à Mombasa, qui possède un port en eau profonde et un site plus facile à défendre. Pillée puis occupée par les Gallas de Somalie, Malindi disparaît peu à peu sous la végétation. Au XIXe siècle, le sultan de Zanzibar relance l'activité de la ville. Plus de 6000 esclaves travaillent dans les plantations de fruits et de céréales. L'abolition de l'esclavage sous le Protectorat anglais porte un coup à l'agriculture traditionnelle. Les Européens investissent massivement dans le coton, le copra et le caoutchouc. Mais l'effondrement des cours lors de la Première Guerre mondiale provoque une cascade de faillites.

Les vaches du commandant et les premiers charters

Après le conflit, Malindi est dopée par la demande mondiale et l'essor du tourisme côtier. Les Bradys fondent le premier hôtel de la côte en 1931, le *Palm Beach Hotel.* Ernest Hemingway débarque en 1934 avec deux pointures de la chasse et de la pêche au gros : Philip Percival et Alfred Vander-

■ Adresses utiles

- Malindi Tourist Office
- Poste
- Terminaux de bus
- Station de taxis
- 1 Barclays
- 2 KCB
- 3 Standard Bank
- 4 Telkom Kenya
- @ 5 Telephone Technologies Solutions
- 6 Kenya Airways
- 7 Air Kenya

Où dormir ?

- 10 Silversand Beach Camping Site
- 11 KWS Bandas & Campsite
- 12 Lutheran Guesthouse
- 13 Ozi's Bed & Breakfast
- 14 African Pearl Hotel
- 15 Driftwood Beach Club
- 16 Eden Roc Hotel

Où manger ?

- 20 Palm Garden
- 21 Tana Hotel
- 22 La Malindina
- 23 I Love Pizza
- 24 Baobab Restaurant
- 25 Stars & Garters
- 26 Karen Blixen Restaurant

Où boire un verre ? Où déguster une bonne glace ?

- 24 Baobab Restaurant
- 31 Gelateria

Où sortir ?

- 25 Stars & Garters
- 41 Coral Key
- 42 Tropical Village
- 43 Fermento
- 45 Club 28

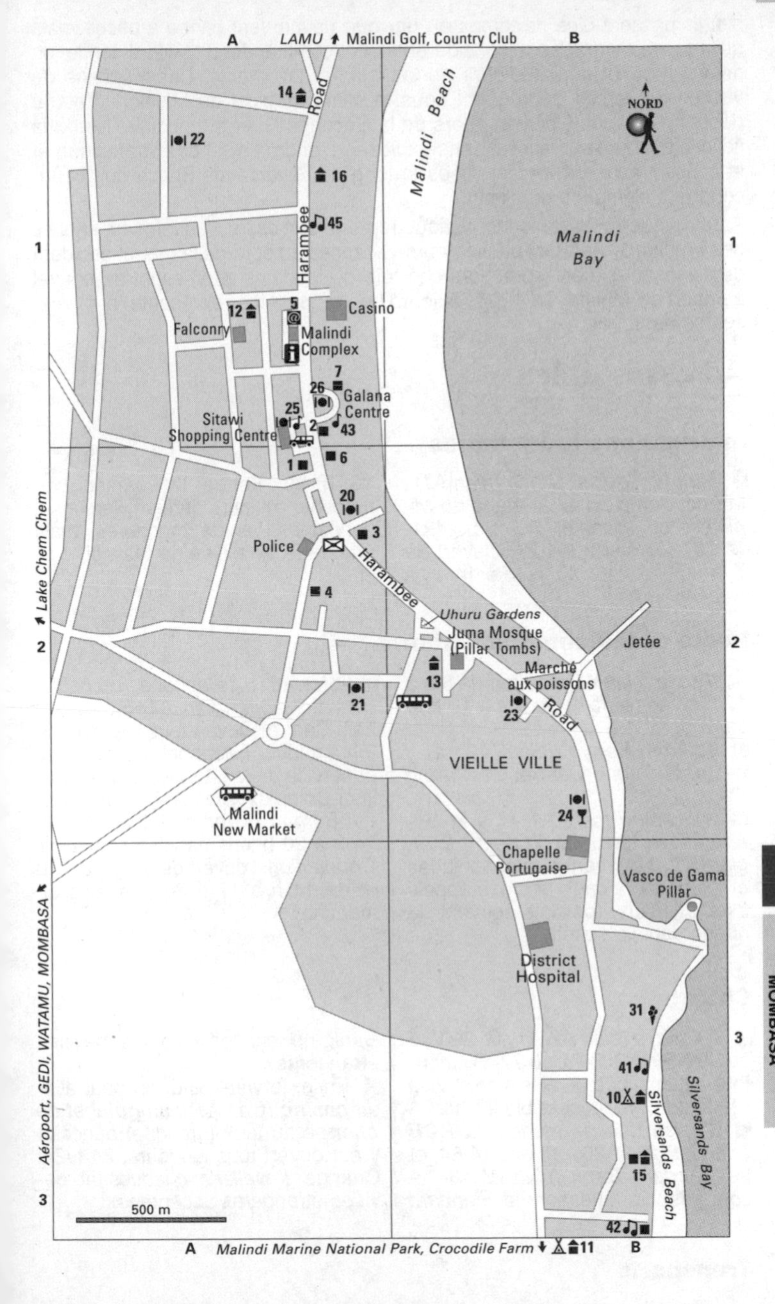

LAMU
Malindi Golf, Country Club
NORD
Malindi Beach
Malindi Bay
Harambee Road
Casino
Falconry
Malindi Complex
Galana Centre
Sitawi Shopping Centre
Police
Uhuru Gardens
Juma Mosque (Pillar Tombs)
Marché aux poissons
Jetée
VIEILLE VILLE
Malindi New Market
Chapelle Portugaise
Vasco de Gama Pillar
District Hospital
Silversands Beach
Silversands Bay
Lake Chem Chem
Aéroport, GEDI, WATAMU, MOMBASA
500 m
Malindi Marine National Park, Crocodile Farm

MALINDI

bilt. Ils passent plus de temps au bar que devant leur canne à pêche mais qu'importe, l'impact est considérable. Le commandant Lawford fonde un nouvel hôtel et décide d'offrir du lait frais à ses clients. Une vingtaine de vaches de Jersey débarquent sous le climat tropical de Malindi ! C'est le début des grands élevages. Lors de la Seconde Guerre mondiale, les obus italiens tombent sur la ville, sans exploser. L'endroit n'est pas stratégique et la concentration de forces alliées le long de Silversands Beach doit beaucoup à la clémence du climat.

Après la guerre, la station touristique reprend son essor : les fermiers anglais des Highlands viennent passer leurs vacances au bord de la mer et décident de s'y installer. Les 5 premiers charters de touristes atterrissent au nouvel aéroport de Malindi en 1965. Aujourd'hui, le tourisme représente la 1re ressource de la ville.

Adresses utiles

Informations touristiques

i ***Malindi Tourist Office*** *(plan A1)* **:** Malindi Complex, au 2e étage du *Ministery of Tourism.* PO Box 421. ☎ 207-47. Fax : 304-29. Ouvert de 7 h 45 à 12 h 30 et de 14 h à 16 h 30. Fermé les samedi, dimanche et jours fériés. Personnel serviable. Pas de brochures, mais une carte simplifiée de Malindi.

Poste et télécommunications

✉ ***Poste*** *(plan A2)* **:** ouvert de 8 h à 17 h en semaine et de 9 h à 12 h le samedi.

■ ***Telkom Kenya*** *(plan A2,* ***4****)* **:** vente de *Phone Card* et de *Calling Card.*

■ Au ***casino*** *(plan A1)* et à la ***Gelateria*** (au pied de l'*Oasis Hotel; plan B3,* ***31****)* **:** cartes téléphoniques et téléphone à carte pour les appels internationaux (on fait souvent la queue dans la soirée).

@ ***Internet :*** *Telephone Technologies Solutions (plan A1,* ***5****),* au Sabaki Centre. Ouvert tous les jours de 9 h à minuit. Téléphone international et service de fax. Également, au Malindi Complex *(plan A1), Ayuni Internet Bureau,* ouvert de 8 h à 22 h (de 14 h à 20 h le dimanche) et *Malindi Connections,* ouvert de 8 h à 12 h 30 et de 14 h à 17 h 30 (fermé le dimanche).

Change

■ ***Barclays*** *(plan A2,* ***1****)* **:** ☎ 200-36 ou 206-56 et 308-71 ou 72. Distributeur automatique de billets pour *Visa* et *MasterCard,* accessible 24 h/24.

■ S'il y a trop de monde, la ***KCB*** *(plan A1,* ***2****),* ☎ 201-48 ou 314-64, et la ***Standard Bank*** *(plan A2,* ***3****)* ne sont pas loin (attention, la *Standard Bank* ne change pas les devises étrangères).

■ Enfin, le week-end, on peut aller au ***casino*** *(plan A1)* **:** un ***guichet de change*** au taux (presque) bancaire y est ouvert tous les jours, 24 h/24. Change *traveller's cheques* et devises étrangères acceptées.

Transports

🚌 ***Terminaux de bus :*** au Malindi New Market *(plan A2)* ou dans la vieille ville *(plan B2).* Voir « Quitter Malindi ».

🚕 ***Station de taxis*** *(plan A1)* **:** au niveau de *Sitawi Shopping Centre* et en face du casino.

■ ***Location de voitures*** **:** *Hertz/ UTC,* Harambee Rd. ☎ 200-40 ou 69. Fax : 304-43.

Compagnies aériennes

■ ***Kenya Airways*** *(plan A2,* ***6****)* **:** PO Box 634. ☎ 202-37 ou 205-74. Fax : 201-73. ● www.flamingoairlines.com ● Ouvert de 8 h à 12 h 30 et de 14 h à 17 h en semaine, de 8 h à 12 h le samedi.

■ ***Air Kenya*** *(plan A1,* ***7****)* **:** Galana Centre. ☎ 308-08. Fax : 212-29. Ouvert du lundi au vendredi de 8 h à 17 h, jusqu'à 12 h 30 le samedi.

■ ***Kas Kasi Aviation*** **:** près du Malindi Complex *(plan A1).* ☎ 305-26 ou 312-72. Fax : 308-42. ● kaskasi aviation@swiftmalindi.com ●

Urgences et soins

■ ***Star Hospital*** **:** ☎ 209-10 ou 312-29. Portable 24 h/24 : (0733) 795-073. Le meilleur.

■ ***Galana Hospital*** **:** ☎ 305-75.

■ ***Police*** **:** ☎ 315-55 ou 204-86.

Où dormir ?

On vous déconseille la vieille ville : bruit infernal et immeubles en ruine. Dans la majorité des cas, les établissements que nous avons retenus ne pratiquent pas de tarifs haute et basse saisons (juste un supplément pour les fêtes de fin d'année).

Campings et cottages

⛺ 🏠 ***Silversand Beach Camping Site*** *(plan B3,* ***10****)* **:** à 2 km au sud du centre, au bord de la plage. PO Box 422. ☎ 204-12. Un lieu sauvage et éventé face à la mer. Le rendez-vous des transafricaines en camion. On peut planter sa tente pour 150 Ksh (1,6 €) par personne. Compter de 450 à 600 Ksh (4,7 à 6,3 €) pour un *bandas* à 2 personnes. Deux types de *bandas.* Les moins chers sont très simples et tout petits ; il ne faut pas être bien grand ! Blocs douche et w.-c. pas toujours très propres. Les plus grands (les plus chers bien sûr) disposent de douche et de w.-c. Le resto *Cold House* sert des repas matin, midi et soir. Il y a aussi un supermarché à 500 m environ. Pas mal de fauche il y a quelque temps. C'est beaucoup moins vrai depuis la construction du mur d'enceinte et la présence d'un gardien. Service de blanchisserie. Location de bicyclettes.

⛺ 🏠 ***KWS Bandas & Campsite*** *(hors plan par B3,* ***11****)* **:** au Malindi Park Office, à 2 km environ au sud du centre. Prendre un taxi. PO Box 109. ☎ 208-45 ou 315-54. Près de 150 Ksh (1,5 €) pour une tente. Compter 600 Ksh (6,3 €) pour un *bandas.* Prix par personne. Un peu moins cher pour une chambre. Un site sympa et très ombragé à 200 m de la mer. Les *bandas* avec douche, w.-c. ne sont pas très grands et la poussière a une fâcheuse tendance à tomber du toit de *makuti.* Les chambres sont réparties dans un bâtiment récent et propre. Moustiquaires et ventilo. Sanitaires communs sommaires. Possibilité de faire la cuisine soi-même (pour le petit dej' notamment), mais payant.

HÔTELS ET B & B

De bon marché à prix moyens

🏠 ***Lutheran Guesthouse*** *(plan A1, **12**)* **:** PO Box 409. ☎ 210-98. • smkurth@africaonline.co.ke • À 10 mn à pied du centre-ville. Chambres de 560 à 700 Ksh (5,9 à 7,4 €), avec ou sans douche et w.-c. Bungalow à 1 500 ksh (15,8 €) pour 4 personnes. L'église luthérienne est installée dans un parc tranquille et bien entretenu. L'accueil est charmant. Le pasteur propose des chambres d'hôtes, distribuées de plain-pied le long d'un bâtiment en U. Elles sont simples et propres : 2 ou 3 lits avec moustiquaire et ventilo. On sert le petit dej' au resto, ainsi que des repas sur demande s'il y a des groupes. La grille du parc est fermée à 22 h, mais on peut s'arranger avec le gardien. Faut-il préciser que les boissons alcoolisées, les fumettes à la marie-jeanne et les filles de mauvaise vie ne sont pas tolérées dans l'enceinte ? Pour les 2 bungalows avec cuisine, réserver longtemps à l'avance.

🏠 ***Ozi's Bed & Breakfast*** *(plan B2, **13**)* **:** PO Box 60. ☎ 202-18. Fax : 320-43. • ozi@swiftmalindi.com • Doubles à 1 000 Ksh (10,5 €). Grand immeuble, assez usé et plutôt bruyant. La mosquée n'est qu'à 50 m ; n'envisagez donc pas trop de faire la grasse matinée. Chambres très simples mais propres, lits avec moustiquaire. Douche et w.-c. à l'étage, très corrects. L'un des hôtels les moins délabrés de la vieille ville, pratique pour ceux qui sont à pied et si vous arrivez au terminal de bus du centre-ville, tout près.

Chic

🏠 ***African Pearl Hotel*** *(plan A1, **14**)* **:** PO Box 165. ☎ et fax : 204-49. • africanpearl@swiftmalindi.com • Compter 50 US$ pour une double (39 €). Moitié prix pour un cottage. Dans cette maison au léger parfum colonial règne une atmosphère de chambre d'hôtes quelque peu *british*. Une dizaine de chambres disposées sur 2 étages. Au premier, elles sont spacieuses avec de larges balcons. Celles du second, avec leur parquet et les murs recouverts de lambris, ont un charme très différent. Bains, w.-c., ventilo et lits immenses. Au milieu du jardin, une piscine et une paillote avec un bar. Trois cottages également pouvant accueillir 4 personnes.

🏠 ***Driftwood Beach Club*** *(plan B3, **15**)* **:** PO Box 63. ☎ 201-55 ou 305-69 ou 204-06. Fax : 307-12. • www.driftwoodclub.com • Doubles à environ 100 US$ (79 €). Quelques petites huttes de 32 à 40 US$ (25,3 à 31,6 € selon la saison). À partir de 160 US$ pour un cottage (126,4 €). Ensemble ramassé de bungalows blancs noyés sous les cocotiers et les bougainvillées. Petite terrasse privative et toit en *makuti*. Chambres très propres avec AC et moustiquaire. Salles de bains avec douche, lavabo et w.-c. Les huttes avec ventilo et bains sur le palier peuvent aussi faire l'affaire. Le cuistot fait des efforts : gâteaux de crabes, poisson aux 6 sauces, etc. Buffet le dimanche midi et spécialités de fruits de mer. Atmosphère relax et assez familiale. Belle piscine et chouette bar. École de plongée réputée et terrain de squash. Les visiteurs peuvent prendre une adhésion à la journée, ça vaut le coup.

🏠 ***Eden Roc Hotel*** *(plan A1, **16**)* **:** PO Box 350. ☎ 204-80, 81 ou 82. Fax : 203-33. • www.edenrockenya.com • De 40 à 45 US$ (31,6 à 35,6 €) pour une double et 60 US$ (47,4 €) pour une suite. Un parc immense parsemé de bouquets de bougainvillées descend de terrasse en terrasse vers la mer. Au loin, la plage et l'écume des vagues. Superbe. Sur la terrasse, une belle piscine avec bar-grill ouverte aux visiteurs (payante), et une autre plus au calme dans la cocoteraie. En revanche, les chambres, dans de grands bâtiments, sont très classiques. Sans véritable charme mais confortables : ventilo (ou AC) et moustiquaire, salle de bains avec douche, lavabo et w.-c. On vient davantage pour le cadre.

Où manger ?

De très bon marché à bon marché (moins de 500 Ksh – 5,3 €)

|●| ***Tana Hotel*** *(plan A2,* ***21****)* **:** le petit resto de la vieille ville, populaire et bruyant. Genre cantine toute simple. On aime bien sa cuisine swahilie traditionnelle.

|●| ***Baobab Restaurant*** *(plan B2,* ***24****)* **:** ☎ 316-99. Ouvert tous les jours jusqu'à minuit. Séparée de la plage par une maudite route passante, la terrasse offre néanmoins une vue agréable sur les boutres et les bateaux de pêche au mouillage. Petit clin d'œil de l'histoire : on aperçoit la chapelle portugaise et la croix de Vasco de Gama. Dans un site aussi inspiré, on vous sert de solides petits dej' et la panoplie des currys africains et des plats à la noix de coco. Il y a aussi du vin kenyan qui accompagne à merveille les poissons. Il faudra bien que vous le goûtiez un jour, alors quoi !

Prix moyens (de 500 à 1 000 Ksh – 5,3 à 10,5 €)

|●| ***Palm Garden*** *(plan A2,* ***20****)* **:** ☎ 201-15. Ouvert tous les jours, midi et soir. Gentil resto sous son toit de *makuti,* bien qu'on puisse trouver son intérieur un peu sombre et sa terrasse un peu bruyante. On passera sur la sempiternelle *pasta,* les pizzas et les petits dej'. Le cuistot prépare aussi des steaks saignants et des currys bien travaillés. Goûter la spécialité : le barbecue de poissons et fruits de mer *(mixed grill).* Le lundi soir et le vendredi soir, des groupes de musique congolaise s'y produisent parfois.

|●| ***Stars & Garters*** *(plan A1,* ***25****)* **:** Harambee Rd. Ouvert tous les jours, jusque tard dans la nuit. Selon son humeur, on s'installera dans le jardinet intime au fond de la cour, dans le coin resto où trônent de belles chaises swahilies ou bien au comptoir. À moins que vous ne préfériez le coin TV où s'agglutinent quelques habitués pour les matchs de boxe... La carte n'est pas avare (snacks, sandwiches, *nyama choma,* steaks, poissons et fruits de mer...) et satisfera toutes les faims, tous les budgets. La cuisine se défend plutôt bien. *Live band* le mercredi soir et soirées « disco » les vendredi et samedi à partir de 21 h qui drainent une clientèle d'habitués et de touristes ayant déserté leur hôtel l'espace d'un soir.

|●| ***Karen Blixen Restaurant*** *(plan A1,* ***26****)* **:** dans Galana Centre. Ouvert tous les jours, jusqu'à minuit. Une terrasse ombragée et verdoyante dans un cadre moderne où se retrouve la communauté italienne pour prendre le petit dej' ou un café tout en lisant *La Stampa.* La carte (écrite en italien, s'il vous plaît) reste fidèle aux goûts culinaires de nos amis transalpins : *pasta* et pizzas essentiellement. Sandwichs pour les petites faims. Parfois un peu bruyant.

Plus chic (plus de 1 000 Ksh – 10,5 €)

|●| ***I Love Pizza*** *(plan B2,* ***23****)* **:** ☎ 206-72. Ouvert tous les jours, midi et soir. Avec un tel nom, on s'attend à une pizzeria à néons de 3e zone. Pas du tout : on entre dans une vieille maison à arcades, par une porte swahilie qui conduit à une pièce chaleureuse. Rideaux écrus et poutres apparentes. Il y a aussi une petite véranda ouverte sur la rue, un

peu bruyante à midi. La cuisine italienne autrefois réputée dans la région a vraisemblablement pâti du changement de propriétaire. On vient ici pour la *pasta* et la pizza. Sorti de là, la carte éclectique est assez chère : huîtres, soupes et poisson.

La Malindina *(plan A1, **22**) :* ☎ 200-45 ou 314-48 ou 49. Ouvert le soir uniquement. Menu à 2000 Ksh (21,1 €). Dans un jardin tropical, sous des arbres majestueux et autour d'une piscine, se dressent de superbes paillotes avec leur toit en *makuti*. La déco est soignée ; le mobilier swahili ravissant est mis en scène par des tissus d'un bleu vif qui réveille et enchante littéralement le regard. Pas de carte, juste un menu qui est un vrai festival de poissons et de fruits de mer. Les plats sont travaillés avec goût et agrémentés d'une délicieuse *pasta* (le patron est italien). Les portions ne sont pas chiches, et l'on vous ressert avec le sourire. Bref, vous l'avez compris, classe, élégance et raffinement sont ici à l'honneur.

Où boire un verre ? Où déguster une bonne glace ?

Baobab Restaurant *(plan B2, **24**) :* voir « Où manger ? ». Bien agréable pour faire une pause en scrutant le large.

Gelateria *(plan B3, **31**) :* le meilleur glacier de la côte est situé au pied de l'*Oasis Hotel.* ☎ 201-46. Fermé de Pâques à juillet. Le site n'a aucun intérêt, mais tout le monde s'en moque : on garde les yeux rivés sur sa coupe. Le patron italien n'a pas fait dans la dentelle. Il a fait venir ses installations directement du pays. Question d'honneur. Un événement qui a mis la communauté italienne en émoi. *Mamma mia,* c'est vrai qu'elles sont bonnes ces glaces, surtout les *home made.* Si vous avez du mal à vous décider (et on vous comprend !), armez-vous de votre plus beau sourire et on vous laissera certainement goûter avant. Il faut venir le soir, car la terrasse est écrasée de soleil pendant la journée.

Où sortir ?

Deux circuits noctambules et une boîte africaine.

Open discos

Certains hôtels organisent des soirées discothèque à tour de rôle sur des pistes en plein air. Payant pour ceux qui ne résident pas dans l'hôtel. Par exemple, ***Tropical Village*** *(plan B3, **42**)* le jeudi et ***Coral Key*** *(plan B3, **41**)* le vendredi. On y rencontre la jeunesse de tous les hôtels situés au sud de la ville.

Circuit en centre-ville

Le circuit commence au ***casino*** *(plan A1)*; à côté des machines à sous, il y a une salle où l'on organise des soirées à thème bon enfant. Bingo à l'ancienne le samedi. Il ne faut pas oublier non plus le ***Stars & Garters*** *(plan A1, **25**),* voir « Où manger ? », avec son *live band* le mercredi à partir de 21 h et ses soirées « disco » les vendredi et samedi soir.

Le second rade nocturne est un piano-bar chicos et convivial, le ***Fermento*** *(plan A1, **43**).* ☎ 317-80. Ouvert à partir de 22 h. Fermé le lundi. Clientèle jeune et moins jeune dont la qualité commune est de savoir s'amuser. Quand vient le karaoké, on se surprend à pousser la *canzonetta* avec la flamme et le trémolo d'un tombeur napolitain. Ensuite, on entame la soirée disco, parfois à thème, avec toutes les musiques qui font bouger la foule : funk, afro, disco, *soukouss*. Il y a des groupes de musique congolaise certains soirs.

♫ ***Club 28*** *(plan A1, 45)* **:** à 300 m du casino. ☎ 301-53. Ambiance à partir de minuit. Gratuit. La disco africaine assez chic, réservée à l'origine aux moins de 28 ans. Un bar en plein air avec de jeunes filles très accortes et une petite salle à l'intérieur pour se trémousser sur des airs lascifs et envoûtants : *kouassa, soukouss* et *loketo*. Vous ne resterez pas seul(e) bien longtemps.

À voir

👁👁 ***La croix de Vasco de Gama*** *(Vasco de Gama Pillar ; plan B3)* **:** l'un des plus anciens monuments européens d'Afrique noire. Cette croix en calcaire aux armes du Portugal accueille les bateaux à l'entrée du port. Elle fut érigée en 1499 par Vasco de Gama devant le palais de l'ancien cheikh. Longtemps, sa connotation catholique a semé la discorde dans la communauté musulmane. La croix fut même renversée. Mais, devant l'insistance des Portugais, elle fut déplacée puis réinstallée à son emplacement actuel au XVIe siècle. On y accède par un petit chemin. La petite balade offre de belles vues sur la baie de Malindi.

👁 ***La chapelle portugaise*** *(plan B3)* **:** ce petit bâtiment marquait la séparation entre le quartier arabe du centre-ville et le village de pêcheurs bajunis plus au sud. C'est tout ce qui reste du quartier portugais de la ville. La chapelle reçut un hôte de marque en 1542 en la personne de saint François Xavier. Dans son compte-rendu adressé à Rome, il décrit une ville peu croyante où 3 des 17 mosquées sont ouvertes au culte. Depuis, Malindi s'est bien rattrapée. Il n'y a plus rien à voir à l'intérieur. À l'extérieur, quelques tombes de pionniers, comme celle du commandant Lawford.

👁 ***Les Pillar Tombs*** *(plan B2)* **:** Juma Mosque. Ne se visite pas, mais on peut jeter un coup d'œil par-dessus le mur d'enceinte. Constructions typiques de l'Afrique de l'Est. On les décorait de porcelaine chinoise. Leur forme est éminemment phallique pour un observateur européen, mais les Arabes et les Africains ont toujours contesté cette interprétation. Le palais du cheikh de Malindi se trouvait juste à côté.

👁 ***La vieille ville*** **:** sorte de labyrinthe pas très sûr et délabré. Avec l'aide d'un guide, on peut rendre visite aux artisans perdus dans les ruelles.

👁 ***Falconry of Kenya*** *(plan A1)* **:** PO Box 1003. ☎ 304-52. Ouvert tous les jours de 9 h à 18 h. Entrée : 300 Ksh (3,2 €). Très belle fauconnerie dans les bougainvillées. La gamine à l'entrée est une tortue des Seychelles âgée de près de 110 ans qui adore les chatouilles ! Selon le gardien, elle vivra au moins le double ! Près de 30 espèces d'aigles, de faucons et de hiboux. N'oubliez pas Pauline qui affectionne particulièrement les petites caresses sur la tête. Démonstration de volerie à côté du *Sportsman Bar.* Quelques crocodiles et serpents également. Spécialité du bar : le steak de chèvre !

👁 ***Crocodile Paradise Snake & Crocodile Farm*** *(hors plan par B3)* **:** sur la route du *Malindi Park Office,* suivre le panneau sur la droite. ☎ 201-21. Ouvert tous les jours de 9 h à 17 h 30. Entrée : 375 Ksh (3,9 €). Une belle collection de serpents ; les plus venimeux du Kenya y sont rassemblés ! Le *black mouthed mamba* peut atteindre une vitesse de pointe de 15 km/h, prenez garde ! Un enclos de crocodiles également qui renferme *Saddam Hus-*

sein, Ben Laden (au museau défoncé), *George W. Bush* et *Margaret Thatcher !* Rien que ça ! Au fait, devinez qui a fait le sale coup à *Ben Laden ?*

À faire

– Les sportifs sont à la fête : planche à voile, surf, plongée, golf, cheval et, surtout, **pêche au gros.** La meilleure adresse :

■ ***Kingfisher :*** PO Box 29. ☎ 201-23. Fax : 302-61. Sur le bord de mer à côté du restaurant *I Love Pizza.* Détient la plupart des records d'Afrique. Trente ans d'expérience et une renommée internationale. Cher.

– Pour la ***plongée,*** deux adresses :

■ ***Scuba Diving Malindi :*** au *Driftwood Beach Club (plan B3,* ***15****),* mêmes coordonnées. • www.scubamalindi.tullfan.com •

■ ***Blue Fin Diving :*** basé au *Tropical Village (plan B3,* ***42****).* ☎ 316-73 ou 318-57. • blue-fin@libero.it • Tenu par des Italiens.

Plage

Malindi possède une baie sauvage qui s'étend sur 7 km. La Sabaki River a creusé une brèche dans la barrière de corail. Ses eaux limoneuses se déversent au nord de la ville. Elles peuvent troubler la visibilité, surtout après la pluie. D'avril à octobre, le vent du sud creuse la mer et apporte des algues en abondance sur la plage. Le spot est idéal pour le surf, notamment en juillet et août. La meilleure plage est au sud : *Silversands Beach.*

➤ *DANS LES ENVIRONS DE MALINDI*

Le Lake Chem-Chem Sanctuary : à 10 km sur la route de Tsavo. Agréable balade à dos de chameau autour d'un lac qui se remplit d'oiseaux et d'hippopotames après la saison des pluies.

Le cirque de Marafa (Hell's Kitchen) : à 44 km au nord. Une miniature du grand canyon d'Arizona aux couleurs étonnantes. Depuis le village, un chemin de randonnée conduit à une forêt de pics rocheux, dont certains atteignent 30 m.

Mambrui : à 14 km sur la route de Lamu. Ville arabe pittoresque du XVe siècle. Maisons d'anciens planteurs ruinés par l'abolition de l'esclavage. Et aussi : mosquée et école coranique.

QUITTER MALINDI

En bus

Il y a deux ***terminaux de bus.*** Le plus important se trouve au Malindi New Market *(plan A2) ;* bus de *C-Line, Mombasa Raha* (ou *Mombasa Liners*). L'autre est situé non loin des Pillar Tombs *(plan B2) ;* bus de *Falcon Coach.* Pas de bus pour Tsavo Est.

➢ ***Pour Nairobi :*** les bus *C-Line (plan A2),* les plus fiables, desservent Nairobi via Mombasa (avec changement de bus, il peut être nécessaire de passer alors la nuit à Mombasa). Deux départs quotidiens en matinée. Les billets s'achètent dans le bus. Par la compagnie *Mombasa Raha (plan A2)* également. Un bus le matin et un bus en soirée (à déconseiller) avec arrêt à Mombasa. Compter 10 h de trajet.
➢ ***Pour Lamu :*** le trajet est dangereux. Il s'effectue en convoi. Attaques de *shiftas* (bandits somalis) et accidents de ravin alimentent régulièrement les chroniques. Par les compagnies *Mombasa Raha (plan A2)* et *Falcon Coach (plan B2).* Les bus quotidiens quittent Malindi dans la matinée. Le trajet dure 6 h en moyenne. Un arrêt est généralement prévu pour casser la croûte à Garsen ou Witu. On arrive à l'embarcadère de Mokowe. Un boutre public dessert ensuite les îles de Lamu et de Pate.
➢ ***Pour Mombasa :*** pas de problème pour trouver un bus, départs réguliers (toutes les 30 mn avec *Mombasa Raha,* entre 5 h 30 et 17 h 30). Compter 2 h 30 environ.
– Pour les autres villes du Kenya, de Tanzanie et d'Ouganda, il est nécessaire de se rendre à Mombasa.

En *matatu*

➢ ***Pour Mombasa et Watamu :*** de très nombreux *matatus* au Malindi New Market *(plan A2).*

En voiture

➢ ***Pour Lamu :*** voir la rubrique « En bus » pour la sécurité. Il existe un parking gardé à l'embarcadère de Mokowe et un autre en ville, à 2 km, près du poste de police (faire du stop). Les boutres publics attendent les bus pour larguer les amarres.
➢ ***Pour Tsavo Est :*** on emprunte une bonne piste roulante. La Sala Gate est à 115 km. Pendant la saison des pluies, le 4x4 est nécessaire et la piste est parfois inondée.

En avion

✈ ***L'aéroport*** *(hors plan par A3)* est situé 2 km à l'ouest de la ville.
➢ ***Pour Nairobi :*** *Kenya Airways* assure 1 à 2 vols quotidiens. *Air Kenya* propose plusieurs vols quotidiens pour Lamu et Mombasa avec connexion possible pour Nairobi.
➢ ***Pour Lamu :*** *Air Kenya* propose plusieurs vols quotidiens dont certains poursuivent sur Kiwayu. *Kenya Airways* et *Kas Kasi Aviation* desservent aussi Lamu tous les jours. Un peu moins cher avec *Kas Kasi Aviation.*
➢ ***Pour Mombasa :*** 1 à 2 vols quotidiens avec *Air Kenya.*

LE PARC NATIONAL MARIN DE MALINDI

Le plus ancien parc marin du Kenya. La faune et la flore sont d'une incroyable richesse. C'est un site idéal pour faire du *snorkelling* et découvrir des fonds marins fabuleux envahis de poissons multicolores. Pendant la saison des pluies, le nord du parc peut être troublé par l'eau de la Galana River qui se déverse à Malindi.

Accès

Les hôtels et les *beach-boys* proposent des excursions au départ de Malindi, avec plongée ou bateau à fond transparent. On peut aussi se rendre directement au Casuarina Point, à 5 km au sud du centre-ville, où attendent de nombreux capitaines regroupés au sein de l'*AMBO (Association of Malindi Boat Owners)* ou de la *MBOCA (Malindi Boat Owners and Captains Association).* Négocier ferme.

Adresses et infos utiles

■ ***Malindi Marine National Park Office*** *(hors plan par B3)* **:** Casuarina Point. PO Box 109. ☎ 208-45 ou 46. Dispose d'un *Point of Sale.* Pratique si vous envisagez de vous rendre dans l'un des parcs nationaux nécessitant la *SmartCard.*

– Les tickets pour l'accès au parc (5 US$, soit 3,9 €) s'achètent au petit centre d'exposition consacré à la richesse des milieux marins et situé sur la plage. Généralement ouvert de 7 h à 18 h, mais tout dépend de l'affluence...
– On peut louer aussi masque et tuba sur la plage. Prix raisonnables. Bien vérifier le matériel.

À voir

✪✪ ***Les Coral Gardens :*** les plus beaux récifs de coraux. Y aller à marée basse, on est plus près des coraux et donc la visibilité est meilleure.

✪✪ ***Mayungu :*** entouré d'une mer turquoise, ce banc de sable s'étire paresseusement au large de la côte. Les récifs coralliens alentour sont magnifiques. À midi, on déguste des grillades de poissons et de langoustes. Puis on lézarde tranquillement au soleil. Une bonne journée de détente.

LAMU

Lamu est un archipel, une île et une ville. Si on a le temps, il faut visiter les trois. Venir à Lamu, c'est faire un saut dans l'histoire, revenir à l'époque de Sindbad le marin et du sultanat de Zanzibar. L'archipel est une mosaïque d'îles plates et désertiques, un puzzle dont les pièces s'emboîtent presque parfaitement. Depuis 1 000 ans, on n'a pas trouvé mieux que le boutre pour se déplacer. Sur la trace des commerçants perses et arabes, on glisse au fil de l'eau à la rencontre de la culture swahilie, on retrouve la nature intacte, et les plages immenses.

UN PEU D'HISTOIRE

Le berceau de la civilisation swahilie

Les vestiges de Manda prouvent que l'archipel importait déjà des porcelaines de Chine au IXe siècle. Les invasions mongoles et le schisme musulman provoquèrent un afflux d'immigrants d'Asie vers la côte africaine à partir du XIIIe siècle. L'agriculture se développa grâce – c'est triste à dire – à l'esclavage. Les plantations de céréales et de fruits s'étendirent sur le continent. Utilisant les vents de mousson, les boutres acheminaient des pro-

duits de luxe vers la péninsule Arabique et l'Inde : ivoire, cornes de rhinocéros, carapaces de tortue, ambre de mer.
Au XVIIe siècle, les Gallas déferlèrent sur la côte, n'épargnant que les îles de l'archipel. Celles-ci accueillirent de nombreux réfugiés bajunis. De petits royaumes indépendants apparurent sur les îles de Lamu et de Pate. La culture swahilie se forgea peu à peu, et la vie devint douce et prospère. On bâtit des demeures d'architecture inédite. Parfums d'eau de rose venus de Damas, tapis persans, étoffes indiennes... Ce raffinement était le signe d'une intense activité culturelle. Les notables et les religieux cultivaient l'art de la poésie, déclamant leurs œuvres dans les mosquées, et puisant leur inspiration dans les thèmes du Coran.
À l'écart de la route des Indes, Lamu échappa au joug portugais pendant un siècle. Mais son alliance avec les Turcs provoqua l'arrivée des expéditions punitives de Goa. Les rois de Lamu furent décapités les uns après les autres. La tête du roi de Faza fut ramenée en Inde dans un baril de sel ! Lorsque les Arabes d'Oman évincèrent les Portugais de la côte, les cités rivales retournèrent à leurs intrigues.

La bataille de Shela et le déclin

L'essor de Lamu menaça rapidement l'hégémonie du royaume de Pate. En 1812, la bataille de Shela fut un tournant de l'histoire. Pate et ses alliés de Mombasa débarquèrent en fanfare sur la plage de Shela. La démonstration de force tourna au carnage : contre toute attente, les habitants de Lamu donnèrent l'assaut. Les soldats battirent en retraite vers la mer, mais trouvèrent leurs embarcations échouées sur le corail. Ils furent taillés en pièces. Incroyable : le commandant de la flotte avait mal calculé l'horaire des marées !
Ayant appris la défaite de ses ennemis de Mombasa, le sultan d'Oman envoya des mercenaires baluchis protéger le fort de Lamu. L'amorce d'une grande stabilité politique attira un flux de commerçants arabes et indiens. Sous l'influence de Sayyid Saïd, sultan de Zanzibar, l'archipel connut une forte arabisation et s'ouvrit aux premiers colons européens.
L'âge d'or prit fin en 1873 avec le premier traité d'abolition de l'esclavage. La flotte britannique patrouilla sur la côte et coula les navires suspectés de trafic d'esclaves. À Lamu, les plantations se vidèrent de leur main-d'œuvre. Le port de la ville ne convenant plus aux nouveaux navires à vapeur, Lamu se replia peu à peu dans son conservatisme, ignorant avec fierté les nouveaux riches de Zanzibar et les aristocrates déchus de Paté.
Le tourisme bon marché des années 1970 ne changea pas le visage ni la richesse de l'île qui, aujourd'hui, reste fidèle à ses traditions. Son économie de subsistance est toujours fondée sur la pêche, l'agriculture et le commerce de bétail avec la Somalie.

L'ÎLE DE LAMU

Des dunes somaliennes et un ciel d'Atlantique. « L'île magique aux mille facettes » est très visitée. Phare de l'archipel, la ville de Lamu concentre l'essentiel de l'activité. On loge dans les anciennes maisons arabes et coloniales, ou à l'écart de l'agitation, dans le joli village de Shela. Au bout des dunes qui ondulent le long de la plage, il y a des villages traditionnels de pêcheurs que l'on peut découvrir à pied ou en boutre.

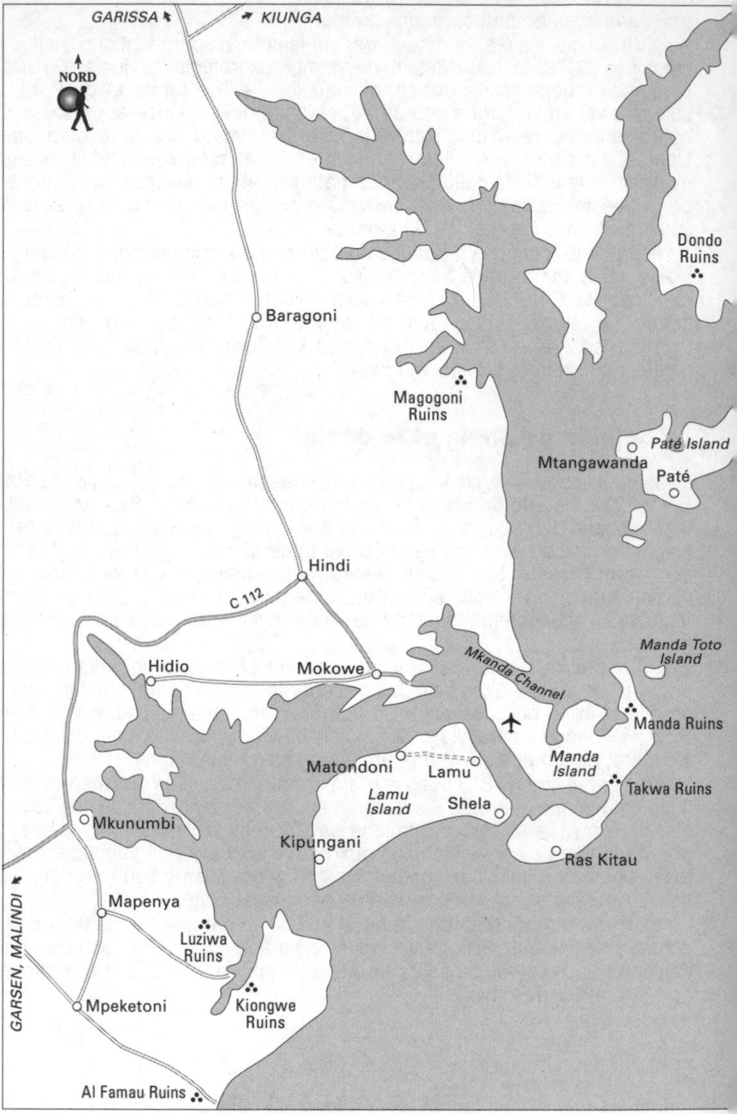

Comment y aller ?

➢ ***En bus et en voiture :*** se reporter à la rubrique « Quitter Malindi ».
➢ ***En avion :*** le plus rapide et le plus confortable. Superbe vue sur le delta de la Tana. *Air Kenya* assure 1 ou 2 vols quotidiens au départ de Mombasa

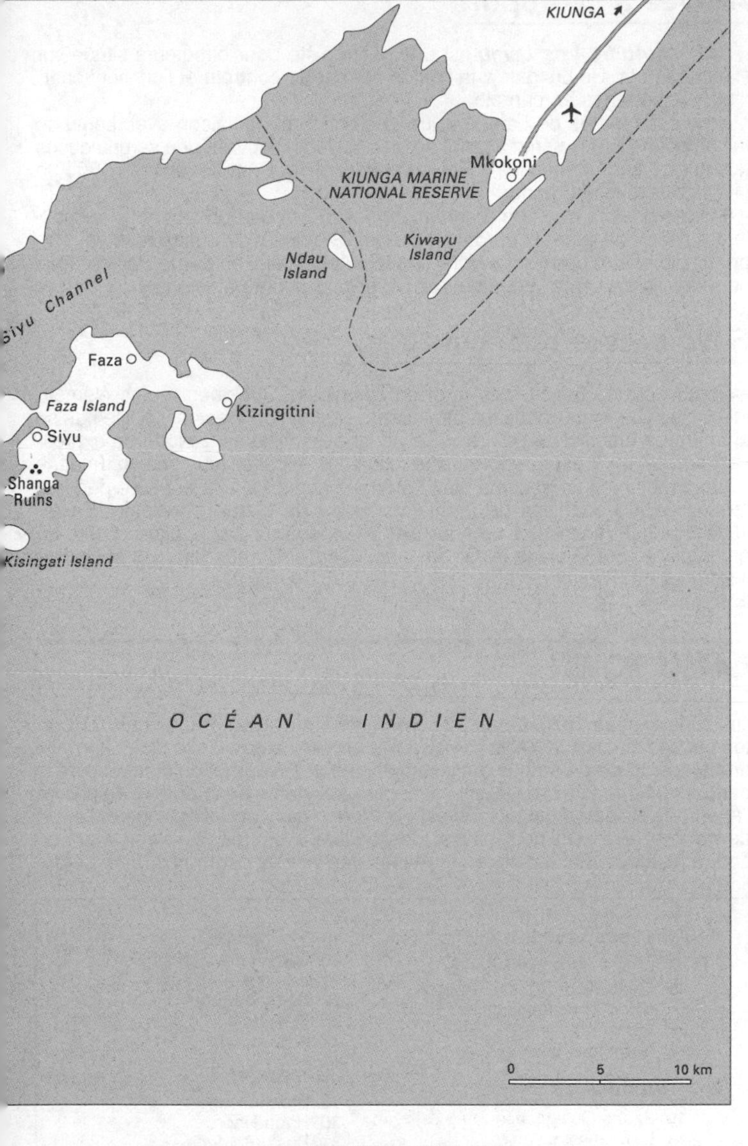

L'ARCHIPEL DE LAMU

via Malindi, et 1 vol quotidien direct avec Nairobi. Un vol quotidien depuis Malindi avec la compagnie *Kas Kasi Aviation* (voir « Compagnies aériennes » à Malindi). Vols quotidiens également avec *Kenya Airways* depuis Malindi et Nairobi. En basse saison, certains vols peuvent être annulés s'il n'y a pas assez de passagers.

Arrivée à l'aéroport

✈ ***L'« aéroport » de Lamu*** est une petite piste pour bimoteurs située sur l'île de Manda. Un bungalow fait office de tour de contrôle et l'on vient chercher vos bagages en carriole.
Manda est séparée de Lamu par un large chenal. La liaison avec Lamu se fait en boutre. Vous serez assailli de propositions, souvent peu scrupuleuses (jusqu'à 10 fois le tarif usuel). Pas de précipitation. Compter environ 100 Ksh (1 €) pour rejoindre Lamu.
– ***Conseils :*** lors de votre réservation, assurez-vous que l'on vous accueillera à l'aéroport (parfois un gamin timide). Si vous n'avez pas réservé, empruntez le boutre du *Peponi Hotel* pour Shela ou celui du *Lamu Palace Hotel* pour la ville de Lamu. Vous devrez payer une petite participation.

Savoir-vivre et sécurité

– Lamu est une île de forte tradition islamique. Quelques règles élémentaires : ne pas entrer dans les mosquées, sauf si l'on y est invité. Ne pas se promener en maillot de bain en ville ni dans les villages. Selon une expression du coin : « Il est possible d'être jolie sans exposer tous ses charmes. »
– Les problèmes de sécurité sont très marginaux. La ville est sûre pendant la journée. Le soir, pas de problème autour de la rue principale. En revanche, il est déconseillé de rejoindre Shela de nuit par la piste côtière ou par la plage. Sur la plage de Shela, il est déconseillé aux femmes seules de s'éloigner du *Peponi Hotel.*

LAMU TOWN

IND. TÉL. : 042

Dans les années 1970, Lamu fut surnommée le Katmandou africain. Désertée par ses hippies, la vieille cité swahilie est restée ce qu'elle était : une ville arabe accrochée à l'Afrique, un lieu mythique et envoûtant où flotte encore le parfum de Schéhérazade. Lamu vit encore au rythme des boutres, au pas de l'âne et de l'Islam ancestral. On est vite gagné par la nonchalance et l'envie de ne rien faire ! On peut passer des heures à contempler l'animation du port, à lézarder sur les toits en terrasses des vieilles demeures, à se perdre

Adresses utiles

- Lamu Tourist Information Bureau
- Lamu Tour Guides Association & Accommodations
- Poste
- Gares des bus

Où dormir ?

- 10 Peace Guesthouse (ou Villa)
- 11 Lulu Guesthouse
- 12 Kilimanjaro Lodge
- 13 Casuarina Resthouse
- 14 Bahari Hotel
- 15 Stone House
- 16 Yumbe House
- 17 Petley's Inn
- 18 New Lamu Palace Hotel
- 19 Yumbe Villa
- 20 Lamu Guesthouse
- 21 Starehe
- 22 Sunsail Hotel
- 23 Pole-Pole
- 24 Amu House

Où manger ?

- 15 Stone House
- 30 Hapa-Hapa
- 31 Bush Gardens
- 32 Kamar Café (New Star Restaurant)
- 34 Fishermen's Restaurant

Où boire un verre ?

- 40 Petley's Inn Bar
- 41 Whispers

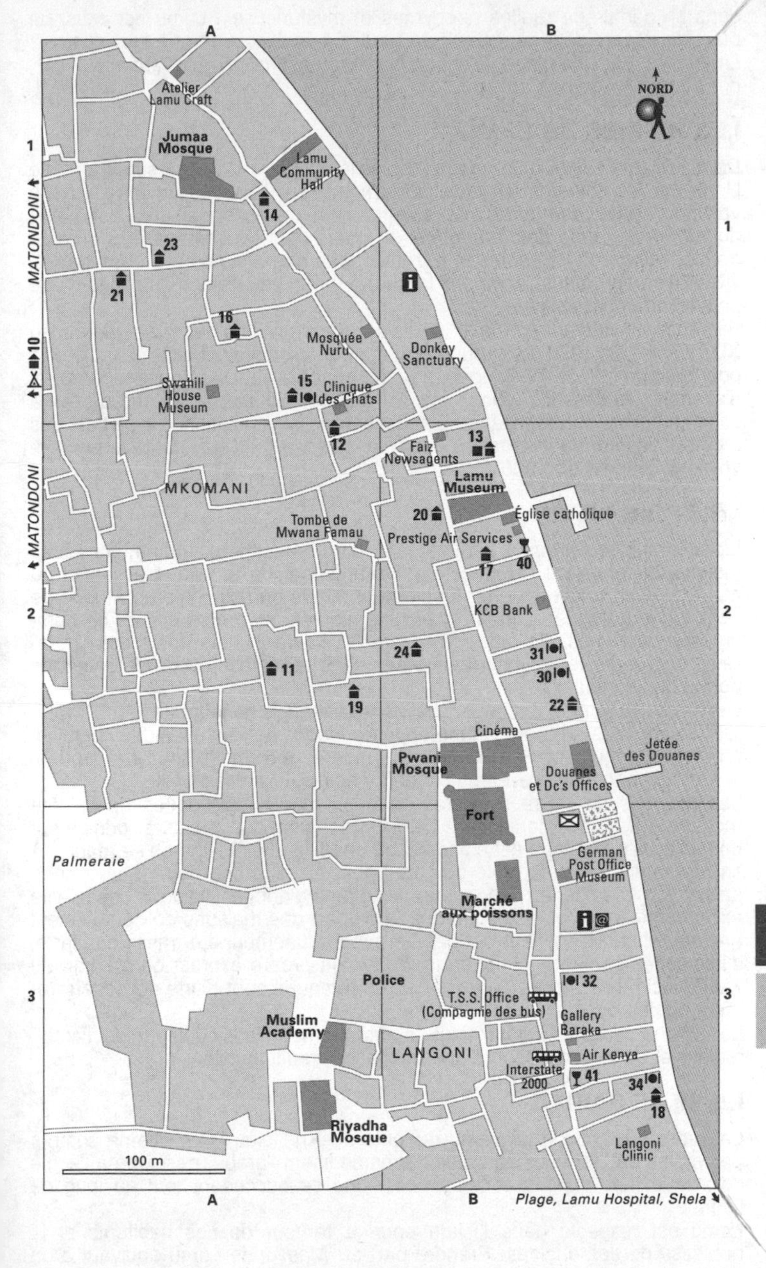

A
B
NORD
Atelier Lamu Craft
Jumaa Mosque
Lamu Community Hall
MATONDONI
Mosquée Nuru
Donkey Sanctuary
Swahili House Museum
Clinique des Chats
Faiz Newsagents
Lamu Museum
MKOMANI
Église catholique
Tombe de Mwana Famau
Prestige Air Services
KCB Bank
Cinéma
Pwani Mosque
Jetée des Douanes
Douanes et Dc's Offices
Fort
Palmeraie
German Post Office Museum
Marché aux poissons
Police
T.S.S. Office (Compagnie des bus)
Gallery Baraka
Muslim Academy
LANGONI
Air Kenya
Interstate 2000
Riyadha Mosque
Langoni Clinic
100 m
Plage, Lamu Hospital, Shela

LAMU TOWN

dans un dédale de ruelles anonymes et mystérieuses. Lamu est aussi un point de départ idéal pour partir en boutre à la découverte de l'archipel. Lamu n'est pas une étape. C'est un but, une destination qu'il vaut mieux garder pour la fin de son voyage.

LES HIPPIES DE LAMU

Dans les années 1970, la vague hippie déferla vers Goa et les ashrams de l'Inde par les chemins les plus détournés. Pour beaucoup d'entre eux, le voyage s'arrêtait à Mombasa ou à Lamu. L'île, qui échappait aux contraintes du XXe siècle, attira des marginaux en quête d'un nouveau paradis ou d'un dernier refuge. On s'entassait à trente dans des chambres à deux balles, vivant d'amour (faites Lamu pas la guerre !) et d'eau fraîche au milieu d'une population impassible.
Elle en avait vu d'autres : la 1re invasion du genre date des *Freelanders,* au XIXe siècle ! En 1890, ce groupe d'Anglais utopistes avait quitté l'Angleterre pour bâtir un monde meilleur au pied du mont Kenya. Débarqués à Lamu, ils n'allèrent pas plus loin. Dans les « Freeland Houses », les mœurs et la consommation de stupéfiants scandalisèrent la population. La plupart des membres sombrèrent dans l'alcool et la violence. Les survivants furent renvoyés à Londres en 1900.

LE STYLE LAMU

Le style unique de Lamu est l'héritage d'un brassage culturel intense. Les Indiens influencèrent l'architecture et l'artisanat de la ville. L'essentiel du mobilier swahili était importé directement d'Inde ou assemblé en Afrique de l'Est. On leur doit les portes à caissons cloutés qui ornent encore de nombreuses demeures. En Inde, ces clous en cuivre avaient une fonction précise : dissuader les éléphants d'entrer dans la maison ou de défoncer les portes des châteaux.
Les habitants portent encore les habits traditionnels de leurs ancêtres swahilis. Les hommes arborent la jupe appelée *longhi,* le *kikoï* avec une chemise, ou la robe longue appelée *khanga.* Sur la tête, une calotte souple et brodée, le *kofia.* Les femmes revêtent le *bui-bui* noir pour sortir en ville.
Les maisons en pierre de corail sont les plus sophistiquées de la côte (comme à Zanzibar, cousine de Lamu). Elles sont construites à l'origine sur un niveau. Le 1er étage est édifié lorsqu'une fille atteint l'âge de se marier. À sa naissance, on avait brûlé du corail pour en faire une poudre de ciment. Laissé aux intempéries pendant une vingtaine d'années, il atteint une qualité exceptionnelle, ce qui explique que la plupart des maisons de Lamu soient encore debout. L'intérieur est décoré avec raffinement. Le travail du plâtre, d'influences iranienne et indienne, trouve sa propre expression à Lamu au XVIIe siècle. Les niches *(vidakas)* et les fresques sont d'une richesse rarement égalée en Islam.
Le *Swahili House Museum* illustre parfaitement la singularité de l'architecture et de la conception d'une habitation traditionnelle.

LA VILLE SAINTE

La tradition islamique de Lamu remonte au XIVe siècle. La ville ne compte pas moins de 26 mosquées. Les habitants lisent l'arabe, enseigné à l'école coranique. Les danses et les processions se succèdent tout au long de l'année.
Lamu est respecté dans l'Islam pour la ferveur de ses habitants et la noblesse de ses origines. Prendre part au *Maulidi* de Lamu équivaut à un demi-pèlerinage à La Mecque. Cette fête musulmane qui célèbre la naissance du prophète attire des pèlerins du Soudan, d'Ouganda, de Zanzibar, de Tanzanie, de la République démocratique du Congo (ex-Zaïre), du Pakis-

tan et même d'Arabie saoudite. Pendant une semaine, les mosquées hébergent et nourrissent des milliers de pèlerins. On prie, on joue, on danse avec des sabres et des bâtons. Les hommes en robe blanche *(kanzu)* chantent le *Maulidi,* prière à Allah ponctuée par le rythme des tambours.
Le *Maulidi* de Lamu doit d'abord son succès à un homme : Habib Salih. C'est un sharif : un descendant du prophète. Né aux Comores, il arriva à Lamu en 1885 où il devint un enseignant religieux et un médecin respecté. Lorsqu'il introduisit le tambour, les chants et les danses dans la liturgie, la réforme fit scandale. Il fut contraint de s'installer à l'écart de la ville. Mais bientôt, le succès fut tel que sa hutte fit place en 1900 à un centre d'enseignement islamique – l'actuelle mosquée de Riyada – qui devint le plus prestigieux centre spirituel d'Afrique noire. Habib Salih est considéré comme un saint.

Adresses utiles

Informations touristiques

i ***Lamu Tourist Intormation Bureau*** *(plan B3)* **:** PO Box 210. ☎ 63-34-08 ou 35-00. Fax : 63-34-49. Ouvert tous les jours de 8 h à 13 h, de 14 h 30 à 16 h 30 et de 19 h à 21 h 30. • touristinformation@swiftlamu.com • Dans une ruelle perpendiculaire au front de mer. Bon accueil. Petit bureau privé assurant tout autant l'info que l'organisation de circuits touristiques, balades en *dhows,* réservations d'hôtels, d'avions et de bus...

i ***Lamu Tour Guides Association & Accommodations*** *(plan B1)* **:** PO Box 210. Sur le front de mer, près de l'hôpital des ânes *(Donkey Sanctuary).* En principe, ouvert l'après-midi. Si leur bureau est fermé, s'adresser au *Sunsail Hotel (plan B2,* ***22****).* La municipalité décida un jour de réglementer l'accueil des touristes. Les guides officiels furent regroupés au sein d'une association. Pour les reconnaître, demandez à voir leur badge. Ils vous informent sur l'île et vous accompagnent gratuitement à votre hébergement. Libre à vous ensuite de les rémunérer pour une visite de la ville ou une excursion en boutre. En vérité, depuis quelque temps, l'association est quelque peu en sommeil. Lors de notre séjour, le bureau n'a jamais été ouvert.

■ ***District Commissioner's Office*** *(plan B2)* **:** prolongation de visa.

Poste et télécommunications

✉ ***Poste*** *(plan B3)* **:** entre le fort et le front de mer. Cabines téléphoniques, poste restante.

@ ***Internet et fax*** **:** au *Lamu Tourist Information Bureau (plan B3).*

@ ***Lamu Polytecnic*** **:** dans une ruelle perpendiculaire au port. ☎ 63-20-37 ou 34-13. Ouvert de 8 h à 12 h 30 et de 14 h à 18 h (les samedi et dimanche, de 8 h à 12 h). Pour utiliser Internet. Assez cher : 60 Ksh/mn (0,6 €), 100 Ksh (1,1 €) pour envoyer un message.

Argent, banques, change

■ ***KCB*** *(plan B2)* **:** sur le front de mer. ☎ 63-33-27 ou 35-62. Change assez long. Devises, *traveller's* et carte *Visa.*

Compagnies aériennes

■ ***Air Kenya*** *(plan B3)* **:** Baraka House, PO Box 376. ☎ 63-34-45. Ouvert tous les jours de 8 h à 17 h.

■ ***Kenya Airways*** **:** sur le front de mer, au rez-de-chaussée de la *Casuarina Resthouse (plan B2,* ***13****).*

☎ 63-20-40. Fax : 63-33-20. • flamingo@lamuconnect.co.ke • Ouvert de 8 h à 12 h 30 et de 14 h à 17 h en semaine (jusqu'à 12 h 15 le samedi). Un peu moins cher qu'*Air Kenya*.

Loisirs

■ ***Librairies :*** *Lamu Fort (plan B2-3)* et *Lamu Museum (plan B2)*. Quelques livres de collection.

■ ***Presse :*** *Faiz Newsagents (plan B2)* et *Lamu Book Centre*. Pellicules photo.

■ ***Cinémas*** *(plan B2)* **:** une petite salle sur la place du fort et un cinéma de plein air pittoresque au nord de la ville. On n'y va pas pour le film.

Urgences et soins

■ ***Police*** *(plan A-B3)* **:** urgences : ☎ 999. Bureau : ☎ 63-32-17.

■ ***Langoni Clinic*** *(plan B3)* **:** pour les petits bobos.

■ ***Lamu Hospital :*** au sud de la ville. Souvent débordé.

Où dormir?

Il y en a pour toutes les bourses. Autrefois investies par les hippies, les *guesthouses* et les villas constituent un hébergement insolite, parfois délabré mais peu onéreux. En haute saison, les tarifs demeurent très inférieurs par rapport au reste du pays, mais le confort n'est pas aux normes internationales. L'eau est rationnée. À l'exception des grands hôtels, il n'y a souvent pas d'eau dans la journée. Quant à l'eau chaude, n'y pensez plus. En basse saison, les tarifs peuvent chuter de 20 à 50 %. En général, formule *B & B* pour les *guesthouses*.

Camping

⛺ 🏠 ***Peace Guesthouse*** ou ***Villa*** *(hors plan par A1,* ***10****)* **:** camping à 300 Ksh (3,2 €) par personne et doubles à 700 Ksh (7,4 €). À l'écart de la ville. Prendre la rue du *Pole-Pole* et aller tout droit (enfin, une façon de parler). On traverse un quartier populaire et poussiéreux de maisons de torchis. Premières parcelles avec palmiers. L'impression de se perdre, demander, tout le monde connaît. Le rendez-vous tranquille des sacs à dos. Deux grandes maisons dans un jardin fleuri. Vraiment en dehors des sentiers battus. Neuf chambres et un petit dortoir pour 6 personnes. Bloc sanitaire propre. Gardien. Équipe sympa et *pancakes* délicieux au petit dej'.

Bon marché

🏠 ***Lamu Guesthouse*** *(plan B2,* ***20****)* **:** PO Box 240. ☎ 63-33-38. Dans une ruelle parallèle au front de mer. Doubles à partir de 500 Ksh (5,3 €). Près d'une vingtaine de chambres. Vénérable demeure swahilie au cœur de la vie sociale. Noter les fines poutrelles au plafond et les alvéoles de rangement dans l'escalier. D'une grande simplicité (pour certaines chambres, à la limite du rudimentaire), mais c'est propre et fort bien tenu dans l'ensemble. En outre, Alex Kaniki prodigue depuis de nombreuses années un chaleureux accueil. Accès au toit-terrasse pour jouir de la vue sur la ville et de l'animation de la ruelle en contrebas.

Là aussi, escaliers, coursives, petites terrasses donnent une certaine atmosphère aux lieux.

Kilimanjaro Lodge *(plan A1-2, 12) :* ☎ 63-34-76. Chambres à 500 Ksh (5,3 €). Au cœur de la vieille ville, une maison traditionnelle sombre comme un caravansérail, mais l'une des plus propres à ce tarif. Intérieur de style arabe avec portes ogivales. Chambres très simples avec douche et lavabo. Service de blanchisserie. Terrasse très sympa pour le petit dej'.

Casuarina Resthouse *(plan B2, 13) :* ☎ 63-31-23. Chambres de 500 à 1 000 Ksh (5,3 à 10,5 €). Vieille maison traditionnelle (il y a longtemps, ce fut le poste de police) qui illustre bien le génie de l'architecture swahilie. Imbriqués les uns dans les autres, les étages sont reliés par une succession d'escaliers raides et de paliers étroits. Les chambres sont assez sommaires, mais ce n'est pas mal pour le prix : ventilo, douche et w.-c. Une cuisine collective pour faire sa popote. Un lieu étonnant, pour les esthètes fauchés qui ne sont avant tout pas regardants sur la poussière. Ça plaira surtout à ceux et celles recherchant une atmosphère familiale et populaire authentique. En outre, Jamal et Saïd vous protègent des *beach-boys* collants à qui ils interdisent l'entrée. Ils se souviennent avec humour de la grande période hippie des années 1970. Nos chambres préférées : la « Kiwayu », au 1er étage, calme, spacieuse, avec bains, la « Pate », avec 3 lits, coins et recoins et grande terrasse. Au 1er étage toujours, deux chambres avec vue sympa sur la mer et vieux mobilier (la « Shela » et l'« Amu »), etc.

Pole-Pole *(plan A1, 23) :* dans une des dernières ruelles perpendiculaires au front de mer, peu avant la mosquée Juma. Compter 600 Ksh (6,3 €) la double. Pas de téléphone. *Guesthouse* au confort très sommaire, mais c'est pas cher et tenu par une famille sympa, les murs sont blancs, le balai passe souvent et on profite de la plus haute terrasse de la ville. Fort bien ventée, la *Tusker* y possède naturellement un goût différent.

Prix moyens

Lulu Guesthouse *(plan A2, 11) :* ☎ 63-35-39. Doubles à 1 500 Ksh (15,8 €), petit dej' compris. Bonne réduction en basse saison. Grande maison traditionnelle bien tenue. Chambres avec moustiquaires. Deux d'entre elles n'ont pas de douche. La no 10 bénéficie d'un agréable coin détente. Terrasse ombragée sur le toit pour le petit dej'. Service de blanchisserie.

Bahari Hotel *(plan A1, 14) :* ☎ 63-31-72. Fax : 63-32-31. Doubles à 1 500 Ksh (15,8 €). Construction moderne de peu de charme. Petite cour intérieure agrémentée d'un palmier. Chambres avec ventilo et moustiquaire, douche et w.-c. Formule *B & B*. Bien que propre, pas notre adresse préférée. Uniquement si nos meilleures *guesthouses* sont complètes.

Amu House *(plan B2, 24) :* PO Box 230. ☎ et fax : 63-34-20. • lamuoldtown@hotmail.com • Chambres à 2 300 Ksh (24,2 €), petit dej' compris. Dans une superbe maison swahilie du XVIe siècle, chambres avec douche, w.-c., moustiquaire et ventilo. Au rez-de-chaussée, dans la salle du petit dej', murs sculptés et traditionnelles *zidaka* (niches). Les chambres, réparties sur 2 étages, sont spacieuses et équipées de mobilier traditionnel. Certaines sont tout de même un peu sombres. Essayer d'avoir la *Kiwayu.* Sur la terrasse, on domine la ville, et le soir, à l'heure où le muezzin entonne les sourates, on sombre dans une délicieuse contemplation. Une adresse de charme.

Stone House *(plan A1, 15) :* PO Box 193. ☎ 63-35-44. Fax : 63-31-49. Réservation à Nairobi, ☎ et fax : (020) 444-63-84. Doubles à 3 000 Ksh environ (31,6 €), petit dej' compris. Mais ne pas oublier de négocier ! Possibilité de demi-pension. Bien insérée dans le dédale des rues, une maison traditionnelle charmante et bien tenue. Chambres de tailles différentes. Certaines, tout en longueur, s'avancent comme un éperon dans l'air, d'autres ont une petite terrasse. Décoration et mobilier swahilis. Volets en bois, moustiquaire et ventilo, douche, lavabo et w.-c. Courette avec palmiers. Seul bémol : la literie est de qualité inégale. Salle de resto en terrasse sur le toit avec vue panoramique. Repas matin, midi et soir. Spécialités de fruits de mer et de plats végétariens.

■ ***Yumbe House*** *(plan A1,* ***16****)* **:** PO Box 81. ☎ et fax : 63-31-01 (résidence, après 20 h au ☎ 63-32-80). Doubles à 2700 Ksh (28,4 €). Une douzaine de chambres. Maison traditionnelle coquette et bien tenue. Cour intérieure au calme dans les bougainvillées. Nombreux couloirs et coursives. Grandes chambres avec moustiquaire pour 2 ou 3 personnes. Salles de bains très propres avec douche, lavabo et w.-c. Terrasse agréable pour le petit dej'. *B & B.* Le patron organise des excursions et peut vous arranger des réservations.

■ ***Sunsail Hotel*** *(plan B2,* ***22****)* **:** ☎ 63-20-65 ou 66. Fax : 63-20-77. Sur le front de mer, à deux pas du débarcadère. Doubles de 1500 à 2000 Ksh (15,8 à 21,1 €). Hôtel récent installé dans une demeure traditionnelle, offrant de plaisantes chambres *economic* ou *standard.* Parfois, lits sculptés. Eau chaude, salles de bains carrelées, ventilos.

Plus chic

■ ***Petley's Inn*** *(plan B2,* ***17****)* **:** PO Box 421. ☎ 63-32-72 ou 31-64. Fax : 63-31-04. • romantic@africaonline.co.ke • Souvent fermé en basse saison. Doubles à 90 US$ (71,1 €), petit dej' compris. Maison coloniale à arcades du début du XIXe siècle. Une institution à Lamu. Percy Petley, son fondateur, était planteur d'hévéas dans la région de Witu. On lui attribue des exploits de chasse fabuleux : il aurait tué un léopard à mains nues ! Le colonel Pink devint le nouveau taulier en 1957. Ce personnage, érudit et picaresque, fut consul d'Angleterre en Éthiopie et membre de la Royal Geographical Society. Pourtant, il n'hésitait pas à vider de son hôtel les clients qui ne lui plaisaient pas, jetant leurs valises par-dessus la balustrade ! À l'époque, les chambres n'étaient séparées que par des nattes en coco. Bonjour l'intimité ! Heureusement, tout a changé. L'intérieur a été entièrement restauré et repeint dans des tons pastel. Les chambres nos 1 et 2 ont une grande terrasse donnant sur la mer. Dans chaque pièce, superbe mobilier de style swahili avec lits à baldaquin et moustiquaire. AC ou ventilo pour les nostalgiques. Salles de bains avec douche, lavabo et w.-c. Sinon, tout le décor de la maison se révèle charmant (meubles peints, maquettes de bateaux, beaux objets, etc.). Piscine étrangement située à l'étage. Le resto sur le toit ne fonctionne normalement que pour les petits dej'. Le panorama est magnifique.

■ ***New Lamu Palace Hotel*** *(plan B3,* ***18****)* **:** PO Box 83. ☎ 63-32-72 ou 31-64. Fax : 63-31-04. • romantic@africaonline.co.ke • Doubles à 90 US$ (71,1 €). Posé comme une sentinelle au bord de l'eau, face au mouillage des boutres de pêcheurs. Demander une chambre sur la mer, la meilleure vue est au second étage. Impression d'immensité et de solitude, comme dans un phare de l'Atlantique. Le confort est moderne : AC et eau courante toute la journée. Le mobilier, simple et moderne, s'inspire du style swahili. Quelques chambres avec lits à baldaquin sculptés et poutres apparentes. Un certain charme même. On aime bien siroter un verre à la terrasse du front de mer. Il se passe toujours quelque chose sur la jetée. Resto.

Villas

Les maisons traditionnelles à louer sont cachées dans les ruelles. Pas de panneau, pas de téléphone, mais l'atmosphère de la vieille ville compense largement le manque de confort. Les proprios sont souvent absents. Une fois négocié, le tarif est bien moins cher que celui d'une *guesthouse.* Voici quelques adresses, mais c'est un marché mouvant. Elles changent souvent de fonction (achetées, mises en location, puis rachetées, puis mises sur le marché ou occupées de façon permanente par leurs proprios à certains moments...). Le mieux, c'est de suivre un rabatteur et d'en visiter deux ou trois avec lui pour vous faire une idée.

Yumbe Villa *(plan A2, **19**) :* annexe de la *Yumbe House.* On loue à la chambre, mais c'est tellement calme qu'on se sent chez soi. Chambres avec ventilo, moustiquaire, frigo. Un grand salon ouvert sur les bougainvillées du jardin. Grande terrasse sur le toit avec lits et fauteuils pour lézarder. Vue extra sur la ville. On vous fait la cuisine : formule *B & B.* L'endroit idéal pour un groupe.

Starehe *(plan A1, **21**) :* la maison typique avec son jardin ombragé et ses chambres. Les sculptures murales *(vidakas)* sont magnifiques. Lors de notre dernière visite, il était question qu'elle soit vendue.

Où manger ?

Bon marché (de 200 à 500 Ksh – 2,1 à 5,3 €)

Bush Gardens *(plan B2, **31**) :* ouvert de 7 h à 22 h 30. Grande paillote sur le front de mer. Décor marin tout simple. Le patron est attentif à la fraîcheur de ses produits. Bon choix à la carte. Excellents fruits de mer à prix raisonnables. Thon, barracuda, *fish masala,* crabe grillé, huîtres de la mangrove. Poulet grillé au feu de bois ou *byriani,* cannellonis aux épinards... Excellents *milk-shakes* et jus de fruits, sur fond de musique disco-funky mais parfois plus locale.

Hapa-Hapa *(plan B2, **30**) :* à côté du *Bush Gardens.* Plus populaire et local. Très réputé aussi pour ses jus de fruits. Son *lime juice* est peut-être le meilleur de la ville, et la cuisine n'est pas en reste. Goûter au succulent crabe grillé à l'ail. Ici, on est plutôt reggae.

Kamar Café (New Star Restaurant; *plan B3, **32**) :* ouvert midi et soir jusqu'à 21 h. Grande paillote sans vue sur la mer, au cadre très basique, mais réputée pour la qualité de ses produits à petits prix. D'ailleurs, la clientèle est essentiellement locale, c'est bon signe. Le petit dej' commence vers 6 h. Pratique pour les départs matinaux. Sinon, quelques plats swahilis, *karanga* (ragoût de bœuf), poisson grillé, requin, barracuda, crabe, etc.

De prix moyens à plus chic (de 500 à 1 500 Ksh – 5,3 à 15,8 €)

Fishermen's Restaurant *(plan B3, **34**) :* sur le front de mer. Ouvert tous les jours. C'est le resto du *New Lamu Palace Hotel.* Cuisine correcte, service assez longuet. Carte sortant un peu de l'ordinaire : *ginger crab, seafood casserole, pepper steak Madagascar, fish curry...*

Où boire un verre ?

Trois établissements sont habilités à vendre de l'alcool : le *Petley's Inn Bar,* le *New Lamu Palace Hotel* et la cantine de la police ! Les autres proposent des jus de fruits frais et délicieux.

Petley's Inn Bar *(plan B2, **40**)* **:** souvent fermé hélas, mais on le mentionne car parfois il ouvre ses portes... C'est alors le rendez-vous nocturne de la communauté non musulmane de Lamu, depuis sa fondation en 1948. L'entrée par les arcades entre les deux canons rappelle les heures glorieuses de la colonie. On y croisait des chasseurs de grands fauves, de riches propriétaires de plantations ou des écrivains comme Hemingway. Aujourd'hui, la musique FM a remplacé les récits de chasse du colonel Pink, mais le bar n'a pas perdu son âme. Les soirs d'affluence brassent une clientèle pittoresque de hippies, vrais et faux, de touristes curieux et de notables infidèles. Bière tiède si vous ne précisez pas fraîche.

Whispers *(plan B3, **41**)* **:** ouvert de 9 h à 21 h. Horaires réduits en basse saison. Le snack-salon de thé chic et branché de Lamu. Musique FM. Salle intérieure et petite terrasse. La carte est éclectique : poissons, sandwichs, pizzas, homards, glaces ou sorbets, jus de fruits frais et, bien sûr, gâteaux et petits dej'.

À voir

La ville

Jusqu'au XIXe siècle, la mer s'étendait au pied du fort. Le nom de la mosquée *Pwani,* construite en 1370, signifie d'ailleurs « mosquée de la mer ».

Le ***front de mer*** actuel est bâti sur un remblai insolite : un mélange d'ordures et de moellons accumulés au fil des siècles par les serviteurs des maisons de la ville. Bref, une décharge ! Les maisons furent édifiées au XIXe siècle par les commerçants indiens. Ils puisèrent leur inspiration dans le style du vieux Zanzibar et celui de Bombay, leur ville d'origine. Le front de mer est entrecoupé de terrains non construits pour les fêtes du village et le stockage du bois de mangrove avant chargement.

Le ***cœur de la ville*** date du XVIIIe siècle : la ***rue principale*** est la seule à porter un nom *(Usita wa Mui).* Elle est bordée de petites échoppes qui communiquent à l'arrière avec les maisons d'habitation. On y trouve la plupart des commerces et des artisans : ébénistes, bijoutiers, épiciers, fabricants d'huile de coco pour la cuisine et le bronzage des touristes, vendeurs de *halva* (sortes de *loukoums* préparés dans des grands chaudrons en cuivre).

– Devant le fort, la place animée du ***marché*** est encore utilisée pour les mariages. On y achète les épices de Zanzibar, la viande de Malindi et de Somalie. Les paysans de Shela vendent des citrons. Grand bric-à-brac, surtout le dimanche.

– Dans le dédale de la vieille ville, les ***ruelles*** ne s'ouvrent qu'aux ânes et aux carrioles. Seule manifestation de la modernité : les fils électriques installés avec l'arrivée de la fée électricité en 1969, et la Land Rover du District Commissioner qui arpente fièrement les 100 m de jetée. La ville connut son premier embouteillage en 1996 : en visite officielle, le président Arap Moi débarqua sur l'île à la tête d'un cortège de 8 voitures. L'événement sema la panique et, au bout du quai, les véhicules furent incapables de se croiser ni de faire demi-tour !

– Les ***galeries fermées,*** qui enjambent les ruelles en hauteur, permettent aux femmes de se rendre visite à l'abri des regards indiscrets. Les murs aveugles et épais préservent l'intimité du foyer. D'ailleurs, les hommes discutent à l'extérieur, assis sous le porche *(daka)* sur un banc de pierre *(baraza).*

– Les ***portes sculptées*** sont ornées d'inscriptions coraniques (influence swahilie) ou de motifs stylisés, souvent des fleurs (influence indienne).

Derrière les murs d'enceinte, on devine des jardins magnifiques, plantés de bougainvillées, de tamariniers, d'agrumes et de noix de bétel que l'on vend à Mombasa pour arrondir les fins de mois.

– Les **shambas** s'étendent derrière la ville. Ces jardins irrigués offrent un contraste rafraîchissant avec le bruit de la ville. Il faut cependant slalomer dans la saleté avant d'y parvenir.

Les musées

Le Lamu Museum *(plan B2) :* ☎ 63-34-02. • lamumuseum@lamu connect.co.ke • Ouvert tous les jours de 8 h à 18 h. Entrée : 200 Ksh (2,1 €). Témoignage unique sur la vie et les coutumes de la région. La maison, de type colonial, est l'ancienne résidence des District Commissioners. Autrefois, elle hébergea le consul de la reine Victoria et le capitaine Jack Haggard, frère du célèbre auteur des *Mines du roi Salomon.* Lors de la visite, il y a des pièces à ne pas manquer.
– *Au rez-de-chaussée,* la salle de bains traditionnelle contient une citerne remplie d'eau. À l'intérieur, un poisson y dévorait les larves d'insectes. On disposait au fond un vase en porcelaine qui offrait un refuge au poisson lorsque la citerne était vide. Mobilier, beaux encadrements de porte et linteaux. Vestiges de céramiques du XIe au XVIIe siècle, porcelaine chinoise (céladon).
– *Au 1er étage,* reconstitution d'une *chambre de mariage.* Le mariage était une opération très complexe. Les enjeux financiers nécessitaient de longues négociations. Lors des cérémonies, les tourtereaux se voyaient souvent pour la 1re fois. La nuit de noces s'éternisait pendant une semaine, période pendant laquelle les mariés ne devaient pas sortir de la maison (un ange passe). Également une cuisine swahilie, des vêtements, techniques des dessins au henné sur les mains et les pieds.
Accrochés au mur, des *shiraas* colorés. Le *shiraa* est une sorte de tente-parasol soutenue par des piquets que tenaient les esclaves. La femme s'y cachait des regards extérieurs lors de ses déplacements en ville. Il disparut après la Seconde Guerre mondiale pour être remplacé par le *bui-bui.* Remarquer aussi le superbe lit à baldaquin du XVIIIe siècle, avec ses pieds en forme de pattes d'éléphant.
– *La galerie de la tribu boni :* l'une des plus petites du pays (nord de Lamu, à la frontière somalienne). Témoignages aussi sur les *Pokomos* qui vivent sur les rives de la rivière Tana.
– *La salle de l'orfèvrerie :* elle contient deux *siwas* magnifiquement décorées. Ces cornes de cérémonie ponctuaient les événements politiques et religieux des cités de la côte (mariage, circoncision). Vasco de Gama y eut droit lors de son départ de Malindi en 1499. Les cornes de Lamu étaient jalousées pour leur splendeur. Le musée présente une *siwa* en ivoire sculpté du XVIIIe siècle. Elle appartenait au sultan de Pate et mesure 2 m. L'autre, en cuivre, fut réalisée à Lamu. Souffler dans une *siwa* était un privilège chèrement disputé.
Sabres, *djambias* omanaises, beaux bijoux en or et argent filigranés, colliers, bracelets pour danses de mariage. Superbe *hazama* (ceinture de noces), instruments de musique, etc. Évocation du pèlerinage du Maulidi en photos. Jolies maquettes de navires, souvenirs de la mer... et *safina,* petit bateau de pêche pour eaux calmes.

Le Swahili House Museum *(plan A1) :* demeure traditionnelle swahilie du XVIIIe siècle superbement restaurée et ouverte au public. On entre et on passe d'abord par une succession de galeries.
– Dans la *1re galerie* dorment les garçons. Remarquez les niches sculptées dans les murs en chaux. Ces *vidakas* ont un rôle décoratif et acoustique : elles amortissent la résonance de la pièce comme dans un studio d'enregistrement ! On y plaçait des céramiques chinoises en porcelaine et en céladon.

– La 2e *galerie,* plus cossue, abrite la chambre des parents.
– La *dernière galerie,* enfin, protège les filles des regards indiscrets. Les peintures vives du plafond sont obtenues grâce à des pigments naturels : bois de mangrove pour le rouge et charbon pour le noir.
– Sur la *terrasse,* la fameuse cuisine swahilie et son four à pain sous un toit de *makuti.*

🐒 ***Le German Post Office Museum*** *(plan B3)* **:** ouvert tous les jours de 7 h 30 à 18 h. Entrée : 200 Ksh (2,1 €). Pas grand-chose à voir. Ancienne demeure du consul allemand Gustav Denhardt. L'endroit est supposé être celui où les Allemands installèrent le 1er bureau de poste de l'Afrique de l'Est (qui fonctionna entre 1888 et 1890).

🐒 ***Le fort de Lamu*** *(plan B2-3)* **:** ouvert tous les jours de 7 h 30 à 18 h. Entrée : 200 Ksh (2,1 €). La construction fut entamée sous le règne des Nabhilis de Pate, et s'acheva en 1821 sous le pouvoir du sultan omani Sayyid Saïd. Garant de la paix dans l'archipel au XIXe siècle, le fort abrita les autorités anglaises jusqu'à l'indépendance, avant de devenir une prison. En 1963, il devint le *musée de l'Environnement* du Kenya : dioramas naïfs et aquarium poussiéreux. Panorama de la ville depuis le chemin de ronde. Cher pour ce que c'est.

🐒 ***Le Donkey Sanctuary*** *(plan B1)* **:** possibilité de visite de 9 h à 13 h du lundi au vendredi. Ouvert en 1987. Dispensaire gratuit pour les ânes malades, abandonnés ou maltraités, financé par le gouvernement britannique. Les ânes sont un « outil » précieux pour les gens d'ici. La ville en compte 7000. On les utilise comme voiture personnelle, camion ou taxi. Pour circuler, ils doivent porter un tatouage à l'oreille. Sans cette plaque d'immatriculation, allez zou, à la fourrière !

🐒 ***La clinique des chats*** *(plan A1)* **:** elle fut ouverte en 1993 pour limiter la prolifération des chats. On y a pratiqué plus de 15000 castrations ! C'est assez horrible à imaginer. On visite en fait le chenil pour faire un don.

Plage

La ville de Lamu est un port. Pour se baigner, il faut aller à ***Shela.***

Les voyages en boutre

Choisir son capitaine

Sur l'île, tout le monde s'improvise guide ou capitaine de boutre. Certains cassent les prix, mais leur manque d'expérience ou l'état du boutre peuvent compromettre votre excursion. Adressez-vous à votre hôtel ou à l'association des guides (*Lamu Tour Guides Association & Accommodations ;* voir « Adresses utiles »), ou demandez *Captain Lucky* au Lamu Museum. Il connaît bien la mer et l'histoire de la région.

Prix et logistique

– La taille du boutre dépend du nombre de participants. Les petits boutres sont les moins confortables et prennent des paquets d'eau. Aussi votre intérêt est-il de vous regrouper pour obtenir un gros boutre. À partir de 5 personnes, on peut vraiment faire baisser les prix.
– Le capitaine a besoin de plusieurs hommes d'équipage pour les manœuvres. N'essayez pas de réduire l'effectif pour faire baisser l'addition.
– L'équipage peut se charger de l'achat et de la préparation de la nourriture. Bien se mettre d'accord.

– Pour les boissons, achetez vous-même vos bières et autres sodas. Il n'y en aura pas sur les îles.
– Dormir sur le pont est assez inconfortable, et envisageable seulement sur les gros boutres.

Saison et navigation

Les conditions de navigation dépendent de la mousson dominante.
– De décembre à avril, le *kaskazi* souffle du nord gentiment : brise continue et mer peu agitée.
– De mai à novembre, le *kuzi* venu du sud amène la pluie et creuse les vagues. Certains jours, les boutres restent au port.

Durée et destinations

– La durée du voyage estimée par votre capitaine est purement théorique. Le temps réel est imprévisible : certains accès sont infranchissables à marée basse (Mkanda Channel, ruines de Kitau, villages de Pate et de Siyu), les courants sont complexes, les pannes de moteur fréquentes.
– Excursions possibles dans la journée : villages pittoresques de Shela et de Matondoni. Ruines de Takwa et de Manda. Plongée au Kinyika Roc, superbe massif de coraux en pleine mer. Manda Toto : îlot idéal pour le farniente ; la plongée y est moins intéressante qu'au Kinyika Roc, mais la plage est calme et déserte.
– Les villages de l'île de Pate nécessitent 1 à 2 jours, combinant agréablement marche et navigation.
– Pour Kiwayu : l'idéal est de prévoir 3 jours ou plus, comprenant une halte à Pate ou Siyu. Superbes couchers de soleil sur l'archipel. L'aventure, avec pêche et plongée.

Équipement

Dans l'archipel, le soleil et la mer sont particulièrement violents. Prévoyez de la crème, un chapeau, des lunettes, des manches longues et de l'eau. Le vent souffle toute l'année et creuse les vagues. On peut se mouiller facilement ! Sac plastique pour l'appareil photo.

Manifestations

– ***Fête du Maulidi :*** célébré chaque année pendant la dernière semaine du mois de la naissance du Prophète, selon le calendrier musulman.
– ***Course d'ânes :*** début juillet, sur le front de mer ; elle est organisée par les sponsors du sanctuaire.
– ***Lamu Cultural Festival :*** durant 3 jours (généralement en août), plein de compétitions (courses d'ânes, en boutre, à la nage...), danses traditionnelles et artisanat local.

Achats

– ***Sculpture sur bois :*** la grande spécialité de Lamu. Elle confère encore un statut élevé à la ville. Mobilier en acajou et en fibres de palmier. Divan, sièges. On trouve le pire et le meilleur. Nos adresses :

Said A. Ali Lamu Craft (plan A1) : ☎ 63-30-77. Artisan sympa et talentueux, Said fabrique du mobilier à la demande et se charge de l'expédier aux quatre coins du monde. Tarifs raisonnables et grand choix : portes finement ciselées, chaises originales, etc. On trouve Ali dans son petit atelier du front de mer.

Gallery Baraka (plan B3) : PO Box 19. ☎ 63-33-99. Fax : 63-32-64. Ouvert tous les jours. La galerie chic de Lamu est réputée pour la qualité de son artisanat. Bijoux, textiles et mobilier très classe. Cher bien sûr, et impossible de négocier.

– ***Autres produits d'artisanat traditionnel :*** le couvre-chef *(kofia),* les articles en feuille de palmier tressée et les maquettes de boutres, ingénieuses et réalistes.

QUITTER LAMU

En bus

Deux compagnies ont une agence à Lamu : ***TSS Express*** *(plan B3),* ☎ 63-20-05 et ***Interstate 2000*** *(plan B3),* ☎ 63-31-09. Elles proposent 1 à 2 bus par jour pour Mombasa avec un arrêt à Malindi et Kilifi. Les départs se font de bon matin. Il faut d'abord prendre le boutre public pour rejoindre le continent.

En avion

Plusieurs vols quotidiens pour la côte et Nairobi par *Air Kenya, Kenya Airways* et *Kas Kasi Aviation.* Attention, l'aérodrome se trouve de l'autre côté du chenal : prévoir 30 à 45 mn de traversée en boutre, beaucoup moins en bateau à moteur bien sûr. Se renseigner pour les horaires de traversée.

En boutre

Les voiles blanches d'autrefois ne sont plus très nombreuses. Quelques boutres venus des Émirats viennent chercher le bois de mangrove. L'essentiel du trafic se fait avec Mombasa. Compter 2 jours. Pour aller à Zanzibar, compter 2 jours et demi, mais les boutres font souvent halte à Mombasa. Voir aussi « Quitter Mombasa. En bateau ».

SHELA

Charmant village, un des plus beaux de la côte. Idéal pour oublier les fatigues d'un safari en brousse. Poussées par la dune, les belles demeures du XVIIIe siècle se blottissent contre une mosquée au minaret conique. Les habitants parlent un dialecte swahili différent de celui de Lamu. Ici, le tourisme se fait plus chic et plus cher qu'à Lamu.

UN PEU D'HISTOIRE

Au XIVe siècle, le sultan Omar de Pate pilla la cité de Kitau sur l'île de Manda. Ses habitants se réfugièrent alors sur l'île de Lamu (en face), vivant comme des parias à l'écart de la ville. Craignant l'avènement d'une cité rivale, le cheikh de Lamu n'accepta la construction de Shela qu'au XVIe siècle. En témoignage de leur allégeance, les habitants de Shela se déchaussaient lorsqu'ils se rendaient à pied à Lamu. La ville connut son apogée au

XIXe siècle. La plupart des habitants étaient de riches Arabes, propriétaires de plantations sur l'île de Manda et sur le continent. Après le déclin de Lamu et l'abolition de l'esclavage, de nombreux Arabes partirent s'installer à Mombasa. La ville compte à présent moins de 250 âmes, dont la plupart sont des pêcheurs bajunis.

Comment y aller?

➢ ***En boutre :*** à 20 mn de la ville de Lamu et 40 mn de l'aéroport. Utiliser le boutre du *Peponi Hotel* (100 Ksh, soit 1,1 €) qui joue le rôle de *matatu* pour les habitants de Shela. Il relie régulièrement Shela, Lamu et l'aéroport. C'est bien moins cher que d'affréter un boutre (300 Ksh, soit 3,2 €), et gratuit pour les clients du *Peponi*.

➢ ***À pied :*** à 3 km de Lamu Town par la plage à marée basse ou par le sentier côtier. Déconseillé la nuit.

Où dormir?

Prix moyens

🏠 ***Bahari Guesthouse :*** ☎ 63-20-63. Sur le front de mer, entre la *Kijani House* et le *Peponi Hotel*. De 1500 à 2000 Ksh (15,8 à 21,1 €) la double. Récent et d'un beau rapport qualité-prix. Blancheur immaculée, poutres en bois de mangrove, lits sculptés, charme et confort donc (ventilo, moustiquaire). Penser à réserver, seulement 5 chambres. Une triple intéressante sous le toit, avec grande véranda sur la mer. Cuisine à disposition avec frigo.

🏠 ***Shela Pwani Guesthouse :*** PO Box 59, Lamu. ☎ 63-35-40. Situé derrière le *Peponi Hotel*. Chambres de 2500 à 3000 Ksh (26,3 à 31,6 €). Maison traditionnelle du XVIIe siècle, charmante et bien tenue. Presque un musée. Cinq chambres toutes différentes. Mobilier swahili, lits à baldaquin, grandes moustiquaires. Bains magnifiques d'inspiration arabe dans les chambres nos 3 et 4 au 1er étage, avec douche, eau chaude, lavabo et w.-c. Peintures d'époque et sculptures en stuc dans la no 3. La chambre no 5 est vraiment petite. La chambre no 4 possède un long balcon. Au 2e étage : une terrasse panoramique et 2 chambres extra (nos 1 et 2) avec vue sur la plage et le détroit. Une atmosphère hors du temps. On lézarde au soleil en attendant le petit dej'. Repas midi et soir à la demande.

🏠 ***Shela White House :*** PO Box 251, Lamu. ☎ 63-30-91. • shella@africaonline.co.ke • Situé derrière la *Shela Pwani Guesthouse*. Environ 2000 Ksh (21,1 €) la chambre. Belle maison traditionnelle où se mélangent le style local et une déco plus moderne. Chambres avec ou sans bains. Vue superbe en terrasse.

🏠 ***Shela Rest House :*** ☎ 63-20-63. Fax : 63-35-42. Au cœur du village. Compter de 2000 à 4000 Ksh (21,1 à 42,1 €) suivant la superficie et la saison. Grande demeure traditionnelle proposant 4 appartements de 2 chambres, au confort et au charme légèrement différents. Vraiment bien dans l'ensemble. Beaucoup de coursives et vérandas. Ne pas manquer de réserver.

De prix moyens à plus chic

🏠 ***Island Hotel :*** PO Box 179. ☎ 63-32-90. Réservations à Nairobi : *Kisiwani Ltd*, ☎ et fax : (020) 444-63-84. Fermé du 1er mai à mi-juin. Doubles à 90 US$ (71,1 €), petit dej' compris. Possibilité de demi-pension. Grande maison swahilie : chambres décorées avec goût, en mobilier swahili. Moustiquaire et ventilo. Certaines ont une terrasse privative. Une chambre avec 4 lits. Resto en terrasse sur le toit, le *Barracuda* (voir « Où manger?»).

Beaucoup plus chic

🏨 🍽 ***Kijani House :*** PO Box 266. ☎ 63-32-35 à 37. Fax : 63-33-74. • www.kijani-house.com • Fermé en mai-juin. Doubles de 180 à 250 US$ (142,2 à 197,5 €), petit dej' compris. Possibilité de demi-pension et pension complète. Délicieusement situé en bord de mer. L'adresse idéale pour lecteurs argentés en voyage de noces. Une dizaine de chambres se répartissant dans d'anciennes demeures particulières de style swahili (toit en *makuti,* pierre de corail, etc.). Au milieu, un beau jardin croulant sous les bougainvillées et deux petites piscines à l'eau adorablement fraîche. Accueil très sympa et service pro. Deux catégories de chambres : *standard* et *superior.* Lits et mobilier dans le style local, vastes salles de bains. Beaucoup de charme tout ça. Bien sûr, toutes avec terrasse-balcon et vue sur mer ou jardin. Baby-sitting possible. Fort agréable salle à manger où l'on vous proposera une exquise cuisine à base de produits frais, ainsi que de beaux poissons et fruits de mer. Pierre, le maître des lieux, connaît bien aussi toutes les possibilités de la région et peut vous conseiller. Excursions à partir de l'hôtel (capitaine de boutre et son équipe très pro. Prix à négocier).

🏨 🍽 ***Peponi Hotel :*** PO Box 24. ☎ 63-31-54 ou 34-21, 22 ou 23. Fax : 63-30-29. • peponi@africaonline.co.ke • Fermeture annuelle de fin avril à fin juin. Doubles de 195 à 255 US$ (246,8 à 291,45 €), petit dej' compris (en pension complète, encore plus cher). Ancienne demeure du pionnier suisse qui racheta les plantations d'hévéas de Percy Petley (fondateur du fameux *Petley's Inn* à Lamu). L'hôtel appartient depuis plus de 25 ans à une famille danoise, très impliquée dans la préservation du patrimoine de Lamu. Situé à la pointe du village, il domine la mer comme une sentinelle à l'entrée du chenal. Le panorama est magnifique depuis le bar en terrasse. L'ancienne maison coloniale abrite le restaurant. Flanquée de bungalows blancs, elle possède une terrasse sur jardin avec vue sur la mer. La déco est simple et soignée. Grand lit avec moustiquaire, ventilo. Salles de bains (un peu chiche en rangements) avec douche, lavabo et w.-c. L'atmosphère magique et chaleureuse du *Peponi* attire une clientèle des plus cosmopolites : jeunes couples en lune de miel, hippies fortunés et inspirés, riches Américaines ou baroudeurs des tropiques. Ce beau monde se retrouve à la terrasse pour l'apéro. Le dîner au resto est d'un romantisme fou. Déco raffinée, lumière tamisée, service discret en *kikoï* écru. La cuisine, au menu ou à la carte, cache des merveilles de créativité et sa présentation n'est pas négligée. Les produits de la région sont travaillés avec finesse. Goûter au crabe aux 4 sauces (et au *dressed crab*) et aux huîtres de la mangrove. Possibilité de pratiquer divers sports nautiques, à condition de passer à la caisse... En conclusion, si y dormir se révèle hors de prix, on y fait cependant un super-repas pour 20-25 US$ (15,8-19,8 €) !

Villas

Voici une liste de belles villas, agréées pour l'accueil des touristes, et qui nous ont paru dignes d'être signalées dans notre guide. Mieux vaut réserver pendant les vacances scolaires : les expatriés en famille apprécient l'endroit. Il existe d'autres maisons superbes, mais souvent fermées : les propriétaires sont en France ou aux États-Unis. Avec de la chance, vous y aurez peut-être accès. Pour les réservations, ne pas s'adresser au *Peponi Hotel,* qui en a marre d'être pris pour une agence de location ! (sauf pour les *Shela* et *Palm Houses*).

Bustani Square : ☎ et fax : 63-31-35. En France : ☎ 01-55-33-16-70. Portable : ☎ 06-85-70-61-54. • colette.bel@noos.fr • Près du *Stop Over Restaurant.* Compter 250 US$ (197,5 €) par jour et 1 575 US$ (1 244,3 €) la semaine. Grande maison swahilie très au calme. Gérée par un Français. À notre avis, l'une des plus belles demeures à louer ici. Au rez-de-chaussée, 3 chambres et une petite pièce pour un enfant. Une salle de bains et 2 w.-c. Au 1er étage, grande chambre et bains. Immense terrasse dominant la mer et les bougainvillées. Grande cuisine équipée. Dans le jardin, petit cottage (une chambre, un petit salon et une salle de bains) qui se loue à part (100 US$ par jour et 630 US$ la semaine, soit 79 et 497,7 €).

Kismani House : réservations à Nairobi : ☎ (020) 858-24-09. • kismani@iconnect.co.ke • Près de la place centrale. Compter 250 US$ (197,5 €) par jour. Quatre chambres dans une énorme demeure toute blanche avec jardin. Beau et cher.

Jasmin House : réservations par l'*Island Hotel Shella.* ☎ 63-32-90. Situé en bordure de village. Quatre chambres et un grand jardin. Idéal pour les familles.

Shela House et **Palm House :** réservations à Nairobi, *Shela House Management,* PO Box 39486. ☎ (020) 444-21-71. Fax : (020) 444-50-10. Maisons de style swahili tout confort tenues par le *Peponi Hotel.* Pour 8 ou 9 personnes. Personnel de maison. Superbe, chic et cher.

Où manger ?

De bon marché à prix moyens (moins de 1 000 Ksh – 10,5 €)

Stop Over Restaurant : resto sur la plage, peu après la *Kijani House.* Ouvert du matin au soir, selon l'affluence. La liste des plats couvre un grand tableau noir : snacks, kebabs (viande et poisson), cuisine swahilie et choix incroyable pour le petit dej'.

Barracuda : le restaurant de l'*Island Hotel* est connu aussi, pour ses fruits de mer, ses poissons et sa cuisine swahilie, mais on est loin du raffinement de la *Kijani House* ou du *Peponi Hotel :* poisson grillé, bœuf au curry, ragoût sauce coco... Terrasse très agréable sur 2 niveaux. Snack et à la carte. Attention, le midi, choix très, très limité.

Plus chic (plus de 1 000 Ksh – 10,5 €)

Peponi Grill : ouvert à midi. Le grill du *Peponi* est discrètement installé dans les vestiges d'une maison de corail. Une grande tonnelle protège les tables du soleil. La carte des viandes et des poissons semble complète. Les grillades sont savoureuses. Goûter au steak de barracuda. Un délice ! On peut aussi dîner ou prendre son petit dej' au restaurant de l'hôtel, sur réservation (voir la rubrique « Où dormir ? »). Les tarifs sont très raisonnables compte tenu de la qualité du lieu et de la cuisine.

À voir. À faire

Le village : il est ramassé autour de sa place, très animée, et de sa petite mosquée de 1829. Pas de musée. En montant sur la dune, vue magnifique sur le village, le détroit et l'île de Manda. Là-haut dans le sable, on trouve encore les ossements des morts de la terrible bataille de 1810.

⛱ ***La plage :*** la plus belle plage de l'île s'étend sur 12 km de sable fin le long des dunes. Pour la baignade ou la promenade. L'endroit est vraiment sauvage. Attention au soleil et aux courants parfois violents. On peut pousser jusqu'au petit village de Kipungani et au bar du luxueux camp de paillotes du *Kipungani Bay Hotel.*

– ***Les activités nautiques :*** planche à voile au *Peponi Hotel.* Plongée en apnée sur le récif de corail de la plage de Shela. Plongée avec bouteilles entre novembre et mars. Il existe un club réputé, tenu par un Suisse, mais vraiment cher.

➢ ***Les excursions en boutre*** (voir à Lamu Town) ***:*** les capitaines attendent devant le *Peponi Hotel.*

LA TANZANIE

Pour la carte de Tanzanie, voir cahier couleur.

GÉNÉRALITÉS

« Dieu créa aussi toutes sortes de bêtes, et de bestioles,
et il vit que cela était bon. »

La Bible, Genèse.

D'immenses espaces cuits par le soleil d'Afrique, des montagnes et des volcans jaillis des entrailles de la terre, des lacs préhistoriques (lac Tanganyika, lac Victoria), des animaux sauvages et libres (certains toujours menacés, comme les rhinocéros, devenus très rares, et les éléphants, en nombre désormais croissant), des troupeaux par milliers, par millions (dans le cas des gnous), des paysages dignes du jardin d'Éden, des steppes aux herbes folles, des savanes à l'infini ponctuées d'acacias et de baobabs (très peu de forêts primaires), le tout sur un territoire vaste comme deux fois la France. Au large, les îles de Zanzibar, de Pemba, de Mafia, perles océanes aux sonorités magiques, parfumées aux épices, et tournées vers la culture orientale.
Au sud du Kenya, baignée par l'océan Indien, la Tanzanie, ancien protectorat britannique, semble avoir pris le train de l'histoire du monde assez récemment. Tant mieux. Même si des villes comme Dar es-Salaam ou Arusha mettent les bouchées doubles, le reste du pays devrait rassurer le voyageur qui découvre la Tanzanie aujourd'hui.
Sa nature impossible à dompter l'a sauvée de la banalisation. Jusqu'au début du XIXe siècle, ce n'était qu'un grand espace blanc sur les cartes, une énigme au sein d'un continent mystérieux. La *Terra incognita ubi sunt leones* (la Terre inconnue où vivent des lions), c'est ainsi que les géographes du Moyen Âge désignaient le cœur de l'Afrique. Ce pays d'une beauté époustouflante nous renvoie aux origines de l'homme (gorges d'Olduvai), aux sources de la vie. Autant qu'un voyage dans l'espace, un safari en Tanzanie constitue une étrange envolée dans le temps, une incursion inoubliable dans l'univers animal. Les parcs de Tanzanie, moins nombreux qu'au Kenya voisin, y sont beaucoup plus étendus (le Serengeti surtout) et les animaux y naissent, grandissent, et s'y reproduisent comme dans un royaume où l'homme n'est qu'un hôte de passage, contemplatif et bienveillant (même les braconniers semblent avoir perdu leurs capacités de nuisance, pourvu que ça dure !).

CARTE D'IDENTITÉ

- ***Nom officiel :*** République unie de Tanzanie. Le nom même de Tanzanie est un mot formé pour illustrer l'union (26 avril 1964), au sein d'un même pays, du Tanganyika et de Zanzibar. TANganyika + ZANzibar = TANZANIE.

- ***Superficie :*** 945 087 km².
- ***Population :*** 36 276 000 hab.
- ***Taux de croissance :*** proche de 5 %.
- ***Taux de fécondité :*** 5,49 enfants par femme.
- ***Espérance de vie :*** 45,5 ans.
- ***Analphabétisme :*** 15,3 % chez les hommes, 32,9 % chez les femmes.
- ***Langues courantes :*** kiswahili, anglais.
- ***Capitale administrative :*** Dodoma (204 000 hab.).
- ***Capitale commerciale :*** Dar es-Salaam (2 500 000 hab.).
- ***Villes principales :*** Mwanza, Tanga, Arusha, îles de Zanzibar et de Pemba.
- ***Monnaie :*** le shilling tanzanien (Tsh). 1 US$ vaut autour de 1 000 Tsh, 1 € autour de 1 200 Tsh.
- ***Régime :*** présidentiel, parlementaire et multipartiste.
- ***Chef de l'État :*** Benjamin William Mkapa (depuis novembre 1995, réélu en 2000).
- ***Premier Ministre :*** Frederick Sumaye.
- ***Président de Zanzibar :*** Amani Abeid Karume.
- ***Religions :*** chrétiens, 45 % ; musulmans, 35 % ; autres (hindouistes notamment), 20 %.
- ***Sites classés au Patrimoine de l'Unesco :*** Ngorongoro, parc national du Serengeti, réserve de Sélous, parc national du Kilimandjaro, la ville de pierre de Zanzibar.

AVANT LE DÉPART

Adresses utiles

En France

■ ***Consulat et ambassade de Tanzanie :*** 13, av. Raymond-Poincaré, 75116 Paris. ☎ 01-53-70-63-66 ou 65 (messagerie vocale). Fax : 01-47-55-05-46. • www.amb-tanzanie.fr • ambtanzanie@wanadoo.fr • Ⓜ Trocadéro. Ouvert du lundi au vendredi de 10 h à 13 h.

En Belgique

■ ***Ambassade de Tanzanie :*** av. Louise, 363, Bruxelles 1050. ☎ 02-640-65-00 ou 647-67-49. Fax : 646-80-26. Ouvert du lundi au vendredi de 9 h à 13 h.

En Suisse

■ ***Ambassade de Tanzanie :*** 47, av. Blanc, 1202 Genève. ☎ 022-731-89-20 ou 29. Fax : 022-732-82-55. Ouvert du lundi au vendredi de 9 h à 12 h.

Au Canada

■ ***Tanzania High Commission :*** 50, Range Rd, Ottawa, Ontario KIN-8J4. ☎ 232-15-00 ou 09. Fax : 232-51-84.

Formalités

– ***Visa*** obligatoire. Il est très facile d'en établir un, lors de l'entrée en Tanzanie (aéroports internationaux, poste-frontière – Dar es-Salaam, Zanzibar et Kigoma). Pensez à préparer 25 US$ (pas de paiement en euros).
– ***Obtention du visa :*** il vous sera demandé, si vous tenez à obtenir votre visa avant votre départ, un passeport en cours de validité (non périmé avant 6 mois), 1 photo d'identité, une attestation de voyage (un fax d'agence) ou une facture (photocopie du billet d'avion). Il faut remplir un formulaire sur place et payer 35 € en espèces (pas de chèques). Les mandats-lettres sont acceptés. Le délai d'obtention est de 3 jours ouvrables. Par correspondance, compter au mieux 7 jours. Envoyer une enveloppe timbrée au tarif recommandé pour le renvoi du passeport.
Et pour vous aider dans vos formalités :

■ ***Action-Visas.com :*** 69, rue de la Glacière, 75013 Paris. ☎ 0892-707-710. Fax : 0826-000-926. • www.action-visas.com • Ⓜ Glacière. Ouvert du lundi au vendredi de 9 h 30 à 12 h et de 13 h 30 à 18 h 30. Le samedi, de 9 h 30 à 13 h.
Vous pouvez utiliser les services d'une société comme « Action-Visas.com », qui s'occupe d'obtenir et de vérifier les visas. Le délai est rapide, le service fiable, et vous n'aurez plus à patienter aux consulats ni à envoyer aux ambassades votre passeport avec des délais de retour incertains et surtout sans interlocuteur... ce qui permettra d'éviter les mauvaises surprises juste avant le départ. Pour la province, demandez le visa par correspondance. Possibilité de télécharger gratuitement les formulaires sur • www.actionvisas.com •
N'oubliez pas de vous réclamer du *Guide du routard,* une réduction vous sera accordée !
Et parce que voyager peut aussi être synonyme d'aide aux plus démunis, Actions-Visas.com prélève 1 € de sa marge commerciale pour un projet humanitaire qui peut être suivi en direct sur leur site Internet.

– ***Certificat international de vaccination contre la fièvre jaune*** non obligatoire mais toujours conseillé. Voir « Vaccinations » ci-dessous.

Vaccinations

– Le ***vaccin contre la fièvre jaune*** n'est plus obligatoire, mais il reste conseillé par la plupart des praticiens. Il faut prévoir une marge de plus de 10 jours avant votre départ. N'oubliez pas d'emporter le certificat international de vaccination, qui pourra vous être demandé par les douaniers à l'entrée de la Tanzanie ainsi qu'à l'entrée de Zanzibar.
– Vaccins non obligatoires mais recommandés : contre la typhoïde, l'hépatite A, l'hépatite B, le DTP (Diphtérie-Tétanos-Polio). Dans certains cas (voir avec votre médecin), vaccinations contre les méningites A + C, contre la rage.
– ***Traitement préventif contre le paludisme*** indispensable si vous bourlinguez un tant soit peu. Sans en faire une phobie, respectez toujours les mêmes conseils de base, à la tombée de la nuit : vêtements recouvrant la

peau au maximum, application de répulsifs antimoustiques vraiment efficaces aussi bien sur les tissus que sur le corps. Consultez votre médecin habituel ou un médecin spécialisé pour connaître le traitement adapté à votre cas, car certains médicaments, comme le *Lariam* ou même le *Malarone®*, peuvent avoir des effets secondaires désagréables.
– Se reporter, pour plus de détails, à notre rubrique « Santé », dans les « Généralités » de la partie Kenya.

Carte internationale d'étudiant (carte ISIC)

Elle prouve le statut d'étudiant dans le monde entier et permet de bénéficier de tous les avantages, services, réductions étudiants du monde, soit plus de 30 000 avantages concernant les transports, les hébergements, la culture, les loisirs... c'est la clé de la mobilité étudiante !
La carte ISIC donne aussi accès à des avantages exclusifs sur le voyage (billets d'avion spéciaux, assurances de voyage, carte de téléphone internationale, location de voitures, navette aéroport...).

Pour plus d'informations sur la carte ISIC

☎ 01-49-96-96-49 ou • www.carteisic.com •

Pour l'obtenir en France

Se présenter dans l'une des agences des organismes mentionnés ci-dessous avec :
– une preuve du statut d'étudiant (carte d'étudiant, certificat de scolarité...) ;
– une photo d'identité ;
– 12 € ou 13 € par correspondance incluant les frais d'envois des documents d'information sur la carte.

■ ***OTU Voyages :*** ☎ 0820-817-817. • www.otu.fr • pour connaître l'agence la plus proche de chez vous.

■ ***Voyages Wasteels :*** ☎ 0892-682-206 (audiotel ; 0,33 €/mn). • www.wasteels.fr •

En Belgique

La carte coûte 9 € et s'obtient sur présentation de la carte d'identité, de la carte d'étudiant et d'une photo auprès de :

■ ***Connections :*** renseignements au ☎ 02-550-01-00.

En Suisse

La carte s'obtient dans toutes les agences STA Travel, sur présentation de la carte d'étudiant, d'une photo et de 20 Fs.

■ ***STA Travel :*** 3, rue Vignier, 1205 Genève. ☎ 022-329-97-34.

■ ***STA Travel :*** 20, bd de Grancy, 1006 Lausanne. ☎ 021-617-56-27.

Il est également possible de la commander en ligne sur le site • www.carteisic.com •

COMMENT ARRIVER DU KENYA ?

En avion

Plusieurs vols réguliers entre Nairobi et Dar es-Salaam avec *Air Tanzania, Precision Air* ou *Kenya Airways,* avec souvent escale à Mombasa ou à l'aéroport international de Kilimandjaro, à une cinquantaine de kilomètres d'Arusha (la porte des grands parcs nationaux). Vols tous les jours pour Zanzibar depuis Nairobi et Mombasa.

En bus, par la route

➢ La principale route est bitumée et en bon état. Elle relie ***Nairobi*** à ***Arusha*** via le poste-frontière de Namanga. Un bon moyen économique pour les routards consiste à atterrir à Nairobi, puis à prendre une navette (une vingtaine de places), au départ de l'aéroport, jusqu'à Arusha. Ce voyage de 270 km dure environ 4 à 5 h. On traverse la partie ouest du parc d'Amboseli.
– Plusieurs compagnies assurent la liaison, la plus sérieuse restant *Davanu.* Les bus *Pallsons* assurent 2 départs par jour (8 h et 13 h 30) sur Kenyatta Rd, face au Standard Building ; compter 15 US$ (12,5 €) par personne.
Le passage de la frontière est assez rapide et ne pose généralement pas de problèmes. Il faut descendre de la navette à la frontière et se rendre au bureau de l'immigration. Pour les cars, il faut parfois franchir la frontière à pied, bien repérer le car qui attend un peu plus loin.
➢ Il y a une route entre ***Mombasa*** et ***Dar es-Salaam*** (via Tanga). On passe d'abord par Lungalunga côté Kenya, puis par le poste tanzanien de Horohoro. D'Horohoro jusqu'à Tanga, la route est en très mauvais état. De Tanga à Dar es-Salaam, elle est bitumée.
➢ Entre ***Voi*** (Kenya) et ***Moshi,*** il y a aussi une route qui passe la frontière à Taveta. Les mercredi et samedi sont jours de marché à Taveta. On trouve plus facilement des *matatus* entre Holili et Moshi. Attention : il n'y a pas de transport public entre Voi et Taveta. Entre les 2 postes-frontières, il y a 3 km de route, à faire à pied ou assis à l'arrière d'une bicyclette. Dans l'autre sens, préférable d'arriver à Taveta avant 9 h pour avoir une correspondance pour Voi puis pour Mombasa.

En bateau

➢ ***Liaisons rapides du Kenya :*** la compagnie de transports maritimes *Mega Speed Liners* dessert Dar es-Salaam deux fois par semaine au départ de Mombasa. Près de 10 h de trajet. On voyage à bord de 2 grands catamarans modernes et luxueux, le *MS Sepideh* et le *Talieh.* Le tarif est vraiment très concurrentiel par rapport au bus et à l'avion (environ 70 US$, soit 58,3 €).
Réservations à Mombasa :

■ ***Kuldips Touring :*** PO Box 82662, Mji Mpya Rd-Off Moi Av., Mombasa. ☎ 222-37-80 ou 222-40-67. • www.kuldiptourskenya.com •
■ ***Spears Shipping Agency :*** Zanzibar Rd.

➢ ***En boutre au départ de Mombasa :*** les boutres pour Zanzibar s'arrêtent parfois à Pemba où l'on charge marchandises et passagers à ras de cale. Compter 2 jours de voyage, de Mombasa à Zanzibar. Les temps de traversée ne sont pas garantis. Selon le vent de mousson dominant et la météo, le capitaine utilisera la voile (romantique) ou le moteur (bruyant). Les départs se font au port des boutres, à Mombasa, face à la vieille ville. Mieux vaut prévoir aussi sa nourriture et ses boissons.

Pour connaître les fréquences des boutres et avoir des infos fraîches avant le départ, on peut se renseigner au *Dhow Registrar's Office,* dans la vieille ville de Mombasa.

ARGENT, BANQUES, CHANGE

La monnaie officielle

L'unité monétaire est le ***shilling tanzanien (Tsh)*** qui se divise en 100 cents. 1 € = environ 1 200 Tsh. Pour 1 US$, au taux normal (dans les bureaux de change, pas dans les hôtels), on obtient environ 1 000 Tsh. Il existe des pièces de 10, 20, 50 et 100 Tsh, et des billets de 200, 500, 1 000, 5 000 et 10 000 Tsh.

Le dollar américain face à l'euro

Le dollar reste la seconde monnaie, « officieuse », et toujours la devise la plus demandée. Ayez toujours des coupures de 20 et 50 US$ pour échanger dans les bureaux de change et des petites coupures pour vos achats de souvenirs. Mais les choses évoluent vite. On peut de plus en plus souvent régler directement en euros les dépenses quotidiennes. Prenez donc aussi des euros, surtout si le taux de change continue d'être favorable.
ATTENTION : les taxes d'aéroport et les taxes d'entrée dans les parcs, ainsi que la plupart des hôtels et des bus de luxe, doivent être payés **exclusivement en US$.** En ce qui concerne les taxes d'aéroport, certaines sont comprises dans les billets, d'autres non (à reconfirmer avant le départ pour éviter les surprises). Compter 5 US$ (4,2 €) sur un vol intérieur et 30 US$ (25 €) sur un vol international (25 US$, soit 20,8 €, depuis Zanzibar).

Les banques

Elles sont ouvertes de 8 h 30 à 15 h, sauf les samedi et dimanche. Certaines sont ouvertes le samedi de 8 h 30 à 11 h 30. *Grosso modo,* elles proposent toutes le même taux de change.

Les bureaux de change

Depuis la libéralisation de l'économie, les bureaux de change privés se multiplient. On les appelle aussi *Foreign Exchange Bureaux,* ou plus simplement *Forex Bureaux.* Ils proposent des taux de change nettement plus intéressants que dans les banques publiques. Ils sont ouverts à des heures plus pratiques (parfois même le week-end) et les transactions y sont beaucoup plus rapides qu'ailleurs.

Le change

Il est toujours préférable de changer votre argent au marché officiel plutôt qu'au marché noir, évidemment. Les *lodges* changent les espèces étrangères, mais leur taux n'est pas vraiment intéressant.

Les chèques de voyage

Vous pouvez prendre des chèques de voyage en dollars. Même si on peut le faire dans certains grands hôtels, ne comptez pas trop vous en servir pour payer vos achats. En revanche, vous pouvez les changer contre des shillings tanzaniens dans les bureaux de change et dans les grandes banques.

Les cartes de paiement

Encore très peu acceptées en Tanzanie. Quand elles le sont, voici l'ordre de préférence : les cartes *Visa, American Express, MasterCard,* et *Diners Club.* Elles sont généralement acceptées dans les *lodges* et les grands hôtels. La plupart des agences de voyages, des bureaux de location de véhicules, des grands magasins de souvenirs acceptent le paiement par carte. Un conseil : n'utilisez pas votre carte de paiement sans vous être bien informé sur la commission prise et sur la fiabilité du commerçant. Il faut savoir que les commissions sont de l'ordre de 10 % en moyenne !

– ***Retrait d'argent avec une carte de paiement :*** les distributeurs arrivent doucement. À Dar es-Salaam, comme à Arusha, vous ne devriez pas avoir de mal à les repérer. Pour avoir les adresses des différents distributeurs de la *Barclays :* • www.africa.barclays.com •

En cas d'urgence

Pour un besoin urgent d'argent liquide (perte ou vol de billets, chèques de voyage, cartes de paiement), vous pouvez être dépanné en quelques minutes grâce au système ***Western Union Money Transfert.***

– *En Tanzanie :* ☎ (255)-22-573-193 (*Tanzania Bank* à Arusha).

– *En France :* ☎ 0820-388-388 (0,18 €/mn).

ACHATS

– ***Le café :*** celui de Tanzanie, cultivé dans les grandes plantations du Nord (autour d'Arusha et du mont Kilimandjaro) sera toujours meilleur, chez vous, que celui que l'on vous servira, soluble, un peu partout. Certaines boutiques à l'aéroport le vendent, très cher, sous une présentation esthétique qui fera cependant un joli cadeau. Pensez-y.

– Toutes sortes de petits ***objets en bois :*** peu encombrants, légers, pas chers. Pas très originaux non plus, hélas.

– ***Les sculptures sur bois d'ébène :*** les plus belles, les plus connues sont les sculptures makondes. L'ethnie makonde vit dans le sud de la Tanzanie, dans la région frontalière avec le Mozambique. Ces œuvres sculptées représentent très souvent des êtres humains stylisés, étirés en hauteur ou grossis, des animaux sauvages, des scènes de la vie quotidienne sous forme de figurines enlacées. La plupart des sculptures vendues dans les boutiques de souvenirs sont fabriquées à la chaîne, autant dire qu'il est difficile d'acheter des originaux. On préfère les petites figurines, à prix raisonnables.

– ***Les objets en pierre à savon :*** la pierre à savon (ou *soapstone*) est une pierre tendre de couleur beige rosé, qui provient principalement de la région du lac Victoria. Elle est utilisée par les artisans et les sculpteurs qui en font des animaux, des boîtes, des cendriers...

– ***Les pierres précieuses :*** ou semi-précieuses. La tanzanite est la pierre « fétiche » du pays, dont le nom s'inspire d'ailleurs. De couleur marron à l'état brut, elle devient bleue, rose, et même violette après être passée dans un four. Sa valeur décroît à mesure qu'elle vire au violet... et fluctue en fonction des humeurs du marché. Évitez les attrape touristes de la banlieue d'Arusha, où les prix sont supérieurs à ceux du marché mondial, surtout quand celui-ci dégringole. On l'a vu notamment quand les bijoutiers américains se sont mis à boycotter le « diamant bleu », soupçonné de financement occulte du réseau Al Qaida (voir chapitre « Arusha »).

On trouve aussi la malachite verte, l'hématite (pierre noire très lourde), l'œil-de tigre ou le quartz rose. Dans certaines boutiques bien achalandées, on peut trouver des boîtes compartimentées en petites cases contenant une vingtaine ou une trentaine d'échantillons de pierres et minéraux, qui raviront les collectionneurs en herbe.

– ***Les bijoux en perles de verre coloré :*** on en trouve dans la moindre échoppe de bord de route. On vous conseille les bracelets, les colliers, les ceintures, peu encombrants, légers et peu onéreux. Les autres objets prennent de la place et sont assez chers. Les lances massaïs, les parures des jeunes *moranes* en plume d'autruche, les machettes, les boucliers, toutes ces merveilleuses pièces provenant de la culture massaï sont aujourd'hui reproduites industriellement, et se vendent partout : elles sont galvaudées par le mercantilisme de masse. Hormis les petites parures en perle, le reste est à boycotter.
– ***Les instruments de musique :*** les *tam-tams* sont de formes et de grosseurs différentes. Un tam-tam pointu vers le bas est destiné à être planté en terre. Sinon, il se place entre les genoux. Le *marimba,* lui, est une boîte en bois léger, formant une petite caisse de résonance. Sur le dessus, l'artisan fixe côte à côte une série de fines tiges métalliques, de taille décroissante, qui, une fois actionnées, produisent des sonorités fort sympathiques. Pour jouer, on le tient avec les deux paumes de mains et on fait vibrer les tiges avec les pouces. La taille du *marimba* varie selon le nombre de tiges en métal qu'il porte. La moyenne est de 8 à 12 tiges. Les plus gros peuvent avoir une cinquantaine de tiges. Le prix varie selon la taille.
– ***La vannerie et la poterie :*** artisanat bantou, qu'on trouve partout. Les plus belles poteries viennent de l'ethnie kisi, dans la région du lac Nyasa.
– ***Les pipes :*** les fameuses *Meershaum pipes,* simples, belles, peu encombrantes. Et sans danger pour la santé ! Certaines ont des fourneaux doublés d'une couche d'écume de mer.
– ***Les vêtements et tissus traditionnels :*** les pagnes swahilis en coton portent généralement des rayures de couleurs foncées, presque sombres. Pour les femmes, il y a les *kangas,* tissus rectangulaires dans lesquels se drapent les Africaines. Les *kitenges* sont des nappes en tissu de couleur. Le *kofia* est la coiffe traditionnelle des hommes musulmans.
– ***Les jouets d'enfants :*** des voitures bricolées avec des morceaux de bois récupérés, des maquettes, des objets simples pour les collectionneurs d'art naïf.
– ***Les épices :*** à rapporter de Zanzibar. Voir ce chapitre.
– ***À éviter :*** les œufs d'autruche, les peaux de zèbre, les trophées, les carapaces de tortue, on ne sait quoi encore. Par respect pour la nature, n'achetez pas ce genre de souvenirs.
– ***Conseil :*** les prix n'étant jamais affichés, dans les boutiques, se renseigner auprès de différentes personnes, sinon on risque de payer le prix « mzungu », parfois le double du prix « local ». Même chose pour tout ce qui se vend dans la rue et les marchés. Vous aurez beau être fier d'avoir su habilement marchander, vous découvrirez en sortant que vous avez payé, au final, le double de ce que le voisin va vous proposer, au départ de la transaction...

BAKCHICH

Mêmes conseils que pour le Kenya : vous n'échapperez pas ici à la règle sacro-sainte du pourboire, du plus petit, donné à celui qui vous aidera pour votre sac à l'hôtel au plus grand, donné au guide ou au chauffeur du safari (compter entre 3 et 5 € par jour et par personne, vous diront les responsables des tours). Cher pour le pays, cher pour le budget, mais difficilement contournable. Évidemment, si vous n'êtes pas satisfaits de la prestation, ça peut se discuter.
Le salaire moyen mensuel étant toujours en dessous du budget que le touriste dépense, par jour, pour un safari dans les parcs, on comprend comment une économie parallèle a pu se mettre en place au fil des années, avec un prélèvement à la source qui n'est pas près de se tarir.

Ne cherchez pas non plus à échapper à la règle de la photo tarifée, si vous croisez des jeunes Massaïs sur la route. Eux aussi ont appris à vivre avec les valeurs véhiculées par le tourisme international.

BOISSONS

Demandez toujours une boisson fraîche, et non glacée (difficile à digérer sous la chaleur). Dites « bila barafu » : sans glaçons. Le principe est simple : en pays chaud, buvez frais mais pas froid (bonjour les maux d'estomac après !). Pour l'aspect médical, reportez-vous à notre rubrique « Santé », dans les généralités du chapitre sur le Kenya.

– ***L'eau :*** ne jamais boire l'eau du robinet, qui est impure. Évitez aussi les glaçons (faits avec l'eau ordinaire) dans les verres. La meilleure solution est de boire de l'eau minérale vendue dans des bouteilles capsulées. On en trouve plusieurs marques en Tanzanie, comme la *Kilimandjaro* dont l'eau vient de la source de Shirimatunda (village situé sur la coulée volcanique de Kibo).

– ***Le thé :*** la meilleure des boissons. À boire chaud quand il fait chaud.

– ***Le café :*** produit en Tanzanie. S'il est bien préparé, ce qui est assez rare, il est excellent.

– ***Le lait :*** le lait tanzanien contient des protéines légèrement différentes que chez nous (les vaches n'ont pas d'aussi bonnes herbes à brouter !). On en trouve partout (*lodges,* restaurants).

– ***La bière :*** de bonnes bières sont en vente à peu près partout, (sauf à Zanzibar, dans certains établissements tenus par des musulmans particulièrement stricts). On a le choix entre la *Safari* (assez forte), la *Kilimandjaro* et la *Castle Lager* (plus légère, avec moins de mousse). Dans le nord de la Tanzanie, si vous vous arrêtez pour boire ou manger dans un petit établissement local, n'hésitez pas à demander de la bière à la banane. Avec un peu de chance, on vous en trouvera quelques bouteilles préparées artisanalement.

– ***Les vins importés :*** dans la plupart des restaurants des *lodges,* on trouve des vins qui proviennent d'Afrique du Sud. On peut trouver aussi du vin tanzanien vendu sous les marques *Losa* (dry *chenin-white*) ou *Tanport Red.* Plus rare, le vin éthiopien, corsé, avec un goût de terre d'Afrique, mais gouleyant quand même.

BUDGET

La Tanzanie est pauvre, et y voyager en routard sac au dos (sans 4x4, sans guide) ne vous ruinera pas. Mais y venir en safari coûte cher parce qu'il est impossible de visiter les grands parcs sans un minimum d'organisation (entre 15 et 100 US$, soit 12,5 à 83,3 €, par jour selon les parcs). Le prix des hôtels reste surtout trop élevé pour les prestations offertes. Bref, pour l'hébergement, le rapport qualité-prix n'est vraiment pas bon. Pour la nourriture, en dehors des grands hôtels où l'on vous fera payer le prix fort pour des mets qui ne vous laisseront pas, au mieux, un souvenir impérissable, les prix sont moins élevés et correspondent plus au niveau réel du pays.

Nos fourchettes de prix en hôtellerie et restauration

Les lodges, hôtels, pensions, guesthouses

Il faut savoir que la plupart des chambres des grands hôtels se paient en dollars américains. Lors de la saison des pluies, de mi-mars à fin mai, de nombreux établissements baissent leurs prix de 20 à 30 %.

– ***Très bon marché :*** moins de 10 US$ (8,3 €) la nuit par personne.
– ***Bon marché :*** de 10 à 25 US$ (8,3 à 20,8 €) la nuit pour 2 personnes.
– ***Prix moyens :*** de 25 à 45 US$ (20,8 à 37,8 €) la double.
– ***De prix moyens à plus chic :*** de 45 à 80 US$ (37,8 à 66,7 €) la double.
– ***Plus chic :*** plus de 80 US$ (66,7 €) la double.

Les restaurants

Sur la base d'un repas.
– ***Très bon marché :*** moins de 2500 Tsh (2,1 €).
– ***Bon marché :*** de 2 500 à 5000 Tsh (2,1 à 4,2 €).
– ***Prix moyens :*** de 5000 à 10 000 Tsh (4,2 à 8,3 €).
– ***Plus chic :*** plus de 10000 Tsh (8,3 €).

Les safaris

Voir la rubrique « Safaris », plus loin.

CLIMAT

La Tanzanie possède *grosso modo* 2 zones climatiques bien distinctes : l'intérieur, avec les hauts plateaux (plus de 1 500 m d'altitude) subissant un climat tropical tempéré, et la côte, plate, au climat équatorial humide. Plus vous montez, plus la température décroît. Plus vous descendez (vers l'océan Indien) et plus il fait chaud (parfois très chaud). On adore !

Les saisons

– ***La saison sèche :*** de mai à octobre. Puis, les mois les plus chauds vont de décembre à février. Soleil, ciel bleu, paysages desséchés, animaux assoiffés.
– ***La saison des pluies :*** la « grande saison des pluies » s'étend de la mi-mars à début mai mais l'essentiel des pluies est concentré sur avril (encore que tout soit relatif, vu la superficie du pays). Les soirées peuvent être fraîches, voire froides. Sur le pourtour du cratère du Ngorongoro, il peut faire vraiment frisquet la nuit, et le thermomètre peut alors descendre sous 10 °C.
La « petite saison des pluies » dure de début novembre à mi-décembre. Durant cette période, il ne pleut pas toute la journée, seulement à certaines heures, et ce n'est pas désagréable : les animaux sont plus nombreux et les visiteurs plus rares. Les photographes apprécient les périodes humides, à cause de la luminosité exceptionnelle. La savane, immense et jaune, est redorée par la lumière après l'orage, sous des cieux couleur gris charbon.
Avantage de cette basse saison : les prix des voyages et des prestations sur place sont moins élevés qu'en haute saison.

Les régions et leurs particularismes

– ***Les grands parcs du Nord :*** climat chaud d'altitude. Chaleur importante mais jamais étouffante. Les parcs du Serengeti, de Tarangire, de Manyara sont à 1 500 m d'altitude en moyenne au-dessus du niveau de l'océan Indien. À Arusha : en janvier, les températures oscillent entre 14 °C (la nuit) et 28 °C (le jour). Janvier, février et mars sont les mois les plus chauds de l'année. Avril est le mois le plus pluvieux (350 mm), et août le mois le plus sec (7 mm).
– ***Le mont Kilimandjaro :*** chutes de neige la nuit en janvier et février. Nuits glaciales en juillet-août.
– ***Dar es-Salaam et la côte orientale :*** climat équatorial avec un fort taux d'humidité dans l'air. Il fait chaud et étouffant toute l'année. Les mois les plus chauds à Dar es-Salaam sont décembre, janvier, février et mars (température moyenne journalière : 27 °C). Sur la côte en général, il pleut en novembre et décembre, et de début mars à début mai.

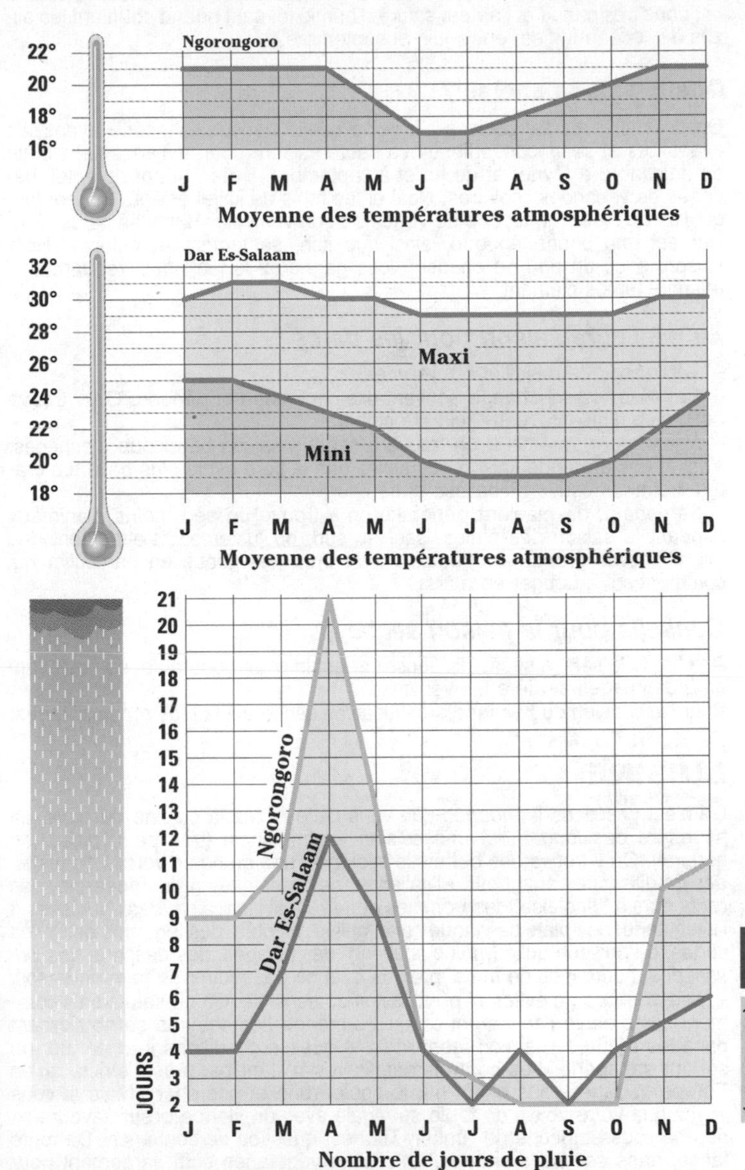

TANZANIE (Ngorongoro et Dar Es-Salaam)

– ***Les îles de Zanzibar, Pemba, Mafia :*** climat équatorial, avec les mêmes températures, et la même pluviométrie qu'à Dar es-Salaam et sur la côte. Il fait donc très chaud et l'air est saturé d'humidité, sauf quand soufflent les alizés de l'océan Indien, entre juin et septembre.

Quelle saison choisir?

On peut aller en Tanzanie à n'importe quelle période, chacune ayant ses avantages et ses inconvénients. La haute saison (pour la Tanzanie) s'étale de décembre à février et de juillet à septembre. Éviter, si possible, les périodes de vacances scolaires, Noël et les mois de juillet et août, durant lesquelles on croise beaucoup de visiteurs et de véhicules dans les parcs. Janvier est une bonne époque, ainsi que juin, septembre et octobre. Hors saison, avec un peu de chance, vous gagnerez le jackpot : fréquentation ralentie, temps clément.

La meilleure saison pour les parcs

– *Tarangire :* de mi-juillet à mi-février.
– *Lac Manyara :* il change souvent d'aspect selon la période. On y trouve beaucoup d'oiseaux entre juin et octobre.
– *Ngorongoro :* même si on trouve à chaque saison beaucoup d'espèces, c'est après la grande saison des pluies que la flore est la plus belle. Le cratère est alors couvert d'herbes et de fleurs.
– *Serengeti :* de manière générale, on y trouve un peu moins d'animaux pendant la saison des pluies, sauf au sud, où justement s'effectuent des migrations de grands troupeaux d'herbivores (les gnous en particulier qui commencent à bouger en mars).

Conseils pour la saison sèche

À la fin de la saison sèche, la poussière est la plus redoutable, se soulevant en gros nuages derrière les véhicules.
Pour l'ascension du Kilimandjaro, la saison sèche est la plus recommandée.

CUISINE

Ce n'est pas dans les *lodges* que vous découvrirez la cuisine du pays. La nourriture des *lodges* est une cuisine internationale (très peu épicée, en général). On y trouve des buffets le midi avec une grande diversité de plats : des crudités, des spaghetti à l'italienne, des omelettes à l'européenne, des œufs durs à l'anglaise, des pommes de terre à la française, des saucisses à l'allemande, des plats de viande cuite, grillée, mijotée, des légumes de toutes sortes, du poisson grillé (moins souvent), des laitages, des desserts très *british,* des montagnes de fruits, bref, de quoi ne pas mourir de faim ni de soif.
– ***Les viandes :*** à éviter, si on a l'estomac sensible. On ne sait jamais comment a été élevé l'animal, ni ce qu'il a mangé (les chèvres se nourrissent dans les ordures !), ni comment et dans quelles conditions il a été tué, ou surtout transporté. Les contrôles sanitaires n'étant pas aussi stricts qu'en Europe, rabattez-vous plutôt sur le poulet (bon et pas cher). Mais si vous voyez que votre voisin de table se régale avec un filet de bœuf savoureux, rien ne vous empêche de l'imiter. Tout est question de confiance. De toute façon, dans ces pays chauds, un régime végétarien suffit largement pour vivre : cela coûte moins cher et c'est meilleur pour la santé.
– ***Les poissons et crustacés :*** un régal de simplicité et de goût, à prix modiques. Ils sont à éviter dans les *lodges* des parcs, où la fraîcheur n'est jamais garantie. Sur la côte orientale et dans les îles (Zanzibar notamment), en revanche, les produits de la mer sont bien frais. Pourquoi s'en priver ? Les

langoustes et les crabes sont succulents et présentés sur les cartes de nombreux restos de Zanzibar, à des prix très raisonnables pour nous Occidentaux. Plus à l'intérieur des terres, vous goûterez aux perches du Nil et aux incontournables tilapias pêchés dans les eaux des grands lacs. Ne manquez pas les retours de pêche, moments qui rythment la vie des populations locales, et les très animés marchés aux poissons.
– ***Les crudités et les légumes :*** attention aux crudités froides, souvent mal lavées et avec de l'eau ordinaire. Gare aux légumes non cuits. Par mesure d'hygiène, évitez-les. Préférez les légumes cuits, bouillis, grillés ou revenus à la poêle. La plupart des légumes d'Europe se retrouvent dans l'assiette des *lodges* et des restos : tomates, carottes, choux, haricots verts (ceux du Kilimandjaro sont les meilleurs du monde). Délicieuses courgettes et aubergines.
– ***Les fruits :*** oranges, ananas, mangues, papayes, corossols, bananes... Profitez-en, ils sont délicieux, gorgés de soleil, et ils ne coûtent pas cher (surtout dans les marchés).
– ***Le fromage :*** il existe une sorte de « cheddar » tanzanien, à pâte cuite, produit dans les grandes fermes. Mais il est sans grande saveur.

La cuisine africaine

– Le plat le plus courant en Tanzanie et en Afrique de l'Est est l'***ugali.*** L'*ugali* est une sorte de polenta (purée) de maïs cuit. Pris seul, ça n'a pas vraiment de goût. C'est pourquoi il est généralement accompagné d'un ragoût, composé de morceaux de viande mijotés dans une sauce aux oignons et à la tomate, et de légumes hachés. Dans ce cas, et selon les accompagnements, l'*ugali* prend des noms variés : *ugali nyama kwa mchicha, ugali samaki kwa mchicha, ugali kuku kwa mchicha.*
– Il y a aussi le ***riz pilau*** (riz épicé) bien plus relevé, et le ***riz byriani*** (plat de riz style indien). Délicieux et bien pratique.
Difficile de trouver la cuisine tanzanienne époustouflante. Elle mérite pourtant d'être testée dans les restaurants qui font un effort pour travailler les produits locaux. Si vous êtes en compagnie de Tanzaniens grands amateurs de boulettes et beignets à la viande ou aux légumes, goûtez aux *sambusas* et autres *miskakis,* formes locales du kebab.

La cuisine indienne

Nombreux petits restos indiens dans les villes (Arusha, Moshi, Dar es-Salaam), et dans les îles. On peut se nourrir pour 3 fois rien avec quelques ***samosas*** (aux légumes plutôt qu'à la viande, tant qu'à faire), et un peu de ***riz masala*** (riz mélangé avec une sauce épicée).
En général, c'est bon et pratique pour manger sur le pouce à midi. La plupart des petits snacks de rue ou des cafétérias bon marché sont tenus par des Indiens. Comme nombre de commerces, d'ailleurs.

Petit lexique culinaire

Chungwa	Orange
Embe	Mangue
Kazi	Pomme de terre
Maharagwes ou *kundes*	Haricots
Mahindi	Maïs
Mchele	Riz
Muhogo	Manioc
Nazi	Noix de coco
Ndizi	Banane

DANGERS ET ENQUIQUINEMENTS

Pas de parano inutile. Surtout en dehors des villes. Une tenue passe-partout et une allure décidée vous débarrasseront de ceux qui guettent les touristes dans l'espoir de leur faire les poches, ou du moins de récolter quelques billets. Si vous laissez traîner votre sac à l'hôtel, ou sur la banquette arrière de la voiture, tant pis pour vous. Voir cette même rubrique pour le Kenya.

DÉCALAGE HORAIRE

– Hiver : + 2 h. Quand il est midi à Paris, il est 14 h en Tanzanie.
– Été : + 1 h.

DROITS DE L'HOMME

Les négociations de paix qui se sont poursuivies tout au long de l'année 2003, entre le Parti de la révolution (CCM) au pouvoir et le Front civique unifié (CUF) d'opposition, ont permis de calmer le climat à Zanzibar. Des élections ont même eu lieu en mai 2003, qui pour une fois n'ont pas été boycottées par le CUF, mais les tensions, politiques et/ou religieuses, demeurent vives.
À Zanzibar, comme sur le continent, les forces de l'ordre se sont rendues coupables de graves exactions, et, selon Amnesty, auraient tiré à balle réelle « à trois reprises au moins (...) sur des manifestations interdites », tuant ou blessant plusieurs des manifestants à chaque fois. En outre, selon l'Observatoire pour la protection des défenseurs des Droits de l'homme, une loi de lutte contre le terrorisme adoptée en 2002 a par ailleurs singulièrement limité le champ d'action de la société civile. Elle devait être renforcée par une loi sur les ONG, également adoptée en 2002, mais celle-ci n'était toujours pas entrée en vigueur à la fin de l'année 2003. Néanmoins ces restrictions sont surtout visibles à Zanzibar où l'Association for Human Rights n'a par exemple toujours pas été reconnue par le gouvernement local.
La justice populaire est très vivace en Tanzanie et demeure pour le moins expéditive. Lapidations, lynchages, etc. : ceux qui sont soupçonnés de délits ont souvent plus à craindre de la foule que des forces de l'ordre. Également visées par cette violence des foules, de nombreuses femmes, accusées de « sorcellerie », sont tuées sans autre forme de procès. Si la police de la région de Shynianga a annoncé, en octobre 2003, l'arrestation « d'un grand nombre de tueurs de sorcières », l'impunité demeure généralement la règle pour ce type de crimes. Par ailleurs, des milices privées, légalement protégées par une « Loi sur les Milices du Peuple », se rendent encore coupables de nombreuses exactions, surtout dans les zones rurales. La violence domestique envers les femmes est une pratique courante en Tanzanie, où une femme peut, par exemple, être punie, si elle n'arrive pas à avoir d'enfants. Chaque année, un nombre important d'entre elles décèdent des suites de mauvais traitements. Par ailleurs, en mai 2003, l'organisation de femmes tanzaniennes Tamwa a publié un rapport accablant sur le harcèlement sexuel constant subi par les femmes de ménage (« Housegirls ») en Tanzanie. La pratique de l'excision, quoique devenue illégale, est encore largement répandue.
Enfin, la ruée vers l'or bleu tanzanien, la Tanzanite (pierre précieuse), continue aujourd'hui de faire des victimes. Travaillant dans des conditions déplorables, les mineurs ne sont jamais à l'abri d'accidents mortels.
Pour en savoir plus, n'hésitez pas à contacter :

■ ***Fédération internationale des Droits de l'homme (FIDH) :*** 17, passage de la Main-d'Or, 75011 Paris. ☎ 01-43-55-25-18. Fax : 01-43-55-18-80. • www.fidh.org • fidh@fidh.org • Ⓜ Ledru-Rollin.

■ ***Amnesty International (section française) :*** 76, bd de la Villette,

75940 Paris Cedex 19. ☎ 01-53-38-65-65. Fax : 01-53-38-55-00. • www.amnesty.asso.fr • admin-frinfo@amnesty.asso.fr • Ⓜ Belleville ou Colonel-Fabien.

N'oublions pas qu'en France aussi les organisations de défense des Droits de l'homme continuent de se battre contre les discriminations, le racisme et en faveur de l'intégration des plus démunis.

ÉCONOMIE

La Tanzanie reste l'un des pays les plus pauvres de notre planète. Avec ses infrastructures insuffisantes, son taux d'analphabétisme supérieur à 30 %, son manque de personnel qualifié, ses conditions sanitaires limitées... elle accuse un très net retard. Cependant, grâce à une politique de libéralisation, l'économie tanzanienne a amorcé un réel décollage. Le taux de croissance du PIB qui, pendant les années 1970-1980, stagnait autour du zéro, a atteint les 5 % en 2002. Mais c'est surtout grâce au régime démocratique multipartite et à la libéralisation des structures économiques que l'on doit ce nouveau démarrage.

Agriculture

Même si les conditions climatiques et la géographie du pays limitent l'agriculture sur seulement 4 % du territoire, l'économie est lourdement dépendante du secteur agricole. Il représente 85 % de l'exportation et emploie 90 % de la main-d'œuvre. Les principales productions exportées sont la noix de cajou (produite sur la côte, elle fait du pays l'un des premiers exportateurs mondiaux), le café (dans la région d'Arusha, en pays chagga et en pays haya...), le coton (en pays sukuma), le sisal (au nord-est, autour de Tanga et de Dar es-Salaam) et le tabac. Le centre du pays, lui, est caractérisé par une pauvre agriculture vivrière fondée sur le maïs et le sorgho. Enfin, on compte également un cheptel bovin d'environ 16 millions de têtes.

Vers une diversification

Même si l'activité touristique du pays (15 % du PIB) est 2 fois moins importante qu'au Kenya, elle attire, grâce au Kilimandjaro et surtout grâce aux parcs du nord, un nombre croissant de visiteurs, (575 000 touristes en 2002). La Tanzanie consacre près de 43 000 km² à ses parcs nationaux, « malgré la pression des populations », comme disent les milieux bien informés (celle des villes, qui veulent toujours s'étendre, et celle de Massaïs, qui ont été évacués de ces territoires). Si l'on compte les autres réserves, les zones de conservation et les parcs marins, elle protège 38 % de son territoire. Pas mal. Le secteur minier (diamant, or et tanzanite) suscite également de nouveaux investissements étrangers depuis 1998. Il représente actuellement plus de 30 % des recettes d'exportations du pays. Grâce à ces deux richesses, la croissance économique tanzanienne devrait pouvoir être assurée.

Un encouragement de la communauté internationale

Novembre 2001 : le FMI et la Banque mondiale accordent à la Tanzanie le bénéfice d'allégement de sa dette publique dans le cadre de l'aide apportée aux Pays Pauvres Très Endettés (PPTE). Deux mois plus tard, un accord annule 43 % du stock de la dette due aux créanciers du Club de Paris (soit 737 millions de dollars en valeur actuelle nette), permettant ainsi une nouvelle marge de manœuvre et une réduction du déficit. Reste que le gouvernement doit accompagner ces efforts en privatisant les opérateurs publics, ce qui ouvrirait de sérieuses perspectives à de nouveaux investisseurs étrangers...

ÉLECTRICITÉ

220 et 230 volts, 50 Hz. Les coupures de courant sont assez fréquentes. Les prises de courant sont à 3 fiches, 2 plates horizontales et 1 verticale. Pensez à vous munir, avant de partir, d'un adaptateur pour vos appareils électriques (batteries photo, etc.).
Attention ! Dans les *lodges,* l'électricité est fournie par un groupe électrogène qui, en règle générale, s'arrête de fonctionner après 22 h ou 22 h 30 et qui recommence vers 6 h ou 7 h. Cela impose des tranches horaires précises (renseignez-vous à la réception du *lodge*) pour recharger les batteries de vos appareils.

ENVIRONNEMENT

« Toutes les bêtes dépérissent et leurs lamentations montent jusqu'aux cieux. Les forêts tombent en ruine, les montagnes sont ouvertes pour leur arracher les métaux que l'on coule là-bas. Mais pourrais-je parler d'une créature plus malfaisante que l'homme... ? »

Léonard de Vinci.

Les rhinocéros et leur corne

Malgré les mesures de protection renforcées au fil des ans, il resterait à peine une cinquantaine de rhinocéros en Tanzanie. Une hécatombe ! De tous les animaux, le rhinocéros n'a pas de chance, il reste très recherché pour les soi-disant vertus aphrodisiaques de sa corne.
En fait, celle-ci ne contient pas d'excitant sexuel, mais renferme bien souvent les spores d'un champignon responsable d'une maladie infectieuse qui provoque chez l'homme des abcès. Peu importe, le mythe demeure intact et pousse les consommateurs de puissance sexuelle à en acheter, parfois à des prix mirobolants. Un kilo de corne de rhino, réduite en poudre, peut en effet être vendu jusqu'à 12500 €.

Les éléphants et le commerce de l'ivoire

La population des éléphants (en Tanzanie) a chuté de 200000 individus en 1977 à 89000 en 1987, et elle a encore chuté entre 1987 et aujourd'hui ! Le commerce de l'ivoire est reparti même de plus belle dans certains pays d'Afrique australe, désireux d'exporter leurs produits en échange de devises fortes.
Pourtant, tout semblait bien parti pour sauver les éléphants. Le 20 octobre 1989, les délégués de la conférence de Lausanne sur les espèces menacées avaient décidé d'interdire jusqu'en 1992 le commerce international de l'ivoire. Les médias tanzaniens se firent l'écho de cette nouvelle politique destinée à arrêter le braconnage. Le *Daily News* rendait régulièrement compte des arrestations et des condamnations de braconniers pris en flagrant délit. Malgré une étroite surveillance, le braconnage continua, bénéficiant de complicités dans les parcs, au sein de l'administration et même dans les ministères. En 1989, la police arrêta même l'ambassadeur d'Indonésie alors qu'il était sur le point de quitter la Tanzanie avec 3 t d'ivoire dans sa valise diplomatique...

Le braconnage

Sur le terrain, les braconniers *(poachers)* s'étaient très bien organisés au fil des ans. Riches et professionnels, ils s'équipèrent d'hélicoptères, de jeeps, de jumelles à intensificateur de lumière. Ils utilisèrent des armes automatiques, souvent bien plus performantes que les armes des gardes des parcs chargés de la lutte anti-braconnage. Malgré la guerre et le génocide, le Burundi voisin servit de plaque tournante pour ce commerce lucratif. De là, la précieuse marchandise était expédiée vers les Émirats arabes et les pays d'Asie. À Hong Kong par exemple, 2600 artisans s'étaient spécialisés dans ce métier, et sculptaient les ivoires avant de les écouler sur les marchés chinois et japonais. Un commerce qui, comme la drogue, enrichit ses instigateurs. La preuve : l'ex-président de la République démocratique du Congo (ex-Zaïre), Laurent Désiré Kabila, décédé en 2001, a passé une dizaine d'années en Tanzanie à s'enrichir dans le commerce de l'ivoire et de l'or. C'est ainsi qu'il finança au départ son armée clandestine.
On aimerait donc aujourd'hui pouvoir ne parler de tout ça qu'au passé. Pour ne pas perdre la face, le gouvernement tanzanien se range désormais derrière la nécessité de promouvoir le tourisme, source importante de richesse. Son nouveau credo : préserver la vie des bêtes, en particulier celle des gros mammifères les plus menacés. Selon une estimation : en 3 mois, un éléphant vivant rapporte (grâce au tourisme) l'équivalent de 30 éléphants morts (donc 60 défenses !). Le calcul est vite fait : sans bêtes sauvages, plus de safaris. Et sans safaris, c'est 50 % des recettes en devises du pays en moins ! La Tanzanie a de bonnes raisons, maintenant, de ne pas suivre l'exemple de ses voisins.

Organismes à contacter

■ ***WWF :*** *Fonds Mondial pour la Nature,* 188, rue de la Roquette, 75011 Paris. ☎ 01-55-25-84-84. Fax : 01-55-25-84-74.

■ ***African Wildlife Foundation :*** Plot 27, Old Moshi Rd, P.O. Box 2658, Arusha. ☎ 250-96-16. Fax : 254-44-53.

■ ***Tanzania Wildlife Protection Fund :*** PO Box 1994, Dar es-Salaam. ☎ (022) 286-63-77 ou 0741-32-55-81 (portable).

■ ***The Wildlife Conservation Society of Tanzania :*** PO Box 70919, Dar es-Salaam. • www.birdlife.net/worldwide/national/tanzania •

■ ***African Wildlife Foundation :*** PO Box 48177, Nairobi, Kenya. • www.awf.org •

■ ***Save The Elephants :*** 7, New Square, Lincoln Inn, London WC2 A3DF. ☎ 44-171-242-70-00. • www.save-the-elephants.org • Une fondation créée par Ian Douglas-Hamilton, pour la sauvegarde des éléphants.

FÊTES ET JOURS FÉRIÉS

- *1er janvier :* Nouvel An.
- *12 janvier :* anniversaire de la révolution à Zanzibar.
- *5 février :* fête de la Création du parti révolutionnaire Chama Cha Mapinduzi (le CCM).
- *26 avril :* Union Day (jour de l'Union).
- *1er mai :* fête du Travail.
- *7 juillet :* Saba Saba.
- *8 août :* journée des Paysans.
- *14 octobre :* anniversaire de la mort du président Nyerere.
- *9 décembre :* anniversaire de l'indépendance.
- *25 décembre :* fête de Noël.
- *26 décembre :* Boxing Day.

Les banques, les administrations, les magasins sont fermés durant les jours fériés mentionnés ci-dessus.
Les fêtes religieuses musulmanes, chrétiennes, hindoues sont célébrées par les communautés, mais ne sont pas considérées comme des jours fériés.

GÉOGRAPHIE

La Tanzanie est le plus vaste pays de l'Afrique de l'Est. Baigné à l'est par l'océan Indien, il est entouré par 8 pays différents : le Kenya et l'Ouganda au nord, la République démocratique du Congo (ex-Zaïre), le Burundi et le Rwanda à l'ouest, la Zambie, le Malawi et le Mozambique au sud. La majeure partie du pays est formée par des hauts plateaux dont l'altitude oscille autour de 1 500 m.

– ***Les montagnes :*** deux sommets, le mont Kilimandjaro (5895 m) et le mont Méru (4566 m) s'élancent au nord, faisant frontière avec le Kenya.

– ***Les steppes et les savanes :*** 64 % du pays est constitué de steppes d'herbes et de savanes (steppe + quelques arbres clairsemés = savane). C'est la brousse, si l'on préfère.

– ***Les forêts :*** même si 36 % de sa surface totale est couverte de forêts, pour découvrir la vraie forêt primaire équatoriale, c'est dans l'ex-Zaïre (aujourd'hui Congo dit démocratique) qu'il faut aller, non en Tanzanie. On trouve quand même quelques forêts intéressantes comme la *forêt humide* (ou *pluviale*) *de montagne* qui peut pousser jusqu'à 3000 m d'altitude. Elle couvre les pentes du mont Méru, du Kilimandjaro, et les versants du cratère du Ngorongoro. Dans le parc national du mont Kilimandjaro, ces forêts abritent quelques rares bongos, des céphalophes d'Abbot, des éléphants, des buffles, et même des léopards capables de monter jusqu'à 4500 m d'altitude. Il existe aussi des *forêts-galeries,* sortes de longs bois touffus composés d'arbres tropicaux (palmiers, arbres à saucisses...) qui frangent les berges des rivières ou des lacs. Mais, au profit des cultures, la forêt recule chaque année.

Les différents secteurs géographiques

– ***Le littoral tanzanien :*** la plaine côtière, profonde d'une soixantaine de kilomètres, offre des sols assez pauvres. La mangrove de palétuviers occupe les secteurs inondés du bord de la mer ou les deltas fluviaux.

– ***Les plateaux du Centre :*** les paysages varient. La steppe massaï (aride) est fréquente et ne comporte généralement pas d'arbres. La savane africaine (appelée aussi brousse, ou *bush* en anglais) est clairsemée et ponctuée d'acacias, d'euphorbes, de palmiers, de baobabs...

– ***Le nord du pays :*** la région la plus montagneuse, où se trouvent aussi les grands parcs nationaux les plus visités.

– ***L'Ouest :*** le lac Tanganyika, découvert en 1858 par les explorateurs Speke et Burton, est le plus long lac d'eau douce au monde (32000 km^2, 675 km de long et 50 km de large) et le second par sa profondeur (1 434 m) après le lac Baïkal (Russie). Il se déverse dans le fleuve Zaïre par la rivière Loukouga.

HÉBERGEMENT

Camping

Le camping n'est autorisé que dans les sites prévus à cet effet. Des petites structures hôtelières en ville acceptent qu'on plante sa tente dans le jardin. Il est impératif de réserver à l'avance par le biais de votre safariste ou de votre

agence. Les réservations se font toujours auprès de la direction du parc (se rendre au bureau, ou *headquarter*).
– ***Les public campsites :*** ils se trouvent à proximité des *lodges*. Ce sont de simples emplacements, entourés par la brousse et la savane, mais sans équipements. Il n'y a pas d'eau courante. Débrouillez-vous pour vous éclairer, pour vous laver, pour vous nourrir. Avant d'y venir, prévoyez suffisamment de ravitaillement. Taxe : 20 US$, soit 16,7 €, par personne (2 fois moins cher, donc, que les *special campsites*).
– ***Les special campsites :*** ils se trouvent dans les parcs. Ils sont mieux placés (site encore plus sauvage), mais pas mieux équipés (ni eau ni électricité) que les *public campsites*. Vu leur emplacement, en pleine brousse, on a plus de chances d'y surprendre les animaux sauvages, à l'aurore, au crépuscule ou la nuit. Taxe : 40 US$ (33,3 €) par personne.
– ***Les tented camps*** *(camps de toile)* **:** on les appelle aussi les *tented lodges*. Ce sont des campings haut de gamme, souvent situés dans des sites joliment choisis (rebord de falaise, bordure de cirque, berges de rivière ou de lac). Un camp se compose de plusieurs tentes fixes, alignées ou éparpillées dans la nature selon la configuration du terrain. Le toit de ces tentes est en toile, alors que les fondations sont habituellement en bois et en ciment. À l'intérieur de la tente, on dispose d'un certain confort : 2 lits de camp améliorés côte à côte, une douche, un coin lavabo et des w.-c. L'éclairage est fourni par une lampe à pétrole ou une lampe à gaz. Il n'y a pas toujours de moustiquaire (selon l'altitude), mais des vaporisateurs antimoustiques sont souvent posés sur une tablette à côté du lit. À l'entrée, sous un auvent, des chaises et une table, pour prendre l'air au crépuscule. Ces camps de toile sont prévus pour vivre en autonomie et possèdent souvent un restaurant qui fournit les repas. Vous n'avez pas à y payer les taxes de nuit, incluses dans le prix. Autant vous dire que cette forme de camping coûte aussi cher que les *lodges,* parfois plus (à partir de 400 US$ à deux, soit 333,3 €).

Lodges

Le *lodge* est à l'Afrique anglophone ce que le chalet de montagne est aux Alpes. Cet hôtel de brousse, une demeure rustique et isolée, sans village ni ville à proximité, est construit avec des matériaux locaux (bois tropical, pierres). Situé en pleine nature, le voyageur y fait escale, y dort, y mange, et repart très tôt le matin à bord de son 4x4 pour aller observer les animaux.
Avec l'ouverture du pays au tourisme et le développement des safaris, les *lodges* se sont multipliés (une dizaine autour du cratère du Ngorongoro !), s'implantant dans des paysages superbes, avec des chambres de plus en plus confortables, équipées de douches et de w.-c. Une loi a mis provisoirement fin, en 1996, pour dix ans, à de nouvelles tentatives de construction. Ce qui a bien fait l'affaire, évidemment, de tous ceux qui inaugurèrent cette année-là tous les plus beaux *lodges* que vous pourrez découvrir sur votre route...
Attention, dans la plupart des *lodges,* l'électricité étant fournie par des groupes électrogènes, il n'y a de l'eau chaude qu'à certaines heures de la journée (avant 10 h le matin, et après 17 h, ce qui ne devrait pas vous traumatiser). Pensez à demander les horaires exacts auprès de la réception de votre *lodge*. En outre, au-delà de 1 500 m, dans les parcs du nord de la Tanzanie, les chambres n'ont pas de ventilo ni de moustiquaires (et pour cause !).
Les prix des chambres varient selon le confort et la saison. Compter entre 150 et 250 US$ (125 à 208,3 €), voire 300 US$ et plus (si vous choisissez le luxe, à défaut parfois du charme !) pour 2 personnes en demi-pension (c'est pour ça que les safaris sont chers). Mais entre les prix affichés, que nous vous indiquons par ailleurs, et ceux que votre tour-opérateur a pu négocier pour vous, il y a évidemment de la marge. Le nec plus ultra du luxe revient à la chaîne *Serena Lodge* (qui appartient à l'Aga Khan), et l'on ne vous parle même pas du *Ngorongoro Crater Lodge,* créé avec des capitaux sud-africains, dont les prix ne se contentent pas de frôler l'indécence.

Tous les *lodges* ont leur restaurant, plus ou moins beau, plus ou moins bon, plus ou moins dans le style du pays. Les *lodges* fournissent aussi des paniers-repas froids *(lunch box)* pour le pique-nique en cours de safari. Il faut les demander la veille. Lors de la signature de votre safari, demandez à ce qu'ils soient compris dans le prix, cela vous évitera de sortir 15 à 16 US$ (12,5 à 13,3 €) pour un œuf, deux mini club-sandwiches, un biscuit, un jus de fruits et un morceau de poulet.

– ***Quelques conseils :*** les prix des *lodges* sont plus intéressants en basse saison (entre avril et juin et en novembre), profitez-en pour programmer votre voyage à ce moment-là. Fermez bien la fenêtre de votre chambre à cause des animaux. Les bêtes peuvent y pénétrer facilement, les lézards comme les babouins, sans parler de certains petits insectes parfois bien agressifs.

Auberges de charme

Elles ressemblent à des *lodges* mais en beaucoup plus intime, plus personnalisé. Il y en a peu et elles sont concentrées dans le nord du pays. Ce sont d'anciennes résidences de l'époque coloniale. Le nombre des chambres y est réduit, l'accueil personnalisé, l'ambiance moins bruyante.

Hôtels et *guesthouses* (pensions)

Il existe 2 tarifs officiels, le tarif « résident » et le tarif « non-résident ». La règle est presque partout la même, à savoir qu'un visiteur de passage paie la même chambre 2 ou 3 fois plus cher qu'une personne habitant la Tanzanie (Africain ou expatrié). Les prix sont rarement affichés à la réception. Si vous essayez de vous faire passer pour un résident, histoire de payer moins, l'hôtelier vous demandera à coup sûr votre carte de séjour pour vérifier la véracité de votre propos.

– ***Les hôtels bon marché :*** ce type d'hôtels est assez répandu dans les villes à l'intérieur et sur la côte, ainsi qu'à Zanzibar. On y trouve des chambres plutôt correctes avec ventilo (sur pied ou au plafond), douche (eau chaude) et parfois une moustiquaire pliée en bouchon au-dessus du lit. Les w.-c. sont habituellement hors de la chambre. Mais attention, dans les villes surtout, aux nombreux petits hôtels très bon marché, très mal tenus, sales et peu rassurants, que certains pourraient vous recommander, pour des motifs que vous pouvez imaginer.

– ***Les hôtels à prix moyens :*** cette catégorie n'existe pas dans les parcs, et à peine dans les villes (surtout pas à Dar es-Salaam). C'est bien simple : entre la catégorie *lodge* à plus de 160 US$ (133,3 €) la nuit et la chambre à 20 US$ (16,7 €) dans une *guesthouse* bon marché, il y a un grand vide ! Le gouvernement tanzanien n'encourage d'ailleurs pas l'hôtellerie à développer cette catégorie d'établissements à prix raisonnables (autour de 50 US$, soit 41,6 € la double). Dommage ! Zanzibar fait figure d'exception à la règle car, sur cette île (à Stonetown et sur la côte), toutes les catégories d'hôtels sont représentées. L'éventail des prix est assez large, du moins cher au plus cher. Là, le voyageur peut choisir son hôtel selon son budget.

Auberges de jeunesse

Appelées « Youth Hostels ». On en trouve dans certains parcs, mais elles ne sont pas toujours aux normes internationales, c'est le moins qu'on puisse dire. On recommande les AJ, dans l'ensemble bien tenues et gérées par des associations religieuses (Église luthérienne notamment). Entre autres, voir les *YMCA* (même si une chambre dans une *YMCA* coûte le prix d'une chambre dans un hôtel à prix moyens).

HISTOIRE

La Tanzanie, au même titre que les autres pays de la vallée du Rift, est considérée par les anthropologues comme faisant partie du berceau de l'humanité. La 1re grande découverte remonte à 1911, lorsque l'Allemand Kattwinkel trouve, dans la gorge d'Olduvai, dans le nord du pays, des ossements fossilisés d'un type inconnu. En 1959, Louis et Mary Leakey reprennent les fouilles et mettent au jour le *Zijanthrope* – plus tard rebaptisé *Australopithecus robustus* (ou *boisei*). Âgé de 1,8 million d'années, il s'agit alors du type humain le plus ancien jamais découvert. Cinq ans plus tard, Olduvai livre un autre de ses secrets : un *Homo habilis* vieux d'environ 2 millions d'années. Puis, en 1978, on localise, sur le plateau de Laetoli, des empreintes de pas d'*Australopithecus robustus.* Leur étude permet de conclure que ceux qui les ont laissées marchaient sur deux pieds.
Paradoxalement, on sait presque moins de choses sur l'implantation et la dispersion des populations plus tardives. Chasseurs-cueilleurs, pasteurs nomades, les habitants de l'hinterland est-africain sont alors divisés en groupes khoisans, couchites, nilotes et bantous. Tous entretiennent des liens commerciaux, échangeant sel, coquillages venus de l'océan Indien et métal (bantous). Par l'étude des sites d'habitation, on commence à envisager l'émergence, dans les derniers siècles du Ier millénaire av. J.-C., d'un âge du bronze primitif dans la région du lac Victoria. Bien plus tard, au XVe siècle, quelques royaumes se forment dans la région des Grands Lacs : Bunyoro, Buganda, puis Rwanda, Burundi, etc.
Vers la fin du XVIIIe siècle, les belliqueux Massaïs, en mouvement vers le sud, livrent d'importants combats à 2 autres tribus déjà implantées dans la région de l'actuelle Tanzanie : les Gogos et les Hehes. Les premiers occupent à cette époque la zone proche du lac Tanganyika, alors que les autres vivent dans le centre du pays.

La conquête arabe

Bien avant le début de l'ère chrétienne, la côte de l'Afrique orientale a reçu épisodiquement les visites de marchands venus de Tyr, de Byblos, de l'Égypte antique. Dans le *Périple de la mer Érythréenne,* un marchand grec d'Alexandrie raconte son épopée dans un pays de légende, au pied de la corne de l'Afrique : l'Azania. Dans les environs du VIIIe siècle, des navigateurs originaires du golfe Persique débarquent à leur tour dans cette contrée qu'ils appellent le pays des Zanjs (des Noirs). Très vite, ils initient des échanges avec les tribus du littoral, organisant des comptoirs. Parmi les principaux, Tongoni est, selon la *Chronique de Kilwa,* fondé vers la fin du Xe siècle par Ali ibn Hasan, le fils du sultan de Shiraz (aujourd'hui en Iran).
Vers le XIe siècle, une 2e vague de navigateurs marchands arrive de la péninsule Arabique. Avec eux, l'Islam touche le continent noir pour la 1re fois. Le littoral de l'Afrique orientale entre dans le domaine des sultans d'Oman. La région côtière, de plus en plus marquée par cette présence moyen-orientale, développe une culture unique, syncrétisme de croyances arabes et de coutumes africaines : la culture swahilie.
Au XIVe siècle, Kaole (Bagamoyo) voit le jour – et bien d'autres cités encore. Zanzibar, connue des marins depuis l'aube des temps, prospère habilement. Mais la concurrence est grande et la bataille pour la domination du commerce conduit parfois à des luttes fratricides.

Les Portugais

En 1498, Vasco de Gama franchit le cap de Bonne-Espérance et remonte la côte orientale de l'Afrique. Il est accueilli à Malindi par un sultan dont le territoire est en proie aux visées de son voisin. Sur la route des Indes, Vasco de Gama souhaite implanter une force portugaise. Très vite, l'alliance est scellée.

Sous les coups conjugués, Mombasa est conquise en 1505 et les Portugais y installent leur garnison. Pendant plus de 2 siècles, les ambitions coloniales lusitaniennes vont se heurter à celles, non moins déterminées, des cités-États omanies disséminées le long de la côte.
La lutte pour la suprématie économique se teinte de religion. Dans les 2 camps, on invoque la guerre sainte. En 1509, les îles de Pemba, Zanzibar et Mafia sont pillées sans vergogne. Mais, si le XVIe siècle est placé sous l'hégémonie des Portugais, ce sont les Arabes qui, à partir de 1650, dominent la scène. En 1698, le fort Jésus (à Mombasa) tombe aux mains des Omanis. Dans les années qui suivent, les Portugais, déjà soumis à la concurrence hollandaise sur la route des Indes, sont définitivement chassés.

Le temps de l'esclavage

Contrairement à ce que l'on pourrait supposer, le XVIIIe siècle est marqué par un fort déclin économique. Les luttes entre cités rivales ont repris de plus belle et le commerce en pâtit. Pourtant, peu à peu, des contacts se sont noués avec les tribus de l'intérieur du continent – à l'exception des zones sous contrôle massaï. Vers 1750, les marchands arabes sont parvenus au lac Tanganyika. Ils ont implanté des entrepôts à Tabora, sur les plaines centrales, ainsi qu'à Ujiji, une ville située sur les rives de cette véritable mer intérieure. Les caravanes ramènent à Bagamoyo or blanc – ivoire – et or noir – esclaves. Ces derniers, achetés plutôt que capturés, sont enchaînés et doivent traîner sur des centaines de kilomètres des défenses d'éléphants (brutes). Les faibles ne parviennent que rarement à destination : morts d'épuisement ou tués parce qu'ils n'arrivent pas à suivre; les historiens estiment à près de 10 millions les victimes de ce trafic sordide. De Bagamoyo, certains partent vers les îles de Zanzibar, Pemba ou Mafia, où ils vont travailler dans les plantations, d'autres vers l'Arabie où on fera d'eux des domestiques. La Compagnie française des Indes orientales, qui gère les nouvelles possessions de la Réunion, de l'île Maurice et des Indes, est un client régulier : la culture de la canne à sucre exige beaucoup de main-d'œuvre...
Les Anglais, mieux pourvus en ce domaine, vont tenter de contrecarrer les ambitions territoriales françaises en luttant pour l'abolition de la traite (mais pas encore de l'esclavage).

L'influence britannique

En 1822, pour remettre de l'ordre dans les querelles entre cités rivales, le sultan d'Oman, Sayyid Saïd, dépêche ses troupes en Afrique orientale. Les clans rebelles à son autorité sont rapidement soumis. En 1832, le sultan, envoûté sans doute par les charmes de Zanzibar qu'il vient de découvrir, décide d'en faire sa nouvelle capitale. Exerçant son pouvoir sur toute la côte, il réorganise le commerce et intensifie la traite des Noirs – malgré un traité signé avec l'Angleterre lui interdisant de vendre des esclaves aux nations chrétiennes.
Les Anglais sont partagés entre leur désapprobation du trafic et leur contentement de voir le sultan exercer son emprise sur la région. En plein dans les guerres napoléoniennes, puis avec la concurrence coloniale, ils craignaient que les Français ne cherchent à s'implanter dans cette partie de l'Afrique.
Parallèlement, la culture du clou de girofle – introduite des Moluques en 1818 – est en plein essor : à la fin du règne de Sayyid Saïd, Zanzibar fournira les trois quarts de la production mondiale. Dans l'intérieur des terres, les caravanes pénètrent toujours plus loin, affirmant l'empire commercial du sultan. Le port devient le plus grand marché d'esclaves de tout le continent noir : chaque année, près de 15000 esclaves y débarquent. C'est l'embellie. À Zanzibar, des palais sont édifiés, des marchands venus du monde entier s'installent. L'île est si riche que, dans la seconde moitié du siècle, les pirates l'attaquent régulièrement.

Peu à peu, l'influence anglaise grandit. En 1833, le gouvernement de Sa Majesté, pressé par les innombrables cercles d'intellectuels opposés à l'esclavage, prend la décision d'abolir celui-ci dans toutes ses colonies. Des centaines de milliers d'hommes recouvrent la liberté. Dix ans plus tard, l'Angleterre parvient à convaincre Sayyid Saïd de cesser la traite avec l'Arabie. En 1856, à la mort du sultan, l'île est déclarée indépendante d'Oman. Son fils aîné, Thuwaini, hérite du trône arabe. Mais, à Zanzibar, ce sont les Britanniques qui réussissent, au terme de querelles familiales, à imposer leur candidat : Majid, le second fils de Saïd. Derrière la prospérité, le déclin s'amorce. À la mort de Majid, en 1870, son frère cadet, Bargash, lui succède. C'est lui qui, en 1873, signe finalement le décret d'abolition de l'esclavage. Mais, si la traite est interdite, la possession d'un esclave ne l'est pas encore. En réalité, le trafic va continuer jusqu'à la fin du siècle.

L'ère des explorateurs européens

L'intérêt grandissant de l'Europe pour l'Afrique se manifeste dès la fin du XVIIIe siècle. À Londres, en 1788, l'Association pour la promotion de la découverte de l'Afrique centrale voit le jour. Motivés par les passions anti-esclavagistes grandissantes, rêvant de parvenir les premiers aux mystérieuses sources du Nil, les explorateurs, empruntant les routes établies par les caravanes arabes, vont s'enfoncer toujours plus profondément vers l'intérieur du continent.

– ***1854-1856 :*** Livingstone accomplit la 1re traversée du continent africain.
– ***1857-1858 :*** Burton et Speke, à la recherche des sources du Nil, découvrent les lacs Tanganyika puis Victoria-Nyanza.
– ***1858-1863 :*** Livingstone est chargé de fonder un poste sur le Zambèze.
– ***1860-1863 :*** Speke et Grant rejoignent le lac Victoria et descendent le Nil.
– ***1863 :*** Baker et sa compagne partent à la recherche de Speke et Grant. Ils les retrouvent à Gondokoro et poursuivent jusqu'au lac Albert.
– ***1864 :*** mort de Speke.
– ***1868 :*** Livingstone est à la recherche des sources du Nil au lac Bangweolo.
– ***1871 :*** Stanley retrouve Livingstone à Ujiji, sur le lac Tanganyika.
– ***1873 :*** Livingstone meurt le 1er mai. Son corps est rapatrié en Angleterre.
– ***1874-1877 :*** Stanley parcourt l'Afrique des Grands Lacs. Circumnavigation du lac Victoria.

Le partage de l'Afrique

Les grandes lignes reconnues, les États européens se penchent de manière croissante sur la carte du continent noir. En 1885, à Berlin, une grande conférence réunit toutes les nations coloniales dans le but de définir les sphères d'influence de chacun.

Depuis plusieurs années, l'Allemagne renforce sa présence au Tanganyika par le biais de la Compagnie allemande d'Afrique orientale, fondée par un aventurier du nom de Karl Peters. Celui-ci a obtenu de certains chefs coutumiers des traités acceptant la tutelle allemande.

En 1886, un traité reconnaît l'autorité du sultan Bargash sur les îles de Zanzibar, Pemba, Mafia et Lamu (cette dernière appartenant au Kenya), ainsi que sur une étroite bande littorale.

Mais le rapport des forces a basculé en faveur du Kaiser, et c'est lui qui impose désormais ses conditions. Deux ans plus tard, l'Allemagne prend officiellement possession du Tanganyika – soit de tout le territoire de l'actuelle Tanzanie, moins les îles. Ces dernières, de même qu'une bande côtière élargie, reviennent aux Zanzibaris sous tutelle anglaise. En 1895, le Kenya et l'Ouganda sont intégrés au protectorat.

La période allemande

Les Allemands entreprennent la mise en valeur de leur nouveau territoire, construisant routes, chemins de fer, écoles et hôpitaux. Mais l'Ost-Afrika n'est pas le Kenya. La terre n'est pas très propice à l'agriculture et l'élevage souffre de la présence des mouches tsé-tsé. Quelques exploitations voient cependant le jour dans les environs du Kilimandjaro et du mont Méru.
Sur la côte, le passage à l'autorité allemande est mal vécu. Dès 1889, les cités de Bagamoyo, Pangani et Tanga se rebellent ; la répression est sévère. Le siège du gouvernement colonial s'installe à Dar es-Salaam. En 1905-1906, le soulèvement des Majis-Majis prend des proportions nettement plus importantes : les historiens estiment à environ 100 000 le nombre de morts dans le camp africain. Aspergés d'« eau sainte », ceux-ci se croyaient tout bonnement invulnérables !
Pendant la Première Guerre mondiale, l'Afrique de l'Est va elle aussi être le théâtre de combats entre Allemands et Anglais. Sur le littoral, le *Köningsberg* s'illustre en envoyant par le fond plusieurs bâtiments alliés. Dans l'intérieur des terres, la lutte se poursuit sur le lac Victoria. Défaites en Europe, les troupes allemandes d'Afrique orientale restent invaincues au moment de la signature de l'armistice – qui ne sera d'ailleurs appliqué que 2 semaines plus tard. L'Allemagne se voit retirer le contrôle du Tanganyika. En 1922, la Ligue des Nations confie le mandat à la Grande-Bretagne. De la colonisation allemande le pays gardera quelques mots (*shule,* pour annoncer l'école, entre autres), un certain goût pour le chou dans l'alimentation, des ponts, 2 lignes de chemin de fer et quelques fermes...

De la colonie anglaise à l'indépendance

Peu enthousiasmés par leur nouvelle acquisition, les Anglais négligent largement le Tanganyika. Ils lui préfèrent le Kenya, où de nombreux colons sont déjà implantés.
Après la Seconde Guerre mondiale, le développement progressif de l'idée d'émancipation se propage à travers l'Afrique et atteint le Tanganyika. Quelques structures politiques existent déjà sous la forme de syndicats agricoles ou de coopératives.
Mais, au début des années 1950, c'est l'émergence de la TAA (Tanganyika African Association), puis de la TANU (Tanganyika African National Union) qui réussissent à coaliser les forces indépendantistes. À la tête du mouvement, Julius Nyerere est un jeune politicien fraîchement diplômé de l'université d'Édimbourg. Bien qu'il s'oppose à la promulgation d'une constitution garantissant les droits des minorités – européenne et asiatique –, l'indépendance est concédée sans heurts – et sans regret – le 9 décembre 1961. Un an plus tard, la république est proclamée.
À Zanzibar, les choses sont moins simples. Trois mouvements indépendantistes coexistent, avec une nette domination du Parti afro-shirazi (ASP), créé en 1957. Les Anglais, tuteurs du protectorat depuis 1890, sont, eux, partisans du parti nationaliste arabe, plus traditionaliste. Ils interviennent pour empêcher les élections de revenir à l'ASP afin que le 1er gouvernement de Zanzibar indépendant, fin 1963, soit formé par une coalition des 2 partis minoritaires. Mais, dès le mois suivant, l'ASP, écarté du pouvoir et soutenu par le TANU du nouveau Tanganyika indépendant, provoque l'insurrection de la majorité noire. La révolution est proclamée, le sultan renversé, et la minorité arabe pour ainsi dire exterminée. L'unification est presque immédiate : TANganyika et ZANzibar réunis forment la TANZANie.

Julius Nyerere, le « Mwalimu »

« J'ai grandi dans une société matériellement sous-équipée, mais humainement très riche. » Julius Nyerere (*nyerere* signifie « chenille ») est né en 1922 à Butiama, à une trentaine de kilomètres au sud de Musoma, dans la région est du lac Victoria. Son père, porte-parole de la tribu des Zanakis, eut 18 femmes et 26 enfants. Jusqu'à l'âge de 12 ans, Julius garde les troupeaux paternels. Il fréquente l'école de Musoma, puis l'école secondaire de Tabora. Après son baptême à l'Église catholique en 1943, il étudie à l'University College de Makerere (Ouganda). Devenu instituteur, il revient au pays où il enseigne l'histoire et la biologie chez les Frères Blancs de Tabora. Brillant intellectuel, ambitieux, il rêve d'autres horizons. Le voilà à l'université d'Édimbourg, où il obtient son Master of Arts. C'est en Grande-Bretagne qu'il prend conscience de son identité africaine et découvre le racisme au quotidien.

À son retour au Tanganyika, militant actif de la décolonisation, il se lance dans la politique et devient, en 1953, président de la TAA (Tanganyika African Association), puis fonde (en 1954) le TANU, un vrai parti appelant à l'indépendance. Devenu très populaire auprès des Africains, Nyerere n'en est pas moins considéré comme suspect par les autorités coloniales britanniques. Dès l'indépendance, il devient président de la République (en 1962). Intellectuel, chrétien, socialiste (plus que marxiste), Nyerere dirige le pays jusqu'en 1985, date à laquelle il se retire de la scène politique. Un fait trop rare sur le continent (si, il y a eu Senghor, au Sénégal), qui mérite d'être signalé. À un âge où la plupart des hommes d'État africains, enivrés de pouvoir, deviennent des tyrans à vie, cet homme a eu la sagesse de passer la main et de prendre sa retraite. Il a quand même été 24 ans au pouvoir sans aucune élection.

Dans sa ferme, il s'occupait de son troupeau et consacrait ses loisirs à traduire la Bible et Shakespeare en swahili. Le « Mwalimu » (maître d'école, c'est ainsi que les Tanzaniens l'appelaient) faisait figure de sage au-dessus des nuées, regardant le monde tourner. Mais ces apparences sont trompeuses, car dans la réalité, malgré son grand âge, Nyerere était toujours consulté (officieusement) par le gouvernement pour certaines grandes décisions cruciales quant à l'avenir du pays. « Qu'on se souvienne de moi comme quelqu'un qui a fait de son mieux. » Il s'est éteint d'une leucémie en 1999.

La Tanzanie socialiste

Lorsque Nyerere arrive au pouvoir en 1961, le Tanganyika souffre d'un sous-développement chronique. La négligence du mandataire anglais est telle qu'on ne trouve alors que 120 diplômés dans tout le pays ! Ténor de l'émancipation africaine, le nouveau chef de l'État, influencé par la Chine communiste, engage son gouvernement sur une voie radicale.

En 1967, la déclaration d'Arusha jette les bases de la politique nationale. L'éducation devient la priorité numéro 1. L'économie est nationalisée, les propriétés locatives confisquées, les taxes augmentées dans l'espoir d'une meilleure répartition des richesses. Mais c'est dans le domaine de l'agriculture, la pierre angulaire de l'économie tanzanienne, que les réformes sont les plus audacieuses : des centaines de communautés villageoises, baptisées *ujamaas,* sont organisées sur le modèle collectiviste. L'échec partiel des premières tentatives pousse le gouvernement à développer son système sur la base du regroupement des parcelles et de subventions encourageant la création de coopératives. Mais le résultat n'est guère meilleur.

Ne recevant aucune aide des pays occidentaux, la Tanzanie se tourne davantage encore vers la Chine. La ligne de chemin de fer reliant Dar es-Salaam à la Zambie est construite avec son soutien technique et financier. En 1973, le choc pétrolier vient bouleverser les espoirs de la Tanzanie, et le pays sombre doucement dans une crise économique à l'issue improbable. Fin 1978, l'invasion et le bombardement de la région du lac Victoria par les troupes d'Idi Amin Dada – qui reproche à son voisin d'héberger les opposants à son régime – plonge un peu plus encore le pays dans le marasme. Après plusieurs mois d'occupation, le gouvernement tanzanien parvient finalement à mettre une armée sur pied et il réussit, à la surprise de tous, à chasser l'intrus. L'armée tanzanienne occupe même l'Ouganda pendant près de deux ans. Le coût total de l'opération s'élève à 500 millions de dollars. L'agriculture stagnante, les transports paralysés, l'industrie inexistante, la Tanzanie est alors l'un des pays les plus pauvres de la planète.

La Tanzanie aujourd'hui

Le 31 novembre 1985, après 24 années de dirigisme, Nyerere cède finalement le pouvoir à Ali Hassan Mwinyi, président de Zanzibar de 1984 à 1985. Membre du CCM (*Chama cha Mapinduzi* – le Parti de la révolution), le parti unique, celui-ci va peu à peu se démarquer de son prédécesseur. Réélu avec 95 % des suffrages en 1990, il libéralise doucement l'économie et, en 1992, autorise le multipartisme. L'ambivalence entre Tanganyika et Zanzibar refait surface et l'élite de l'île réclame de manière croissante à participer aux décisions gouvernementales. Pour souligner sa différence, Zanzibar tente même, en 1992, d'adhérer à la Conférence islamique – une initiative rejetée par le gouvernement national.

À l'automne 1995, les premières élections présidentielles libres – bien qu'un peu chaotiques – portent au pouvoir Benjamin William Mkapa, un des bons élèves de Nyerere. En coulisse, la Tanzanie a soutenu le mouvement de Laurent Désiré Kabila et contribué ainsi à la chute de Mobutu, le dictateur du Zaïre (mai 1997). Deux mots sur la structure de la République qui n'est ni fédérale, ni unitaire. Elle est en réalité composée de 2 gouvernements : le gouvernement central, qui exerce son autorité sur l'ex-Tanganyika et sur les postes clés de la vie politique de Zanzibar (Défense, Intérieur, Affaires étrangères...), et le gouvernement de Zanzibar, qui conserve néanmoins une certaine autonomie décisionnelle et dont le pouvoir s'exerce dans des domaines différents (éducation et économie).

– ***Régime :*** présidentiel, parlementaire et multipartiste.
– ***Zanzibar :*** fait partie de la république de Tanzanie, mais dispose de son propre gouvernement et de ses ministères (sauf la Défense, les Affaires étrangères et l'Intérieur).
– ***Chef de l'État :*** Benjamin Mkapa (né en 1938). Amani Abeid Karume est en charge de Zanzibar.
– ***Pouvoir exécutif :*** détenu par un président de la République élu pour 5 ans.
– ***Pouvoir législatif :*** assemblée nationale avec 291 députés élus pour 5 ans.
– ***Partis politiques :*** le parti au pouvoir s'appelle le CCM *(Chama Cha Mapinduzi)*, mais une quinzaine d'autres partis est autorisée depuis 1993.

INFOS EN FRANÇAIS SUR TV5

La chaîne TV5 est reçue dans la plupart des hôtels du pays. Pour ceux qui souhaitent s'y installer plus longtemps ou qui voyagent avec leur antenne parabolique, TV5 est reçue par le satellite PANAM SAT 4 (bouquet Multichoice).

Les principaux rendez-vous Infos sont toujours à heures rondes où que vous soyez dans le monde, mais vous pouvez surfer sur leur site • www.tv5.org • pour les programmes détaillés ou l'actu en direct, des rubriques voyages, découvertes...

LANGUE

– La langue officielle est le kiswahili, et l'anglais, la 1re langue.
– Il existe plus de 120 dialectes ethniques.
– Pour plus de détails sur la langue swahilie, reportez-vous à cette rubrique dans les « Généralités » du Kenya.

LIVRES DE ROUTE

– ***La Ligne de front,*** de Jean Rolin (éd. Payot, 1992). Ce récit de voyage en Afrique australe a été écrit avant l'abolition de l'apartheid en Afrique du Sud. Ancien révolutionnaire de 1968, l'auteur part de Dar es-Salaam, passe à Zanzibar, traverse en train la Tanzanie jusqu'à Mbeya. Puis il continue à travers les pays en lutte contre le régime sud-africain (Malawi, Zambie, Zimbabwe, Botswana). Il y a si peu de récits de voyage écrits en français sur cette partie du monde que celui-ci mérite d'être connu.
– ***Zanzibar,*** de M. M. Kaye (éd. Phébus, Libretto, 2 tomes). Mémoires de voyages, d'aventures et de combats d'un incorrigible bourlingueur des mers.
– ***Le Négrier de Zanzibar,*** de Louis Garneray (éd. Phébus, 1985; poche : éd. Payot, 1992). Récit de voyage. Deuxième volet du *Corsaire de la République,* où Garneray (aussi ami de Surcouf) raconte les périples d'un voyage entre les Indes et Zanzibar. C'est également un témoignage du trafic et du transport de l'or noir au début du XIXe siècle.
– ***Les Girofliers de Zanzibar,*** d'Adam Shafi Adam (éd. du Serpent à Plumes, coll. Motifs, 1998). Un roman étonnant qui, sous la forme d'un conte, retrace un événement bien réel de l'histoire de l'île : la révolution de 1964, qui mit fin au sultanat pour instaurer une république populaire à Zanzibar.
– ***Comment j'ai retrouvé Livingstone,*** d'Henry Stanley (éd. Actes Sud, coll. Babel, terres d'Aventures). Un grand classique de l'aventure qui vous fournira quelques pistes pour la recherche des fantômes de Kigoma. Les deux hommes se sont retrouvés en fait dans la ville de Ujiji, ancien nom de Kigoma, au bord du lac Tanganyika.

MARCHANDAGE

Mêmes problèmes et mêmes règles de conduite qu'au Kenya (hormis la monnaie, les prix et les noms qui changent). Se reporter à cette rubrique dans la partie sur le Kenya.

MÉDIAS

La tendance amorcée en 2001 se poursuit : les atteintes à la liberté de la presse se font moins nombreuses et les journalistes travaillent plus librement en Tanzanie, y compris en province, sauf à Zanzibar.

Radio

En Tanzanie, la radio est un média particulièrement important. Dans les grandes villes comme dans les plus petits villages, on trouve toujours un transistor allumé et des habitants autour en train d'écouter les programmes. Une trentaine de radios émettent dans le pays, dont deux sont publiques. On peut capter plusieurs stations étrangères, dont les programmes en anglais de *Radio France Internationale,* relayée par 2 radios locales.

Télévision

Les Tanzaniens ont le choix : avec une quinzaine de chaînes nationales (dont une publique) et autant de chaînes reçues par le câble, sans compter les bouquets satellites, l'offre audiovisuelle est riche dans le pays. Cependant, à la différence de la radio, la TV ne couvre pas l'ensemble du territoire.

Journaux

Là encore, l'offre est pléthorique : selon le ministère de l'Information, 422 publications étaient enregistrées début 2003, dont 19 quotidiens et une soixantaine d'hebdomadaires. Pour le reste, il s'agit de revues spécialisées, de lettres d'information et de bulletins administratifs. Comme au Kenya, on trouve des quotidiens en anglais et d'autres en langue locale. Par ailleurs, on compte de plus en plus de journaux « people » où les ragots se partagent la une avec des histoires à scandale, souvent sans aucun fondement, mais très prisées des lecteurs.
Quelques titres appartenant à de grands groupes ont une véritable assise financière, mais la plupart des journaux sont proches de l'asphyxie économique.

Liberté de la presse

La situation de la liberté de la presse semble s'améliorer en Tanzanie. Les exactions sont de moins en moins nombreuses et les journaux publiés en swahili, traditionnellement plus exposés que les grands quotidiens anglophones, bénéficient eux aussi de meilleures conditions de travail.
Après avoir été alerté sur les réticences de son administration à donner des informations à la presse, le gouvernement a rappelé que les services publics devaient collaborer avec les journalistes. La police, particulièrement mise en cause par les reporters, a déclaré que les personnes publiques doivent « fournir des informations fiables aux journalistes et, d'un autre côté, ceux-ci doivent les rapporter correctement après avoir mené leurs investigations ».
À Zanzibar, en revanche, la liberté de la presse n'existe pas. Les autorités locales continuent de mener la vie dure aux quelques médias indépendants basés dans l'archipel. En 2003, l'hebdomadaire *Dira* et son directeur ont été victimes d'un véritable harcèlement.

Ce texte a été réalisé en collaboration avec Reporters sans frontières. Pour plus d'informations sur les atteintes à la liberté de la presse, n'hésitez pas à les contacter :

■ ***Reporters sans frontières :*** 5, rue Geoffroy-Marie, 75009 Paris. ☎ 01-44-83-84-84. Fax : 01-45-23-11-51. • www.rsf.org • rsf@rsf.org • Ⓜ Grands-Boulevards.

PARCS NATIONAUX ET RÉSERVES

Aujourd'hui, près de 10 % du territoire de la Tanzanie jouit d'un statut spécial de protection. On distingue 3 catégories de territoires protégés : les parcs nationaux, où les règles de protection sont les plus fortes (pas d'habitants), les réserves de gibier *(game reserves)*, où la chasse est autorisée, et les zones protégées (le Ngorongoro), où des habitants peuvent vivre sous certaines conditions (les Massaïs notamment). Les prix d'entrée, qui peuvent encore augmenter, sont donnés par jour et par personne. Si vous arrivez en début d'après-midi et prolongez votre balade autour du lac Manyara ou dans le cratère du Ngorongoro le lendemain matin, sachez qu'il faudra déjà multiplier par deux vos frais.

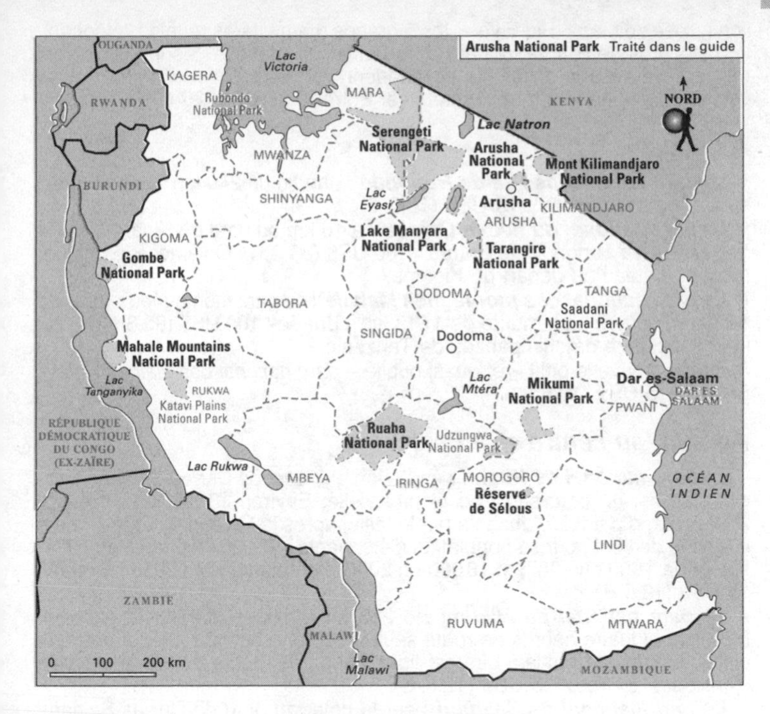

LES PARCS NATIONAUX

Les principaux parcs

Au nord du pays

– ***Le parc national d'Arusha :*** petit parc (137 km^2), aux portes de la ville d'Arusha. Une belle colonie de flamants roses y séjourne à certaines périodes de l'année, sur les rives des lacs Momella. Entrée : 25 US$ (20,8 €).

– ***Le parc national du Kilimandjaro :*** avec d'épaisses forêts sauvages, ce parc est destiné avant tout à servir de ceinture naturelle de protection au toit de l'Afrique, le mont Kilimandjaro, qui culmine à 5895 m. Réservé aux marcheurs. Entrée : 30 US$ (25 €).

– ***Le parc national du lac Manyara :*** à 107 km au sud d'Arusha. Un parc plein de charme, de 325 km^2, englobant un grand lac faisant partie intégrante de la grande faille de la Rift Valley. Entrée : 25 US$ (20,8 €).

– ***Le parc national de Tarangire :*** à 115 km au sud d'Arusha, ce parc de 2600 km^2 s'étend sur un magnifique paysage de savane africaine ponctué d'acacias et de baobabs (plus nombreux qu'ailleurs). Entrée : 25 US$ (20,8 €).

– ***Le parc national du Serengeti :*** le plus grand parc de Tanzanie (14750 km^2) abrite des paysages d'une beauté époustouflante et une faune sauvage extrêmement variée. Y vit le troupeau de gnous le plus important du monde. Entrée : 30 US$ (25 €).

– ***La région protégée du Ngorongoro :*** à 180 km à l'ouest d'Arusha; 8288 km^2. Le cratère, cœur de la zone, est le seul endroit de Tanzanie où l'on puisse voir les « Big Five », les 5 grands mammifères réunis : l'éléphant, le rhinocéros, le lion, le léopard et le buffle. En pratique, les léopards sont très difficiles à approcher, ils descendent rarement dans le cratère et se cachent dans les forêts environnantes. Entrée : 30 US$ (25 €).

À l'ouest

– ***Le parc national de l'île de Rubondo :*** une île de 240 km² au sud-ouest du lac Victoria. Entrée : 15 US$ (12,5 €).
– ***Le parc national du fleuve Gombe :*** à 16 km au nord de Kigoma, sur la rive est du lac Tanganyika. Entrée : 100 US$ (83,3 €). On y accède uniquement en bateau au départ de Kigoma.
– ***Le parc national des montagnes Mahale :*** ce parc montagneux (plus de 1 800 m²) couvre un territoire de 1 613 km². Entrée : 100 US$ (83,3 €). C'est le 2ᵉ sanctuaire de chimpanzés de Tanzanie.
À côté se trouve le petit – et quasi oublié – *parc national des plaines Katavi.* Entrée : 15 US$ (12,5 €).

Au sud, au centre et à l'est

– ***Le parc national de Ruaha :*** à 621 km à l'ouest de Dar es-Salaam. Difficile d'accès, un parc sauvage et peu visité. Environ 13000 km². Il est le 2ᵉ plus grand parc de Tanzanie par la taille, après le Serengeti. Et le 1ᵉʳ parc d'Afrique de l'Est pour sa population d'éléphants : 22000 éléphants en 1977, autour de 4000 en 1987, et 10000 en 2000. Combien en l'an 2015 ? Entrée : 15 US$ (12,5 €).
– ***Le parc national de Mikumi :*** à 283 km à l'ouest de Dar es-Salaam, 3230 km². Quatre heures de route seulement (une bonne route, et non une piste). Éléphants, buffles, girafes, lions, léopards, zèbres, et toutes sortes d'antilopes. Entrée : 15 US$ (12,5 €).
– ***Le parc national de Saadani :*** sur la côte, au nord de Dar es-Salaam. Assez unique en son genre puisque les animaux (les éléphants notamment) viennent sur la plage la nuit. Pour les bains de minuit, c'est on ne peut plus « tendance » !

Les réserves de gibier ou *game reserves*

Elles sont ouvertes à tous, aux chasseurs et aux non-chasseurs. Les safaris s'y déroulent en compagnie de guides armés. Les structures d'accueil y sont beaucoup plus sommaires que dans les parcs. Peu de *lodges,* mais des camps de toile.
– ***La réserve de Selous :*** à 7 h de route ou 45 mn de vol de Dar es-Salaam. Beaucoup de visiteurs y vont en avion de Dar. Selous est un immense morceau de territoire (55000 km²), au sud de la Tanzanie. Délimitée en 1922, cette réserve demeure encore aujourd'hui un lieu où la chasse s'exerce dans la grande tradition sportive (et néanmoins barbare et stupide !) glorifiée par Hemingway. Meilleure période : de juin à novembre.
– ***La réserve de gibier de Grumeti :*** au nord du parc du Serengeti.
– ***La réserve de gibier d'Ikorongo :*** jouxte la réserve de Grumeti.
– ***La réserve de gibier de Maswa :*** au sud-ouest du parc du Serengeti.
– ***La réserve de gibier de Moyowosi :*** au centre du pays, entre le lac Victoria et le lac Tanganyika.
– ***La réserve de gibier de Kigosi :*** jouxte la réserve de Moyowosi.
– ***La réserve de gibier de Burigi :*** 2200 km². À la frontière du Rwanda.
– ***La réserve de gibier de Biharamulo :*** sur la rive sud-ouest du lac Victoria.
– Et aussi : les réserves de gibier de la rivière Ugalla, de Mkomazi et de Rungwa.

PERSONNAGES

Voici quelques explorateurs célèbres qui, par leurs travaux, ont largement contribué à faire connaître le pays :

– ***David Livingstone*** (1813-1873) **:** sans doute le plus célèbre des explorateurs de l'Afrique, il débarque au Cap en 1840 à l'âge de 27 ans. Rien ne le prédestine au destin exceptionnel qui s'ouvre devant lui : enfant issu d'une famille pauvre de Glasgow, employé dans une fabrique de coton dès l'âge de 10 ans, il est parvenu, à force d'ambition, à suivre des études de médecine et de théologie. Après un long séjour en Afrique du Sud sur fond de guerre des Boers, Livingstone décide de porter la bonne parole dans les régions inexplorées. Une 1re expérience – la découverte du lac Ngami (au Botswana) – va l'enthousiasmer. Un peu illuminé, aventurier dans l'âme, il décide d'installer sa famille chez les Kololos du moyen Zambèze avant de les renvoyer en Angleterre.

En 1851, il ne se consacre plus qu'à son but : ouvrir l'Afrique aux Occidentaux, l'évangéliser et faire que cesse la traite – sans oublier la part de gloire qu'il pourrait en retirer. En bateau, puis à dos de bœuf, il parvient jusqu'en Angola, retourne vers le Zambèze et découvre, le 17 novembre 1855, des chutes magnifiques qu'il nomme Victoria. Les relations avec les tribus sont souvent difficiles et l'explorateur souffre de la malaria. Mais rien ne peut l'empêcher de poursuivre. Il atteint le Mozambique, devenant ainsi le 1er Blanc à avoir traversé l'Afrique de part en part.

De retour en Angleterre en 1856, Livingstone est accueilli en héros national. À l'université de Cambridge, il se dira prêt à repartir « pour tracer la voie du commerce et de l'évangélisation ». Il perd cependant le soutien de la Société des missions de Londres, qui lui reproche de s'être par trop consacré à son salut personnel... Le Foreign Office lui confie alors la charge de fonder un poste sur le Zambèze. Livingstone découvre le lac Malawi (en 1858) puis, au courant de la querelle opposant Speke et Burton, s'intéresse à son tour aux sources du Nil – qu'il croit repérer dans le lac Bangweolo (dans l'ex-Zaïre) –; mais, plus au nord, Speke a eu davantage de nez (voir ci-dessous).

Malade, Livingstone se fait transporter à Ujiji, une ville marchande située au bord du lac Tanganyika. Il meurt le 1er mai 1873, pendant sa prière. Ses deux serviteurs font embaumer son corps et le transportent, à pied, sur 2500 km, jusqu'à Zanzibar, d'où il est ensuite acheminé vers l'Angleterre pour des obsèques nationales célébrées à Westminster.

– ***Richard Burton*** (1821-1890) et ***John Hanning Speke*** (1827-1864) **:** en 1857, la Société de géographie royale confie à ces 2 officiers de l'Armée des Indes la charge de localiser les sources du Grand Fleuve. Le premier, fervent orientaliste, est aussi ambitieux et autoritaire que le second est discret et réservé. Mais tous deux ont en commun l'expérience : Burton, qui parle plus de 20 langues, a déjà visité La Mecque, déguisé en pèlerin afghan. Speke a, quant à lui, parcouru les montagnes de l'Himalaya.

L'expédition quitte Bagamoyo en juin 1857. Après 134 jours de marche, elle atteint Kazeh, une ville caravanière, puis, 3 mois plus tard, le village de Kawelé, sur la rive orientale du lac Tanganyika. Burton et Speke sont les premiers Européens à y parvenir. Mais le trajet a été dur et l'un comme l'autre sont malades. Ils sillonnent toutefois la région. Mais c'est la déception : les eaux du Nil ne peuvent provenir du lac Tanganyika. En mai 1858, les 2 explorateurs sont à nouveau à Kazeh. L'échec se ressent et les relations entre eux sont tendues.

Speke part seul vers le nord. Le 3 août, il fait une extraordinaire découverte. Une véritable mer intérieure s'étend devant lui : le lac Nyanza. Il le rebaptise Victoria, convaincu – à juste titre – qu'il sert de réservoir au Nil. Trop pressé de rentrer, il néglige cependant d'en faire le tour, ce qui va donner champ libre à Burton pour critiquer sa théorie.

Le divorce est total. Speke rentre le premier en Angleterre et rend publique sa découverte. L'enthousiasme généré est sans précédent. Burton, enfin à

Londres, mais écarté du succès, rumine sa vengeance. Il publie ses propres récits, contestant les arguments de son ancien partenaire. La polémique fait rage. Pour démontrer qu'il a raison, Speke décide de repartir.
– ***James Grant*** (1827-1892) **:** aux côtés de l'explorateur Speke, Grant quitte Zanzibar en octobre 1860. Il progresse sans difficulté jusqu'à Kazeh, puis jusqu'au lac Victoria. Là, les deux hommes se séparent. Grant remonte vers le royaume du Bunyoro (nord de l'Ouganda). En juillet 1862, Speke atteint l'extrémité nord du plan d'eau, à l'endroit précis où celui-ci se déverse en chutes dans le Nil, 6670 km en amont du delta méditerranéen. Il tient la preuve qu'il cherchait. L'expédition prend le chemin de retour vers l'Angleterre en descendant le fleuve. D'Égypte, Speke envoie un câble : « La question du Nil est réglée ! » Reste cependant à déterminer quel cours d'eau se déverse dans le lac Victoria et... à convaincre les incrédules. Livingstone lui-même soutient Burton. La mort de Speke, à l'automne 1864, relance la polémique : accident de chasse ou suicide ? Beaucoup y voient l'œuvre d'un homme désespéré par le mensonge. Et pourtant...
– Dans l'ombre de Speke et de Grant, ***Samuel Baker*** (1821-1893) et sa compagne ***Florence*** ont remonté le Nil en vapeur jusqu'à Gondokoro, mandatés par la Société de géographie royale pour retrouver les deux explorateurs dont on était sans nouvelles. C'est là qu'ils les rencontrent, en février 1863. Mais Baker rêve lui aussi de gloire. Il décide de poursuivre son voyage. Les conditions sont extrêmement difficiles : en un an, le couple parcourt tout juste 250 km ! Retenus un temps par le roi du Bunyoro, ils réussissent finalement à atteindre leur but : le Luta Nzigué, qu'ils nomment lac Albert. Baker est certain qu'il s'agit d'une seconde source du Nil. À son retour, ses récits jettent le trouble dans la communauté des géographes.
– ***Henry Morton Stanley*** (1841-1904) **:** ce journaliste américain (d'origine anglaise) part de Zanzibar en novembre 1874, à la tête d'une expédition de 360 personnes, avec l'intention de descendre la Lualaba – de manière à vérifier s'il s'agit, comme Livingstone le pensait, de la même rivière que le Nil. Il emporte, en pièces détachées, un bateau de 13 m... Là où Livingstone a échoué, il va démontrer, après 999 jours d'expédition et près de vingt années d'intervalle, la véracité de la thèse de Speke. La Lualaba est en fait le Congo. Plus tard, Stanley retrouve les chutes (baptisées Ripon par Speke), cartographie le lac Victoria et explore la région : il est le premier à observer le lac Édouard, puis le lac George et les montagnes du Ruwenzori. La réalité géographique apparaît progressivement, plus complexe que ne s'y attendaient les spécialistes.

PHOTOS

Se reporter à la rubrique « Photos » dans les généralités consacrées au Kenya. Prévoir un bon stock de pellicules (on ne reste jamais indifférent devant un lion ou une antilope), les acheter à la rigueur à Arusha, mais surtout pas dans les *lodges* (peu de choix et prix trop élevés). Si vous êtes passés au numérique, évidemment, la question ne se pose pas !

POPULATION

Elle est à 95 % d'origine bantoue, groupe dominant de toute l'Afrique subéquatoriale, alors même que le pays est à l'extrême pointe de l'avancée nilotique, notamment avec les Massaïs (environ 65000). La civilisation swahilie s'est épanouie dans l'archipel de Zanzibar et sur la côte, avant de se répandre à l'intérieur du pays. Ainsi le swahili est-il devenu naturellement la langue nationale du pays.
La répartition de la population, qui s'élève à 36 millions d'habitants environ, est très inégale et largement périphérique. Les densités maximales se

concentrent dans les massifs du Nord-Est, au sud et à l'ouest du lac Victoria (pays sukuma et haya), dans les montagnes du Sud et sur la côte. Peu à peu, la population s'étire vers les plateaux centraux.
À l'origine caractérisé par un habitat éparpillé en hameaux, le monde rural a connu une grande opération de « villagisation », destinée à faciliter le travail commun et l'équipement. Elle n'a toutefois pas frappé les massifs les plus peuplés, où les maisons continuent d'être éparpillées au milieu des champs.
Le taux d'urbanisation reste modeste (autour de 35 %). Malgré une progression rapide des villes de l'intérieur, comme Arusha, les centres urbains les plus actifs restent côtiers : Dar es-Salaam, le pôle urbain et économique majeur, compte plus de 2,5 millions d'habitants.

POSTE

On peut acheter des timbres dans les bureaux de poste et aux réceptions des hôtels de classe internationale. Un timbre pour une carte postale pour l'Europe coûte 600 Tsh (0,5 €).
Une lettre met environ 10 jours pour arriver en Europe. Envoyez plutôt un e-mail, si vous avez oublié de faire arroser vos plantes ou de donner à manger au chat !

RELIGIONS ET CROYANCES

Chiffres : chrétiens, 45 % ; musulmans, environ 35 % ; autres religions, 20 % (hindouisme, sikhisme, animisme...). Chiffres difficiles à vérifier et variables selon les sources.

L'islam

La majorité des musulmans suit un islam sunnite, donc plus tolérant que l'islam chiite (dont le modèle est l'Iran). Les grandes fêtes musulmanes sont des jours fériés, de même que le Vendredi saint, Pâques et Noël, fêtes chrétiennes mais également jours fériés pour tous les Tanzaniens.
À Zanzibar (voir, dans le chapitre sur cette île, la rubrique « Religions et croyances »), l'islam est plus présent (95 % de la population), et la polygamie plus répandue que sur le continent. La majorité est sunnite, de rite shafii. Le reste est composé de chiites et de minorités (les ismaéliens, les dawodis bohras).

Le christianisme

Peu de pays d'Afrique peuvent se targuer d'avoir eu un ex-président à la retraite (Julius Nyerere) qui passait le plus clair de son temps à traduire la Bible en swahili ! En Tanzanie, le christianisme est bien vivant, mais il n'est ni sectaire ni intolérant. La plupart des postes à responsabilités dans l'administration sont quand même tenus par des chrétiens, ce qui énerve les musulmans. Du côté des catholiques, les séminaires sont pleins. Les congrégations religieuses se montrent très actives auprès des pauvres, des malades, des marginaux, des enfants, des désœuvrés.
– ***Les catholiques :*** on compte 5,6 millions de catholiques, près de 1 700 prêtres, 5 800 religieuses et 745 paroisses. Très présent dans le nord du pays, l'ordre des Spiritains tente de respecter, dans la mesure du possible, certaines coutumes ancestrales. Exemple : dans la liturgie, les frères gardent les symboles des ethnies, l'herbe pour la fertilité, la chaux pour le renouveau.

En 1990, le pape Jean-Paul II a fait une étape en Tanzanie. Une fausse note grave pour le souverain pontife : il a condamné sans appel les préservatifs sur le plan moral, en oubliant que sur le plan de la santé publique il est, en Afrique comme ailleurs, le seul moyen de lutte efficace contre l'extension du sida. Or, la Tanzanie est, avec l'Ouganda, l'un des 2 pays du monde les plus touchés par ce virus.

– ***Les protestants :*** les protestants, eux, n'obéissent pas au pape et fondent leur conduite sur les écrits de la Bible. Ils sont assez nombreux en Tanzanie, répartis en Églises et en communautés aussi variées que diverses (les adventistes du 7e jour, les pentecôtistes...). Certaines Églises protestantes forment des minorités extrémistes comme les *Pathfinders,* un groupuscule d'extravagants. Les membres de cette secte considèrent que seule la puissance de la foi peut venir à bout de tous les maux humains. Certains membres en profitent pour ne pas travailler la terre, prétextant que si Dieu les voit du haut de son ciel, il leur enverra *illico presto* à travers les nuages une manne céleste pour les nourrir ! Des naïfs illuminés ! Un beau jour, le chef spirituel des *Pathfinders* décida de tester la ferveur religieuse d'une brochette de fidèles. Il invita son petit groupe à une sortie en bateau sur le lac Victoria. Une fois au milieu du lac, il leur demanda de descendre de la barque et de faire comme Jésus-Christ : marcher sur les eaux. Ils obéirent à leur maître. Et plouf : 10 noyés d'un coup ! Depuis ce jour, les *Pathfinders* sont poursuivis par la police.

SAFARIS

Les conseils que nous donnons dans la rubrique « Safaris » des « Généralités » de la partie Kenya sont, *grosso modo,* les mêmes pour la Tanzanie. Une grande différence, tout de même : en Tanzanie, le tourisme a 10 ans de retard sur le Kenya. Tant mieux, le pays gagne en authenticité. Moins de touristes, moins de safaris organisés, moins de *lodges,* plus de grands espaces sauvages, et plus d'animaux ! La Tanzanie envie le Kenya pour les devises que lui rapporte le tourisme, mais elle ne souhaite pas elle-même devenir une destination pour le tourisme de masse. D'où les prix pratiqués, relativement plus élevés qu'au Kenya pour des prestations à peu près identiques. Bien demander à votre agence si l'entrée des parcs est comprise ou non, pour ne pas avoir de mauvaise surprise.

Combien de temps?

Pour un safari au lac Manyara, au cratère du Ngorongoro et dans le parc du Serengeti : compter au minimum 3 nuits et 4 jours. Si vous souhaitez visiter en plus le parc de Tarangire : comptez 6 jours et 5 nuits. Le minimum idéal, c'est en fait une bonne semaine. Le temps dépend de votre budget et de l'intérêt que vous portez à la vie sauvage. Quelques pièges à éviter, si vous voulez gagner du temps et de l'argent. Beaucoup d'agences, pour des raisons pratiques de transport ou pour complaire à ceux qui s'occupent du tourisme au plan local, vous font arriver systématiquement dans un parc en milieu d'après-midi, après avoir visité le précédent dans la matinée : vous aurez donc déjà payé un droit de passage d'une journée complète pour le précédent, allez repayer un autre pour le petit nouveau, et repayerez de même pour la journée de safari du lendemain dans ce même parc. Ajoutez à cela les repas pris dans des *lodges* pas vraiment bon marché, et vous comprendrez que vos temps de repos dans les *lodges* sont comptés à prix d'or. Calculez donc au mieux, en estimant les distances, qui restent importantes, même avec l'arrivée d'une route bitumée juste aux portes des premiers parcs, et en dosant la fatigue des pistes, selon votre état de santé.

Les prix selon le type de safari

– ***Les safaris en camion :*** les moins chers de tous les safaris. Pour routards sac à dos. Certains tour-opérateurs sont spécialisés dans ce genre de safari. Ce sont des camping-safaris où les passagers embarquent à l'arrière de gros camions (ni minibus ni 4x4). Les tentes sont montées chaque soir et démontées chaque matin, sauf quand on reste longtemps dans le même site (emplacements prévus à cet effet dans les parcs).
– ***Les camping-safaris :*** il faut toujours compter entre 70 et 90 US$ (58,3 et 75 €) par personne et par jour. Ne pas prévoir de matériel, il est fourni. Nous citons un certain nombre de tour-opérateurs recommandables dans les rubriques « Adresses et infos utiles. Agences de voyages et organisateurs de safaris » à Arusha et à Moshi.
– ***Les lodges-safaris :*** un safari organisé par un tour-opérateur (ou vendu par l'intermédiaire d'une agence de voyages, au départ de l'Europe) coûte entre 150 et 250 US$ (125 et 208,3 €) par jour et par personne, avec les transports. Ajoutez à cela les inévitables pourboires pour le guide, les boissons diverses, le panier-pique-nique, etc. Si vous choisissez de jouer la carte charme, prévoyez un billet de plus (un billet de 10, pas de 100, évidemment, quoique, si vous avez vraiment les moyens...)
Un safari *organisé sur place* dès votre arrivée, en contactant par vous-même un tour-opérateur (une centaine est basée à Arusha), coûte à peine moins cher qu'un forfait monté au départ d'Europe par une agence. Mais cela demande plus de temps de préparation (entre 2 et 3 jours). Compter, dans ce cas, en moyenne 150 US$ (125 €) par jour et par personne.

SANTÉ

– ***Vaccin contre la fièvre jaune*** non obligatoire mais toujours conseillé. Il faut prévoir une marge de plus de 10 jours avant votre départ.
– Vaccins non obligatoires mais recommandés : contre la typhoïde, l'hépatite A, l'hépatite B, le DTP (Diphtérie-Tétanos-Polio). Dans certains cas (voir avec votre médecin), vaccinations contre les méningites A + C, et contre la rage.
– Inutile de nous répéter : tout est détaillé dans la rubrique « Santé » du chapitre sur le Kenya.

SAVOIR-VIVRE ET COUTUMES

Pareillement, ce qui est valable pour le Kenya l'est aussi pour la Tanzanie. Reportez-vous à cette même rubrique en début de guide.

SEXE

Officiellement, en Tanzanie, la prostitution n'existe pas. Mais il n'est pas nécessaire de porter des lunettes à infrarouge ou d'utiliser des jumelles à vision nocturne pour s'apercevoir que des ribambelles de jeunes (et ravissantes) Africaines arrondissent leurs fins de mois en vendant leurs charmes dans des discothèques ou dans des bars (à Dar es-Salaam et ailleurs, sur la côte). La prostitution occasionnelle est aussi répandue.
Le sida continue à faire des ravages en Afrique. Sur le continent noir, plus de 7 millions d'adultes seraient déjà infectés par le virus (11 à 12 millions dans le monde). La région des Grands Lacs est particulièrement touchée par ce fléau. Plus d'un cas de sida sur deux recensés en Afrique provient de ces 6 pays : Ouganda, Tanzanie, Kenya, Rwanda, Burundi et Malawi.
En Tanzanie, près de 80 % des cas de sida (sida se dit *ukimwi* en swahili) sont d'origine hétérosexuelle. Selon l'OMS, 10 % de la population tan-

zanienne serait séropositive, dont le tiers à Dar es-Salaam. En plus de cette ville, l'infection touche principalement les régions d'Arusha, Mbeya et Mwanza. Un des moyens de lutte les plus efficaces, le préservatif, se heurte encore à l'opposition aveugle des Églises chrétiennes. Celles-ci s'obstinent à voir le diable là où il y a surtout un problème (alarmant) de santé publique.

SITES INTERNET

• ***www.routard.com*** • Tout pour préparer votre périple, des fiches pratiques, des cartes, des infos météo et santé, la possibilité de réserver vos prestations en ligne. Sans oublier *Routard mag,* véritable magazine avec, entre autres, ses carnets de route et ses infos du monde pour mieux vous informer avant votre départ.
• ***www.tanzania-web.com*** • Office de tourisme de la Tanzanie. Site assez complet où l'on peut retrouver des informations à la fois pratiques et touristiques.
• ***www.tanzania.go.tz*** • C'est le site officiel du gouvernement tanzanien. Tout ce que vous voulez savoir, du recensement précis de la population ville par ville, année par année, à l'économie du pays en passant par les discours des chefs d'État. Tout, vraiment tout. En anglais.
• ***www.onsafari.com*** • Agence On Safari. Ce site est spécialisé dans les safaris en Afrique de l'Est et en Afrique australe (Botswana, Zimbabwe, Afrique du Sud). Il propose des adresses de *lodges,* d'agences et de tour-opérateurs, de nombreuses cartes, des conseils utiles. Le plus original sur ce site consiste à faire un cybersafari. En cliquant sur des cartes précises, l'internaute peut suivre, mois par mois, la migration des gnous en Tanzanie (parc du Serengeti) et au Kenya, et savoir où l'immense troupeau se trouve exactement.
• ***www.wildnetafrica.co.za*** • Wildnet Africa. Un site sud-africain spécialisé dans la vie sauvage. Il donne des conseils utiles, des indications précieuses sur les animaux d'Afrique, et fait des liens vers des sites consacrés (et militants) à la protection de la nature et de l'environnement.

TÉLÉCOMMUNICATIONS

Téléphone

Le téléphone international fonctionne souvent mieux (grâce au satellite) que le téléphone intérieur. Même les parcs ne sont plus isolés du monde grâce au téléphone portable. Vous allez pouvoir ainsi envoyer en direct votre photo du repas des lions ou du petit dernier de la famille éléphants.

– ***France → Tanzanie :*** faites le 00 + 255 + l'indicatif de la ville (il est toujours à 3 chiffres, mais ne pas faire le 0 qui le précède) + le n° de votre correspondant. Tarif : environ 1,5 €/mn en tarif normal.

– ***Tanzanie → France :*** composez le 000 + 33 + le n° de votre correspondant à 9 chiffres (ne pas faire le 0 initial). Comptez entre 1500 et 2000 Tsh/mn (soit 1,2 à 1,7 €) pour une communication vers l'Europe.

– ***Tanzanie → Tanzanie :*** les téléphones portables sont très nombreux. Il existe 4 principales compagnies *Mobitel* (n° commençant par 0741) ; *Vodacom* (0744) ; *Celtel* (0748) et *Zantel* (0747). Lorsqu'on appelle d'un fixe vers un portable, composer l'indicatif de l'opérateur (0744, 0748, etc.) suivi des 6 numéros de votre correspondant. Idem dans l'autre sens (composer l'indicatif téléphonique, sans oublier le 0 devant). Lorsque vous appelez un correspondant par le même opérateur, inutile de composer l'indicatif.

– Les communications passées depuis les hôtels sont beaucoup plus onéreuses que d'un bureau de poste ou d'une agence de téléphone-fax privée (on en trouve dans les villes). Dans les principales villes, on trouve sans pro-

blème des téléphones publics qui fonctionnent avec des cartes téléphoniques.
– Dans les *lodges* : il n'y a pas de téléphone, ni dans les chambres ni à la réception. Le seul moyen de communication est la radio, utile en cas d'urgence. De quoi sécuriser ceux qui craignent une crevaison au milieu des lions... (mais vous êtes rarement seuls longtemps, même au cœur du Serengeti !). Les agences sérieuses (et surtout plus riches) équipent leurs 4x4 de radio. Mais les guides malins profitent toujours au mieux des rencontres ou des arrêts forcés : 10 véhicules qui tournent autour de 4 guépards, ça donne le temps aux chauffeurs de se communiquer l'adresse du prochain léopard ou de l'avance des gnous sur le front sud !

Accès Internet

On trouve de nombreux cybercafés dans les grandes villes de Tanzanie. Les prix pour se connecter sont assez différents selon les lieux : comptez environ 500 Tsh (0,4 €) les 30 mn à Arusha ou à Zanzibar, près de 300 Tsh (0,3 €) les 30 mn à Dar es-Salaam. C'est bien évidemment le moyen de communication le moins cher.

TRANSPORTS

Le train

Il existe 2 réseaux ferroviaires en Tanzanie.
– ***Le Tazara :*** le *TAnzanian ZAmbia RAilway* constitue la seule façon d'entrer (ou de sortir) en Tanzanie par le rail. Infos : • acistz@twiga.com •
Ce train relie Dar es-Salaam à Mbeya et à la Zambie, traversant la frontière à Tunduma. Un sacré périple ! La ligne ferroviaire mesure 1 870 km de long, tandis que la route de Dar es-Salaam à Mbeya ne fait que 860 km ! Autant dire que le *Tazara* ne connaît guère les lignes droites, son parcours étant très accidenté, mais superbe : 300 ponts et viaducs, 24 tunnels, des pentes inclinées atteignant parfois 15 %, un col (à Makambako) à 1 657 m d'altitude, des paysages d'une beauté sauvage à perte de vue. La construction du *Tazara* a nécessité, entre 1970 et 1975, l'emploi de 20 000 ouvriers chinois et de 30 000 Tanzaniens. Il a fallu créer 147 gares de toutes pièces.
L'objectif politique de ce train était clair : il fallait permettre à la Zambie voisine de réduire sa dépendance à l'égard de l'Afrique du Sud (alors en plein régime d'apartheid), en lui permettant d'acheminer ses exportations de cuivre (une de ses principales ressources) vers un port de l'océan Indien. La Chine populaire a presque tout fourni à Nyerere : l'argent sous forme de prêts sans intérêts, les ingénieurs, l'équipement ferroviaire. Une fois ce chantier pharaonique achevé, le gouvernement tanzanien éprouva quelques difficultés à rembourser Pékin. Certains observateurs affirment que la Tanzanie paya une partie de ses dettes à la Chine en lui donnant des matières premières, et notamment des tonnes et des tonnes d'ivoires d'éléphants... Du troc à l'échelon étatique.
Comme l'écrit Jean Rolin dans *La Ligne de front :* « Tant d'efforts et de sacrifices n'ont pas été vains, et, même si le Tazara n'a pas tenu toutes ses promesses, il a déjà l'immense mérite de partir à l'heure, quelquefois, et de ne pas prendre trop de retard sur un trajet pourtant long... »
Conseils : à Dar es-Salaam, réservez votre billet au moins 2 ou 3 jours à l'avance. Pour plus de détails, voir la rubrique « Quitter Dar es-Salaam ».
– ***Le Central Railway*** **:** il relie Dar es-Salaam à Kigoma (lac Tanganyika) et Mwanza (lac Victoria). Un voyage mémorable de 38 h (1 250 km). La ligne suit jusqu'à Kigoma l'ancienne route des caravanes. Elle fut achevée par les

Allemands en 1914, trop tard pour qu'ils en profitent vraiment. Circulent 4 trains par semaine, départ les mardi, mercredi, jeudi et vendredi à 17 h. L'arrivée est donc prévue le surlendemain matin, mais ceux qui viennent attendre les passagers en gare de Kigoma savent qu'un retard de quelques heures est chose fort possible. Trois classes au choix, mais on vous conseille la première. Beaucoup de secousses, d'inconfort et de fatigue, mais rien n'effraie un aventurier du rail. Là encore, pour plus de détails, voir la rubrique « Quitter Dar es-Salaam ».
La ligne ***Kilimandjaro Link*** qui va de Dar es-Salaam à Moshi est désormais réservée au transport de marchandises.

Le bus

Sur les 2 principales routes (bitumées) du pays, de Dar es-Salaam à Arusha, et de Dar es-Salaam à Mbeya (frontière de la Zambie), les liaisons en bus sont régulières, plutôt bonnes, et à prix stables.
– Il existe plusieurs ***catégories*** de bus *(coaches),* selon leur confort : luxe (*luxury* ou *deluxe*), avec AC et vidéo, demi-luxe *(semi-luxury)* et ordinaire *(regular).* Pour plus de détails, reportez-vous aux rubriques « Quitter » d'Arusha, Moshi, Dar es-Salaam.
– ***La vitesse moyenne*** est de 50 km/h sur ce genre de route (en bon état), mais seulement 20 km/h sur les routes non asphaltées (pistes empierrées, chemins de terre ou de sable).
– ***Les horaires :*** ils doivent toujours être vérifiés sur place, auprès des bureaux de tourisme ou en consultant la page pratique *(Notice Board)* du quotidien anglophone *Daily News.* On y trouve parfois les horaires des bus, au départ de Dar es-Salaam, indiqués par compagnie.
– ***La réservation et l'achat des billets :*** les différentes compagnies ont des kiosques de vente des billets dans les gares routières. Il y a trois tarifs : luxe, demi-luxe et ordinaire. Pour les longs trajets, nous vous conseillons, quand cette catégorie existe, les places « luxe ».
– ***Conseils :*** pensez à acheter votre billet et à réserver votre place à l'avance (1 ou 2 jours avant). Évitez les places situées au-dessus des roues, ainsi qu'à l'arrière des bus ordinaires (remous et maux de fesses assurés).

L'avion

– ***Taxes d'aéroport :*** 5 US$ (4,1 €) pour les vols intérieurs et 25 à 30 US$ (20,8 à 25 €) pour les vols internationaux.
– La compagnie nationale *Air Tanzania Corporation* est sûre, mais *ATTENTION,* ses avions ne partent pas souvent à l'heure, ce qui peut poser de sérieux problèmes si vous venez de Zanzibar, ou d'ailleurs, et que vous avez votre vol international le soir même !
– De nombreuses compagnies privées prospèrent, à la faveur de la libéralisation économique. *Precision Air,* omniprésente et efficace, mais aussi *Fleet Air* et *Northern Air/TGT* sont basées à Arusha. Sur le littoral, *Coastal Travel, Sky Tours* et *Zan Air* assurent également des liaisons régulières avec les quatre coins du pays, ainsi qu'entre les parcs équipés de piste d'atterrissage. Leur flotte d'avions est extrêmement variée. Cela va du petit coucou pour roman d'aventures à l'avion charter plus conséquent : du Cessna 182 (1 moteur, 200 km/h, 3 places seulement) à l'ATR 42, bimoteur de 46 places, en passant par une ribambelle de coucous de puissance et de capacité variées.
La maintenance de ces avions est assurée par des techniciens européens, ce qui leur vaut une excellente réputation de fiabilité. De toute façon, l'avion est le moyen de transport le plus sûr, après l'ascenseur (statistiques à l'appui !). *Zan Air* est l'une des moins chères. On aime bien *Coastal Aviation,* même si elle est un peu plus chère.

Le bateau

Entre Dar es-Salaam et Zanzibar, plusieurs compagnies maritimes assurent une liaison quotidienne, sur des hydroglisseurs ou sur des ferries. Durée du trajet : 1 h 30 pour le plus rapide. Quelques liaisons aussi, pour l'île de Pemba. Pour plus de détails, reportez-vous à la rubrique « Quitter » des chapitres sur Zanzibar et Dar es-Salaam.

Le *matatu*

Anciens minibus naguère destinés à faire des safaris en brousse, les *matatus* servent au transport en commun, à bas prix. Trois cents shillings, « mia tatu », tel était le prix d'une course à l'origine, d'où leur sobriquet : *matatu.* Des *matatus,* il y en a partout, mais attention, leurs chauffeurs sont souvent des chauffards. Les passagers s'y entassent comme des sardines dans une boîte. Une solution économique quand même.

Le *dala dala*

Comme les *matatus,* les *dalas dalas* méritent la palme d'or du transport bon marché. On payait un dollar et les gens disaient « dala dala ». Le nom vient de là. Aujourd'hui, un billet coûte 150 Tsh (0,1 €). Un *dala dala* ressemble à une camionnette, avec des passagers assis à l'arrière sur 2 bancs en bois l'un en face de l'autre. Pour y trouver une place, c'est parfois un vrai combat. En général ça se passe bien, à condition d'être patient et de ne pas craindre l'entassement, le bruit et la forte chaleur.

Le taxi

Il faut compter entre 1000 Tsh (0,8 €) de jour et 1500 Tsh de nuit (1,3 €) environ pour une course en ville. Mais tout dépend évidemment de la longueur de la course. Le prix est à discuter au départ, mais ne payez qu'une fois arrivé à destination, et après avoir récupéré vos sacs ou vos bagages.

La voiture

Les grands axes et les routes nationales importantes au développement du tourisme et de l'économie sont asphaltées méthodiquement par le gouvernement : entre Dar es-Salaam et Dodoma, entre Dar es-Salaam et Moshi, de Moshi au pied du mont Kilimandjaro, de Moshi à Arusha, d'Arusha à la frontière du Kenya (et jusqu'à Nairobi), d'Arusha à l'entrée du parc de Tarangire, et bientôt de celui du Ngorongoro. En outre, la très belle route (une des plus belles du pays) qui traverse la Tanzanie au sud est asphaltée aussi : elle va de Dar es-Salaam à Mbeya, jusqu'aux frontières du Malawi et de la Zambie. Sur la carte du pays, on peut dénicher encore quelques segments de routes asphaltées, mais très peu de visiteurs dans ces coins : entre Lindi et la frontière du Mozambique, entre Musoma et Mwanza, le long du lac Victoria. C'est tout pour le bitume !

– ***À Zanzibar :*** le réseau routier, somme toute assez limité en nombre de kilomètres, est en bon état. Du bitume partout sur les grands axes, sauf le long des plages des côtes nord et est. Dans ces parties, les voitures suivent des pistes ensablées... où, très souvent, elles finissent par s'ensabler ! Mais l'asphalte progresse d'année en année, si bien que le réseau routier de Zanzibar a plus de chance d'être bitumé dans le futur, bien avant le reste de la Tanzanie. Ce qui apparaît comme un privilège pour les habitants de l'île peut devenir un jour une menace pour eux, car qui dit route en bon état dit progrès, et expansion touristique parfois incontrôlée.

– ***Les pistes :*** aucune route asphaltée ne traverse les parcs et les réserves (sauf le parc national de Mikumi). Ce ne sont que des pistes en terre rouge, des chemins empierrés ou ensablés (la côte est de Zanzibar). Si vous êtes sujets au mal de dos, pensez aux anti-inflammatoires pour les longues distances !
– ***Location de voitures :*** l'agence ***Auto Escape*** propose un nouveau concept dans le domaine de la location de voitures. Elle achète aux loueurs de gros volumes de location, obtenant en échange des remises importantes dont elle fait profiter ses clients. C'est une vraie centrale de réservation (et non un intermédiaire) qui propose un service très flexible. Surveillance quotidienne du marché international permettant de garantir des tarifs très compétitifs.

■ ***Auto Escape :*** ☎ 0800-920-940 (n° Vert). ☎ 04-90-09-28-28. Fax : 04-90-09-51-87. • www.autoescape.com • info@autoescape.com • 5 % de réduction supplémentaire aux lecteurs du *Guide du routard* sur l'ensemble des destinations. Il est recommandé de réserver à l'avance. Vous trouverez également les services d'Auto Escape sur • www.routard.com •

LE NORD ET LES GRANDS PARCS NATIONAUX

ARUSHA

371 000 hab. IND. TÉL. : 027

Pour le plan d'Arusha, voir le cahier couleur

À 1 540 m d'altitude, à 55 km de l'aéroport international de Kilimandjaro (où atterrissent les charters venus d'Europe), Arusha a le mérite d'être située au pied du mont Méru (4 566 m), dont la silhouette majestueuse donne de l'ampleur au paysage. Voici la grande ville-étape du nord du pays, où la majorité des touristes transitent (une ou plusieurs nuits) avant de partir en safari vers les grands parcs du Serengeti, de Tarangire, vers le cratère du Ngorongoro ou vers le mont Kilimandjaro. C'est ici que la plupart des agences ont leurs bureaux, leurs 4x4, leurs guides.
Ce fut longtemps une petite ville assez propre et accueillante, avec ses nombreuses pépinières sur le bord de la route. Mais l'installation du Tribunal pénal international pour le Rwanda a transformé en quelques années la paisible cité, qui prend désormais des allures de capitale régionale. Les immeubles en béton et les rues asphaltées repoussent hors du centre une population toujours plus nombreuse, dans des quartiers animés chaque jour par des marchés très fréquentés auxquels vous ne pourrez pas échapper, quelle que soit l'heure où vous sortirez de ville pour aller visiter les grands parcs. Difficile de connaître le chiffre officiel de la population, en attendant les prochains recensements : on parle d'une population fluctuant autour des 500 000 habitants pour la ville, et d'un total de 2 millions pour la région.

Une soixantaine de Français vit ici, dont une vingtaine travaille au Tribunal. Le centre-ville, avec ses banques et ses grands hôtels, se situe autour de la place de la tour de l'Horloge *(Clock Tower)*. Le quartier autour du marché, plus populaire, concentre les hôtels les moins chers de la ville. La plupart des commerces sont tenus par des Indiens, et ouvrent tous les jours, même le dimanche. D'ailleurs, si vous passez un dimanche matin à Arusha, un autre spectacle vous attend, celui d'églises pleines car ici, vous dira peut-être votre guide blasé, « on construit plus d'églises que d'écoles »...
Le climat d'Arusha est agréable, bien qu'un peu frais en hiver. On y croise de nombreux Massaïs, avec leur couverture rouge à carreaux, qui font office de gardiens de nuit dans les quartiers bourgeois.
En soi, Arusha ne présente pas un grand intérêt historique ou architectural, pour certains c'est une enclave kenyane dans la Tanzanie, par son côté speed et le développement rapide du business lié au tourisme. Du coup, c'est une ville assez chère où il ne fait pas bon « magasiner » : les prix de départ avoisinent ceux de France, et les vendeurs deviennent vite agressifs. Néanmoins, pour un premier contact avec le pays, c'est une ville intéressante, qui porte en elle tous les signes du développement souhaité par les élites du pays tout en conservant, autour de ses marchés, les traces d'un passé pas si lointain.
À voir dans les environs, sur la route menant aux parcs : les vastes plantations de caféiers, de maïs et de bananiers.
La ville s'est surtout fait connaître dans l'histoire politique de l'Afrique contemporaine au moment de la signature de la déclaration d'Arusha, texte fondateur qui marqua le commencement du « socialisme » tanzanien. Et depuis que le Tribunal international créé pour juger le génocide du Rwanda y siège, la ville s'est animée de cortèges d'officiels du monde entier et les prix montent, avec les fondations d'hôtels et de bâtiments appelés demain à faire d'Arusha – siège de l'EAC (Communauté de l'Afrique de l'Est) – la 3e grande ville du pays.

Sécurité

Arusha de jour est une ville présentant peu de danger pour les touristes, mais le soir c'est différent. Entre la population des faubourgs et celle qui fréquente le luxueux *New Arusha Hotel*, l'écart ne fait qu'augmenter les causes de mécontentement. On nous signale ainsi plusieurs cas d'agressions et la police doit faire face à de plus en plus de plaintes. Le soir, toujours se déplacer en taxi et éviter la Makongoro Rd. Seules les voitures avec une plaque d'immatriculation blanche sont habilitées à transporter les voyageurs, les autres sont des taxis au noir. Le marché central et la gare routière sont connus pour leurs pickpockets. Ne pas faire de crises de parano, mais éviter, comme partout, d'exhiber des objets de valeur.
Théoriquement à cette altitude, il n'y a pas de crainte de paludisme à avoir, vous pouvez dormir tranquille, mais n'ouvrez pas grandes les fenêtres et ne sortez pas sans protection (dans tous les sens du terme, d'ailleurs) : les moustiques, pour ne parler que d'eux, peuvent arriver des plaines par camions dans les régimes de bananes, donc mêmes précautions qu'ailleurs, à la nuit tombante.

Adresses et infos utiles

Information touristique

🅸 ***Tanzania Tourist Board*** *(TTB; plan couleur C2)* **:** 47, E Boma Rd, PO Box 2348. ☎ 250-38-42 ou 43. Fax : 254-86-28. • ttb-info@habari.co.tz • Ouvert du lundi au vendredi de 8 h à 16 h, et le samedi de

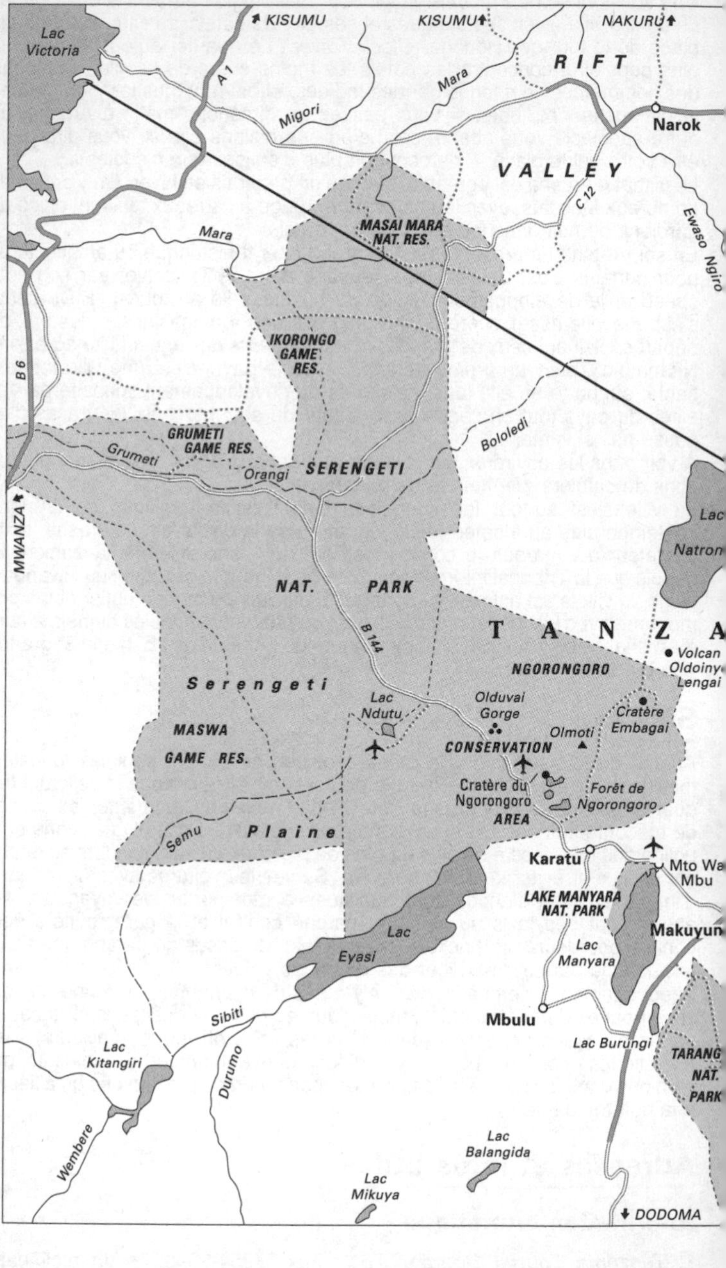

Lac Victoria
KISUMU
KISUMU
NAKURU
RIFT
VALLEY
Narok
A 1
Migori
Mara
C 12
Ewaso Ngiro
MASAI MARA NAT. RES.
Mara
IKORONGO GAME RES.
B 6
GRUMETI GAME RES.
Grumeti
Orangi
SERENGETI
Bololedi
MWANZA
NAT. PARK
Lac Natron
B 144
TANZA
Volcan Oldoinyo Lengai
NGORONGORO
Serengeti
Lac Ndutu
Olduvai Gorge
Cratère Embagai
MASWA GAME RES.
CONSERVATION
Olmoti
Cratère du Ngorongoro
AREA
Forêt de Ngorongoro
Semu
Plaine
Karatu
Mto Wa Mbu
LAKE MANYARA NAT. PARK
Makuyuni
Lac Eyasi
Lac Manyara
Sibiti
Mbulu
Lac Kitangiri
Durumo
Lac Burungi
TARANG NAT. PARK
Wembere
Lac Balangida
Lac Mikuya
DODOMA

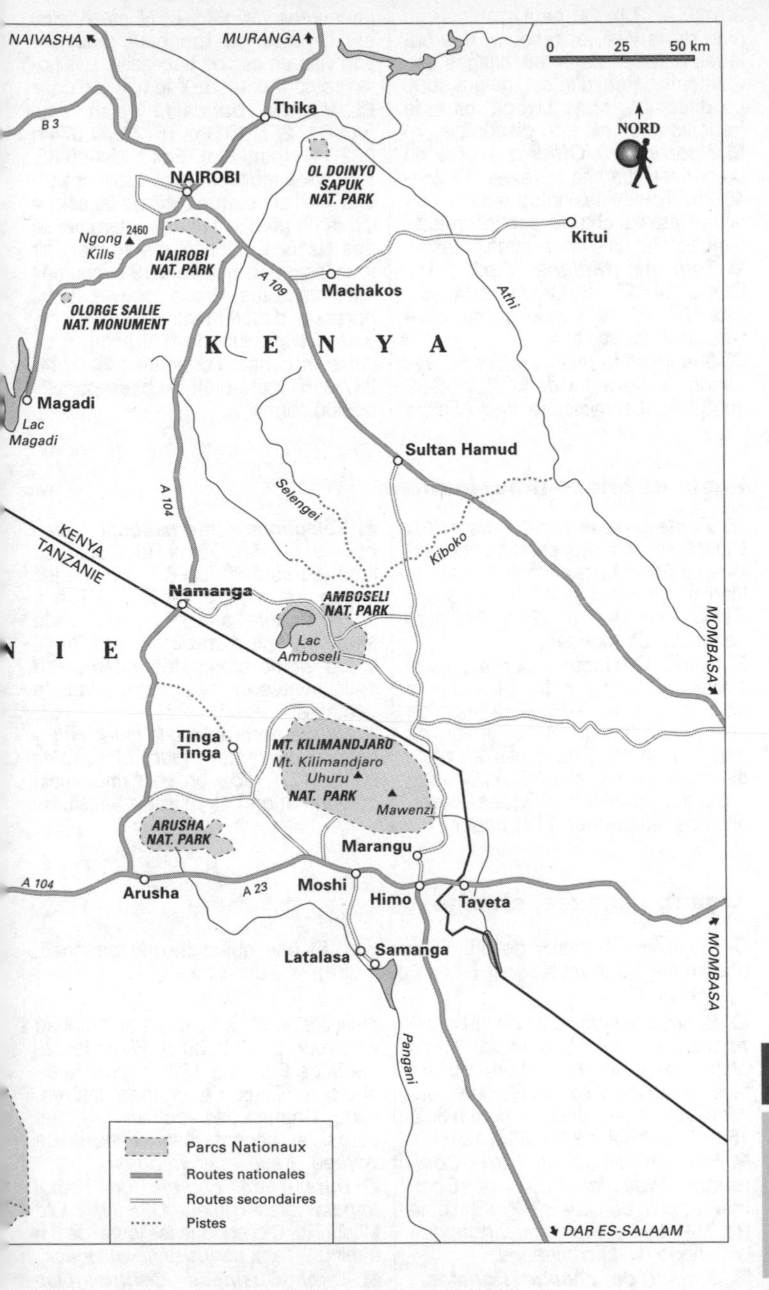

TANZANIE (Nord)

LE NORD DE LA TANZANIE

8 h 30 à 13 h. On peut y obtenir un plan de la ville, et réserver des balades guidées dans les villages des alentours. Peu d'infos malgré tout. La directrice, Mme Lwoga, parle le français mais est peu disponible.

■ ***Ngorongoro Office :*** à côté du précédent, mêmes horaires. ☎ 254-46-25. Toutes les informations que vous désirez obtenir sur le cratère, avec en plus une charmante hôtesse.

■ ***Tanzania National Park :*** PO Box 3134. ☎ 250-34-71 ou 40-82. Fax : 254-82-16. • www.tanapa.com • tanapa@habari.co.tz •

■ ***Immigration*** *(plan couleur B2, **1**) :* Simon Boulevard Rd. ☎ 250-35-69 ou 37-16. Le ministère des Affaires intérieures *(Ministry of Home Affairs)* est l'endroit où l'on peut prolonger son visa en cas de nécessité. Les horaires sont ceux de l'administration.

■ ***Alliance française*** *(plan couleur C1, **2**) :* PO Box 15123. ☎ 0744-382-117 (portable). Fax : 254-85-85. • www.multimania.com/alliancearusha • alliance.arusha@tz2000.com • Juste derrière le Tribunal international des Nations unies. Films en plein air tous les jeudis soir vers 19 h, chaînes TV françaises. Vous pouvez vous adresser directement à Marc Basseporte, directeur de l'Alliance française et consul honoraire : ☎ 0744-287-656 (portable). • basseporte@tz2000.com •

Poste et télécommunications

🖂 ***Poste centrale*** *(plan couleur B2) :* Old Moshi Rd. En plein centre, en face du *New Arusha Hotel.* Ouvert du lundi au vendredi de 8 h à 16 h 30 ; le samedi, de 9 h à 12 h. Toujours beaucoup de monde...

■ ***Temi Business Centre*** *(plan couleur C2, **4**) :* India St. Juste à côté du centre X-Ray. Bureau de change, téléphone et fax ouvert du lundi au samedi, de 8 h à 20 h ; le dimanche, de 8 h à 12 h. Change aussi les *traveller's cheques.* Possibilité de téléphoner à l'étranger.

■ ***Téléphone international*** *(plan couleur C2, **5**) :* Boma Rd. Ouvert du lundi au samedi, de 8 h à 22 h ; les dimanche et jours fériés, de 9 h à 20 h. Assure aussi un service de télex. Il s'agit d'un bureau officiel.

@ De nombreux cafés Internet se sont montés un peu partout dans le centre-ville.

@ Un ***cybercafé*** dans la galerie marchande de l'hôtel *Mount Meru (plan couleur D1, **35**),* un peu cher mais pratique si on est juste en transit.

Argent, banques, change

De nombreux bureaux de change en ville. Et une quinzaine de banques, désormais, pour vous servir (si l'on peut dire).

■ ***Banque Nationale de Microfinance*** *(National Microfinance Bank ; plan couleur B2, **6**) :* Uhuru Rd. En face de la Clock Tower. Guichets ouverts du lundi au vendredi, de 8 h 30 à 15 h ; le samedi, de 8 h 30 à 12 h 30.

■ ***Banque Nationale du Commerce*** *(National Bank of Commerce ; plan couleur B2, **7**) :* Sokoine Rd. Mêmes horaires d'ouverture que la banque de *Microfinance.*

■ ***Bureau de change Equator :*** Boma Rd. En plein centre-ville. Au rez-de-chaussée, juste à droite du *New Safari Hotel.* Ouvert du lundi au vendredi, de 8 h 30 à 17 h ; le samedi, de 8 h 30 à 15 h. Fermé le dimanche. Taux de change intéressant. Change les dollars US, les euros, et accepte les chèques de voyage *(traveller's cheques).*

■ ***Bureau de change de l'hôtel Impala*** *(plan couleur D3, **34**) :* Old Moshi Rd. Ouvert tous les jours, de 8 h à minuit. Taux certes désavantageux.

■ ***Temi Business Centre*** *(plan couleur C2, **4**) :* India St. Fait aussi bureau de change (voir ci-dessus).

Transports

🚌 ***Gare routière*** *(plan couleur A2)* **:** Makongoro Rd.

🚆 ***Gare ferroviaire*** *(plan couleur A3)* **:** Dodoma Rd. Uniquement gare de marchandises.

■ ***Air Tanzania :*** Boma Rd. ☎ 250-32-01 ou 02 ou 79-57. Ouvert du lundi au vendredi de 8 h à 13 h et 14 h à 17 h, le samedi de 9 h à 13 h. L'aéroport est à 45 mn, navette gratuite.

■ ***ZanAir :*** • www.zanair.com • zanair@zitec.org •

■ ***Coastal Aviation :*** Boma Rd, à côté d'Air Tanzania. ☎ 250-00-87. • aviation@coastal.cc • Deux vols par jour pour Dar es-Salaam et Zanzibar. Propose des promotions sur les vols du jour.

■ ***Precision Air :*** Simon Boulevard Rd, PO Box 1636. ☎ 250-69-03 ou 73-19. Fax : 250-82-04. • www.precisionairtz.com • information@precisionairtz.com • Compagnie aérienne privée qui relie Nairobi, Mombasa, Mwanza, Dar es-Salaam, Zanzibar, Mafia... Une des rares à partir à l'heure, et même parfois en avance !

■ ***Compagnie de bus Davanu :*** Goliondoi Rd. ☎ 250-12-42. Sérieuse. Passe vous prendre à votre hôtel.

■ ***Compagnie de bus Riverside :*** en face du cinéma *Métropole.* ☎ 0744-270-089 (portable).

Divers

■ ***Kase Stores LTD*** *(plan couleur C2)* **:** Boma Rd, face au *Tourist Board.* Si vous avez oublié un guide de voyage, vous en trouverez dans cette librairie, et même le très bon *Guide du Safari faune et parcs.*

■ ***Supermarket Modern*** *(plan couleur B2,* ***8****)* **:** Sokoine Rd. Ouvert toute la semaine, ferme à 20 h 30 et le dimanche à 15 h. Supermarché *Shoprite,* également, un peu plus loin, au sud de la même route, *(hors plan par A2)* où l'on fera le plein avant de partir en safari

■ ***Police*** *(plan couleur B2,* ***9****)* **:** Makongoro Rd. ☎ 250-36-41 ou 42. Sinon, composer le 112.

Agences de voyages et organisateurs de safaris

Voici une sélection de quelques agences de voyages sérieuses, basées à Arusha. Elles pratiquent un tourisme alternatif, proche de la nature et, dans la mesure du possible, respectueux de la vie sauvage. En outre, elles proposent des formes de découverte (randonnées, camping-safaris...) qui conviennent à un tourisme naturaliste.

Difficile de donner une juste fourchette de prix mais, pour un safari réalisé dans de bonnes conditions de confort, mieux vaut compter entre 135 et 200 € par jour et par personne, en chambre double. Les prix sont en fait extrêmement variables, notamment en fonction des saisons, du nombre de participants et du véhicule choisi. Le mieux est de comparer leurs prestations sur place ou, mieux encore, de leur demander leur tarif par e-mail depuis chez vous.

Évitez, sinon, de vous laisser pourrir la vie par les nombreux démarcheurs, et rendez-vous seul au *Tourist Board* pour vous renseigner sur les différentes agences recommandées. Si vous êtes vraiment inquiets, vous pouvez aller inspecter votre 4x4 et vérifier ses roues ou la fermeture du toit en cas d'attaque subite. Une crevaison n'a jamais empêché un chauffeur d'arriver dans les temps (on en a eu trois, à notre dernier passage). Tout est ici question de confiance.

■ ***Tanganyika Wildlife Safaris (Tawisa) :*** PO Box 2231. ☎ et fax : 250-80-72. Contact à Paris : ☎ 01-42-37-52-48. Fax : 01-46-68-61-30. • www.tanganyika.com • Très bonne agence, fondée dans les années 1960, ayant une grande expérience de la Tanzanie et des safaris. Possède un camp près des gorges d'Olduvai et un autre à Tarangire.

■ ***Wild Spirit Safari** (plan couleur B1) :* Kaloleni, PO Box 2752. • www.wild-spirit-safari.com • infos@wild-spirit-safari.com • Possède également un bureau à Paris : ☎ et fax : 01-47-49-91-50. Ses points forts sont sans conteste d'avoir d'excellents guides francophones et anglophones, ainsi que des équipements de qualité : bon matériel de bivouac et caissons hyperbares pour le trekking au Kilimandjaro. Peuvent proposer aussi bien des nuits en hôtels de charme que du bivouac confortable. Possibilités de safaris pédestres avec *ranger* dans les réserves, randonnée de 5 jours avec escorte massaï ou chasse avec la tribu des Hadzabes. L'agence est aussi présente au Kenya, ainsi qu'à Zanzibar, avec des activités originales.

■ ***Easy Travel Tours** (plan couleur B2) :* Joel Maeda Rd, Clock Tower, PO Box 1912. ☎ 250-39-29. Fax : 250-73-22. • easytravel@habari.co.tz • En plein centre, près de la poste. Une des agences les moins chères, gérée par un Indien. Présente également à Dar et Zanzibar. Les prix dépendent du véhicule, 4x4 ou minibus, ils baissent encore si vous trouvez 2 autres personnes pour vous accompagner.

■ ***Hoopoe Adventure Tours** (plan couleur B2) :* India St, PO Box 2047. ☎ 250-70-11 ou 75-41. Fax : 250-82-26. • www.hoopoe.com • information@hoopoe.com • Possède des bureaux à Dar es-Salaam, Nairobi et Londres. Agence dirigée par Peter Lindstrom, un type compétent, sérieux et sympa, et son fils Ake. Très bonne réputation, matériel et véhicules (vraies Land Rover) en bon état, guides qualifiés. Possède et gère le *Kirurumu Tented Camp,* audessus du lac Manyara, ainsi qu'un camp au Serengeti et au Kilimandjaro.

■ ***Leopard Tours Limited** (plan couleur D1) :* Moshi Rd, PO Box 1638. ☎ 250-84-41 ou 79-06. Fax : 250-82-19 ou 41-31. • www.leopardtours.com • leopard@yako.habari.co.tz • Située dans les murs de l'hôtel *Mount Meru (plan D1, **35**),* cette agence sérieuse propose des safaris à votre convenance dans de bonnes conditions (*lodges,* minibus ou 4x4 impeccables). C'est la compagnie qu'on rencontre le plus sur les pistes. Les chauffeurs-guides sont réellement compétents sur la faune et la flore des parcs. Guides anglophones et francophones sympas. Si vous tombez sur Gandi, saluez-le de notre part. Avec lui, vous vivrez la grande aventure, sourire aux lèvres.

■ ***Shidolya Tours & Safaris** (plan couleur C1) :* AICC, Ngorongoro Wing, 2nd Floor, bureaux n° 218, PO Box 1436. ☎ 254-85-06. Fax : 254-41-60 ou 250-82-42. • www.shidolya.com • shidolya@yako.habari.co.tz • Agence recommandable et réputée dans l'organisation de camping-safaris.

■ ***Ultimate Safaris Limited :*** PO Box 1341. ☎ 572-791. • ultimatesafaris@ark.eoltz.com • Autre agence très sérieuse, recommandée par des Français d'Arusha. Prix à la hauteur.

■ ***Abercrombie & Kent :*** PO Box 427. ☎ 250-83-47. Fax : 250-82-78. Une des plus importantes agences d'Afrique de l'Est, des plus réputées et des plus professionnelles, mais aussi une des plus chères, si ce n'est la plus chère. Devant leur bureau en plein centre d'Arusha, des dizaines de 4x4, tous de couleur kaki, attendent le prochain départ. Chez *A & K,* les guides sont triés sur le volet.

■ ***Nature & Discovery :*** PO Box 10574. ☎ 250-13-25 ou 254-40-63 ou 0744-400-003 (portable). Fax : 254-84-06. • naturediscovery@ark.eoltz.com • Agence située sur Sakina Rd, à environ 5 km de la Clock Tower. Créée en 1992, cette compagnie est spécialisée dans les safaris hors des sentiers battus, les ascensions de montagnes (monts Kilimandjaro, Méru, Oldonyo Lengaï...), les randonnées-trekking dans les régions reculées de la steppe massaï. Organise aussi des safaris classiques en *lodges* et en camps fixes. Leurs guides francophones et anglophones sont formés à l'écotourisme.

■ ***Corto Safaris :*** bureau situé en dehors de la ville d'Arusha (à environ 5 km) près du *lodge* de Moivaro Coffee Plantation. BP 12267. ☎ et fax : 255-31-53. Portable : ☎ 0741-510-056. • www.cortosafaris.com • Une agence sérieuse, fondée par Gérard Blenet, ex-prof de fac installé depuis 15 ans dans le pays, et Hellen Mchaki, une Tanzanienne d'origine chagga. Corto organise des safaris à la carte, en 4x4 exclusivement, en *lodges* et en camping. Dans les parcs du Nord, mais aussi dans le sud du pays (Ruaha, Selous). Propose également des marches en pays massaï et l'ascension du Kilimandjaro. Guides francophones.

■ ***Lasi Tours :*** PO Box 14133. ☎ 0741-485-778 (portable). • only lasitours@hotmail.com • L'agence des frères Otuta, dans le Mollel Building, à côté de Stadium Rd. Au 2e étage. Assez difficile à trouver. Petite agence qui propose des tarifs intéressants, mais qui n'a pas de guide francophone en revanche.

■ ***Great Masai Safaris :*** PO Box 575. ☎ 250-06-81 ou 0741-653-454 (portable). Fax : 254-87-45. • http://greatmasai.tripod.com • great masai@yahoo.com • L'agence est située derrière la poste, Indian St. Organise des safaris de plusieurs jours (Manyara, Ngorongoro, Serengeti, Kilimandjaro...) avec guide, 4x4 avec chauffeur, repas, nuits sous tente... Même qualité de service que les précédents, mais à des prix qui se négocient.

Bureaux de réservations pour les *lodges*

Les *lodges* des parcs nationaux ont leur siège social dans le centre-ville. Du moins cher (autour de 150 € par jour et par personne) au plus cher (450 €), on ose dire que vous avez le choix !

■ ***T.A.H.I. :*** ☎ 254-45-95. Fax : 250-82-21. Parmi les moins chers des *lodges. Ngorongoro Wildlife Lodge, Seronera Wildlife Lodge* et *Lobo Wildlife Lodge* au Serengeti, *Lake Manyara Hotel.*

■ ***Serena Hotels :*** PO Box 2551. ☎ 250-41-53. Fax : 250-41-55. • www.serenahotels.com • serena@habari.co.tz • Parmi les plus chers. Une qualité qui se paye. *Lodges* à Ngorongoro, Serengeti, Manyara, Zanzibar et au Kenya.

■ ***The Sopa Lodges :*** PO Box 1823. ☎ 250-06-31 ou 39. Fax : 250-82-45. • www.sopalodges.com • info@sopalodges.com • *Lodges* à prix moyens à Massaï-Mara, au Serengeti et à Ngorongoro.

■ ***Conscorp Africa :*** PO Box 751. ☎ 254-80-78. Fax : 254-82-68. • www.ccafrica.com • res@ccafrica.com • Société d'Afrique du Sud. *Lodges* à Ngorongoro, Maji Moto et Grumeti River et 2 camps de toile de luxe à Ngorongoro et Klein's. Hors de prix !

Où dormir ?

Très bon marché (à moins de 10 US$ - 8,3 €)

Beaucoup d'hôtels très bon marché concentrés à l'est de Colonel Middleton Rd et au nord du stade. Dans cette catégorie, on paie plus facilement en shillings qu'en dollars ou en euros. Et surtout, on peut marchander, d'où une fourchette assez élastique pour vous permettre d'exercer votre anglais (certains ne parlent que le swahili, mais ça peut s'arranger, en montrant les billets).

🏠 ***Casablanca Guesthouse*** *(plan couleur A1, **20**) :* PO Box 1368. ☎ 250-70-62. Dans une rue caillouteuse, un peu perdue et sans lampadaire. Uniquement des lits simples, mais avec des moustiquaires. C'est propre et tranquille, certainement la meilleure *guesthouse* du quartier. Préférable de rentrer en taxi le soir. De nombreux restos aux alentours.

🏠 ***Meru House Inn*** *(plan couleur A2, **21**) :* Sokoine Rd, sous un porche, à l'étage. PO Box 1530. ☎ 250-78-03. • victoriaexp@habari.co.tz • Un hôtel pour routards du monde entier disposant d'une cinquantaine de chambres. C'est bruyant, mais l'ambiance est au voyage. Propose les services d'une agence.

🏠 ***Miami Beach Guesthouse*** *(plan couleur A2, **22**) :* ☎ 250-75-31. Situé dans une rue perpendiculaire à Colonel Middleton Rd, non loin de la gare routière et du stade, dans le quartier de Levolosi, où l'on compte de nombreux commerces. Sanitaires communs non mixtes. Maison en brique avec une petite cour intérieure où pousse un bout de pelouse. Une quinzaine de chambres au rez-de-chaussée, simples mais nettes avec 2 lits, moustiquaire, un fauteuil et une table. Eau chaude. Accueil convivial.

🏠 ***Kilimandjaro Villa*** *(plan couleur A2, **23**) :* Azimio St. ☎ 250-81-09. Fax : 250-79-59. Dans le quartier du marché, peu éloigné de la gare routière. Petit hôtel situé face à un jardin public. La plupart des chambres (6 doubles et 3 simples) sont très simples, mais propres et bien éclairées. Sanitaires communs. Accueil correct. Bon rapport qualité-prix.

🏠 ***Amazon Hotel*** *(plan couleur A2, **24**) :* Market St. ☎ 250-70-05. Près de l'intersection avec Makongoro. Entre le marché et le stade. Environ 24 chambres, les n°s 17 à 20 ont vue sur le stade. Chambres avec des petits lits et une moustiquaire. Préférez le 2e étage pour son petit salon. Pas de quoi crier au génie, mais ça dépanne. Restaurant au rez-de-chaussée.

Bon marché (de 10 à 25 US$ – 8,3 à 20,8 €)

🏠 ***YMCA*** *(plan couleur B2, **25**) :* India St, PO Box 118. ☎ 250-529-23. Un petit hôtel pour budgets moyens et non une AJ. Quatre doubles, 2 simples et une triple donnant sur une cour. Moustiquaires fournies. Pas de limite d'âge. Parfois pas d'eau à la douche. Informations sur les randonnées et les safaris. Possibilité de réserver les billets d'avion et de bus. Comme il y a peu de places, mieux vaut réserver à l'avance.

🏠 ***Seven Eleven 711*** *(plan couleur A2, **26**) :* Zaramo Station Bus, PO Box 10219. ☎ 250-12-61. Un grand hôtel récent d'une trentaine de chambres, face à la gare routière. Les chambres sont assez exiguës avec lit double et TV pour certaines, mais toutes carrelées. Demandez à en voir plusieurs. Agence de safari dans l'hôtel. Patronne souriante.

Prix moyens (de 25 à 45 US$ – 20,8 à 37,8 €)

🏠 |●| ***The Outpost Lodge*** *(hors plan couleur par C3, **28**) :* 37 A Serengeti Rd, PO Box 11520. ☎ et fax : 254-84-05. • www.outposttanzania.com • Une maison particulière, pleine de charme, nichée dans la végétation luxuriante d'un jardin tropical au cœur du quartier résidentiel d'Arusha. Accueil excellent et personnel prévenant. Une chambre familiale (5 lits) et 10 chambres avec moustiquaire, w.-c. et douches sur le palier, réparties entre la maison principale et les bungalows dans le jardin. Fait resto, menu à la carte le midi et buffet le soir (voir « Où manger ? »).

🏠 ***Naaz Hotel*** *(plan couleur B2, **29**) :* Uhuru Rd, PO Box 1060. ☎ 250-20-87. Fax : 250-88-93. • arushanaaz@yahoo.com • Près de la Clock Tower, cet établissement très populaire, au look et au nom impossibles, possède des chambres propres, tranquilles et sécurisées. Elles sont réparties entre la nouvelle et l'ancienne aile (préférer évidemment la nouvelle). Moustiquaire et ventilo dans les chambres. Au rez-de-chaussée, possibilité de manger sur le pouce et d'acheter des souvenirs.

🏨 ***Hôtel Pallsons*** *(plan couleur A2,* ***30****)* **:** Market St, PO Box 14597. ☎ 254-81-23 ou 250-98-38. Dans le quartier du marché et à quelques blocs de la gare routière. Lits simples ou doubles au choix. Un hôtel d'une trentaine de chambres, mais préférer quand même celles du 4ᵉ étage pour la vue sur la montagne. Coffre-fort en bois, ventilo, mais pas de moustiquaire. Restaurant au 1ᵉʳ étage.

De prix moyens à plus chic (de 45 à 80 US$ – 37,8 à 66,7 €)

On vous précise, à partir d'ici les prix officiels, mais comme toujours, mieux vaut marchander, surtout dans ces établissements, où on parle anglais toujours, et français, parfois.

⛺ 🏨 ***Le Jacaranda*** *(plan couleur D3,* ***31****)* **:** Vijana Rd, PO Box 11478. ☎ 254-46-24. Fax : 254-85-85. • www.chez.com/jacaranda • Doubles avec bains à 40 US$ (33,2 €). Cet hôtel, tenu par un Français, Marc, et sa femme tanzanienne, Ruckya, propose 7 chambres doubles impeccables, avec moustiquaire et ventilo. Au bar, des magazines en français sont disponibles. Grand jardin où il est très agréable de prendre les repas. Cadre bucolique. Pour les amateurs, un minigolf est à disposition. Possibilité de camper également : compter 5 €, sans le petit dej'.

🏨 ***Golden Rose Hotel*** *(plan couleur A1,* ***32****)* **:** Colonel Middleton Rd, PO Box 361. ☎ 250-79-59. Fax : 250-88-62. • goldenrose@habari.co.tz • Hôtel situé dans un quartier animé, nécessité de se déplacer en taxi la nuit. Chambres à partir de 50 US$ (42 €), petit dej' inclus. Un joli nom, pour une réalité plus terre à terre. Une vingtaine de chambres avec 2 lits simples et une salle de bains tout en longueur. Standard et sans charme, mais propre. Préférez les chambres donnant sur la cour. Restauration sur place. Il y a aussi un barbecue dans la cour.

🏨 ***Eland Hotel*** *(plan couleur A1,* ***33****)* **:** Nairobi Moshi Rd, PO Box 7226. ☎ 250-79-67. Fax : 250-84-68. Chambres à 50 US$ (42 €). Bien placé, trop même, ce qui vous incitera plutôt à demander les chambres des 2ᵉ et 3ᵉ étages, plus calmes, car donnant sur la campagne, et non sur la grande route. Moustiquaire et confort très correct. Accueil aimable. Restaurant et bar sur place.

🏨 ***Hôtel Impala*** *(plan couleur D3,* ***34****)* **:** PO Box 7302. ☎ 250-84-48. Fax : 250-86-80. • www.impalahotel.com • À 2 km à l'est du centre-ville. Compter 90 US$ (75,6 €) la double, avec petit déjeuner. Cet ancien hôtel de luxe a perdu beaucoup de ses charmes mais sa situation et sa piscine font qu'il attire toujours une clientèle très cosmopolite. Les chambres avec vue sont correctes, malgré une déco et une salle de bains qui n'incitent pas vraiment à prolonger le séjour. Ne pas prendre, évidemment, celles donnant sur les couloirs. Mauvaise insonorisation, de toute façon. On y trouve un bureau de change, un service Internet, et au rez-de-chaussée une suite de restos tour à tour indien, chinois, italien.

Très chic (plus de 80 $ – 66,7 €)

🏨 ***Hôtel Mount Meru*** *(plan couleur D1,* ***35****)* **:** Moshi Rd, PO Box 877. ☎ 250-27-11 ou 12. Fax : 250-82-21 ou 85-03. À l'entrée de la ville, en venant de Moshi. Chambres à 135 US$ (112,5 €). Grand hôtel qui accueille des groupes de touristes, des hommes d'affaires, des séminaires, des conférences. On y trouve une petite galerie marchande, un cybercafé, un bar (qui sert du vin au verre !), un resto pas vraiment rigolo (buffet copieux, du moins), un jardin fleuri, 2 piscines, et des chambres avec vue sur les confins de la ville et de la campagne ou, mieux, sur le mont Méru, pour les chambres situées au nord. Prix quand même élevés par rapport au confort réel des chambres.

New Arusha Hôtel *(plan couleur B-C2, **36**) :* Old Moshi Rd, PO Box 88. ☎ 250-77-77 ou 88-71. Fax : 250-88-89. • marketing@newarusha.com • Compter entre 90 et 160 US$ (75,6 à 133,4 €) par jour. Supplément *lunch* à 12,50 US$ (10,4 €), dîner à 15 US$ (12,4 €). Donnant sur la Clock Tower, le plus bel hôtel de la ville, sous haute surveillance (les voitures passent au détecteur de bombes). Hall très classe, dans le style colonial, accueil professionnel. Chambres vastes et lumineuses, confortables, avec de jolies photographies en noir et blanc au mur. Pour créer l'ambiance, bois d'acajou, lumières discrètes, moquette épaisse et jolies moustiquaires. Vraie salle de bains et restaurants eux aussi très classes. Contentez-vous du menu proposé avec la demi-pension, en terrasse du restaurant *Parachichi's :* plus, ce serait vraiment trop ! Mais si vous rêvez d'un coup de folie, au cours d'un voyage de noces, par exemple... Superbe piscine, dans le parc.

Où manger ?

Bon marché (de 2500 à 5000 Tsh – 2,1 à 4,2 €)

Mrina Annex Restaurant *(plan couleur A1, **40**) :* derrière le *Golden Rose Hotel,* au coin de Levolosi Rd. On vient ici goûter la *trupa,* sorte de pot-au-feu considéré comme une référence pour le quartier de Kaloleni. Ambiance assurée avec musique locale. La salle de resto est un peu sombre, derrière le bar. L'endroit est plutôt glauque, y aller de préférence le midi.

Mc Moody's Fast-Food *(plan couleur A2, **41**) :* à l'angle de Market St et de Sokoine Rd. ☎ 250-37-91. Ouvert du mardi au dimanche, de 11 h à 22 h. Fermé le lundi. Snack à l'européenne dans une grande salle à la déco branchée. Bonnes glaces, pour ceux que ça intéresse. W.-c. propres (pour ceux et celles que ça intéresse aussi !).

Johnnie Ravalia Restaurant *(plan couleur A-B2, **42**) :* à l'angle d'Azimo St et de Sokoine Rd. En semaine, ouvert de 7 h à 19 h. Fermé le dimanche à partir de 12 h 30. Très simple, *samosas* et autres petits encas. Cuisine indienne et végétarienne, à prix modiques. Le patron indien, Rammik, est très affable, si vous vous tenez bien à table.

Café Bambou *(plan couleur C2, **43**) :* Boma Rd. ☎ 250-64-51. Bien placé, face au bureau de tourisme. Fermé le dimanche. Un resto à l'européenne, avec un comptoir pour boire une bière ou prendre un thé avec des cookies. À la carte, salades et plats du monde ; le jeudi, menu traditionnel africain. Service assez lent.

Jambo Coffee House *(plan couleur C2, **44**) :* Boma Rd. Juste en face du précédent. Ouvert jusqu'à 22 h. Une autre grande paillote, sympathique et calme, tenue par Linda, Anglaise au grand cœur. Bel accueil, déco qui dépayse (ou intègre, selon le point de vue). Idéal pour déjeuner en paix, à prix doux.

Prix moyens (de 5000 à 10000 Tsh – 4,2 à 8,3 €)

Kahn's Barbeque *(plan couleur A2, **47**) :* Mosque St, dans le quartier du marché. Ouvert tous les soirs, de 20 h 30 à minuit. L'adresse est super-connue. Kahn's fait ses brochettes (mouton, poulet, bœuf) sur le trottoir et propose des salades variées à volonté. Y'a même un bidon d'eau chaude pour se laver les mains. On peut manger sur place, animation assurée.

Keni Garden Bar *(plan couleur A2, **48**) :* pas loin de la gare routière, dans un quartier populaire.

☎ 250-05-83. Ouvert tous les jours, de 7 h à 21 h. On y est surtout allé pour goûter à la *trupa,* un plat local avec de la banane plantain, des patates, des légumes, du bœuf ou du poulet (un genre de pot-au-feu). Quitte à essayer la cuisine locale, autant aller à l'adresse référence du quartier. Le resto se trouve à l'arrière du bar (billard). On mange le tout dans de grandes assiettes et avec les doigts. Pour les sacs à dos curieux.

🍽 ***Big Bite Restaurant*** *(plan couleur A-B2,* ***49****) :* au coin de Swahili St et Somali St. ☎ 250-19-84. Fermé le mardi. Restaurant indien où l'on peut manger autre chose que de la saucisse... Au menu, crevettes, poisson, poulet et plats végétariens ; les spécialités sont le *tandoori* et le pain indien. Petite salle avec de jolies nappes du pays.

🍽 ***Le Barbeque*** *(plan couleur D1,* ***50****) :* face au *Mount Meru.* ☎ 250-98-20. On ne peut manquer cette grande hutte tout en hauteur avec des lumières tamisées ; c'est l'endroit préféré, dit-on, de la jet-set locale et des fans de foot. Postes Internet.

🍽 ***Swagat*** *(plan couleur A-B2,* ***51****) :* Sokoine Rd. Ouvert tous les jours sauf le dimanche. Ici, on peut se contenter de quelques *samosas,* d'une portion de l'excellent poulet *swagat* ou d'une spécialité végétarienne. La patronne, autoritaire aux fourneaux mais aux petits soins pour ses clients, fait tourner la boutique d'une main de maître.

🍽 ***Everest Chinese Restaurant*** *(plan couleur C2,* ***52****) :* Old Moshi Rd. ☎ 250-84-19. À 250 m du centre. Ouvert tous les jours de 12 h à 23 h. Gentille maison avec véranda, entourée d'un jardin et tenue par des Chinois de l'île de Hainan (le patron parle le français). Bon accueil. Cuisine du sud de la Chine, correcte à défaut d'être exceptionnelle. Bonne adresse pour le soir, en raison du calme et du cadre plutôt verdoyant.

🍽 ***Mezza Luna*** *(plan couleur D3,* ***53****) :* Moshi Rd. ☎ 254-43-81. Ouvert de 8 h à 22 h tous les jours. Les pizzas sont copieuses, les prix corrects. Propose également des plats de pâtes un peu plus chers. On mange à l'extérieur sous de grandes huttes en bois et au milieu d'un jardin fleuri. Service efficace et, le soir, un orchestre vous jouera la sérénade (africaine, bien sûr !) sous une lumière tamisée. Loue aussi des chambres (45 US$, 37,8 €).

🍽 ***Spices & Herbs Ethiopian*** *(plan couleur D3,* ***54****) :* Moshi Rd. Ouvert tous les jours, de 11 h à 23 h. ☎ 0744-807-427 (portable). Plats végétariens légèrement épicés, mais délicieux. Pas la peine de se laver les mains, on vous apporte la cruche. Belle terrasse en extérieur avec des flamants roses dans un mini-parc. Loue aussi des chambres (50 US$, 42 €).

🏠 🍽 ***Restaurant de l'hôtel The Outpost*** *(hors plan couleur par C3,* ***28****) :* Serengeti Rd. Voir « Où dormir ? ». Le soir, buffet copieux. Ambiance détendue, cadre en lui-même apaisant, on y retrouve des habitués et les clients en partance pour un safari.

⛺ 🏠 🍽 ***Le Jacaranda*** *(plan couleur D3,* ***31****) :* sur Old Moshi Rd, chemin sur la gauche, bien indiqué, avant d'arriver au carrefour de l'*Impala Hôtel.* Voir « Où dormir ? ». Un bon restaurant à l'écart de la circulation, qui permet de savourer, dans le jardin, des plats occidentaux, indiens, mais aussi swahili : en dehors du traditionnel *pilau* (riz, lotus, poulet) ou du bœuf *(nyama),* les amateurs de barbecue peuvent s'attaquer au *mishikaki* et les fous de poisson prendre du *samaki wa nazi,* un poisson sauce noix de coco.

Plus chic (plus de 10 000 Tsh – 8,3 €)

🍽 ***The Flame Tree*** *(hors plan couleur par D3,* ***55****) :* en sortie de ville, dans le quartier résidentiel. ☎ 0744-370-474 (portable). • trw@cybernet.co.tz • Fermé le dimanche soir et en mai. Une bien belle maison, au milieu des flamboyants, des bougainvilliers et autres arbres en fleurs. Une des premières à avoir été construites sur Temhi Hill. Jolie déco intérieure, et terrasses agréables qui vous donnent l'impression d'être loin de tout (et vous l'êtes !). Bien bonne cuisine aux saveurs afro-indiennes, joliment présentée et gentiment servie. Le soir, lieu de rendez-vous de tout le gratin local. Vins au verre. Accueil très souriant.

Où manger une glace ?

Ice Cream Parlour *(plan couleur B2,* ***60****) :* Sokoine Rd. Ouvert de 9 h 30 à 13 h et de 15 h à 19 h 30. Fermé le vendredi. Pour vous rafraîchir le gosier, des coupes composées et des glaces italiennes.

À voir. À faire

Tribunal international des Nations unies *(plan couleur C1) :* Simon Boulevard Rd, dans l'AICC. Le Tribunal pénal international pour le Rwanda, mis en place en 1996, a été créé pour juger les personnes présumées responsables d'actes de génocide et d'autres violations graves du droit international humanitaire commis sur le territoire du Rwanda et contre la communauté des Tutsis. C'est la première fois dans l'histoire de l'Afrique qu'un tel tribunal a pu voir le jour. L'ONU cherchait une ville proche des événements et un bâtiment assez grand pour recevoir tout son monde. Le coût de l'opération se chiffre en millions de dollars par an (le chiffre de 100 millions de dollars annuel est parfois avancé). Les jugements sont longs, car il faut rechercher les personnes et les faire témoigner.
Les commémorations autour de l'anniversaire des dix ans du génocide, en mars 2004, ont permis d'évoquer les zones d'ombre qui entourent toujours par ici ce qui s'est passé de l'autre côté de la frontière. Mis à part une soixantaine de responsables civils et militaires de haut niveau, en cours de jugement devant le tribunal, plusieurs centaines de milliers de participants à cette « vertigineuse entreprise de meurtre » continuent de vivre au Rwanda où ils sont rentrés d'exil au cours de ces dernières années.
Il y a possibilité d'assister à une audience publique. Il faut vous munir de votre passeport et on vous donne un badge pour la journée. Pour les photos, par contre, surtout n'insistez pas !

Museum Arusha Declaration *(plan couleur A2) :* ouvert tous les jours de 7 h 30 à 18 h. Entrée : 1 000 Tsh (0,2 €) par adulte, réduction étudiants. Un petit musée sur l'histoire d'Arusha et de sa région. Des photos des différentes tribus, exposition d'armes. Voir la photo inattendue d'un officier allemand montant un zèbre. Exposition de la Uhuru torche qui fit le tour du pays jusqu'au Kilimandjaro le 9 décembre 1961. Une salle d'exposition de peinture et d'artisanat.

– ***Match de foot*** *(plan couleur A2) :* les matchs ont lieu le dimanche après-midi, et selon *L'Équipe,* les spectateurs mettent le feu. Entrée : 500 Tsh (0,4 €) mais comptez près de 10 fois plus pour un match international !

➤ *DANS LES ENVIRONS D'ARUSHA*

N'giresi Village : situé à 7 km au nord d'Arusha, sur les pentes du mont Méru. Village de 2 500 habitants composés de Wa-arushas, une tribu d'origine massaï qui s'est sédentarisée pour se convertir à l'agriculture. Pour s'y rendre, réserver au plus tard la veille au *TTB* qui s'occupera du transport et de la visite. Visites guidées par des jeunes du village, très sympas. Selon le temps dont vous disposez, plusieurs formules existent, qui vous coûteront, pour deux, entre 12 et 30 €. La première regroupe la visite du village, de l'école primaire plus une montée au sommet de la colline Lekimana. Vous apercevrez, par temps dégagé, le Kilimandjaro ! Dans la deuxième, vous aurez droit à une balade dans la forêt voisine du village et un repas préparé par Juhudi. Enfin, vous pourrez dormir au camping de la ferme de Mzee (prévoir une tente). Départ le lendemain matin de bonne heure pour atteindre le sommet de la colline Kivesi. Une contribution de 5000 Tsh (4,2 €) est reversée à l'école primaire du village.

La ferme des serpents de Meserani : sur la route de Dooma, à 25 km d'Arusha, après l'aéroport. ☎ 250-82-82. Pour les amateurs du genre. Possibilité aussi de faire un safari à dos de chameau.

La fièvre de l'or bleu

C'est dans la banlieue d'Arusha, sur une poignée de kilomètres carrés, que se concentrent les seuls gisements au monde connus de cette pierre précieuse bleue aux reflets mauves que l'on dit « mille fois plus rare que le diamant » : la fameuse tanzanite.
Ne vous réjouissez pas trop, n'emportez pas votre pelle ni votre seau, vous avez peu de chance d'y accéder, si vous n'avez pas l'aventure dans le sang, et une certaine connaissance du milieu. La cité minière de Mererani fait quasiment partie des mythes du pays massaï, les transactions se font dans un code connu des seuls initiés. Comme le raconte un des rares non-Massaïs infiltré dans cet univers clos, pour approcher ce trafic, mieux vaut fréquenter les boîtes de nuit que les routes à grande circulation, aimer le gin et le billard plutôt que la contemplation des animaux sauvages.
Évidemment, les Massaïs qui tiennent ou fréquentent ces lieux « chauds », aux couleurs appropriées, ont une vie que Xavier Péron, leur actuel porte-parole en France, auteurs de livres précieux concernant leur évolution, risque de ne pas approuver. Pour avoir vos entrées auprès d'eux, mieux vaut avoir du répondant.
Plus faciles à trouver : les lieux où la « pierre du Capricorne » se négocie, en petits sachets. Du Centre de conférences international lui-même, ou du moins sous son aile dite Kilimandjaro, à telle ou telle impasse discrète autour de la rue Goliondoi, les brokers locaux sont partout. Le plus difficile pour eux, ce n'est pas d'en avoir en poche, c'est de vendre leurs 2 ou 3 pierres du moment, brutes ou taillées, au cours mondial.
Un cours qui s'est effondré en 2002, quand le *Wall Street Journal* a accusé la tanzanite de financer le réseau Al Qaida, d'où un boycott généralisé des bijoutiers américains. Et comme le marché de la tanzanite était au départ essentiellement new-yorkais et californien, on imagine la colère des Massaïs face à un blocus qu'ils considérèrent comme injuste. Le temps, comme toujours, cicatrisera les plaies, mais ne croyez pas pour autant que les prix ont chuté dans les boîtes à gogos, comme le Cultural Heritage et autres grandes surfaces du souvenir ayant poussé sur les routes des parcs. Renseignez-vous donc bien auprès notamment de l'Alliance française si vous voulez vous lancer sur la piste de « l'or bleu » des Massaïs !

QUITTER ARUSHA

En avion

Deux aéroports à Arusha.

✈ ***Aéroport international de Kilimandjaro :*** situé à 55 km d'Arusha, sur la route de Moshi. ☎ 255-42-52. Le *Kili Airport,* ou encore *KA* pour les intimes.

– *Compagnies aériennes :* pensez à reconfirmer vos vols aériens 48 h à l'avance. Si vous partez sur un vol de jour, demandez le bon côté pour voir le Kili.
– *Navette Arusha-aéroport :* il existe une navette *(shuttle)* officielle gratuite. C'est un bus régulier de *STS* (la compagnie tanzanienne des transports), qui quitte le centre d'Arusha environ 2 h avant chaque départ de vol. Ce bus s'arrête devant le bureau d'*Air Tanzania* (sur Boma Rd, presque en face de la poste centrale), et à l'hôtel *Mount Meru.*
– Pour ceux qui voyagent par le biais d'une agence, il faut savoir que toutes les agences organisent des transferts pour leurs clients entre les hôtels et l'aéroport international de Kilimandjaro, à condition de l'avoir demandé auparavant.
– Dernière solution pour les individuels : le taxi. Mieux vaut ça que de rater son vol. Compter autour de 30 €, quand même. Bien marchander avant de sauter dans la voiture.

✈ ***Aéroport d'Arusha :*** situé à 15 mn du centre-ville, sur la route de Dodoma. Uniquement des départs pour des vols intérieurs des compagnies privées (Dar es-Salaam, Zanzibar, Mbeya...). Petite salle d'attente avec un magasin d'alimentation à l'entrée et un bar pour patienter en terrasse.

En bus

🚌 ***Gare routière*** *(plan couleur A2) :* sur Makongoro Rd *(plan A2).* Les bus express partent dès 6 h du matin. On conseille la compagnie *Fresh Ya Shamba* (guichets aux abords de la gare routière, sur Zaramo St) ou *Scandinavia* (Singh St, près de l'angle avec Somali Rd).

➢ ***Pour Dar es-Salaam :*** 660 km. Durée : 7 à 8 h minimum. La route est entièrement asphaltée. Plusieurs départs par jour uniquement le matin, de 6 h à 10 h. Plusieurs compagnies, plusieurs niveaux de confort et, évidemment, plusieurs tarifs. Les bus ordinaires sont affreusement bondés et tombent souvent en panne. Les bus express, de confort moyen, marchent mieux. Les meilleurs, les plus sûrs, sont les bus *deluxe* du genre *Fresh Ya Shamba, Scandinavia* ou *Dar Express.* En assez bon état, ils ont souvent la vidéo à l'intérieur. Les places des passagers sont numérotées. Il faut les réserver au moins 24 h à l'avance (sinon plus) et acheter le billet au moment de la réservation. Certes, ça coûte une dizaine d'euros, mais ça vaut vraiment la peine de choisir cette catégorie, d'autant que la route est très longue et fatigante. Arrêt de 20 mn à *Korogwe* pour manger sur le pouce.
➢ ***Pour Nairobi*** ***(Kenya) :*** d'Arusha à la frontière du Kenya : 109 km. De la frontière jusqu'à Nairobi : 163 km. Durée du voyage : 4 h 30 environ. Comptez 10 000 Tsh (8,3 €) avec *Ya Shamba.* Sinon, départ des navettes à l'hôtel *Mount Meru* d'Arusha. La route est bitumée et en bon état. La liaison est régulière et les bus sûrs. On traverse la partie ouest du parc d'Amboseli. Le passage de la frontière est assez rapide et ne pose généralement pas de problèmes. On conseille la compagnie *Davanu* (voir la rubrique « Adresses et infos utiles ») et *Pallsons* à l'hôtel du même nom (☎ 254-81-23) ; 2 départs par jour, à 8 h et 14 h (compter 9 € l'aller). Des lecteurs nous ont aussi conseillé la compagnie *Perfect Trans.*
➢ ***Pour Tanga :*** 435 km. Durée : entre 9 et 12 h environ. Des bus quotidiens au départ de la gare routière. Compter 10 000 Tsh (8,3 €).

➢ ***Pour Mwanza :*** 826 km. Durée : 24 h. Voyage long et épuisant. Routes défoncées en grande partie. Si vous passez par le parc de Serengeti, il faut payer un supplément qui inclut la taxe d'entrée dans le parc (30 US$, soit 24,9 € par personne !).
➢ ***Pour Moshi :*** navettes régulières toute la journée, mais départ seulement quand le bus est plein, sinon des grands cars. Une heure de trajet. Compter 1 000 Tsh (0,8 €). Aucun ticket ne vous sera délivré. Préférable de payer une fois parti. On a apprécié *Kizota Bus,* qui part souvent à l'heure avec des bus récents. *Shabaha Bus* pratique les mêmes tarifs avec des bus plus anciens.
➢ ***Pour Karatu :*** dernier gros village avant Ngorongoro (on vous en parle plus loin). Un bus par jour continue jusqu'à Ngorongoro, mais uniquement pour les habitants.

LE PARC NATIONAL D'ARUSHA

Situé à 25 km au nord-est d'Arusha et à 58 km de Moshi, le parc national d'Arusha est relativement petit par sa taille (137 km^2) et compte beaucoup moins d'animaux que les autres parcs de Tanzanie. Il se compose de 3 parties distinctes : le petit cratère de Ngurdoto, avec ses rebords abrupts, la région de Momella, avec ses lacs d'eau salée nichés dans les collines, et le mont Méru, ancien volcan éteint dont le cratère est entouré de plusieurs vallées boisées. L'altitude moyenne du parc oscille entre 1 500 m à Momella et 4 566 m au sommet du mont Méru.
Le parc est entouré de zones de terres cultivées et de plantations. On distingue des fermes et des champs aux alentours, ainsi qu'une pinède sur plusieurs kilomètres vers le sud et le sud-ouest. Des forêts s'étendent aussi sur les flancs du mont Méru. En fait, ce parc semble plus intéressant pour ses sites et ses paysages que pour sa faune. Du coup, il y a moins de visiteurs qu'ailleurs.

CONSEILS

– Le parc d'Arusha est idéal pour un safari d'une journée au départ d'Arusha. On conseille de visiter le cratère de Ngurdoto le matin, puis de découvrir le parc dans l'après-midi et de terminer par les environs du mont Méru en fin d'après-midi.
– Comme dans les autres parcs, un 4x4 est nécessaire pour circuler sur les pistes. Entrée du parc : 25 US$ (20,8 €) par adulte, 5 US$ (4,1 €) pour les enfants de 5 à 16 ans.
– C'est un des rares parcs où l'on peut, après une balade d'une vingtaine de kilomètres en 4x4 le matin, faire une rando accompagnée l'après-midi.
– Il existe de nombreux points d'observation et des sites vraiment sympas pour pique-niquer.
– Il est interdit de descendre dans le fond du cratère de Ngurdoto.
– L'ascension du mont Méru doit se faire avec un guide armé, en raison des buffles.
– Meilleure époque pour y aller : entre décembre et février. Pendant cette période, les pluies s'arrêtent momentanément. Le ciel est dégagé. Les sommets se détachent merveilleusement bien. Pendant la saison sèche, l'air est beaucoup plus chargé de brume de chaleur et la visibilité moins bonne.

ANIMAUX À OBSERVER

– Des girafes massaïs, des éléphants (pas très nombreux), des hippopotames, des buffles. On y rencontre aussi des singes colobes *(colobus)* guérézas à queue touffue, des babouins et des vervets « bleus ». Certaines

variétés d'antilopes. Des phacochères sur les pentes du mont Méru. Mais on ne voit ni lions, ni rhinocéros, ni gnous.
– Les oiseaux : une quarantaine d'espèces d'oiseaux vivent sur les rives des lacs Momella et dans les forêts aux alentours. Des flamants nains, des flamants roses (plus grands mais moins roses), des pélicans, des canards, des oies, des échassiers sédentaires ou migrateurs. Les calaos huppés se reconnaissent à leur casque couleur ivoire et à leur cri qui ressemble à un rire diabolique.

Où dormir ? Où manger ?

– La meilleure solution pour passer une journée consiste à pique-niquer.
– La plupart des agences de voyages font dormir leurs clients à Arusha et font la visite du parc dans la journée.

Campings

Il y a ***3 sites*** pour camper *(campsites)* dans le parc, dont deux au pied de la colline de Tululusia, non loin du *Momella Lodge,* et un autre près du cratère de Ngurdoto. Il y a de l'eau et des w.-c.

Possibilité aussi de camper au ***Momella Lodge.*** Réservations auprès du *warden,* Arusha National Park, PO Box 3134, Arusha.

Lodges

National Park Resthouse : réservations auprès du *warden,* Arusha National Park, PO Box 3134, Arusha. ☎ 250-40-82 ou 82-12. Près de la porte d'entrée (Momella Gate). Il s'agit d'une vieille ferme coloniale. Il y a quelques lits, une cuisine et une salle de bains pour randonneurs, à prix raisonnables.

Meru View Lodge : chez Helmut Isgen, PO Box 1503, Arusha. ☎ 250-35-03. Situé entre la grande route Arusha-Moshi et la porte d'entrée du parc (Ngurdoto Gate), sur la droite de la route, en pleine campagne. Un panneau l'indique. Formule *B & B* autour de 25 US$ (21 €), et possibilité de prendre la demi-pension ou la pension complète. Il s'agit d'une maison isolée, avec un jardin autour planté de fleurs. Un endroit à taille humaine, bien tenu. Les chambres sont dans des bungalows en dur, à l'écart de la maison principale. Très propre, calme. Pas de moustiquaire. W.-c. à côté. Repas en famille dans une sorte de pièce extérieure dotée d'une véranda. Très bonne adresse à prix sages, qui intéressera ceux qui ne peuvent s'offrir le luxe des *lodges,* à condition bien sûr d'être motorisé.

Momella Lodge : PO Box 999. ☎ 250-64-23 ou 26. Fax : 250-82-62. Entre les lacs de Momella et le mont Méru, un vieux *lodge,* chic et cher (100 US$ ou 83 € en demi-pension), composé de plusieurs bungalows de style africain, jouissant tous d'une grande tranquillité et d'une jolie vue. Certains sont en bois sombre, d'autres sont de forme circulaire avec deux fenêtres. À l'intérieur, tout le confort : eau chaude, grands lits. Un des bungalows, en blanc, près de la piscine, abrite la chambre qui fut celle de John Wayne. Il y logea plusieurs mois pendant le tournage du film *Hatari* d'Howard Hawks, en 1962, et affectionnait particulièrement le *Harry Kruger Bar.* Toujours en service, il n'a guère changé depuis. Des photos et des affiches accrochées aux murs rappellent le passage de l'équipe d'Hollywood. Entre mars et juin, les prix baissent par rapport à ceux pratiqués en haute saison.

À voir

🔭🔭 ***Le cratère de Ngurdoto :*** deux pistes y mènent directement à travers une forêt tropicale où vivent différentes sortes de singes. L'une débouche sur la crête sud du cratère. L'autre longe la crête nord. Elles ne se rejoignent pas. Il faut donc revenir sur ses pas après l'observation. De partout, on découvre le cratère d'en haut et la vue est superbe. Interdit d'y descendre. Ce drôle de cratère mesure 3 km de diamètre. Au total, 7 points d'observation sont aménagés au bord des pistes qui le surplombent, au sud et au nord. Les derniers postes d'observation sont les plus intéressants (The Rock et Buffalo Point), car ils sont à une altitude élevée. Mais le plus haut de tous est le Leitong, 1 850 m (au nord). De nombreux animaux habitent dans le fond du cratère, et notamment des troupeaux de buffles.

🔭 ***Les lacs de Momella :*** on en parle au pluriel, car il y a plusieurs lacs rapprochés mais séparés les uns des autres par des mamelons couverts d'herbes sauvages. La piste serpente autour des lacs, et suit les accidents du relief. Il y a d'abord le lac Big Momella. Comme son nom l'indique, c'est le plus grand. À certaines époques de l'année (février), il est envahi, sur ses rives, par des colonies de flamants roses. Les lacs Small Momella, Lekandiro, Tulusia et Rishateni sont également très beaux à observer. Ils contiennent aussi une eau douce salée, et des algues qui, selon leur espèce, donnent une couleur différente aux flots. Autre originalité : les poissons y sont peu nombreux. Les oiseaux ne boivent pas l'eau, mais ils se nourrissent d'algues qu'ils trouvent à la surface. Les flamants roses se nourrissent, quant à eux, de petits crustacés. On rencontre aussi de nombreux canards, des ibis sacrés, des oies d'Égypte. Quelques hippopotames vivent sur les rives du lac Small Momella.

🔭🔭 ***Le mont Méru :*** deuxième sommet de Tanzanie après le mont Kilimandjaro, il culmine à 4566 m et domine la ville d'Arusha de sa silhouette souvent embrumée. Si le Kilimandjaro a la forme d'une table, le mont Méru ressemble à un grand cône presque parfait, avec un cratère en forme de fer à cheval, bordé de hautes parois abruptes. Au sein même du cratère, un autre petit pic se distingue nettement. Il s'appelle l'Ash Cone et est le résultat d'éruptions récentes. Contrairement au Ngurdoto tout proche, petit volcan éteint, le mont Méru n'est qu'un haut volcan endormi. La dernière éruption remonte à la fin du XIXe siècle. Sa formation daterait d'environ 20 millions d'années. Il serait sorti de terre en même temps que la vallée du Rift. Son cratère est le résultat d'une gigantesque explosion.
Les Warushas, l'ethnie locale, considèrent le mont Méru comme une montagne sacrée. Chaque année, des sacrifices d'animaux ont lieu en son honneur, afin de favoriser la venue de la pluie. Le 1er Européen à avoir découvert ce volcan fut l'explorateur allemand Karl Von der Decken, en 1862. Le comte austro-hongrois Teleki Von Szek découvrit à son tour la région en 1876, mais ne parvint pas au sommet. Puis passèrent Gustav Fischer et l'Anglais Joseph Thomson (1883).
Dans les premiers temps du socialisme tanzanien, le mont Méru fut baptisé par le gouvernement *Socialist Peak* le « pic Socialiste ». Mais cette appellation resta officielle et administrative, les Tanzaniens continuant à préférer l'appeler par son nom traditionnel, qui est d'ailleurs bien plus poétique...

À faire

➢ ***L'ascension du mont Méru :*** le Méru étant moins connu des randonneurs que le mont Kilimandjaro, on y rencontre beaucoup moins de monde. Cela dit, les conditions de préparation et d'entraînement, ainsi que les effets de l'altitude, sont les mêmes pour les marcheurs. Prévoir des vêtements

chauds, car la température au sommet peut descendre en dessous de zéro la nuit. L'ascension peut se faire sans fatigue en 4 jours et 3 nuits. La plupart des randonneurs prennent 3 jours et 2 nuits.
Dans tous les cas, la présence d'un guide est obligatoire. Les guides sont des rangers du parc national d'Arusha. Ils sont armés, au cas où un buffle ou un éléphant décide de vous charger. Les réservations de guides se font à l'avance auprès du bureau du parc, à la Momella Gate. À moins d'être un groupe important et d'emporter beaucoup d'affaires, les porteurs ne sont pas nécessaires pour aller jusqu'au sommet du mont Méru, contrairement au Kilimandjaro.
Il faut payer pour l'entrée du parc *(entrance fee),* pour la nuit au refuge *(hut fee),* pour le guide *(services of guide),* pour la sécurité *(rescue fee),* plus une taxe spéciale de quelques dollars pour le parc *(park commission).* En tout, compter environ 50 US$ (42 €). Le plus facile consiste à passer par une agence basée à Arusha. Celle-ci s'occupera des formalités et des aspects matériels, ce qui coûte un peu plus cher, mais ça vous dégage de pas mal de soucis : réservations des places dans les refuges, ravitaillement, guides, taxes à payer...
– *1re journée :* 10 km, soit 4 à 5 h de marche au départ du quartier général du parc d'Arusha à la *Momella Gate* (porte de Momella) jusqu'au refuge de Miriakamba (2514 m). Au cours de cette marche, on franchit la rivière Ngare Nanyuki et on suit la piste qui grimpe sur le flanc du mont Méru, à travers des clairières humides. On passe sous l'arche naturelle d'un vieux figuier. Elle est si grande qu'un véhicule peut passer en dessous. L'ascension continue dans les forêts de genévriers et de *podocarpus.* Des pigeons de montagne, des perroquets à front rouge et des touracos de Hartlaub évoluent dans les arbres. Buffles et girafes sont assez nombreux sur le chemin.
Le refuge de Miriakamba, rénové en 1997, est composé de 2 maisonnettes abritant chacune 40 lits. Il y a un coin cuisine, mais pas d'équipement pour cuisiner. On y trouve des w.-c. et de l'eau.
– *2e journée :* 4 km, soit 2 à 3 h de marche jusqu'au refuge de Saddle (*Saddle Hut,* à 3600 m) ; 1050 m de dénivelée. Une variante possible mais pas obligatoire au départ du refuge de Saddle consiste à monter en 1 h 30 jusqu'au sommet de Little Meru (3820 m). Au refuge de Saddle (plus petit que le précédent), il y a une cheminée, de l'eau (source) et des w.-c. Attention, les nuits sont fraîches.
– *3e journée :* 5 km, soit 5 à 7 h de marche. C'est le dernier tronçon (et le plus dur) de marche entre le refuge de Saddle et le sommet du mont Méru, qui culmine à 4566 m. Le départ se faisant avant le lever du soleil, ne pas oublier des piles de rechange pour la lampe frontale. La dénivelée est de 1000 m. Puis descente jusqu'au point de départ, le refuge de Saddle (5 km, 2 à 3 h).
Retour de Saddle Hut à la Momella Gate : 9 km, de 3 à 4 h selon l'état de la piste, dénivelée de 2000 m.

MOSHI

140000 hab. IND. TÉL. : 027

À 890 m d'altitude, la ville est située à proximité de quelques sommets légendaires tel le mont Méru. Des fenêtres des hôtels, si on a la chance d'avoir une vue, c'est d'abord la silhouette du Kilimandjaro que l'on voit se dresser. Même si le mot *moshi* signifie « fumée » en swahili, le Kilimandjaro n'y est pour rien. Ce volcan n'a pas connu d'éruption depuis des millions d'années, et avant même l'arrivée des premiers hommes.
Plate et étendue, sans charme autre que son authenticité de ville africaine, Moshi tient plus du gros village bizarrement agrandi que d'une agglomera-

tion. À peine sorti des axes principaux, les rues ne sont que des chaussées mal revêtues ou même des pistes en terre rouge bordées de maisons basses. Rien de particulier à y faire, ou à y voir.
Bien que Moshi soit plus proche du mont Kilimandjaro et de l'aéroport international (34 km), peu de voyageurs s'y arrêtent. En réalité, la plupart des agences de voyages, basées à Arusha, organisent directement leurs excursions pour le Kilimandjaro sans prévoir une escale ici. Les randonneurs vont dormir à Marangu, la vraie porte du parc du Kilimandjaro.
La région autour de Moshi est réputée pour la fertilité de sa terre et la qualité de ses plantations de café et de haricots. Le meilleur café de Tanzanie, l'arabica, y pousse. Il est cultivé par les Chaggas, ethnie majoritaire dans cette partie du pays. Les Chaggas jouissent d'un niveau de vie plus élevé que la moyenne nationale.

Adresses et infos utiles

Poste et télécommunications

✉ ***Poste :*** sur la place où se trouve la Clock Tower. Ouverture des guichets du lundi au vendredi, de 9 h à 16 h 30 ; le samedi, de 8 h 30 à 12 h. Les cartes de téléphone peuvent être achetées et utilisées au TRITEL, porte voisine. Fax.

Change

■ ***Banque Nationale du Commerce :*** sur la même place que la poste. Guichets ouverts du lundi au vendredi de 8 h 30 à 15 h ; le samedi, de 8 h 30 à 12 h 30. Meilleur change à Moshi.
– Plusieurs ***banques*** faisant le change également sur Boma Rd, à des taux pratiquement similaires. Distributeurs de billets (notamment sur Chagga St).

Transports

Gare ferroviaire : fermée pour les voyageurs (réservée au transport des marchandises).
■ ***Compagnie de bus Davanu :*** place de la Clock Tower. ☎ 250-12-42. Au rez-de-chaussée de la maison Kahakia. Propose des services de navettes pour Nairobi, Arusha et Marangu (voir « Quitter Arusha »). Bon accueil.

Agences de voyages et organisateurs de safaris

Pour ceux qui viendraient directement à Moshi pour faire l'ascension du Kilimandjaro, quelques agences de bonne renommée et meilleur marché qu'à Arusha :

■ ***Trans Kibo Travels LTD :*** dans l'*YMCA,* Mawenzi Rd, PO Box 558. • www.transkibo.com • Des tarifs intéressants, compter 125 US$ (104,5 €) par jour et par personne pour un safari-camping (moins cher si vous êtes plusieurs couples). Le Kilimandjaro par Marangu démarre à 545 US$ (487,8 €) par personne pour 5 jours ; la route de Machane est toujours un peu plus cher.
■ ***Zara Tanzania Adventures :*** Rindi Lane, PO Box 1990. ☎ 275-42-40. Fax : 275-31-05 ou 02-33. • www.kilimanjaro.co.tz • Cette agence dirigée par Mme Zara propose l'ascension du Kilimandjaro autour de 800 US$ (667 €) par per-

sonne avec 2 nuits au *Springlands Hotel* (voir « Où dormir ? »). Compter sinon 450 US$ (375 €) pour l'ascension du mont Méru avec porteurs. Également possibilité de safaris à prix sages.

■ ***Shah Tours and Travels :*** Mawenzi Rd, PO Box 1821. ☎ 275-23-70 ou 29-98. Fax : 275-14-49. • www.kilimanjaro-shah.com • Autre agence sérieuse aux prix encore compétitifs. Plus chère que les précédentes, toutefois.

■ ***Mauly Tours and Safaris Ltd :*** Mawenzi Rd, PO Box 1315. ☎ 275-07-30. Fax : 275-33-30. • www.glcom.com/mauly • mauly@africaonline.co.tz • Excursions classiques. Un peu plus cher, elle aussi.

Où dormir ?

Plein de petits hôtels minables et sans intérêt, dans le centre, à éviter absolument. Quant aux autres, souvent remplis par les randonneurs venant en groupe, là encore, un maître mot : discutez les prix !

Très bon marché (moins de 10 US$ - 8,3 €)

≜ ***Motel Silva :*** Riadha St. ☎ 275-31-22. Hôtel de 11 chambres, près du marché, dans un quartier populaire animé, avec le restaurant au rez-de-chaussée. Chambres simples (2 lits) et propres. Certaines sont peu aérées, d'autres ont la chance d'avoir un ventilo, quelques-unes sont plein soleil, etc. Demandez à voir avant de payer. L'accueil est correct. L'ambiance authentique.

≜ ***Rombo Cottage Hotel :*** PO Box 1937. ☎ 275-21-12. Sur la route de Marangu, assez loin du centre. Tourner à gauche à environ 500 m de la place de la tour de l'Horloge (Clock Tower). Huit chambres, avec des lits simples, ventilo, moustiquaire aux fenêtres. Un coin sympa et dépaysant. Ressemble plus à un hôtel de quartier qu'à une pension de famille. Il y a un bar et un restaurant à la réception, tenus par des gens souriants. Vue imprenable sur le Kilimandjaro. Sur la place à côté se trouve le *Rose Garden.*

Bon marché (de 10 à 25 US$ - 8,3 à 20,8 €)

≜ ***YMCA :*** Mawenzi Rd. ☎ 275-40-54. Fax : 275-40-62. Ferme à 22 h 30. Les *YMCA* en Afrique sont en fait des hôtels propres, bien tenus, bref des lieux assez sûrs. Ici, il y a de l'espace et de la lumière. Chambres correctes, cela ressemble à une cité universitaire. Grande piscine et snack avec une belle terrasse, idéal pour bouquiner. Possibilité de réserver depuis l'auberge des billets de bus et de train, par le biais de l'agence *Trans Kibo Travels.* Fait aussi restaurant.

≜ ***Kindoroko Hotel :*** Uru Rd, PO Box 1341. ☎ 275-40-54. Hôtel d'une trentaine de chambres en plein centre-ville. Belles chambres avec salle de bains privée, lit avec draps au nom de l'hôtel (classe). Chambres bien équipées (ventilo, TV satellite, minibar, téléphone, bureau) et bien aérées, mais la vue est quelconque. Bon resto.

≜ ***Green Cottage Hostel :*** Nkomo Av., PO Box 1697. ☎ 275-31-98. À 1,5 km au nord du centre-ville, dans un quartier résidentiel, verdoyant et calme. Bonne petite maison, dans le style pension pour routards, tenue par de jeunes Tanzaniens accueillants et dynamiques. Les chambres sont simples et propres, avec sanitaires à l'extérieur. On y croise des voyageurs individuels, des randonneurs, de vrais routards au long cours et des gens à l'affût de bonnes infos pour découvrir la région. Sur demande, possibilité d'y manger.

De prix moyens à plus chic (de 45 à 80 US$ – 37,8 à 66,7 €)

Keys Hotel : Uru Rd, PO Box 933. ☎ 275-22-50. Fax : 275-00-73. Chambres bien équipées (TV satellite, minibar, bureau) dans le bâtiment principal, mais uniquement des lits simples. Et une quinzaine de bungalows-huttes accolés les uns aux autres (55 US$, 46,2 € avec moustiquaire), à l'arrière de l'hôtel. On y trouve tous les services : bar, resto, laverie, excursions et même un billard. Restaurant avec terrasse donnant sur la piscine. Accepte les cartes de paiement.

Springlands Hotel : Ruaha Rd. ☎ 275-31-05 ou 35-81. À 4,5 km au sud du centre-ville. Compter 55 US$ (46,2 €) la double. Confortable : ventilo, moustiquaire et bains. Du balcon, pour ceux qui ont une chambre à l'étage, superbe vue sur le Kilimandjaro. Bar, restaurant et piscine au milieu du jardin. Calme. Couplé à l'agence *Zara Tanzania Adventures,* ce qui explique pourquoi vous ne rencontrerez là que des randonneurs s'apprêtant à grimper ou descendant du Kili. Un service de navette gratuit est à disposition de la clientèle pour se rendre en ville.

Où manger ?

Chrisburgers and Snacks Ltd : Kibo Rd. Fermé le lundi. Tout proche de la Clock Tower, ce snack possède une petite terrasse où l'on peut manger au calme. Au menu, hamburger maison à 800 Tsh (0,6 €), mais également quelques plats locaux autour de 1 200 Tsh (1 €). Accueil souriant.

Shangazi Hotel : dans la gare routière. Petit resto rapide où l'on peut manger de l'*ugali,* poisson-frites pour moins de 1 200 Tsh (1 €). De plus, on a le droit à un fruit en dessert, et on peut manger en extérieur, animation assurée.

Restaurant Bar Aventure Africa : PO Box 1698. Sur la route de Marangu, à côté d'une station-service Gapco. Plats à partir de 2 000 Tsh (1,6 €). Grande salle en extérieur, avec des kiosques dans le jardin, endroit très agréable pour manger local. On peut aussi y danser le week-end.

Où boire un verre ? Où sortir ?

Pub Alberto : à côté de *Chrisburgers and Snacks Ltd,* en plein centre. Normalement ouvert 24 h/24, fermé le lundi.

Bar Aventure Africa : fait discothèque les vendredi et samedi soir (1 000 Tsh l'entrée, soit 0,8 €) jusqu'à 4 h. Deux salles de danse, restos et tables éparpillées dans le jardin.

Rose Garden : ☎ 275-13-58. Situé sur la place en terre battue, à côté du *Rombo Cottage Hotel.* Ouvert tous les jours de 6 h à 23 h. C'est une sorte de bar à l'africaine, assez spacieux et aéré. On peut également s'y restaurer.

À voir

Rien de particulier, il faut bien le reconnaître. Peu de voyageurs séjournent longtemps à Moshi.

L'église luthérienne : elle rappelle que les missionnaires allemands protestants furent les premiers à venir évangéliser les populations chaggas autour de Moshi.

QUITTER MOSHI

En bus

➢ ***Pour Dar es-Salaam :*** 650 km, soit 7 h de route (bitumée) en moyenne. Plusieurs compagnies privées assurent la liaison au départ de la gare routière de Moshi. Au total, toutes compagnies confondues, il y a entre 15 et 20 liaisons par jour pour Dar es-Salaam. Les billets s'achètent à la gare routière, au moins un jour avant le départ, dans les kiosques des compagnies. Les prix des billets varient selon le confort du bus. Les bus ordinaires partent généralement tôt le matin, à 6 h. Un billet coûte autour de 8000 Tsh (6,6 €). Vers 10 h 30 partent les bus dits *deluxe* (10000 Tsh, soit 8,3 €). Dans ceux-ci, les places sont numérotées. Il y a des w.-c., 2 rangées de 2 fauteuils, et la vidéo (bruyante parfois). Dans les bus dits *semi-luxury,* il y a 5 rangées de fauteuils. On est donc un peu plus serré.
➢ ***Pour Arusha :*** plus de 10 bus *semi-luxury* desservent chaque jour cette ville au départ de Moshi.

En train

Le trafic ne fonctionne que pour le transport de marchandises.

Par la route

➢ ***Pour Marangu*** *(pied du Kilimandjaro)* ***:*** 36 km. Durée : 30 mn.
➢ ***Pour l'aéroport international de Kilimandjaro :*** compter environ 20000 Tsh (16,6 €) en taxi.
➢ ***Pour Arusha :*** 79 km. Durée : 1 h 15.

LE MONT KILIMANDJARO

IND. TÉL. : 027

« Vaste comme le monde, immense, haut et incroyablement blanc dans le soleil, c'était le sommet carré du Kilimandjaro. »

Ernest Hemingway, *Les Neiges du Kilimandjaro.*

ꝉꝉꝉ Le toit de l'Afrique culmine à 5895 m. Il s'agit d'un vieux volcan, qui ne ressemble pas aux autres éminences connues, comme le Vésuve ou le Fuji Yama. Au lieu d'être pointu, son sommet est aplati, toujours enneigé, dominant la steppe et les horizons infinis du Kenya et de la Tanzanie. Joseph Kessel y voyait justement une forme de table, « ... une fantastique dalle plate et blanche, comme un autel dressé pour ses sacrifices à la mesure des mondes... ». Vu d'avion, l'intérieur de son cratère semble dessiner un œil curieux qui s'entrouvre vers le ciel. Le mont Kilimandjaro, le « Kili » pour les randonneurs, est composé en fait de trois volcans éteints : le Kibo (5895 m), le Mawenzi (5149 m), le Shira (3962 m).
Montagne sacrée pour les Massaïs, montagne inspirée pour les écrivains (Kessel, Hemingway), elle attire chaque année des foules de grimpeurs, tout étonnés de trouver autant de froidure si près de l'équateur. Mais gare aux imprudents ! Faire l'ascension de ce monstre sacré n'est pas une promenade dominicale. Il faut compter 6 jours et 5 nuits de montée, avant d'atteindre le sommet. La récompense, c'est-à-dire la vue sublime, n'est pas gratuite, il faut payer le prix : maux d'altitude très fréquents, ampoules aux pieds, froid décapant, manque de sommeil. Le « Kili » se mérite.

Depuis qu'il s'est ouvert aux randonneurs et aux treks organisés, les efforts pour le protéger n'ont jamais été aussi importants. Pour éviter que l'afflux de visiteurs n'affecte son environnement, un parc national (du Kilimandjaro) a été créé en 1977, englobant un vaste secteur de 756 km², soit tout ce qui est situé au-dessus de la ligne des 2700 m.

CARTE D'IDENTITÉ

– ***Originalité :*** à 330 km sous la ligne de l'équateur, le mont Kilimandjaro détient un record mondial peu connu. Le record d'être une montagne si froide, si haute, et si près d'une ligne si chaude (l'équateur) ! Il existe peu de cas similaires sur le globe terrestre, hormis le volcan Puncak Jaya (Irian Jaya, Indonésie), haut de 5030 m, au sommet enneigé, situé à 500 km au sud de la ligne de l'équateur.

C'est en outre l'une des rares montagnes aussi hautes dans le monde qui ne soient pas rattachées à une chaîne continue de pics et de sommets. Les anglophones appellent cela une *free standing mountain.*

– ***Ascension :*** chaque année, plus de 13000 randonneurs, dont de nombreux Anglo-Saxons, font l'ascension de cette montagne mythique. Certains jours de juillet et d'août, ça se bouscule sur les pistes, et les refuges affichent complet. Pensez-y !

UN PEU D'HISTOIRE

La 1re mention du mont Kilimandjaro remonte à l'Antiquité et revient au géographe Ptolémée. Il cite une « grande montagne enneigée ». Le nom Kilimandjaro viendrait du terme swahili *kilima* (*mlima* signifiant « montagne ») et du mot *njaro*. *Njaro* pourrait signifier « caravane » en dialecte chagga, ou « source d'eau » (*ngare* en swahili). Les Arabes et les marchands chinois qui commerçaient sur la côte en avaient entendu parler. Le 1er Européen qui découvrit le mont Kilimandjaro fut Johannes Rebmann, un missionnaire allemand. C'était en 1848. Il admira la montagne, mais ne monta pas au sommet. Situé à la limite de 2 pays, autrefois 2 sphères d'influence rivales (allemande et britannique), le mont Kilimandjaro apparaît comme un monstre sacré sur le terrain. Mais sur la carte des empires coloniaux, ce n'était qu'un point, facile à bousculer ! Ainsi le « Kili » fut-il traité comme un meuble de famille.

Pourquoi le mont Kilimandjaro est-il situé en Tanzanie ?

Une anecdote souvent colportée raconte que la reine Victoria fit cadeau du mont Kilimandjaro à son petit-fils l'empereur Guillaume II (Kaiser Wilhelm) pour son anniversaire. La vraie raison est plus géostratégique. En 1886, les gouvernements britannique et allemand définirent un tracé pour la frontière qui séparait leurs possessions en Afrique de l'Est. Ils firent au plus simple et tracèrent une ligne droite allant du lac Victoria jusqu'à l'océan Indien. Cette ligne coupait en deux le mont Kilimandjaro. Ce qui était assez absurde. Il fut alors décidé qu'elle contournerait la célèbre montagne par le nord, et non par le sud, histoire de ne pas couper cette merveille de la nature par une vulgaire frontière. Le Kilimandjaro se retrouva ainsi sur le territoire du Tanganyika, et non sur celui du Kenya.

En 1887, l'explorateur austro-hongrois Samuel von Teleki tenta d'atteindre un point situé à 400 m sous le sommet du Kibo. Finalement, la première vraie ascension jusqu'au sommet fut réalisée en octobre 1889 par l'Allemand Hans Meyer, un professeur de géologie. Meyer baptisa son pic le Kaiser Wilhem Spitze, du nom de l'empereur de Prusse. Il séjourna dans un *lodge* auquel il donna le nom de Kibo, aujourd'hui le *Kibo Hotel.*

Après la Première Guerre mondiale, le mont Kilimandjaro revint aux Britanniques jusqu'à l'indépendance de la Tanzanie.

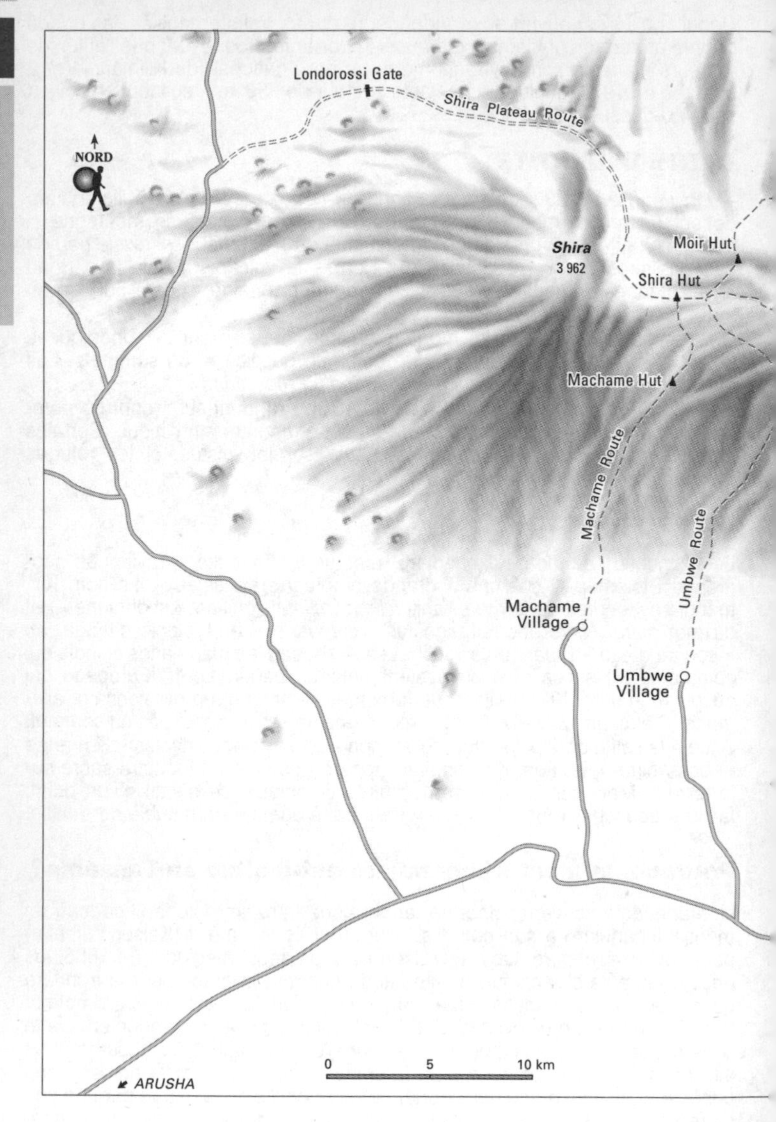

Comment y aller ?

➢ ***Par la route :*** l'aéroport international de Kilimandjaro se trouve à 90 km de l'entrée du parc de Kilimandjaro (la Marangu Gate). Compter 1 h 30 de voiture, en passant par Moshi et le village de Marangu (à 27 km à l'est de Moshi).

➢ ***Navette de bus*** *(Davanu Shuttle)* ***:*** 2 navettes quotidiennes par la compagnie *Davanu Shuttle,* au départ de Nairobi via Arusha et Moshi. À Nairobi,

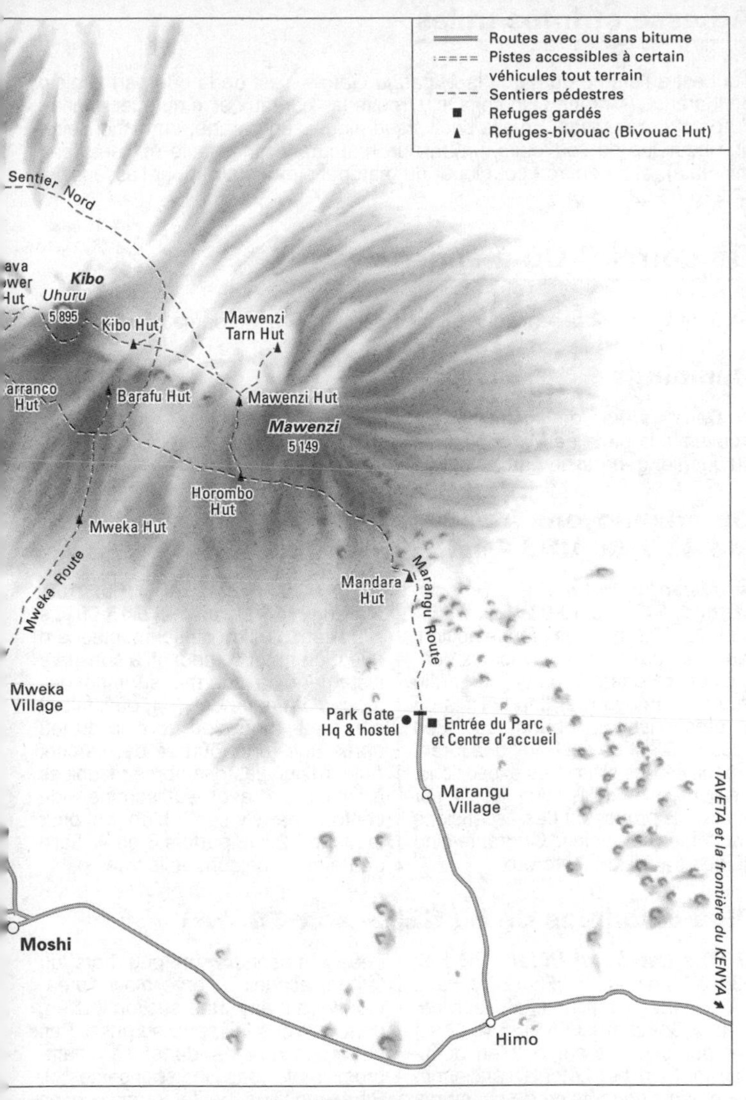

LE MONT KILIMANDJARO

départs depuis l'aéroport ou devant l'hôtel *Norfolk* (où logeait Joseph Kessel) à 8 h 30 et 14 h. À Arusha, les bus partent devant le *Mount Meru*, à 8 h et à 14 h. À Moshi, arrêt du bus devant le *New Livingston Hotel* et le *Keys Hotel.*

■ ***Davanu Shuttle :*** à Arusha : ☎ (027) 250-12-42. Fax : (027) 250-43-11. À Moshi : Rengua Rd, en face du *New Livingston Hotel.* ☎ (027) 270-51-20. Fax : (027) 275-12-20.

Adresse et infos utiles

Tout est à l'entrée du parc : la *Marangu Gate* – c'est de là que part la piste de Marangu (Marangu Route). On y trouve les bureaux et le quartier général du parc, la réception, un site pour pique-niquer, un garage, un dispensaire, une boutique de souvenirs, un bar, un restaurant, une petite épicerie (eau minérale), et un endroit pour louer du matériel élémentaire pour l'ascension. ☎ 275-66-02.

Où dormir ? Où manger ?

Rien de vraiment bon marché au pied de cette grande dame de l'Afrique.

Campings

⛺ ***Deux sites*** de camping se trouvent à la porte de Marangu, près du quartier général du parc. Juste un coin ombragé sous les eucalyptus. Infos auprès de la réception du parc.

De prix moyens à plus chic (de 45 à 80 US$ - soit 37,8 à 66,7 €)

🏠 ***Marangu Hotel :*** PO Box 40, Marangu. ☎ 275-13-07. Fax : 250-639. À 1 372 m, un joli *lodge* ancien, plus petit que le *Kibo,* avec des bungalows aménagés dans un jardin tropical verdoyant et fleuri. Trois ou 4 personnes par bungalow. Bon accueil. C'est de cet hôtel que furent organisées les premières expéditions. Ce qui signifie qu'ils connaissent leur affaire. Ils proposent des ascensions par toutes les voies. Quarante-cinq guides travaillent avec eux.

🏠 🍽 ***Kibo Hotel :*** PO Box 102, Marangu. ☎ et fax : 275-13-08. Le *Kibo* tient plus du chalet montagnard que d'un hôtel luxueux. Il a conservé justement ce charme suranné des *lodges* d'Afrique de l'Est, où il faisait bon fumer une pipe au coin du feu après une rude journée de marche. Aujourd'hui, ses chambres meublées à l'ancienne, avec suffisamment de confort pour s'y sentir bien, ont pour la plupart 2 lits, parfois 3 ou 4. Salle de bains et balcon. Jolie vue.

Plus chic (plus de 80 US$ - soit 66,7 €)

🏠 ***The Capricorn Hôtel :*** PO Box 938, à Marangu. ☎ 275-13-09. Fax : 275-24-42. • capricorn@africaonline.co.tz • Compter ici 65 US$ (54,4 €) par personne et par nuit en demi-pension. Un bel hôtel à l'ancienne, avec une cinquantaine de chambres au total, une fois l'extension terminée. Atmosphère un peu hors du temps, accueil réservé mais agréable. Il y a même une section musée, dont on vous laisse la surprise. Pas de moustiquaires dans les chambres, mais pas indispensable ici. Beau mobilier, petite terrasse avec vue sur le parc.

Conseils pour l'ascension

Avant l'ascension

Monter au sommet du mont Kilimandjaro n'est pas une excursion réservée aux champions olympiques. N'importe qui peut le faire, à partir de 16-17 ans (pas avant), à condition d'être en bonne condition physique et d'avoir une capacité respiratoire suffisante. Les fumeurs arrêteront de fumer plusieurs mois à l'avance, et laisseront leurs paquets de cigarettes à la maison.

Budget

La taxe d'entrée du parc de Kilimandjaro est de 30 US$ (24,9 €) par jour et par personne. Il faut compter 55 US$ (45,7 €) par jour et par personne pour une nuit dans un refuge (un lit), la nourriture n'étant pas incluse dans ce prix. Pour camper : 50 US$ (42 €) par personne et par nuit. Il faut payer aussi la taxe de sécurité *(rescue fee)* : 20 US$ (16,6 €) par trek, que l'on soit à 2 ou à 10 randonneurs.
Une agence de bon rapport qualité-prix, située à Arusha, prend autour de 600 US$ (500 €) par personne, pour une randonnée de 6 jours et 5 nuits. Dans ce prix tout est inclus : guides, porteurs, taxes diverses (élevées !), droit d'entrée au parc, nourriture, hébergement en refuges. Attention : les pourboires sont à ajouter à cette somme (voir, plus bas, le paragraphe « Pourboires »). À moins d'être déjà bien équipé avant de partir, l'achat des vêtements et du matériel de montagne nécessaire dans les magasins spécialisés coûte cher. Au total, l'ascension du mont Kilimandjaro est une aventure merveilleuse, mais onéreuse.

Quelle époque choisir?

Les mois de mars, avril, mai (maximum de pluies) et novembre sont les 4 mois les plus humides, donc les moins fréquentés. Il y a aussi une petite saison des pluies en octobre et novembre. Évitez donc de vous y rendre à cette période : pistes humides et glissantes, nuages au sommet. Sans humidité, les mois de juillet, août et septembre sont les mois de l'année où il y a le plus de randonneurs sur les pistes du « Kili ». Janvier et février sont secs aussi, mais moins fréquentés : ce sont les meilleurs mois pour faire l'ascension.

Guides et porteurs

Ils sont obligatoires sur toutes les pistes du mont Kilimandjaro. En moyenne, il faut recruter 2 porteurs par personne, un guide pour 4 personnes, et un cuisinier pour 8 personnes. Les guides improvisés qui accostent spontanément les randonneurs dans les rues d'Arusha et aux portes du parc ne sont pas recommandables. Les guides attitrés doivent pouvoir vous présenter, en cas de nécessité, leurs permis en bonne et due forme. Ce sont des gens sérieux, compétents et tenaces dans leur travail, qui vous parleront aussi bien de la flore que de la faune.
Les agences spécialisées dans la randonnée, les tour-opérateurs et les compagnies de treks collaborent toutes avec ces guides locaux : faites-leur confiance à votre tour. Ne les quittez jamais. Établissez dès le départ un bon contact. En cas de tension, soyez ferme, s'il le faut, mais gardez toujours votre bonne humeur et votre courtoisie. C'est la règle d'or.
Les porteurs sont indispensables. Non, ce n'est pas une vision romantique des choses. Tout simplement, une question de résistance physique. Plus nous montons en altitude, plus notre organisme s'épuise et moins nous supportons le poids d'un sac sur nos épaules. 15 kg dans une rue d'Arusha, ça passe. Mais entre 4000 et 5000 m, ces 15 kg deviendront un fardeau insupportable, qui vous fatiguera encore plus. Or, c'est en fin de parcours que l'on a besoin de son énergie.
Une bonne équipe de guides et de porteurs est essentielle pour la réussite de l'ascension. Le chef d'expédition envoie un de ses gars en avant pour

réserver les places dans les refuges. Cela vous permet d'arriver au refuge alors que vos sacs y sont déjà. Vous êtes sûrs de ne pas coucher dehors.

Mal d'altitude

Seulement 30 à 40 % des randonneurs partis de la porte de Marangu *(Marangu Gate)* parviennent jusqu'au sommet du Kilimandjaro, cela à cause du mal d'altitude. Il peut se traduire de multiples façons : vomissements, maux de tête... Il n'y a pas de règles. Certains randonneurs bien préparés en sont victimes et n'arrivent pas au sommet. D'autres, novices en montagne, y parviennent sans problèmes.
Autre phénomène étrange : des personnes de 70 ans arrivent parfois plus facilement au sommet que des randonneurs de 25-30 ans. Pourquoi ? À cause des artères plus dilatées chez les personnes plus âgées, paraît-il.

Matériel à emporter

Inutile d'emporter des chaussures à crampons et des piolets. Ce matériel, nécessaire pour l'ascension d'un des deux sommets (le plus haut) du mont Kenya, ne l'est pas pour le mont Kilimandjaro. Inutile aussi d'emporter une tente, car on dort dans des refuges aménagés et gérés par le parc. Pas de moustiquaire non plus : les braves moustiques ne montent pas si haut.
Si vous n'avez rien prévu, ou presque rien, vous trouverez un peu d'équipement et de quoi survivre au poste de la Marangu Gate, le point de départ de la piste Marangu. Pour 2500 Tsh (2,1 €) par pièce et par jour, on peut louer, entre autres choses des bonnets de laine, des cagoules ou des bâtons de randonnée. Sachez que le froid et le mal d'altitude sont les deux ennemis du randonneur. Voici une liste d'objets essentiels à emporter :
– un grand sac, pas nécessairement à dos, mais genre sac marin ou sac de sport pour mettre le gros de vos affaires. C'est ce sac, qui ne doit pas contenir plus de 15 kg d'affaires, que vous remettrez au porteur chaque matin ;
– un petit sac à dos pour les affaires de la journée ;
– un sac de couchage pouvant supporter au moins des températures de 0 °C, pour la piste Marangu (investissement essentiel pour votre trek !) ;
– une bonne paire de chaussures que vous avez déjà faites à vos pieds, avec une semelle rigide et sculptée pour marcher dans les éboulis et la neige ;
– un vêtement imperméable style poncho ou pèlerine, en cas de pluie ;
– un anorak de montagne ou une surveste de type Gortex ;
– une sous-veste en fibre polaire. C'est le meilleur des coupe-vent, c'est plus chaud et plus léger qu'un pull-over. Évitez ces derniers, sauf si votre budget équipement est déjà dépensé ;
– une paire de moufles de montagne et une paire fine de gants en soie pour mettre en dessous, car les nuits sont très froides ;
– une casquette contre le soleil, et un bonnet de laine contre le froid ;
– un pantalon de montagne contre le froid, et un short court pour les premières étapes ;
– des T-shirts comme sous-vêtements, pour le jour et la nuit ;
– plusieurs paires de chaussettes ;
– une lampe frontale pour la dernière étape nocturne, et une lampe de poche. Ne pas oublier des piles de rechange ;
– une très bonne paire de lunettes de soleil ;
– un tube de crème solaire ultrapuissante et un baume de protection pour les lèvres ;
– une pharmacie : des antinauséeux, des cachets contre le mal des montagnes, de la pommade anti-inflammatoire, une bande adhésive, des pastilles purifiantes pour l'eau (*Micropur DCCNA*) ;

– une bouteille Thermos pour le thé ou le café. Utile pour garder au chaud les boissons. Attention aux bouteilles d'eau minérale de marque « Kilimanjaro », elles ne supportent pas bien l'altitude ;
– un rouleau de papier hygiénique.

Règles pour bien marcher

Surtout, pas de folie ou d'excès, respectez le rythme du guide. Ménager son énergie et doser ses efforts, voilà la règle de base quand on monte à près de 6000 m en 5 jours. Apprendre à grimper *pole-pole* (et pas Popaul, c'est pas le moment), un mot qui revient souvent, et signifie « en douceur »... Il est indispensable de savoir s'arrêter (en cas de maux de tête ou de vomissements), et de redescendre aussitôt d'un palier. Beaucoup de randonneurs semblent oublier que le pic Uhuru (Uhuru Peak), à 5896 m, est plus haut de 500 m que le camp de base de l'Everest dans l'Himalaya où l'on accède après 2 semaines de marche au départ de Katmandou. Au Kilimandjaro, l'acclimatation du corps doit se faire beaucoup plus rapidement, c'est une source de problèmes de toutes sortes chez les grimpeurs.

Nourriture et boissons

Il faut manger régulièrement car on a besoin de 4000 calories par jour. Pour faire le « Kili », bien se nourrir est fondamental. Au besoin, il faut même se forcer à manger le soir. Sinon, le corps commencera à faiblir. Une chose à savoir : l'appétit diminue avec le manque d'oxygène. Mangez le moins de graisse possible. Préférez le riz, les céréales, le pain et des aliments énergétiques adaptés à l'altitude.
Il faut boire. Buvez beaucoup d'eau minérale et des jus de fruits : entre 4 et 5 l de fluide par jour, en théorie. Évidemment, l'alcool est à éviter. Ne faites pas comme le capitaine Haddock dans *Tintin au Tibet,* qui refuse d'avancer parce qu'il n'a plus de whisky dans son sac !

Photos

Maintenir au chaud votre appareil photo, car les piles peuvent geler sous l'effet du froid.

Pourboires

Impossible de s'y soustraire. C'est un usage tellement répandu, tellement institutionnalisé, qu'il est devenu une quasi-obligation, une sorte de deuxième salaire payé par les grimpeurs aux guides et aux porteurs.
Les grimpeurs versent en moyenne 10 % du prix total de l'ascension, à répartir entre les guides, les porteurs et le cuisinier, dans le cas d'un groupe. Les pourboires se donnent toujours à la fin de la randonnée.

Sécurité

Le mont Kilimandjaro n'est pas un parc d'attractions en carton mâché. La plus haute montagne d'Afrique ne plaisante pas, elle fait chaque année son lot de victimes (plusieurs morts).
Le parc a mis en place une équipe de sécurité *(rescue team),* composée de sauveteurs *(care takers)* qui sont prêts à intervenir en cas d'urgence médicale. Dans chaque refuge, il y a une équipe de secouristes. Ces hommes travaillent tous sur la piste le long de la voie Marangu, la plus fréquentée par les randonneurs. Chaque équipe dispose de brancards spéciaux, montés sur roues tout-terrain, sur lesquels on charge le blessé ou le malade. En cas d'urgence, la descente se fait par la piste jusqu'à la porte du parc.

Une taxe spéciale *(rescue fee)* est demandée par le parc pour le fonctionnement de ces équipes de secouristes. Chaque randonneur, avant le départ, doit la payer.

Températures

Au sommet du Kilimandjaro, les nuits sont très froides. En plein mois d'août, le thermomètre peut descendre à -20 °C. Habillez-vous et couvrez-vous en conséquence.

Vélos tout-terrain

Ils sont interdits. Cependant, quelques agences spécialisées, basées à Arusha, reçoivent des permis particuliers pour pouvoir monter au sommet avec un VTT.

Les différentes voies pour l'ascension

La voie Marangu *(Marangu Route)*

Cette voie est souvent appelée « Coca-Cola Route », car très fréquentée et la plus facile. L'idéal est de faire l'ascension en 5 nuits et 6 jours. Attention : en juillet, août et décembre, les refuges sont souvent pleins et il n'y a plus assez de place pour dormir. Résultat, les randonneurs s'entassent comme des sardines dans une boîte.
La voie Marangu commence à la porte de Marangu *(Marangu Gate)*, près du village de Marangu (à 40 km au nord de Moshi). Pour accéder à ce point de départ, la plupart des agences de randonnée y viennent en 4x4. Compter 45 mn de route. Ne pas oublier votre passeport, car il vous sera demandé à l'entrée du parc.

1er jour (de la porte de Marangu, Marangu Gate – 1800 m –, au refuge de Mandara, Mandara Hut – 2727 m ; 7 km ; 3 à 4 h de marche)

On traverse une forêt tropicale humide habitée par des singes. Nuit au refuge de Mandara, à 2727 m. Ce refuge est constitué de huttes abritant 4 personnes, et se trouve juste en dessous du cratère de Maundi (*Maundi Crater*; 2800 m). Seulement 15 mn de marche pour arriver au sommet. Les nuits commencent à être froides.

2e jour (du refuge de Mandara au refuge Horombo, Horombo Hut – 3720 m ; 11 km ; 5 et 7 h de marche)

On sort de la forêt pour continuer dans un paysage plus désertique. C'est quelque chose comme la traversée des nuages. Nuit au refuge *Horombo,* à 3700 m. Il se compose d'une série de huttes pouvant recevoir chacune 4 à 6 randonneurs. Soit 120 lits au total. Possibilité d'y rester deux nuits, si vous voulez reprendre des forces.

3e jour (du refuge Horombo au refuge Kibo – 4703 m ; 10 km ; 5 à 7 h de marche ; dénivelée de 1000 m)

Les paysages deviennent de plus en plus lunaires et étranges, de plus en plus gris et caillouteux. Nuit au refuge *Kibo* à 4703 m, dans des chambres de 10 lits. Les grimpeurs mal équipés n'arrivent pas à dormir parce qu'ils n'ont pas de sac de couchage assez chaud (voir, plus haut, notre rubrique

« Matériel à emporter »). Au refuge *Kibo,* on est plus haut que le sommet du mont Blanc !
À minuit, branle-bas de combat. On se réveille pour le départ afin d'atteindre le sommet du Kilimandjaro au moment où le soleil se lève. Petit dej' pour tous. Certains grimpeurs ne se sentent pas très bien : nausées, maux de tête.
Ascension jusqu'au *Gillman's Point* (5685 m). Par nuit de pleine lune, nul besoin d'une lampe de poche ou d'une lampe frontale. Arrivé au Gillman's Point, dites-vous que le plus dur est derrière vous. Le reste de la marche vous paraîtra plus facile. La plupart des groupes essaient d'arriver au sommet, l'*Uhuru Peak* (5896 m), pour le lever du soleil.

4e jour (du refuge Kibo au sommet du Kilimandjaro, et redescente au refuge Horombo ; l'étape cruciale, la montée finale, fait 4 km, soit de 7 à 8 h 30 de marche pour atteindre le sommet)

Au sommet, vue superbe et plaque commémorative avec une citation de Nyerere. La marche de descente jusqu'au refuge *Horombo* comporte une dénivelée de 2200 m ! Compter 14 km, soit l'équivalent de 4 h 30 à 7 h de marche, selon les arrêts et la fatigue. Les guides sont souvent pressés de redescendre.

5e jour (du refuge Horombo à la porte de Marangu, Marangu Gate ; 18 km ; 4 à 6 h de marche ; dénivelée de 1900 m)

Arrivé à la Marangu Gate, chaque randonneur reçoit un certificat, à condition d'avoir dépassé le Gillman's Point.

La voie Machame

On prononce « Machamé ». C'est un itinéraire un peu plus difficile (passages escarpés et journées de marche longues), mais aussi plus beau. Cette voie autrefois uniquement parcourue par les rangers a de plus en plus de succès. Elle est devenue la plus fréquentée avec Marangu, car elle permet une meilleure acclimatation, grâce notamment aux 2 nuits à 3900 m. Cette piste monte sur le flanc sud-ouest de la montagne à travers la forêt. Puis elle rejoint la voie de Shira (Shira Plateau Route) à partir du refuge de Shira (3800 m). Du sommet, la descente se fait par la piste de Mweka. Ce parcours présente quelques passages rocheux, comme le franchissement du Barranco Wall qui demande de « sortir les mains des poches ». Compter 6 jours.

1er jour (de la porte Machame au refuge de Machame Hut – 3050 m ; 10 km ; 4 à 5 h de marche ; dénivelée de 1200 m)

Piste humide et bourbeuse traversant la forêt tropicale. À la sortie de la forêt, on découvre les sommets de Shira, du Mawenzi et du Kibo. Utile de prendre 1 ou 2 cannes.

2e jour (du refuge Machame au refuge de Shira – 3400 m ; 6 km ; 5 à 6 h de marche ; dénivelée de 850 m)

Végétation moins dense, premières bruyères et séneçons géants. Le matin, piste escarpée, l'après-midi, route ondulée et plus facile, au-dessus des nuages.

3e jour (du refuge de Shira au refuge de Barranco – 3 940 m ; 10 km ; 6 à 7 h de marche ; dénivelée de 1 200 m)

Route facile mais assez longue, dans un paysage lunaire. Il faut grimper vers le col de Lawa Tower à 4 600 m d'altitude, en suivant la masse imposante du Kibo, pour redescendre ensuite à 3 940 m. C'est une journée importante, elle sert d'acclimatation à l'altitude.

4e jour (du refuge de Barranco au refuge de Barafu – 4 600 m ; 8 km ; 6 à 7 h de marche ; dénivelée de 650 m)

La journée la plus dure à cause du terrain escarpé. Il faut monter progressivement vers le dernier bivouac, dans des visions superbes de paysages, sur la gauche le Kibo et sur la droite le Mawenzi. On est au départ de l'ascension finale.

5e jour (du refuge de Barafu à Uhuru Peak – 5 895 m ; puis refuge de Mweka ; soit 12 h de marche)

Départ du refuge de Barafu, vers minuit, pour une ascension nocturne escarpée (température à - 10 °C, voire - 15 °C). Arrivée à Uhuru Peak après 6 à 7 h de marche dans la neige, pour le lever du soleil. Descente sur le refuge de Barafu où l'on se repose généralement jusqu'à midi. Puis descente vers le refuge de Mweka.

6e jour (du refuge de Mweka jusqu'au village, soit 5 h de marche)

Piste très humide, on marche souvent dans des ruisseaux. Les guides et porteurs sont assez pressés. Très utile d'avoir des cannes. Robinet public au village, pratique pour se laver un peu et nettoyer les chaussures. Là, on donne les pourboires.

La voie Umbwe

Cette piste est peu fréquentée et sauvage. C'est une voie exigeante car assez raide avec un chemin parfois chaotique (glissant, arbres couchés). De plus, les emplacements de camping sont exigus. Elle offre des vues spectaculaires sur la profonde vallée de Baranco. Pour marcheurs entraînés, en excellente condition physique. Il faut compter 5 jours et 4 nuits. La piste commence à la porte d'Umbwe *(Umbwe Gate),* au bas du flanc sud du mont Kilimandjaro. On monte de 1 400 m jusqu'au sommet d'Uhuru Peak. Comme il n'y a pas de refuge à chaque étape, il faut emporter une tente. La descente se fait par la Mweka.

La voie Mweka

Géographiquement, c'est la voie la plus courte et la plus directe. Il y a quelques années, certains trekkers économes tentaient de monter au sommet en 3 jours. Le nombre important d'accidents liés à l'altitude a conduit à interdire cette voie à la montée. Les grimpeurs l'empruntent pour la descente, après avoir pris les pistes Machame, Umbwe ou Shira à la montée. Itinéraire très raide qui permet de descendre en une journée et demie.

La voie du plateau de Shira (Shira Plateau Route)

La voie la plus longue et la moins utilisée. La 1re partie de la piste se fait en 4x4. Peu de randonneurs s'y aventurent. La marche commence à la porte de Londorossi *(Londorossi Gate),* sur le flanc ouest de la montagne.

LE PARC NATIONAL DE TARANGIRE

Plus petit, moins connu et moins visité que le secteur protégé du Ngorongoro ou le parc du Serengeti, le parc de Tarangire a gardé toute son authenticité et sa beauté. De taille moyenne comparé à ses illustres voisins, il s'étend sur 2600 km^2 et se situe à 1 100 m d'altitude. Jusqu'à sa fondation en 1970, les pasteurs nomades massaïs y vivaient. C'était leur territoire, depuis des générations. Puis le parc fut créé, et ils furent chassés de leurs terres par le gouvernement qui les considérait comme un obstacle pour la protection de la vie sauvage.
Aujourd'hui, Tarangire (prononcer « tarranguiré ») est ouvert aux safaristes. Aucun village à l'intérieur. Le parc offre de vastes paysages de plaines vallonnées. Les baobabs y sont particulièrement nombreux. De grands marécages saisonniers *(mbungas)* couvrent la partie sud. Ici, pas de cratères de volcans, ni de sommets enneigés, rien de très saillant dans le relief. Une rivière, la Tarangire, qui a donné son nom au parc, traverse ces vastes étendues, servant d'abreuvoir en saison sèche (de juillet à novembre) à des milliers d'animaux assoiffés : zèbres, buffles, éléphants, girafes, élands du Cap, bubales de Coke, impalas, phacochères, dik-diks, lycaons, grands koudous. On y trouve aussi quelques grands prédateurs (lions, léopards, guépards), mais ils sont beaucoup moins nombreux qu'ailleurs.
Compte tenu de la très grosse chaleur qui règne dans ce parc, il vaut mieux éviter de s'y promener l'après-midi. De plus, on passerait son temps à chasser les mouches (nombreuses ici !). Les animaux ont tendance à se cacher pour se protéger de cette chaleur.
Après avoir fait par le passé de nombreux ravages, le braconnage a quasiment disparu dans le parc depuis une vingtaine d'années.

LE CYCLE DE LA VIE SAUVAGE

La meilleure période pour visiter le parc s'étend d'août à octobre. Pendant ces mois de sécheresse, le parc sert de retraite saisonnière à des ribambelles d'animaux. Ceux-ci se déplacent librement, au rythme des saisons, dans un vaste écosystème qui s'étend très au nord jusqu'au lac Natron et aux steppes du Kenya.
Ce grand cycle de la vie débute dès l'arrivée de la saison des pluies, en mars. Les animaux commencent alors leur migration vers le nord. Les mouches tsé-tsé, fréquentes dans ce secteur, disparaissent avec les premières gouttes. C'est à elles, faut-il le rappeler, que le parc doit en fait d'être resté protégé des humains, depuis toujours. Suivez les conseils pratiques du guide, qui sait reconnaître ces fichues mouches, et évitez les couleurs bleues et noires, là plus qu'ailleurs.
En avril et mai, il pleut encore et la végétation est très verte. Quand les pluies cessent, en juin et juillet, les élands du Cap et les oryx commencent à revenir au Tarangire, puis arrivent les éléphants (juin) et les zèbres. Du mois d'août jusqu'à octobre, la vie sauvage reprend à nouveau son cours et des foules d'animaux s'abreuvent le long de la rivière Tarangire.
Ce cycle migratoire annuel inclut également le parc voisin du Serengeti où il prend une ampleur exceptionnelle chez les gnous. Selon des spécialistes de la conservation, le développement des villages et des fermes situés dans certains secteurs aux alentours du parc représenterait une menace grandissante à la migration annuelle des animaux.

FAUNE ET FLORE

– ***Le lycaon :*** en anglais *hunting dog* ou *wild dog*. Alors qu'on le croyait disparu du parc de Tarangire, le lycaon (voir, en fin d'ouvrage, le cahier « Vie sauvage ») a fait son retour, après des années d'absence.

– ***Le baobab :*** drôle d'arbre. Un gros tronc épais comme une bouteille et une touffe de branches tordues plantée en vrac sur le dessus. L'homme n'utilise que très peu le baobab, bien que ses jeunes feuilles soient comestibles. Certains sorciers y cachaient leurs secrets, d'où le respect et la crainte que cet arbre inspire encore en Afrique. Les baobabs que vous verrez sont souvent abîmés par les éléphants, désormais en état de quasi-surpopulation. Quand ils sont affamés, ils grattent le tronc avec leurs défenses pour manger des bouts d'écorce. Certains en meurent, l'estomac noué par ces lanières trop rigides. S'ils creusent plus à l'intérieur du tronc, ils peuvent percer complètement l'écorce et trouver un peu d'eau stagnante dans le « ventre » de l'arbre.
– Outre les majestueux baobabs, on peut voir aussi des ***acacias talhas*** et des ***acacias tortillis.*** Tous deux constituent un point de repère idéal pour les impalas, les girafes, les cobes et les bubales. Les oréotragues sauteurs et les damans évoluent, quant à eux, près des amas rocheux situés au centre du parc. Les petits koudous et les cobes à croissant recherchent les ***acacias commiphoras,*** tandis que les gazelles de Grant gambadent autour des ***acacias drepanolobium.***
– ***Les termites :*** de nombreuses termitières, isolées ou adossées au tronc des baobabs, ponctuent le paysage du parc de Tarangire. On a de la peine à imaginer comment ces étranges monticules de terre, sculptures de cinéma surréaliste, peuvent être construits par d'aussi petites bêtes que les termites. Le secret des termites ? Leur sens de l'organisation. Ils vivent dans le noir, en colonie, et parfois à plusieurs millions sous une seule termitière. Leur société divisée en castes repose sur l'autorité d'une reine dont l'énorme abdomen peut atteindre 20 cm de long. Privilégiée, celle-ci se contente de régner, vivant au cœur d'un labyrinthe de galeries étroites, dans une chambre spéciale. Elle ne travaille pas, et passe l'essentiel de son temps à pondre. Près de 10 000 œufs par jour ! Le seul mâle autorisé à avoir des relations sexuelles avec la reine n'est autre que le roi. Autour de cette reine unique, se tiennent les termites-soldats qui veillent à la sécurité des lieux. Ils gardent les entrées de la termitière. Leur nourriture est fournie par les termites-ouvriers. Ces derniers triment à longueur de temps, pour construire ces palais-forteresses d'où ils ne sortent jamais. Sauf à la saison des pluies, où vous pourrez en voir hors des termitières, à la recherche de sites pour établir de nouvelles colonies.
– ***Les pythons :*** de plus en plus rares, hélas ! Sachez d'abord qu'ils affectionnent les zones humides et rocheuses. Prudence !
Voilà un drôle de diable : 3 à 4 m de longueur en moyenne chez un adulte, un curieux V dessiné sur le sommet de sa tête, et des mâchoires capables de s'ouvrir à 130 degrés (30 degrés chez l'homme). Les pythons quittent les marais dès que le niveau d'eau baisse, et se réfugient sur les branches des acacias, autour desquelles ils s'enroulent. Leurs proies favorites ? Les petites antilopes ou les gazelles qui s'abreuvent, ainsi que les rongeurs, les lièvres, les singes et les petits phacochères : ils les tuent par étouffement. Au passage, ils se laissent tomber de leurs branches sur leurs proies. Et vlan ! Ils s'enroulent sur elles, et les étouffent avant de les avaler en entier, tête la première. Ce n'est rien pour un python long de 6 m d'engloutir une victime de 50 kilos (il a tout le temps de la digérer, ça peut durer des semaines). Un problème toutefois : les cornes des gazelles et les piquants des porcs-épics peuvent trouer sa peau. Heureusement, les sucs gastriques de ce reptile sont si puissants que très souvent les excroissances sont vite digérées à l'intérieur. Alors, ce qui dépasse au dehors n'ayant plus d'attache finit tout simplement... par tomber. Voilà une force méconnue de la nature !
Mal aimé, calomnié, redouté, le python, comme tous les reptiles, a toujours inspiré du dégoût à l'homme. Du coup, celui-ci est son pire ennemi. Hormis ce dernier bipède, il a peu à craindre des autres créatures de la brousse. Il arrive qu'un léopard affamé ou menacé se jette sur un python pour se défendre. En outre, s'il sent ses petits menacés, le phacochère se jettera avec témérité sur ce reptile.

Comment y aller ?

Le parc se situe à environ 120 km au sud-ouest d'Arusha par la route (bitumée).
➢ ***D'Arusha :*** prendre la direction de Dodoma. À Makuyuni, la route principale bifurque sur la droite pour rejoindre les parcs du Serengeti et de Ngorongoro. Sur la gauche, la route continue vers Dodoma et le parc de Tarangire. La porte se trouve après seulement 5 km de piste.

Où dormir ? Où manger ?

Choix très limité d'hébergements.

⩓ Il y a ***6 special campsites*** dans le parc, et ***2 public campsites.*** Dans les *special,* l'eau et le bois sont fournis. Se renseigner auprès du bureau de réception du parc. Certains sites de camping donnent sur la rivière Tarangire.

⌂ |●| ***Tarangire Safari Lodge :*** PO Box 2703, Arusha. ☎ 250-42-22 ou 71-82. Il faut compter 65 US$ (54,4 €) pour une tente double, et 80 US$ (66,7 €) pour un bungalow. C'est ce que l'on appelle ici un *tented lodge.* Comme il n'y a pas de *lodges* à prix raisonnables dans le parc, la plupart des visiteurs séjournent ici. Très bien situé, à 10 km environ de l'entrée du parc, il est constitué d'une partie bungalow en matériaux du pays (bar et resto à l'intérieur), d'un alignement d'une trentaine de tentes, et de quelques bungalows (pour 3 personnes). Les tentes sont disposées les unes à côté des autres, au sommet d'un escarpement surplombant une vallée sauvage où évoluent les animaux. Dans chaque tente, 2 lits, un coin-toilette (lavabo, douche, w.-c.). Quand le soleil se couche, la vue est superbe. Piscine.

⌂ |●| ***Tarangire Sopa Lodge :*** PO Box 1823, Arusha. ☎ 250-68-96 ou 06-30. Fax : 250-82-45. Pour 2 personnes, compter entre 200 et 250 US$ (166 à 208 €) en haute saison et entre 145 et 200 US$ (121 à 166 €) en basse saison. À 30 km de l'entrée du parc. Sans doute l'un des plus discrets, des plus luxueux et des plus chers *lodges* de Tanzanie. Piscine autour de laquelle on peut déjeuner (barbecue).

LE PARC NATIONAL DU LAC MANYARA

Enfin de l'eau ! Ce parc, petit certes, mais ô combien attachant, créé en 1960, bénéficie d'une situation unique, dans une vallée dont le fond plat est partiellement occupé par un grand lac alcalin et un morceau de forêt tropicale (dans la partie nord-ouest seulement). Le lac s'étend sur une quarantaine de kilomètres du nord au sud, et une quinzaine de kilomètres d'est en ouest. Il paraît démesuré sous le ciel surchauffé de l'Afrique. En saison sèche, le niveau de l'eau diminue. Les rives du lac se découvrent alors, avec de nombreuses zones marécageuses et humides où viennent s'abreuver les animaux. Sur sa partie ouest, la vallée est bordée d'un long et haut escarpement rocheux. On le remarque tout de suite. Il forme une sorte de balcon surplombant le lac. Ces flancs abrupts sont révélateurs. Il s'agit bien d'une faille. Il y a très longtemps (20 millions d'années), la croûte terrestre s'est effondrée et la Rift Valley fit son apparition, à peu près dans l'état où on la trouve aujourd'hui. Les bords de la faille continuent à s'écarter (3 cm tous les 10 ans environ), si bien que dans quelques millions d'années on peut imaginer une Afrique coupée en deux.

En langue massaï, *manyara* signifie « le lieu où deux êtres se rencontrent ». À en croire certains, il dériverait au contraire du terme *emanyara,* le nom d'une plante utilisée par les Massaïs pour la construction de l'enceinte de leurs villages. C'est généralement au lac Manyara que s'arrêtent pour la 1re nuit la plupart des safaris partis d'Arusha et se rendant vers le Serengeti ou le Ngorongoro. En une journée, même en une demi-journée, on peut avoir un bon aperçu du parc.

SAUVEZ LES ÉLÉPHANTS!

Dans les années 1970, le chercheur écossais Iain Douglas-Hamilton (voir son portrait et celui de sa femme, Oria, dans notre cahier « Vie sauvage ») passa 4 ans au bord du lac Manyara pour étudier et recenser la population des éléphants. Il revint au même endroit plus de 10 ans plus tard et constata que des milliers d'éléphants avaient été massacrés. Une véritable hécatombe. Victimes des braconniers, qui les chassaient et les tuaient pour leur précieux ivoire, les éléphants du lac Manyara forment aujourd'hui une population de « rescapés » de la vie sauvage. Raison de plus pour les comprendre, et les protéger.

TOPOGRAPHIE

Avec 325 km² (dont 230 pour le lac à proprement parler), le parc du lac Manyara se présente comme un long couloir préservé, entre la rive est du lac et l'escarpement abrupt de la vallée du Rift.
Les 4x4 suivent toujours une seule et unique piste à l'ouest du lac. La partie est, bordée de marécages, n'est pas accessible aux touristes. Quelques pistes secondaires, en moins bon état, permettent d'approcher du lac. C'est là que vous devriez faire de jolies découvertes, si la chance est de votre côté...

Comment y aller?

➢ ***D'Arusha :*** le parc se trouve à 130 km à l'ouest d'Arusha. On y accède par la route qui mène au parc du Serengeti. Compter environ 2 à 3 h de route depuis Arusha. Belle route goudronnée sur les derniers 35 km.
➢ On peut aller en bus jusqu'au village de ***Kibaoni,*** après Mto Wa Mbu.
– Il n'y a qu'une seule entrée, située au pied de l'escarpement de la vallée du Rift, à 2 km sur la gauche, après le village de Mto Wa Mbu.

Quand y aller?

Quelle que soit la saison, les animaux y sont nombreux.
– *Longue saison sèche :* de juin à octobre.
– *Courte saison sèche :* de janvier à fin février.
– *Petite saison des pluies :* de mi-novembre à mi-décembre. Il pleut très tôt le matin et il fait beau le reste de la journée. Nuages en soirée.
– *Grande saison des pluies :* de mi-mars à mi-juin, en théorie.

À voir

La partie nord-ouest du lac Manyara : dès l'entrée du parc, la piste disparaît tel un tunnel de verdure sous une dense forêt tropicale. Des ruisseaux aux eaux cristallines jaillissent du haut de l'escarpement rocheux du Rift. C'est une enclave de fraîcheur au cœur d'un environnement aride. Grâce à la présence de l'eau, tout reverdit. Des figuiers, des crotons, des acajous, des arbres à saucisses, des palmiers, des tamariniers poussent au pied de la falaise, formant une forêt peuplée d'animaux. Les babouins pullulent, ainsi que les singes verts, les vervets bleus (moins nombreux).

La savane : à la sortie de cette mini-forêt, la piste se divise en plusieurs autres pistes secondaires, dessinant des boucles pour certaines. Toutes ces pistes rejoignent tôt au tard la piste principale, parallèle à l'escarpement rocheux du Rift. C'est la vraie savane africaine ponctuée de bouquets d'arbres, de palmiers, d'acacias, de sycomores... Là, vivent des troupeaux de zèbres, d'impalas, de phacochères. Des girafes se cachent derrière les arbres morts, dernier souvenir d'El Niño, ou dévorent les feuilles des épineux en évitant (on ne sait comment!) de se faire piquer. Des calaos huppés grimpent aux branches.

Les oiseaux : des ornithologues ont recensé dans ce parc plus de 350 espèces d'oiseaux. Entre novembre et avril, les migrateurs séjournent dans la région. Pour les amateurs d'ornithologie, c'est la période la plus favorable à l'observation. La plupart des oiseaux trouvent leur nourriture autour du lac. Ils boivent l'eau douce des rivières et des ruisseaux issus des falaises rocheuses, mais pas celle du lac Manyara, dont l'eau est salée. On peut voir des cormorans. Près du bassin aux hippopotames, se retrouvent des familles de grues couronnées, des ibis sacrés, des pélicans, des cigognes, des marabouts et bien sûr des flamants roses.

Le bassin aux hippopotames** ou **hippo pool : il est difficile de pouvoir approcher les hippos car ils sont immergés dans ce bassin entièrement reconstruit depuis le passage d'El Niño. Seuls leurs gros yeux globuleux, leurs oreilles et leurs narines dépassent hors de l'eau. Des oiseaux les entourent en permanence, des oiseaux bleus, des oies de Gambie, des oies d'Égypte, autant de compagnons inoffensifs et utiles. La nuit, les hippos sortent de leur baignoire naturelle, gagnent la terre ferme, et accomplissent des kilomètres dans la brousse pour trouver de la nourriture. Ils peuvent effectuer (en saison sèche) jusqu'à 10 km pour se sustenter. Végétariens, ils mangent de l'herbe. Leur consommation peut atteindre les 100 kilos par jour!

Entre l'Endabash et Maji Moto : c'est la partie sud de la piste, la plus sauvage et la moins fréquentée par les visiteurs. Très belles vues sur le lac. Des troupeaux de gnous et de zèbres errent à la recherche d'eau et de nourriture. C'est aussi dans ce secteur que l'on peut rencontrer un troupeau d'éléphants, trahi par le seul bruit des kilos d'herbes avalés en famille. Arrêtez la voiture, laissez le temps s'écouler. Les oiseaux, les singes sont de la fête, le vent apporte des parfums d'ailleurs. Un troupeau de buffles longe le lac, dans l'herbe, un peu plus loin, une lionne et son petit échangent des gestes tendres...
Oubliez la photo montrant des lions cachés dans les arbres. Faites plutôt confiance à l'œil de votre chauffeur pour les repérer, dans les herbes. Et s'il préfère reculer devant un éléphant aux oreilles battant l'air, sorti mécontent d'une mare d'eau où il venait de s'asperger tour à tour le ventre et le haut du dos, ne lui demandez surtout pas d'approcher pour faire une photo...
Des sources chaudes *(hot springs),* ici et là, sont signalées, entre la piste et les rebords du lac. Leurs eaux chaudes jaillissent de la falaise du Rift. Elles contiennent du soufre.

MTO WA MBU / KIBAONI

IND. TÉL. : 027

Gros village situé 6 km environ avant l'entrée du parc du lac Manyara. Son nom signifie « la rivière aux Moustiques ». Jusqu'à la fin des années 1950, ce n'était qu'un coin sec et peu habité. Grâce à l'irrigation et à l'arrivée de migrants venus y tenter leur chance, cette petite région est devenue une sorte d'oasis de verdure et un condensé d'une centaine d'ethnies différentes (cas unique en Tanzanie !). Il y a de l'eau et du soleil : tout pousse, arbres fruitiers, bananiers, tournesols, légumes... Autour, il y a même quelques rizières. On y accède en bus et on y trouve de quoi se loger et se nourrir pour pas cher.

Où dormir ? Où manger ?

CAMPINGS

⛺ ***2 public campsites*** situés à l'entrée du parc (20 US$, soit 16,6 € par personne, 5 US$, soit 4,2 € de 5 à 16 ans) et ***4 special campsites*** à l'intérieur du parc. Il y a de l'eau, des w.-c. et des douches. Emportez votre moustiquaire antimouches, surtout à la saison des pluies.

⛺ ***Campsite Jambo :*** dans le village de Mto Wa Mbu. ☎ 253-91-70. Compter 4 500 Tsh (3,7 €) par tente et par personne, et autant pour dormir en chambre. W.-c., douches, resto et bar. Minimaliste. L'endroit est gardé la nuit.

AUBERGE DE JEUNESSE

🏠 ***Youth Hostel :*** ☎ 253-91-12. Réservation obligatoire, *Chief Park Warden,* Lake Manyara National Park, PO Box 12, Mto Wa Mbu. Située au siège du parc national du lac de Manyara (Lake Manyara National Park). Pour s'y rendre, prendre à droite 300 m après la sortie du village. Très simple, mais propre. Cinquante lits. Attention, uniquement pour les étudiants. La réservation est possible depuis la France.

HÔTELS ET LODGES

Très bon marché (moins de 10 US$, soit 8,3 €)

🏠 ***Mkunde Guesthouse :*** PO Box 82, Mto Wa Mbu. Accessible en bus. En venant de Mto Wa Mbu, prendre le chemin du *Lake Manyara Hotel.* Juste après l'intersection avec la piste principale, on traverse le village-rue de Manyara-Kibaoni, aux maisons éparpillées. C'est là. La deuxième maison à droite, à côté du *New Flamingo.* Portes bleues, murs jaune et bleu clair. Chambres très ordinaires, vraiment pas chères et propres. Moustiquaire, lampes à pétrole, w.-c. à l'extérieur, eau dans un réservoir. Le patron, M. Mkunde, parle l'anglais et c'est un commerçant sérieux et affable. Plusieurs bistrots aux alentours pour le soir.

🏠 🍴 ***Majanja Hotel Restaurant :*** PO Box 1919. ☎ 253-92-80. Sur la route du *Lake Manyara Hotel,* dans le village de Kibaoni. Accessible en bus. Chambres à l'arrière du restaurant dans la cour. C'est vraiment tout simple et sans moustiquaire. On peut manger au resto pour 2 500 Tsh (2,1 €). Le patron, Joshua Michael, peut vous trouver un 4x4 pour le parc.

Bon marché (de 10 à 25 US$, soit de 8,3 à 20,8 €)

🏠 ***Camp Vision Traders & Lodge :*** PO Box 100, Mto Wa Mbu. En venant d'Arusha, prendre à gauche, la rue du marché massaï. Continuer 300 m. Pension aux murs bleus avec une grande cour intérieure abritant deux petites huttes où l'on fait salon. Vingt-six chambres de 2 lits donnant sur ce patio tranquille. Moustiquaire, w.-c. dehors, 2 douches (froides), simplicité et propreté, confort minimum. Annexe, un peu plus loin, avec un patio planté de bananiers et des chambres, un peu plus chères, équipées de w.-c.

⛺ 🏠 🍴 ***Camping et chambres du***

Twiga Campsite & Lodge : réservation à Arusha, PO Box 2267. ☎ 250-78-50. À Mto Wa Mbu, PO Box 16. ☎ 253-91-01. • twigacampsite@habari.co.tz • Situé à l'entrée de Mto Wa Mbu, sur la gauche de la route principale venant d'Arusha. Au camping, 5 US$ (4,2 €) par personne. Chambres à 25 US$ (20,8 €) la nuit pour 2 personnes avec le petit dej'. Compter 5000 Tsh (4,2 €) le repas. Des prises d'eau (robinet) sur les emplacements, des w.-c. correctes, des douches chaudes, et barbecue possible (le soir) sur le gazon. Il y a aussi une dizaine de chambres simples et propres. À l'intérieur : moustiquaire et ventilo à disposition. Fait aussi resto.

Plus chic (plus de 80 US$, soit 66,7 €)

🏠 🍽 ***Lake Manyara Hotel :*** PO Box 877, Arusha. ☎ 250-27-11 ou 12. Fax : 250-82-21. ☎ 253-91-31 sur place. À 10 km de l'entrée du parc, établi sur l'escarpement ouest de la vallée du Rift, il surplombe un vaste paysage et la partie nord du lac. Compter 200 US$ (166 €) en demi-pension en basse saison. L'hôtel compte une centaine de chambres, dont seulement certaines bénéficient d'une vue dégagée. Eau chaude de 6 h à 10 h et de 18 h à 22 h. Grande chambre sans grand confort pour le prix, mais baignoire et balcon (attention aux babouins). Beaucoup d'espace. Cet hôtel ne manque pas de charme avec sa piscine qui domine le parc Manyara. Animation le soir.

CAMPS DE TOILE

Chic et chers

🏠 🍽 ***Kirurumu Tented Lodge :*** bureau à Arusha. ☎ (027) 250-70-11. Fax : (027) 255-82-26. • www.kirurumu.com • Le chemin est bien indiqué. En venant de Mto Wa Mbu, monter sur l'escarpement de la vallée du Rift. Quelques centaines de mètres avant l'intersection pour le *Lake Manyara Hotel,* il faut prendre sur la droite une piste en bon état. De 145 à 205 US$ (121 à 168 €) en demi-pension pour deux selon la saison. Un des camps de toile les plus fréquentés. Il surplombe la vallée du Rift et le lac Manyara. Les vingt tentes, montées sur des plates-formes en bois, sont éparpillées dans une sorte de verger tropical. On trouve le confort minimum à l'intérieur : w.-c., douche, lavabo, eau chauffée par plaques solaires. Crochets pour moustiquaires. Au dehors, petit balcon avec chaise et table. Pour la vue, choisissez de préférence entre les tentes n°s 1 et 8. Un conseil : enveloppez toujours votre nourriture et fermez bien votre tente à cause des animaux. Vue panoramique uniquement du restaurant (qui n'a rien de gastronomique, pour rester dans les hic !). La nuit, des *askaris* massaïs montent la garde. L'électricité s'arrête à 22 h.

🏠 🍽 ***Majimoto Tented Lodge :*** bureau à Arusha, ☎ (027) 250-80-78. Fax : (027) 250-82-68. Un beau camp de toile, situé sur la rive sud-ouest du lac, loin de tout, à l'abri de bouquets d'acacias jaunes. Ce luxe aventureux vous coûtera la bagatelle de 350 à 450 US$ (291 à 378 €) la nuit selon la saison ! Voilà un site romantique à souhait, à condition de ne pas avoir de problèmes financiers. Les repas sont fournis et il faut les demander à la réception. Chaque tente, couverte de feuilles de bananiers, repose sur une structure en bois. Il y a une douche, un w.-c. Vue superbe sur le lac dont les eaux, en saison sèche, se retirent très loin du site du camp.

➢ DANS LES ENVIRONS DE MTO WA MBU

– ***Découverte de la vie paysanne en dehors des sentiers battus :*** pour mieux connaître l'activité de cette région fertile, des balades pédestres guidées sont organisées conjointement par le *SNV,* une organisation hollandaise d'aide au développement, et le *TBB Information Centre* d'Arusha Boma Rd, ☎ 250-38-42 ou 43. Contacts et réservations sont à prendre au *Red Banana Restaurant,* dans le centre de Mto Wa Mbu.
Les guides sont nés à Mto Wa Mbu, et sortent de l'école secondaire (obligatoirement). Ils sont nécessairement accrédités par l'organisation. Ils aiment, connaissent et savent donner des explications aux visiteurs. C'est donc une garantie de sérieux pour vous.
Au programme :
➢ un *Mto Wa Mbu Farming Tour* (une demi-journée), avec visite d'une famille chagga produisant de la bière de banane, rencontre avec un fermier produisant de l'huile, et découverte d'une ferme expérimentale cultivant des graines de tournesol ;
➢ le *Papyrus Lake Tour* consiste à marcher au nord de Mto Wa Mbu, autour du site des chutes de Miwaleni *(Miwaleni Waterfalls).* En chemin, on découvre des rizières, on visite une famille sandawe qui réalise des arcs et des flèches, et une famille rangi qui fabrique des paniers à partir de matériaux provenant du lac Papyrus tout proche ;
➢ le *Balaa Hill Tour* permet de rencontrer des producteurs de bananes. Des fermiers expliquent les méthodes d'irrigation dans le secteur. La balade se termine au sommet de la Balaa Hill (en français : « la colline de la Malchance »), d'où la vue est superbe sur la vallée du Rift et l'oasis de Mto Wa Mbu.
Non seulement c'est intéressant, mais ça aide les gens du pays à prendre conscience de la valeur de leurs activités. Voilà une bonne raison pour vous arrêter à Mto Wa Mbu.

KARATU

50 000 hab. IND. TÉL. : 027

Dernier gros village avant la région protégée du Ngorongoro (ZPN). À 25 km de l'entrée du parc (compter quand même 1 h de route), 50 km de Manyara (1 h 45) et 190 km d'Arusha (3 h). Accessible en bus depuis Arusha, mais la construction d'une route bitumée, déjà réalisée jusqu'à Karatu, est prévue pour les mois à venir (on ne dit pas combien de mois !) jusqu'à la porte d'entrée du parc. Les petits budgets peuvent par exemple y dormir et organiser leur safari d'une journée dans la région du Ngorongoro, ce qui serait cependant beaucoup plus difficile pour le Serengeti, vu les distances. Marché une ou deux fois par mois. On y trouve un petit supermarché et des commerces encore typiques, pourvu que ça dure !

Où dormir ? Où manger ?

Choix assez grand entre le camping et les fermes-auberges de luxe. D'autant que l'arrivée de la route bitumée va transformer très vite la vie du village. Certains s'organisent déjà pour construire de nouveaux hôtels, avec resto et terrain de camping. Si Rosine a toujours son « Vatican Tea House », allez y faire un tour, par curiosité...

De très bon marché à bon marché

⛺ 🏠 ***Safari Junction Lodge :*** un peu en retrait de Karatu. ☎ 253-40-38. Petit terrain de camping avec des emplacements ombragés, sur une jolie pelouse. Compter 3 500 Tsh (3 €) par personne et par tente. Eau chaude. Location de chambres à 25 US$ (21 €) avec le petit dej'. Les n°s 7 et 8 sont les plus grandes. Mais c'est cher pour ce que c'est. Propose des safaris. La patronne tient aussi le *Pub Valentine.* Endroit décontracté.

⛺ 🏠 ***Kudu Camping/Lodge :*** dans un coin tranquille, à l'écart de Karatu. ☎ 253-40-55. Fax : 253-42-68. • dawsongm@yahoo.com • Camping à 5 US$ (4,2 €), grand terrain avec de l'espace et de l'ombre, coins barbecue aménagés. On peut se procurer du charbon à la réception. Endroit propre et fleuri. Deux chambres sans salle de bains dans la réception à 45 US$ (37,8 €). Sinon, 4 bungalows-*lodges* à 65 US$ (54,4 €), petit dej' compris. Propose des safaris.

|●| ***Pub Valentine :*** à la sortie de la ville, derrière la station-service *Oryx.* ☎ 253-40-38. La patronne fait de réels efforts pour l'accueil et la présentation. Carte intéressante et pas chère, *ungali* à la minute pour 500 Tsh (0,4 €), les autres plats demandent plus de temps et tournent autour de 2000 Tsh (1,6 €). On a bien aimé le poulet à la chinoise servi sur un mini-réchaud avec sa bougie.

Prix moyens

🏠 ⛺ ***Ngorongoro Safari Resort :*** PO Box 159. ☎ 253-42-87. Fax : 253-42-88. • safariresort@yahoo.com • Dans Karatu, derrière la station Gapco. Des doubles en *B & B* à 80 US$ (66,7 €), compter autour de 15 US$ (12,5 €) le dîner. Camping à partir de 5 US$ (4,2 €). Huit huttes en dur, propres, joliment décorées, avec 2 lits simples et salle de bains à l'intérieur. Il y a aussi un bar à côté du restaurant.

Plus chic

🏠 |●| ***Gibb's Farm :*** PO Box 2, Karatu. ☎ 253-40-40. Réservation possible à Arusha : ☎ 250-89-30 ou 67-02. • www.gibbsfarm.com • Situé sur le flanc sud du volcan, à l'extérieur du cratère (1 h 30 de route !) et à 4 km au nord de la petite ville de Karatu. Compter 160 US$ (133,4 €) pour 2 personnes, déjeuner à 20 US$ (16,6 €) et dîner à 26 US$ (21 €). Le chemin qui y mène traverse des plantations de café, en bordure de forêts primaires. Construite dans les années 1930 par un Allemand planteur de café, la ferme fut vendue en 1948 à la famille Gibb, qui l'a transformé en vraie maison d'hôtes, avec un sens du confort très *british.* Le *lodge,* à taille humaine, est composé de plusieurs petits bungalows en bois, tous ensevelis sous les fleurs, les buissons et les arbres. Dans chaque chambre, tout est simple, propre, et arrangé avec attention. Jolies salles de bain. Excellente cuisine avec option végétarienne, réalisée par un excellent chef formé par Margaret Gibb. De ce délicieux jardin tropical, on a une vue superbe sur les plantations. Voilà une adresse originale comparée aux gigantesques *lodges.*

🏠 |●| ***Kifaru Lodge (Shangri La Estate) :*** PO Box 12, Karatu. ☎ 253-44-02. Réservations à Arusha : *AICC, Ngorongoro Wing,* bureau 236/7, PO Box 1187. ☎ 250-30-90. ☎ et fax : 250-89-08. Même concept de ferme-*lodge* au charme hors du temps. Quatre chambres dans la maison et seize dans le parc à 180 US$ (149,7 €) en demi-pension pour 2 personnes. Autant réserver la *Black room* ou la *Brown,* pour le même prix on dispose d'une grande chambre avec cheminée. Très jolie maison fleurie entourée de plantations de café, de champs de légumes, de blé, de haricots, de maïs. Un endroit isolé, mais plein de charme et moins touristique que la *Gibb's Farm.* Le propriétaire est un Allemand qui vit là depuis plusieurs années. Bon niveau de confort. Décoration très raffinée. Petite piscine et court de tennis.

LA RÉGION PROTÉGÉE DU NGOROGORO

« Huitième merveille du monde », cet endroit, mondialement connu, a été classé par l'Unesco sur la liste du Patrimoine mondial de l'humanité et élevé au statut de Réserve internationale de la biosphère.
Il s'agit en fait, lorsqu'on évoque ce jardin d'Éden, surtout du fameux cratère, qui ne représente pourtant qu'une toute petite partie de la région protégée du Ngorongoro (Ngorongoro Conservation Area ; autrefois rattachée au Serengeti). Mais ce morceau de roi est incontestablement une vraie merveille, isolée, inviolée, à 2300 m d'altitude (le fond du cratère est à 1700 m). Un décor de rêve, étonnamment verdoyant, où les acacias et les pins parasols servent de refuge parfois à de drôles d'oiseaux.
Mais attention : cette splendeur sauvage a déjà fait le tour du monde au travers des films et des reportages animaliers. Donc, ne pas s'attendre à s'y retrouver seuls comme Adam et Ève au premier jour du monde. Le Ngorongoro est fréquenté. Les visiteurs sont de plus en plus nombreux sur les pistes. Mais devant le spectacle éblouissant de la nature et de la vie sauvage, on finit par oublier les humains et les 4x4.
Pour se faire une idée, • www.ngorongoro-crater-africa.org •

UN PEU D'HISTOIRE

Des êtres humains vivaient déjà ici il y a 4 millions d'années. On a retrouvé des os de bestiaux datant de 10000 ans, preuve de la présence d'éleveurs nomades dans cette région. Selon une thèse, le nom de Ngorongoro viendrait du mot massaï *ilkorongoro.* Il désignerait un groupe de vaillants guerriers datogas, vaincus vers 1800 par des Massaïs au terme d'une bataille sanglante dans le cratère. D'autres avancent qu'*ilkorongoro* serait un mot dérivé du bruit des cloches portées par les Massaïs durant ce combat pour terrifier leurs ennemis : « Koh-rohng-roh, koh-rohng-roh... ».
En 1892, Oscar Baumann fut le 1er explorateur européen qui découvrit le Ngorongoro. Dans les années 1930, les Allemands contrôlaient la région. Le premier *lodge* pour touristes fut construit à cette époque-là. Les Massaïs occupaient librement les grands espaces. En 1956, ils entrèrent en conflit avec les autorités du parc du Serengeti (auquel le Ngorongoro était alors rattaché). L'idée du responsable de la Conservation, le professeur Bernhard Grzimek, était simple (simpliste ?) : « Un parc national doit rester absolument sauvage et vierge pour exister. Aucun homme, même natif de cette terre, ne devrait vivre à l'intérieur de ses limites. » C'est ainsi que fut créée, en 1959, la région protégée du Ngorongoro. Les Massaïs, qui avaient leurs habitudes pastorales dans le fond du cratère (ils y venaient avec leurs troupeaux mais n'y habitaient pas), en furent chassés *to make it look as natural as possible.* Or, depuis toujours, les Massaïs ont vécu au contact de la vie sauvage. Alors, pourquoi les repousser ? Chassés, ils se réfugièrent dans des villages aux alentours.
Depuis septembre 1992, les Massaïs ont été autorisés à revenir dans le cratère avec leurs troupeaux, 2 fois par semaine, mais il leur est interdit de pratiquer l'agriculture, comme dans l'ensemble de la zone de protection. Ce qui tombe bien, les Massaïs n'ont jamais été des agriculteurs, seulement des éleveurs. En revanche, leurs difficultés chroniques de voisinage avec les lions (on ne se refait pas !) ne permettent guère d'envisager une réinstallation complète.
Le cratère ne représente donc qu'une partie (3 %) de cet ensemble. En 1978, l'Unesco inscrit la Zone Protégée du Ngorongoro (ZPN) au Patrimoine mondial de l'Humanité *(World Heritage Site).* La ZPN représente 8296 km^2 et plus de 2,5 millions d'animaux y vivent selon la saison, et environ 25000 dans le cratère.

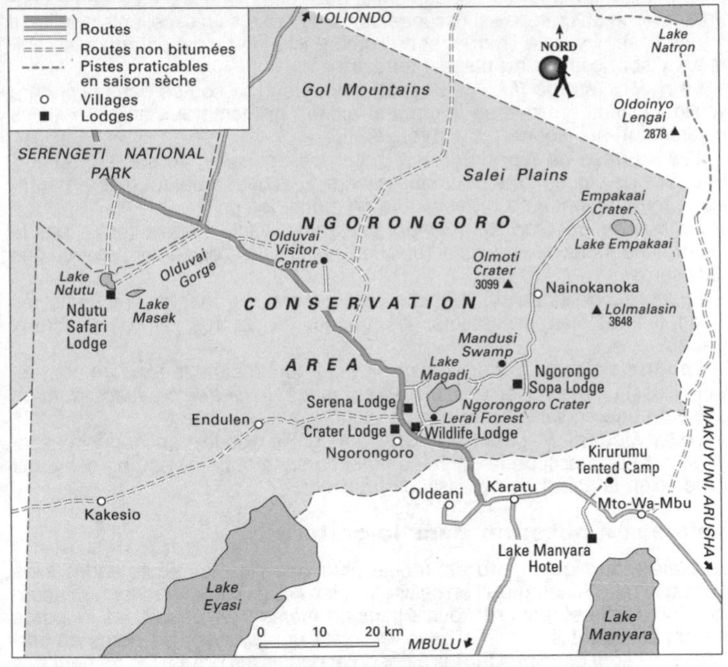

LA RÉGION PROTÉGÉE DU NGORONGORO

Pionniers de la défense de la vie sauvage, au Serengeti et au Ngorongoro, Bernhard Grzimek et son fils, Michael, ont marqué l'histoire de la région. Leur conception de la protection de la nature prévaut encore aujourd'hui. En 1959, alors qu'il tournait avec son père le film *Serengeti Shall Not Die,* Michael se tua dans un accident d'avion après avoir heurté un vautour. Son père acheva seul le film et un livre du même nom. À Francfort, il créa la Société zoologique de Francfort *(Frankfurt Zoological Society).* Il disparut en 1987. Son dernier souhait fut d'être enterré près de son fils. Leurs tombes se trouvent au bord de la piste, non loin du *Crater Lodge.* Les Grzimek sont les seuls Européens à reposer dans la région protégée du Ngorongoro.

LE CRATÈRE DU NGORONGORO

Ce qui frappe d'abord, c'est son immensité. Il mesure 20 km de long sur 16 km de large. Imaginez : une capitale comme Paris tiendrait largement dans cet énorme trou naturel. En termes scientifiques, il s'agit d'une vraie caldera (ou caldeira), c'est-à-dire d'un vaste cratère formé par l'explosion de la cheminée d'un volcan, bouchée par les laves. Ses flancs escarpés, boisés à l'est et au sud-est, plus arides au nord, n'ont jamais été vraiment cassés par une faille d'envergure. Pas de brèches, pas de vallées pour y pénétrer. On entre dans le cratère par le haut, et uniquement par le haut. Et ça descend sec, la dénivelée fait 610 m. Ce cirque volcanique hors du commun est un monde clos, refermé sur lui-même. Cela explique la difficulté pour les animaux d'y entrer ou d'en sortir. Voilà le plus grand cratère régulier et non inondé du monde. Sur la crête sud, on est à 2 286 m d'altitude. L'air est frais, léger. On oublie les lourdeurs des savanes surchauffées.
Microcosme de l'Afrique de l'Est, l'intérieur du cratère abrite des types variés de paysages : steppes herbeuses, savanes avec quelques arbres, des ruis-

seaux, des marais, des lacs, des petits bois, des monticules. La partie centrale au fond du cratère est occupée par des herbages d'excellente qualité. Il y a de l'eau, il y a de l'herbe, et de l'ombre ici et là : c'est pourquoi les animaux y sont comme au paradis terrestre.

– ***La rivière Munge*** *(Munge Stream)* **:** elle prend sa source dans le cratère voisin d'Olmoti et traverse le cratère, attirant de nombreux animaux (lions notamment) qui viennent s'y abreuver.

– ***Les sources de Ngoitokitok*** *(Ngoitokitok Springs)* **:** au sud-est du cratère. Site de pique-nique pour les visiteurs. Pratique, à défaut d'être romantique, tout le monde se retrouvant là en même temps.

– ***Le marais de Gorigor*** *(Gorigor Swamp)* **:** vaste marais formé par le débordement des eaux des sources de Ngoitokitok. C'est le coin préféré des rhinocéros.

– ***Le marais de Mandusi*** *(Mandusi Swamp)* **:** refuge pour les éléphants, les hippopotames, les prédateurs, les gnous, les zèbres et de nombreux oiseaux.

– ***La forêt de Lerai*** *(Lerai Forest)* **:** il y a 2 forêts dans le fond du cratère. Celle-ci est un merveilleux îlot d'acacias jaunes (*fever tree* ou *acacia xanthophloea*) et de figuiers. Autre aire de pique-nique possible.

– ***Le lac Magadi*** *(Magadi Lake)* **:** *magadi* signifie « soda » en langue massaï et en swahili. Il occupe la partie centrale du cratère. Le niveau de ses eaux varie selon la saison. Une oasis de fraîcheur.

Animaux à observer dans le cratère

Le cratère du Ngorongoro est réputé pour être l'un des seuls endroits de Tanzanie (et d'Afrique) où l'on puisse voir les « Big Five » (éléphant, rhinocéros, lion, buffle et léopard) réunis dans un même lieu. En fait, les léopards restent souvent bien cachés dans les forêts qui tapissent les bords du cratère, et ne sont donc pas faciles à observer depuis les pistes. On ne peut pas voir non plus de girafes, d'impalas, ni de *topis*. Mais rassurez-vous, votre journée ne sera pas perdue car vous ferez le plein d'émotions, surtout lorsque votre guide vous entraînera loin des autres véhicules tournant désespérément à la recherche d'un couple de rhinocéros ou d'une lionne accompagnée de ses lionceaux. On dénombre aujourd'hui près de 25000 gros mammifères. Voir, plus loin, le cahier « Vie sauvage » de ce guide, qui donne des explications détaillées sur chaque animal. (Les chiffres officiels datent du recensement de 1999.)

– ***Les éléphants*** **:** ils sont environ 25 dans le fond du cratère, essentiellement des mâles. Leurs défenses en ivoire, plus belles ici qu'ailleurs, sont longues et harmonieuses, en raison de la qualité de l'herbe qu'ils mangent. Les mâles font quelques incursions dans le cratère et ressortent pour rejoindre les femelles qui vivent dans les forêts à l'extérieur et pour trouver des sels minéraux. On peut voir, sur la route qui longe le cratère, des trous faits par leurs défenses dans la terre.

– ***Les rhinocéros*** **:** le cratère du Ngorongoro est un des derniers endroits de Tanzanie où vivent des rhinocéros noirs. En nombre très réduit, ils étaient une centaine en 1965. Conséquence du braconnage, aujourd'hui, il en reste une petite vingtaine, et on peut les voir facilement... mais de loin (jumelles indispensables). Pour les protéger, les gardes (rangers) ont reçu comme instruction de tirer sans sommation une fois la nuit tombée. Les rhinocéros ne sortent pas du cratère, et pour se nourrir en sels minéraux, ils mangent les excréments des éléphants, qui eux entrent et sortent plus facilement.

– ***Les lions*** **:** il y a entre 35 et 38 lions dans le Ngorongoro, chacun des cinq clans vivant dans un espace bien délimité. En 1962, les lions furent décimés par une épidémie mortelle portée par des mouches. On a cru alors qu'ils allaient définitivement disparaître du cratère. Les jeunes mâles les plus faibles sont souvent rejetés du cratère et doivent trouver un autre territoire.

– ***Les buffles :*** très nombreux, presque 10 000. Ils sont arrivés dans le cratère au milieu des années 1970, tandis que les Massaïs et leurs troupeaux s'en allaient hors du cratère.
– ***Les léopards :*** rares, mais il y en a. On peut, avec un peu de chance, en apercevoir le long du cours de la Munge et sur les pentes boisées.
– ***Les autres animaux observables :*** hippopotames (155), gnous (13 000), zèbres (5 000), gazelles de Thomson, gazelles de Grant (1 700), élands du Cap, bubales, phacochères, autruches, des prédateurs comme des chacals, des hyènes et quelques guépards, reconnaissables aux dizaines de voitures tournant autour lorsqu'ils font la moindre sortie. De nombreuses espèces d'oiseaux : canards, oies, hérons, ibis, pluviers, outardes, grues couronnées... Mais il n'y a pas de girafes, c'est trop difficile pour elles de descendre dans le cratère.

Comment y aller ?

➢ ***D'Arusha :*** 190 km. Durée : 3 h 30.
➢ ***Du lac Manyara :*** 60 km. Durée : 1 h 30.
➢ ***Du parc de Tarangire :*** 155 km. Durée : 2 h 15.
➢ ***Du lac Ndutu :*** 90 km. Durée : 1 h 15.
➢ ***Du Seronera Lodge (parc du Serengeti) :*** 145 km. Durée : 2 h 30.
➢ ***De l'Ikoma Gate :*** 200 km. Durée : 3 h 30.
➢ ***Du Lobo Lodge (parc du Seregenti) :*** 255 km. Durée : 3 h 45.
➢ ***De Keerorok :*** 290 km. Durée : 4 h 45.
➢ ***De Musoma :*** 390 km. Durée : 6 h.
➢ ***De Mwanza :*** 470 km. Durée : 7 h 30.

À ces temps de route, ajouter 30 mn de plus pour atteindre le fond même du cratère.

Conseils

Seuls les véhicules équipés de 4 roues motrices sont autorisés à descendre dans le fond du cratère. Les simples minibus ne peuvent pas y aller. Le problème, c'est qu'à 8 h tous les 4x4 descendent en même temps, bonjour les embouteillages... Pour une fois, si vous êtes en retard, vous ne le regretterez pas !
Vous pouvez descendre seul avec votre 4x4 dans le cratère. Mais l'expérience des guides locaux, capables d'anticiper les réactions des animaux et de les débusquer, est irremplaçable.

Pistes pour descendre dans le fond du cratère

Il y en a trois différentes. À l'est, une piste descend du *Sopa Lodge* (montée et descente autorisée). Au sud-ouest, entre les *Crater Lodge* et *Rhino Lodge,* une autre piste (accessible seulement à la montée, pas en descente) vient de la forêt de Lerai. Enfin, la Seneto Descent Rd (descente uniquement) part du Windy Gap sur la route du Serengeti (crête ouest du cratère), et arrive dans le fond du cratère à la hauteur du lac Magadi. Vues superbes de partout.

Quand y aller ?

– *Saison sèche :* de mi-mai à fin novembre. Peu de temps après la fin de la saison des pluies, au mois de juin, c'est presque idéal car tout est vert, et il y a des fleurs partout. En outre, au tout début de la saison sèche, il peut faire froid. Et cela peut surprendre.

– *Saison humide :* de fin novembre à mi-mai. En avril et mai, les pistes sont très humides et glissantes.

Températures

– *À l'aurore et au crépuscule :* du fait de l'altitude, les hauteurs du cratère sont souvent enveloppées d'un brouillard épais et froid qui obstrue la vue et ne se dissipe qu'en fin de matinée. Ça consolera les photographes, sans doute frustrés par les heures d'ouverture du parc (8 h à 18 h). Il y règne une température exquise.
– *Le soir et la nuit :* à 2300 m d'altitude, sur le rebord du cratère (où se trouvent la plupart des *lodges*), la température peut descendre jusqu'à 6 °C la nuit. Prévoyez des vêtements chauds (un gros pull ou un blouson). Cela a toutefois l'avantage d'éliminer les moustiques !

Adresses utiles

i ***NCA Tourism Office :*** situé sur la crête au sud-ouest du cratère du Ngorongoro. Juste après le carrefour d'où part la piste pour le *Crater Lodge,* il y a un chemin qui conduit, 1 km plus loin, au bureau de tourisme de la Ngorongoro Conservation Area. C'est ici que l'on s'arrête pour payer la taxe d'entrée (30 US$ soit 24,9 € par jour et par personne), ou demander les permis spéciaux pour les randonnées accompagnées de rangers ou le camping en dehors des zones autorisées. Compter 15 US$ soit 12,5 € en plus par véhicule pour la descente accompagnée. Et penser au retour, pour ceux qui reviendront en voiture du Serengeti : il faudra de nouveau payer le même droit de passage par personne pour emprunter la seule route utilisable pour l'instant !

✉ ***Petite poste (Post Office), police et station-service :*** au bord de la piste, non loin du bureau du NCA Tourism Office.

– Au ***Ngorongoro Village,*** quelques magasins, très rudimentaires.

Où dormir ? Où manger ?

C'est triste, mais c'est voulu par le gouvernement tanzanien : les formules d'hébergement sont très très chères. Il n'existe pas d'auberge de jeunesse, ni de *youth hostel.* Aucune adresse à prix raisonnables pour des voyageurs à petits budgets. Ici, les *lodges* doivent faire le plein et rapporter des devises. *Conseils :* on peut facilement profiter du cratère en une journée, le plan consiste à dormir à Karatu, et à se regrouper à quatre pour baisser le prix de la location d'un 4x4. L'inconvénient est le temps de trajet aller-retour, 25 km qu'on fait en 1 h, durée qui sera raccourcie une fois la route bitumée achevée.

Sur la crête et hors du cratère

Campings

Le camping est autorisé dans la zone protégée (sauf dans le cratère) et seulement dans des sites prévus à cet effet : les *campsites.* Il faut contacter le bureau du *Ngorongoro Tourism Office.* Compter autour de 20 US$ la nuit par personne (16,7 €) pour le *public campsite* et 40 US$ (33,4 €) pour les *special campsites* (4).

⛺ Le ***site autorisé*** de camping se trouve à 3,4 km au nord, après l'intersection de la piste du *Crater Lodge.*
⛺ On peut aussi camper près du lac Ndutu et dans la gorge d'Olduvai. Bel emplacement.
⛺ Une autre solution consiste à camper à l'entrée de la zone protégée du Ngorongoro, au village de Karatu (voir plus haut).

Lodges

🏠 ***Ngorongoro Wildlife Lodge :*** PO Box 877, Arusha. ☎ (027) 250-27-11. Fax : (027) 250-82-21. ☎ 253-70-58 sur place. *Lodge* haut perché (2286 m), sur la crête sud du cratère. Les prix vont de 200 US$ soit 166 € *(B & B)* à 250 US$ soit 208 € (en pension complète). Chacune des chambres (très bien équipées, avec bains et chauffage central – qui ne marche pas toujours –, prévoir un pull) jouit d'une vue absolument unique. Préférez les chambres à l'étage, comme toujours. Il y a sinon une grande terrasse panoramique avec un télescope (pour observer les animaux dans le fond du cratère). Bonne ambiance le soir avec les animations.

🏠 🍽 ***Ngorongoro Sopa Lodge :*** PO Box 1823, Arusha. ☎ (027) 250-68-86. Fax : 254-82-45. • www.sopalodges.com • Compter de 200 à 250 US$ (de 166 à 208 €) en demi-pension, selon la saison. Les bungalows de style néotanzanien se suivent les uns à côté des autres, sur le rebord du cratère. Très grandes et lumineuses, les chambres ont des grands lits et une baie vitrée donnant sur l'un des plus beaux paysages d'Afrique de l'Est. Au centre du *lodge,* sous 2 grandes huttes africaines, tout en bois et en matériaux locaux, il y a un bar, une cheminée (avec un bon feu) et une salle à manger. La cuisine y est plutôt meilleure qu'ailleurs, mariant saveurs d'Afrique et d'Europe. Pas de buffet mais un service à table effectué par des gens souriants et efficaces.

🏠 🍽 ***Ngorongoro Serena Lodge :*** PO Box 2251, Arusha. ☎ 253-70-52. Fax : 253-70-56. • www.serenahotels.com • ngorongoro@serena.co.tz • Compter 245 US$ (204 €) en basse saison et 375 US$ (315 €) en haute saison. Mais les tour-opérateurs ont leur propre prix, et ici tout le monde, ou presque, passe par eux. Et ne s'en porte pas plus mal, vue l'ambiance des retours de safaris, autour de la cheminée, verre de cocktail en main, et même des repas, gentiment servis, dans une salle aux dimensions impressionnantes. Nourriture très correcte, qui plus est. Belles chambres, au calme, avec dessins d'animaux sur les murs, dans un style très rupestre, mobilier ethnique et terrasse ouvrant, pour les plus belles, sur le cratère. Pour tailler l'herbe, ils ont embauché les meilleurs jardiniers de l'endroit : les éléphants, qui passent parfois à quelques mètres de là. Pour les amateurs de botanique, balade d'1 h jusqu'au sommet.

LES GORGES D'OLDUVAI

🚶🚶 C'est un coin perdu de l'Afrique de l'Est. Au sud-est du parc du Serengeti, aux confins de la région protégée du Ngorongoro, cette gorge semi-aride (60 cm d'eau par an) et dépeuplée forme une étrange cassure dans le paysage. Longue de 40 km, profonde de 90 m en moyenne, elle rompt soudainement avec la monotonie des steppes arides. Le simple nom de ce canyon désolé inspire le respect et l'envie chez les paléontologues du monde entier. Dans ces flancs rocailleux ont été exhumés de nombreux fossiles remontant à plus de 2 millions d'années. Au fil des ans, les découvertes ont été si importantes, si essentielles pour l'histoire, que le site est considéré par beaucoup comme l'un des « berceaux de l'humanité » *(craddle of mankind).*

UN PEU D'HISTOIRE

Olduvai, en langue massaï, signifie « la gorge du Sisal sauvage ». Tout a commencé en 1911, par un hasard amusant. À cette époque, le Tanganyika dépendait encore de l'Allemagne. Un entomologiste allemand, le professeur Kattwinkle, s'aventura jusqu'ici pour y chercher des papillons. La chance fit qu'il découvrit (par hasard) des os fossilisés. Sa découverte fit beaucoup de bruit en Europe et attira l'attention des scientifiques. En 1913, une expédition conduite par le professeur Hans Reck vint dans la région pour fouiller les entrailles du canyon d'Olduvai. Dans la foulée, plusieurs autres expéditions furent menées.

Les Leakey, pionniers d'Olduvai

En 1931, Reck revint à Olduvai accompagné par deux archéologues, encore inconnus, Louis Leakey (archéologue anglais né au Kenya) et sa future femme Mary. Les Leakey s'attachèrent à Olduvai. Ils poursuivirent leurs fouilles. Le 17 juillet 1959, alors que Louis Leakey était cloué au lit par une bonne grippe, sa femme Mary déblayant le sol découvrit 400 fragments du squelette de l'*Australopithecus Zinjanthropus boisei.* Cet honorable individu vécut dans la région il y a environ 1,75 million d'années. Un de ces fragments, un crâne bourrelé et comprimé, se trouve au musée de Dar es-Salaam. Cette découverte fit couler beaucoup d'encre et permit aux Leakey d'obtenir un soutien financier de la part du magazine américain *National Geographic.*
En 1960, les Leakey découvrirent des restes d'un jeune *Homo habilis.* Dans l'évolution humaine, l'*Homo habilis* est un bipède qui se situe après le *Zinjanthropus boisei* et avant l'*Homo erectus.* Ancêtre de l'homme moderne, l'*Homo habilis* présente un crâne de 600 cm^3, plus volumineux que celui de son prédécesseur. Côté image, il a l'allure d'un singe mal dégrossi, et ressemble assez à un primate aux longs bras pendants. Il se serait servi d'outils rudimentaires en pierre. Des outils similaires, mais plus perfectionnés que ceux utilisés par l'*Homo habilis,* furent aussi mis au jour : ils auraient été ceux de l'*Homo erectus,* individu ayant vécu il y a 1,2 million d'années. À propos de l'*Homo erectus,* sachez que celui-ci se situe dans l'évolution juste avant l'*Homo sapiens* (l'être humain actuel). Il a une capacité crânienne d'environ 950 cm^3, son front est plus remonté, et ses mâchoires sont nettement moins proéminentes. Bref, il a l'air moins simiesque. Par ailleurs, l'*Homo erectus* se tient plus droit que l'*Homo habilis,* d'où son nom : *erectus,* érigé, dressé, debout quoi. Autrement dit, voilà un gars présentable.

La machine à remonter le temps

Et les recherches continuent. Rien n'est jamais définitif à Olduvai, ni en Afrique de l'Est. Les résultats d'une découverte peuvent confirmer ou au contraire contredire ceux des précédentes trouvailles. En 1979, à Laetoli (site près d'Olduvai), des archéologues ont mis au jour des empreintes de pas d'hominidés remontant à plus de 3,5 millions d'années. Du coup, cette trouvaille repousse encore plus loin dans les siècles la date de l'apparition probable de l'espèce humaine sur terre. En 1995, une équipe de chercheurs américains (du New Jersey) et tanzaniens a exhumé de terre un squelette complet d'*Homo habilis.* Une sacrée découverte ! La quête du Graal archéologique d'Olduvai en Tanzanie n'est pas finie. Loin de là. Elle continue. Quelque chose d'aussi fascinant que la passion de la science-fiction semble animer l'esprit des chercheurs. Richard Leakey, fils du célèbre Louis, l'a bien souligné : « ... Si une machine à remonter le temps nous replaçait dans le contexte d'un de nos ancêtres d'il y a 2 ou 3 millions d'années, nous partagerions notre environnement avec au moins 2 ou 3 cousins hominidés *Australopithecus boisei, Australopithecus africanus* et peut-être quelques spécimens survivants de feu *Ramapithecus...* »

Comment y aller ?

➢ Les gorges d'Olduvai se trouvent à 25 km à vol d'oiseau du cratère du Ngorongoro. Pour s'y rendre, une seule piste qui traverse la région protégée du Ngorongoro en se dirigeant vers le parc du Serengeti. On retrouve une altitude comprise entre 1 000 et 1 200 m. Des villages massaïs surgissent au détour du chemin, des girafes apparaissent, des gazelles, des gnous traversent la route. Au kilomètre 225 environ, une piste de 5 km mène au site d'Olduvai (musée, et cabane pour pique-nique), situé à l'écart de la piste principale.
– La plupart des safaris s'arrêtent à Olduvai pour un court moment. Le temps de pique-niquer sous une des deux huttes *(resting huts)* construites au bord d'une falaise dominant les gorges (vue superbe), et de visiter le petit musée.
– Habituellement, l'escale à Olduvai ne dure pas plus de 2 h. Ce qui est amplement suffisant pour la moyenne des voyageurs dans le temps, qui passent par ce petit musée pour le moins attachant avant de s'arrêter, perplexes, à la librairie, plus fournie en informations.

À voir

★ ***Le musée du site d'Olduvai :*** ferme à 15 h. Entrée : 2000 Tsh (1,6 €). Souvent beaucoup de monde et pas de visites guidées. Rien de grandiose dans ce musée si l'on ne s'intéresse pas à l'histoire de l'humanité et aux origines de l'homme. Pour l'amateur éclairé, en revanche, c'est une étape indispensable. On y voit une partie (une petite partie seulement) des fossiles trouvés au fil des ans dans les gorges d'Olduvai et aux alentours. Des moulages et des photos des empreintes d'hommes, de girafes, de rhinocéros, et de nombreux fossiles d'animaux. Certains fragments ont des dimensions assez imposantes, comme ces défenses et mâchoires fossilisées d'éléphants. Plus intéressant encore : on y trouve aussi des fossiles d'espèces disparues, comme les cornes d'un koudou (disparu) ou les mâchoires inférieures d'un cochon bizarre (disparu aussi). Les pièces les plus marquantes sont bien entendu celles concernant les origines de l'homme, comme cette calotte crânienne d'un *Homo erectus,* ou ce crâne reconstitué de *Zinjanthropus boisei.*
Ce petit musée retrace assez bien l'histoire du site et des découvertes archéologiques. Une photo ancienne montre l'équipe archéologique de 1931 avec Leakey, en jeune aventurier. À côté, une autre photo datée de 1961, où Leakey est toujours là, 30 ans après ses débuts, quelques cheveux blancs en plus, entouré de sa femme Mary et de leur fils. D'autres panneaux, plus ou moins régulièrement remis à jour, présentent les équipes actuelles.

LE LAC NATRON ET LE VOLCAN OLDOINYO LENGAI

★★ À la frontière kenyane, mais accessible seulement depuis la Tanzanie. Depuis Olduvai, belle balade hors des sentiers battus, à faire en compagnie d'un bon guide et à bord d'un véhicule fiable (autres routes depuis Arusha). Endroit magique, l'eau du lac est d'un bleu turquoise, avec des flamants roses. Situé à 609 m d'altitude aux confins du rift Gregory, entouré d'escarpements, le lac est l'un des points des plus bas du rift oriental, et l'un des plus chauds. Il collecte les eaux de pluie qui lessivent les flancs du volcan Oldoinyo Lengai, la « montagne de Dieu » en langue massaï. Des eaux qui

se chargent en sodium avant de se déverser dans le lac. Loin de dissuader la vie, cette saumure est le lieu de reproduction privilégié de quelque 2,5 millions de flamants nains : ils se nourrissent d'une algue rouge, la seule à pouvoir se développer dans cette eau saturée de sodium, à qui ils doivent leur jolie teinte rose.
Le lac les nourrit, il les protège aussi, puisqu'ils construisent un nid de boue sur les parties asséchées. D'autres oiseaux viennent leur rendre visite : échassiers, oies, ibis, martins-pêcheurs... Éléphants, buffles, rhinocéros viennent aussi soulager leurs plaies dans les eaux du lac.
De nombreux villages massaïs tout autour. C'est là, sur cette montagne sacrée, que naquit selon la légende le père des Massaïs, Natero Kop, fils du dieu Engaï.

LE VOLCAN OLDOINYO LENGAI (2878 M)

Le seul volcan actif de la zone. L'un des plus grands aussi, vieux de 370000 ans. C'est le seul de la planète à émettre des carbonites, laves riches en carbonates de sodium, fer et calcium, alors que les autres volcans du globe crachent des laves essentiellement siliceuses. Cette composition chimique particulière se traduit par l'émission d'une lave noire et très fluide lorsqu'elle est en fusion, devenant blanche comme neige en refroidissant. Il est entré en éruption en 1966, 1983 et 1992.
Il faut compter 5 à 6 h de marche pour arriver au sommet. Le camp de base se trouve à 800 m. La rando se fait souvent de nuit pour arriver au lever du soleil. Mais on peut aussi entreprendre l'ascension de jour.

1er jour (village massaï Ngarasero – Lengai)

Départ très tôt (5 h 30) du camp pour un court transfert en 4x4 vers le départ de la rude montée qui va durer de 4 à 6 h. Panorama extraordinaire pendant l'ascension et à l'arrivée dans le cratère sacré des Massaïs. Découverte du volcan « blanc » unique au monde (laves chargées en carbonite). Nuit dans le cratère.

2e jour (Lengai – Ngarasero)

Après le lever du soleil en face du « Kili », au sommet des cratères, on entame la descente (3 h de marche) vers le véhicule, qui nous ramène au village vers midi. L'après-midi, on se baigne dans une cascade, non loin du village.

LE PARC NATIONAL DU SERENGETI

> **« Depuis la nuit des âges, il n'y avait eu dans cette brousse pour naître, vivre, chasser, s'accoupler et mourir, que le peuple des bêtes. »**
>
> **Joseph Kessel, *Le Lion*.**

ჴჴჴ Voilà un parc tanzanien bien nommé : *Serengeti* signifie en effet « Terre aride et étendue » en langue massaï. Oui, nul doute, c'est l'un des plus grands et des plus somptueux parcs d'Afrique. Grand comme 8 fois la réserve voisine de Massaï-Mara au Kenya, plus petit que la réserve de Selous (sud de la Tanzanie); le Serengeti (14763 km²), c'est la moitié de la surface de la Bretagne. Il représente la Nature africaine avec un grand N. Voilà un des derniers paradis naturels de la planète. Des kyrielles d'animaux

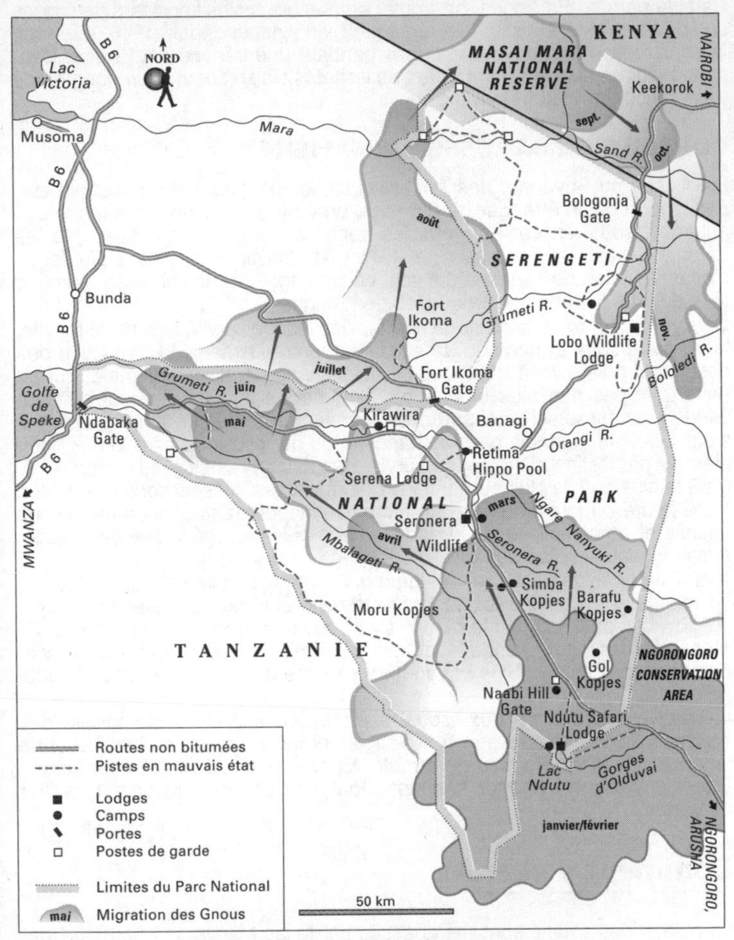

LE PARC NATIONAL DU SERENGETI

de toutes les espèces, de toutes les tailles, y vivent, y grandissent, y évoluent en toute liberté, dans des paysages dignes du 1er jour de la Création. On songe inévitablement à l'arche de Noé, à la Genèse.

Nous sommes au cœur des immenses savanes de l'Afrique de l'Est, entre 1 000 et 2000 m d'altitude. Il y fait chaud, torride non. On y entre habituellement par la porte Naabi Hill *(Naabi Hill Park Gate),* au sud-est. À mesure que l'on monte vers le nord, les paysages changent, preuve de la diversité de l'écosystème du Serengeti. Dès l'entrée du parc s'étend une immense savane d'herbes hautes, une plaine interminable, plate, et sans arbres, où se dressent de place en place, comme des îlots, de curieux chaos de roches granitiques, baptisées *kopjes* (prononcez « kopizz »). Autour du *Seronera Lodge* pousse la savane à acacias, plus verdoyante. Le Nord est très vallonné, et ondulé de collines. Enfin, un immense triangle sauvage, nommé le corridor Occidental *(Western Corridor),* s'étire jusqu'aux rives du lac Victoria.

Dans le parc du Serengeti, on trouve un nombre moins important de *lodges* qu'au Massaï-Mara voisin. Un règlement, en vigueur depuis 1996, a interdit la construction de nouveaux *lodges* pendant une période de 10 ans. Cela pour éviter un afflux trop important de visiteurs : ici, on peut rouler longtemps sans rencontrer d'autres véhicules.

CONSEILS DE SAGESSE ANIMALIÈRE

Bienvenue au Royaume des Animaux ! Ici, le voyageur est un observateur, rien d'autre qu'un étranger de passage, un visiteur presque indésirable. Les animaux, vous les verrez, vous les sentirez, vous les admirerez. Ne les dérangez pas. Ce morceau de Tanzanie constitue la plus belle leçon d'observation et de sagesse qui soit. Le Serengeti est un immense bestiaire écrit dans le livre des herbes folles de l'Afrique.

Le sens du territoire, le désir de liberté, l'instinct de survie, l'esprit de famille, la vie sédentaire et nomade, la solidarité contre l'ennemi, la protection des petits et du clan, voilà quelques caractéristiques de la vie animale, qui ne nous sont pas non plus inconnues. Comme les hommes, ces bêtes sauvages passent aussi une partie de leur temps à s'épier, à se guetter, à s'entre-dévorer. Jamais par méchanceté, ou par plaisir de faire le mal, simplement par instinct de vie et de survie. Pas d'angélisme ici, nul romantisme, mais le plus brut, le plus authentique des réalismes, présent sous nos yeux à toute heure du jour et de la nuit (vous n'échapperez pas, avec un peu de chance et de complicité de la part de votre guide, à une scène de chasse, aussi éducative qu'éprouvante).

À chacun donc de déchiffrer l'énigme du Serengeti, et la marche secrète de ce monde sauvage. La loi de la brousse ne change pas, elle reste celle, impitoyable, de la jungle : le plus fort y a souvent raison sur le plus faible. Le règne des animaux s'appelle autant harmonie qu'injustice, inégalité, violence, cruauté même. Si le voyageur y cherche une leçon, c'est sans doute celle-là.

Laissez-les vivre entre eux, sous la protection et avec la complicité des hommes. La nature sauvage a ses règles propres, sa part de lumière et de ténèbres, de merveilleux et de terrible. Et c'est pour cela qu'elle est nature. Dans ce *wilderness* (monde sauvage), tout est à observer, tout est à méditer âprement.

Comment y aller ?

La plupart des safaris sont déjà passés par le lac Manyara (1 nuit), le Ngorongoro (1 nuit), puis les gorges d'Olduvai, avant de traverser le parc national du Serengeti (compter 2 nuits sur place). Pour vous aider à choisir la bonne agence, reportez-vous à notre sélection d'adresses, figurant dans le chapitre consacré à Arusha. Attention au prix d'entrée de 30 US$ (25 €), bien indiqué par jour et par personne, hors véhicule.

Quelques distances kilométriques

- *D'Arusha au Seronera Lodge :* 335 km. Durée : 6 h.
- *De Ngorongoro au Seronera Lodge :* 145 km. Durée : 2 h 30.
- *Du lac Ndutu au Seronera Lodge :* 80 km. Durée : 1 h 15.
- *Du Seronera Lodge au Lobo Lodge :* 145 km. Durée : 2 h 30.
- *Du Lobo Lodge au Ngorongoro :* 255 km. Durée : 3 h 45.
- *Du Lobo Lodge à Tarangire :* 385 km. Durée : 6 h 15.
- *Du Lobo Lodge à Arusha :* 405 km. Durée : 7 h.

Comment se déplacer dans le parc?

La moins mauvaise solution consiste à embarquer dans un 4x4, à 4 ou 5 personnes. Ce que 99 % des visiteurs font, bien entendu. À 6 personnes dans un 4x4, le prix de la location par tête est moins élevé, mais on peut commencer à se sentir entassé.
Quitte à dépenser quelques shillings tanzaniens en plus, choisissez un vrai 4x4, un véhicule à 4 roues motrices, genre Land Rover ou Land Cruiser. Même si c'est devenu la norme (car moins cher), éviter autant que possible les faux vrais 4x4 genre camionnettes japonaises trop basses sur roues : elles ne passent pas partout, et tiennent assez mal la piste (risques d'accident).
Votre guide vous arrêtera certainement, à l'heure la plus chaude, pour faire un pique-nique à l'ombre d'un acacia. Suivez son exemple, dégourdissez-vous les jambes, en repérant bien l'emplacement des taches jaunes qui, à quelques centaines, voire dizaines de mètres parfois, signalent des lions et des lionceaux heureusement repus. « Rien à craindre », vous diront peut-être certains autres voyageurs, attablés à quelques mètres de là pour un vrai pique-nique de luxe (table, fauteuils en toile, assiettes et couverts) alors que vous découvrez, l'œil navré, le contenu de votre boîte, préparée par l'hôtel...

Quand y aller?

– *En saison sèche :* elle dure de juin à novembre.
– *À la saison des pluies :* le Serengeti connaît en principe 2 saisons des pluies, une petite *(mvuli),* provoquée par la mousson du sud-ouest, en avril et mai. Et une grande *(masika),* qui arrive avec la mousson du nord-est à partir de novembre. Rien n'étant jamais certain, ni systématique dans le domaine des climats, il arrive que la saison sèche se prolonge plus que de coutume ou qu'elle ne soit pas entrecoupée de quelques orages. Exemple : en février-mars, il fait beau et chaud tous les jours. Parfois, quelques petites averses orageuses tombent en fin de journée. Rien de très méchant. Attention, par temps pluvieux, certaines pistes de terre du corridor Occidental *(Western Corridor)* deviennent impraticables.

Le Serengeti sous la pluie

Rien de plus beau que la pluie! Si décriée en Europe, n'est-elle pas un don du ciel pour les Africains? Même si les pistes boueuses deviennent un peu moins aisées à pratiquer à cette époque, la saison des pluies constitue pour un voyageur une des plus belles expériences d'observation du monde sauvage. La pluie n'arrive jamais sans prévenir. D'épais nuages sombres s'amoncellent dans le ciel, poussés par un vent venu du lointain océan Indien. Les premières gouttes d'eau tombent sur la terre sèche et sur la poussière. À force d'être desséché, le sol a formé une carapace si durcie par le soleil qu'il semble incapable d'absorber cette eau bienfaitrice. À ce moment-là, on dirait que la terre a tout perdu, y compris le goût de l'eau. Mais la force des éléments est telle que le sol du Serengeti ne pourra pas y résister longtemps. Il commence à s'engorger. Enfin! La nature exhale des parfums de terre et d'herbe mouillée. Une merveille pour les sens. L'arrivée de la pluie est un soulagement pour les animaux, et un don des dieux pour les hommes. Les orages et l'humidité garantissent ainsi chaque année une herbe nouvelle et des points d'eau aux bêtes.
« Bon pâturage signifie bon lait et donc beaux petits. » Cela pourrait être un dicton convenable pour cette savane aride. Satisfaits, libérés des souffrances de la sécheresse, les lions accueillent la pluie avec des rugisse-

ments de joie. Grâce à cette eau nourricière, les lionceaux pourront survivre. Les petits guépards nés à la fin de la saison sèche ne seront pas sacrifiés par l'injustice de la météo. Pour eux, la pluie est synonyme d'abondance : au moins, ils ne mourront pas de famine ou de soif. Les femelles trouveront facilement de quoi les nourrir : lièvres, oiseaux, gazelles. Les girafes auront moins de mal à s'abreuver dans des mares, dont le niveau d'eau est au plus haut. Les herbes changent de couleur. Les paysages reverdissent. Autre merveille de la nature sous la pluie : les oiseaux migrateurs. Venus d'Europe, ils font étape au Serengeti. Des milliers de cigognes s'abattent sur les plaines, des busards virevoltent dans le ciel, des pluviers d'Asie volent en formation serrée. Des hirondelles, des martinets, des sternes traquent les insectes, qui pullulent en saison des pluies.
Quand la petite saison des pluies touche à sa fin, vers fin mai, les gnous ont déjà entamé leur grande migration (voir détails ci-dessous) du sud-est du Serengeti vers le corridor Occidental *(Western Corridor)*.

La migration des gnous (et gnou, et gnou!)

Ici, vous verrez des gnous partout. Cette drôle de bête ressemble à une grosse antilope pataude : un corps et des cornes de bovin, et une tête de mouton barbichu. Sa silhouette évoque quelque chose de méfiant et obstiné, comme le bison. Le gnou n'a pas l'air très futé, il faut le dire. Il n'a pas la mémoire des lieux dangereux, et c'est le zèbre qui le prévient des dangers. Se déplacer au sein d'un immense groupe : tel est le passe-temps favori du gnou, son habitude millénaire. Imaginez des steppes et des savanes étendues à l'infini. Et une nébuleuse de colonnes animales, longues parfois de 40 km, galopant au milieu de nulle part, vers un objectif invisible.
La migration des gnous est un des spectacles les plus surprenants qu'il soit donné d'observer en Afrique de l'Est. Par dizaines, par centaines, par milliers, des hordes de gnous cavalent à n'en plus pouvoir, effectuant sur plusieurs mois une incroyable randonnée en boucle longue de plus de 800 km. Le désordre de ce mouvement migratoire n'est qu'apparent. Les bêtes savent exactement où elles vont. Elles se dirigent instinctivement vers l'eau, vers les nouveaux pâturages, vers la vie. De cette mêlée indescriptible se dégage un étrange et inquiétant bruit de fond : le martèlement sourd du sol par des millions de sabots lancés au galop. Dans leur frénétique voyage, les gnous s'annoncent en gémissant : « Guenou, guenou... » (d'où leur nom paraît-il). Ils se bousculent, se cognent les uns aux autres, se piétinent même, toujours mus par un instinct ancestral qu'aucun scientifique n'élucidera jamais complètement. Car ils ont ceci de particulier : ils migrent en synchronisation avec les pluies.
Les gnous ne sont pas les seuls à migrer. Des centaines de milliers de zèbres et de gazelles suivent la caravane. Les zèbres parce qu'ils se sentent plus en sécurité, les gazelles parce qu'elles ont besoin de manger des herbes écourtées par le passage des gnous.
Un grand spectacle pour l'œil, oui. Mais il a sa part de tragédie. Au cours de cette invraisemblable transhumance, certaines bêtes sont frappées de troubles bizarres. Comme cette maladie du vertige qui les fait tournoyer sur elles-mêmes pendant des heures. Les prédateurs en profitent alors pour se jeter sur elles, et les dévorer. Pour un gnou, migrer c'est souffrir, et souvent mourir. La mort fauche chaque année 5 % du cheptel. Les crocodiles dans les rivières Grumeti et Mara, les hyènes, les lycaons, les lions constituent les premiers prédateurs des gnous pendant la grande migration.
– Celle-ci commence chaque année vers ***février*** après la naissance des petits, et juste après la fécondation des femelles par les mâles. Les gnous se divisent en 2 groupes. Fort d'environ 40 000 à 50 000 têtes, le 1er groupe se dirige vers le sud, escalade les versants du Ngorongoro, pour passer la saison sèche près du lac, au fond du cratère. Le 2e groupe, beaucoup plus

conséquent (plus d'un million de têtes, le plus grand troupeau du monde), se dirige, lui, vers le nord du parc du Serengeti. Nous sommes en mars et le spectacle, à l'arrivée dans le parc, est plus qu'impressionnant : des milliers de points noirs à l'horizon qui foncent sur vous, grossissent, traversent la route, sous l'œil du gendarme à la robe rayée, sans que cela semble traumatiser votre chauffeur qui ne ralentit pas pour autant.

– ***En avril :*** la migration est bien entamée. D'interminables meutes gémissant et grognant se dirigent à présent vers le centre et le corridor Occidental *(Western Corridor),* un secteur situé au nord-ouest du parc.

– ***En mai-juin :*** dans une cohue indescriptible, les gnous traversent la rivière Grumeti, où d'énormes crocodiles les attendent. Les plus faibles, les moins prudents se font dévorer tout crus au passage. D'autres se noient, s'embourbent, périssent étouffés ou piétinés. Puis une partie du troupeau stationne quelques jours dans le Western Corridor, où les animaux trouvent suffisamment d'herbe et d'eau pour survivre. Mais déjà d'autres gnous foncent vers le nord-est. D'interminables colonnes se dirigent maintenant vers le parc du Massaï-Mara au Kenya.

– ***En juillet-août-septembre :*** c'est l'hiver, il fait un peu froid le matin. En août, des hordes de gnous atteignent le secteur d'Ikorongo *(Ikorongo Controlled Area),* au nord du parc. En septembre, ils sont de plus en plus nombreux à se regrouper au Kenya, où l'eau est abondante.

– ***En octobre-novembre :*** octobre est le mois le plus sec dans le parc du Serengeti. Les gnous n'y sont plus. Ils se tiennent encore dans le Massaï-Mara (Kenya), où ils trouvent un fourrage riche en azote, cuivre, sodium et zinc. En novembre, la grande saison des pluies *(masika)* commence. La vie revient dans les plaines. Les herbes repoussent. Les mares se remplissent. Les gnous commencent alors à redescendre du Massaï-Mara vers leur point de départ, le sud-est du parc du Serengeti. Ils y trouveront à nouveau de bons pâturages, riches en calcium, magnésium et potassium, autant d'éléments chimiques nécessaires aux femelles prêtes à mettre bas. Leur transhumance vers le sud suit la ligne de Loliondo.

– ***En décembre-janvier :*** l'immense troupeau stationne maintenant dans les plaines au sud et sud-est du parc du Serengeti, où les herbages sont courts *(short grass plains)*. Après 8 mois et demi de gestation, les femelles donnent naissance à leurs petits. Des dizaines et des dizaines d'accouchements sauvages ont ainsi lieu chaque jour en pleine nature. En quelques minutes, les bébés gnous se tiennent sur leurs pattes. Après 2 jours, ils peuvent même esquiver les attaques de leurs prédateurs, les redoutables hyènes, qui ne reculent devant rien. Une mâchoire de hyène peut exercer une pression de 3 t par centimètre carré, soit 15 fois plus qu'un crocodile ! Un bébé gnou pour une hyène, ce n'est qu'une vulgaire bouchée de pain. Durant les périodes de mise bas, les hyènes s'attaquent aux mères et tentent de leur arracher des entrailles les petits en train de naître. Si la matrice de la mère gnou se retourne, les hyènes excitées par le sang sont capables de s'attaquer à l'animal par l'utérus et de lui dévorer les entrailles. Sans pitié, les hyènes. Pauvres gnous !

Où camper ? Où bivouaquer ?

Bien sûr, on trouve comme partout des camps de toile (comme le *Grumeti Tented Camp* ou le *Migration Camp*), mais ils coûtent très cher. Reste la solution économique : camper plus simplement dans un *public* ou dans un *special campsite.*

Chaque *lodge* du parc possède des emplacements spéciaux *(special campsites),* dont le prix est plus élevé (75 US$ environ par nuit, soit 63 €) que celui des *public campsites* (40 US$ environ par nuit, soit 33,2 €). Comme les *special* sont plus chers que les *public,* ils sont moins fréquentés, et par conséquent un peu moins bruyants. *Public* ou *special,* quoi qu'il en soit, ces sites pour camper sont tous implantés en contact direct avec la nature. Conseil : prévoyez à l'avance tout le ravitaillement.

Public campsites : plusieurs sites, aux *Lobo Wildlife Lodge, Nabi Hill* et *Kirawira.*

Campsite : un site près du *Seronera Wildlife Lodge.*

Special campsites : aux *Seronera, Lobo, Ndutu, Naabi Hill* et *Hembe Hill.*

Où dormir ? Où manger ?

Lodges

Lobo Wildlife Lodge : TAHI Central Reservation, PO Box 877, Arusha. ☎ (027) 250-42-92 ou 254-27-12. Fax : (027) 250-82-21. À 80 km au nord du *Seronera Lodge.* De 200 à 280 US$ (166 à 233 €) la chambre double selon la saison. Construit dans les années 1970, au sein même d'un *kopje* (chaos rocheux), enchevêtré aux blocs de granit, ce *lodge* est si bien intégré dans le paysage qu'il est invisible de loin. L'architecte a utilisé le bois et le verre, les mariant avec harmonie à la pierre. La piscine aussi a été creusée dans la roche. De partout, le *lodge* offre une vue superbe sur l'horizon infini de la savane africaine, le pays des « vertes collines d'Afrique ». Une immense charpente en bois tropical forme le toit du bar et de la salle à manger répartie sur 2 niveaux. Des escaliers et des galeries en bois se croisent, montent, descendent et desservent les chambres, toutes équipées d'une salle de bains privée. Un hôtel surprenant, et unique en son genre. Le *Lobo Wildlife Lodge* est guetté, assiégé en permanence par la vie sauvage.

Seronera Wildlife Lodge : appartient aussi au groupe *TAHI.* Mêmes téléphone et prix que le *Lobo Wildlife Lodge.* Non loin de la rivière Seronera, au milieu des plaines du Serengeti, voilà un *lodge* construit dans et autour d'un chaos rocheux. Les babouins sauvages montent souvent sur les balcons des chambres et courent sur les toits. Il faut bien fermer les fenêtres, de jour comme de nuit. Vue superbe sur la savane. Pas de moustiquaire, pas de ventilo dans les chambres. Un atout : les réservations pour les survols en ballon *(balloon safaris)* se font à la réception du *lodge.* Un inconvénient : le *lodge* est très fréquenté et les pistes autour aussi.

Ndutu Safari Lodge : PO Box 6084, Arusha. ☎ (027) 250-67-02 ou 89-30. Fax : (027) 250-83-10. • www.ndutu.com • À 90 km du cratère de Ngorongoro, et à l'extrémité sud du Serengeti. Chambres doubles de 145 à 185 US$ (121 à 150 €) en pension complète, selon la saison. Une trentaine de chambres et une quarantaine d'emplacements pour les tentes. Nous conseillons ce *lodge* seulement entre janvier et avril, période durant laquelle des milliers de gnous évoluent dans cette partie du parc. En dehors de cette période, le site du lac Ndutu reste agréable, mais les possibilités de safaris sont plus limitées.

Très chic

Serengeti Serena Lodge : réservations à Arusha, 6e étage, AICC - Ngorongoro Wing. PO Box 2551. ☎ 254-81-75. Fax : 254-41-55. • www.serenahotels.com • serengeti@serena.co.tz • Compter pour une double 245 US$ (204 €) en demi-pension et 380 US$ (315 €) en haute saison. Un des hôtels chers à l'Aga Khan, perdu au bout d'une piste de 8 km de long, à l'ouest de Seronera. Entièrement disséminé dans la verdure (seul émerge le bout des toits recouverts de paille), il est d'un abord reposant, avec ses petites huttes très confortables pour touristes perdus dans un paysage digne des *Mines du Roi Salomon*. Parfois, un buffle vient faire un tour dans les jardins, à l'heure de l'apéro, pour créer l'animation. Piscine. Quant à la nourriture, elle n'a rien de vraiment mémorable, mais vu qu'il n'y a rien d'autre à des kilomètres à la ronde... Il y a bien toutes ces centaines de pintades en liberté dans le parc, mais ne rêvez pas, le salmis, ici, n'est pas permis !

☗ |●| ***Migration Camp*** **:** réservations par *Adventure Centre (Let's Go Travel)*, à Arusha. Adresse postale des bureaux : Karimjee Court, 19 Sokoine Drive, PO Box 409, Dar es-Salaam. ☎ (022) 211-49-14. Fax : (022) 211-158-85. Attention, le mot « tente » ici signifie grand luxe et tarifs inabordables : environ 400 US$ (332 €) la tente pour 2 personnes en pension complète, en haute saison (juillet-août et novembre-décembre). En basse saison, la même chose coûte autour de 300 US$ (250 €). Situé dans un vallon au bord de la rivière Grumeti, il s'agit d'un camp de toile comptant 16 tentes pouvant recevoir 32 personnes. Dans les tentes confortables, il y a de l'eau chaude, une douche, un lavabo et un pulvérisateur antimoustiques. Du bar en bois, au couchant, on domine un paysage superbe. Pour lire, la bibliothèque est au-dessus. De jour, on peut voir des animaux comme ce lion perché au loin sur un rocher. À la nuit tombée, des hippos et des gnous peuvent passer sous votre nez. Beaucoup d'Américains (aventuriers fortunés) y séjournent, appréciant à la fois le site sauvage et le minimum de confort proposé.

Découverte du parc

👥 ***Les plaines du sud-est*** *(short grass plains)* **:** là se trouve la porte d'entrée principale *(Naabi Hill Park Gate)*, celle que les véhicules empruntent forcément en venant d'Olduvai et de Ngorongoro. De vastes plaines d'herbe courte s'étendent à l'infini. Il n'y a pas d'arbres, aucun point d'eau permanent, hormis quelques mares naturelles insuffisantes pour les bêtes en saison sèche. Des chaos rocheux, appelés *kopjes* (prononcez « kopizz »), hérissent ce paysage désertique, tels d'étranges îlots de pierre dans la mer des herbes. Formés par des rochers amoncelés en vrac les uns sur les autres, hauts de plusieurs mètres (plus de 10 m parfois), ces monticules de granit servent très souvent de refuges aux grands fauves (lions, guépards) et d'habitat aux serpents *(najas)* et aux mangoustes. Utiles, ils servent aussi de repères aux conducteurs des 4x4. Car les *kopjes* sont aux guides locaux ce que les écueils sont aux marins sur l'océan : des balises naturelles dans le grand horizon vide.

À la saison sèche, les herbes jaunissent et dépérissent. Beaucoup d'animaux déguerpissent ailleurs, loin vers le nord, pour trouver de quoi survivre. Dans ce secteur, les gnous constituent le plus grand troupeau, loin devant les autres animaux. Chaque année, à la même époque (voir plus haut « La migration des gnous »), des milliers d'entre eux quittent ces plaines desséchées pour une grande migration qui les conduira vers d'autres parties du Serengeti, mieux fournies en eau et en herbages. De nombreux autres animaux y vivent en toute liberté : zèbres de Burchell, lycaons, hyènes, guépards, antilopes, gazelles de Thomson, ratels, zorilles...

👥 ***La savane centrale*** *(long grass plains)* **:** on pourrait l'appeler la savane chevelue. Ici, peu d'arbres, peu d'eau. Mais des herbes abondantes, touffues, très hautes, jaunies le plus souvent, où se cachent les animaux, notamment les fauves. On peut y observer la faune extraordinaire et si variée du Serengeti : éléphants, gazelles, *kongoni, topi,* phacochères, aigles serpentaires, vautours, autruches... De temps en temps, de violents feux de brousse ravagent la région.

Autour du Seronera Lodge : le cœur du parc. Cette partie du Serengeti offre des paysages plus verdoyants que les steppes du centre et les plaines du sud. Des collines apparaissent, piquées d'acacias, d'arbres à saucisses, de sycomores et d'euphorbes. Des rivières sinuent dans les vallons, attirant des foules d'animaux qui viennent s'y abreuver. Les véhicules suivent généralement les pistes des rivières : Seronera River, Wandahu River, Ngare Nanyuki River. On y voit plein de babouins, des singes verts, des antilopes et des gazelles, ainsi que les grands fauves, lions et léopards (rares). Grands paresseux de nature, les lions passent souvent les heures chaudes, endormis, seuls ou en clan, à l'ombre des acacias. Attention aux photos ratées à cause de l'ombre sous l'arbre !

– À une vingtaine de kilomètres au nord du *Seronera Lodge* sur la route du *Lobo Lodge,* s'étend la région des **collines de Banagi.** Tous les animaux du Serengeti y évoluent en liberté. Les buffles y sont plus nombreux qu'ailleurs à cause des herbages, les girafes aussi à cause des acacias dont elles mangent les feuilles. On peut y observer des ribambelles d'antilopes et de gazelles. À *Retima* (6 km de Banagi), une grande mare *(hippo pool)* sert de refuge à une communauté d'hippopotames, le long de la rivière Orangi. Vous pourrez sortir de voiture et vous approcher, en compagnie du guide, habitué des lieux.

La partie nord : région située au nord du *Lobo Lodge,* frontalière avec le parc de Massaï-Mara au Kenya. Moins de voyageurs prennent le temps de la découvrir. Les groupes en safari y viennent, mais ne s'y attardent pas. Et pourtant : voilà des paysages époustouflants de beauté, des douces collines, des pâturages balayés par la brise, des images qui rappellent les « vertes collines d'Afrique », chères à Hemingway. Tout y est moins plat qu'ailleurs, moins monotone, plus verdoyant. On y voit quantité de zèbres, d'antilopes, de bubales, *topis,* oréotragues sauteurs, buffles, singes, girafes. Et des lions bien sûr. Ainsi que des oiseaux comme les grues couronnées, les pintades, les calaos terrestres.
La piste passe au nord-est par la Bologonja Park Gate, et arrive au poste de douane tanzanien. Elle continue (mais personne n'est autorisé à s'aventurer plus loin), traversant un *no man's land* de quelques kilomètres carrés, qui sert de tampon territorial entre les 2 pays. Ce morceau de terre n'appartient ni au Kenya, ni à la Tanzanie. Puis on arrive enfin au poste de douane kenyan, assoupi sous la chaleur des tropiques. La première ville (kenyane), la plus proche, s'appelle Keekorok. Les douaniers nonchalants et sympathiques semblent faire la sieste toute la journée (ou presque)... faute de visiteurs à contrôler. Avec un peu de chance, sur cette belle piste sauvage, le voyageur peut se retrouver seul, croiser des troupeaux d'éléphants (des nouveaux venus, plutôt indésirables), éprouver des sensations exceptionnelles.

Le corridor Occidental *(Western Corridor)* **:** dominé par une pointe montagneuse, à l'ouest du Serengeti, le corridor Occidental s'enfonce sous un épais sous-bois jusqu'aux confins du lac Victoria, se terminant à la Ndabaka Gate. Il se présente comme une sorte de longue vallée arrosée par les rivières Grumeti et Mbalangeti. Peu de safaristes s'aventurent par ici, malgré la beauté des paysages. De juillet jusqu'à septembre, on peut y observer de près une partie des immenses colonies de gnous migrateurs, celles qui avaient quitté en février les plaines du Sud. Les précipitations y étant plus fortes qu'ailleurs, en raison de la proximité du lac Victoria, les herbages y sont de meilleure qualité. Et les gnous y trouvent donc de quoi manger. Beaucoup se font dévorer au passage de la rivière Grumeti par les crocodiles, des *crocodiles du Nil,* longs de 4 m. Ceux-ci vivent à l'embouchure de la rivière Grumeti, là où ce cours d'eau pénètre dans l'ancienne plaine d'inondation du lac Victoria (donc à l'extrémité ouest du parc). On peut aussi y observer des espèces rares : colobes noir et blanc, hippotragues ou antilopes-cheval *(roan antelopes),* des élands du Cap, et bien sûr leurs prédateurs...

LES PARCS NATIONAUX DE L'OUEST

Beaucoup moins visités à cause de leur éloignement géographique, le parc national du fleuve de Gombe et celui de Ruaha présentent malgré tout de l'intérêt pour ceux qui trouvent le « Nord » déjà trop « touristique ». Attention, ils ne sont pas d'accès aussi évident et ne disposent pas d'autant d'équipement que les autres parcs du pays ! On y accède généralement depuis Kigoma, petite ville située tout à fait à l'ouest du pays.

KIGOMA

IND TÉL : 028

Kigoma, sur les bords du lac Tanganyika, à quelque 50 km seulement du Burundi, est le terminus de la ligne du *Central Railway,* qui traverse tout le territoire d'est en ouest et qui, si vous avez pris le train en gare de Dar es-Salaam, vous a fait voir effectivement du pays. Au mieux, vous y arriverez, le matin, au bout de quelque 36 h d'un inconfort réjouissant, au pire avec 3 ou 4 h de retard, en même temps que l'avion affrété par *Precision Air,* parti lui avec quelques minutes d'avance, pour se singulariser. Une seconde solution tout à fait recommandable, surtout si vous arrivez du Serengeti, et avez donc connu déjà plusieurs escales.
Une piste de terre vous mènera de l'aéroport au centre de cette ville de 150 000 habitants poussée en quelques décennies, à l'emplacement d'anciens villages de pêcheurs qui n'ont gardé longtemps qu'un vague souvenir d'une rencontre qui est pourtant devenue célèbre « Dr Livingstone, I presume ? ».

Adresses et infos utiles

Transports

■ ***Central Railway :*** l'arrivée du train en gare rythme toujours la vie locale, 3 jours par semaine, les mardi, jeudi et dimanche. Arrivée prévue normalement le matin, et départ en fin de journée, autour de 18 h, pour un retour sur Dar es-Salaam programmé le surlendemain. Compter 45 200 Tsh (38 €) en première classe et 33 100 Tsh (28 €) en seconde.

■ ***Air Tanzania :*** ☎ 284-42-11 ou 284-43-71. Vols tous les jours entre Kigoma et Dar. Horaires parfois très fluctuants. Voir avec les tour-opérateurs locaux ou avec l'aéroport de Dar es-Salaam.

■ ***Precision Air :*** ☎ 250-69-03 ou 250-73-19. Vols plus réguliers au départ d'Arusha.

Où dormir ? où manger ?

Bon marché

Lake Tanganika Beach Hôtel : sur le bord du lac, à 10 mn de la gare, une fois passé le port de Kigoma. ☎ 280-26-94. Au bout d'une route défoncée, comme c'est souvent le cas par ici, un hôtel d'une vingtaine de chambres, simples, au calme, entre 10 000 et 15 000 Tsh (8,3 à 12,5 €).

Allys Restaurant : dans la grande rue, face à la gare. ☎ 280-44-50. Facile à trouver, avec Michael Jackson et autres « rockers » peints en façade. Pour 4 000 Tsh (3,3 €), on y déjeune correctement, d'un poulet ou d'une pizza. Barbecue dehors.

|●| ***New Stanley's :*** à côté du marché, près du parking des taxis. ☎ 280-41-74. Une terrasse côté rue, une salle, plus calme, pour se restaurer, correctement et à prix doux, là aussi.

Plus chic

⌂ |●| ***Hilltop Hotel :*** PO Box 1160. ☎ 280-44-35, 36 et 37. Fax : 280-44-34. À 3,5 km du centre-ville, au sud, sur les bords du lac. Chambres affichées entre 70 et 90 US$ (55 à 75 €) par personne et par nuit. Menu à 11 US$ (9 €). Un lieu étroitement surveillé, joliment aménagé autour d'un jardin bien entretenu. Chambres agréables, au confort suffisant, dans des maisonnettes avec terrasse donnant sur le lac. Très calme. Bonne cuisine au restaurant. Accueil très agréable. Il y a même une piscine. C'est d'ici que part un des 2 bateaux mis par l'hôtel à disposition des visiteurs désirant se rendre à Gombe, pour prolonger le séjour sous une des tentes installées avec un sens certain du confort par le même propriétaire, un Indien qui a su concentrer ici tout le tourisme de la région.

À voir

– ***Les marchés de Kigoma,*** seules animations capables de concurrencer l'arrivée du train en gare. Si le marché central est surtout l'occasion de découvrir la vie au quotidien, à quelques dizaines de kilomètres du Burundi, le marché aux poissons de Katonga vous permettra de découvrir un monde qui n'a pas vraiment changé depuis l'époque de Livingstone, même si la tête de Saddam Hussein, imprimée sur les chemises, vous ramène à une actualité plus rude. Près du marché, les femmes de pêcheurs continuent de faire sécher, au soleil, les *ndagala* et autres poissons ramenés par leurs hommes. Dans les restos des alentours, on vous les servira avec tomates et oignons, pour accompagner le traditionnel *ugali*. Le lac Tanganyika (deuxième en profondeur du monde) possède une eau très propre où vivent une soixantaine d'espèces de poissons différents.

À voir dans les environs

– ***Ujiji :*** à 10 km, sur la rive est du lac Tanganyika; c'est là que Stanley retrouva Livingstone en 1871. La rencontre de ces deux Blancs (il n'y en avait pas d'autres à des milliers de kilomètres à la ronde !), allant cérémonieusement l'un vers l'autre, est délectable (en VF) :
Stanley, content de lui, tout en ôtant son chapeau :
« Docteur Livingstone, je présume? Docteur, je remercie Dieu d'avoir eu la possibilité de vous serrer la main ».
Et Livingstone, malade mais soucieux de l'étiquette, enlevant lui aussi son couvre-chef :
« Et moi, je remercie Dieu d'être ici pour vous accueillir. »
Sacré dialogue qu'on repasse dans sa tête, ému cette fois, à l'entrée du petit musée croquignolet monté de briques (on peut le dire) et surtout de broc il y a des années par un admirateur malin, toujours là pour tendre la main aux visiteurs (donnez un bon pourboire, sinon, vous allez vous faire engueuler) errant dans ces 2 pièces, à la recherche des fantômes du passé. Pas difficile à trouver, au fond, suivre la Livingstone St, sans s'occuper des rires et des cris de tous ceux qui vous voient arriver, à tous les sens du terme (quitte à acheter quelque chose, il y a des nappes artisanales !).

À Ujiji, demandez à votre chauffeur de vous emmener jusqu'au port, bien sûr, mais aussi jusqu'à l'allée d'où partaient les caravanes d'esclaves en route pour Bagamoyo. Une route longue de 2500 km qui devrait être progressivement remise en état, pour rappeler les conditions de vie (et de mort) de ceux et celles qui, achetés ou capturés par les Arabes, quittaient ici les rivages du lac Tanganyika pour rejoindre l'océan Indien. Une route que suivirent en 1873 les 2 serviteurs de Livingstone, pour ramener, la dépouille de leur maître, mort de dysenterie un an après la célèbre rencontre.

LE PARC NATIONAL DU FLEUVE DE GOMBE

Situé à 16 km au nord de Kigoma, il ne se visite qu'à pied. Le plus petit des parcs nationaux tanzaniens (52 km^2) suit la rive du lac Tanganyika entre Kigoma et la frontière burundaise. Une petite bande de forêt très ancienne, dans les montagnes entrecoupées de vallées profondes s'accrochant aux rives du lac. C'est là que sont regroupées les habitations des pêcheurs.
À recommander aux bons marcheurs et surtout aux amoureux des chimpanzés, le prix d'entrée du parc, et ses conditions d'accès limitant à eux seuls l'enthousiasme des foules. Comme toujours, les agences locales vous recommandent de passer 2 nuits minimum sur place, ce qui part peut-être d'un bon sentiment, et devrait vous éviter la déception de ne pas voir de chimpanzés lors de votre première sortie, mais vu le coût du séjour, vous pouvez tout aussi bien vous contenter d'une escapade d'une journée au départ de Kigoma.

Comment y aller?

Aucune piste ne mène au parc, accessible uniquement par bateau à partir du port de Kalalangabo. Plusieurs possibilités s'offrent à vous, à des prix extrêmement variables. Le bateau-charter (nombreux arrêts, compter 3 h depuis Kigoma). Départs vers 8 h et retour vers 17 h tous les jours sauf le dimanche (5 US$, soit 4,2 €). Également des bateaux-taxis qui partent de Kigoma (retour le lendemain matin, prix à négocier). Enfin, possibilité de louer son propre bateau : c'est cher mais on est indépendant. Si votre déplacement est organisé par ***Chimpanzee Safaris*** (voir ci-dessous), un bateau sera à votre disposition pendant toute la durée du séjour.
– Entrée du parc : 100 US$ (83 €) la journée, auxquels il faut ajouter le prix d'un guide (10 US$, soit 8,3 €), obligatoire si vous voulez entrer dans la forêt.

Quand y aller?

Le parc est ouvert toute l'année, mais préférez la période entre juillet et octobre ou fin décembre : vous aurez plus de chances de voir les chimpanzés, et vos photos n'en seront que plus belles. Entre février et juin et de novembre à la mi-décembre, les chimpanzés se promènent moins loin (saison humide). Et vous risquez donc de crapahuter toute la journée sans les voir de près.
Pensez à prendre avec vous de vraies chaussures de marche, un K-way, et des vêtements à toute épreuve, car vous n'avancez pas ici sur des chemins balisés, surtout en saison des pluies. Le parcours peut se faire sinueux, voire acrobatique. N'emporter que le strict minimum, laisser le superflu à l'accueil du parc (ou à l'hôtel, si vous êtes au *Hilltop*).

Le royaume des chimpanzés

Le parc est surtout connu pour ses chimpanzés, rendus célèbres par les travaux de recherche de Jane Goodall dans les années 1960 (voir le cahier « Vie sauvage »). Gombe est un centre mondial d'étude scientifique : ici a été mis en place le programme le plus long d'observation de la vie sauvage. Depuis les années 1960, on en est à l'observation de la 6e génération de chimpanzés, et certains noms sont ici aussi célèbres que ceux de Van Damme ou Zidane, c'est tout dire !
On en dénombre 200 répartis en 3 familles localisées géographiquement. Vous pourrez les observer depuis les postes conçus à cet effet, à moins qu'ils ne se soient éloignés, auquel cas vous allez devoir partir à leur recherche en compagnie de votre guide. Pour les localiser, une aide précieuse : les chercheurs qui, de bon matin, les pistent pour observer, au jour le jour, leur comportement, chaque détail de leur vie quotidienne étant soigneusement noté dans un cahier.
Cependant, il vous faudra peut-être vous montrer patient : on n'est vraiment jamais sûrs de les voir ! Et si vous avez cette chance, restez discret : s'ils tolèrent la présence humaine, ils peuvent parfois se montrer dangereux. La majorité des mammifères présents dans le parc sont des primates (babouins, singes bleus, singes à queue rouge...).

Où dormir ? Où manger ?

À l'origine, le parc n'est pas destiné au tourisme, on y trouve donc très peu d'équipements. Vous aurez le choix, si vous ne succombez pas aux charmes du camp de toile mis en place par le *Hilltop Hotel,* entre une AJ et 2 terrains de camping (prévoir son matériel). Et ne vous fiez pas aux apparences : les cases protégées par un grillage abritent en fait les chercheurs, qui se protègent ainsi de toute arrivée surprise des primates.
Pour tous renseignements :

■ ***Chimpanzee Safaris :*** PO Box 1160. ☎ 280-44-35, 36 et 37. Fax : 280-44-34. • www.chimpanzeesafaris.com • Dans le hall du *Hilltop Hotel,* à 3,5 km du centre-ville, au sud, sur les bords du lac. L'adresse incontournable si vous tenez à faire un tour à Gombe (et à Mahale) dans de (très) bonnes conditions. Les prix sont à la hauteur des prestations fournies (tentes de luxe, repas sur place, etc). Comptez entre 280 et 350 US$ (233 à 292 €) selon la saison, par personne et par nuit, entrée du parc et guide compris (heureusement !) mais reste à payer le bateau : 250 US$ (208 €) !
– Vous pouvez aussi contacter ***Le Tanzania National Parks (TANAPA) :*** PO Box 3134, Arusha. ☎ 250-34-71 ou 40-82. Fax : 250-82-16. • tanapa@habari.co.tz • Met à disposition des chambres au confort minimaliste. Compter 20 US$ (soit 16,6 €) la nuit par personne. Pensez à réserver à l'avance ! Et à emporter une moustiquaire, ainsi que le nécessaire que vous estimez vital.

Pour le ravitaillement, mieux vaut prévoir, là encore, le nécessaire (à Kigoma)...

LE PARC NATIONAL DES MONTAGNES MAHALE

Situé à 170 km au sud de Kigoma, ce parc national, créé en 1985, est également une réserve de chimpanzés (5 fois plus nombreux qu'à Gombe). Abritant une chaîne de montagnes (dont la plus élevée, le Nkungwe, atteint

2460 m) et une forêt tropicale, sa situation est d'autant plus exceptionnelle qu'il surplombe le lac Tanganyika. Pourtant, il est nettement moins visité car très difficile d'accès : site retiré et escarpé, aucune piste et on ne peut s'y déplacer qu'à pied (superficie de 1613 km²). Cela en fait un paradis pour les randonneurs, offrant une faune proche de celle de l'Afrique occidentale : éléphants, léopards, lions, buffles, porcs-épics... Belles promenades à faire au bord du lac. Également des possibilités intéressantes de plongée (plus de 300 espèces de poissons uniques au monde).
– Entrée : 50 US$ (42 €) pour 24 h, plus 10 US$ (8,3 €) pour le guide (obligatoire). L'idéal est de s'y rendre pendant la saison sèche, entre mai et octobre. • tanapa@habari.co.tz •

Comment y aller?

➢ ***En avion,*** vols au départ d'Arusha, de Dar es-Salaam ou de Kigoma.
➢ ***En bateau,*** très compliqué ! Il existe une liaison de ferry reliant Kigoma à Lagosa (6 h de voyage), où vous prendrez un autre bateau pour Kasoge (environ 3 h), puis à nouveau un autre bateau... qui passe une fois par semaine ! L'idéal est de contacter le ***Hilltop Hotel*** (PO Box 1160, Kigoma. ☎ 280-44-35, 36 et 37. Fax : 280-44-34) qui organise aussi le transport en bateau et le séjour sur place.

LA CÔTE EST ET LES PARCS NATIONAUX DU CENTRE

DAR ES-SALAAM

2500000 hab. IND. TÉL. : 022

Située à l'embouchure de la rivière Kizinga qui se jette dans l'océan Indien en décrivant son ultime méandre, Dar es-Salaam (on dit Dar pour simplifier) est l'ancienne capitale de la Tanzanie. Le gouvernement est maintenant installé à Dodoma, à 483 km à l'intérieur du continent. Ville plate, étendue, née d'un village de pêcheurs au XIXe siècle, elle n'a pas grand-chose pour plaire. L'architecture assez banale, les rues embouteillées à certaines heures, et le manque d'hôtels bon marché et à prix moyens n'en font pas une étape très attrayante pour un routard. De plus, il est possible désormais de rejoindre directement Zanzibar en avion depuis Arusha. Toutefois, si vous atterrissez à l'aéroport international et que vous devez passer au moins une nuit à Dar es-Salaam, autant vous expliquer par quel bout prendre cette ville de la côte.

UN PEU D'HISTOIRE

Jusqu'à la moitié du XIXe siècle, ce n'était encore qu'un modeste port de pêche moins connu, moins fréquenté que Bagamoyo. À cette époque, les explorateurs européens avaient l'habitude de préparer leurs expéditions à Zanzibar. Ils débarquaient ensuite à Bagamoyo (et non à Dar, moins facile d'accès), d'où ils se lançaient dans l'exploration du continent mystérieux. Le sultan arabophone de Zanzibar, Sayyid Majid, décida en 1862 de transformer cet endroit insalubre en un port commerçant, actif et sûr. Ce trou perdu fut baptisé du nom arabe de Dar es-Salaam, qui signifie « Havre de Paix ».

L'influence allemande

En 1887, quand les colons allemands de la German East African Company débarquèrent pour prendre le contrôle de la région, cette bourgade ne comptait que 5000 habitants. En 1891, Dar es-Salaam devint la capitale, remplaçant Bagamoyo jugée moins pratique pour les bateaux à vapeur. De 1887 à 1916, la ville vécut ainsi sous tutelle coloniale allemande. Les Allemands entreprirent de l'assainir, de l'agrandir, de la quadriller. Ils construisirent de nombreux bâtiments gouvernementaux et administratifs, un casino, un club, des hôpitaux, des résidences pour les Européens (dans le quartier d'Oyster Bay).

Beaucoup sont encore debout aujourd'hui : la cathédrale Saint-Joseph, l'église luthérienne (Lutheran Church), le German Hospital (près d'Ocean Rd). La plupart des bâtiments administratifs d'époque allemande les mieux conservés (et les plus visibles de la route) sont concentrés dans la pointe recourbée formée par l'océan Indien et le port, le long d'Ocean Rd et de Kivukoni Front, autour du musée et du Parlement. Curieusement, la ville dans son ensemble n'a pas de caractère vraiment germanique (encore moins britannique).

La période britannique

En 1918, au traité de Versailles, le Tanganyika passa des mains de l'Allemagne à celles de la Grande-Bretagne. De 1916 à 1961, Dar es-Salaam vécut sous le contrôle de l'administration coloniale britannique. Les rues et les bâtiments changèrent de nom : Unter den Akazien devint Acacia Av., Kaiser Strasse devint Sokoine Drive, le *Kaiserhof Hotel* se mua en *New Africa Hotel.* Les Britanniques construisirent cependant moins d'immeubles que leurs prédécesseurs.

Depuis l'indépendance

Après l'indépendance de la Tanzanie en 1961, et la signature de la déclaration d'Arusha en 1967, de nombreux immeubles de Dar furent nationalisés. La plupart des rues et des boulevards furent débaptisés, pour être « africanisés » en somme. Par chance, il n'y eut pas de destructions massives, pas de guerre, aucune bombe. Résultat : une ville africaine, très pauvre mais intacte. En 1973, le gouvernement tanzanien décida de transférer la capitale à Dodoma, un coin isolé à 483 km à l'intérieur des terres. Rien n'y fit : Dar reste encore aujourd'hui la capitale « officieuse » de Tanzanie. D'ailleurs, les fonctionnaires et les diplomates préfèrent crever de chaud à Dar que de s'ennuyer comme des rats morts à Dodoma... mais cela devrait prochainement changer, puisqu'en 2005, tous les ministères sont invités à faire leur cartons.

■ Adresses utiles

- 6 Ambassade de France
- 8 Ambassade de Suisse
- 9 Ambassade de Belgique
- 10 Aga Khan Hospital
- 12 Tazara Railway Station
- 22 Evergreen Car Rental
- 25 Savannah Tours

Où dormir ?

- 30 Kipepeo Campsite
- 35 Salvation Army Mgulani Hostel
- 40 Q Bar & Guesthouse
- 62 Smokies Tavern and Guesthouse

Où manger ?

- 40 Q Bar & Guesthouse
- 60 Mashua Bar
- 61 Barbeque Village
- 62 Smokies Tavern and Guesthouse
- 63 Simona Restaurant

Où boire un verre ?

- 40 Q Bar & Guesthouse
- 60 Mashua Bar
- 62 Smokies Tavern and Guesthouse
- 83 The Pub

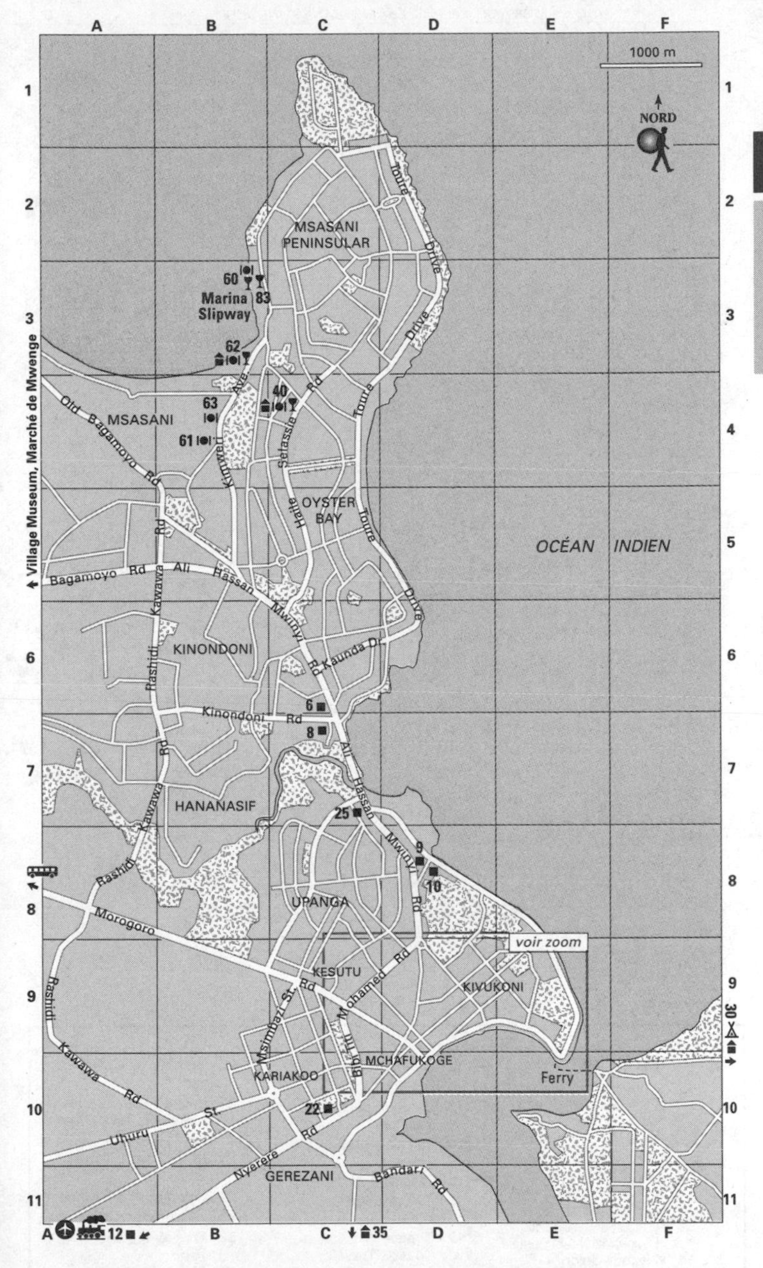

DAR ES-SALAAM, PLAN GÉNÉRAL

■ Adresses utiles

- Tanzania Tourist Board (TTB) ou Tourist Information Center
- Poste
- **1** Téléphone international
- **2** Kramola Communication Centre
- **3** Barclays Bank
- **4** Distributeur automatique et Supermarché Shoprite
- **5** Western Union
- **7** Canadian High Commission
- **11** Central Railway Station
- **13** Bateaux pour Zanzibar
- **14** ZanAir et Kearsley Travel
- **15** Precision Air
- **16** Air Tanzania Corporation
- **17** Coastal Aviation et Coastal Travels
- **18** Swissair
- **19** KLM et Kenya Airways
- **20** Gulf Air et Easy Travel
- **21** British Airways, Hertz, Rickshaw Travels, Leopard Tours Ltd.
- **23** Hit Holidays Travel & Tours
- **24** Hippotours & Safaris
- **26** Immigration Office
- **56** Presse, librairie

Où dormir ?

- **31** Tamarine Hotel

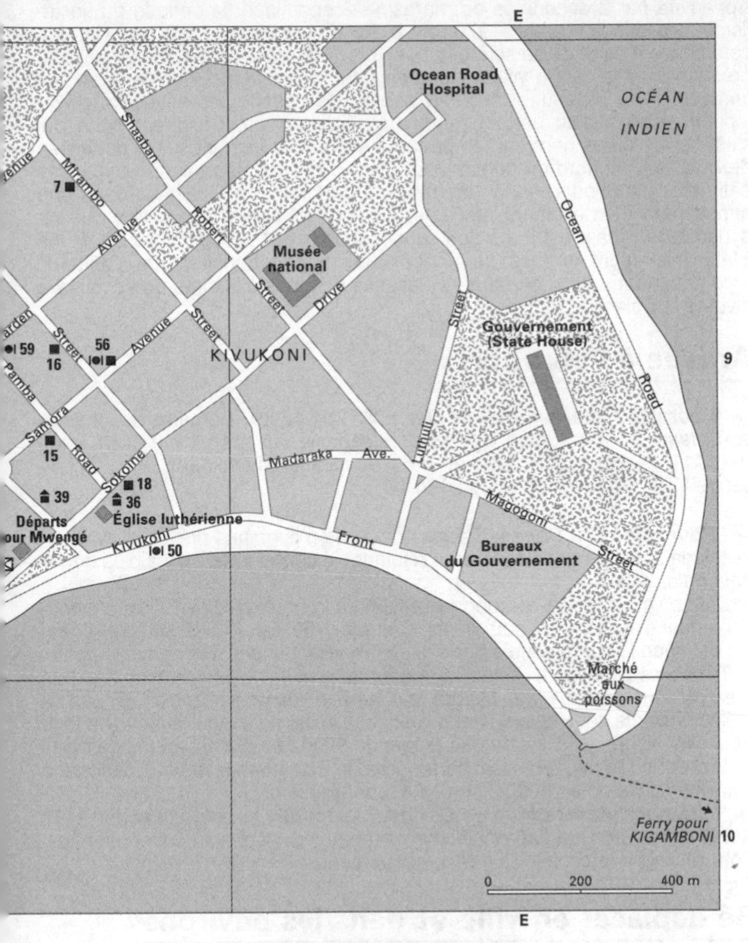

DAR ES-SALAAM, ZOOM

32 YMCA Youth Hostel
33 YWCA
34 Jambo Inn Hotel
36 Luther House
37 Econo Lodge
38 Peacock Hotel
39 New Africa Hotel

Où manger ?

50 Stands en bois sous tôle
51 Manje Restaurant
52 City Restaurant
53 Green Restaurant
54 Maharani Restaurant
55 New Zahir
56 The Steers
57 The Rendez-Vous
58 Épi d'Or – The French Bakery
59 City Garden

Où manger une glace ? Où manger une bonne pâtisserie ?

58 Épi d'Or – The French Bakery
70 Sno Cream

Où boire un verre ? Où sortir ?

80 Florida Pub
81 Storm Bar
82 Club Bilicanas, Sugar Mama et Much More

Achats

24 Nyerere Culture Centre

Appauvrie par 2 décennies de marasme économique (la période du socialisme pro-chinois) entre 1970 et la fin des années 1980, la ville n'a commencé à sortir de sa sclérose que vers 1992, comme le reste du pays. À présent, dans le centre-ville, le long de Samora Av. et de Sokoine Drive, les immeubles de bureaux font peau neuve, les commerces privés se développent, signes d'un certain renouveau économique. Ce phénomène qui s'est accéléré ces derniers temps, est encore plus flagrant sur la péninsule de Msasani, au nord du centre-ville. C'est d'ailleurs surprenant de voir des bâtiments ultramodernes, à l'architecture parfois design, baignés dans une atmosphère éternellement africaine. Certains n'hésitent pas à dire que ce dynamisme urbain est l'une des conséquences du 11 septembre 2001, les États-Unis ayant imposé un contrôle accru des transferts de capitaux, « contraignant » ainsi certains richissimes hommes d'affaires ou sociétés à investir sur place.

Arrivée à l'aéroport

✈ ***L'aéroport international de Dar es-Salaam*** *(hors plan général par A11)* se trouve à 13 km du centre-ville, le long de Pugu Rd. ☎ 284-42-39. Bureaux de change (certains ouverts 24 h/24), sociétés de location de voitures.

➢ ***Pour rejoindre Dar es-Salaam :*** si vous n'avez pas prévu un transfert avec une agence de voyages pour rejoindre le centre-ville, il n'y a plus que le *dala dala,* le taxi ou le mini-van.

– *Dala dala :* sortir de l'aéroport et rejoindre le boulevard (à 100 m environ) sur lequel s'arrêtent les *dala dalas.* Compter 150 Tsh (0,1 €) par personne. On est déposé sur les quais dans le centre-ville, ou face à la nouvelle poste.

– *Taxis :* les chauffeurs de taxi attendent dans le hall de sortie avec leur liste des prix pour chaque hôtel. Malgré tout, ne pas hésiter à négocier. Ici, pas de mêlée bruyante, tout est bien organisé : chacun attend tranquillement son tour. Pour aller au centre-ville, compter autour de 8000 Tsh (6,6 €), 20 mn de trajet.

– *Mini-vans :* ils peuvent transporter près de 8 personnes et vous déposer à votre hôtel. Compter 3000 Tsh (2,5 €) par personne.

✈ ***L'aéroport domestique de Dar es-Salaam*** *(hors plan général par A11).* À 1,5 km environ de l'aéroport international. Pour certains vols nationaux. Pour rejoindre le centre-ville, taxi uniquement.

Se déplacer en ville et dans les environs

À pied

La solution la plus pratique si l'on se cantonne au centre-ville de Dar, soit l'équivalent de la zone couverte par le *zoom* entre l'océan Indien, le port et la route de ceinture Bibi Titi Mohamed Rd (le Bibi Fricotin local !). Au-delà, mieux vaut prendre un *dala dala,* un taxi ou louer une voiture à la journée. À la nuit tombée, évitez de marcher seul dans les rues du centre-ville (voir, plus bas, la rubrique « Sécurité »).

En *dala dala*

Inconfortables, surchauffés, bourrés de monde, mais économiques. Chaque véhicule (genre pick-up ou camionnettes converties en minibus) porte le nom de sa destination. Les stations de départ des *dala dalas* se trouvent à côté de la gare ferroviaire *(Central Railway Station ; zoom D10,* ***11****)* et à la poste centrale *(Post Office ; zoom D9)* sur Azikive St. Un billet coûte 150 Tsh

(0,1 €) quelle que soit la distance parcourue (même pour aller sur la péninsule de Msasani).

En taxi

Les taxis sont assez nombreux à attendre près des grands hôtels, à l'aéroport, aux gares routière et ferroviaire, aux carrefours des grandes avenues. Avant de monter, toujours négocier fermement le prix. Compter environ 1 000 Tsh (0,8 €) pour une course au centre-ville et environ 4 000 Tsh (3,3 €) pour rejoindre la péninsule de Msasani.
Si vous avez des bagages, au moment de descendre, laissez d'abord le chauffeur ouvrir le coffre arrière et débarquer vos sacs. Ne jamais sortir trop vite du taxi en laissant le chauffeur au volant et les bagages dans le coffre.

Louer une voiture à la journée

Si vous voulez sortir de Dar es-Salaam, le temps d'une journée, et vous rendre à Msasani ou sur les plages de la côte sud, la location d'une voiture avec chauffeur peut être une bonne solution.
Compter un minimum de 60 US$ (50 €) par jour (taxes incluses et kilométrage limité) avec chauffeur (anglophone normalement), ce qui facilite grandement les choses car les directions sont quasi inexistantes et vous vous rendrez vite compte que dans ces conditions, la conduite n'est pas forcément une partie de plaisir.

Sécurité

Dans la journée, pratiquement aucun problème de sécurité. Le seul danger, ce sont les pickpockets. Faire attention dans les gares routière et ferroviaire. À la nuit tombée, évitez de vous balader seul dans les rues du centre-ville.
– *Le quartier de Kariakoo (plan général B-C10) :* à l'ouest du centre-ville, à éviter. Il y a un marché aux voleurs. Si vous y allez, laissez vos sacs à l'hôtel, et promenez-vous les mains dans les poches.
– *Les plages des environs :* en règle générale, sur les plages, faire attention à ses affaires et à soi, particulièrement quand on est seul. Éviter la plage devant l'*Oyster Bay Hotel (Coco Beach ; plan général C5) :* on nous a signalé plusieurs cas de vols et d'agressions, même dans la journée.

Adresses et infos utiles

Informations touristiques

i ***Tanzania Tourist Board (TTB) ou Tourist Information Centre*** *(zoom D9)* **:** Matasalamat Building, Samora Av., PO Box 2485. ☎ 213-15-55 ou 212-03-73. Fax : 211-64-20. • www.tanzania-web.com/home2.htm • Situé sur Samora Av., entre Zanaki St et Morogoro Rd. Ouvert du lundi au vendredi, de 8 h à 16 h ; le samedi, de 8 h 30 à 12 h 30. Bureau capable de fournir les informations de base sur la ville et sur le pays. Horaires des trains, des bus, des bateaux pour Zanzibar. Documentation intéressante. Service et efficacité nettement au-dessus de la moyenne. Plan de la ville gratuit, enfin parfois.

– ***Dar es-Salaam Guide :*** guide mensuel gratuit. Source d'informations très utile sur la ville : liste d'adresses diplomatiques, publicités d'hôtels et de restaurants, calendrier des marées et compagnies aériennes, numéros d'urgence, etc. Dans la plupart des hôtels.
– ***What's Happening in Dar es-Salaam :*** guide mensuel gratuit similaire au précédent dans le contenu.

Poste, téléphone, fax

✉ ***Poste** (zoom D9)* **:** Azikiwe St. Ouvert du lundi au vendredi de 8 h à 16 h 30 ; le samedi, de 9 h à midi. Possibilité de faire des photocopies (file d'attente). Service de *Western Union.*

■ ***Téléphone international** – Dar Es-Salaam International Attended Call Office (zoom D9, **1**)* **:** situé sur Bridge St, entre Samora Av. et Kaluta St. ☎ et fax : 211-27-52. Bureau ouvert en semaine de 7 h 45 à minuit, et le week-end de 8 h 30 à minuit. Tarifs intéressants. Service de fax (avec possibilité d'en recevoir un). Vente de cartes téléphoniques.

– Service de fax, appels internationaux et vente de cartes téléphoniques dans la plupart des centres Internet (voir ci-dessous).

Internet

Aucune difficulté pour trouver un centre Internet (autour de Samora Av. notamment). Généralement ouvert du lundi au samedi de 8 h à 18 h. Compter environ 500 Tsh (0,4 €) pour 1 h. En voilà tout de même un, pour ceux qui n'en trouveraient pas :

@ ***Kramola Communication Centre** (zoom D9, **2**)* **:** Zanaki St. Ouvert jusqu'à 20 h ; fermé le dimanche. Une dizaine de postes assez rapides.

Argent, banques, change

Pour changer vos devises, inutile d'aller dans une banque. Primo, elles sont peu nombreuses à faire le change. Secundo, les taux de change ne sont pas intéressants. Poussez donc plutôt la porte d'un bureau de change. Ils sont nombreux au centre, le long de Samora Av. *(zoom D9)*. Généralement ouverts du lundi au vendredi de 8 h 30 (ou 9 h) à 16 h 30 ; le samedi, jusqu'à 12 h 30 (ou 13 h). Acceptent le cash et les *traveller's cheques*. Pratiquent tous les mêmes taux.

Quelques banques disposent de distributeurs automatiques.

■ ***Barclays Bank** (zoom D9, **3**)* **:** distributeur pour *Visa* et *MasterCard,* face au *Royal Palm Beach,* et un autre à Msasani (à la marina Slipway).

■ ***Distributeurs pour Visa** (zoom D9-10, **4**)* **:** dans la galerie marchande du *Shoprite* dans Samora Av. Un autre à la *Standard Chartered,* près du *Holiday Inn.*

■ ***Western Union** (zoom D9, **5**)* **:** Samora Av. Ouvert du lundi au vendredi de 8 h 30 à 18 h ; le samedi, jusqu'à 14 h. Un autre bureau au rond-point d'Azikiwe St et Samora St.

Représentations diplomatiques

■ ***Ambassade de France** (plan général C6, **6**)* **:** PO Box 2349. ☎ 266-60-21 ou 23. Fax : 266-84-35. • www.ambafrance-tz.org • À l'angle d'Ali Hassan Mwinyi Rd et Kilimani Rd. Ouvert du lundi au jeudi de 8 h 30 à 13 h et de 14 h 30 à 17 h 30 ; fermé le vendredi après-midi. Permanence le week-end (en cas d'urgence). Sur le site, on trouve des renseignements sur les formalités, la sécurité et des conseils généraux, dommage qu'il ne soit pas régulièrement mis à jour...

■ ***Canadian High Commission** (zoom D9, **7**)* **:** 38, Mirambo St, PO Box 1022. ☎ 211-28-31 ou 35. Ouvert de 7 h 30 à 16 h du lundi au jeudi ; jusqu'à 13 h le vendredi.

■ ***Ambassade de Suisse** (plan général C7, **8**)* **:** 79, Kinondoni Rd, PO Box 245. ☎ 266-60-08 ou

09. N° d'urgence, 24h/24 : ☎ 0748-204-155 (portable). Fax : 266-67-36. Ouvert en semaine de 8 h à 14 h 45.

■ ***Ambassade de Belgique** (plan général D8, **9**) :* 5, Ocean Rd, Upanga, PO Box 9210. ☎ 211-26-88 ou 26-03 ou 40-25. Fax : 211-76-21. N° d'urgence, 24h/24 : ☎ 0744-782-156 (portable). Ouvert en semaine de 8 h à 15 h.

■ ***The High Commission of Kenya :*** Plot 14, Ursino, PO Box 5231. ☎ 270-17-47 ou 49. Fax : 270-17-50.

Santé

■ ***Dr Pierre Bervas :*** 259, Ali Hassan Mwinyi Rd, Namanga, Kinondoni. ☎ 266-83-85 ou 0741-552-277 (portable). Médecin français qui consulte en semaine de 8 h à 18 h ; jusqu'à 14 h le samedi. Dispose d'une pharmacie bien achalandée, ouverte tous les jours de 8 h à 22 h.

■ ***Flying Doctors :*** ☎ 211-66-10.

■ ***Aga Khan Hospital** (plan général D8, **10**) :* Ocean Rd, en face de l'ambassade de Belgique. ☎ 211-51-51 ou 53. Pour les petits bobos. Éviter absolument le *Muhimbili Institute.*

Transports

Gares ferroviaires : deux gares à Dar es-Salaam. La *Central Railway Station (zoom D10, **11**),* proche du port, au croisement de Gerezani St et Railway St. Trains en partance pour Kigoma, Mwanza (lac Victoria) et Dodoma. La *Tazara Railway Station (hors plan général par A11, **12**)* se trouve à 5 km du centre-ville, à l'intersection de Nyerere Rd et Nelson Mandela Rd. D'ici partent les trains pour Mbeya et la Zambie. Se reporter à la rubrique « Quitter Dar es-Salaam » pour les horaires.

***Gare routière** (hors plan général par A8) :* terminal de bus sur Morogoro Rd, dans le quartier d'Ubongo, à environ 6 km du centre-ville.

***Bateaux pour Zanzibar** (zoom D9-10, **13**) :* il s'agit du point d'embarquement des bateaux pour l'île de Zanzibar. Voir la rubrique « Quitter Dar es-Salaam ».

✈ ***Aéroports international et domestique de Dar es-Salaam** (hors plan général par A11) :* Pugu Rd. À 13 km du centre-ville.

Compagnies aériennes

■ ***ZanAir** (zoom D9, **14**) :* représenté par *Kearsley Travel,* voir rubrique « Agences de voyages, organisateurs de safaris ». ☎ 211-50-26 ou 30. Fax : 211-55-85. À l'aéroport : ☎ 0741-605-230 (portable). • zanair.com •

■ ***Precision Air** (zoom D9, **15**) :* à l'angle de Pamba Rd. et de Samora Av., PO Box 70770. ☎ 213-08-00 ou 212-17-18 ou 284-35-47. Fax : 211-30-36. • www.precisionairtz.com •

■ ***Air Tanzania Corporation – ATC** (zoom D9, **16**) :* ATC House, Ohio St., PO Box 543. ☎ 211-84-11/2. Fax : 212-48-06. • www.airtanzania.com •

■ ***Coastal Aviation** (zoom D9, **17**) :* Upanga Rd. PO Box 3052. ☎ 211-79-59 ou 60. Fax : 211-86-47. • www.coastal.cc •

Vols internationaux

■ ***Swiss Air :*** derrière l'église luthérienne *(zoom D9, **18**).* ☎ 211-88-70 ou 72. Fax : 211-28-08. Vols pour Zurich, Paris, Milan...

■ ***KLM** (zoom D9, **19**) :* Peugeot House. ☎ 211-33-36 ou 37. À l'intersection de Upanga Rd et Bibi Titi Mohamed St.

■ ***Kenya Airways** (zoom D9, **19**) :* même bureau que *KLM.* ☎ 211-70-70 ou 211-93-76 ou 77. Fax : 211-64-92. • www.kenya-airways.com •

DAR ES-SALAAM

■ ***Gulf Air*** *(zoom D9,* ***20****) :* ☎ 213-78-52 ou 213-98-73. À l'angle de Bibi Titi Mohamed St et de Maktaba St. Prix intéressants.

■ ***British Airways*** *(zoom D9,* ***21****) :* dans le hall du *Royal Palm Hotel.* ☎ 211-38-20 ou 22. Fax : 211-26-29.

Location de voitures

■ ***Evergreen Car Rental*** *(plan général C10,* ***22****) :* Nkrumah St, PO Box 1476. ☎ 218-21-07 ou 33-45. Fax : 218-33-48. • evergreen@raha.com • Ouvert du lundi au vendredi, de 8 h à 17 h ; le samedi, de 8 h à 13 h ; les dimanche et jours fériés, de 10 h à midi. Bien qu'un peu excentrée (prendre un taxi) sur la route de l'aéroport, c'est une agence sérieuse tenue par des gens dynamiques. Tarifs un peu moins élevés que ceux des grandes compagnies. Possibilité de régler par carte de paiement.

■ ***Hertz*** *(zoom D9,* ***21****) :* dans le *Royal Palm Hotel,* PO Box 6100. ☎ 212-23-63 ou 21-30. Fax : 212-21-31. • hertz@cars-net.com • Mêmes horaires d'ouverture que *Evergreen Car Rental.* Un peu plus cher.

Agences de voyages, organisateurs de safaris

Voici une liste de tour-opérateurs et d'agences de voyages (toutes « safaristes ») choisis pour leur sérieux et leur rapport qualité-prix intéressant. Ces agences organisent des safaris dans les parcs du sud de la Tanzanie, comme le parc national de Mikumi et celui de Ruaha, et dans la réserve de Selous *(Selous Game Reserve).* En général, les bureaux sont ouverts en semaine de 8 h 30 à 17 h ; le samedi jusqu'à 12 h 30.

■ ***Kearsley Travel*** *(zoom D9,* ***14****) :* Makunganya St, PO Box 801. ☎ 211-50-26. Fax : 211-55-85. • www.kearsley.net • Pour les bourses modestes. Nombreuses formules variées. Par exemple, la formule 3 jours-2 nuits dans la réserve du Selous est proposée à un peu moins de 750 US$ (625 €) par personne (vol pour Selous compris).

■ ***Rickshaw Travels*** *(zoom D9,* ***21****) :* Ohio St, PO Box 1889. Dans le hall du *Royal Palm Hotel.* ☎ 213-72-75 ou 92-73. Fax : 211-32-27. • www.rickshawtravels.net • Spécialiste du parc de Selous. Compter de 150 à 215 US$ (125 à 179,2 €) environ par jour et par personne selon le *lodge.* Représentant d'*American Express* à Dar (agence sur Upanga Rd, à 100 m à droite du *City restaurant,* ☎ 211-10-03).

■ ***Easy Travel*** *(zoom D9,* ***20****) :* Raha Tower, Bibi Titi Mohamed Rd, PO Box 1428. ☎ 212-35-26 ou 17-47. Fax : 211-38-42. • www.easytravel.co.tz • Un poil plus cher que *Kearsley Travel* mais prix qui restent raisonnables. Représente aussi *Air Mauritius.*

■ ***Hit Holidays Travel & Tours*** *(zoom D9,* ***23****) :* Bibi Titi Mohamed Rd, PO Box 6666. ☎ 211-90-24 ou 34-08. Fax : 211-23-76. • www.hitholidays.com • Prix compétitifs mais l'on se retrouve, la plupart du temps, au sein d'un groupe d'une petite dizaine de personnes.

■ ***Hippotours & Safaris*** *(zoom D8-9,* ***24****) :* Nyerere Cultural Centre, sur Ohio St, juste à côté du *Royal Palm Hotel.* PO Box 13824. ☎ 212-86-62 ou 63. Fax : 212-86-61. • www.hippotours.com • Juleta et Ali Faraji, des francophones, sont à l'accueil. Compter près de 240 US$ (200 €) par jour et par personne en pension complète au *Rufiji River Camp* (20 tentes) à Selous. Ruaha et Mikumi sur demande. Le transport n'est pas compris.

■ ***Afric'Aventure Ldt.*** *:* PO Box 79777. ☎ 0774-378-363 (portable). • www.africaventure.net • Une agence tenue par Anne, une Belge fort sympathique (pas de bureau ; Anne viendra directement à votre rencontre en ville). Ici, on vous propose avant tout de la qualité et du sérieux. Allez-y les yeux fermés, elle n'est qu'attentions et sourires. Spécialiste des parcs du Sud et des séjours à la carte selon vos souhaits (visite de parcs combinée à de la plongée par exemple). Mais c'est un peu plus cher.

■ ***Savannah Tours*** *(plan général C7,* ***25****)* **:** Ali Hassan Mwinyi Rd. PO Box 20517. ☎ 213-92-77. Portable : ☎ 0744-331-662. Fax : 212-18-12. • www.savannahsafaris.com • Agent de la compagnie *Hertz* à Dar. Ascension du Kilimandjaro et parcs du Nord en plus de ceux du Sud.

■ ***Coastal Travels*** *(zoom D9,* ***17****)* **:** Upanga Rd, PO Box 3052. ☎ 211-79-59/60 ou 0744-324-044 (portable). Fax : 211-86-47. • www.coastal.cc • Une des agences les plus réputées, une des plus sérieuses, mais aussi une des plus chères (près de 240 US$, soit 200 €, par jour et par personnes à Selous). Propose parfois des *Last Minute Safaris,* à réserver 2 jours avant, à prix intéressants. Possède également une compagnie aérienne privée. Agence spécialisée sur les parcs du Sud, les îles de Mafia et Zanzibar.

■ ***Leopard Tours Ltd.*** *(zoom D9,* ***21****)* **:** Ohio St, dans le hall du *Royal Palm Hotel,* PO Box 979. ☎ 211-97-54/6 ou 0748-786-463 (portable). Fax : 211-97-50. • www.leopardtours.com • Agence sérieuse ayant également un bureau à Arusha. Les prix varient selon la saison. Là encore, l'une des plus chères.

Culture, loisirs

■ ***Presse, librairie :*** la presse nationale et internationale, certains magazines *(Times, Newsweek)* sont vendus dans des stands disposés au bord de l'avenue Uhuru. Également au *Royal Palm Hotel,* Ohio St. La meilleure librairie de Dar : *A Novel Idea,* dans la galerie du *Steers (zoom D9,* ***56****).* Ouvert tous les jours sauf le dimanche de 10 h à 19 h.

■ ***Alliance française :*** sur Ali Hassan Mwinyi Rd, à côté du *Las Vegas Casino,* PO Box 2566. ☎ 213-14-06. • afdar@africaonline.co.tz • Ouvert du lundi au vendredi de 9 h à 18 h ; jusqu'à 13 h le samedi. Bibliothèque (livres, vidéos, journaux et magazines) à disposition sur place. De temps en temps, spectacles, expos d'artistes contemporains africains et français. Cycle du cinéma francophone en mars et festival du film européen en novembre. Petit bar-restaurant également.

■ ***Cinéma :*** à la marina Slipway de Msasani *(plan d'ensemble B3).* Séances en général le week-end.

Divers

■ ***Immigration Office*** *(zoom D9,* ***26****)* **:** Ghana Av. Pour la prolongation du visa. Ouvert en semaine de 8 h 30 à 12 h 30.

■ ***Shoprite*** *(zoom D9-10,* ***4****)* **:** Samora Av., en plein centre. Ouvert en semaine de 9 h à 19 h ; jusqu'à 16 h le samedi et midi le dimanche. Un peu de tout : alimentation, droguerie, nécessaire de toilette.

Où dormir ?

Camping

⛺ 🏠 ***Kipepeo Campsite*** *(hors plan général par F10,* ***30****)* **:** au village de Mjimwema, à 9 km au sud de Dar es-Salaam. ☎ 282-08-77 ou 0744-785-769 (portable). • www.kipepeocamp.com • Compter 3000 Tsh (2,5 €) par personne en tente, 5000 Tsh (4,2 €) en dortoir et 8000 Tsh (6,7 €) par personne en *bandas.* Quelques bandas également tout récents avec sanitaires privés, petite terrasse pour 50 US$ (41,7 €) pour deux. Très bien situé sur une belle plage, et bien tenu par Erna et Dale. On peut prendre le ferry à Kigamboni pour South Beach, non loin du marché aux pêcheurs, puis y aller en *dala dala* ou en taxi.

Très bon marché (moins de 6 US$ - 5 €)

À l'ouest du centre-ville, dans le quartier délimité par Zanaki St, Nkurumah St (au sud) et Bibi Titi Mohamed St (sic!), on trouve de nombreux petits hôtels bon et même très bon marché. Mais quelle sinistrose! Dans le genre rapport « médiocrité-prix », on ne fait pas mieux. N'y dormir qu'en dernier recours. Pas d'accueil, ou alors des cerbères aimables comme des gardiens de prison, des chambres tristes à mourir et d'une propreté douteuse, des réceptionnistes pas très nets, des clients un peu louches, une insécurité dans les rues après 21 h... Donc, aventuriers amateurs, faites attention à vos affaires. Ne laissez aucun objet de valeur dans votre chambre.

■ ***Tamarine Hotel*** *(zoom C10, **31**) :* Lindi St. ☎ 212-02-33. Pas de petit déjeuner. Conseillé par l'office de tourisme, et la patronne a l'air d'être à son affaire. Une vingtaine de petites chambres, vraiment toutes simples pour ne pas dire très sommaires, mais qui conviendront aux budgets les plus modestes. Avec ou sans bains. Une mosquée non loin et une église pentecôtiste juste à côté, laissez tomber la grasse mat' du dimanche matin! Resto populaire à deux pas, *New Millenium,* où les habitants du coin se retrouvent le soir (mais certains fidèles sont au rendez-vous dès le matin!) autour d'une Safari ou d'une Kilimandjaro.

Bon marché (de 7 à 15 US$ - 5,8 à 12,5 €)

■ ***YMCA Youth Hostel*** *(zoom D9, **32**) :* Upanga Rd, PO Box 767. ☎ 213-54-57 ou 212-11-96. Réception de 6 h à 23 h. Au nord du centre-ville, un grand bâtiment de béton au calme. Ouvert à tous, sans limite d'âge. Chambres simples (avec moustiquaire, ventilo) mais pas désagréables et surtout très propres. Douche (eau froide) et w.-c. sur le palier. L'auberge dispose d'une laverie et d'une consigne à bagages gratuite. Également une cafétéria ventilée qui donne sur une grande pelouse tranquille et très fréquentée, le midi, par les employés du quartier. Cuisine très simple, pas chère du tout : riz, *chapati, ugali,* poisson, poulet...

■ ***YWCA*** *(zoom D9, **33**) :* Ghana Av., PO Box 20866. ☎ 212-24-39 ou 0741-622-707 (portable). Réception de 7 h 30 à 21 h. Parking payant. L'adresse la moins chère de la catégorie. Deux types de chambres à l'atmosphère assez monastique mais très propres : les plus chères sont assez « grandes » et disposent de douches et w.-c. privés. Les autres, appelées « familiales », sont en fait beaucoup plus riquiqui, n'ont que 2 lits individuels, des sanitaires communs sur le palier, et au final, pas grand chose de familial... Pas d'eau chaude. Moustiquaires, laverie, consigne payante, cafétéria au rez-de-chaussée en bordure d'un jardinet. Au resto : du poulet avec du riz ou des frites... C'est simple et pas cher.

■ ***Jambo Inn Hotel*** *(zoom C9, **34**) :* Libya St, PO Box 5588. ☎ 211-42-93 ou 07-11. Possibilité de chambres climatisées, mais dans ce cas, on change de catégorie (prix moyens, mais très raisonnables). Le *Jambo Inn* devrait s'appeler « Security Inn » ! On passe une première grille extérieure entourant la terrasse. Une autre grille métallique encercle la réception. Une 3e grille commande l'accès à la cage d'escalier. Dans les étages, les portes des chambres ferment à l'aide de doubles verrous bien costauds. Ouf! Difficile de se faire voler quoi que ce soit avec pareilles précautions. Heureusement, l'accueil est bien sympathique. Les chambres avec moustiquaires, ventilo et bains (eau chaude) sont sans prétention, mais très propres. Celles qui donnent à l'arrière sont plus calmes. Passé 20 h, évitez de traîner seul dans la rue de la Libye (même avec un alibi libyen). Petit resto au rez-de-chaussée (ouvert tous les jours) qui sert de la cuisine indienne bon marché (buffet à midi).

🏠 ***Salvation Army Mgulani Hostel*** *(hors plan général par C11,* ***35****)* : Kilwa Rd, PO Box 1273. ☎ 285-14-67. Fax : 285-05-42. À 5 km environ au sud du centre-ville. Pour s'y rendre, prendre le *dala dala* « Temeke » ou « Mtoni » en face de la nouvelle poste. Demander à ce qu'il vous dépose près de Jeshi. S'assurer que le *dala dala* emprunte bien la Kilwa Rd. Vraiment d'un très bon rapport qualité-prix. Une soixantaine de bungalows, d'accord, assez moches (coiffés de tôles ondulées), mais repartis au sein d'un vaste parc très calme et bien ombragé. Finalement, on s'y sent bien. Les chambres possèdent toutes moustiquaire, ventilo et bains. Simples et propres. Un petit inconvénient néanmoins, l'eau courante (froide) peut parfois manquer. Le personnel, prévenant, se fera un plaisir de vous apporter un seau d'eau chaude (sauvé !). On ne dénigrera pas le bon restaurant à la cuisine africaine et européenne, aux prix très raisonnables. Une adresse un peu trop excentrée pour une nuit mais en revanche très intéressante pour ceux qui envisagent de séjourner quelques temps à Dar.

Prix moyens (de 16 à 25 US$ – 13,3 à 20,8 €)

🏠 ***Luther House*** *(zoom D9,* ***36****)* : 389, Sokoine Drive. ☎ 212-07-34. En plein centre, voici une bonne adresse pour routards, même si c'est notre adresse la plus chère de la catégorie. C'est simple, c'est propre, c'est sûr. Théoriquement, cette *hostel* est réservée aux étudiants et aux jeunes. En fait, on y croise des gens de tous les âges, comme dans les *YMCA*. La seule condition commune est d'accepter le règlement de la maison, proche de celui des AJ. Un ou 2 lits dans les chambres, avec moustiquaire, ventilo, bains, AC et vue sur un parking, à l'arrière.

🏠 ***Econo Lodge*** *(zoom C9,* ***37****)* : Band St, PO Box 8658. ☎ 211-60-48, 49 ou 50. Fax : 211-60-53. • econolodgetz.com • Hôtel récent tout proche de la Libya St. Les chambres réparties sur 4 étages sont toutes équipées de ventilo, moustiquaire et bains. Pas de climatisation pour les moins chères. Grandes chambres, pas très joyeuses mais certaines avec balcon, et celles du dernier étage sont toutes récentes. Les portes sont habillées de 2 verrous et d'1 cadenas (être patient !). Accueil souriant, contrairement au quartier et en plus c'est propre ! Salle TV à la réception, sombre et un peu tristounette. Fait l'affaire pour une nuit ou deux.

– Jeter un coup d'oeil au ***Jambo Inn Hotel*** *(zoom C9,* ***34****)*, voir ci-dessus, qui propose des chambres climatisées à prix moyens.

Chic à très chic (à partir de 80 US$ – 66,7 €)

🏠 ***Peacock Hotel*** *(zoom C9,* ***38****)* : Bibi Titi Mohamed St, PO Box 70270. ☎ 211-40-71. Fax : 211-79-62. • www.peacock-hotel.co.tz • À partir de 82 US$ (68,3 €) la double. Ristourne intéressante en basse saison. Chambres spacieuses dans lesquelles, pas de souci, tout le confort est assuré (AC, frigo, TV satellite). Certaines ont même du charme avec leur mobilier néo-ancien. Les *deluxes* (les plus chères), au dernier étage, jouissent d'une vue dégagée sur la ville. En revanche, certaines *standards* au 1er, offrent bien peu de perspectives visuelles ! Tout est très propre, sans mauvaise surprise, mais c'est un hôtel d'hommes d'affaires, ce qui n'est pas très réjouissant au petit dej'. Accès Internet. Accueil pro et sympathique, *room service* et bureau de change (*cash* uniquement). Bon restaurant.

■ ***New Africa Hotel*** *(zoom D9,* ***39****) :* Azikiv St, PO Box 9314. ☎ 211-70-50 ou 51. Fax : 211-67-31. • www.newafricahotel.com • Doubles à partir de 125 US$ (104,2 €). Cette institution, en plein centre-ville, se dresse du haut de ses 9 étages, face à l'église luthérienne et la baie de Dar. Chambres impeccables avec tout le confort que l'on attend. Resto au dernier étage (cuisine thaïe) avec une vue imprenable, bar, casino, piscine. Du grand luxe bien standardisé et... aseptisé.

Où manger ?

Très bon marché (moins de 2500 Tsh – 2,1 €)

|●| ***Stands en bois sous tôle*** *(zoom D9,* ***50****) :* sur les quais, quelques stands tenus, pour la plupart, par des femmes de pêcheurs. On mange du poisson grillé pour quelques shillings, les pied dans l'eau. Du 100 % local, pour baroudeurs, uniquement.

|●| ***Manje Restaurant*** *(zoom D9,* ***51****) :* Upanga Rd. Ouvert tous les jours jusqu'à 22 h, sauf le dimanche. Il faut repérer l'enseigne, et prendre le couloir. On commande en bas et on mange à l'étage sous les ventilos. C'est un petit resto qui ne paye pas de mine mais propre et très populaire à midi. Pas de carte, mais de *l'ugali* au menu, avec ou sans poulet.

|●| ***City Restaurant*** *(zoom D9,* ***52****) :* Upanga Rd, un peu excentré. Ouvert tous les jours sauf le dimanche jusqu'à 16 h. Au rez-de-chaussée d'un immeuble. S'engouffrer sous le porche qui conduit à une arrière-cour, juste au niveau du panneau « City Restaurant » (avant *Citigroup*). Petite cafétéria, sans prétention, avec quelques tables seulement et tenue par des femmes charmantes. Pour se sustenter de quelques plats locaux et loin de l'agitation du centre.

|●| ***Green Restaurant*** *(zoom D9-10,* ***53****) :* Zanaki St, face à l'*Avalon Cinema.* Ouvert jusqu'à 18 h ; fermé le dimanche. Pour les adeptes de *l'ugali.* C'est un boui-boui, pas loin du port. Fait chaud sous le store...

Bon marché (de 2500 à 5000 Tsh – 2,1 à 4,2 €)

|●| ***Maharani Restaurant*** *(zoom D9,* ***54****) :* Kisutu St. ☎ 213-92-86. Ouvert tous les jours, midi et soir. Un sympathique resto de quartier aux tables recouvertes de nappes en tissu et fréquenté aussi bien par les travailleurs que par les habitués indiens du Penjab, c'est certainement un signe de qualité. Le midi, c'est buffet à volonté. Il est préférable alors de demander l'aide de la patronne (si elle est là) pour se servir. En effet, il y a un ordre, les épices au milieu, les légumes puis on choisit dans les 3 à 4 plats à base de riz. Le soir, c'est à la carte (*tandoori, massala, byriani,* végétariens ou non). AC bienvenue.

|●| ***New Zahir*** *(zoom C9,* ***55****) :* Mosque St. Ouvert tous les jours jusqu'à 22 h. Dans un quartier populaire où il n'y a rien de particulier à faire. Un store bleu et blanc au dehors, une mini-terrasse avec quelques plantes vertes pour essayer d'oublier le bruit de la rue, une salle carrelée avec des ventilos qui font ce qu'il peuvent, des plats indo-arabo-swahilis, et même des pizzas. Pas trop de touristes, beaucoup de locaux.

|●| ***The Steers*** *(zoom D9,* ***56****) :* à l'angle d'Ohio St. et de Samora Av. Ouvert tous les jours de 10 h à 23 h. C'est un groupe de restos, genre fast-food, qui jouent à touche-touche

au sein d'une « galerie » moderne climatisée et disposée en arc de cercle. Ambiance MacDo et Cie, donc. Chez *Koko's,* salades composées au choix ; chez *Debonairs,* des pizzas à deux sous ; chez *Steers,* des hamburgers et, enfin, chez *Chop Chop Chinese,* des plats chinois et indiens. Terrasse salutaire en extérieur car l'intérieur aseptisé est parfois bruyant.

Prix moyens (de 5000 à 10000 Tsh – 4,2 à 8,4 €)

|●| ***The Rendez-Vous** (zoom D9, **57**) :* Samora Av. ☎ 211-11-02. Presque en face de l'office de tourisme. Fermé le jeudi soir et le dimanche. Si vous n'avez qu'une petite faim, l'addition devrait rester « bon marché ». Voilà une agréable petite salle aux murs lambrissés, sans oublier la mezzanine. Un resto fréquenté par des habitués qui viennent déguster de bons plats aux saveurs parfois indiennes. Bon accueil.

|●| ***Épi d'Or – The French Bakery** (zoom D9, **58**) :* Samora Av. ☎ 213-60-06. Ouvert du lundi au samedi de 7 h à 19 h. Une boulangerie-pâtisserie-salon de thé à la française. Tenue par des Libanais qui ont vécu au Sénégal et qui ont vraiment tout compris de l'esprit français ! D'ailleurs, admirez la jolie fresque bucolique sur le mur qui évoque les battages d'antan, si chers à nos grands-parents. En vitrine, des croissants, des pains au chocolat, des pains aux raisins, chaussons aux pommes, etc. Une adresse idéale pour le petit dej' ou pour s'offrir une p'tite gâterie en journée. Également quelques plats, là encore, très français : *sole meunière, côtelettes d'agneau aux herbes,* etc.

Prix moyens à un peu plus chic (de 5000 à 12000 – 4,2 à 10 €)

|●| ***City Garden** (zoom D9, **59**) :* à l'angle de Garden Av. et de Pamba Rd. ☎ 213-42-11. Ouvert tous les jours jusqu'à 22 h. Un resto blotti au cœur d'un agréable jardin avec des tables bénéficiant de l'ombre bienfaisante de flamboyants et de quelques paillotes recouvertes de *makuti.* Le midi en semaine, c'est un buffet. Le soir, la carte très généreuse propose une bonne cuisine swahilie, indienne ou continentale. Clientèle très *middle-class.*

Où dormir ? Où manger dans les environs ?

La péninsule de Msasani

➢ ***Pour y aller :*** prendre un *dala dala* «Masaki-Posta » devant la nouvelle poste *(zoom D9)* ou sur Ali Hassan Mwinyi Rd, après le *Royal Palm Hotel.* Mais les *dala dalas* s'arrêtent à l'IST, à l'angle de Haile Selassie Rd et de Chole Rd. Ensuite, on poursuit à pied (la marine Slipway n'est qu'à 10 mn de marche) ou bien en taxi. Rien de bon marché à Msasani.

⌂ |●| ***Q Bar & Guesthouse** (plan général C4, **40**) :* PO Box 4595. À l'intersection d'Haile Selassie Rd et de Msasani Rd. ☎ 0744-282-474 (portable). Fax : 211-26-67. • qbar @hotmail.com • Le *dala dala* «Masaki-Posta » passe juste devant. Des doubles de 45 à 80 US$ (37,5 à 66,7 €) selon le confort et dortoir de 4 lits à 12 US$ (10 €) par personne (pour les *backpackers*). L'hôtel offre donc une large gamme de prix. De l'extérieur, le bâtiment (un bloc de béton) n'est pas bien folichon. En revanche, les chambres sont une agréable surprise : jolie déco sobre aux tonalités africaines, couleurs fraîches, sanitaires privés (sauf pour les moins chères), AC, moustiquaire. Mais c'est aussi un bar-resto où l'ambiance peut être assez chaude (*live music* le vendredi soir) et qui fait le plein lors des retransmissions d'événements sportifs importants sur grand écran. Éviter les chambres du 1er (si vous visez le dortoir, mauvaise pioche, à moins que vous ne soyez un fêtard !) Sinon, reste toujours la solution des bouilles Quiès... *Happy hours* de 16 h à 19 h. Resto à prix moyens.

|●| ***Mashua Bar** (plan général B3, **60**) :* à la marine Slipway. Ouvert tous les jours jusqu'à 23 h. Un resto-bar avec une agréable terrasse où il fait bon se poser face à la baie de Msasani. Quelques plats simples (poissons grillés, pizzas, etc.) et corrects pour des prix qui le sont tout autant (autour de 5000 Tsh, soit 4,2 €). Pas mal de chats dans le coin.

|●| ***Barbeque Village** (plan général B4, **61**) :* ☎ 0741-320-736 (portable). Ouvert uniquement le soir. Fermé le lundi. Y aller en taxi. L'addition gravitera entre 6000 et 12000 Tsh (5 à 10 €). Un resto sympa dans un jardin, au calme, et tenu par des Indiens. Carte variée et bonne cuisine indienne, *of course,* mais aussi chinoise, continentale. Les adeptes de fruits de mer et de poisson seront comblés.

Chic

En préliminaire, précisons que l'hôtel *Karibu* est à fuir.

🏠 |●| 🍸 ***Smokies Tavern and Guesthouse** (plan général B3, **62**) :* chez David et Lesley Close, PO Box 23425. ☎ 260-01-30 ou 0748-780-567 (portable). Fax : 260-03-43. • smokies@kicheko.com • Dans un quartier calme et sûr, à côté de l'un des plus vieux cimetières de Dar, situé dans la partie ouest de la péninsule de Msasani (côté Msasani Bay), au bord du long chemin qui conduit du Yacht Club à Kimweri Av. C'est en fait une agréable villa tenue par David, un Anglais qui vit à Dar depuis de nombreuses années. Compter 90 US$ (75 €) la double, réduction pour un séjour prolongé. Les chambres sont spacieuses, calmes, bien équipées. Mais la déco ne tient pas toutes ses promesses. Et pour être franc, elles nous ont un peu déçus pour le prix. On vient surtout ici pour l'apéro ou pour le sympathique resto installé sur la terrasse. La vue est superbe, le coucher de soleil sur la baie mémorable, et l'atmosphère intime sous la voûte étoilée. Ouvert tous les soirs, sauf le dimanche (buffet à 12000 Tsh, soit 10 €), ainsi que le samedi et le dimanche midi (à la carte). Cuisine de la mer faite avec des produits frais achetés aux pêcheurs du village tout proche : crabes, crevettes, poisson (marlin) fumé en cuisine. Bar ouvert de 5 h à minuit. Groupes locaux et musique (jazzy, soul, parfois rock) le jeudi soir (pas mal de monde), cours de salsa le samedi. Ambiance sympa.

|●| Sur Kimweri Av., plusieurs restos. Le plus chic s'appelle le ***Simona Restaurant** (plan général B4, **63**) :* ☎ 266-69-35. Ouvert tous les jours sauf le dimanche. Y aller en taxi. Compter entre 10000 et 15000 Tsh (8,3 à 12,5 €) pour un repas. Un resto au cadre un brin classieux. Cuisine serbo-croate (goulasch, charcuterie, viande) qui se défend très bien. Si vous craquez pour la langouste, l'addition se musclera fortement...

Où manger une glace ? Où manger une bonne pâtisserie ?

🍦 ***Sno Cream** (zoom D9, **70**) :* Mansfield St. Ouvert du lundi au vendredi de 9 h à 23 h 30, le samedi et le dimanche à partir de 10 h. Charmant petit glacier avec la déco du *Livre de la Jungle* et d'autres Walt Disney. Plusieurs choix de coupes de glaces. Accueil chaleureux.

lol ***Épi d'Or – The French Bakery*** *(zoom D9,* ***58****)* **:** voir « Où manger? ». L'adresse incontournable pour ceux qui sont en manque de croissants, pains aux chocolats, etc.

Où boire un verre? Où sortir?

🍸 ***Florida Pub*** *(zoom D9,* ***80****)* **:** Mansfield St, derrière le bâtiment des Nations unies. Ouvert uniquement en semaine jusqu'à 23 h 30. Un endroit assez sélect où l'on boit une Heineken tout en papotant tranquillou. Au 1er étage, on se concentre autour d'une partie de billard.

🍸 ***Storm Bar*** *(zoom D9,* ***81****)* **:** au coin des Jamhuri et Upanga Streets, au rond-point de l'horloge. Au 1er étage de l'immeuble. ☎ 0748-714-050 (portable). Ouvert jusqu'à minuit (un peu plus tard le week-end). Fermé le mardi. On vous en cause car il n'y a vraiment pas beaucoup d'endroits pour sortir à Dar... et, de plus, on y rencontre certainement les plus belles serveuses de toute la Tanzanie, si, si... Mais le cadre moderno-pseudo-branchouille est plutôt froid et aseptisé. On se croirait partout sauf à Dar. Terrasse en extérieur. Plats à la carte (prix moyens). Y aller plutôt le vendredi lors des soirées DJ. Tenue correcte exigée.

♫ ***Club Bilicanas, Sugar Mama et Much More*** *(zoom D9,* ***82****)* **:** à l'angle de Makunganya St et de Mkwepu St. ☎ 212-06-05. Ouvert du mercredi au dimanche à partir de 22 h. Entrée payante (gratuit le jeudi pour les filles). LA discothèque de Dar es-Salaam. *African night* le mercredi *(live music).* Sinon, musique assez éclectique (reggae, *house,* musique commerciale, etc.). Billards. Sinon, à deux pas de là, toujours à l'angle de Makunganya St et de Mkwepu St, le ***Sugar Mama,*** ouvert le vendredi et le samedi (entrée payante), plaira aux nostalgiques des années 1960 à 1980. Ou encore le ***Much More*** (même entrée), ouvert le mercredi, le vendredi et le samedi (gratuit le mercredi), à dominante *house,* hip-hop, *R&B.* Tenue correcte obligatoire.

♫ Autres clubs-discothèques : on vous signale, pour la musique et l'ambiance, le ***Mamgo Club*** (sur Haile Selassie Rd, près de l'hôtel *Karibu*) qui organise des soirées. Ne pas oublier de jeter un coup d'œil au *Dar es-Salaam Guide* (voir « Adresses et infos utiles ») qui donne la liste des principales discothèques.

La péninsule de Msasani

🍸 ***The Pub*** *(plan général B3,* ***83****)* **:** à la marina Slipway. Ouvert tous les jours de 8 h à minuit. Pub à l'anglaise avec de la bière, du café, et des journaux. Quelques sandwichs à grignoter, mais ils sont chers et il y a beaucoup mieux à deux pas! Un endroit à ne pas manquer si vous êtes accros des retransmissions des grands évènements sportifs. Groupes le vendredi soir et ambiance assez chaude en général.

🍸 ***Q Bar & Guesthouse*** *(plan général C4,* ***40****)* **:** voir « Où dormir? ».

🍸 Également le ***Mashua Bar*** *(plan général B3,* ***60****)* et le ***Smokies Tavern and Guesthouse*** *(plan général B3,* ***62****)*, voir « Où manger dans les environs?».

À voir

📷 ***La cathédrale Saint-Joseph*** *(zoom D9)* **:** Sokoine Drive. Construite en 1897. Rien de particulier, sauf qu'elle offre un bon repère au bord de la route longeant le port.

L'église luthérienne *(zoom D9)* **:** Sokoine Drive. Construite par les Allemands au début du XXe siècle. Le gardien se fera certainement un plaisir de vous faire découvrir le clocher auquel on accède par des escaliers quelque peu recouverts de plumes et de fientes de pigeons.

Le Musée national *(zoom E9)* **:** entre Samora Av. et Sokoine Drive. ☎ 212-20-30. Ouvert tous les jours de 9 h 30 à 18 h. Entrée : 3000 Tsh (2,5 €) ; réduction étudiants. Il contient une très intéressante section de paléontologie, avec les vestiges originaux découverts par les Leakey dans les gorges d'Olduvai. On peut voir, notamment, les crânes du *Zinjanthrope* et de l'*Homo habilis.* D'autres salles consacrées à l'archéologie et à l'ethnographie. Noter les masques et les sculptures makondes, les instruments de musique, les armes, poteries, objets rituels de sorcellerie... Au 1er étage, une salle retraçant l'histoire de la Tanzanie. De l'apparition du 1er homme à aujourd'hui, en passant par le commerce des esclaves et les périodes de colonisation allemande et britannique. Présentation qui mériterait plus de soin.

La rue des temples *(zoom D9)* **:** Kisutu St. La rue indienne par excellence, de nombreux temples, on peut visiter le *Swaminarayan* après 16 h. Un restaurant (le *Maharani*) et une pâtisserie indienne.

Achats

De nombreux magasins de souvenirs sont éparpillés dans le centre de Dar. Les sculptures sur bois et les *batiks* sont les articles les plus courants. On en trouve également dans des galeries marchandes plus chères, telle la galerie *Acacia* à l'Oyster Bay Shopping Centre.

Nyerere Culture Centre *(zoom D8-9, 24)* **:** au bout de l'Ohio St. Ouvert tous les jours de 8 h 30 à 20 h ; le samedi et le dimanche de 8 h à 16 h. Exposition d'artisanat local, avec parfois les artisans en plein travail. Les prix sont fixes, et donc élevés. On peut voir les adeptes de George Lilanga peindre leurs toiles. À l'entrée, un tableau d'affichage avec quelques annonces (cours de swahili, parfois des appartements à louer, etc). Démonstration de danses traditionnelles le vendredi soir vers 19 h, entrée payante. Un snack sur place.

– Ne pas oublier ***le marché de Mwenge,*** voir rubrique « Dans les environs de Dar es-Salaam ».

➤ DANS LES ENVIRONS DE DAR ES-SALAAM

Le Village Museum *(hors plan général par A5)* **:** à 10 km au nord de la ville, le long de Bagamoyo Rd. Prendre le *dala dala* « Mwenge » et descendre à Makumbusho. C'est à 100 m à pied. Ouvert tous les jours de 9 h 30 à 18 h. Entrée : 3000 Tsh (2,5 €) ; réductions. Reconstitution de plusieurs maisons, à l'architecture variée, représentant les différentes ethnies de Tanzanie, avec des panneaux d'explication bien faits. Une occasion de s'instruire tout en profitant d'une chouette balade au sein d'un beau parc ombragé. Tous les après-midi, danse et percussions africaines (petit supplément à prévoir).

Le marché de Mwenge *(hors plan général par A5)* **:** à 13 km environ au nord de la ville, après le Village Museum, au niveau de Bagamoyo Rd et de Sam Nujoma Rd. Pour y aller : *dala dala* « Mwenge » ou taxi. Ouvert tous les jours. Une bonne adresse pour trouver des sculptures et des objets d'art makonde. Originaires d'une région au sud de la Tanzanie, frontalière avec le

Mozambique, les Makondes sont réputés pour leurs belles statues sculptées dans le bois d'ébène (de couleur noire). Les sculpteurs travaillent devant les échoppes. Bien que connu des touristes, l'endroit n'a pas perdu son caractère. Les produits y sont moins chers qu'au centre-ville. L'idéal est d'y aller tôt le matin, pour être le premier client, ou bien en fin d'après-midi. Bien sûr, n'oubliez pas de marchander.

Bagamoyo : à 65 km environ au nord de Dar es-Salaam. Bagamoyo resta le port le plus important de la côté est jusqu'à la fin du XIXe siècle. C'est là que s'achevait la longue route des esclaves (1 500 km parcourus entre le lac Tanganyika et l'océan Indien). C'est aussi à Bagamoyo qu'accostaient les missionnaires et explorateurs européens. Aujourd'hui, subsistent quelques édifices dignes d'intérêt, comme la première église catholique construite en Afrique de l'Est, un vieux fort, etc. Depuis Dar es-Salaam, on peut facilement y aller pour une journée. Le mieux est de louer une voiture avec chauffeur auprès d'une agence.

➢ ***Croisières en dhow :*** contactez Sylvester, à la marina Slipway *(plan général C2)*, péninsule de Msasani, PO Box 250. ☎ 260-08-93 ou 0741-328-126 (portable). Au bout du quai (juste à côté du *Mashua Bar*), il y a un kiosque en bois. C'est marqué « Daily Dhow Cruises ».
Différents types de croisières. La plus courte va jusqu'à l'***île de Bongoyo.*** Départs tous les jours à 9 h 30, 11 h 30, 13 h 30 et 15 h 30. Retours à 10 h 30, 12 h 30, 14 h 30 et 17 h. L'île est une réserve marine couverte de végétation primaire avec une plage au nord-est. Le trajet dure 45 mn environ. Le billet aller-retour coûte 7 000 Tsh (5,8 €) par personne (incluant le droit d'entrée de la réserve). Quelques huttes sur la plage (peu de coin à l'ombre !), payantes le week-end (de 5 000 à 10 000 Tsh, soit de 4,2 à 8,3 €, selon la taille). On peut arriver sur l'île à 10 h 15, y rester toute la journée et rentrer avec le dernier bateau à 17 h. Sur place, on peut traverser l'île à pied en 2 h avec un guide local. Également des virées au crépuscule *(sunset cruises)* de 2 h, à condition d'être 8 personnes (compter 7 000 Tsh, soit 5,8 € par personne). Possibilité aussi de louer un *dhow* de 20 places pour la destination que vous voulez. On appelle ça des *boat-charters* (300 US$, soit 250 €, sans compter l'essence).

Les plages de South Coast (ou South Beach) : pour y aller, prendre le ferry à Kigamboni (traversée en 10 mn avec un départ toutes les 30 à 45 mn environ ; compter 1 000 Tsh, soit 0,8 € pour un véhicule avec chauffeur plus un supplément très modeste par passager). Un coin très sympa pour passer la journée. Les plages de sable blanc bordées de cocotiers sont très fréquentées le week-end par les habitants de Dar. Possibilité de loger au *Kipepeo Campsite* (voir « Où dormir ? »).

QUITTER DAR ES-SALAAM

En bus

Gare routière *(hors plan général par A8)* **:** Morogoro Rd. Dans le quartier d'Ubongo, à environ 6 km du centre-ville. Pour s'y rendre, prendre un taxi (compter près de 3 000 Tsh, soit 2,5 €).

– ***Les horaires :*** à vérifier impérativement (ils changent souvent) auprès de l'office de tourisme. Sinon, quelques infos aussi dans le *Dar es-Salaam Guide.*
– ***La réservation et l'achat des billets :*** à faire à l'avance. Les compagnies ont des kiosques de vente à la gare routière. Il y a 3 tarifs : *deluxe, semi-luxury* et ordinaire. Pour les longs trajets, nous vous conseillons, quand cette

catégorie existe, les places *deluxe*. Préférer la compagnie *Scandinavian Express* (☎ 218-48-33) : c'est la plus chère, mais aussi la plus sûre !

➢ ***Pour Arusha :*** une dizaine de compagnies *(Air Msae Tourist Coach, Scandinavian Express, Tawfiq, Akamba, Dar Express,* etc.). Nombreux départs quotidiens, mais attention, le matin uniquement. Durée : 8 à 10 h. Bonne route asphaltée sur toute sa longueur. Compter entre 13000 et 20000 Tsh (10,8 et 16,7 €) avec *Scandinavian Express.*

➢ ***Pour Moshi :*** la plupart des bus se rendant à Arusha font escale en route à Moshi. Renseignez-vous auprès des compagnies. Entre 8000 et 11000 Tsh (6,7 à 9,2 €). Durée : 8 h.

➢ ***Pour Bagamoyo :*** compter 2 h de route.

➢ ***Pour Tanga :*** environ 5 h de route. Nombreux départs quotidiens (mais attention, avant 16 h).

➢ ***Pour Dodoma :*** compagnies *Super Star, Tawfiq, Scandinavian Express* et *Champion.* Là encore, départs principalement le matin. Durée : environ 6 h 30. Route asphaltée.

➢ ***Pour Mombasa** (Kenya) **:*** 5 départs quotidiens dont un seul le matin (compagnies *Tawfiq, Scandinavia Express* et *Takrim*). Trajet : de 12 h à 15 h. Près de 17000 Tsh (14,2 €) avec *Scandinavia Express.*

➢ ***Pour Nairobi** (Kenya) **:*** trois départs quotidiens, tôt le matin (compagnies *Akamba, Scandinavia Express* et *Tawfiq*). De 9 h à 13 h de route. Compter près de 17000 à 35000 Tsh (14,2 à 29,2 €) selon la compagnie.

En train

Deux gares ferroviaires à Dar es-Salaam. *Attention* : vérifiez bien les horaires, car ils peuvent changer à la dernière minute. L'office de tourisme dispose des horaires théoriquement mis à jour.

🚆 ***Central Railway Station** (zoom D10, **11**) **:*** au croisement de Gerezani St et Railway St. ☎ 211-06-00 ou 05-99. La plus proche du port. Trains en partance pour Kigoma, Mwanza (lac Victoria) et Dodoma. Préférable de réserver le plus longtemps possible à l'avance.

🚆 ***Tazara Railway Station** (hors plan général par A11, **12**) **:*** à l'intersection de Nyerere Rd et Nelson Mandela Rd. À 5 km du centre-ville. ☎ 286-03-40. Trains pour Mbeya et la Zambie.

Pour Mbeya (sud-ouest du pays)

L'histoire de cette ligne « politique » vous est racontée dans le chapitre « Généralités », rubrique « Transports ». Près de 860 km entre Dar es-Salaam et Mbeya. Deux types de trains et 3 classes. Vu le confort, l'hygiène et le nombre impressionnant de passagers en 3e classe, mieux vaut voyager en 2e ou en 1re classe. La différence de prix n'est pas négligeable, mais vous économiserez vos forces. En théorie, les cabines de 1re classe renferment 2 couchettes et celles de 2e classe 6 couchettes. Réservations et achats des billets à la gare de Dar, au moins 2 jours à l'avance. En principe, demi-tarif avec la carte d'étudiant internationale.

– ***Le Train Express (Express Train) :*** départ de Dar le mardi et le vendredi vers 16 h (mais attention, parfois à 11 h 30). Durée du voyage : près de 18 h. Poursuit jusqu'à Kapili (Zambie). Compter de 15000 Tsh (12,5 €) à un peu moins de 25000 Tsh (20,8 €) selon la classe.

– ***Le train ordinaire :*** le lundi, départ vers 10 h. Arrivée à Mbeya le lendemain vers 10 h 30. Compter de 12000 à 21000 Tsh (10 à 17,5 €) selon la classe.

Pour Kigoma (lac Tanganyika)

– ***La ligne du Central Railway :*** 3 trains par semaine, départ le mardi, le vendredi et le dimanche à 17 h. Durée : près de 38 h. Même durée pour Mwanza. Armez-vous de patience et de philosophie ! Trois classes au choix, mais on vous conseille la 1re. Bref, beaucoup de secousses, d'inconfort et de fatigue, pour ce périple destiné aux aventuriers du rail.

➢ ***Dar-Kigoma-Mwanza :*** compter près de 33000 Tsh en 2e classe et 45000 Tsh en 1re classe (27,5 et 37,5 €).

En avion

✈ ***Aéroport international et aéroport domestique de Dar es-Salaam*** *(hors plan général par A11)* **:** Pugu Rd. À près de 13 km du centre-ville et distants de 1,5 km environ l'un de l'autre. Aéroport international : ☎ 284-42-39. Pour s'y rendre, *dala dala* « Kongo La Mboto » qui s'arrête à 100 m de l'aéroport international. En revanche, pas de *dala dala* pour l'aéroport domestique. Reste le taxi. *ATTENTION,* pour les vols domestiques, certaines compagnies partent de l'aéroport international (c'est le cas, en général, de *ZanAir* et de *Air Tanzania Corporation*). Bien vérifier avant ! Taxe d'aéroport de 5000 Tsh (4,2 €) à prévoir pour les vols domestiques, parfois comprise dans le prix du billet (là encore, bien vérifier).

➢ ***Pour Zanzibar :*** plusieurs liaisons quotidiennes avec la compagnie nationale *ATC (Air Tanzania Corporation), Kenya Airways* et les compagnies privées comme *Coastal Aviation, Precision Air, ZanAir.* Ces petites compagnies disposent d'avions (en bon état de marche, soyez rassuré) capables d'embarquer une poignée de passagers. On peut se retrouver à 4 personnes dans une cabine, avec les bagages entassés à l'arrière. Compter 25 mn pour relier Dar à Stonetown (Zanzibar). Le prix d'un billet aller tourne autour de 50 US$ (41,7 €) par personne.

➢ **Pour Arusha** *(Kilimandjaro International Airport et Arusha Airport)* **:** vols quotidiens avec *Coastal Aviation, ZanAir, Precision Air, ATC.* Compter de 130 à 150 US$ (108,3 à 125 €) pour un aller.

➢ **Pour Mafia :** plusieurs vols par semaine avec *Coastal Aviation.*

➢ **Pour Kigoma :** plusieurs vols par semaine avec *Precision Air* et *ATC.*

➢ **Pour Mombasa, Nairobi :** vols quotidiens avec *ATC, Pecision Air* ou *Kenya Airways.*

En bateau

Le point d'embarquement des ***bateaux pour Zanzibar*** *(zoom D9-10, **13**)* est situé sur le port, sur Sokoine Drive.

À bord d'un ferry ou d'un hydroglisseur

➢ ***Pour Zanzibar (Stonetown) :*** toutes les compagnies ont un kiosque au niveau du port, sur les quais *(zoom D9, **13**).* Environ 4 traversées par jour de 7 h 30 à 16 h. Compter de 2 h 30 à 3 h 30 en ferry ; 1 h de moins en hydroglisseur. De 20 à 40 US$ (16,7 à 33,3 €) selon le bateau et la classe (taxe comprise). Les étrangers doivent régler en dollars. On ne peut prendre qu'un aller, l'acheter uniquement aux bureaux de vente et non dans la rue. En saison touristique, il est prudent de réserver son billet quelques jours à l'avance.

■ ***Flying Horse :*** ☎ 211-32-18 ou 212-45-07. Départ vers 12 h. Compagnie la moins chère, mais traversée plus lente.

■ Trois autres compagnies (plus rapides, mais aussi plus chères, pratiquent les mêmes tarifs) : ***Sea Express,*** ☎ 211-40-26 ou 211-67-23 (départ vers 7 h 30), ***Azam Marine*** *(Seabus),* ☎ 213-30-24 (départ vers 16 h) et ***Sea Stars,*** ☎ 0748-789-393 ou 0748-781-500 (portable) (départ vers 10 h 30).

➢ ***Pour l'île de Pemba :*** en principe, il existe un bateau *(Aziza II)* qui assure la liaison 2 fois par semaine. Se renseigner auprès de l'office de tourisme. Compter 18 h de trajet. Sinon, prendre un bateau pour Zanzibar (Stonetown), de là, il est plus facile de rejoindre Pemba. L'avion est beaucoup plus rapide...

➢ ***Pour l'île de Mafia :*** le bateau (quand y'en a un !) relie Dar es-Salaam à Mtwara (port situé au sud du littoral tanzanien). En route, il fait une escale sur l'île de Mafia. Durée du voyage : 6 h. Pas recommandé, préférer l'avion.

En boutre (dhow) motorisé

➢ ***Pour Zanzibar (Stonetown) :*** nombreux sont ceux qui rêvent, comme Henry de Monfreid dans la mer Rouge, de se rendre à Zanzibar à bord d'un boutre à voile *(dhow).* En réalité, si les boutres d'aujourd'hui portent encore des voiles, ils sont pour la plupart propulsés par des moteurs *(motorised dhows).* Mais peu de voyageurs optent pour cette solution, en raison du temps que dure la traversée (de 6 à 8 h), de la concurrence des hydroglisseurs mais aussi, des risques encourus (et on ne parle pas que du mal de mer ! En cas de mauvais temps, vous serez bien seul en mer...). De toute façon, les départs sont peu nombreux, aléatoires et les propriétaires indépendants (pêcheurs) n'ont plus l'autorisation d'embarquer des passagers comme au temps de Monfreid. Si malgré tout l'aventure vous tente (avec une compagnie autorisée), renseignez-vous sur le port, au bureau de réservation marqué « East and Southern Boat Transporters », situé au point d'embarquement *(zoom D9-10, **13**).*

LA RÉSERVE DE SELOUS

ϒϒϒ Trois fois plus importante que le parc du Serengeti, la réserve de Selous, au sud de la Tanzanie, couvre une superficie de 55 000 km², ce qui en fait la plus grande réserve africaine et la deuxième au niveau mondial. Elle fut créée en 1922, mais ses limites n'ont été définitives que dans les années 1940. Elle doit son nom à Frederick C. Selous (1852-1917), un officier anglais tué sur ce territoire au cours d'une mission de reconnaissance. Vous pouvez d'ailleurs voir la tombe de ce chasseur d'éléphant, explorateur, naturaliste et écrivain près du lac Tagalala.

Très boisée, elle est traversée par le fleuve Rufiji et ses affluents qui alimentent tout un chapelet de lacs. On dénombre sur ce vaste territoire 350 espèces d'animaux, parmi lesquels un grand nombre d'éléphants (malgré un lourd passé de braconnage), des rhinocéros, des buffles, des antilopes, des hippopotames, des crocodiles, des girafes... sans compter quelques dizaines de milliers d'oiseaux. Et pourtant, elle reste encore aujourd'hui assez peu fréquentée, en tout cas, beaucoup moins que les parcs du nord du pays.

On ne visite que la partie nord, le sud étant réservé à la chasse ! Pour voir un maximum d'animaux, mieux vaut y aller en période sèche (de juin à mi-décembre). Mais on aurait tort de dénigrer la petite saison des pluies (de mi-décembre à mi-janvier) : la conduite est certes plus « sport », mais les pistes restent praticables et la végétation reverdit. C'est alors une excellente pé-

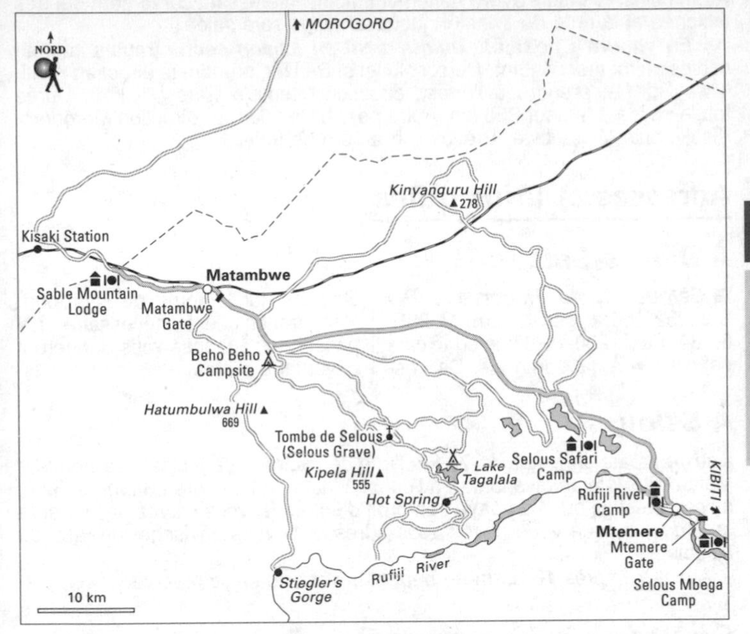

LA RÉSERVE DE SELOUS

riode pour faire de belles photos : imaginez donc des troupeaux d'éléphants, des bouquets de girafes s'évanouissant dans tout un dégradé de verts, des impalas enjambant allégrement des touffes d'herbe tendreÉ Superbe! En revanche, à partir de mi-mars, de nombreuses pistes sont impraticables et, de toute faon, les *lodges* ferment. Entrée : 30 US$ (25 €) par personne pour 24 h; 5 US$ (4,2 €) pour les moins de 15 ans. Compter 30 US$ (25 €) si vous avez un véhicule personnel.

Comment y aller?

➢ ***En avion :*** vols au départ de Dar es-Salaam (environ 1 h) ou de Zanzibar avec *Coastal Aviation* (3 vols par semaine) et *ZanAir* (vols quotidiens). Compter près de 120 US$ (100 €) depuis Dar. Il existe deux principales pistes d'atterrissage : Matambwe et Mtemere. En fonction du *lodge*, on descend à l'une ou à l'autre. Pas d'inquiétude, le pilote est au courant de votre destination. Cependant, une fois dans l'avion, bien préciser votre *lodge* pour éviter toute mauvaise surprise. Attention, de mi-mars à début juin, il arrive que des vols soient annulés.

➢ ***En train :*** la réserve est traversée au nord par le Tazara Railway au départ de Dar es-Salaam. Compter 4 h de trajet. Surtout intéressant si on séjourne au *Sable Mountain Lodge* (descendre à Kisaki Railway Station). La gare est proche. Prévenez-les, ils viendront vous chercher. C'est d'ailleurs une bonne solution d'y aller en train (nettement moins cher que l'avion; compter près de 10000 Tsh, soit 8,3 €). Mais pour le retour, on vous conseille la voie des airs car les trains en provenance de Zambie accusent de très nombreux retards. Pour les autres *lodges,* descendre à Fuga.

Néanmoins, le train s'avère nettement moins intéressant car la gare est très éloignée et la note du transfert jusqu'au *lodge* sera salée !

➢ ***En voiture : possible uniquement en saison sèche*** (routes impraticables de mi-mars à juin). Deux solutions. De Dar, prendre la direction Kibiti-kilwa Rd. Là, prendre à l'ouest, direction Mtemere Gate (75 km). Durée totale : 8 h à 9 h, pour 355 km. Autre possibilité : de Dar, direction Morogoro, Kisaki, puis Matambwe. Prévoir 9 h à 10 h de trajet.

Adresses et infos utiles

À Dar es-Salaam

■ ***Selous Game Reserve :*** PO Box 25295, Dar es-Salaam. ☎ 286-60-64. Fax : 286-10-07. • sgr@catsnet.com • À la sortie de Dar es-Salaam, sur la route de l'aéroport. Pas franchement nécessaire d'y passer, les agences vous donneront davantage d'infos.

À Selous

Deux entrées, distantes de 75 km l'une de l'autre. La principale se trouve à Matambwe *(Matambwe Gate)*, à l'ouest. L'autre, à Mtemere *(Mtemere Gate)* à l'est. C'est ici que l'on paye son droit d'entrée (si vous n'avez pas réservé un *lodge*) ou que vous devez vous adresser si vous envisager de faire du camping.

– Attention, après 18 h, on ne peut plus entrer dans la réserve.

Où dormir ? Où manger ?

Camping

⛺ Il existe deux campings officiels : le ***Beho Beho Campsite*** à 12 km de *Matambwe Gate* et un autre près du lac Tagalala (à 40 km environ de *Matambwe Gate*). Cher : compter près de 30 US$ (25 €) par nuit et par personne. De plus, on doit être accompagné par un ranger (20 US$, soit 16,7 €, par nuit pour le groupe). Bien sûr, vous êtes en pleine nature, et donc, c'est rudimentaire (pas de douche).

– Sinon, le camping est autorisé partout dans la réserve. Mêmes tarifs que pour les campings officiels. *Ranger* également obligatoire. Si vous ajoutez à cela la location d'une voiture, vous vous apercevrez vite que le camping n'est pas la bonne solution pour faire des économies ! Les lodges proposent également de passer la nuit en camping, mais là encore, c'est très cher !

Lodges

On vous rappelle que les *lodges* ferment, *grosso modo,* de mi-mars à début juin. Dans la majorité des cas, les prix incluent la pension complète, la taxe d'entrée dans la réserve et les excursions. Sachez que si vous choisissez un hébergement situé à l'intérieur de la réserve, on vous fera payer en réalité le droit d'entrée pour chacune des nuits passées, et non pour 24 h (la raison est simple : c'est plus facile à gérer !).

🏠 |●| ***Sable Mountain Lodge :*** à 11 km à l'ouest de Matambwe. ☎ (022) 211-05-07 ou 0741-323-318 (portable). • www.selouslodge.com • Compter de 215 à 265 US$ (179,2 à 220,8 €) par personne, tout compris. Juste à la limite de la réserve, mais à l'extérieur, ce qui présente pas mal d'avantages. D'abord, pas d'inquiétude, les animaux ne connaissent pas de frontière et on peut voir quelques beaux spécimens à proximité (on a même eu la chance d'observer une dizaine d'hippotragues noirs – *sable antelope* – qui sont très rares !). C'est aussi le seul *lodge* pour lequel il est pratique (et économique !) de s'y rendre en train. Contrairement à tous les autres, il n'est pas situé au bord de l'eau mais dans un paysage de collines au sommet desquelles est dispersée une douzaine de bungalows spacieux et adorables (en pierre ou en toile) avec des toits en *makuti*. Très bon confort : tous disposent d'une salle de bains avec douche chaude, déco soignée, moustiquaire, terrasse pour se laisser bercer par les bruits de la nature. Et que dire des deux superbes *bandas* « lune de miel » ! Piscine. Le seul à proposer un safari de nuit pour observer les fameux *bush babies* (petits galagos). Accueil sympathique. Un bon rapport qualité-prix.

🏠 |●| ***Selous Mbega Camp :*** à 4 km à l'est de Mtemere Gate, à l'extérieur de la réserve. PO Box 23443, Dar es-Salaam. ☎ (022) 265-02-50 ou 0748-624-664 (portable). • www.selous-mbega-camp.com • Un peu moins de 100 US$ (83,3 €) par personne en pension complète. Compter près de 60 US$ (50 €) par personne pour un safari d'une journée. Une dizaine de tentes au sein d'une végétation luxuriante et au bord de la Rufiji River. Tentes très simples, pas très grandes et assez sombres. Moustiquaire, sanitaires privés mais douche froide. Moins sympa que le *Sable Mountain Lodge* mais moins cher.

🏠 |●| ***Selous Safari Camp :*** à 22 km à l'est de Mtemere Gate, à l'intérieur de la réserve. ☎ (022) 213-48-02. Fax : (022) 211-27-94. • www.selous.com • Compter de 275 à 340 US$ (229,2 à 283,3 €) par personne selon la saison, tout compris. D'abord il y a cette dizaine de tentes (de luxe !), tellement éloignées les unes des autres, qu'on a véritablement l'impression d'être tout seul. Bien sûr, tout le confort nécessaire pour un agréable séjour est au rendez-vous : bains (avec douche chaude sous la voûte étoilée !), moustiquaire, terrasse. Piscine. Et puis, il y a ces deux ravissants bar-restaurant qui dominent le lac Nzerakela et qui offrent un point de vue stratégique pour observer les hippopotames et les troupeaux d'éléphants batifoler dans les eaux. Évidemment c'est cher, mais le site est superbe.

🏠 |●| ***Rufiji River Camp :*** à 1,5 km à l'est de Mtemere Gate, à l'intérieur de la réserve. Réservation à Dar es-Salaam auprès de *Hippotours & Safaris* (voir rubrique « Agences de voyages, organisateurs de safaris » à Dar). Près de 240 US$ (200 €) par personne, tout compris. Une vingtaine de tentes qui regardent la rivière Rufiji, bien tenues, avec moustiquaire, salle de bains. Mais assez petites, tout comme les lits. L'endroit est moins sauvage que les autres *lodges*. Accueille souvent des groupes d'italiens notamment (le manager étant lui-même italien, ceci explique cela).

À voir. À faire

Tous les *lodges* proposent de nombreuses activités, il faut dire que les sites à visiter et la superficie ne manquent pas !

➢ ***Safaris,*** bien sûr ! Dans chacun des *lodges,* vous aurez le choix entre deux balades de 2 h à 3 h dans la journée (tôt le matin et en fin d'après-midi), en rentrant au *lodge* à midi (histoire de faire une sieste bien méritée), ou bien une excursion d'une journée *(full day).* En général, on se retrouve en petit groupe de 4 à 8 personnes. Plusieurs types de balades : en 4x4, en bateau (sur la rivière Rufiji et sur le lac Tagalala pour admirer hippopotames et nombre d'oiseaux) ou marches accompagnées d'un guide (ranger).

➢ Plusieurs sites méritent le détour : les ***gorges de Stiegler,*** les sources d'eau chaude *(Maji Moto Hot Springs)* mais dans ce cas, prévoir une journée entière. Attention, très difficiles d'accès après quelques bonnes pluies.

LES PARCS NATIONAUX DE MIKUMI ET DE RUAHA

LE PARC NATIONAL DE MIKUMI

Frontalier de la réserve de Selous (au nord), il est situé à 283 km de Dar es-Salaam. D'une superficie totale de 3230 km², c'est le 3e plus grand parc de Tanzanie. On ne visite principalement que la partie nord. Ouvert toute l'année. Mais de mi-mars à mai, c'est la saison des pluies : certaines pistes sont alors difficilement praticables. Entrée : 15 US$ (12,5 €) par personne pour 24 h. Très facile d'accès depuis Dar, il est pas mal visité le week-end. Le parc est relativement plat si l'on excepte les 2 chaînes de montagnes qui l'entourent : Uluguru et Udzungwa. Il se compose de 3 milieux différents : la savane arbustive, une plaine au paysage ouvert et des collines au sud. Pas mal d'éléphants, de buffles, d'hippopotames... mais aussi des léopards, des lions et des guépards.

Pour y aller

➢ En voiture depuis Dar es-Salaam (la route est bonne ; compter 5 h). Sinon, prendre un bus pour *Iringa* : une dizaine de départs quotidiens en matinée (avec *Scandinavian Express* notamment). Descendre au village de Mikumi. Si vous avez une réservation dans un *lodge,* prévenez-les, ils viendront vous chercher. En revanche, pas de vols. Certaines agences à Dar proposent un aller-retour dans la journée : inutile de préciser qu'on vous le déconseille fortement !

Où loger dans le parc ?

Quelques *lodges* dans le parc. Compter près de 225 US$ (187,5 €) par personne (en pension complète ; excursions et entrée du parc comprises) au ***Vuma Hill Tented Camp*** et au ***Foxes Mikumi Safari Camp.*** Environ 100 US$ (83,3 €) par personne en pension complète au ***Kikoboga Camp.*** Sinon, les fauchés se rabattront sur les quelques petits hôtels dans le village de Mikumi (de bon marché à prix moyens). Bien sûr, ce n'est pas le même confort, ni le même charme, mais c'est correct.

LE PARC NATIONAL DE RUAHA

Situé au centre de la Tanzanie, il couvre une superficie de 12950 km², ce qui en fait le deuxième plus grand parc national de Tanzanie. C'est l'un de plus beaux du pays mais c'est cher ; disons-le clairement, c'est un tourisme « haut de gamme ». Allez-y plutôt pendant la saison sèche (juin à décembre), sinon les pistes sont vites impraticables. Entrée : 15 US$ (12,5 €) par personne pour 24 h.
Ici, tout est organisé le long des cascades de la grande rivière Ruaha, source de vie de la faune et la flore du parc. On y dénombre plus de 8000 éléphants malgré les nombreux braconnages qui ont eu lieu dans les années 1980. Vous y verrez également des hippopotames et des crocodiles au bord de la rivière, mais aussi des koudous, impalas, lions, léopards, buffles, chacals... On y trouve le plus grand nombre d'oiseaux de Tanzanie (plus de 400 espèces). Enfin, tant qu'on est dans le « coin », signalons qu'à

120 km au sud d'Iringa (à l'extérieur du parc), se trouve les ruines de l'âge de pierre à *Isimilia*, un des sites les plus importants d'Afrique (petit musée présentant les fouilles).

Pour y aller

➢ Le parc est situé à 128 km à l'ouest d'Iringa (4 h de route). En voiture, compter 8 h à 9 h de trajet depuis Dar es-Salaam. Possibilité de s'y rendre en avion (3 vols par semaine avec *Coastal Aviation*; compter près de 300 US$, soit 250 €, l'aller depuis Dar pour 1 h 30 de trajet; à peine moins cher depuis Selous).

Où loger dans le parc?

Plusieurs *lodges* à l'intérieur du parc. Compter de 225 à 240 US$ (187,5 à 200 €) par personne au ***Mdonya Old River Camp*** (réservation auprès de l'agence *Coastal Travels* à Dar) et au ***Ruaha River Lodge.*** Dans la catégorie supérieure, compter entre 250 et 295 US$ (208,3 à 245,8 €) par personne au ***Jongomero Camp*** (fermé de mi-mars à début juin) et au ***Mwagusi Safari Camp.*** Les prix comprennent la demi-pension, 2 activités par jour, l'entrée du parc et le transfert depuis l'aérodrome de Ruaha.

ZANZIBAR

« L'île de Zanzibar appartient à l'imam de Mascate allié de la France et de l'Angleterre, et c'est à coup sûr sa plus belle colonie. »

Jules Verne,
***Cinq Semaines en ballon*, 1863-1865.**

GÉNÉRALITÉS

C'est par la mer (et donc en bateau) qu'il faut arriver à Zanzibar, comme le firent depuis toujours les marins arabes et perses, les immigrants indiens, les explorateurs britanniques. Malheureusement, cela ne sera probablement pas dans un boutre à voiles ou à moteur, mais dans un banal hydroglisseur ou un bruyant ferry. Quand on a moins de temps et un peu plus d'argent, l'avion n'est pas une mauvaise solution non plus (plus le coucou est petit, mieux c'est). On a alors l'étrange impression de flotter dans les airs et sur les nuages. Du hublot, on découvre avec émotion ces mythiques et légendaires « îles aux Épices » (les vraies îles aux Épices, ce sont les Moluques, en Indonésie). Zanzibar, comme Pemba sa voisine, est un long radeau de terre, baigné par des plages paradisiaques aux grèves de sable blanc : des lagons transparents, des ribambelles de palmiers et de cocotiers, une végétation luxuriante, des plantations d'épices et d'arbres tropicaux à perte de vue.
À une quarantaine de kilomètres de la côte orientale de la Tanzanie, Zanzibar, si proche du continent noir, semble pourtant lui tourner le dos. Ici plusieurs mondes se télescopent : un fond d'Afrique, un peu de Portugal et de Grande-Bretagne, beaucoup d'Arabie et de Perse, le tout enrobé par les senteurs de l'Inde. Cette île est un morceau d'Orient, tourné vers l'océan Indien. Vingt minutes de vol au départ de Dar es-Salaam, et on change de monde. Ainsi est Zanzibar, comptoir de la nostalgie, ancien confetti de l'Empire britannique, mais surtout haut lieu de la mémoire.

CARTE D'IDENTITÉ

- ***Situation :*** Zanzibar est en fait constituée de deux îles distinctes, Unguja (communément appelée Zanzibar par tout le monde, donc nous ferons pareil !) et l'île de Pemba, sa voisine, à 50 km au nord-est. Ajouter une cinquantaine d'îles plus petites aux alentours. Zanzibar et Pemba sont situées dans l'océan Indien, à 35-40 km des côtes de la Tanzanie, respectivement face aux villes de Bagamoyo et Tanga.
- ***Dimensions :*** l'île de Zanzibar mesure 85 km du nord au sud, et 20 à 30 km d'est en ouest. Pemba mesure 75 km du nord au sud et 15 à 20 km d'est en ouest – Topographie : les îles sont plates, avec quelques collines au centre de Zanzibar (altitude maxi : 120 m).

NOS NOUVEAUTÉS

POLOGNE ET CAPITALES BALTES (avril 2005)

Depuis leur entrée au sein de la grande famille européenne, les anciens pays de l'Est suscitent beaucoup de curiosité. On connaissait déjà ce grand pays qu'est la Pologne, avec Cracovie, une vraie perle de culture ; Varsovie ; le massif des Tatras ; les rivages de la Baltique où s'échoue l'ambre fossilisé ; et les plaines encore sauvages de Mazurie où broutent les derniers bisons d'Europe. Mais que dire alors des pays que l'on nomme baltes ? Lituanie, Estonie, Lettonie... On les mélange encore un peu mais, très vite, on distingue leurs différences : Vilnius, la baroque au milieu de collines boisées, Tallinn et son lacis de rues dominées par les flèches des églises, Riga, sa forteresse face à la mer et ses édifices Art nouveau. Malgré les 50 ans de présence soviétique, vous serez surpris par la modernité de ces villes et par le dynamisme qui anime leurs habitants.

AFRIQUE DU SUD (oct. 2004)

Qui aurait dit que ce pays, longtemps mis à l'index des nations civilisées, parviendrait à chasser ses vieux démons et retrouverait les voies de la paix civile et la respectabilité ? Le régime de ségrégation raciale (l'apartheid), en vigueur depuis 1948, a été aboli le 30 juin 1991. En 1994 – c'était il y a 10 ans – les Sud-Africains participaient aux premières élections démocratiques et multiraciales jamais organisées dans leur pays. Après 26 années de détention, le prisonnier politique le plus célèbre du monde, Nelson Mandela, devenait le chef d'État le plus admiré de la planète. La mythique « Nation Arc-en-Ciel » connaissait un véritable état de grâce. Pendant un temps, le destin de l'Afrique du Sud fut entre les mains de trois prix Nobel. Le pays se rangea dans la voie de la réconciliation. Même si ce processus va encore demander du temps, une décennie après, l'Afrique du Sud, devenue une société multiraciale, continue d'étonner le monde.
L'Afrique du Sud n'a jamais été aussi captivante. Voilà un pays exceptionnel baigné par deux océans (Atlantique et Indien), avec d'époustouflants paysages africains.
Des quartiers branchés de Cape Town aux immenses avenues de Johannesburg, des musées de Pretoria à la route des Jardins, du macadam urbain à la brousse tropicale, ce voyage est un périple aventureux où tout est variété, vitalité, énergie ; où rien ne laisse indifférent. Des huttes du Zoulouland aux *lodges* des grands parcs, que de contrastes ! N'oubliez pas les bons vins de ce pays gourmand qui aime aussi la cuisine élaborée. Les plus aventureux exploreront la Namibie, plus vraie que nature, où un incroyable désert de sable se termine dans l'océan. Et ne négligez pas les petits royaumes hors du temps : le Swaziland et le Lesotho.

- ***Superficie :*** 1 264 km² pour l'île de Zanzibar et 860 km² pour l'île de Pemba.
- ***Population :*** 1 million d'habitants sur les deux îles, dont près de 700 000 pour la seule île de Zanzibar.
- ***Président de Zanzibar :*** Amani Abeid Karume, qui a succédé en novembre 2000 à Salmin Amour.
- ***Villes principales :*** Zanzibar Town (dont Stonetown est le quartier ancien) compte environ 257 000 habitants. Les autres villes ne sont que de gros villages : Chuini, Mkokotoni, Makunduchi. Sur l'île de Pemba (424 000 habitants), la ville principale est Chake Chake.
- ***Économie :*** culture des clous de girofle (premier produit à l'export), des épices, des noix de coco et, depuis peu, le tourisme, qui représente environ un tiers des revenus de l'archipel. La culture d'algues de l'espèce *Eucheuma spinosum* (on en tire des gélifiants et des émulsifiants pour l'industrie cosmétique et alimentaire) s'est fortement développée depuis le début des années 1990.

AVANT LE DÉPART

Formalités

Le ***visa tanzanien*** est nécessaire. En arrivant du continent, ne pas oublier de le faire viser auprès des bureaux de l'immigration (aux ports ou à l'aéroport). Bien que ***la vaccination contre la fièvre jaune*** ne soit plus obligatoire, on vous conseille de prendre le certificat jaune de vaccination.

COMMENT Y ALLER ?

En bateau

Plusieurs compagnies maritimes assurent une liaison entre Dar es-Salaam et Stonetown (Zanzibar). Se reporter au chapitre sur Dar es-Salaam, rubrique « Quitter Dar es-Salaam».
Pas de bateau régulier depuis Mombasa (Kenya). Parfois des boutres.

En avion

Quelques grandes compagnies internationales (*Kenya Airways-KLM, Ethiopian Airlines* et *Gulf Air* notamment) assurent une liaison directe avec Zanzibar. Sinon, descendre à Dar es-Salaam, ou à l'aéroport international de Kilimandjaro, puis prendre un autre vol pour Zanzibar sur une compagnie intérieure.

➢ ***De Dar es-Salaam :*** plusieurs vols quotidiens entre *Air Tanzania Corporation, Kenya Airways, Precision Air, Coastal Travels,* ou encore *ZanAir.*
➢ ***De Mombasa (Kenya) :*** vols quotidiens avec *Kenya Airways, Air Tanzania Corporation* ou *Precision Air.*
➢ ***De Nairobi (Kenya) :*** avec *Kenya Airways,* 1 vol par jour. Vols également avec *Precision Air* et *Air Tanzania Corporation.*
➢ ***De Mascate (Oman) :*** avec *Gulf Air,* 2 vols par semaine.

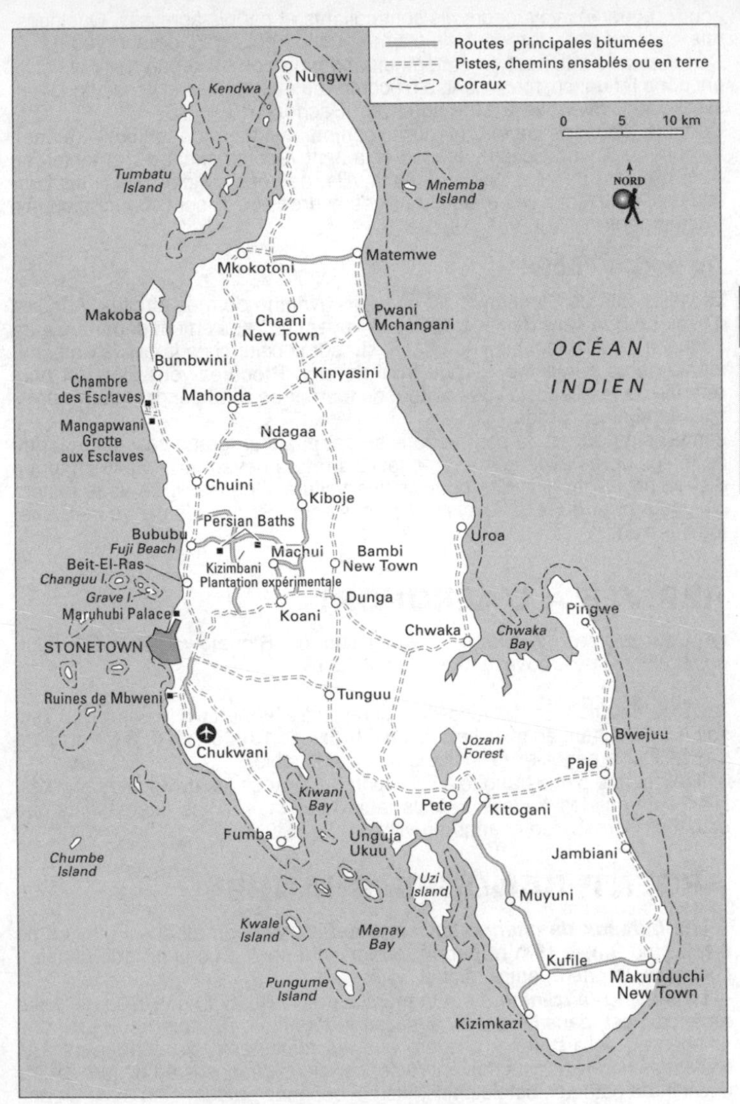

L'ÎLE DE ZANZIBAR

ARRIVÉE AU PORT DE STONETOWN

Au moment de débarquer (hydroglisseur ou ferry)

Ne pas oublier de faire tamponner son visa à l'*Immigration Office*. *Attention* : vous serez assailli par les *papaasis* (en swahili, ce mot signifie « parasites »), des rabatteurs, jeunes en général, envoyés par les hôtels

pour draguer les voyageurs. Ils sont collants et parfois agressifs. Quelques-uns, plus discrets, font tout simplement ce job pour gagner leur croûte.
Ces *papaasis* touchent en général une commission de la part des hôtels. Ils ont donc tendance, forcément, à n'écouter qu'eux-mêmes et vous conduiront systématiquement vers leurs adresses. Sachez-le.
Certains *papaasis* travaillent aussi comme guides indépendants (et non reconnus). Soyez vigilant, ils sont rarement recommandables et tenteront, sous prétexte de vous guider dans la ville, de vous conduire dans les boutiques de souvenirs, les restos, tous ces endroits où ils sont commissionnés, évidemment.

Du port à l'hôtel

La vieille ville de Stonetown est un vrai labyrinthe de rues étroites. À moins d'avoir un bon sens de l'orientation, le voyageur fraîchement débarqué aura du mal à trouver tout seul son hôtel, surtout si celui-ci se trouve à l'intérieur même de ce labyrinthe, loin du front de mer. Procurez-vous alors un ***plan détaillé*** de la ville, cela vous évitera de tourner en rond pendant des heures, sous la chaleur torride.
Les taxis au départ du port ne vous seront pas d'un grand secours, car peu de temps après avoir démarré, le taxi s'arrêtera devant une ruelle en forme d'étroit boyau, trop étroite pour qu'une voiture y passe. Il ne vous restera plus qu'à sortir du taxi, à payer, et à vous enfoncer dans le centre de Stonetown à pied.

ARRIVÉE À L'AÉROPORT

✈ ***L'aéroport de Kisauni,*** le seul de Zanzibar, se trouve à 6 km au sud de Stonetown. ☎ (024) 223-02-13.

➢ *Dala dala* n° 505 « U/Ndege » pour rejoindre Stonetown (environ 200 Tsh, soit 0,2 €). Sinon, en taxi, il existe un prix fixe de 10 000 Tsh (8,3 €), mais ne pas hésiter à négocier (à moitié prix, c'est jouable).
– Il existe une petite banque à l'aéroport qui change les devises étrangères. N'accepte pas les *traveller's.* Mais taux de change moins intéressants que ceux des bureaux de change en ville.

ARGENT, BANQUES, CHANGE

– Les ***bureaux de change*** ouvrent, *grosso modo,* du lundi au samedi de 8 h 30 (ou 9 h) à 18 h et parfois le dimanche matin. Le vendredi, pause à l'heure de la prière, entre midi et 14 h.
– Le ***shilling tanzanien*** reste la monnaie officielle, bien sûr, mais le dollar américain est, dans la réalité, la seconde monnaie. De nombreux prix sont affichés en dollars. Il n'y a guère que les restaurants qui échappent à la règle. Les non-résidents doivent régler certaines dépenses en dollars (billets d'avion, de bateaux, hôtels chics, etc.). Il est donc prudent d'en avoir un peu sur soi.
– Pas de problème pour changer les euros (y compris les *traveller's* en euros) dans les bureaux de change. Les cartes de paiement *(Visa, MasterCard...)* ne sont pas très répandues. Ne les utiliser qu'en dernier recours, et seulement dans des commerces sérieux et fiables. Attention aux arnaqueurs. La commission prise pour les achats réglés avec des cartes de paiement est élevée (de 5 à 15 %).
Attention, il n'existe qu'un seul distributeur automatique à Zanzibar, acceptant cartes *Visa* et *MasterCard* (voir rubrique « Adresses et infos utiles » à Zanzibar Town). Et il arrive qu'il tombe en panne !

ACHATS

– ***Heures d'ouverture :*** les magasins ouvrent à 8 h 30, ferment entre 14 h et 16 h, et rouvrent ensuite pour la soirée.
– ***Les objets en bois sculptés :*** les plus faciles à transporter, les moins chers, sont des petits coffrets en bois précieux, ouvragés, dont certains décorés avec des clous en cuivre doré.
– ***Les miroirs :*** jolis, mais pas faciles à transporter.
– ***Les paniers à épices :*** la spécialité de Zanzibar. Un panier comprend habituellement un peu de tout : cannelle, clous de girofle, poivre en grains, noix de muscade, ainsi que des aromates comme le safran, le curry, la cardamome, la vanille... C'est joli, ça sent bon, ça ne coûte pas cher et ça ne prend pas beaucoup de place. On peut en acheter dans les plantations lors d'une « tournée des Épices » *(Spice Tour).* Attention : le safran est souvent du faux teinté.
– ***Les aromates, parfums, huiles aromatiques, savons :*** souvenirs à encourager, car c'est vraiment une production locale.
– ***ATTENTION :*** ne participez pas au pillage des richesses naturelles de Zanzibar. N'achetez ni coquillages, ni objets provenant des tortues de mer, ni coraux. De toute façon, c'est INTERDIT par la loi et, au moment de sortir du pays, la douane vous les confisquera !

BUDGET

Mêmes fourchettes de prix que sur le continent. Voir rubrique « Budget » dans les « Généralités » du pays. Noter que de mi-mars à début juin, c'est la basse saison. Compter environ de 20 à 30 % de moins sur le prix d'une double, et ce, dans la plupart des établissements.

CLIMAT

Mois	J	F	M	A	M	J	J	A	S	O	N	D
Tem. moy	27	27	27	26	24	25	24	21	25	25	26	27
Pluies mm.	78	66	138	386	249	62	45	43	51	88	220	158

Le climat de Zanzibar est équatorial, dominé par les vents de l'océan Indien, qui font la pluie et le beau temps. Février est le mois le plus chaud de l'année, et août le plus frais. Entre mars et fin mai, fortes pluies *(masika),* certains établissements peuvent fermer. De juin à octobre, il fait chaud et sec. De mi-octobre à décembre, petites pluies *(vuli).*

COURANT ÉLECTRIQUE

220 et 230 volts couramment utilisés. Prévoir un adaptateur.

CUISINE

– ***Les poissons :*** très fréquents sur les cartes des restos. Sont accommodés de diverses manières : grillés, en curry, ou en *masala* (mélange d'épices), accompagnés de riz pilaf et d'*ugali* (bouillie de manioc). Le tout peut être parfois très épicé.
(Voir aussi cette même rubrique dans les « Généralités » sur la Tanzanie.)

DANGERS ET ENQUIQUINEMENTS

Voir le texte concernant les *papaasis* dans la rubrique « Arrivée au port de Stonetown ».
Reportez-vous également à la rubrique « Sécurité » dans le chapitre consacré à Stonetown.

DROITS DE L'HOMME

Depuis les accords de paix d'octobre 2001, la situation semble s'être quelque peu normalisée à Zanzibar. Le texte adopté reprenait en effet en de nombreux points les recommandations d'un rapport de la FIDH et de son organisation membre en Tanzanie, le *Legal and human rights center* (« Zanzibar : vague de violence »). Si le CUF (principal parti d'opposition) n'a pas obtenu la réorganisation d'élections, tout le monde se félicite néanmoins de l'issue pacifique du conflit. Cependant, les tensions demeurent à Zanzibar, et des affrontements ont eu lieu lors des fêtes de l'Aïd, le 11 février 2003, après que la police eut dispersé une foule de pratiquants musulmans, coupables d'avoir voulu démarrer les fêtes trop tôt. Deux jours plus tard, 2 musulmans étaient tués lors d'une opération similaire, alors que des musulmans participaient à une cérémonie de commémoration.
Pour en savoir plus, n'hésitez pas à contacter :

■ ***Fédération internationale des Droits de l'homme (FIDH) :*** 17, passage de la Main-d'Or, 75011 Paris. ☎ 01-43-55-25-18. Fax : 01-43-55-18-80. • www.fidh.org • fidh@fidh.org • Ⓜ Ledru-Rollin.

■ ***Amnesty International (section française) :*** 76, bd de la Villette, 75940 Paris Cedex 19. ☎ 01-53-38-65-65. Fax : 01-53-38-55-00. • www.amnesty.asso.fr • admin-frinfo@amnesty.asso.fr • Ⓜ Belleville ou Colonel-Fabien.

N'oublions pas qu'en France aussi les organisations de défense des Droits de l'homme continuent de se battre contre les discriminations, le racisme et en faveur de l'intégration des plus démunis.

HÉBERGEMENT

Les tout petits budgets auront la vie assez dure. Le camping est interdit dans toutes les îles du Zanzibar et les pensions « Très bon marché » ne courent pas les plages...
En revanche, on trouve quelques hôtels ou *guesthouses* bon marché simples, propres, et, au final, fort convenables. Avec un budget un peu plus élevé, pas de problème : la catégorie « Prix moyens » est bien représentée aussi bien à Stonetown que sur le reste de l'île. Si vous envisagez de vous rendre à Pemba, en saison touristique, on vous conseille fortement de réserver car il y a peu d'hébergements (moins d'une quinzaine d'établissements en tout sur l'île) et ils peuvent donc être rapidement complets.
– ***Conseil :*** emportez une lampe de poche. Ce peut être utile pour certains hôtels de la côte, sans électricité.

HISTOIRE

Bien avant l'ère chrétienne, de riches marchands phéniciens et grecs vinrent commercer sur la côte de l'Afrique de l'Est, à la recherche d'ivoire. Zanzibar vivait alors sous la souveraineté du fameux royaume de Saba, dont le berceau était le Yémen actuel. Des boutres perses et arabes naviguaient le long de la côte africaine. D'ailleurs, c'est au jeu des vents dominants qui la rapprochent de l'Inde et de l'Arabie que Zanzibar, porte maritime de l'Afrique de

l'Est, doit plusieurs siècles de contacts avec l'Orient. Les boutres attendaient en effet les alizés du sud-est pour quitter le port de Zanzibar et faire route vers la péninsule Arabique et les Indes en mars-avril. À l'inverse, ces mêmes embarcations, en provenance des Indes ou d'Oman, gonflaient leurs voiles sous le souffle de la mousson pour atteindre Zanzibar vers le mois de décembre.
Pour ces hommes issus des déserts arides, le choc fut immédiat : cette île, à la végétation luxuriante et au sol fertile, avait quelque chose d'un petit paradis entouré d'eau. Des migrants d'Arabie et de Perse (de la ville de Shiraz notamment) s'y implantèrent au VIIe siècle apr. J.-C., et y propagèrent l'islam.
Les marchands arabes lui donnèrent un nom : *Zinj el-Barr,* ce qui signifie la « terre des Noirs ». *Zinj* est un mot persan signifiant « noir », et *barr* est un mot arabe désignant « la terre ». Selon une autre hypothèse, le nom Zanzibar viendrait de l'arabe *Zayn za'l Barr,* qui signifie « Beau est ce pays ».
Dès le XIIIe siècle, Zanzibar battait sa propre monnaie et édifiait de belles demeures en pierre de corail, en remplacement des masures en terre. Le Vénitien Marco Polo ne passa pas par Zanzibar, mais il en parla (1295). Il nota la présence en nombre d'éléphants et de baleines... (disparus de l'île aujourd'hui).

Les Portugais à Zanzibar

Au milieu du XVe siècle, les Portugais ne voulaient plus payer les épices au prix fort imposé par les intermédiaires musulmans du Moyen-Orient. Pour se passer d'eux, et éviter les routes terrestres trop chères, ils cherchèrent un moyen direct pour relier l'Europe à l'Inde par la mer.
C'est ainsi que Dias, en 1488, puis Vasco de Gama, en 1497, contournèrent le cap de Bonne-Espérance, et ouvrirent pour la première fois aux Européens la route maritime des Indes. En remontant la côte orientale de l'Afrique, ils découvrirent Zanzibar. En 1503, les Portugais s'y installèrent. Chrétiens, ils construisirent des églises, conquistadores, ils saccagèrent les comptoirs swahilis. Sur l'île voisine de Pemba, la passion des courses de taureaux, toujours vivace aujourd'hui, est un legs des us et coutumes des Portugais. D'autres vestiges de la présence portugaise se retrouvent encore aujourd'hui dans la langue et la culture swahilies.
La domination portugaise s'exerça de 1503 à 1668, soit durant plus de 150 ans, et fut battue en brèche par les innombrables raids menés par les Arabes d'Oman. Chassés de Zanzibar, les Portugais se replièrent au Mozambique (colonie de Lisbonne jusqu'en 1975 !). Et qui sait si ne se cachent pas des tonalités arabo-swahilies derrière la nostalgie du fado ?
Les Arabes d'Oman débarquèrent en boutre à Zanzibar, comme naguère les Vikings envahirent la Normandie à bord de leurs drakkars. Ils devinrent les nouveaux maîtres de l'île et de la côte est-africaine.

Esclaves, épices et commerce de l'ivoire

À partir de 1698, le sultan d'Oman dirigea Zanzibar depuis son palais de Mascate, situé à plus de 3000 km au nord ! Oman était alors une riche puissance commerciale en expansion, bien située entre l'Arabie, l'Afrique et l'Inde. Les cités-États de la côte (Lamu, Mombasa) se devaient de rendre allégeance à ce lointain royaume des *Mille et Une Nuits.*
Il fallait faire tourner l'économie à moindre frais. D'où l'idée de l'esclavage. Comme l'islam interdisait à un musulman de réduire un autre musulman en esclavage, les Arabes importèrent des Noirs du continent africain. De grandes caravanes allaient chercher les « nègres » dans les coins les plus reculés de l'Afrique. Ils étaient ensuite acheminés jusqu'à Zanzibar, où ils étaient vendus, achetés, puis réexpédiés comme une vulgaire marchandise.

En gros, 5000 Africains ont été arrachés à leur terre natale au début du XVIIIe siècle. Une fois lancé, ce commerce juteux du « bois d'ébène » rapportait des sommes considérables à ses instigateurs : on estime qu'un esclave valait 6 € sur les rives du lac Tanganyika et se revendait 26 € sur l'île. Imaginez le bénéfice d'un marchand sur des groupes de 400 ou 500 « têtes humaines » ! Durant le XIXe siècle, près de 8000 esclaves furent acheminés chaque année en moyenne entre le continent et Zanzibar. *Grosso modo,* en un siècle, plus d'un million et demi d'esclaves transitèrent par les entrepôts nauséabonds du port, les caves des maisons des négriers, et les grottes qui trouent le littoral. Et que dire des conditions inhumaines dans lesquelles ils étaient traités ! En 1846, sur 450000 habitants recensés dans l'île, 360000 étaient des esclaves.

Le paradis d'Allah dans l'océan Indien

En 1832, le sultan Sayyid Saïd, surnommé le Lion d'Oman, croyant avoir découvert le paradis d'Allah (dans l'islam, le vert est la couleur du Paradis et des Bienheureux), décida de transférer sa capitale de Mascate à Zanzibar, preuve éclatante de l'intérêt que les Omanais portaient pour cette île de l'océan Indien. Il lança la culture des clous de girofle après avoir fait venir (en 1812) les premiers girofliers de l'île Bourbon (la Réunion). Lesquels girofliers de Bourbon avaient été dérobés aux Hollandais des îles Moluques !
Zanzibar connut alors une sorte de boom économique sans précédent. À la fin du XIXe siècle, l'île devint le premier producteur mondial de clous de girofle (aujourd'hui, l'Indonésie détient cette place).

Le protectorat britannique

Zanzibar fut la porte d'entrée la plus pratique (géographiquement parlant) pour pénétrer à l'intérieur du continent africain par la côte est (après Zanzibar, les pionniers débarquaient à Bagamoyo). Des ribambelles d'explorateurs européens y séjournèrent (voir, dans la rubrique « Dans les proches environs de Zanzibar Town », la maison dite « de Livingstone »), préparant activement leurs expéditions, recrutant par centaines les porteurs, achetant des bêtes (ânes), rassemblant les vivres et le matériel nécessaire à leurs périlleuses missions (sacs, tentes, cordes, médicaments, couvertures, outils, armes, munitions). Sans oublier l'indispensable monnaie d'échange pour le troc avec les roitelets locaux : verroterie et fil de laiton.
En décembre 1856, Burton et Speke débarquent à Zanzibar d'où ils partent explorer l'intérieur du continent mystérieux pour y chercher les sources du Nil. En 1859, ils sont de retour sur l'île et rentrent à Londres où ils se fâchent. Speke revient à Zanzibar avec James Grant en 1860, pour vérifier ses premières et incertaines découvertes.
Puis, en 1866, débarque David Livingstone. L'explorateur, médecin et missionnaire écossais, trouve Zanzibar sale, misérable, malsaine. La ville pue. Il la surnomme « Stinkibar ». En bon humaniste, Livingstone est horrifié par la traite des Noirs. Fervent partisan de l'abolition de l'esclavage, il fait campagne pour que cesse cette pratique inhumaine. Il quitte Zanzibar pour le continent mystérieux. Et l'Europe perd sa trace, jusqu'à ce qu' Henry Morton Stanley le retrouve sur les rives du Tanganyika. L'église anglicane de Zanzibar Town abrite un crucifix taillé dans le bois de l'arbre à l'ombre duquel Livingstone avait l'habitude de s'asseoir.
Après l'ère « romanesque » des explorateurs, l'île entre dans l'ère pratique et politique des colons et des administrateurs venus de la grande Albion. C'est le sultan Bargash qui, en 1873, signe finalement le décret d'abolition de l'esclavage. Mais, si la traite des Noirs est interdite, la possession d'un esclave ne l'est pas. L'abolition du commerce des esclaves est proclamée officiellement en 1897. Mais, en réalité, le trafic va continuer jusqu'à la fin du siècle.

L'île est placée depuis 1885 (conférence de Berlin) sous la coupe des 2 puissances coloniales, la Grande-Bretagne et l'Allemagne ; ce sont les Anglais et les Allemands qui font la loi au Tanganyika : ils ne laissent au sultan de Zanzibar qu'un faible morceau de son ancienne sphère d'influence, les îles de Zanzibar (bien sûr), Pemba, Mafia et Lamu (au Kenya aujourd'hui), ainsi qu'une bande côtière de 16 km de large. Mais sa souveraineté sur ces territoires n'est qu'une façade.
Dix ans plus tard, en 1895, Zanzibar est placée sous protectorat britannique. Ce statut va durer jusqu'au 10 décembre 1963, date de l'indépendance de l'île.

De la révolution de 1964 à aujourd'hui

Les Britanniques partis, le dernier sultan ne reste que 30 jours sur un trône vacillant. Ce jeune souverain, qui adorait rouler en Austin de sport, prend la fuite à bord d'un bateau poussif. Le 12 janvier 1964 éclate un coup d'État sanglant fomenté par John Okello, chef politique rebelle venu de Pemba et d'origine ougandaise. Le gouvernement renversé, Okello appelle le peuple noir, descendant des esclaves, à prendre les armes contre les « féodaux arabes, et les capitalistes indiens ». « Les impérialistes européens », eux, ont déjà pris la poudre d'escampette, et quitté l'île en proie à la violence.
Dans la nuit du 11 au 12, des tambours résonnent dans les plantations de girofliers. On crie vengeance. Une foule incontrôlable envahit les rues et la révolte dégénère en pogrom. Résultat : près de 17 000 Arabes et Indiens sont massacrés cette nuit-là, un vrai bain de sang. Les biens arabes et indiens sont confisqués et nationalisés. Beaucoup de familles parviennent à s'enfuir vers l'Angleterre, le Kenya, le sultanat d'Oman et les pays arabes.
Le 24 avril 1964, les îles de Zanzibar et de Pemba sont rattachées, sans consultation populaire, au Tanganyika pour former la république unifiée de Tanzanie, sous la houlette de Nyerere. De 1964 à 1972, Zanzibar est gouvernée par Abeid Karume, un dictateur originaire du continent, qui néglige les principes de Nyerere. Il a précipité l'île dans l'ère du collectivisme et du marasme économique. Zanzibar Town devient une cousine en bureaucratie de La Havane castriste : privations de libertés, rationnements, files d'attente, chute de la production, étouffement du secteur privé, justice expéditive et tribunaux politiques... En 1972, Karume meurt assassiné. Il faut attendre le milieu des années 1980 pour voir l'île sortir de sa sclérose politique et économique.
– ***1984 :*** démocratisation du système politique et libéralisation de l'économie. Développement du secteur privé.
– ***1989 :*** des contingents de l'armée tanzanienne sont envoyés à Zanzibar pour prévenir un mouvement de sécession, orchestré par le Premier Ministre Sharif Hamad. Ce dernier est emprisonné en août.
– ***1993 :*** en août, Zanzibar se retire de l'Organisation de la conférence islamique pour préserver l'unité nationale du pays.
– ***1996 :*** le 22 octobre, les premières élections multipartites donnent une ample, mais très contestée, victoire au parti au pouvoir, le CCM (Chama Cha Mapinduzi). Le docteur Salmin Amour est réélu président de Zanzibar pour la 5e fois depuis 1964.
– ***2000 :*** en novembre, Amani Abeid Karume est élu président de Zanzibar.

LANGUE

De toute la Tanzanie, c'est à Zanzibar que l'on parle le swahili (la langue officielle) avec le meilleur accent. L'anglais est parlé presque partout, par les guides, les commerçants, les employés des agences, dans les hôtels, les restos, par tous ceux qui ont affaire, de près ou de loin, avec les touristes.

MUSIQUE ET DANSE

« Quand on joue de la flûte à Zanzibar, l'Afrique danse jusqu'aux grands lacs », dit un vieux proverbe arabe.

– ***Le taarab*** (mot arabe signifiant joie) est la forme de musique la plus populaire à Zanzibar. Un groupe se compose d'un chanteur et d'une quarantaine de musiciens. Les chansons sont des « poèmes chantés » qui mélangent les influences africaines, arabes et indiennes. D'où son originalité. Les musiciens utilisent de vieux instruments comme l'*oud*, le *qanoun*, le *nay*, le violon, ainsi que l'accordéon, la guitare et l'harmonium. Cet orchestre participe fréquemment aux festivités locales et aux grandes fêtes familiales (noces). L'un des meilleurs endroits de l'île pour écouter ce genre de musique est l'amphithéâtre en plein air à l'intérieur du fort Arabe de Stonetown. Des concerts s'y déroulent régulièrement en soirée, tout au long de l'année.

– ***Le ngoma :*** danses africaines rythmées par des tambours ou des percussions traditionnelles.

– ***Le festival de musique de Zanzibar :*** se déroule chaque année pendant une bonne semaine, autour du 19 juillet (proclamée journée culturelle). Cet événement regroupe des musiciens et des danseurs venus de Zanzibar, du reste de la Tanzanie, d'Afrique, du monde arabe et d'Asie, et même d'Europe.

MYTHE LITTÉRAIRE

Outre les épices, les ivoires et les esclaves, Zanzibar a exporté des rêves. Voilà un nom – Zanzibar – qui est une magnifique invitation au voyage à lui tout seul. Nombreux sont les écrivains européens (britanniques et français notamment) qui ont succombé à son nom, rêvant de voir un jour cette île lointaine.

Mais, curieusement, peu d'entre eux y sont venus. Et vous le savez bien : plus on est privé de voyage, et plus les démons du rêve s'agitent. Alors on songea fortement à cette île, à ses senteurs épicées de l'Orient, on imagina d'exotiques sultans de Perse, mi-hommes, mi-dieux, couverts d'or et de pierres précieuses, assoupis dans la vapeur chaude de harems remplis de femmes voluptueuses à demi nues. C'était bel et bien une invitation au voyage, dans le style baudelairien. Au XIXe siècle, Zanzibar fit autant fantasmer les poètes que la Chine mystérieuse, l'or de la Californie ou l'île mythique de Cythère. Zanzibar devint ainsi une leçon de géographie sentimentale, une des îles Fortunées qui alimentent depuis toujours les rêves des navigateurs.

Les livres des explorateurs britanniques, diffusés à grande échelle, enflammèrent encore plus l'imagination du grand public. Planète mystérieuse, site littéraire inspiré, Zanzibar était promise seulement à quelques bienheureux. Dans son livre *Cinq Semaines en ballon,* Jules Verne (qui n'a pas vu l'île) choisit Zanzibar comme point de départ de son récit de la traversée de l'Afrique : « Elle fait un grand commerce de gomme, d'ivoire, et surtout d'ébène, car Zanzibar est le grand marché d'esclaves. »

Joseph Kessel n'y est jamais venu non plus, ne l'a jamais vue, mais en rêva toujours. Dans *Le Lion,* il écrit : « Zanzibar... Je n'aurai plus jamais le loisir de m'y rendre. Zanzibar, paradis dans l'océan Indien, embaumé de clous de girofle. »

Pour le poète Arthur Rimbaud, devenu aventurier en Éthiopie, ce rêve lancinant de Zanzibar prit la forme d'une quête de l'impossible. Il en parla souvent dans sa correspondance, mais il ne s'y rendit jamais. Lui non plus.

12 mars 1881 : « Si je quitte cette région, je descendrai probablement à Zanzibar. »

12 février 1882 : « Si je pars, et je compte partir prochainement, ce sera pour retourner au Harar, ou descendre à Zanzibar. »

15 avril 1882 : « Dans un mois, je serai ou de retour à Harar, ou en route pour Zanzibar. »
23 août 1887 : « Peut-être irai-je à Zanzibar, d'où l'on peut faire de longs voyages en Afrique, et peut-être en Chine, au Japon, qui sait où ? »
24 août 1887 : « Et peut-être ne partirai-je pas pour Zanzibar, ni pour ailleurs... »

PÊCHE AU GROS

Les pêcheurs peuvent rapporter de jolies prises, à condition qu'ils respectent les saisons :
- d'août à novembre : thon ;
- de décembre à février : marlin, espadon ;
- en mars et avril : daurade.

Compter près de 450 US$ (375 €) pour une demi-journée et 600 US$ (500 €) pour la journée, avec 6 personnes à bord. Le plus économique consiste donc à s'inscrire à l'agence dès votre arrivée afin de former un groupe.

■ ***Ras Nungwi Beach Hotel :*** PO Box 1784, Nungwi. ☎ 223-37-67 ou 223-25-12. Fax : 223-30-98. • www.rasnungwi.com •

PLONGÉE SOUS-MARINE

Zanzibar abrite de très beaux fonds sous-marins, considérés parmi les plus beaux de l'océan Indien. Beaucoup de petits hôtels du littoral louent des masques et des tubas pour des plongées en surface *(snorkelling)*. La plupart des clubs de plongée proposent aussi des cours, des sorties de nuit, des plongées-photo, des balades à la journée... Compter autour de 70 US$ (58,3 €) pour 2 plongées à Zanzibar. Tarifs un peu plus élevés à Pemba. Voir les adresses des centres de plongée à Stonetown, Nungwi, Bwejuu, Matemwe, Paje (Zanzibar) et Chake-Chake (Pemba).

POLITIQUE

- Zanzibar bénéficie d'un statut particulier : c'est un État rattaché à la République de Tanzanie. L'île est dirigée par un président, un gouvernement, des ministres. Les ministères importants, c'est-à-dire la Défense, l'Intérieur et les Affaires étrangères, sont du ressort du gouvernement central tanzanien. La monnaie est le shilling tanzanien.
- La vie politique a toujours été très agitée sur l'île depuis l'indépendance en 1964. Les relations entre le parti politique local dominant (le CCM) et le gouvernement central n'ont jamais été au beau fixe.

POPULATION

Plus d'un million d'habitants vivent dans les îles de Zanzibar et Pemba, dont près de 257 000 dans la capitale Zanzibar Town. Toutes les couleurs de peau semblent s'y être donné rendez-vous (sauf peut-être les Chinois).
À l'origine, l'île était peuplée par des Africains de langue bantoue. Très vite, ces populations se mélangèrent avec les marchands arabes de la côte, dont ils adoptèrent certaines coutumes et la langue. Le mélange bantou-arabe donna naissance à la langue swahilie. À partir du Xe siècle, des immigrants venus de Shiraz (Perse) se fixèrent à Zanzibar, se mélangeant à leur tour avec les habitants. Aux XVIIIe et XIXe siècles, sous le règne des sultans d'Oman, une vague d'immigrants arabes (d'Oman) arriva à son tour. Des

Indiens débarquèrent d'Inde et se lancèrent dans le commerce. Aujourd'hui, la majorité des Indiens (5000 à 6000 personnes) sont des Bohoras dont les ancêtres vinrent de la province du Gujarat, proche du Pakistan.
Autant dire que le peuplement de Zanzibar n'a rien d'homogène. Voilà une population assez métissée. Comment s'y retrouver dans ce mélange incroyable ? Sachez qu'il y a aujourd'hui 2 groupes, les Swahilis et les Shirazis, pas toujours faciles à distinguer. Les premiers sont beaucoup plus liés historiquement à la côte de l'Afrique de l'Est, tandis que les seconds revendiquent leurs attaches culturelles lointaines avec le monde de la Perse. D'autres font une distinction ethnique au sein même du groupe « arabo-africain », et le subdivisent en 2 communautés : les Wahadimus, qui vivent dans le centre et le sud de l'île, et les Washirazis, installés dans le nord de l'île et à Pemba.
Mais le dernier mot appartient aux femmes de Zanzibar. Regardez-les, elles sont parfois très belles, et portent des tenues différentes selon leur appartenance culturelle. À la différence de celle des hommes, la tenue vestimentaire des femmes, plus variée, plus chatoyante, reste un excellent signe de reconnaissance des peuples. Les femmes d'origine arabe portent des voiles brodés d'argent et des mules à hauts talons dorés. Les hommes d'origine arabo-africaine portent la *kofia,* une calotte brodée, et parfois le *kanzu,* une longue robe blanche à manches longues. Les Africaines se reconnaissent à leur châle appelé *bui bui* : elles montrent leurs épaules rondelettes, et arborent des jupons colorés. Les Comoriennes portent un pagne plutôt qu'un châle. Les femmes indiennes se distinguent aussi des Arabes et des Africaines par leur habillement : sari en coton clair, courte cape sur les épaules, larges jupes, mante sur les cheveux, ce qui leur donne des airs de bonnes sœurs.

RELIGIONS ET CROYANCES

La religion principale à Zanzibar est l'islam (90 %) à dominante sunnite (branche plus tolérante que le chiisme). L'hindouisme est également représenté, mais ne constitue qu'une petite communauté, active certes, de 5000 à 6000 personnes.
Plusieurs minorités religieuses (appelées à tort des sectes) ont élu domicile à Zanzibar au fil de l'histoire, dont certaines venues suite à des persécutions subies dans leur pays d'origine (Perse, Inde).

Les ismaéliens

Il existe une très petite communauté d'ismaéliens, dissidente de l'islam officiel. Ses membres vénèrent Ismaël, qui est un des descendants du prophète Ali, à la sixième génération. Ils ne sont même pas une centaine aujourd'hui, alors qu'ils étaient environ 12000 au début des années 1960. Leur chef spirituel et temporel n'est autre que le célèbre et richissime Aga Khan, qui fait profiter l'île de ses largesses financières (voir le centre culturel Aga Khan à Zanzibar Town).

Les dawoodis bohras

On ignore leur nombre exact. Ils ne semblent pas très nombreux (300 membres à peine). Une des 72 minorités religieuses que compte l'Islam. Une des moins connues. Ce sont des Indo-Pakistanais musulmans, qui suivent les préceptes du Coran, mais dont la pratique religieuse, marginale, est beaucoup moins dogmatique. Comme les chiites (nombreux en Perse hier, et en Iran aujourd'hui), ils croient aussi à la thèse de l'imam caché, mais ils ont très mal supporté cette absence prolongée. Alors ils ont adopté un guide spirituel nommé le Dai-el-Mutlaq (Saint-Père). Ce 21e imam vit aujourd'hui à Bombay, en Inde (information vérifiée sur place par un de nos fins limiers). Depuis la disparition du 12e imam, la succession est ainsi assurée, de père en fils, par ce Dai-el-Mutlaq. Les dawoodis bohras ont trois mosquées à Zanzibar Town : Gizenga, Khanazini et Kiponda.

Les chrétiens

On trouve aussi une minorité chrétienne (catholiques, protestants), composée en majorité d'Indiens de Goa convertis au christianisme par les Portugais.

SANTÉ

Mêmes recommandations que pour le reste de la Tanzanie (se reporter à la rubrique « Santé », dans les « Généralités » du Kenya, qui concerne tant la Tanzanie que le Kenya). Le traitement anti-malaria est nécessaire.

SAVOIR-VIVRE ET COUTUMES

– Vous êtes sur une île peuplée à 90 % de ***musulmans.***
– ***Bakchich :*** le service n'est pas obligatoire mais très apprécié.
– ***La tenue vestimentaire :*** portez des vêtements légers, pour pays chaud, mais ayez toujours une tenue correcte, qui ne dévoile pas trop le hauts des cuisses ou les épaules (sans parler de la poitrine !). Les tenues trop négligées – pour les hommes mais encore plus pour les femmes – sont choquantes aux yeux des Zanzibarites. Par respect pour eux, et pour un meilleur séjour, pensez-y, sur les plages, nudisme interdit, monokini interdit aussi, bikini (décent !) autorisé. Ainsi a parlé le grand Moufti.
– ***Les photos :*** ne prenez jamais les Zanzibarites en photo sans leur demander auparavant leur autorisation. Interdiction de prendre les bâtiments administratifs en photo.

SITES INTERNET

• ***www.zanzibar.net.com*** • Un site très complet sur Zanzibar. Plein d'infos sur l'histoire, la musique, les évènements culturels, sur tout ce qu'on peut faire et voir sur l'île. En anglais.
• ***www.zanzibartourism.net*** • Le site de l'office de tourisme. Tout type d'infos utiles.
• ***www.allaboutzanzibar.com*** • De belles photos, histoire de s'en mettre plein la vue avant le départ. Liste (non exhaustive, mais assez conséquente) des hébergements sur l'archipel (y compris sur Pemba et Mafia). On peut même voir quelques clichés des établissements.

TRANSPORTS

LA CONDUITE SE FAIT À GAUCHE.

Le bus ou le *dala dala*

Les *dalas dalas* sont très nombreux et desservent les principaux villages de l'île. Compter entre 500 et 2000 Tsh (0,4 et 1,7 €) selon la destination. Malheureusement, le moindre déplacement est long, trop long. Exemple : un trajet de Stonetown jusqu'à Nungwi peut prendre jusqu'à 5 h. On est entassés, secoués, et il fait très chaud. Bref, c'est exotique. Il existe aussi des bus. En principe, il n'y en a qu'un par jour et par destination. C'est un mode de transport un peu plus rapide. Habituellement, ils quittent Stonetown vers midi et

s'arrêtent dans les différents villages. Durées des trajets en bus à partir de Stonetown : 3 h pour Jambiani, 4 h 30 pour Bwejuu.
Tous les bus et *dalas dalas* partent de la gare routière de Darajani *(Darajani Bus Station; plan de Zanzibar Town C2)*, située sur Creek Rd, à la limite de la vieille ville et des quartiers périphériques.

Le minibus privé (ou minivan)

Certaines agences de Stonetown, ainsi que la plupart des hôtels sur la côte, proposent cette formule à leurs clients comme une alternative aux transports en commun lents et surpeuplés. En prévenant votre hôtel, ils pourront venir vous chercher au port ou à l'aéroport. Des rabatteurs indépendants (les *papaasis*) proposent aussi la même chose, à un coût moindre, mais ils ne sont pas très fiables. Prudence donc ! Des petites agences (tel *Sun'n'Fun Travel*, basée au *Seaview Restaurant*) prennent autour de 5 US$ (4,2 €) par personne pour rejoindre la côte est, mais il faut s'y prendre au moins 1 ou 2 jours à l'avance. Ces mini-vans comprennent 8 sièges en moyenne. Si vous ne voulez pas attendre, compter de 35 à 40 US$ (29,2 à 33,3 €) pour chartériser le véhicule (avec chauffeur).

Le scooter et la moto

Permis international et passeport nécessaires (prévoir des photocopies). Pour ceux ne disposant pas de permis international, il est possible de s'en procurer un au *Department of Licence* (Mizingani Rd, près du port ; *plan de Zanzibar Town C1*). Cela vous coûtera près de 3000 Tsh (2,5 €). Les agences peuvent également s'en charger, mais elle vous demanderont le double, pour le service. Compter environ 15 à 20 US$ (12,5 à 16,7 €) par jour pour un scooter ; de 25 à 40 US$ (20,8 à 33,3 €) pour une moto, selon la puissance. Comme pour les voitures, ayez une bonne assurance avant de louer un véhicule que vous conduirez vous-même.
À Zanzibar, comme ailleurs en Afrique, un conducteur de voiture ou de moto qui provoque un accident grave, suivi de la mort de la victime, a toujours des risques de se faire lyncher par la foule en colère au bord de la route. Prudence !

Le vélo

Bien pour la ville de Zanzibar Town ou les environs immédiats, mais pas pour faire le tour de l'île (sauf si vraiment vous adorez le vélo). Pas de problème pour en trouver sur la côté, de très nombreux établissements en louent.
Compter environ 5 US$ (4,2 €) par jour, avec parfois une caution de 50 US$ (42 €) à verser au moment de la location.

La voiture

Ce peut être une bonne solution si vous tenez à votre indépendance. La conduite ne présente pas de difficulté sur les nombreuses routes qui ont été asphaltées ces dernières années. Suffit d'être prudent (comme partout !), car certains *dalas dalas* roulent parfois vite... En revanche, le long de la côté est, ce ne sont que des pistes de sable (entre Bwejuu, Paje, Makunduchi par exemple ou bien entre Matemwe et Pwani Mchangani). Prenez gare, les véhicules s'ensablent vite si on ne maîtrise pas ce genre de conduite ! Pour les sortir de là, bon courage ! Et quand ça arrive plusieurs fois de suite, on commence vraiment à perdre patience, et on regrette de ne pas avoir loué une moto ! Évitez de vous y aventurer pendant la saison des pluies. Concernant le permis, même remarque que pour le scooter ou la moto. Compter près de 45 US$ (37,5 €) par jour ; un peu moins en basse saison. Pour un chauffeur, rajouter 10 US$ (8,3 €) par jour.

LA CÔTE OUEST

ZANZIBAR TOWN

257 000 hab. IND. TÉL. : 024

« Zanzibar est le Bagdad, l'Ispahanet, la Stanbul de l'Afrique de l'Est. »

Henry M. Stanley, explorateur, 1871.

La capitale de Zanzibar s'appelle Zanzibar Town. C'est une ville portuaire, baignée par l'océan Indien, dont le cœur ancien, appelé Stonetown, constitue la partie la plus belle, la plus dépaysante. Ce centre ancien est d'une telle richesse qu'il a été classé en 1985 par l'Unesco comme l'un des 100 sites historiques mondiaux à protéger en priorité.

Adresses utiles

- Commission for Tourism (office de tourisme)
- Poste centrale
- Gare routière de Darajani
- 2 Local Currency et Coastal Aviation
- 3 Western Union
- 4 Distributeur automatique
- @ 5 Hasina Soft Telecentre
- 6 Afya Medical Centre
- 7 Al-Rahama Hospital
- 8 Asko Tours and Travel
- 9 Compagnies maritimes (billets)
- 11 Air Tanzania
- 12 Kenya Airways - KLM et Precision Air
- 13 ZanAir et Zan Tours
- 14 Mitus Spice Tours
- 15 Standard Tours
- 16 Indian Ocean Magic Tours
- 17 Fisherman Tours and Travels Ltd
- @ 36 Shangani Internet
- 60 Sun'n Fun Safari et Tima Tours and Safaris

Où dormir ?

- 20 Pyramid Hotel
- 21 Flamingo Guesthouse
- 22 Jambo Guesthouse
- 23 Abdulla Guesthouse
- 24 Lai Noor Guesthouse
- 25 Malindi Guesthouse
- 26 Warere Town House
- 27 Garden Lodge
- 28 Karibu Inn
- 29 Kokoni Hotel
- 30 Hôtel Kiponda
- 31 Blue Ocean Hotel
- 32 Hôtel Clove
- 33 Narrow Street Hotel
- 34 Coco de Mer Hotel
- 35 Baghani House
- 36 Shangani Hotel
- 37 Dhow Palace
- 38 Emerson and Green
- 39 Tembo House Hotel
- 40 Shangani House

Où manger ?

- 38 Restaurant de l'Emerson and Green
- 50 Passing Show Hotel
- 51 Malindi Take Away
- 52 Radha Restaurant
- 53 Camlur's
- 54 Clara's Kitchen
- 55 Dolphin's Restaurant
- 56 Fisherman
- 57 Sambusa Two-Tables d'hôtes
- 58 Plaza
- 59 Kidude
- 60 Seaview Restaurant
- 61 The Monsoon
- 62 Spices Rendez-Vous
- 63 Mtoni Marine

Où manger une glace ?

- 70 Amor Mio

Où boire un verre ? Où sortir ?

- 80 The Africa House
- 81 Sweet Easy
- 82 Mercury's
- 83 The Garage Club et Dharma Lounge
- 84 Bwawani Disco

À voir

- 90 Ex-consulat britannique
- 91 The Dhow Countries Music Academy
- 92 The Big Tree
- 93 Centre culturel Aga Khan
- 94 Distillerie de clous de girofle
- 95 Marché au poisson

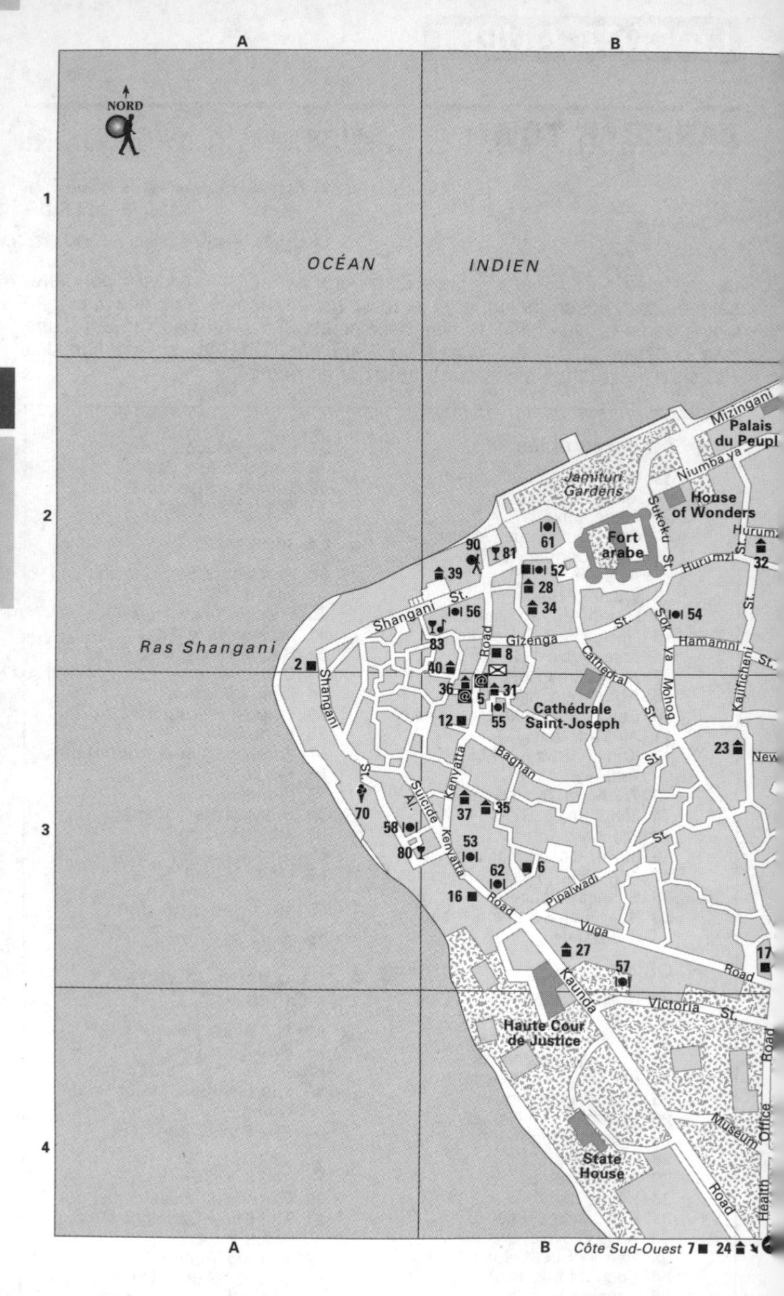

NORD
OCÉAN
INDIEN
Ras Shangani
Jamituri Gardens
Palais du Peupl
House of Wonders
Fort arabe
Cathédrale Saint-Joseph
Haute Cour de Justice
State House
Mizingani
Niumba ya
Sukoku St.
Hurumzi St.
Shangani St.
Gizenga St.
Hamamni St.
Cathedral St.
Sokoni Mohog
Kajificheni St.
Baghani St.
Kenyatta Road
Suicide Al.
Shangani St.
Pipalwadi St.
Vuga Road
Kaunda Road
Victoria St.
Museum Road
Health Office Road
Côte Sud-Ouest 7 24

ZANZIBAR-STONETOWN

Dès que l'on y pénètre, on remonte dans le temps. Un lieu paisible, nonchalant, qui se moque du village mondial et de la « planétarisation » des problèmes. Dans cette ville-labyrinthe, cousine de Lamu au Kenya, les ruelles étroites et tortueuses évoquent souvent un paysage de roman ou un décor de film. À chaque coin de rue, on s'attend à croiser Rimbaud, Joseph Kessel, Stanley ou Livingstone. À moins qu'il ne s'agisse d'un marchand arabe enturbanné, ou d'un trafiquant d'esclaves et d'ivoire couvert d'armes à feu. Toits de tôles ondulées, terrasses savamment ventilées, minarets de mosquées, temples hindous multicolores, clochers d'églises : il faut aussi voir la ville d'en haut, en montant au sommet d'une terrasse. La vue embrasse l'océan Indien et le port, où se croisent les voiles latines des boutres, les yachts de passage, les hydroglisseurs crachant leur âcre fumée près des cargos rouillés immobiles. De temps en temps, un palmier s'échappe de l'ombre fraîche d'un jardin. Quelques corneilles mantelées (elles sont moins nombreuses qu'autrefois) mêlent leurs cris aux sonneries des vélos, tandis qu'un invisible muezzin psalmodie une prière lancinante, qui monte vers le ciel. C'est magique !

SAUVER STONETOWN !

Stonetown est très belle, mais c'est une des villes les plus décrépies de l'Afrique de l'Est. Il faut sauver cette splendeur déchue. Depuis 1985, à la vitesse de la tortue, Zanzibar réhabilite Stonetown, avec l'aide financière de l'Unesco. Un institut (le STDCA) a pour mission de suivre le programme de réhabilitation des bâtiments historiques. La tâche est énorme, les moyens minimes.
Les rues ont d'abord été nettoyées, débarrassées de leurs monceaux de gravats et d'ordures qui attiraient naguère des hordes de corbeaux croassant. Jusqu'à la fin des années 1980, les maisons appartenaient à l'État, mais celui-ci n'avait pas les moyens de les entretenir, et encore moins de les rénover. Alors le gouvernement entama une politique de privatisation qui porta ses fruits. Il décida de vendre les maisons délabrées à bas prix à leurs occupants, à condition que ceux-ci s'engagent à les réhabiliter sur 2 années. Les Zanzibarites qui ont de nombreux parents à Oman ou à Dubaï leur empruntèrent de l'argent. Grâce à ce vent de libéralisation économique, en 1995, quelque 300 maisons sur les 2500 construites aux XVIIIe et XIXe siècles par les riches commerçants purent être sauvées. Certaines se transforment maintenant en hôtels coquets, comme l'*Emerson and Green,* sous l'égide d'Emerson Skeens, un psychologue new-yorkais reconverti dans l'hôtellerie de charme. Les propriétaires ne peuvent pas faire n'importe quoi. Pour les murs, les façades, les portes, ils doivent suivre un cahier des charges strict.
Mais il faut agir vite. Le temps que l'argent arrive, les maisons se dégradent. Les murs en corail et en calcaire sont particulièrement perméables à la pluie (il pleut des hallebardes entre mars et mai), mais aussi au climat saturé d'humidité. Autre faiblesse : les structures en bois de mangrove très fragiles. Enfin, il y a aussi un obstacle psychologique à vaincre : la méfiance des Zanzibarites pour les Omanais (les anciens maîtres de l'île), chassés en 1964, qui reviennent aujourd'hui des dollars plein les poches pour acheter des maisons. Quoi qu'il en soit, à présent, Stonetown renoue avec son passé oublié. Chaque année, malgré les lenteurs de l'administration, de vieilles demeures échappent à la décrépitude ou à l'effondrement. La ville-fantôme retrouvera-t-elle, petit à petit, sa splendeur perdue ?

DES PORTES-ŒUVRES D'ART

Impossible de ne pas succomber au charme des maisons de Zanzibar. La plupart des demeures de Stonetown ont été construites au XIXe siècle, époque où Zanzibar était une des places commerciales les plus riches de l'océan Indien.

Les portes sculptées, parmi les fiertés de Stonetown, ont fortement contribué à son classement au Patrimoine de l'Humanité par l'Unesco. Dans la tradition zanzibarite, la porte est considérée comme l'élément primordial de la maison arabe. Plus on est riche, plus la porte de la maison doit être grande et belle. « Dis-moi quelle porte tu as, je te dirai quel rang social tu occupes ! » Rectangulaires avec des inscriptions coraniques ou arrondies d'influence indienne. Les motifs ont des valeurs symboliques : dattier, grains de raisin ou fleur de lotus en signe d'abondance, aigle ou lion pour le pouvoir, etc. C'est par la porte que commençait la construction de la demeure. L'artisan fabriquait d'abord le linteau et le sculptait. Une fois celui-ci fixé, on construisait la maison autour. La porte zanzibarite traditionnelle possède deux battants, tous deux faits de teck ou de bois de sésame, capables de résister à l'épreuve des termites et de l'humidité.
Originalité de ces portes : chaque battant est hérissé d'énormes pointes et de gros clous de cuivre (certains mesurent 15 cm !), une tradition indienne pour stopper les charges des éléphants. À Zanzibar, pas d'éléphants (bien que Marco Polo en signale au XIIIe siècle), mais des clous décoratifs et des portes fermées de l'intérieur par un verrou et de l'extérieur par un gros cadenas retenu par une chaîne.
Les Arabo-Swahilis aiment tellement les portes qu'ils leur donnent une âme : *mlango dume* et *mlango jike,* la porte mâle et la porte femelle. Un battant n'est rien sans l'autre.
Autre particularité : les linteaux en pierre de corail, merveilleusement sculptés et ouvragés. Deux variétés de corail sont utilisées. Le corail tendre des récifs pour les montants des portes, les voûtes, les *mirhabs* des mosquées, les parties fines. Le corail terrestre, plus dur, sert aux fondations et aux murs de la maison. C'est de cette omniprésence des pierres de corail dans les constructions que la ville tient son nom : « Stonetown ». Les principaux motifs sur les linteaux représentent des torsades enlacées, des poissons, des fleurs de lotus (symbole de perfection et de reproduction) ou de frangipaniers (symbole de santé). On trouve aussi des dattiers, signe d'abondance chez les Arabes. Parfois, l'artisan y glisse un verset coranique : « À la protection de la maison, du maître et sa famille, et à la bienveillance du destin. »

TOPOGRAPHIE

Imaginez une ville en forme de triangle, deux côtés gauches pour la mer, un côté droit pour Creek Rd. Creek Rd est une longue et large avenue (nord-sud) qui marque la limite entre la vieille ville (Old Stonetown), contenue à l'intérieur du triangle, et la ville moderne (New City), en dehors de ce triangle, nommée aussi quartier de Michenzani. Old Stonetown est un labyrinthe de ruelles étroites, occupant une pointe de terre (Ras Shangani) qui se termine par l'océan Indien. Le quartier de Michenzani, à l'est de Creek Rd, n'a aucun charme. Il consiste en une série d'immeubles style HLM en béton, construits dans les années 1960 par des Allemands de l'Est. C'est Berlin-Est sous les tropiques !
Les quartiers résidentiels (verdoyants, évidemment) se trouvent au sud, entre la ville et l'aéroport, de part et d'autre de la route qui y mène.
– *Streets* et *roads :* les rues *(streets)* ne sont pas accessibles aux voitures, en raison de leur étroitesse. Quand elles le sont, elles s'appellent des routes *(roads)*. Exemples : si vous devez rejoindre Baghani St, vous devrez marcher. Si vous allez à Malawi Rd, vous pourrez gagner cette rue en voiture.
– *Conseil :* la plupart des quartiers de la vieille ville de Stonetown portent le nom des rues principales qui les traversent. Exemple : le quartier de Kiponda, du nom de Kiponda St. Cela peut entraîner une confusion si quelqu'un vous donne une adresse soi-disant dans la rue en question, alors qu'elle ne se trouve pas là, mais un peu plus loin, dans le quartier du même nom.

Sécurité

– À la nuit tombée, dans certaines ruelles étroites de la vieille ville, il faut faire un peu plus attention à soi et à ses affaires. La petite place devant le *Tembo House Hotel* et la rue Shangani sont des endroits où l'on évitera de traîner.
De jour comme de nuit, n'ayez ni sacs ni appareils photos. Les touristes s'y font accoster par les *beach-boys* (!), des hommes peu recommandables qui se présentent comme des guides indépendants. Ne les écoutez pas. Ne les croyez pas. Ils proposent des prestations comme les *Spice Tours,* mais en réalité ce ne sont que des petits voyous. Enfin, évitez de vous promener seul (surtout si vous êtes une femme) sur les plages autour de Stonetown. On nous a signalé quelques cas d'agressions. Avec ces quelques précautions, votre séjour sera alors formidable.
– ***Attention :*** les portes des banques ou des édifices publics sont souvent superbes, comme celle de la Haute Cour de justice mais ***nous déconseillons fortement de les prendre en photo.*** Les autorités de l'île sont un peu susceptibles et vous risquez au mieux de perdre une pelloche, au pire de goûter au charme des cellules zanzibarites.

Adresses et infos utiles

Informations touristiques

🅸 ***Commission for Tourism** (plan C1) :* PO Box 1410, Zanzibar. C'est l'office de tourisme, sur le port. ☎ 223-34-85 et 86, ou 0747-416-253 (portable). • www.zanzibartourism.net • En principe, ouvert tous les jours de 7 h à 18 h 30. Assez efficace.
– *ATTENTION,* sur les vitrines des agences de voyages est inscrit la mention « Tourist Information ». C'est uniquement pour attirer l'attention et il ne s'agit en aucun cas d'offices de tourisme.
– ***Recommended in Zanzibar :*** guide trimestriel (gratuit) disponible (enfin, parfois...) dans certains hôtels, magasins et restaurants. Quelques renseignements utiles : horaires d'avions, indices des marées, événements culturels.
■ ***Immigration, prolongation de visas :*** ne pas aller au bureau marqué « Immigration » à l'entrée du port, mais se rendre au *Mwanakwerekwe* (à côté de la *Police Station*). ☎ 223-11-12. Ouvert en semaine de 8 h à 15 h 30.

Argent, banques, change

Nombreux bureaux de change dans le centre (sur Kenyatta Rd. notamment).

■ ***Local Currency** (plan A2, **2**) :* Accepte les cartes *Visa* et *MasterCard.*
■ ***Western Union** (plan D1, **3**) :* à la *Tanzania Postal Bank,* sur Malawi Rd. Ouvert en semaine de 8 h 30 à 15 h 30 ; jusqu'à 12 h le samedi.
■ ***Distributeur automatique** (plan D2, **4**) :* à la *Barclays,* sur Malawi Rd. Pour les cartes *Visa* et *MasterCard.* Ouvert 24 h/24.

Poste, téléphone, fax

✉ ***Poste centrale** (plan B2-3) :* Kenyatta Rd. Ouvert du lundi au vendredi de 8 h à 13 h (12 h le vendredi) et de 14 h à 16 h 30 ; le samedi, de 9 h à 12 h. Service de poste restante.

■ ***Téléphone :*** appels locaux et internationaux, vente de cartes téléphoniques dans la plupart des centres Internet (voir ci-dessous).

Accès Internet

Aucun problème pour trouver un centre Internet. La plupart ouvre tous les jours de 8 h 30 à 22 h. Compter près de 500 Tsh (0,4 €) pour 30 mn de connexion.

@ ***Shangani Internet*** *(plan B3, **36**)* **:** Kenyatta Rd. À côté de l'hôtel du même nom. Une quinzaine de postes rapides, salle climatisée et glaces d'*Amor Mio.*

@ ***Hasina Soft Telecentre*** *(plan B3, **5**)* **:** Kenyatta Rd. Juste à droite de la poste. ☎ 223-38-71.

Représentations diplomatiques

Se reporter à la rubrique « Représentations diplomatiques » à Dar es-Salaam.

Santé

■ ***Afya Medical Centre*** *(plan B3, **6**)* **:** Shangani, PO Box 1994. ☎ 0747-411-934 (portable). Ouvert tous les jours de 8 h 30 à 21 h 30.

■ ***Al-Rahama Hospital*** *(hors plan par B4, **7**)* **:** à 500 m environ après la *State House.* ☎ 0747-413-102 (portable). Correct en cas de petits soins.

Location de vélos et motos

■ ***Asko Tours and Travel*** *(plan B2, **8**)* **:** Kenyatta Rd. ☎ 223-07-12 ou 0747-41-1854 (portable). À gauche de la poste. Ouvert de 8 h 30 à 19 h (18 h le week-end). Un peu cher.

■ ***Ally's Keys :*** non loin du marché Darajani *(plan C2).* ☎ 0747-411-797 ou 0747-419-377 (portable). Prix plus raisonnables.

Transports (terre, mer)

🚌 ***Gare routière de Darajani*** *(Darajani Bus Station ; plan C2)* **:** Creek Rd. Terminus des *dalas dalas.* Près de 150 Tsh (0,1 €) la course dans Stonetown.

➢ Pour Jambiani (n° 309), Bwejuu (n° 324), Kizimkazi (n° 326), Matemwe (n° 118), Nungwi (n° 116).

■ ***Compagnies maritimes*** *(plan C1, **9**)* **:** voir la rubrique « Quitter Zanzibar ».

Compagnies aériennes

■ ***Air Tanzania Corporation – ATC*** *(plan C3, **11**)* **:** Vuga Rd, PO Box 773. ☎ 223-02-13. Fermé le week-end.

■ ***Precision Air*** *(plan B3, **12**)* **:** Kenyatta Rd, PO Box 961. ☎ : 223-45-21. Fax : 223-45-20. • www.precisionairtz.com • Bureau dans le *Mazsons Hotel.*

■ ***Kenya Airways – KLM*** *(plan B3, **12**)* **:** PO Box 3840. Mêmes coordonnées que celles de *Precision Air.*

■ ***Gulf Air :*** ☎ 223-37-71 ou 37-73 ou 28-24.

ZANZIBAR TOWN

■ ***Coastal Aviation*** *(plan A2,* ***2****)* : PO Box 992. Shangani St. ☎ 223-31-12. • www.coastal.cc •

■ ***ZanAir*** *(plan D1,* ***13****)* : PO Box 2113. ☎ et fax : 223-36-70 ou 37-68. • www.zanair.com •

Agences de voyages

Beaucoup d'agences présentes à Zanzibar Town. Elles proposent les excursions classiques : *Spice Tours, Jozani Forest, Dolphin's Tour* (à Kizimkazi), *Chumbe Island, Changuu Island (Prison Island)*, etc. En principe, ouvertes en semaine de 8 h à 17 h ainsi que le samedi matin. Les prix pratiqués varient selon le nombre de participants : plus on est nombreux et moins on paie. Ne pas hésiter à négocier : ça marche souvent.

■ ***Mitus Spice Tours*** *(plan D1,* ***14****)* : en partant du port, dans la 2e rue à gauche après le cinéma *Afrique*. ☎ 223-46-36. Connu à Stonetown pour ses célèbres *Spice Tours* d'une journée à petit prix (10 US$, soit 8,3 € par personne). Rendez-vous le matin à 9 h 15 devant l'agence.

■ ***Sun'n Fun Safari*** *(plan C1,* ***60****)* : Mizingani Rd, à l'entrée du restaurant *Seaview*. ☎ 223-73-81 ou 0741-600-206 (portable). Excursions à prix plancher.

■ ***Standard Tours*** *(plan C1,* ***15****)* : Malindi Rd, PO Box 2545. ☎ 223-53-61. Fax : 232-49-99. • standard@zitec.org • Agence sérieuse et prix dans la moyenne. Guides francophones. Bon accueil.

■ ***Indian Ocean Magic Tours*** *(plan B3,* ***16****)* : Kenyatta Rd. PO Box 1436. ☎ 223-47-97 ou 0747-415-465 (portable). • indomatours@yahoo.com • Tenu par le jeune et sympathique Mohamed qui parle très bien le français. Des excursions de qualité sur l'île. Propose également un safari d'une journée sur le continent.

■ ***Zan Tours*** *(plan D1,* ***13****)* : Malindi St, PO Box 2560. ☎ et fax : 223-31-16 ou 30-42. • www.zantours.com • Ouvert le samedi jusqu'à 17 h. Guides francophones. Assez cher, mais c'est du sérieux.

■ ***Fisherman Tours and Travels Ltd.*** *(plan B3,* ***17****)* : Vuga Rd, PO Box 3537. ☎ et fax : 223-87-90 ou 92. Fax : 223-87-91. • www.fishermantours.com • Là encore, agence sérieuse avec des prestations de qualité et des guides parlant très bien le français. C'est aussi l'une des plus chères.

■ ***Tima Tours and Safaris*** *(plan C1,* ***60****)* : Mizingani Rd, PO Box 4194. Au rez-de-chaussée du restaurant *Seaview*. ☎ 223-25-17. Fax : 223-12-98. Guides francophones. Safaris, ascension du Kilimandjaro également possible. Accueil sympathique. Centres de plongée.

Centres de plongée

■ ***Bahari Divers*** : PO Box 204. ☎ 0748-254-786 (portable). • www.zanzibar-diving.com • À deux pas du *Radha Restaurant (plan B2,* ***52****)*. Agréé PADI. *Dhow* avec cabine, où l'on peut bronzer en attendant les palanquées.

■ ***The Zanzibar Dive Centre*** : PO Box 608. ☎ 223-83-74 ou 742-750-161 (portable). • www.zanzibaroneocean.com • Juste à côté du *Sweet Easy (plan B2,* ***81****)*. Agréé PADI. Même prix que le *Bahari Divers*.

Où dormir ?

Bon marché (de 16 à 25 US$ – 13,3 à 20,8 €)

■ ***Pyramid Hotel*** *(plan C2,* ***20****)* : Kokoni St, PO Box 254. ☎ 223-30-00 ou 0748-255-525 (portable). • pyramidhotel@yahoo.com • Entre les secteurs de Malindi et Kiponda, derrière la mosquée Ijumaa. Pas facile de dénicher ce petit hôtel, blotti *in the middle of nowhere,* dans une des innombrables ruelles entrelacées de la vieille ville (le plus simple est de partir de la place des bus). Mais vaut le coup, d'abord pour son accueil charmant. Ensuite, on découvre une belle demeure ancienne aux portes sculptées qui n'est pas dénuée de charme. Les chambres (avec ou sans bains) sont simples, mais bien tenues, avec parfois des lits à baldaquin. Préférez celles du 2ᵉ étage, même si la montée relève de l'ascension (escalier étroit et raide !). Petit dej' sur une terrasse panoramique. On y rencontre Ali Baba, originaire de Mayotte et francophone. Une bonne petite adresse.

🏠 ***Flamingo Guesthouse*** *(plan C3, **21**)* **:** PO Box 4279. Sur Mkunazini St. ☎ 223-28-50. Petit hôtel, à l'écart, pratiquant des prix doux (l'une des adresses les moins chères de la catégorie). La carte de la maison fait bien sa pub : « Feel like home », « Good service and fair price », « Ciao amico ». Chambres simples (salle de bains commune ou privée) avec moustiquaire, ventilateur, douche (eau chaude). Au rez-de-chaussée, elles sont un peu sombres ; au 3ᵉ, elles peuvent être un soupçon bruyantes à cause de la terrasse où on prend le petit dej'.

🏠 ***Jambo Guesthouse*** *(plan C3, **22**)* **:** PO Box 635. ☎ 223-37-79. • jamboguest@hotmail.com • Dans une petite rue donnant sur Mkunazini St. Face à un square. Le type même de l'hôtel de quartier, excentré, tranquille, méconnu, souvent vide, et pourtant d'un bon rapport qualité-prix. Ventilo, AC (dans la plupart des chambres), douche (eau chaude), moustiquaire. Ajouter à cela une ambiance cool. Vous voyez bien que c'est une bonne maison. Un bémol pour la salle des petits déjeuners, une peu étouffante. Peuvent venir vous chercher gratuitement au port ou à l'aéroport.

🏠 ***Abdulla Guesthouse*** *(plan B3, **23**)* **:** Mkunazini St. ☎ 0747-421-845 (portable). Situé en face de la mosquée Hanaf. Prix plancher. Voilà un petit hôtel familial avec une dizaine de chambres à peine, un poil excentré, inconnu de nombreux touristes, et situé dans un quartier populaire du vieux Stonetown. Réveil matinal gratuit assuré par le muezzin. Mais n'est-ce pas là le charme des voyages ? Ne vous faites pas d'illusion, les chambres sont très ordinaires et sans grand caractère. Mais l'établissement est propret et à ce prix, les chambres avec AC et salle de bains (eau froide sous la douche) sont une bonne affaire. Accès Internet.

🏠 ***Lai Noor Guesthouse*** *(hors plan par B4, **24**)* **:** Maisara St, PO Box 132. ☎ 223-43-43 ou 0747-410-212 (portable). À environ 1,5 km au sud de Stonetown, en direction de l'aéroport (juste après *Al-Rahama Hospital*). Chambres spacieuses, avec douche, moustiquaire, clim' ou ventilo. Excentré mais sympa. Une adresse plutôt fréquentée par les Tanzaniens.

– Ne pas oublier de jeter un coup d'œil à ***Karibu Inn*** *(plan B2, **28**)* qui propose des dortoirs bon marché pour les petits budgets.

Prix moyens (de 25 à 45 US$ – 20,8 à 37,5 €)

🏠 ***Malindi Guesthouse*** *(plan D1, **25**)* **:** PO Box 609. ☎ 223-01-65. Fax : 223-30-30. • malindi@zanzinet.com • Ça vaut vraiment la peine de s'éloigner un peu du centre pour dormir dans cette bonne petite pension, aux murs blancs, proche du marché aux poissons. Ici, tout est bien conçu, et l'accueil est au rendez-vous. Rassurez-vous, les chambres n'empestent pas le poisson et sont très propres. AC et salle de bains privée pour les plus chères (mais le prix reste très, très raisonnable). Les hôtes prennent le petit dej' sur une agréable terrasse perchée sur le toit. Si le cœur vous en dit, vous pourrez même tapoter quelques notes sur le vieux piano déclassé au 1ᵉʳ étage. Patio très calme. Accepte les chèques de voyage, mais pas les cartes de paiement.

Une adresse bien reposante, on aimerait en trouver plus à son image !

🏠 ***Warere Town House*** *(plan D1, **26**)* **:** PO Box 1298. ☎ 223-38-35 ou 0747-478-550 (portable). • www.wareretownhouse.com • Au rond-point devant le port, prendre la rue en direction du marché aux poissons, puis, à 50 m, la 1re à droite. C'est juste derrière, à 50 m. Encore une adresse qui nous a bien séduits. Il faut dire que les chambres colorées sont aménagées avec goût : peintures à l'éponge, beaux lits swahilis avec moustiquaire. Le matin, on prend le petit déjeuner sur une terrasse. La climatisation devrait prochainement être installée. Pour ne rien gâter, l'accueil est fort agréable. À noter que dans les chambres, les w.-c. ne sont masqués que par un simple rideau... Mais après tout, rien ne vous empêche d'en prendre une avec sanitaires communs (moins chère). Peuvent venir vous chercher gratuitement à l'aéroport.

🏠 ***Garden Lodge*** *(plan B3, **27**)* **:** Kaunda Rd, PO Box 3413. ☎ 223-32-98. • gardenlodge@zanlink.com • Saluons cet hôtel récent dont l'architecture est inspirée des anciennes maisons de Stonetown. Et c'est plutôt réussi, même si la déco intérieure n'est pas vraiment peaufinée. Toutes les chambres disposent de sanitaires privés, de ventilo, de lits dans le plus pur style swahili. Pour une douche chaude, il vous faudra poser vos valises à l'étage. Sur le toit, une terrasse agrémentée de plantes vertes, bien pépère pour prendre le petit dej'. Une adresse choyée par les routards du monde entier : rien de plus normal pour cet hôtel qui offre un honnête rapport qualité-prix.

🏠 ***Karibu Inn*** *(plan B2, **28**)* **:** PO Box 3428. ☎ et fax : 223-30-58. • karibuinn@zanzinet.com • Entre Shangani St et le fort Arabe. Une petite adresse sans prétention, mais à prix correct pour un pareil emplacement (à deux pas de la mer). Pour les budgets modestes, 3 dortoirs de 4 à 8 lits. AC, ventilo et moustiquaire partout. Quelques-unes jouissent d'un bout de vue sur la mer. Aucun souci du côté de la propreté. L'accueil est simple et souriant. Une adresse à retenir.

🏠 ***Kokoni Hotel*** *(plan C2, **29**)* **:** PO Box 3257. ☎ 0748-708-050 (portable). Situé derrière la station-service *BP*. Cet hôtel d'une quinzaine de chambres, donnant sur une petite place tranquille, est un havre de quiétude. Belle demeure spacieuse et ancienne, on accède aux chambres par un large escalier typique de l'île. Le mobilier est dans le même style que la maison. Chambres simples mais bien tenues (moustiquaires, ventilo, sanitaires privés ou communs).

🏠 ***Hôtel Kiponda*** *(plan C2, **30**)* **:** Nyumba Ya Moto St, PO Box 3446. ☎ 233-30-52 ou 0747-424-097 (portable). Fax : 323-30-20. • hotelkiponda@email.com • Bien situé, tout près du front de mer. Un petit hôtel dans une ruelle tranquille, avec sa vieille porte en bois ouvragé et ses chambres propres, aux murs blancs. Chambres avec moustiquaire, sanitaires privés ou communs mais pas de clim', juste des ventilateurs. Le resto est sur le toit, d'où la vue est fort jolie.

🏠 ***Blue Ocean Hotel*** *(plan B3, **31**)* **:** PO Box 4137. ☎ 223-35-66 ou 0747-410-210 (portable). Depuis le front de mer, suivre Kenyatta Rd, puis tourner à gauche sur la place après le *Shangani Hotel.* Voilà une vieille et vénérable maison zanzibarite, avec une porte à l'ancienne, dans le style de l'île. Un escalier en bois monte aux chambres, une dizaine seulement. On traverse au 1er étage une galerie fraîche bordée d'arcades. Hormis le roucoulement des pigeons et des colombes dans les courettes adjacentes, aucun bruit ne trouble cette paisible demeure, qui semble placée sous le signe de la sagesse. Quoique... sachez que si vous n'êtes pas mariés, vous ne pourrez partager la même couche...

🏠 ***Hôtel Clove*** *(plan B2, **32**)* **:** Hurumzi St, PO Box 1117. ☎ 0747-484-567 (portable). • www.zanzibarhotel.nl • Près du vieux fort Arabe. Bien situé, mais les prix nous paraissent un poil surestimés. *Clove* signifie « clou de girofle » en anglais. De ce petit hôtel, récemment restauré par Lisette, une Hollandaise, on retiendra surtout son côté très propre et fonctionnel. Difficile en effet de donner du caractère à un cube de béton... Quelques chambres ont une vue sur la mer. Ventilo, moustiquaire, et eau froide à tous les étages. La terrasse est en revanche sympa avec ses larges canapés recouverts de confortables coussins face au large. Un brin d'imagination suffit pour se croire sur le pont d'un paquebot voguant sur les flots.

☗ ***Narrow Street Hotel*** *(plan C2, **33**)* **:** Kokoni Dega, PO Box 2408. ☎ 223-26-20. L'une des adresses les moins chères de cette catégorie. Tout est calme ici. Faut dire que le quartier s'y prête. Ce ne sont que des ruelles sans voitures aux alentours. Huit chambres seulement, toutes bien proprettes. Les lits ont des moustiquaires et les plafonds des ventilos. AC pour les plus chères. Un petit problème : pas de vue, juste un peu de lumière. La n° 301 est la plus claire, avec 5 fenêtres : ce sont en fait 2 chambres reliées.

☗ ***Coco de Mer Hotel*** *(plan B2, **34**)* **:** Shangani St, PO Box 2363. ☎ et fax : 223-08-52. Dans une petite ruelle calme, en retrait du front de mer, pas trop enfoncé dans la vieille ville. Voilà une jolie maison au nom très *frenchy*. Au fait, qu'est-ce qu'un coco de mer ? C'est une noix de coco en forme de fesses, que l'on trouve plutôt aux Seychelles. Certaines chambres donnent sur une galerie en bois, surplombant un patio intérieur. Préférez celles à l'étage et évitez celles à côté de la réception ou au-dessus du bar. Tarif un peu élevé pour le confort (pas d'AC), mais c'est propre et bien tenu. Il y a des moustiquaires, des toilettes (douche, eau chaude) dans chacune d'elles. Carte *Visa* acceptée. Terrasse-bar très reposante.

Chic (de 45 à 60 US$ – 37,5 à 50 €)

☗ ***Baghani House*** *(plan B3, **35**)* **:** 135, Baghani St, PO Box 609. ☎ 223-56-54. Fax : 223-30-30. • www.zanzibarhotels.net/baghani • Petit hôtel de charme, calme et propre, tenu par un Scandinave. Seulement 8 chambres, ordonnées autour d'une petite cour intérieure (avec des tables et des chaises pour se reposer aux heures chaudes). Intérieur confortable, coloré et bien aménagé : lits à baldaquin, moustiquaire, AC. Certaines chambres ont la TV, mais est-ce essentiel ? La n° 6, tout en longueur, éclairée par 6 petites fenêtres, conviendra aux amoureux. Le meilleur rapport qualité-prix dans cette catégorie.

☗ ***Shangani Hotel*** *(plan B3, **36**)* **:** Kenyatta Rd, PO Box 4222. ☎ et fax : 223-36-88 ou 0747-411-703 (portable). • shanganihotel@hotmail.com • Près de la poste, à 5 mn à pied du front de mer. Tout est impeccable, y compris l'accueil (parfois en français). Les chambres sont classiques, sans déco recherchée, mais d'un bon confort (AC, téléphone, frigo, TV). On peut déjeuner et dîner au resto, situé sur la terrasse du toit de l'hôtel, un endroit très agréable à la tombée de la nuit. Salle au rez-de-chaussée avec billard.

Très chic (à partir de 80 US$ – 66,7 €)

☗ ***Shangani House*** *(plan B2-3, **40**)* **:** contacter Nicole Poncet-Montange, ☎ 0747-429-189 (portable). • www.zanzibar-holiday.com • Prendre la ruelle à droite du *Shangani Hotel*. C'est la maison à 50 m ceinturée par un muret, avec un arbre devant. Compter 80 US$ (66,7 €) la double, petit dej' compris. Une ravissante demeure arabe qui se dresse tout en hauteur, à 200 m de la mer. À l'intérieur, un escalier en acajou conduit aux 4 chambres (10 personnes maximum). Une odeur de bois ciré embaume l'atmosphère, les vieilles photos accrochées aux murs attirent le regard. Dans les chambres, ce n'est que charme et élégance sobre. Du mobilier ancien, des voilages caressés par la brise marine. Le matin, on grimpe sur la terrasse pour le petit dej'. Bref, une adresse pleine d'intimité que l'on a bien du mal à quitter. Possibilité de louer d'autres maisons (même contact).

🏠 ***Dhow Palace*** *(plan B3, **37**) :* Shangani, PO Box 3974. ☎ 223-30-12 ou 03-04. Fax : 223-30-08. • www.tembohotel.com • Autour de 80 US$ (66,7 €) la double. Situé dans une ruelle tranquille, ce ravissant hôtel zanzibarite ne manque pas de charme. Les chambres sont grandes et meublées de beau mobilier (lits swahilis). Tout le confort attendu est présent. Le propriétaire de l'établissement possède également le *Tembo House Hotel*. La piscine de ce dernier est accessible gratuitement (demander à la réception). Petit dej' servi au dernier étage d'où l'on a une vue sur les toits de la ville. En vous y rendant, vous apercevrez un vieux piano et de jolies photos accrochées aux murs.

🏠 ***Emerson and Green*** *(plan C2, **38**) :* Hurumzi St. PO Box 3417. ☎ 223-01-71. Fax : 223-10-38. • www.zanzibar.org/emegre • Doubles à 165 US$ (137,5 €). Cet ancien palais a été admirablement transformé en hôtel de grand charme par les propriétaires, Emerson Skeens, un psychologue new-yorkais, tombé amoureux de Zanzibar, et Thomas Green. C'est un univers de douces couleurs. La déco des chambres est raffinée, exquise. Dès le pas de la porte, on plonge dans le passé colonial et on s'abandonne au rêve. Le prix de la chambre double, lui, est bien réel ! Dommage que le personnel soit toujours aussi débordé... Sur le toit, il y a une terrasse-véranda. On y prend les repas du soir, mais la réservation est impérative (voir « Où manger ? »).

🏠 ***Tembo House Hotel*** *(plan B2, **39**) :* Forodhani St, PO Box 3974. ☎ 223-30-05 ou 20-69. Fax : 223-37-77. • www.tembohotel.com • Environ 100 US$ (83,3 €) la double. Très bel hôtel de charme, aménagé dans une vieille maison de Zanzibar, les pieds dans l'eau. Les chambres, pleines de luminosité, baignent dans une atmosphère de fraîcheur, mais peu d'entre elles donnent sur la mer. Beaucoup de soin dans la déco (lits à baldaquin, meubles anciens, moustiquaires). Sachez juste que les chambres dans la partie récente ne sont pas bien grandes. Bar (pas d'alcool) et piscine surveillée (on peut laisser ses bambins sans inquiétude) dans un patio ouvert sur la plage. Un hôtel repéré par de nombreuses agences de voyage. Dernier point : éviter le resto, franchement décevant. Cartes de paiement acceptées.

Où manger ?

Dans ***Forodhani Gardens,*** le soir, face à la mer, quelques vendeurs installent leur réchaud pour cuisiner beignets et brochettes. Mais, côté hygiène, c'est tout de même pas top ! On vous déconseille vivement d'y manger des fruits de mers. En revanche, pas de problème pour une assiette de riz et des *chapati* (galette indienne).

Très bon marché (autour de 2500 Tsh – 2,1 €)

🍴 ***Passing Show Hotel*** *(plan C-D1, **50**) :* Malawi Rd. Proche du port. Un restaurant très populaire pour manger sur le pouce ou avec les doigts, au choix. Il faut souvent faire la queue au comptoir pour commander. Au menu, *chapati, samosas,* poissons grillés, soupe, *ugali...*

🍴 ***Malindi Take Away*** *(plan C1, **51**) :* Malawi Rd. Ouvert tous les jours. À gauche du *Cinéma Afrique*. C'est petit mais propre. Pour manger un poisson-frites. Petite salle bien aérée si l'on se met sous les ventilos. Pratique en attendant son bateau.

Bon marché (de 2500 à 5000 Tsh – 2,1 à 4,2 €)

lol ***Radha Restaurant*** *(plan B2, **52**)* **:** à deux pas de *Karibu Inn.* ☎ 223-48-08. Ouvert midi et soir, tous les jours. Les adeptes de la cuisine végétarienne indienne ne manqueront pas ce petit resto ! D'accord, il ne paye pas de mine et le cadre est sans attrait. Mais les *spring rolls*, les *samosas*, les *vegetable cutlets* sont tout simplement excellents et les prix dérisoires (on peut même s'en sortir à très bon marché !). On y croise des habitués, des touristes de passage. Ça débite et la fraîcheur est garantie. Et une bonne surprise de voir un si grand choix de bières (dont de la Guiness !). Une adresse qui mérite bien une petite halte.

lol ***Camlur's*** *(plan B3, **53**)* **:** Kenyatta Rd. Près de l'*Africa House.* Ouvert, en principe, du lundi au samedi, de 18 h 30 à 22 h. Petit resto indien et goan, qui ne se fait pas remarquer, mais qui sert des plats indiens toujours simples, toujours bons. On y trouve des spécialités comme le poisson sauce curry et noix de coco (délicieuse !).

lol ***Clara's Kitchen*** *(plan B2, **54**)* **:** Sok ya Mohog. Fermé le dimanche. Là encore, un petit resto pour manger quelques plats africains et indiens, tout simples. On a bien aimé la salle à l'étage où l'on s'installe par terre, sur des nattes, à moins que ce ne soit le charmant sourire de Clara...

lol ***Dolphin's Restaurant*** *(plan B3, **55**)* **:** Kenyatta Rd. Près du *Shangani Hotel.* Ouvert tous les jours. Restaurant bien connu par les touristes pour sa cuisine locale à la noix de coco et son perroquet, Billy, qui se met à parler quand on vous apporte votre repas. Correct, sans plus.

Prix moyens (de 5000 à 10000 Tsh – 4,2 à 8,3 €)

lol ***Fisherman*** *(plan B2, **56**)* **:** face au *Tembo House Hotel.* ☎ 0747-414-254 (portable). Ouvert tous les jours. L'intérieur évoque une vague taverne, avec des murs blancs ornés de quelques objets marins. Rachid, a repris l'affaire de Daniel qui s'en est définitivement allé (même si son nom figure encore sur l'enseigne). Pour les mangeurs de viande mais aussi, et surtout, de poisson et de fruits de mer. Les langoustes sont cuisinées à toutes les sauces (mais attention, l'addition changera de catégorie). C'est bon et copieux. On a particulièrement apprécié le « Délire de Zanzibar ».

lol ***Sambusa Two-Tables d'hôtes*** *(plan B3, **57**)* **:** Victoria St. ☎ 223-19-79 ou 0747-416-601 (portable). Ouvert uniquement le soir à partir de 19 h. Pénétrer à l'intérieur du petit jardin, puis sonner à la porte. Sambusa, le propriétaire, vous fait manger chez lui. Cuisine zanzibarite très bonne, en plus d'être copieuse. Réservation conseillée. Prix très convenables.

lol ***Plaza*** *(plan A3, **58**)* **:** Shangani St. ☎ 0747-410-987. Ouvert tous les jours. Un resto sur trois niveaux tenu par le sympathique Yohan, un Belge installé à Zanzibar depuis plusieurs années. Le soir, on s'installe volontiers sur la terrasse pour profiter sereinement de la voûte étoilée. Les notes de musique toujours très bluzzy ou jazzy rendent l'atmosphère intime. Yohan, qui fut un temps sommelier à Bruxelles, concocte une bonne cuisine internationale. Difficile de détailler puisque, tous les jours, le tableau propose des suggestions qui varient en fonction du marché. Le poisson en papillote est un habitué de la maison. On peut parfois déguster de la bouillabaisse, version zanzibarite ! Langoustes, cigales de mer sur commande. Pour arroser le tout, vins d'Afrique du Sud au verre.

lol ***Kidude*** *(plan C2, **59**)* **:** Hurumzi St. ☎ 0747-423-266 (portable). Ouvert tous les jours. Au rez-de-chaussée de l'hôtel *Emerson and Green.* Vous y trouverez sandwichs, soupes et salades dans un décor oriental de grand style zanzibarite. Et, vu le cadre (qui se veut détendu mais tout de même chicos), les prix ne sont pas si élevés. *Happy hours* de 18 h à 19 h.

lol ***Seaview Restaurant*** *(plan C1,*

60) **:** Mizingani Rd. ☎ 223-73-81. Après la maison des Merveilles *(House of Wonders),* en se dirigeant vers le port. Ouvert tous les jours. Un resto bien placé (c'est son principal avantage), tenu par un Indien à l'œil vif. Affabilité et sens du commerce marchent ensemble chez lui. S'il n'est pas là, vous serez reçu par son neveu. Du balcon en bois perché au 1er étage, on jouit d'une belle vue sur le port (porte-conteneurs) et la mer. Cuisine indienne sujette tout de même à quelques irrégularités. On peut se contenter d'y prendre un verre.

Prix moyens à un peu plus chic (de 7000 à 12000 Tsh – 5,8 à 10 €)

I●I ***The Monsoon*** *(plan B2, 61)* **:** juste au niveau de la rue qui passe sous le porche, côté mer. ☎ 0747-411-362 (portable). Ouvert tous les jours de midi jusqu'à minuit. Autant le dire tout de suite, c'est l'un des meilleurs restos de cuisine swahilie de Zanzibar. Le cadre est déjà tout un poème. On s'installe par terre sur des nattes et des coussins dans une grande pièce élégante où flottent des odeurs de jasmin (on se déchausse). L'atmosphère est intime. À midi, la terrasse ombragée n'est pas dénuée de charme (même si la route passe juste devant). La cuisine tient toutes ses promesses. Les épices parfument délicatement les plats, les légumes cuits avec justesse craquent sous la dent, les serveuses nous accompagnent de leur charmant sourire. Une invitation à de bien belles pérégrinations culinaires.

Chic (plus de 10000 Tsh – 8,3 €)

I●I ***Spices Rendez-vous*** *(plan B3, 62)* **:** Kenyatta Rd. ☎ 0474-410-707 ou 0474-413-062 (portable). Ouvert tous les jours sauf le lundi. Carole et Bernard, en reprenant ce restaurant, ont misé sur une cuisine indienne de qualité. Plusieurs menus. Une vraie découverte, le menu « Flavors of Zanzibar », à base de spécialités de l'île, composé de crabe sauce coco, poulet *masala* et bananes plantains, pour finir par un *halua,* le dessert local. À midi, menu très abordable. Cocktails inventifs, et pour les nostalgiques, vin de Saint-Tropez. Louent également des chambres sur la plage. Voir chapitre « Bwejuu ».

I●I ***Restaurant de l'Emerson and Green*** *(plan C2, 38)* **:** Hurumzi St. Voir « Où dormir ? ». Compter de 25 à 30 US$ (20,8 à 25 €) par personne, réservation obligatoire (acompte demandé) et menu unique. La palme du caractère et du charme revient à ce restaurant. En fait de « restaurant », il s'agit plutôt d'une terrasse, perchée sur le toit d'un vieux palais qui domine les maisons de Stonetown. Les hôtes sont assis sur des coussins, comme dans les romans de Pierre Loti et les repas se prennent sur des tables basses (dos fragiles et minijupes, s'abstenir). On doit se déchausser. Le vent du large souffle dans un grand tissu vert ondulant comme une voile au-dessus des têtes. La cuisine est fine, pas trop épicée (mais le « spectacle » – musique et chants – n'a rien de renversant). Magique...

Où manger dans les environs ?

I●I ***Mtoni Marine*** *(hors plan par D2, 63)* **:** à 4 km environ au nord de Stonetown, sur la route de Nungwi. ☎ 225-01-17. Ouvert tous les jours. Compter autour de 15000 Tsh (12,5 €) le repas. Un restaurant les pieds dans l'eau, confortablement installé sous une grande paillote aérée et coiffée de *makuti.* En cuisine, un chef originaire d'Afrique de Sud déploie son talent peaufiné aux quatre coins du monde, pour le plus grand plaisir des papilles gustatives. L'un des meilleurs restos de l'île, tout le monde en convient. Le mardi, c'est *Zanzibar Beach Buffet,* avec un groupe de taarab ; le samedi soir, place au *Seafood Beach BBQ* sur fond de percussions africaines.

Où manger une glace ?

Amor Mio *(plan A3,* ***70****)* **:** Shangani St. Généralement fermé pendant la saison des pluies. Bel emplacement avec la terrasse qui donne sur la plage pour déguster de bonnes glaces. Mais aussi *cappuccino, espresso,* pâtes et pizzas. Elisabetta et Michela ont quitté Milan pour s'installer ici, et cela fonctionne bien pour elles, puisque *Amor Mio* fournit la plupart des restos en glace. On apprécie leur gentillesse.

Où boire un verre ? Où sortir ?

« Dans ces régions, un ivrogne a plus de chances de survie qu'un buveur d'eau », note l'explorateur Richard Burton en 1857. Aujourd'hui, le buveur d'eau survivra, l'ivrogne non, peut-être à cause de la chaleur. Bien que l'alcool (bières, whisky...) ne soit pas interdit à Zanzibar, il reste assez discret. Selon leur niveau de ferveur religieuse, les commerçants, cafetiers, restaurateurs et hôteliers sont libres d'en vendre ou pas. Éviter le *Starehe Club,* un bar gouvernemental plus que louche.

The Africa House *(plan A-B3,* ***80****)* **:** Shangani St. Ouvert tous les jours jusqu'à minuit. Bar sur le toit, avec une grande terrasse, et 2 billards à l'intérieur. L'endroit préféré des touristes pour apprécier le coucher de soleil, faire des rencontres et s'échanger des infos. Assez cher.

Sweet Easy *(plan B2,* ***81****)* **:** sur la plage de *Forodhani,* en face de la *National Bank of Commerce.* ☎ 0747-416-736 (portable). Ouvert tous les jours de midi jusque tard le soir. *Happy hours* de 17 h à 19 h. Un bar-resto qui sert une cuisine thaïe, mais on y vient surtout pour ses cocktails et sa terrasse. Billards, groupes et DJ certains soirs. Pas mal d'ambiance. Là encore, assez cher.

Mercury's *(plan C1,* ***82****)* **:** sur le front de mer, surplombant la plage, en face du Centre culturel. Ouvert jusqu'à minuit (un peu plus tard le week-end). *Happy hours* de 17 h à 19 h. Eh bien, oui, Freddie est né à Zanzibar, avant de partir faire des études en Inde, puis d'entamer sa carrière musicale en Grande-Bretagne avec le groupe Queen. Évidemment, beaucoup de photos, en hommage, mais c'est surtout une bonne ambiance métissée. Ismaël, le patron, un gars du coin, a réussi à créer un endroit vraiment sympa. On peut aussi venir y apprécier les couchers de soleil et y manger. En principe, groupes le samedi soir.

Dharma Lounge *(plan B2,* ***83****)* **:** juste à côté du *Fisherman Restaurant.* Ouvert tous les jours à partir de 17 h 30. Une touche indienne dans la déco pour ce bar à l'atmosphère très *lounge.*

The Garage Club *(plan B2,* ***83****)* **:** après le *Dharma Lounge,* prendre la 1re à gauche. Ouvert du jeudi au lundi. Gratuit pour les filles le jeudi. LA boîte de la ville, fréquentée aussi par les locaux. À la nuit tombée, prudence en sortant dans les ruelles aux alentours (faune assez louche).

Bwawani Disco *(plan D1,* ***84****)* **:** la boîte de l'hôtel du même nom. Ouvert du vendredi au dimanche. Entrée payante. Y aller en taxi. Une bonne discothèque pour avoir un aperçu de la culture locale. Des Zanzibarites qui se soûlent et leurs femmes en robe de soirée venues danser, ça vaut le détour.

Festival

– ***Zanzibar International Film Festival :*** pendant 2 semaines, fin juin-début juillet. • www.ziff.or.tz • Un festival qui réunit différents pays de l'océan Indien (Tanzanie, Inde, Pakistan, etc.). Films, spectacles et expositions dans différents lieux de Stonetown (au fort Arabe notamment).

À voir

🚶🚶 ***Les vieilles maisons de Stonetown :*** à découvrir à pied, le nez en l'air et l'œil aux aguets. Sur les 96 ha de Stonetown, on dénombre 48 mosquées et 2500 demeures remarquables. Des édifices altiers, splendides, on vous l'a déjà dit, mais ravagés par le temps, par la pauvreté et l'humidité. Ces murs décrépis, serrés les uns contre les autres, enchantent les promeneurs mais ils se dégradent lentement. Pas une voiture dans le centre labyrinthique, piétons et vélos s'écartent devant des charrettes tirées par des hommes.

Témoins uniques de l'époque où les riches marchands arabes se devaient de montrer leur puissance, ces maisons se distinguent d'abord par leurs portes. C'est la première chose que l'on admire. Pour plus de détails sur le sujet, voir notre texte plus haut. Entourées de linteaux en pierre de corail, hérissées de pointes, on aimerait les pousser, traverser la pénombre, partir à la recherche des secrets qu'elles cachent. Des moucharabiehs, finement ouvragés, et des jalousies protégeaient naguère (et encore aujourd'hui) les femmes des regards indiscrets.

À Stonetown, rien n'est frontal, ni direct. Tout est en volutes, en pudeur et en politesse. Le long d'une façade lépreuse, on est soudain émerveillé par la présence d'une mosaïque bleutée ou d'un *baraza,* le banc à palabres. Plus loin, dans une courette abandonnée, un escalier en spirale relie des étages de galerie, qui semblent suspendus dans le vide. On est tantôt transporté à Venise, tantôt à Istanbul, à Ispahan, à Bagdad. N'est-ce pas la magie étrange de cette ville ?

🚶 ***L'ex-consulat britannique*** *(plan B2,* ***90****) :* « The Old British Consulate » est toujours debout. Il se trouve face à la mer et au *Sweet Easy.* C'est aujourd'hui le siège de la *Zanzibar State Trading Corporation.* Ne se visite pas. Cette grande demeure abrita le très stratégique consulat britannique à Zanzibar, entre 1841 et 1874, âge d'or de la présence britannique sur l'île. C'était le passage obligé des explorateurs. Speke, Burton, Grant ou Stanley y furent reçus, écoutés, le plus souvent encouragés, avant de partir à la découverte du continent noir. En 1873, le corps de l'explorateur David Livingstone fut déposé ici avant d'être rapatrié à Londres, pour des funérailles nationales à l'abbaye de Westminster.

🚶🚶 ***Le fort Arabe*** *(ou* ***Vieux Fort****; plan B2) :* après deux siècles de présence portugaise, les Arabes d'Oman, nouveaux maîtres de l'île, construisirent ce fort entre 1698 et 1701. Ils rasèrent l'église portugaise qui s'y trouvait (geste symbolique) et établirent cette massive forteresse, aux larges murs. Celle-ci servit de prison au XIXe siècle, avant d'être rendue à la vie civile.

Aujourd'hui, elle abrite le *Zanzibar Cultural Centre.* Entrée gratuite, entre 8 h et 18 h. À l'intérieur, pas grand chose à voir, juste une balade de quelques enjambées à faire avant de s'asseoir au petit café qui recueille les voyageurs écrasés par la chaleur. Au pied des gros murs, quelques échoppes d'artisans qui attendent le touriste.

Des spectacles de danse traditionnelle, des concerts se déroulent dans un amphithéâtre central (et en plein air), chaque mardi, jeudi et samedi, à 22 h.

Un moment agréable sous le ciel étoilé, même si la qualité des spectacles laisse parfois à désirer. Venez-y suffisamment tôt ! Avant que ne commence la soirée, dès 18 h, il y a un buffet. Les billets sont en vente au fort : près de 10000 Tsh (8,3 €) pour le spectacle et le buffet ; 4000 Tsh (3,3 €) pour le spectacle seulement.

Les jardins de Forodhani *(Jamituri Gardens ; plan B2)* **:** situés entre le fort Arabe et la mer, c'est l'emplacement idéal pour prendre l'air en fin d'après-midi. En soirée, plusieurs marchands installent leurs éventaires pour y vendre de la nourriture, des boissons, des babioles. C'est la promenade favorite des gens du coin, surtout le dimanche.

La maison ou le palais des Merveilles *(House of Wonders ; plan B2)* **:** sur le front de mer, au niveau des Forodhani Gardens. Ouvert en semaine de 9 h à 18 h ; jusqu'à 15 h le week-end. Entrée : 2000 Tsh (1,7 €) ; réductions. La « Beit el-Ajaïb » est la plus grande bâtisse de Stonetown. Face à la mer, elle se distingue immédiatement par sa série de colonnades blanches, hautes et fines, en acier peint, ses galeries à claire-voie et son clocheton-horloge. Construite en 1883, sur les plans d'un ingénieur de la Navy, c'est un bel exemple de l'architecture coloniale au tout début de l'alliance du métal et de la pierre.

Le palais des Merveilles servit de résidence au sultan Bargash (règne de 1870 à 1888). Celui-ci avait vécu à Bombay et, au contraire de ses prédécesseurs austères, ne cachait pas son goût certain pour le style flamboyant. Ce fut la 1re maison de Zanzibar à recevoir l'électricité, et la 1re en Afrique de l'Est à disposer d'un ascenseur électrique. Évidemment, les gens du cru furent si étonnés qu'ils l'appelèrent Beit el-Ajaïb, la « maison des Merveilles ». Après la révolution de 1964, elle servit de quartier général à l'ASP, le parti politique au pouvoir sur l'île.

À l'entrée, noter les 2 canons portugais en bronze datant du XVIe siècle. Vidée de ses meubles (exposés au Palace Museum), la maison abrite le National Museum. Ce musée retrace l'histoire de Zanzibar à travers plusieurs thèmes : la civilisation swahilie, l'empire commercial au XIXe siècle, Zanzibar à l'époque coloniale, et l'île aujourd'hui à la croisée des cultures. Au rez-de-chaussée, on peut voir les premières voitures de l'île, dont une Simca pick-up. Mais les autres salles mettent du temps à se remplir...

Le palais du Peuple (*People's Palace* ou *Beit al-Sahel*) et le ***Palace Museum*** *(plan B-C2)* **:** sur Mizingani Rd. Ouvert du lundi au vendredi de 9 h à 18 h ; le samedi et le dimanche de 9 h à 15 h. Entrée : 3000 Tsh (2,5 €) ; réduction pour les moins de 15 ans.

C'était le palais des sultans. Ils y habitèrent de 1880 jusqu'à la fin de leur règne en 1964. Après la révolution de 1964, le palais des Sultans fut rebaptisé palais du Peuple. Aujourd'hui, il abrite le Palace Museum.

On y apprend combien Zanzibar était en avance sur le plan diplomatique et économique sur le reste de l'Afrique de l'Est (grâce surtout au commerce des ivoires, des épices et des esclaves).

– *Au 1er étage :* une salle est consacrée à la *princesse Salme* alias Emily Ruete (1844-1924), un personnage particulièrement romanesque au destin original. D'origine circassienne, elle est née à Zanzibar, au Mtoni Palace (où elle vécut 7 ans), dans une riche famille musulmane où l'on parlait plusieurs langues : le perse, le turc, le circassien, le swahili, l'arabe, l'abyssinien, le nubien. Elle était la fille du prince Saïd. À 15 ans, elle tenta un coup d'État contre son frère ! Femme de caractère, libre et rebelle aux convenances, elle rencontra Heinrich Ruete, un employé d'une compagnie commerciale germanique, et tomba amoureuse de lui. La princesse épousa alors son bel amant, et quitta Zanzibar, ce qui provoqua un petit scandale. Ses mémoires, publiées en 1886, constituent un événement pour l'époque : c'est en effet la 1re autobiographie écrite par un habitant de Zanzibar et le 1er livre connu d'une femme issue du monde musulman.

ZANZIBAR TOWN

– *Au 2e étage :* plusieurs chambres en enfilade, meublées comme à l'époque où le sultan vivait avec sa suite. Noter les 5 meubles en formica, qui tombent comme un cheveu sur la soupe : même le sultan avait succombé au charme du modernisme ! Remarquez les w.-c. (autrefois sur roulettes) spécialement conçus pour le souverain et son épouse, tous deux infirmes. Et à deux pas, le vieil ascenseur (c'est le 1er a avoir été installé à Zanzibar).

The Dhow Countries Music Academy *(plan C1,* ***91****) :* juste avant le *Seaview Restaurant.* • www.zanzibarmusic.org • Fermé le dimanche. Entrée libre. C'est le beau bâtiment à la façade blanche et aux balcons verts qui accueille l'école de musique de Zanzibar. Ne pas hésiter à grimper au dernier étage. Les notes de musique, chahutées par le vent du large, y vagabondent souvent de manière anarchique. Difficile de ne pas s'installer alors quelques instants sur la terrasse, face à la mer. Petite expo consacrée au taarab.

The Big Tree *(plan C1,* ***92****) :* juste à côté du centre culturel Aga Khan, sur Mizingani Rd. Le plus gros arbre de Zanzibar. Il fut planté en 1911 par le sultan Khalifa. Il sert de parasol aux gens du quartier et de repère pour les marins de la côte.

Le centre culturel Aga Khan *(plan C1,* ***93****) :* Malindi Rd. Il s'agit de l'ancien dispensaire *(old dispensary).* Une vaste et ancienne (1890) maison de Zanzibar superbement restaurée, grâce au mécénat de l'Aga Khan, un des hommes les plus riches du monde. Chef spirituel des ismaéliens, une minorité religieuse au sein de l'Islam, l'Aga Khan a en effet créé une fondation à Zanzibar afin d'aider à la restauration du patrimoine architectural de Stonetown. Ça vaut le coup d'entrer dans cette belle demeure pour admirer l'architecture intérieure. Malheureusement, de nombreuses portes restent fermées, la plupart du temps. Si vous êtes chanceux, vous y verrez peut-être une exposition.

La distillerie de clous de girofle *(plan D1,* ***94****) :* on ne peut théoriquement pas y pénétrer, car c'est une usine, dans le quartier du port et des docks. Mais sachez que le quartier sent le parfum original du clou du girofle (qui est l'une des épices majeures de l'île). Voilà bien notre Ducros national !

Le marché au poisson *(plan D1,* ***95****) :* à ne pas confondre avec *The Market* (sur Creek Rd). Le marché au poisson sent la mer et le poisson évidemment. Il se trouve près du port, dans un quartier populaire et authentique. Petite balade à faire, le matin, avant les grandes chaleurs de l'après-midi.

Le vieux port des boutres *(Old Dhow Harbour ; hors plan par D1) :* au nord de Stonetown. À éviter la nuit tombante (relative insécurité). Dans la journée, ne pas se promener avec des objets de valeur. On conseille d'y aller plutôt le matin, pour voir les boutres charger et décharger leurs marchandises. Prendre la direction du port. Passer par le marché aux poissons *(Fish Market)* et, devant les entrepôts de la distillerie de clous de girofle, continuer jusqu'au bout. Ici se retrouvent les *dhows* de l'océan Indien, qui naviguent entre Zanzibar, le Kenya et la côte tanzanienne. Beaucoup servent aussi à la pêche au thon. Entre décembre et mars, on peut y admirer aussi des *dhows* de haute mer *(ocean-going dhows),* venus du golfe Persique.

La cathédrale Saint-Joseph *(plan B3) :* sur Cathedral St. Ouverte uniquement le dimanche matin pour la messe ; mais en contournant la cathédrale, vous trouverez certainement une sœur qui acceptera avec plaisir de vous ouvrir la porte. Dieu qu'elle est *frenchy.* On la verrait bien à Castres ou à Rodez ! Cette cathédrale fut construite par des missionnaires français entre 1893 et 1897. C'est le même architecte qui dessina les plans de celle de Marseille. Tout s'explique, et notamment les peintures intérieures très colorées ! Ça vaut le coup d'œil, surtout pour les photographes : une façade d'église, un palmier royal derrière un minaret. Ne ratez pas les chants et les cœurs swahilis, le dimanche matin à 9 h 30 : nos oreilles en vibrent encore !

L'église anglicane *(Church of Christ)* et le ***Mkunazini Slave Market*** *(plan C3)* **:** près de la jonction de Creek Rd et de New Mkunazini St. Droit d'entrée pour la visite du site : 1 000 Tsh (0,8 €). Petit bureau de guides sur la gauche en arrivant sur la place. On vous demandera peut-être de payer même si vous vous rendez simplement à l'église, prétextant que vous traversez le site ! On ne trouve pas ça très cool. En même temps, dites-vous que vous faites une bonne œuvre, puisque l'argent revient à la paroisse.
En 1861, à la demande de l'explorateur David Livingstone, fervent abolitionniste, les missionnaires anglicans débarquèrent à Zanzibar pour mettre un terme à l'esclavage et christianiser le pays. Celui-ci fut aboli en 1873, et le marché aux esclaves cessa d'exister, laissant la place nette à cette église surgie de terre, comme pour demander à Dieu de pardonner aux hommes leur incroyable cruauté, et exorciser les mauvais démons. Inquiet, le sultan Bargash insista auprès des religieux britanniques pour que le bâtiment ne dépasse pas en hauteur le sommet de la maison des Merveilles.
À l'intérieur, l'autel marque l'emplacement du poteau où l'on fouettait les esclaves à des fins « commerciales ». Celui qui criait le plus fort était probablement le plus faible, et sa valeur en était donc diminuée. Le baptistère se situe à l'endroit précis où les négriers de Zanzibar tuaient les bébés qui encombraient leurs mères prêtes à être vendues. Une fenêtre est dédiée à la mémoire de David Livingstone. La croix du lutrin est taillée dans le bois de l'arbre sous lequel le cœur du célèbre explorateur fut enterré au village de Chitambo (Zambie). Messe en swahili le dimanche. À droite de l'église, une émouvante sculpture réalisée par la Suédoise Clara Sornas, représentant 5 esclaves dans une fosse enchaînés les uns aux autres (les chaînes sont d'origine). Enfin, au sous-sol du bâtiment dans lequel se trouve le bureau des guides, subsistent 2 chambres où étaient entassés les esclaves afin de tester leurs forces et leur vigueur.

Le marché Darajani *(Darajani Market ; plan C2)* **:** sur Creek Rd, non loin de la gare routière. De bon matin, les fermiers de l'île y débarquent à bord de vieux camions Bedford, chargés de caisses de fruits et de légumes. On trouve des dattes au kilo. Il faut avoir vu ce marché fébrile et actif, ces éventaires croulant de marchandises, pour comprendre la fertilité et la richesse de la terre de Zanzibar.

Les mosquées : contrairement à ce que beaucoup imaginent, les mosquées de Stonetown (et de Zanzibar en général) sont assez simples et sans prétention. On en dénombre une cinquantaine, mais elles restent assez discrètes dans le tissu urbain. La plus ancienne mosquée de Stonetown est la *mosquée Malindi,* près du port (vieux minaret). Les plus grandes mosquées (par la taille) se trouvent aussi au nord de la ville : la *mosquée Ijumaa* (islam sunnite), la *mosquée Ithnasheri* (chiite), et la *mosquée Aga Khan* (minorité ismaélienne). Les non-musulmans n'y sont normalement pas admis, surtout pas aux heures de la prière. Cela dit, en dehors des offices, on peut y entrer, à condition, comme partout, d'en demander l'autorisation courtoisement, et d'être correctement habillé.

Achats

Pour ceux qui ont craqué pour les T-shirts de la marque *One Way,* il y a un magasin sur Kenyatta Rd. Juste à côté, éviter le *Memories of Zanzibar,* la plupart des souvenirs viennent de Chine.

À faire

Promenades dans les jardins d'épices (Spice Tours)

Le poivre, la cannelle, la noix muscade, le clou de girofle... On a tous un jour ou l'autre rencontré, et goûté, l'une de ces épices savoureuses. Mais qui a déjà vu de près une graine de poivre sur une branche de poivrier, senti le parfum magique de l'écorce du cannelier, admiré la délicatesse d'un muscadier ? Savez-vous que le curry, la cardamome, la coriandre, le safran ne sont pas des épices, mais des aromates ? Savez-vous faire la distinction entre épices, aromates, piments ?
C'est à toutes ces questions que peuvent répondre les *Spice Tours*. Ces balades organisées en petits groupes (en général 4 ou 5 personnes) sont proposées par les agences de voyages de Stonetown. Compter environ 25 US$ (20,8 €) par personne si vous êtes deux ; prix dégressifs en fonction du nombre de candidats. Certains hôtels et petites agences (*Mitus Spice Tours,* voir rubrique « Agences de voyages ») en proposent à partir de 10 US$ (8,3 €), mais il y a parfois des défauts consécutifs à ce prix si sage (trop de personnes dans le groupe...).
Chaque tour est conduit par un guide-accompagnateur parlant l'anglais (parfois le français). Ça dure une demi-journée ou une journée. Celui d'une journée inclut le *Spice Tour* à proprement parler, le déjeuner, et, l'après-midi, on finit sur la plage (ne pas oublier le maillot et la crème solaire !).
Au départ de Stonetown, certains *Spice Tours* proposent la visite de quelques sites (le Maruhubi Palace et les Persian Baths notamment). Puis, direction la région des collines, à l'intérieur de l'île. Là, la découverte se fait au rythme de la marche, à travers les bosquets d'arbres, les plantations tropicales et les champs d'épices. Le guide cueille une graine, arrache un bout d'écorce, découpe un fruit, tranche une feuille, fait sentir les parfums des épices et les senteurs des aromates. On se croirait dans une classe verte au bout du monde. À la fin de la visite, on peut acheter des assortiments de diverses épices. C'est pas cher, et ça fait un souvenir sympa pour les amis. Une excursion vivante et passionnante à ne pas manquer !

➤ *DANS LES PROCHES ENVIRONS DE ZANZIBAR TOWN*

✱ ***La maison de Livingstone*** *(plan D2)* **:** sur Malawi Rd, à 2 km environ du centre-ville. Construite en 1860 pour le sultan Majid, cette demeure bourgeoise servit de résidence aux nombreux explorateurs européens (et aux missionnaires) qui préparaient leurs expéditions depuis Zanzibar, y recrutaient leurs porteurs, avant de se lancer dans l'exploration du continent mystérieux (l'Afrique inconnue) et la recherche des sources du Nil. David Livingstone y vécut de janvier à mars 1866. D'autres pionniers y séjournèrent, tels Burton, Speke, Cameron et Stanley. C'est aujourd'hui le siège de la ZTC *(Zanzibar Tourist Corporation).* Seule une petite salle accueillant une exposition très modeste sur Livingstone se visite au rez-de-chaussée. Ouvert en semaine de 8 h à 17 h ; le samedi et le dimanche, de 9 h à 15 h. Entrée : 1 000 Tsh (0,8 €).

✱ ***Les ruines du Mahurubi Palace* :** au bord de la mer, à 3 km au nord de Stonetown, en direction de Nungwi. Entrée : 500 Tsh (0,4 €). Pour y aller : *dala dala* n° 502 (« Bububu ») et demander au chauffeur qu'il vous arrête à l'embranchement du chemin qui mène aux ruines (100 m à pied). Le sultan Bargash fit construire cette résidence en 1882 pour y installer (à temps par-

tiel) son épouse officielle et ses 99 concubines, un beau harem ! Le palais, dont les murs sont en pierre de corail, était réputé pour être un des plus somptueux de l'île. Détruit partiellement en 1899, il n'en reste vraiment pas grand-chose : que des arches et des piliers supportant le 1er étage, ainsi que la salle de bains de style perse.
– Juste au nord des ruines du palais de Mahurubi, on aperçoit, depuis la route, ***les ruines du Mtoni Palace,*** construit par le sultan Saïd (1804-1856). Ne se visite pas, en raison d'un important dépôt de carburants, juste à côté. Mais c'est dans cette demeure que la princesse Salme (un destin étonnant, voir la salle qui lui est consacrée au Palace Museum) passa son enfance. À cette époque, près de 1 000 personnes travaillaient à la cour du sultan. Dans ses mémoires, elle raconte que les invités arrivaient par bateau, et que la famille princière était portée dans des chaises spéciales pour embarquer sur les navires.

Fuji Beach : sur la côte ouest de Zanzibar, à une petite dizaine de kilomètres de Stonetown, au niveau du village de Bububu. Pour y aller, *dala dala* n° 502 (« Bububu »). C'est la plage la plus proche de Stonetown où l'on puisse se baigner en paix. Beaucoup d'agences s'y arrêtent après un *Spice Tour* dans la chaleur torride des plantations d'épices. L'endroit est propre, mais surveillez vos affaires car on nous a signalé quelques vols. Petit café pour grignoter et boissons fraîches.

Imani Beach Lodge : au bord de la plage de Fuji. PO Box 3248. ☎ et fax : 225-00-50. • www.imani.it • Compter autour de 80 US$ (66,7 €) la double. Une dizaine de chambres à peine, d'un très bon confort (AC, bains, moustiquaire) au milieu d'un jardin tropical. C'est une adresse de charme. Il faut dire que la propriétaire est une chineuse passionnée : fastoche d'avoir des chambres joliment meublées ! Très bon resto. On mange par terre sur des nattes en bordure de jardin. Ne pas hésiter à goûter au gâteau aux épices ! En général, on y parle français.

Les bains de Kidichi *(Kidichi Persian Baths)* **:** encore une des escales préférées des *Spice Tours*. Entrée : 500 Tsh (0,4 €). À 2,5 km de Bububu, en allant vers l'intérieur de l'île. Depuis Stonetown, prendre le *dala dala* « Bububu – Kidichi Spice » ; arrêt 200 m environ avant le site. Ces bains perses occupent un site sympathique, sur une colline plantée de bois de cocotiers. L'ensemble fut construit en 1850 sur le point le plus haut de l'île (120 m) par le sultan Saïd. Sa femme, Binte Irich Mirza (appelée aussi Schesade, qu'on écrit Schéhérazade), était la petite-fille du shah de Perse. D'où le style persique (ou persan) du bâtiment. Le sultan avait l'habitude de venir dans ce coin pour chasser et surveiller ses plantations de près. Après une chaude et active journée, en bon Oriental qu'il était, il aimait se délasser dans cette petite « maison de bains » isolée au milieu des champs. Si ce n'est pas du savoir-vivre tout ça...

➤ AU LARGE, FACE À STONETOWN, LES ÎLES

Il y a un petit archipel d'îles basses à quelques kilomètres au large de la ville. Des visites en bateau d'une journée *(day boat-trips)* sont organisées par les agences. Compter près de 30 US$ (25 €) par personne, pour la journée (sur la base de 2 personnes). Là encore, tarifs dégressifs en fonction du nombre de personnes. Sinon, près du *Sweet Easy* et de la plage, on peut demander à des pêcheurs. Bien négocier le prix. Pour aller à l'île de Changuu, compter entre 15 et 18 US$ (12,5 à 15 €) pour une embarcation pouvant contenir 6 personnes. On peut aussi faire des sauts de puce d'une île à l'autre, en quelques heures.

Durées : 20 mn de Stonetown à l'île aux Tombeaux (Chapwani ou Grave Island), 15 mn de l'île aux Tombeaux à l'île de Changuu, 45 mn de l'île de Changuu à l'île Bawe.

🔭 ***L'île de Changuu*** *(Prison Island)* **:** taxe d'entrée de 4000 Tsh (3,3 €). L'agence *Sun'n Fun Safari (plan C1,* ***60****)* propose l'excursion à un prix défiant toute concurrence.
L'île de Changuu ou « île de la Prison » est, plus exactement, un îlot de 500 m de long sur 250 m de large. C'est l'île la plus visitée du coin. Elle est entourée d'un sentier qui surplombe les eaux claires. En moins d'une heure, on en fait le tour à pied. Un bois de pins, dessiné comme un parc, avec des allées et des pelouses et 2 étangs en guise de bassins, occupe l'intérieur de l'île. Quelques tortues géantes y vivent et s'y reproduisent sous haute protection. Difficile de dire précisément comment elles sont arrivées ici. Certains pensent qu'elles auraient été introduites des Seychelles (atoll d'Aldabra) au XVIIIe siècle. Dans les années 1950, on en dénombrait près de 200. En 1996, moins de 10 ! Décidément, le braconnage est d'une efficacité redoutable... Aujourd'hui, le nombre de tortues a légèrement augmenté grâce à la mise en place de mesures de protection assez radicales (bagouse électronique sous les pattes et grillage électrifié la nuit, entre autres !).
L'île appartenait autrefois à un riche Arabe qui y installa une prison pour les esclaves désobéissants. Après l'abolition de l'esclavage en 1873, elle ferma ses portes. Puis, en 1893, elle reprit du service, cette fois comme centre de quarantaine. Jusque dans les années 1920, y étaient mis en quarantaine tous les passagers venus d'Inde par la mer. Ils y passaient une à 2 semaines avant de pouvoir débarquer sur l'île de Zanzibar. Aujourd'hui, Changuu Island appartient au gouvernement.
On peut voir le centre de quarantaine. Il y a un restaurant installé dans l'ancienne maison du général Lloyd Mathews (bon marché). Tout près de là, une petite plage permet de faire du *snorkelling* (location de masques et de tubas sur place).

🔭 ***L'île aux Tombeaux*** (*Grave Island* ou *Chapwani*) **:** à 4 km au nord de Stonetown, l'île aux Tombeaux tient son nom d'un petit cimetière marin établi en 1879. Une quarantaine de marins britanniques, tués au XIXe siècle lors de combats contre les navires arabes chargés d'esclaves, y sont enterrés. On y voit aussi quelques tombes arabes et une tombe portant le nom d'Henri Robert Émile Greffuhle, né et mort en 1899 à Zanzibar. Plus loin, une petite plage.

➤ DANS LES ENVIRONS DE ZANZIBAR TOWN, PLUS LOIN

🔭🔭 ***L'île de Chumbe :*** à 12 km au sud de Zanzibar Town. Pour s'y rendre, le plus pratique est de s'adresser à une agence. Cette île inhabitée présente un beau récif corallien. Pas moins de 200 espèces de coraux et 350 de poissons. Un paradis pour les mordus de plongée. Pour les plus chanceux d'entre vous, la rencontre avec un dauphin ou une tortue géante restera un moment inoubliable. Sur cette toute petite île (1 km de long et 300 m de large), on trouve également une modeste forêt et une réserve ornithologique (60 espèces d'oiseaux). Afin de protéger ces trésors, en 1994, l'île de Chumbe a été déclarée réserve naturelle.

🏠 On peut y passer la nuit en réservant au ***Mbweni Ruins Hotel*** et, ainsi, profiter pleinement des attributs de l'île. ☎ 223-54-78 ou 79. • hotel@mbweni.com • Pension complète de 150 à 200 US$ (125 à

166,7 €) selon la période, incluant également un guide pour vous faire découvrir l'île ainsi que le transfert en bateau jusqu'à l'hôtel.

QUITTER ZANZIBAR TOWN

En bateau

■ Les bureaux des ***compagnies maritimes*** *(billets ; plan C1, **9**)* sont sur Malawi Rd. Voici les horaires à titre indicatif, mais n'oubliez pas de les vérifier auprès de la *Commission for Tourism (plan C1),* sur le port.

➢ ***Pour Dar es-Salaam :***
Quatre traversées par jour.
– départs vers 7 h (8 h le dimanche) avec *Sea Stars,* ☎ 0742-783-752 (portable) ; vers 12 h 30 avec *Azam Marine (Seabus),* ☎ 223-16-55 ; vers 15 h 30 avec *Sea Express,* ☎ 223-30-02. Traversée : de 1 h 30 à 3 h 30. Compter de 35 à 40 US$ (29,2 à 33,3 €), taxe comprise, selon la classe.
– Un départ vers 22 h avec *Flying Horse,* ☎ 223-30-31 ou 32 ou 0741-610-884 (portable). Arrivée à Dar es-Salaam vers 6 h du matin. Le moins cher (20 US$, soit 16,7 €), mais traversée fatigante.
➢ ***Pour l'île de Pemba :*** 3 bateaux par semaine (en principe : le mardi, le jeudi et le samedi) avec la compagnie *Serengeti* (*Azam Marine*), ☎ 0747-418-002 (portable) ; départ vers 22 h. Arrivé au port de Mkoani le lendemain matin à 6 h. Deux à 3 départs avec la compagnie *Mapinduzi.* Compter 25 US$ (16,7 €), taxe de port comprise.

En avion

✈ ***Aéroport de Kisauni :*** à 6 km au sud de Stonetown. *Dala dala* n° 505 « U/Ndege ». En taxi, compter autour de 5000 Tsh (4,2 €). *ATTENTION,* taxes d'aéroport à régler au moment de l'embarquement : 5 US$ (4,2 €) pour un vol domestique ; 25 US$ (20,8 €) pour un vol international. Voir la rubrique « Compagnies aériennes » dans les « Adresses utiles ».

➢ ***Pour Dar es-Salaam :*** nombreux vols quotidiens avec *Coastal Aviation, ZanAir, Precision Air, ATC.*
➢ ***Pour Arusha :*** 1 vol quotidien avec *Coastal Aviation* et *ZanAir,* 2 vols par semaine avec *Air Tanzania Corporation (ATC).*
➢ ***Pour Pemba :*** 1 vol quotidien avec *Coastal Aviation* et 2 avec *ZanAir.*
➢ ***Pour Selous :*** 1 vol quotidien avec *ZanAir* ; 3 vols par semaine avec *Coastal Aviation.*
➢ ***Pour Mombasa et Nairobi :*** vols quotidiens avec *Precision Air.* Vols pour Mombasa également avec *Air Tanzania Corporation.*

LA CÔTE NORD

NUNGWI

Située à la pointe nord de l'île, Nungwi offre une série de belles plages où il est agréable de se baigner et on vient d'ailleurs ici pour ça. Mais ne vous attendez pas à rencontrer des plages désertes, version Robinson Crusoé, car un petit complexe touristique fait de bungalows et de restos-bars a pris possession des lieux. Malgré tout, le village a gardé une certaine authenticité avec ses maisons en corail et ses cocotiers partout. Et puis, l'atelier de boutres constitue un joli but de balade. Attention, en certaines périodes, les hébergements sont vite complets.

Comment y aller ?

➢ ***De Stonetown :*** bonne route bitumée (piste correcte sur les 10 derniers kilomètres). *Dala dala* n° 116 « Nungwi » (de 4 à 5 h). En voiture, compter environ 1 h 30 et près de 2 h en scooter.

Adresse et info utiles

■ @ ***Centre Internet :*** *Alzara Internet Cafe,* juste à côté d'*Aman Bungalows.* Ouvert tous les jours de 8 h à 23 h. Cher. Fait également ***bureau de change*** (n'accepte pas les travellers en euros).

■ ***Location de vélos :*** devant le *Kigoma Beach Hotel.*

Où dormir ? Où manger ?

Évitez le *Smile Beach,* peu respectueux de l'environnement. L'eau est un bien rare dans le village, alors pas de gaspillage.

Bon marché (autour de 25 US$ – 20,8 €)

🏠 |●| ***Nungwi Guesthouse (Ruma) :*** en bordure du village et à moins de 100 m de la plage. ☎ 0747-467-555 (portable). • www.nungwiguesthouse.com • Une *guesthouse* mignonne comme tout qui s'agence autour d'une cour fleurie où trône une paillote. C'est très simple. Les chambres avec salle de bains, ventilo, petite terrasse privée font parfaitement l'affaire. L'atmosphère est familiale et l'ensemble fort bien tenu par Susie et Shadrack, un couple anglo-tanzanien. Possibilité de manger sur place à condition de passer commande. Un très bon rapport qualité-prix.

|●| Quelques ***restos populaires*** dans le village où l'on peut manger pour trois fois rien un plat de riz avec un morceau de poisson baignant dans la sauce. Il y a aussi un petit supermarché.

Prix moyens (autour de 35 US$ – 29,1 €)

🏠 ***Jambo Brothers :*** sur la plage. Un peu excentré et c'est bien comme ça. ☎ 0747-473-901 (portable). Un bouquet de bougainvillées à l'entrée, des toits pointus recouverts de *makuti,* du sable blanc qui contraste avec le bleu de la mer, du calme... v'là pour le décor. Cet établissement propose des chambres propres et sans mauvaise surprise (ventilo, sanitaires privés, moustiquaire). Le matin, on prend le petit dej' sur la plage. Dispose d'un centre de plongée *East Africa Dive Centre.* Une affaire qui roule.

🏠 |●| ***Baraka Beach Bungalows :*** au bord de la plage, ou presque. ☎ 224-04-12 ou 0747-415-569 (portable). Une dizaine de bungalows avec moustiquaire et ventilo, un peu serrés les uns aux autres. Chaque bungalow dispose d'une terrasse ombragée avec des chaises, et parfois un lit pour sombrer dans une délicieuse sieste. Petit resto maison où l'on sert une cuisine de la mer, pas trop chère.

De prix moyens à chic (à partir de 30 US$ - 25 €)

🏠 ***Amaan Bungalows :*** PO Box 4769. ☎ 224-00-26 ou 0747-417-390 (portable). • www.amaanbungalows.com • Au bord de la plage, et au cœur du petit complexe touristique. L'établissement fait penser à un village avec sa dizaine de bungalows coiffés de leurs toits de *makuti*. Toute une gamme de chambres pour toute une gamme de prix : de 30 à 75 US$ (25 à 62,5 €) pour deux, selon le confort. Elles sont très propres avec moustiquaire, ventilo et petite terrasse. Les moins chères disposent de sanitaires communs, les plus chères ne se lassent pas de regarder la mer. Dommage que ça manque d'arbres... et d'ombre ! On est beaucoup plus réservé en revanche sur le *Fat Fish,* le resto de l'établissement : allez-y donc pour prendre un verre et profiter de sa situation stratégique, les pilotis de la terrasse léchés par les flots.

🏠 I●I ***Nungwi Village Beach Resort :*** un peu à l'écart de la zone touristique ☎ 224-04-76 ou 91. • www.nungwivillage.com • Près de 130 US$ (108,3 €) pour deux en demi-pension. Des bungalows à un étage, les pieds dans le sable blanc. Pas de souci, le confort est au rendez-vous : AC, ventilo, moustiquaire. Sous de gentilles petites paillotes, les transats vous tendent les bras. C'est spacieux et calme. Bon restaurant.

Où dormir ? Où manger dans les environs ?

🏠 I●I ***Kendwa Rocks Bungalows & Beach Bandas :*** sur la superbe plage de Kendwa. ☎ 0747-415-475 ou 55-27 (portables). • www.kendwarocks.com • En voiture, prendre la piste (mauvaise) sur la gauche, 2 km avant Nungwi. En transport en commun, on peut descendre à l'embranchement mais il reste 1,5 km à parcourir à pied. Sinon, ils peuvent venir vous chercher en bateau à Nungwi (prévenir avant). Bungalows de 40 à 45 € pour deux ; compter près de 10 € par personne en *bandas* (et oui, ici, les prix sont affichés en euros !). D'adorables bungalows en pierre ou en bois, de ravissants *bandas* aux murs de palmes. Le tout perché sur d'anciens récifs coralliens et blotti au sein d'un jardin verdoyant et fleuri. Des hamacs à gogo, une atmosphère sympa... Bref, un véritable petit éden ! Resto-bar au bord de la mer, souvent très animé en soirée le week-end. Location de matériel pour faire du *snorkelling* et pour la pêche. Une adresse fréquentée par des routards du monde entier.

Où prendre un verre ?

🍷 ***Cholos Bar :*** sur la plage. Ouvert tous les jours. Un endroit original et sympa comme tout. On prend place dans des barques éclairées à la bougie le soir, et il n'y a plus qu'à se laisser porter par une musique planante... Vraiment un endroit « casse pas la tête ». Idéal pour prendre l'apéro au coucher du soleil. Pas mal non plus pour prolonger la soirée, selon affinité...

À voir. À faire

👁👁 ***Le chantier de construction des boutres (dhows) :*** c'est à Nungwi qu'on fabrique les boutres de Zanzibar. Le chantier se trouve en plein air, en bordure de plage. On vous demandera certainement une petite donation. Pas de photos sans autorisation. 10 à 15 boutres sont fabriqués ici chaque année.

Pour construire un boutre de taille moyenne (6,50 m de long, 2,50 m de large, 1 t), il faut près de 2 mois. Tout se fait à la main, selon une vieille méthode artisanale, sans plans dessinés, sans technologie de pointe. Les perceuses sont des outils manuels rudimentaires, ressemblant à de curieux instruments de musique. Chacune d'elles se compose d'un archet en bois, relié à une cordelette qui actionne une pointe. Et ça fait des trous. Il faut près de 3000 clous pour un bateau, eux-mêmes fabriqués de façon artisanale, dans des petites forges improvisées au bord des chemins. Pour calfeutrer les interstices entre les planches, on utilise du kapok. Ces boutres traditionnels servent à la pêche ou pour les balades en mer.

L'aquarium : à l'extrémité nord du village. Petit étang naturel d'eau de mer renfermant quelques tortues. Entrée : 2000 Tsh (1,7 €). Rien de très palpitant.

Le retour de la pêche : vers 15 h tous les jours. Il y a un marché aux poissons près du port de Nungwi. Les pêcheurs laissent les bateaux à 100 m du bord de l'eau et rejoignent la plage en nageant ou en barque. Dans ces eaux très poissonneuses, ils capturent des thons *(tunas),* des *changuus,* des *tasis,* des *jodaris,* des *mzias,* des *taas,* des *vibuas,* ainsi que des sardines.

Kendwa : à 3 km au sud de Nungwi. Beaucoup moins de monde sur cette belle plage. Idéal pour ceux qui aiment le calme. N'oubliez pas notre superbe adresse : *Kendwa Rocks Bungalows & Beach Bandas,* voir « Où dormir? Où manger dans les environs? ».

MATEMWE

À 15 km au sud de Nungwi, Matemwe fut pendant longtemps un coin paradisiaque sans touristes, sans hôtels. Récemment, quelques clubs de vacances sont sortis de terre. Mais pas d'affolement, la côte n'est en rien dénaturée. Matemwe reste encore ce petit village paisible où la vie s'écoule tranquillement sous l'ombre frêle des cocotiers qui agitent nonchalamment leurs palmes au souffle des alizés. Le sable est d'une blancheur qui fait mal au yeux lorsque le soleil est au zénith. Avec une barrière de récifs au large, la mer est tranquille, mais à marée basse, impossible de nager, il y a juste assez d'eau pour barboter. En fait, pas grand chose à faire. S'initier à la plongée, oui. S'abandonner à un bain dans la mer, bien sûr. Prendre le temps d'aller à la rencontre des habitants, certainement.
Pour y aller, depuis Stonetown, *dala dala* n° 118. La route du nord, entièrement goudronnée, est excellente. Par le sud, entre Pwani Mchangani et Matemwe, ce n'est qu'un chemin de sable bordé de bois de cocotiers aux feuillages vert-jaune.

Où dormir? Où manger?

Mohamed's Restaurant & Bungalows : à 1,5 km environ du centre du village, en direction du nord. ☎ 0747-431-881 (portable). Compter 10 US$ (8,3 €) par personne. Le jeune Mohamed a monté sa petite affaire, presque confidentielle, au bord de la plage, et bien loin des grands hôtels de la côte. Quatre chambres uniquement, toutes simples, avec moustiquaire et bains. C'est familial, paisible. On peut manger sur place quelques plats de poissons à condition de commander à l'avance, car bien sûr, ici, tout est frais!

Plongée

■ ***Zanzibar Dive Centre One Ocean :*** basé au *Matemwe Beach Village*. Agréé PADI. ☎ 0748-750-161 (portable). • www.zanzibaroneocean.com • Les plongées se déroulent au niveau de Mnemba Atoll avec des fonds marins remarquables pour la diversité des poissons multicolores.

ENTRE ZANZIBAR TOWN ET LA CÔTE EST

🔭🔭 ***La réserve naturelle de Jozani*** *(Jozani Forest) :* à 35 km environ de Stonetown, sur la route de Jambiani. Visite entre 8 h et 17 h. Entrée : 8 US$ (6,7 €) ; réductions. Bureau d'accueil avec quelques panneaux d'explication bien faits. Les guides accompagnent les visiteurs au cours d'une promenade pédestre qui dure 45 mn environ. Une visite qui vaut vraiment le détour.
Depuis Stonetown, *dala dala* n° 309 «Jambiani », n° 324 « Bwejuu », ou n° 326 « Kizimkazi ». Arrêt juste à l'entrée de la réserve.
La réserve de Jozani est le dernier lambeau de forêt tropicale de Zanzibar. Elle s'étend sur 25 km², entre la baie de Chwaka (nord) et celle d'Uzi (sud), dans une zone plate très humide. Les pluies annuelles, les sols fréquemment inondés, la proximité de la nappe phréatique font qu'il s'agit d'une forêt marécageuse exceptionnelle *(swamp forest)*. Ici ou là, vous noterez des trous dans le sol : ils ont été creusés par des petits crabes pour atteindre la couche d'eau à 30 cm sous le sol.
Depuis la création de cette réserve (1960), ce qui reste de primordial dans la vie sauvage (animaux) de l'île de Zanzibar semble s'être concentré dans le mystère touffu de ces luxuriants sous-bois. Tel ce singe colobe rouge (*red colobus monkey* ou *colobius badius kirkii*), que l'on ne trouve qu'à Zanzibar et nulle part ailleurs en Afrique. L'île compte environ 1 500 singes de son espèce. C'est dans la forêt de Jozani que le voyageur a le plus de chances d'en observer de près. Il existe 8 groupes différents de colobes : 7 groupes sont composés de timides, craignant l'homme et vivant au fond des bois. Le 8e groupe rassemble des singes plus sociables, vivant au bord de la route, donc plus visibles. Suite au nombre croissant de colobes tués par des véhicules, trois ralentisseurs ont été posés sur la chaussée. Ces colobes rouges se distinguent par leur longue queue, leur chevelure hérissée et blanche, et leurs pattes à 4 doigts. Redoutant la chaleur, ils dorment dans les branches durant la journée, et s'animent le matin et le soir. Ils se nourrissent de fruits et de feuilles, ne boivent pas d'eau, et peuvent vivre 22 ans en moyenne.
Jozani abrite aussi une colonie de singes bleus *(blue monkeys)*. Le plus souvent, on les entend sauter de branche en branche dans les cimes des arbres. Ils sont difficiles à apercevoir.
En cours de promenade, le guide donne d'intéressantes explications sur les arbres (une centaine d'espèces), les plantes, et les herbes tropicales (et médicinales). Parmi les arbres les plus fréquents, citons l'eucalyptus, le *red mahogany (mama mtondoo),* le plus grand arbre de Jozani, le palmier à huile *(mlali),* le sycomore, le casuarina *(whistling pine)*.
– À 50 m à droite de l'entrée de la réserve, le ***Jozani Tutani Restaurant*** avec sa terrasse en pleine nature. Ouvert tous les jours. Ce n'est pas de la grande cuisine, mais c'est correct et les prix sont raisonnables. Et puis, c'est bien pratique, avant ou après la visite de la réserve.

LA CÔTE EST

BWEJUU

Tout d'abord, savez-vous prononcer correctement Bwejuu ? En fait, c'est simple comme bonjour. Eh oui, un gars du coin nous a dit de le prononcer « bonjour ». On y retrouve ces interminables files de cocotiers penchés au-dessus des plages de sable fin, étirées sur des kilomètres, à perte de vue. Encore un coin du littoral préservé. Hélas, quand les marées sont basses, il est difficile de se baigner comme il faut (on a de l'eau jusqu'aux cuisses). Le problème reste sensiblement le même à marée haute : ironie de l'océan Indien !
Pour passer quelques jours de farniente au calme, Bwejuu est un de nos coins préférés. Les villageois sont sympas et les enfants pas trop insistants, pourvu que ça dure.

Comment y aller ?

➢ ***De Zanzibar Town :*** 60 km. Route asphaltée jusqu'à Paje, puis piste de sable (dans un mauvais état) sur 10 km. Compter 1 h 30 à 2 h de trajet en voiture ou en minibus, beaucoup plus en *dala dala* (n° 324 « Bwejuu »). Mêmes remarques pour aller à Jambiani (voir plus bas).

Où dormir ? Où manger ?

Les prix y sont un peu moins élevés qu'à Stonetown. Les établissements proposent en général la location de vélo et de moto.

Très bon marché (autour de 10 US$ - 8,3 €)

🏠 🍽 ***Dere Beach Resort :*** au centre du village. ☎ 224-01-97 ou 0747-492-921 (portable). Le bâtiment est sans charme (genre bloc de béton recouvert de tôle ondulée) et les chambres plutôt sommaires. Certaines disposent d'une salle de bains privée (un poil plus chères). Moustiquaire, ventilo. On a bien aimé celles donnant sur le devant avec vue sur l'océan : on peut même s'endormir en regardant le large ! Restaurant bon marché.

Bon marché (autour de 25 US$ - 20,8 €)

🏠 🍽 ***Twisted Palms Bungalows :*** ☎ 0748-619-579 (portable). À 15 mn à pied du village, vers le nord, face à la plage. Les *twisted palms,* ce sont ces palmiers qui dansent le twist, des palmiers aux troncs entrelacés, une singularité de la nature. La maison en dur, juchée sur la dune, parmi les cocotiers, surplombe une immense plage. Une dizaine de bungalows posés sur le sable ou sur la colline (au choix). Les chambres sont spacieuses et très propres, avec moustiquaire, salle de bains et terrasse couverte de feuilles de cocotiers. L'endroit est bien aménagé avec des hamacs et des tran sats. Un lieu connu des routards du monde entier, et souvent complet, même en basse saison. On peut y prendre ses repas, mais il faut les commander le matin pour le soir. Bon accueil et cuisine copieuse. Attention, ne pas confondre avec l'*Original Twisted Palms,* juste après le *Shells,* nettement moins bien tenu.
🏠 🍽 ***Shells Bungalows :*** juste à côté du *Twisted Palms Bungalows,*

pas de téléphone. Un poil moins cher, mais aussi moins sympa. Pratique si l'adresse précédente est complète et que vos sacs à dos commencent à peser !

Prix moyens (de 25 à 35 US$ - 20,8 à 29,1 €)

🏠 🍽 ***Evergreen Bungalows :*** PO Box 483. ☎ 224-02-73 ou 0748-597-381 (portable). • www.evergreen-bungalows.com • Là encore, au bord de la plage ombragée par quelques cocotiers (on ne s'en lasse pas !), une dizaine de chambres dans des bungalows récemment restaurés. Les moins chères sont à l'étage, directement sous le toit de *makuti*; on y accède par une échelle. Bar-resto-salon avec des fauteuils recouverts de coussins dans lesquels on se laisse aller avec volupté. L'ensemble est mignon, l'atmosphère reposante. Club de plongée. Une bonne adresse.

Chic (à partir de 70 US$ - 58,3 €)

🏠 🍽 ***Palm Beach Inn :*** PO Box 704. Dans le village. Réservations auprès de *Suna Tours,* ☎ 224-02-21 ou 0747-411-155 (portable). Fax : 223-37-73. • mahfudh28@hotmail.com • Encore une bonne adresse, face à la mer, tenue avec beaucoup de soin et d'attention par la charmante Mme Naila, membre influent de la communauté zanzibarite. L'ambiance est familiale. Une quinzaine de chambres, dont la plupart avec ventilo au plafond, w.-c. à l'intérieur, moustiquaire, AC et frigo. Chacune des chambres joliment décorées, avec des lits swahilis, porte un nom particulier choisi par la propriétaire. Il y a un coin pour lire et également un bar ravissant, sous une grande hutte en bois et en face de l'océan. Cuisine traditionnelle, avec une dominante de produits de la mer. Possibilité de faire des balades en mer.

🏠 ***Chambres de Carole et Gérard Hottot :*** ☎ 0747-433-062 (portable). • bericar_b@hotmail.com • Réservation indispensable. Compter de 85 à 100 US$ (70,8 à 83,3 €) pour deux. À 3 km environ au nord du village, c'est la maison au bord de la plage avec la barrière devant. Carole et Gérard (qui tiennent le *Spices Rendez-vous* à Stonetown) proposent 2 chambres et une suite tout confort dans un environnement de rêve. Pas de restauration sur place (sauf petit dej') mais restos à proximité.

Plongée

■ ***Club d'Evergreen Bungalows :*** voir ci-dessus. Tenu par Erwin, un Allemand qui s'est posé ici. ☎ 0748-597-381 (portable).

PAJE

Petit village à 5 km environ au sud de Bwejuu. Depuis Stonetown, *dala dala* n° 324 « Bwejuu », ou n° 309 «Jambiani ». Toujours et encore des plages et quelques sympathiques adresses.

Où dormir ? Où manger ? Où boire un verre ?

🏠 🍽 🍸 ***Paradise Beach Bungalows :*** PO Box 2346. ☎ 223-13-87. • paradisebb@zanlik.com • À 1,5 km au nord du village, en direction de Bwejuu, toujours au bord de l'océan. Le *dala dala* n° 324 passe devant. Près de 35 US$ (29,2 €) pour deux. Avec un nom pareil, on s'attend à trouver un hôtel classieux, bien rodé dans l'accueil à la chaîne de groupes venus de contrées plus froides... Rien de tout ça ! On est superbement reçu par Soari et son charmant sourire asiatique. Il règne ici une douce atmosphère. Sept chambres, toutes avec sanitaires privés, lits swahilis, terrasse pour admirer le lever du soleil sur l'océan. Dans la « Lulu », lit à la japonaise. Pas d'électricité. Bon resto. Sur commande, Soari peut vous préparer des sushi. Bienvenu au paradis, mais ce coup-ci, sans fruit défendu !

Paje by Night : dans le village. ☎ 0747-460-710 (portable). Doubles de 30 à 50 US$ (25 à 41,7 €) selon le confort. Un endroit tenu par Marco di Venezia. Chambres mignonnes, récemment restaurées qui conviendront à ceux qui en ont marre des flots calmes de l'océan et aux fêtards. Fait resto (pizzas bien sûr !), soirées barbecue certains week-ends. Bonne musique. Un endroit qui bouge un peu. Très sympa pour prendre un verre.

Plongée

■ ***Paje Dive Centre :*** dans le centre de Paje. ☎ 224-01-91 ou 0741-607-436 (portable). • www.geocities.com/pajediving •

JAMBIANI

On a bien aimé cet endroit ombragé, relativement bien préservé. Pas mal d'hôtels et de pensions au bord de l'eau, mais dispersés au sein du village, entre deux pâtés de maisons. Résultat, pas de coupure trop marquée avec la vie des habitants. Là encore, un petit village et un morceau de côte qui offrent une image d'authenticité. Les plages ? En réalité, il s'agit d'une seule longue plage de plusieurs kilomètres, bordée aussi par des kilomètres de cocotiers. Mais on ne peut s'y baigner qu'à marée haute.

Comment y aller ?

➢ ***De Zanzibar Town :***

– *dala dala* n° 309. Jusqu'à Paje, la route est bitumée. Après, c'est de la piste. C'est beau mais un peu chaotique.

– Les *navettes de minibus* sont la formule la plus utilisée. De nombreuses agences de Stonetown se font concurrence. C'est une bonne solution, à condition, bien sûr, de se regrouper.

Où dormir ? Où manger ?

Très bon marché (autour de 10 US$ - 8,3 €)

Sun Paradise : au nord du village, face à la plage. Pas de téléphone. Il s'agit d'une petite maison de 4 chambres que les propriétaires ont aménagée tout simplement. M. Pando est pêcheur et peut vous emmener sur sa pirogue. C'est pas vraiment pour les amoureux, plutôt pour les baroudeurs, mais l'ambiance est conviviale dans cette chambre chez l'habitant. Juste à côté, le ***Horizontal Inn,*** un peu moins sympa (moins propre et moins familial).

I●I *Karibu Restaurant :* dans le centre du village. Fermé certains jours, tout dépend du business. Plats traditionnels, dont le poisson à la sauce coco.

Bon marché (de 20 à 25 US$ - 16,7 à 20,8 €)

Oasis Beach Inn et *Mount Zion Long Beach Bungalows,* ci-dessous, proposent des chambres et des bandas bon marché.

Prix moyens (de 25 à 40 US$ - 16,7 à 33,3 €)

🏠 ***Oasis Beach Inn :*** ☎ 0747-469-217 (portable). Dans le village, à deux pas de l'école primaire, en bord de plage. Quelques chambres dans 5 bungalows : il y a les récents et les anciens (un poil moins chers). Également quelques chambres avec sanitaires communs, bon marché. C'est simple, propret et même assez mimi. Resto. Bon accueil. Une adresse pépère.

🏠 I●I ***Coco Beach :*** PO Box 1371. ☎ 0747-413-125 (portable). • cocobeach@zitec.org • Au sud du village, en bordure de plage. Cartes de paiement acceptées. Rachid, que vous avez peut-être déjà rencontré dans son *Fisherman restaurant* à Stonetown tient une jolie petite adresse. Il parle très bien le français pour avoir séjourné à Strasbourg. Les chambres (dans des huttes aux murs bleus) sont simples, propres, équipées de douche individuelle et de moustiquaire. Quelques-unes donnent directement sur la plage. Bon restaurant. Un bémol : on trouve les prix un chouia trop élevés et c'est d'ailleurs l'adresse la plus chère de la catégorie.

🏠 I●I ***Gomani Bungalows :*** ☎ 224-01-54 ou 0747-438-001 (portable). Petit complexe juste avant la sortie du village en direction de Makunduchi. Le *dala dala* s'arrête juste devant. Chambres en surplomb de l'océan, pour ceux qui aiment prendre de la hauteur, mais pas de plage (difficile de tout avoir). Chambres simples avec 2 lits ou 1 grand lit *(king size),* douche (chaude ou froide) et moustiquaire. Restaurant sur place. Une adresse sympa même si on trouve l'ensemble un peu trop bétonné.

🏠 I●I ***East Cost Visitors Inn :*** PO Box 1856. ☎ et fax : 224-01-50 ou 0747-438-640 (portable). • www.visitorsinn-zanzibar.com • Toujours au bord de la mer, au centre du village, un complexe d'une quarantaine de bungalows, un peu usés par le temps. Ce n'est pas une adresse de charme, mais on vous la signale pour ses bungalows qui peuvent accueillir 6 personnes, pratiques et sympas lorsqu'on voyage en famille ou entre copains. Sinon, chambres assez banales, mais bien équipées et à prix très raisonnables, il faut le reconnaître. Pas mal de groupes.

Un peu plus chic (de 50 à 70 US$ - 41,7 à 58,3 €)

🏠 I●I ***Sau Inn Hotel :*** PO Box 1656. ☎ 224-01-69. ☎ et fax : 224-02-05. • sauinn@zanlink.com • Au centre du village. Autour de 70 US$ (58,3 €) pour deux. Plusieurs bungalows blancs, couverts de *makuti,* répartis autour d'un jardinet et disposant d'une terrasse face à l'océan Indien. Les chambres sont plutôt classiques et un petit effort au niveau de la déco ne gâterait rien. Malgré tout, elles sont bien équipées et les esprits pratiques diront que là est l'essentiel : moustiquaire, ventilo, sanitaires privés. Bon restaurant. Personnel sympa et efficace. Propose des parties de pêche en boutres, des balades en mer (celles-ci, pas dans des boutres). Centre de plongée.

🏠 I●I ***Mount Zion Long Beach Bungalows :*** ☎ 0747-439-034 ou 0747-439-001 (portables). • www.mountzion-zanzibar.com • À 2 km environ au nord de Jambiani, en direction de Paje. Les *dalas dalas* s'arrêtent devant. Doubles autour de 50 US$ (41,7 €). Aménagé sur une plage de sable blanc, l'endroit est mignon, sans conteste : il y a de la verdure, de la couleur, de l'espace, de l'air. Les chambres en dur sont sympas, les quelques petits *bandas* (plus sommaires mais aussi moins chers), le sont tout autant. Mais pour poser ses valises ici, mieux vaut sentir une âme « rasta-chicos » enfouie au plus profond de soi. Atmosphère très *akuna matata,* version bobo, reggae à gogo. Pour la location de vélos ou de motos, négociez (pour le reste aussi d'ailleurs), car ici, c'est cooool, mais on n'oublie pas le business ! Resto sur place.

À voir. À faire

🐧 ***Les pêcheuses d'algues :*** à marée basse, les femmes des villages cultivent les algues dans la mer. Chacune a son jardin bien délimité par des bouts de bois. Les algues sont ensuite séchées et sont achetées par un grossiste qui les exporte au Japon. On peut assister à la cueillette.

🐧 ***Balades et excursions :*** Kassim, qu'on peut trouver au *Tourist Gift Store* dans le village (à deux pas du *Sau Inn hotel*), organise des sorties culturelles et excursions (*Spice Tours,* visite du village, *Dolphin's Tour,* etc.). ☎ 0747-413-915 ou 0747-469-118 (portables). • www.ecoculture-zanzibar.org •

➤ ***Route de Paje à Kizimkazi :*** une trentaine de kilomètres, dont la moitié de piste longeant la mer. On récupère la route goudronnée à *Makunduchi.* Quelques huttes, sur la piste, permettent aux pêcheuses(eurs) de faire sécher leurs algues. En milieu d'après-midi, les habitants regagnent doucement leurs habitations et quelle cohue, entre les marcheurs, les vélos et les quelques camions, tout ce petit monde se doublant gentiment. Les femmes portent des ballots d'algues séchées sur la tête, et ce sont d'incessants *Jambo.* Vraiment un souvenir inoubliable.

LA CÔTE SUD

KIZIMKAZI

À environ 53 km au sud de Stonetown (bonne route asphaltée) et face à la baie de Menai. Pour y aller, *dala dala* n° 326. Ce village est connu pour ses dauphins. C'est d'ici que partent les bateaux pour aller à leur rencontre, à environ 20 mn de la côte. Éviter d'embarquer dans un boutre de pêcheur pour des raisons de sécurité. Sachez qu'on n'est jamais sûr d'en voir, mais vous augmentez vos chances si vous partez tôt le matin, vers 8 h 30.
Cette excursion est proposée par les agences de Stonetown, mais vous pouvez passer la nuit dans le coin et voir directement sur place. Compter entre 20 et 30 US$ (16,7 et 25 €) pour la location d'un bateau pouvant contenir une petite dizaine de personnes. L'endroit est également sympa pour faire du *snorkelling.* Possibilité de louer l'équipement sur place. La baie de Menai est une zone préservée *(Menai Bay Conservation Area)* ; il faut donc payer une petite taxe (1 000 Tsh, soit 0,8 €).

Où dormir ? Où manger ?

Peu de choix à Kizimkazi.

Bon marché (autour de 20 US$ - 16,7 €)

⌂ |●| ***Dolphin Shadow :*** ☎ 0747-495-491 (portable). Pas d'enseigne. Prendre à gauche en arrivant dans le village. C'est à 500 m sur la droite, juste après les deux murs qui ceinturent le chemin. Cinq chambres avec sanitaires privés dans des bungalows dispersés dans le jardin ombragé, face à la mer turquoise. On se serait passé de l'énOOOrme maison mégalo juste à côté... Fait également resto.

Prix moyens (autour de 40 US$ - 33,3 €)

⌂ |●| ***Cabs Restaurant :*** au départ des bateaux, fléché dans le village. ☎ 0747-41-55-54 (portable). Ouvert tous les jours. Dispose de quelques chambres, propres. Agréable resto sous une grande paillote aérée qui surplombe la jolie baie. Plusieurs menus à prix moyens. Bon accueil du patron, Abass Juma. Un peu moins de minibus touristiques qu'en face.

⌂ |●| ***Kizidi Restaurant :*** en face du *Cabs Restaurant.* ☎ 0747-417-053 ou 0747-418-452 (portables). Une quinzaine de bungalows alignés face à l'océan ; chambres avec moustiquaires, bains. Très propre. Bel endroit très calme quand les minibus sont repartis.

PEMBA

Pendant longtemps, les Arabes la surnommèrent « Jazora Al-Khudra », l'île verte. À environ 50 km au large des côtes de Zanzibar, l'île de Pemba (75 km du nord au sud et 15 à 20 km d'est en ouest, soit 860 km²) est bordée, à l'ouest, de côtes rocheuses ponctuées de belles plages, à l'est, de lagons et de mangrove.
Pemba est restée étonnamment sauvage, et peu visitée, en raison de la faiblesse de ses infrastructures (une dizaine d'hôtels et de *guesthouses* en tout). Mais jusqu'à quand cela va-t-il durer ?
Contrairement à Zanzibar, Pemba présente une série de vallées et de collines. La végétation y est luxuriante et beaucoup plus dense. Les terres sont fertiles : nombreuses rizières bordées de plantations de clous de girofle. En fait, c'est Pemba la véritable île productrice de clous de girofle. C'est d'ailleurs la seule ressource économique de l'île et plus des trois quarts de la production de Zanzibar proviennent d'ici. À la période des récoltes, toutes les écoles ferment pour permettre aux enfants d'aider leurs parents.
Les 424 000 habitants sont dispersés dans l'île, qui compte 3 principaux villages : Wete, dans le Nord, Mkoani, dans le Sud, et Chake-Chake dans le Centre. L'intérêt de Pemba réside dans ses grandes plages de sable fin et ses lagons d'aigue-marine peuplés de merveilles, oubliés des tour-opérateurs. Bien sûr, ne pas passer à côté de la plongée sous-marine. Les fonds marins recèlent des trésors encore méconnus (si ce n'est de manière quasi confidentielle par le petit milieu averti de la plongée). Si toutefois vous n'osez pas vous jeter dans les fonds marins, vous pouvez toujours barboter en surface, munis de palmes et tuba : vous serez largement récompensé. Et puis, Pemba est encore un endroit où l'on fait de chouettes rencontres. Il suffit d'enfourcher un vélo, de donner quelques coups de pédales sur des petits chemins pour entrer en contact avec une population souriante, curieuse et toujours prête à témoigner d'une hospitalité la plus sincère. Alors bonnes balades !

Comment y aller ?

En bateau

➢ ***Depuis Stonetown :*** voir rubrique « Quitter Stonetown ». La plupart des bateaux accostent au port de Mkoani, dans le sud de l'île (plus rarement à Wete, dans le nord). Des navettes de bus assurent la liaison pour Chake-Chake. Sinon, *dala dala* n°603 pour Chake-Chake.

➢ ***Depuis Dar es-Salaam :*** un bateau *(Aziza II)* relie Dar à Pemba, 2 fois par semaine, en principe. Près de 18 h de trajet. Vous arrivez du continent et donc, n'oubliez pas de faire viser votre passeport au poste d'immigration situé à 200 m environ dans la rue qui monte sur la droite du port.

➢ ***Depuis Tanga :*** pas de bateau mais parfois des *dhows.* Même remarque que ci-dessus pour les passeports.

En avion

✈ ***L'aéroport*** est situé à une dizaine de kilomètres à l'est de Chake-Chake. Vols quotidiens au départ de Dar es-Salaam ou de Zanzibar avec *ZanAir* et *Coastal Aviation.* Compter 65 US$ (54,2 €) avec *ZanAir* au départ de Zanzibar ; 85 US$ (70,8 €) depuis Dar es-Salaam.

CHAKE-CHAKE

IND. TÉL. : 024

À mi-chemin entre le nord et le sud, Chake-Chake est le centre administratif de Pemba. Quatre ou 5 adresses pour loger et un peu d'animation dans les rues en journée font de ce petit village l'endroit le plus agréable et le plus pratique de l'île pour séjourner. On y découvre quelques vieilles demeures, une mosquée, un marché, un ancien fort qui servit de prison pour les esclaves et aménagé aujourd'hui en musée de poche (expo un peu poussiéreuse consacrée aux sites archéologiques de l'île). En contournant le fort par la droite, on arrive à la jetée de l'ancien port, construit par les Arabes au XVIIIe siècle.

Adresses et infos utiles

ℹ ***Commission for Tourism*** *(office de tourisme)* **:** dans le centre, face au *Chake-Chake Hotel.* Au dernier étage du bâtiment flanqué du drapeau tanzanien. Ouvert en semaine de 8 h à 15 h 30. Quelques infos, au compte-goutte.

✉ ***Poste :*** à 600 m environ du centre, sur la route de Mkoani. Ouvert du lundi au jeudi, de 8 h à 13 h et de 14 h à 16 h 30 ; le vendredi, de 8 h à 12 h et de 14 h à 16 h ; le samedi, de 9 h à 12 h. Service de *Western Union.*

■ ***Banque, change :*** *People's Bank of Zanzibar,* le seul endroit pour changer les travellers. Accepte les euros. Ouvert en semaine de 8 h 30 à 15 h 30 ; le samedi, jusqu'à 12 h. Sinon possibilité de changer (le cash uniquement) à l'agence *Pemba Island Reasonable Tour & Safaris.*

■ @ ***Centre Internet, Téléphone :*** *Adult Training Centre,* juste avant *Coastal Aviation.* Appels internationaux également. Assez cher.

Compagnies aériennes

■ ***Coastal Aviation :*** dans le centre, dans la rue principale en direction de Mkoani. ☎ 245-21-62 ou 0747-420-702 (portable).

■ ***ZanAir :*** presque en face de *Coastal Aviation.* ☎ 245-29-90 ou 0747-460-720 (portable).

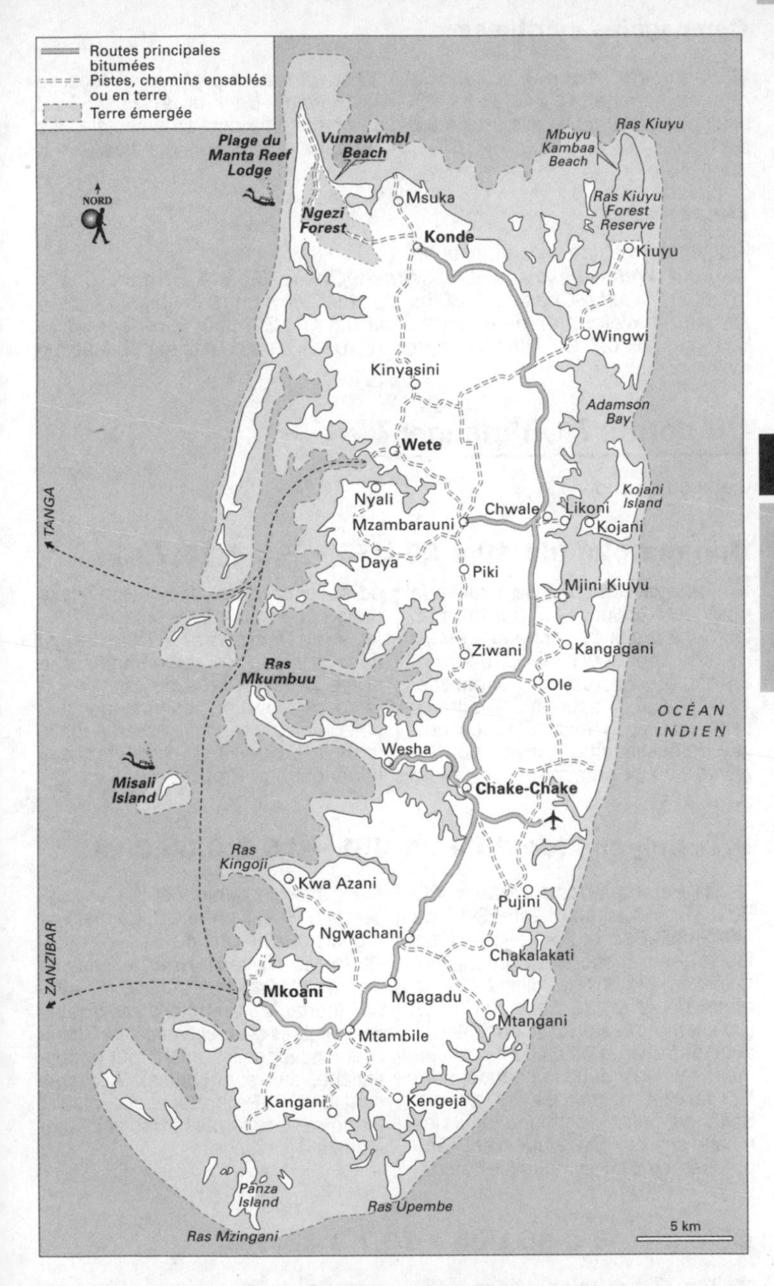

L'ÎLE DE PEMBA

Compagnies maritimes

■ ***Serengeti (Azam Marine) :*** à côté du marché. ☎ 245-28-83. En principe, ouvert tous les jours de 8 h à 21 h.

■ ***Mapinduzi :*** presque en face de la *People's Bank of Zanzibar.* C'est la compagnie gouvernementale ; les bateaux sont parfois annulés.

Dalas dalas

Petite gare routière près du marché.

➢ Pour ***Wete-Chake*** (n° 606), ***Mkoani-Chake*** (n° 603), ***Konde-Chake*** (n° 602), ***Wesha-Chake*** (n° 305). Compter environ 1 h pour rejoindre ***Mkoani*** et ***Wete*** (près de 600 Tsh, soit 0,5 €) ; 2 h pour ***Konde*** (environ 800 Tsh, soit 0,7 €). Attention, après 16 h, les *dalas dalas* sont beaucoup moins nombreux.

Où dormir ? Où manger ?

Bien peu de choix !

Bon marché (de 10 à 20 US$ – 8,3 à 16,7 €)

🏠 ***Pattaya Guesthouse :*** suivre la route de Konde. À 1,5 km environ, tourner à droite au panneau « Public Health Laboratory ». C'est à 200 m en bordure de rue, sur la gauche. ☎ 0747-439-115 (portable). Simple, sans prétention mais avec ce qu'il faut (moustiquaire, ventilo, douche privée ou commune). La seule adresse correcte de Chake-Chake dans cette gamme de prix.

|●| ***Afay Restaurant & Take Away :*** dans la petite rue qui grimpe sur la droite juste en face de *ZanAir.* Un resto de quartier pour manger des plats locaux : *ugali,* poisson grillé (parfois un peu trop d'ailleurs !) aux bananes, etc. Propre.

Prix moyens (de 25 à 35 US$ – 16,7 à 33,3 €)

🏠 |●| ***Pemba Island Hotel :*** PO Box 214. ☎ et fax : 245-22-15 ou 0747-435-266 ou 412-467 (portables). • islandhotelevergreen@hotmail.com • Dans le village, sur la route de Wesha. Enfin un hôtel récent, propre, à prix raisonnables et avec des chambres qui font parfaitement l'affaire : douche chaude, ventilo (la clim' devrait bientôt arriver). Salle de bains commune pour les moins chères. On aime bien cette adresse où l'on sympathise rapidement avec le personnel de l'établissement. Resto sur le toit. Le meilleur rapport qualité-prix du coin.

🏠 |●| ***Le Tavern Hotel :*** dans le centre. ☎ 245-26-60 ou 0747-429-057 (portable). Un hôtel d'une dizaine de chambres d'aspect modeste. Chambres fonctionnelles avant tout (moustiquaire, salles de bains). AC dans certaines. Propreté acceptable. Resto sur une terrasse (repas à commander à l'avance).

Chic (de 45 à 90 US$ – 16,7 à 33,3 €)

🏠 ***The Old Mission Lodge :*** PO Box 146. À 150 m du centre, sur la route de Konde. ☎ 245-27-86. • www.swahilidivers.com • D'accord, les établissements à Pemba se comptent sur les doigts des 2 mains.

D'accord, cette ancienne demeure avec moins de 10 chambres a un certain charme. On reconnaît volontiers aussi que l'atmosphère est sympa, surtout lorsqu'on s'installe sur la terrasse au 1er étage, un bouquin à la main, et qu'on plonge dans les confortables fauteuils. On reconnaît, tout court, qu'on s'y sent bien. Mais on trouve tout de même les prix abusifs ! Resto-snack. Tenue par des Anglais mordus de fonds marins. C'est d'ailleurs un centre de plongée et on y croise quasiment que des plongeurs. Un détail : mosquée juste de l'autre côté de la route.

À Mkoani

Pas grand chose à faire à Mkoani. De plus, on est loin de tout. Juste une adresse qui peut s'avérer pratique si vous prenez le bateau le lendemain matin.

Jondeni Guesthouse : à environ 500 m du port (panneau). ☎ 245-60-42 ou 0747-460-680 (portable). Compter moins de 10 US$ (8,3 €) par personne en dortoir (6 lits) et de 20 à 30 US$ (16,7 à 25 €) pour une double. Une dizaine de chambres avec ou sans salle de bains. Simples et propres. Il y a surtout l'agréable terrasse en bois qui surplombe une belle baie aux eaux turquoises coiffée de cocotiers. Fait resto. Location de vélos.

À voir. À faire à Pemba

***La forêt de Ngezi** (Ngezi Forest) :* au nord de l'île, à 5 km de Konde. Ouvert tous les jours. Entrée : 4000 Tsh (3,3 €). Quelques restes d'une dense forêt côtière abritant un palmier endémique (que l'on ne trouve nulle part ailleurs sur la planète) : le *mpapindi palm*. Très différente de la Jozani Forest sur Zanzibar, elle est peuplée de chats sauvages, de singes et d'une énorme chauve-souris, la *Pemba Flying Fox*. L'occasion d'une très chouette balade pédestre tout en suivant un sentier bien tracé.

Ras Mkumbuu : à quelques kilomètres à l'ouest de Chake-Chake. Au XIIe siècle, c'était l'une des villes les plus importantes d'Afrique de l'Est. On y voit quelques vestiges de la plus belle mosquée d'Afrique orientale, datant du XIVe siècle. Le site est situé en pleine zone marécageuse, non cultivable à cause de la forte présence de sel dans la terre.

Les corridas** (mchezo wa ng'ombe) :* dans le village de ***Pujini. Pour y aller, *dala dala* n° 319. Elles se déroulent quelques fois par an (lors de grandes fêtes). Introduites pendant la colonisation portugaise, elles constituent un événement très populaire sur l'île.

Les plages et lagons : ses grandes plages de sable fin et lagons d'aigue-marine sont l'un des principaux attraits de Pemba. On se baigne principalement sur la côte ouest. Sur la côté est, il y a parfois des requins qui se baladent...
– ***Vumawimbi Beach :*** superbe plage au nord de l'île avec sable blanc et cocotiers. Située à une dizaine de kilomètres de Konde. Traverser la forêt de Ngezi, voir ci-dessus (pas besoin de payer si on ne fait que la traverser). Puis il faut prendre un petit chemin sur la droite. Malheureusement, pas d'indication. Le mieux est de demander aux villageois. En combinant la plage et la visite de la forêt de Ngezi, on passe une super journée. L'idéal est de louer un scooter à Chake-Chake. Sinon, un vélo. Mais dans ce cas, la meilleure solution consiste à se rendre à Konde en *dala dala* en prenant son vélo avec soi (moyennant un petit supplément). Pour le retour, le dernier *dala dala* part de Konde vers 18 h.

– ***Ras Mkumbuu :*** de belles plages sauvages. Se rendre au port de Wesha. De là, négocier une barque avec un pêcheur. On peut aussi tenter d'y aller en vélo. En venant de Chake-Chake, à 1 km environ avant le port et au niveau de l'école de Wesha, prendre la route sur la droite. Ensuite? Il vous faudra demander le chemin aux villageois. Mais ça fait partie du charme des voyages.

Plongée sous-marine et snorkelling : on vous le répète, les fonds marins recèlent de véritables trésors et ce serait dommage de passer à côté.
– L'un des plus beaux spots de plongée se situe autour de ***Misali Island.*** Excursion organisée à la journée. S'agissant d'une aire protégée *(Misali Island Conservation Area),* il y a un droit d'entrée de 5000 Tsh (4,2 €). C'est une minuscule île boisée d'une superficie d'1 km² située à 8 km environ au large de Wesha (côte ouest). Elle est parcourue par un sentier conduisant à une grotte. Un ranger vous accompagne dans votre balade. C'est un site de première importance pour la nidification de tortues. Sous l'eau, on recense une cinquantaine de variétés de coraux et près de 250 espèces de poissons. C'est vraiment un site extraordinaire pour pratiquer le *snorkelling.*
– ***Le lagon de la plage du Manta Reef Lodge :*** au nord de l'île, à 13 km de Konde. Pour y aller, voir les indications concernant *Vumawimbi Beach,* ci-dessus. Mais au lieu de prendre le chemin à droite, poursuivre jusqu'à Kigomasha (le 4ᵉ village) et prendre alors un petit chemin sur la gauche. Là encore, pas d'indication; le mieux est de demander. Location de matériel sur place. Un lagon naturel renferme une multitude de poissons. La visibilité est meilleure à marée haute. Possibilité de manger au resto du *Manta Reef Lodge.* Prix moyens à plus chic.
Centres de plongées :

■ ***Swahili Divers Centre :*** basé à *The Old Mission Lodge,* voir « Où dormir? Où manger? » à Chake-Chake. Très sérieux mais aussi cher (près de 100 US$, soit 83,3 € pour deux plongées).

■ ***One Earth Diving :*** le centre de plongée du *Manta Reef Lodge.* ☎ 0747-424-637 (portable). Moins cher. Location de kayaks également. Dispose d'un bureau à Chake-Chake, juste à gauche de *Coastal Aviation.*

QUITTER PEMBA

En bateau

Il y a deux ports : Mkoani et Wete. La majorité des bateaux partent de Mkoani. Les départs depuis Wete sont plus aléatoires.
➢ ***Pour Stonetown :*** depuis Mkoani, 3 bateaux par semaine (en principe, le mercredi, le vendredi et le dimanche) avec la compagnie *Serengeti (Azam Marine);* départ vers 10 h. Deux à 3 départs avec la compagnie *Mapinduzi.* Compter 25 US$ (16,7 €), taxe de port comprise, et 5 à 6 h de traversée.
➢ ***Pour Dar es-Salaam :*** 2 bateaux *(Aziza II)* par semaine, en principe.
➢ ***Pour Tanga et Mombasa :*** pas de bateau mais parfois des boutres.

En avion

Pour rejoindre l'aéroport, *dala dala* n° 106 « U/Ndege » qui se prend au niveau des 2 arbres, une centaine de mètres après le bureau de *ZanAir.* Mais attention, il sont peu nombreux (4 ou 5 par jour). En taxi, compter environ 5000 Tsh (4,2 €). Taxe d'aéroport : 5000 Tsh (4,2 €).
➢ ***Pour Zanzibar, Dar es-Salaam :*** vols quotidiens avec *Coastal Aviation* et *ZanAir.*
➢ ***Pour Tanga :*** 1 vol quotidien avec *Coastal Aviation.*

CAHIER VIE SAUVAGE

Lettre à l'éléphant.
(*Le Figaro Littéraire*, 1968).
« Il n'est pas douteux que votre disparition signifiera le commencement d'un monde entièrement fait pour l'homme. Mais laissez-moi vous dire ceci, mon vieil ami, dans un monde entièrement fait pour l'homme, il se pourrait bien qu'il n'y ait pas non plus place pour l'homme. »

Romain Gary,
auteur des Racines du Ciel.

Lorsque, en 1768, l'Écossais James Bruce foula le sol du grand continent noir, il ouvrit malgré lui l'ère moderne des explorateurs africains. À la recherche de la source du Nil, il découvrit en fait un pays d'une indicible beauté. S'offrit à lui une faune intacte et luxuriante qui peuplait les forêts, les steppes et les savanes. Mais cette faune, d'une valeur prodigieuse et d'une incomparable beauté, fut hélas copieusement spoliée et mutilée par les marchands d'ivoire arabes (présents dès le XVIIe siècle) et par les chasseurs européens qui suivirent au XIXe siècle.
Voilà pourquoi, plus que jamais, l'histoire des animaux d'Afrique est intimement liée à celle des hommes. L'*Homo sapiens* – frais conquérant – usa d'abord sans compter de son droit de mort, causant partout des pertes et dommages irrémédiables. Le temps d'un sursaut de conquête, l'homme – cet instrument d'une perte déraisonnable – amputa le continent noir de sa grandeur sauvage, sublime et originelle, laissant en retour un pays exsangue et déserté.
Mais, au cœur de ce chaos, survinrent d'autres hommes. Et c'est ceux-là que nous allons saluer. Lentement, une nouvelle conscience leva comme une graine (parfois même parmi les artisans de cet inadmissible massacre !). C'est ainsi que certains chasseurs déposèrent leurs armes. Theodore Roosevelt fut de ceux-là (Roosevelt est responsable de la mort de milliers d'animaux. En une seule expédition, en 1910, il tua 296 animaux, dont 9 lions, 8 éléphants, 13 rhinos, mais aussi des pélicans, marabouts, flamants roses, etc.). Ces hommes et ces femmes, militants, concernés, animés de remords ou de respect, se mirent alors à user de leur droit de vie. S'il fallait tous les nommer, la liste serait trop longue...
Mais – pêle-mêle –, nous pourrions citer ***Raphael Matta,*** tué le 16 janvier 1959, qui mena un combat exemplaire en Côte-d'Ivoire pour la survie des animaux sauvages. Nous pourrions citer ***Bernhard Grzimek*** et son fils ***Michael*** (décédé le 10 janvier 1959), dont les réels efforts sauvegardèrent la plénitude du cratère du Ngorongoro, en Tanzanie. Nous pourrions également citer ***Dian Fossey,*** assassinée le 28 décembre 1985, qui se battit en Afrique centrale pour protéger les derniers grands gorilles des montagnes. Dian Fossey traça dans son journal intime ces dernières lignes qu'il nous faut méditer : « Quand on comprend la valeur de toute vie, on s'attarde moins sur le passé et on se concentre plus sur la sauvegarde de l'avenir. »
En quittant ce passé, et en se penchant sur le présent... Saluons les magnifiques travaux de ***Cynthia Moss,*** femme passionnée par les éléphants, qui, depuis plus de 20 ans, veille sur les derniers géants du parc national d'Amboseli (lire son livre, *La Longue Marche des éléphants,* paru chez

Robert Laffont). Enfin citons, pour conclure, le Français ***Pierre Pfeffer*** (directeur de recherche au CNRS, attaché au Muséum national d'Histoire naturelle et initiateur de la campagne « Amnistie pour les Éléphants »), qui se bat avec acharnement et intelligence afin de faire cesser définitivement le commerce de l'ivoire (lire son livre *Vie et Mort d'un géant, l'éléphant d'Afrique,* paru chez Flammarion).
Pour illustrer ces luttes solidaires et ce souci méticuleux de la préservation d'un capital écologique unique au monde, nous avons choisi (et c'est un choix très subjectif !) de vous présenter 4 destins... Ceux d'inlassables défenseurs de la faune africaine. Quatre histoires d'hommes et de femmes pour soudain mieux comprendre les animaux...

GEORGE ET JOY ADAMSON

Ils furent sans aucun doute, en terre d'Afrique, les pionniers d'un combat quotidien, authentique et passionné pour la protection de la vie sauvage. Leur renommée fut immense et fit – de livres en documentaires – le tour du monde. Quel enfant n'a pas lu et rêvé d'accompagner, dans les savanes du Kenya, les foulées de la lionne Elsa ? Le parc national de Méru et la réserve de Kora résonnent encore des exploits de ce couple atypique.
George Adamson vit le jour en 1906 à Etawah, en Inde. Né d'un père irlandais et d'une mère écossaise, ce doux rêveur suit tout d'abord de mornes études en Angleterre (à la Dean Close School de Cheltenham). Mais lorsqu'il rejoint son père (désormais installé au Kenya), sa vie bascule. Sa rencontre avec l'Afrique orientale (en 1924) va être déterminante. George découvre, fasciné, un quotidien sans entraves et riche d'aventures. Pour survivre, il va tout d'abord exercer 1 000 petits métiers : il travaille dans une plantation de sisal, construit des routes, est employé par une entreprise de transports, vend des chèvres, de la cire d'abeilles, ou s'improvise chercheur d'or... De 1934 à 1938, il devient chasseur professionnel (de lions) et accompagne les touristes dans des safaris-photos. En juillet 1938, il décroche un poste de garde forestier... et c'est là que naît son véritable engagement.

Au contact d'une nature pourtant luxuriante et souveraine (il débute en surveillant un territoire sauvage de 160 000 km^2), Adamson comprend soudain que l'harmonie africaine est en fait bien précaire, sérieusement menacée, et qu'elle nécessite d'urgentes mesures de protection. Notre homme n'aura désormais de cesse de traquer les braconniers et de démanteler l'important trafic d'ivoire qui menace quotidiennement ses éléphants et rhinocéros.
Le 17 janvier 1944, après bien des péripéties, George épouse Joy, une Autrichienne au caractère indépendant et volcanique. Née le 20 janvier 1910, Friederike Viktoria Gessner (dite Joy) vit au Kenya depuis 6 ans, où elle collecte des fleurs et des plantes sauvages qu'elle inventorie et peint avec talent. En février 1949, Joy se lance dans un travail titanesque : une fresque ambitieuse représentant les portraits détaillés de 20 tribus kenyanes. Joy va alors réaliser plus de 700 peintures, témoignages uniques d'une culture africaine en déclin et précieux matériel ethnologique et anthropologique.
Mais c'est véritablement en 1956 que l'histoire de ce couple va défier la chronique. Lors d'un safari, George et Joy recueillent 3 lionceaux orphelins, qu'ils élèvent avec un soin forcené. Elsa, une petite lionne, s'attache à eux et partage leur quotidien pendant plusieurs années. Joy écrira un livre, relatant cette époustouflante histoire d'adoption, de confiance et d'amour sauvage. *Born Free* va rapidement devenir, aux quatre coins du monde, un best-seller (et sera même adapté à l'écran par les studios d'Hollywood). Suivront 2 autres essais sur Elsa : *Living Free* et *Forever Free.*
Désormais, les Adamson vont se consacrer à l'étude du comportement des félins et leur retour à la vie sauvage (lire l'autobiographie de Joy, *The Sear*

ching Spirit, et ses 2 livres sur *Pippa, la guéparde*). Les Adamson fondent en 1963 l'« Elsa Wild Animal Appeal », l'une des premières fondations consacrées à la préservation de la nature (plus tard rebaptisée « Elsa Conservation Trust »).
Joy fut, hélas, assassinée dans la réserve de Shaba, le 3 janvier 1980. Et George fut tué par des braconniers le 20 août 1989.

PETER BEARD

Photographe, écrivain, historien, illustrateur et... dandy à ses heures, Peter Beard reste l'un des défenseurs les plus attachants et les plus implacables du continent africain. Né à New York le 22 janvier 1938, il fait de brillantes études, entre à Yale où il se passionne pour l'histoire de l'art. « Mais les animaux, dit-il, ont toujours été ma seule préoccupation. »
À l'âge de 17 ans, Peter Beard s'envole pour l'Afrique. Il vient de lire *La Ferme africaine,* de Karen Blixen et, fasciné par les mots de l'écrivain, décide d'explorer ce continent encore méconnu. Pour lui, le choc est profond. En décembre 1961, il s'envole pour le Danemark où il rencontre Karen Blixen. L'écrivain, très malade, lui ouvre miraculeusement sa porte. Cette rencontre sera déterminante... Et Peter Beard décide de s'installer (définitivement) au Kenya.
Là, il commence à photographier cette faune qu'il traque avec délectation. En 1965, il publie son chef-d'œuvre (et sans conteste l'un des plus beaux livres jamais édités sur l'Afrique) : *The End of The Game* (traduit en français sous le titre *La Fin d'un monde,* Édition du Chêne, 1989). Ses photos fascinantes, d'un tragique toujours lumineux et d'une poésie crue, évitent tout effet flatteur ou souci facile d'apitoiement : « Le sentimentalisme n'a aucun rapport avec l'Afrique. La vie sauvage a été sentimentalisée par des bailleurs de fonds malhonnêtes, du genre Walt Disney », déclare-t-il en guise d'explication.
Inoubliables, ses clichés pris en 1970 dans le parc de Tsavo (Kenya), où 4 000 cadavres d'éléphants, figés en d'absurdes et douloureuses agonies, émaillent un sol de savane dépouillée. Vision d'apocalypse et hymne d'une irresponsabilité humaine déclinée jusqu'à la nausée. Conjugués à ces clichés, des tableaux de chasse où s'entassent, sanguinolentes, des carcasses de grands fauves écorchés. « J'ai assisté à ces boucheries. Et j'y ai vu l'avenir du monde... », lance Peter Beard. « Pour la première fois dans notre histoire – naturelle –, nous devons accepter notre seule et lourde responsabilité dans le déclin et la fin d'un monde. Celle d'avoir créé un désordre écologique total. »
Dès 1966, notre aventurier se rend sur les rives du lac Rodolphe où il étudie (pour le ministère kenyan de la Chasse) la population des grands crocodiles du Nil. Fruit de ses patientes recherches : en 1972 le magnifique ouvrage, *Eyelids of Morning.*
Son 3e livre, *Longing for Darkness,* est un vibrant hommage qu'il rend à Karen Blixen. Beard a retrouvé Kamante Gatura, l'ancien serviteur noir de l'écrivain. Il retranscrit alors les souvenirs de l'Africain qu'il illustre de ses propres aquarelles. À nouveau, c'est le cœur vibrant d'une Afrique oubliée qui se remet à battre, restituant d'anciens sortilèges que l'on croyait perdus.
Travaillant pour de grands magazines de mode *(Vogue, Harper's Bazaar...),* employé par des parcs nationaux, côtoyant Andy Warhol, Truman Capote, Jackie Kennedy, ou posant pour Francis Bacon, Peter Beard a toujours transporté avec lui ses rigueurs africaines et l'exigence de ses combats.

Aujourd'hui, Peter Beard vit toujours dans sa maison du Kenya, « Hog Ranch », avec sa femme Najma et sa fille Zara. Une importante exposition de ses journaux et photos lui a été consacrée à Paris en décembre 1996.

IAIN ET ORIA DOUGLAS-HAMILTON

D'origine italienne, Oria naît en Afrique où elle passe son enfance parmi les animaux sauvages. Élevée dans le respect de la nature (c'est la mère d'Oria – en racontant un jour l'histoire d'un éléphant orphelin à Jean de Brunhoff – qui est à l'origine du personnage de Babar, si populaire aujourd'hui parmi les enfants !), Oria évoque ses premiers souvenirs africains comme une « lancinante chanson d'amour ». Divorcée d'un 1er mariage, lorsque Oria rencontre Iain (il viendra ensuite l'enlever dans son petit avion !), elle quitte le domaine de ses parents pour aller découvrir la condition des grands éléphants du lac Manyara en Tanzanie. D'abord elle les photographie, les dessine. Et, lentement, une véritable passion va la lier à ces géants menacés. « À force de vivre si près des éléphants, je me suis impliquée au point de me sentir peu à peu devenir éléphant ! »

Iain est le fils d'un lord écossais. Très tôt passionné, il décide de s'installer en Afrique et choisit les éléphants comme objet de sa thèse de doctorat. Ce Robinson volant (il adore les avions !) a voué toute son énergie à l'observation de ses proboscidiens (animaux à trompe) favoris. Et, depuis, ses travaux sur les éléphants sont considérés comme d'incontournables références. Décoré en 1993 de l'OBE (Ordre de l'Empire britannique) en récompense de son exemplaire travail de protection, il ne cesse de se battre avec son épouse pour la survie des derniers empereurs de la savane, et a fondé à Londres une fondation : « Sauvez les éléphants » (« Save The Elephants »).

De ses amis pachydermes, il dit avec ferveur : « Aucun animal n'est plus puissant ou dangereux et dans le même temps si doux et si tendre... Son intelligence est semblable à la nôtre, incarnée dans les liens familiaux, la loyauté, l'amour. Lorsque la science éclairera le mystère des éléphants, on les vénérera. »

Lorsque, au début des années 1970, Iain et Oria commencent à observer les éléphants, la fièvre de l'ivoire s'empare soudain du marché mondial. Pour obtenir cet « or blanc », de véritables massacres vont être perpétrés, mettant en péril la survie de ces placides pachydermes. Effarés par cette tuerie systématique, s'investissant dans une lutte épuisante et quotidienne (à bord de leur petit avion ou dans les bureaux des hautes instances africaines), les époux Douglas-Hamilton vont se lancer en 1976 pour la 1re fois dans le recensement complet de tous les éléphants d'Afrique ! L'heure est grave, puisque cette même année, on estime que près de 400 000 bêtes ont été abattues pour leur ivoire !

Associant son combat avec celui de Cynthia Moss, Joyce Poole, Katy Payne ou Pierre Pfeffer, ce couple sillonnera tous les territoires d'Afrique et lancera autour du monde un réel cri d'alarme. Après des années d'efforts, en octobre 1989, le CITES (Convention sur le commerce des espèces en voie de disparition) vote enfin à Lausanne l'arrêt du commerce de l'ivoire. Un répit semble naître pour les éléphants d'Afrique. Mais il faut sans cesse rester vigilant, car cette victoire de 1989 n'est pas définitive !

À preuve, l'autorisation accordée, depuis juin 1997, à 3 pays d'Afrique australe de reprendre le commerce de l'ivoire (Namibie, Botswana et Zambie). Alors, répétons sans cesse ce cri de guerre du couple Douglas-Hamilton : « L'ivoire tue, ne l'achetez pas, n'en portez plus. Il faut le brûler. Merci. »

lain et Oria Douglas-Hamilton ont également rapporté avec foi et poésie l'essentiel de leur lutte dans un livre passionnant : *Il faut des rêves et des éléphants,* éd. Jean-Claude Lattès, 1995.

JANE GOODALL

Belle et émouvante histoire que celle de cette primatologue qui, de ses rêves de petite fille aux populations sauvages de chimpanzés de Tanzanie, a toujours suivi une trajectoire exemplaire.

Jane Goodall naît en 1934 à Londres. Toute jeune, elle s'intéresse aux animaux. À l'âge de 2 ans, elle installe déjà des vers de terre dans son lit pour les endormir avec elle. Mais ce n'est que plus tard (elle a 24 ans) qu'elle découvre le sens de sa véritable vocation. L'anthropologue Louis Leakey lui demande de s'établir quelque temps sur les rives du lac Tanganyika, afin d'observer une population de primates. Pourtant néophyte et dépourvue de diplômes, Jane Goodall accepte, s'installe en 1960 à Gombe... et y restera 34 ans !

Là, notre éthologue en herbe va réaliser le plus beau travail jamais effectué sur les populations sauvages de chimpanzés. « Comme nous, ce sont des êtres de lumière. Et d'ombre parfois. » Elle va récolter une somme colossale d'informations, innovant sans cesse, introduisant une nouvelle dimension dans l'observation des comportements. La primatologue Allison Jolly dira de ses efforts : « À elle seule, elle a changé la manière dont les hommes regardent, étudient et comprennent les autres espèces. Sa méthode a permis de restaurer la passerelle entre l'homme et la nature... »

Célèbre, Jane le devient soudain en 1963, lorsqu'elle fait la couverture du *National Geographic,* entourée de ses chimpanzés. En 1964, elle obtient un doctorat d'éthologie (science des comportements des espèces animales dans leur milieu naturel) à l'université de Cambridge. Et c'est aussi là, en fait, que se prépare son véritable combat. Tout en continuant d'observer ces primates sur le terrain, elle sensibilise l'opinion mondiale sur les conditions déplorables des chimpanzés en captivité (zoos et laboratoires). Elle veut faire voter des lois affranchissant la torture et l'esclavage des grands singes. Elle exige également un texte les protégeant de l'incarcération. « ... Voir ce que nous faisons subir aux chimpanzés, c'est assister au meurtre d'un frère jumeau », tranche-t-elle, sans appel.

Son livre *In The Shadow of Man* (en français, *Les Chimpanzés et moi,* Stock) remporte un succès fulgurant et est traduit en 48 langues. Son second livre, *Through a Window,* enfonce le clou et l'impose désormais comme l'absolue spécialiste et pionnière de l'étude des primates dans la splendeur de leur liberté. Pour mener une lutte d'envergure internationale, elle crée le « Jane Goodall Institute for Wildlife Research, Education and Conservation » (qui a des ramifications aux États-Unis, au Canada et au Royaume-Uni). Puis, en 1991, elle fonde « Roots and Shoots », une association destinée à sensibiliser tous les enfants du monde et à leur enseigner les notions essentielles du respect de la nature (dans la foulée, elle rédige d'ailleurs 3 livres pour la jeunesse).

Lorsqu'elle ne séjourne pas en Afrique où elle observe inlassablement ces chimpanzés sauvages (qui sont passés en un siècle de 1 million d'individus à 150 000), Jane Goodall parcourt le globe. Sur tous les fronts, inlassablement, de continent en continent, elle continue chaque jour de dispenser son précieux message d'amour, d'espoir et d'information.

LION
Lion

GUÉPARD
Cheetah

LÉOPARD
Leopard

LA VIE SAUVAGE

Le lion (*lion* ou *simba*)

Le plus grand des félins africains fut – dès l'aube des temps – sacré à l'unanimité souverain des animaux. Sa taille (de 2,50 m à 3,30 m de longueur), son agressivité guerrière, sa suprématie prédatrice, la violence de son cri (audible à plus de 8 km à la ronde), participèrent à son incontestable sacre. Mais la toute-puissance de ce monarque est en fait bien relative. Cet inconditionnel des heures de sieste (somnolant près de 18 heures par jour) vit souvent isolé ou solitaire, et n'a pas vraiment droit au chapitre.

C'est essentiellement la lionne qui mène la danse, sous le regard du mâle qui conserve la suprématie (droit de tuer les petits des portées précédentes). « Elle est une blonde magnifique... », écrit Colette. Vivant en groupes, ces longilignes félines mettent bas ensemble, élèvent, protègent et allaitent souvent indifféremment tous les petits de la bande, assurant la continuité de la dynastie. Seule cette structure féminine reste stable.

Ce sont donc les lionnes (des athlètes de 150 kg !) qui chassent pour le clan. Elles s'effacent pourtant quand vient l'heure du repas, nourrissant les mâles géniteurs, qui, en échange, surveillent le territoire contre d'autres mâles errants toujours en quête de « coups d'État ».

Le guépard (*cheetah* ou *duma*)

De la taille d'une panthère, le guépard se distingue par sa silhouette nettement plus longiligne, ses hautes pattes taillées pour la course, sa longue queue annelée de noir qui lui sert de balancier, et sa tête beaucoup plus réduite posée sur un cou très fin. Contrairement à la panthère, il mène un mode de vie totalement diurne, car sa vue n'est pas adaptée à l'obscurité.

Relativement difficile à observer, ce fauve magnifique a totalement disparu aujourd'hui du Moyen-Orient et du sud de l'Inde qu'il occupait jadis. Longtemps chassé pour sa peau tachetée, ne s'adaptant pas aux poussées démographiques humaines, importuné par les touristes, comptant parmi les taux de mortalité infantiles les plus élevés de la savane (50 % des petits meurent au cours de leurs 3 premiers mois), le guépard voit sa population se réduire d'année en année de façon alarmante.

Contrairement au lion ou au léopard, le guépard se laisse domestiquer aisément par l'homme (Akhbar le Grand en possédait plus de 1 000, qu'il dressait à la chasse !). Ce champion a toujours été réputé pour sa capacité d'accélération prodigieuse, il faut le voir traquer les gazelles de Thomson et autres petites antilopes : 150 km/h.

Le léopard (*leopard* ou *chui*)

Prédateur extrêmement agile et solitaire, le léopard (ou panthère) est le plus gros et le plus secret des félins tachetés. Puissant, massif (et pourtant d'une grâce extrême), il mesure entre 1,30 m et 1,90 m de long pour un poids d'environ 50 kg. Excellent chasseur, rapide et silencieux, ce fauve possède également un atout majeur : son somptueux pelage. Cette robe émaillée de taches, de rosettes noires et mordorées, lui sert de camouflage.

Longtemps chassé pour ce pelage, le léopard mène aujourd'hui un mode de vie principalement nocturne et est relativement difficile à observer. Mais on peut parfois l'apercevoir, le jour, nonchalamment installé sur la fourche d'un arbre. Le léopard passe en fait la majeure partie de son temps dans les arbres qui lui servent d'abri, de tourelle d'observation et de garde-manger. Il ne quitte les zones boisées que pour chasser. Une fois sa proie capturée, il la hisse (parfois à plus de 10 m de hauteur) au creux d'une forte branche, à l'abri des autres prédateurs qui pourraient la lui dérober. Il chasse surtout à l'affût, principalement les zèbres, les antilopes, les gazelles, les babouins... mais ne dédaigne pas les oiseaux, les chacals, les tortues, les serpents, les termites ailés, quelques lionceaux laissés sans surveillance... et parfois l'homme ! Les sujets mélaniques, appelés communément « panthères noires », se rencontrent surtout en Asie, mais quelques-uns vivent dans le parc des Aberdares au Kenya.

ÉLÉPHANT
Elephant

RHINOCÉROS NOIR
Rhinoceros

L'éléphant (*elephant, tembo* ou *ndovu*)

« L'éléphant est, si nous voulons ne pas nous compter, l'être le plus considérable de ce monde », écrivait Jean de La Fontaine. Voilà donc, littéraire et vibrant, un hommage toujours d'actualité rendu au plus gros animal terrestre (ce titan pacifique peut atteindre plus de 3 m au garrot pour un poids de 6,5 t).

Apparu il y a près de 50 millions d'années, cet élégant pachyderme *(Loxodonta africana africana)* présente une apparence unique ! Sa trompe est un véritable chef-d'œuvre d'adaptation. À la fois narine et lèvre, cet appendice mobile – doté d'un sens tactile remarquable et d'un odorat très fin – sert à puiser, souffler de l'eau, se reconnaître, se caresser, cueillir fruits et herbes, se couvrir de poussière, renifler l'air et communiquer en émettant des sons. Ses oreilles ! Larges, en forme d'éventails triangulaires, elles sont irriguées par un faisceau d'artères en étoile... et lorsqu'elles battent, cette vascularisation a un effet efficace de régulation de température ! Enfin, il y a ses légendaires défenses (en fait, il s'agit de ses incisives supérieures hypertrophiées), véritables sabres d'ivoire qui peuvent atteindre un record de 3,49 m de longueur... et qui lui valurent bien des tribulations de la part des humains.

Doté d'un solide appétit (il consomme 150 à 200 kg de fourrage pour 90 l d'eau par jour), ce proboscidien (de *proboskis,* qui signifie « trompe » en grec) affectionne aussi les écorces (acacia, baobab...), les feuilles, les bulbes, les racines et quelquefois les plantes aquatiques.

Animal d'une grande intelligence, l'éléphant vit en clans distincts : d'un côté se répartissent les femelles et les éléphanteaux (organisés et incroyablement solidaires)... de l'autre, les mâles solitaires, errants et interchangeables. Depuis toujours, pour survivre sur les terres hostiles d'Afrique, les éléphants pratiquent le nomadisme et l'errance perpétuelle. Pour rester en contact malgré les kilomètres qui les séparent, les groupes et familles dispersés ont développé un système de communication sophistiqué. Nos pachydermes sont d'incorrigibles bavards et communiquent entre eux de façon continue. Ils se renseignent mutuellement sur les points d'eau, la garde des petits, les femelles en chaleur ou la nourriture disponible. Mais la plupart des fréquences qu'ils émettent sont inaudibles pour l'oreille humaine (ces infrasons se situent entre 14 et 35 Hz !).

Le rhinocéros (*rhinoceros* ou *kifaru*)

Tout droit surgi de la préhistoire, ce colosse aux allures de char d'assaut se fait, hélas, beaucoup trop rare au Kenya et en Tanzanie.

Implacablement massacré pour ses cornes aux prétendues vertus aphrodisiaques (tout au plus, ingérées en poudre, elles provoquent une sérieuse poussée d'anthrax !), le rhinocéros déserte de façon alarmante les savanes et les steppes buissonnantes où jadis il abondait.

En Afrique, nous distinguons 2 espèces de cet imposant mammifère : le rhinocéros blanc *(Ceratotherium simum)* et le rhinocéros noir *(Diceros bicornis)*. Malgré leur dénomination chromatique, sachez que ces deux rhinocéros sont entièrement gris... et que c'est en fait leur régime alimentaire et leur taille qui les distinguent l'un de l'autre ! La dénomination « blanc » du premier provient en fait du terme hollandais *weit* (« large »), qui progressivement fut déformé en *white* (« blanc »). C'est que le rhinocéros blanc possède une lèvre supérieure large et carrée. Cet herbivore de taille imposante (4 m de long pour un poids pouvant atteindre 5 t) est un brouteur invétéré et se nourrit essentiellement d'herbe rase. En revanche, le rhinocéros noir, de taille plus modeste (3 m de long pour un poids de 1,5 t), possède une lèvre supérieure proéminente, pointue et préhensile. Essentiellement phyllophage, il se nourrit de feuilles, bourgeons, rameaux épineux et arbustes parfois très toxiques pour l'homme. Les deux espèces africaines sont totalement dépourvues d'incisives. Le rhinocéros blanc a totalement disparu de Tanzanie. Et si, depuis peu, il est possible de l'apercevoir au Kenya, c'est qu'il y a été réintroduit. D'un naturel généralement placide, le rhinocéros blanc affectionne les endroits couverts et boisés. Le rhinocéros noir est, lui, beaucoup plus irascible et ce blindé – une fois importuné – peut se montrer redoutable lorsqu'il charge (il atteint des pointes de vitesse de 50 km/h). Myope, il se repère surtout à son ouïe et son odorat, qu'il a fort développés.

Quelques gardes proposent – pour les mettre définitivement à l'abri des braconniers – de sectionner leurs cornes de kératine...

BUFFLE NOIR
Buffalo

PHACOCHÈRE
Warthog

PORC - ÉPIC
Porcupine

Le buffle (*buffalo, nyati* ou *mbogo*)

Colossal avec son imposante carrure de lutteur, le buffle africain *(Syncerus caffer)* force d'emblée l'admiration et le respect. Longtemps, il figura parmi les trophées les plus convoités des chasseurs. Aujourd'hui encore, pour le chasser en Tanzanie il suffit de payer... Gigantesque (certains individus atteignent une hauteur de 1,70 m au garrot pour un poids de 800 kg !), il est aisément reconnaissable à ses énormes cornes bombées qui se rejoignent sur son front, formant un casque. Elles sont une arme à la fois offensive et dissuasive à laquelle nul n'ose se mesurer. Lorsqu'il vit en groupe et qu'il est attaqué, il forme un cercle étanche, protégeant les jeunes et les plus faibles en son centre, présentant à l'assaillant un rempart de cornes menaçantes. D'un naturel généralement placide, il est pourtant l'animal le plus redouté des chasseurs, car ses charges sont imprévisibles et souvent mortelles. Ce sont surtout les mâles isolés ou les femelles accompagnées de leurs veaux qui sont à craindre ! Néanmoins, de près ou de loin, il est nécessaire de rester vigilant !
Le buffle vit en troupeaux (atteignant parfois jusqu'à 2 000 têtes), non loin de points d'eau où il va régulièrement s'abreuver (il reste intransigeant sur sa ration de 30 à 40 l d'eau quotidienne !). Son activité est surtout nocturne, et le jour on peut l'apercevoir, nonchalamment couché à l'ombre d'un arbre... ruminant ou se vautrant dans la boue pour se rafraîchir et se débarrasser de ses parasites. Cet herbivore raffole de graminées, de plantes herbacées et de feuillages.

Le phacochère (*warthog* ou *ngiri*)

Pierre Gascard le décrit en ces termes : « Le phacochère, pachyderme abusivement assimilé au sanglier, est un animal puissant et grotesque qui court en dressant en l'air une courte queue aux trois quarts déplumée. » Le phacochère *(Phacochœrus æthiopicus)* est en fait un animal attachant. Il suffit de l'observer, foulant la poussière des savanes, sa queue dressée comme une hampe de drapeau... ou broutant, agenouillé sur la partie calleuse de ses membres antérieurs. Ce cochon sauvage (qui pèse parfois jusqu'à 140 kg) remplace, sur les plaines ouvertes d'Afrique orientale, les suidés de nos forêts européennes et de nos maquis méditerranéens.
Vous le reconnaîtrez à sa large tête, de forme allongée, qui se termine par un groin très plat. Les quatre protubérances très notables sur sa face lui ont valu le surnom peu glorieux de « sanglier verruqueux » (deux « verrues » font saillie de chaque côté des défenses et deux autres sont situées sur le bord externe des yeux). Et puis, il y a ces défenses – ses canines supérieures recourbées vers le haut sortent de sa bouche –, qui lui servent d'arme et d'outil pour déterrer les bulbes, racines, tubercules et herbes dont il est très friand. Court sur pattes (c'est un excellent coureur !), il présente un corps allongé à la peau épaisse, rugueuse et presque nue (à l'exception de quelques soies blanchâtres). Il porte, du sommet du crâne à la naissance de la queue, une crinière touffue et érectile aux longs poils brun-gris. D'un naturel combatif, il succombe toutefois sous la griffe des lions et des léopards.

Le porc-épic (*porcupine*)

Le porc-épic est le plus gros représentant de la famille des rongeurs en Afrique (il peut mesurer jusqu'à 83 cm pour un honorable poids de 27 kg !). Mais cette inquiétante pelote d'épingles ambulante est en fait un animal charmant, nocturne et plutôt discret. Le plus populaire reste le porc-épic à crête *(Hystrix)*, au corps massif et aux membres courts et robustes.
On reconnaît le porc-épic à son armure de piquants cylindriques et très acérés pouvant atteindre 40 cm de longueur et généralement annelés de noir et de blanc. Lorsque l'animal est en danger, il les hérisse en éventail et les fait vibrer pour dissuader son agresseur. Lion, léopard et lycaon sont friands de ce mammifère à poils durs... mais paient souvent comptant leur hardiesse. Car les piquants se détachent facilement du porc-épic pour aller se planter dans le mufle ou les pattes de l'agresseur (on a longtemps raconté que le porc-épic « projetait » ses piquants autour de lui... mais ce n'est qu'une légende !). Une fois fichés dans la chair vive, ces piquants s'enfoncent peu à peu grâce aux barbes dont ils sont munis (on a vu des piquants qui ont fini par atteindre le cœur de leur victime). De plus, une fois brisés, ils occasionnent souvent des infections fatales. Les grands prédateurs se méfient avec raison de ce rongeur qui charge à reculons en présentant son redoutable arrière-train.

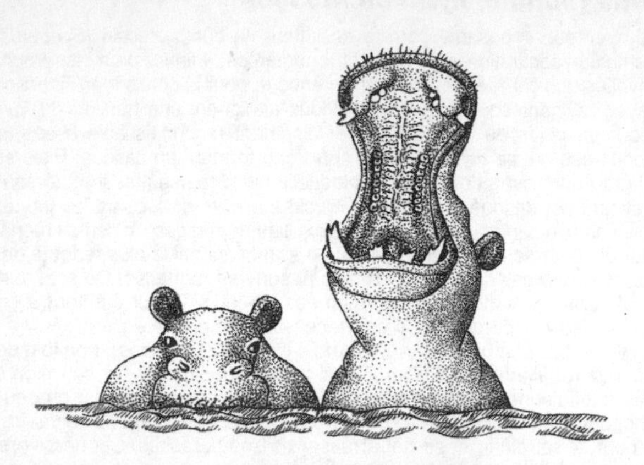
HIPPOPOTAME
Hippotamus

CROCODILE DU NIL
Nile crocodile

L'hippopotame (*hippopotamus* ou *kiboko*)

Avec son énorme corps en barrique, sa peau glabre, son mufle évasé, ses pattes courtes et trapues, l'hippopotame amphibie *(Hippopotamus amphibius)* est le 2e plus gros mammifère terrestre. Il affectionne essentiellement les rivières et les lacs peu profonds, car il se révèle être un piètre nageur. En règle générale, il préfère se laisser flotter (porté par le courant). Au moindre danger, il coule et s'enfuit en trottant sur le fond vaseux des fleuves.
Il possède des narines et des conduits auditifs obturables. Cet imposant sous-marin (il peut peser jusqu'à 3 t!) peut rester près de 10 mn en apnée.
L'hippopotame est herbivore. À la nuit tombée, il quitte son refuge aquatique pour aller engloutir son comptant d'herbe quotidienne. Parcourant parfois une dizaine de kilomètres, ce vorace ingère jusqu'à 100 kg de verdure par nuit. Grâce à ses larges lèvres, ce lointain cousin des vaches et des chameaux peut aisément brouter l'herbe rase. Ses énormes canines inférieures (elles peuvent atteindre la taille très respectable de 1 m!) ne semblent pas avoir d'action directe lors de la mastication. Les groupes de pachydermes sont la plupart du temps composés de femelles surveillées par un mâle dominant. Les batailles entre mâles sont spectaculaires et d'une violence cataclysmique!
En terre d'Afrique, l'hippopotame est responsable du plus grand nombre d'accidents mortels concernant les humains. Dans l'eau ou à terre, sa charge est fulgurante... et, le soir tombé, bien des Africains évitent la proximité des rivières, effectuant de larges détours plutôt que de risquer une rencontre fatale avec ce « cheval de fleuve » (traduction littérale de son nom grec). Redoublez donc d'attention! Cette force de la nature a toutefois ses faiblesses. Quelquefois distrait lors de ses baignades, ce mauvais baigneur devient la victime de courants violents. On a vu des hippopotames entraînés des kilomètres durant par des fleuves à fort débit... Certains se sont même retrouvés en pleine mer, dérivant jusqu'aux îles de Zanzibar et de Mafia, à 30 km au large de la côte africaine. D'une résistance exceptionnelle, ces valeureux pachydermes étaient sains et saufs! Curiosités : son bâillement, signe caractéristique servant à établir la hiérarchie, et son habitude de déféquer pour saluer un autre hippo!

Le crocodile du Nil (*crocodile* ou *mamba*)

Job écrivait dans l'Ancien Testament : « Qui pénétrera entre ses mâchoires? Qui ouvrira les portes de sa gueule? Autour de ses dents habite la terreur... Ses éternuements font briller la lumière; ses yeux sont comme les paupières de l'aube. » Déjà, face au plus grand des reptiles vivants, le prophète oscillait entre effroi et poésie.
Et on le comprend! Loué par Pline et Hérodote, le crocodile du Nil *(Crocodylus niloticus)* est un géant tout à fait fascinant. D'une taille qui force le respect (dans des temps anciens, épargné par le braconnage intensif, il pouvait atteindre la longueur respectable de 7,90 m!), pesant près d'1 t, ce dragon fascina les hommes et fut à l'origine de bien des légendes. Certaines prétendent qu'il pleure comme un enfant pour attirer les femmes qu'il emporte et dévore au fond des fleuves. D'autres racontent qu'il peut vivre plus de 800 ans! Ce qui est beaucoup plus exact, c'est que ce redoutable prédateur représente un réel danger pour l'homme... bien qu'Alistair Graham, qui l'observa longtemps, prétende qu'il soit responsable de beaucoup moins d'accidents mortels que les lions, buffles et autres hippopotames. Tout droit échappé du trias supérieur, ce cuirassé submersible est un être poïkilotherme, c'est-à-dire que son corps est couvert d'écailles cornées sous lesquelles des plaques osseuses dermiques sont disposées en travées longitudinales. Totalement adapté au mode de vie semi-aquatique, le crocodile du Nil possède des narines et des oreilles munies d'une valvule, charnue et mobile, qui se ferme de façon étanche lorsqu'il s'immerge totalement. Son inquiétante pupille verticale est recouverte d'une paupière nictitante (ou 3e paupière) qui lubrifie l'œil et le protège lorsque notre dragon est en plongée. Le crocodile ingère régulièrement dans son estomac des pierres pesant plusieurs kilos... qui semblent intervenir dans le processus de sa digestion et qui ont un rôle de lest, facilitant son immersion totale. Il noie ses victimes et les laisse souvent pourrir sous un tronc d'arbre.
Aujourd'hui protégé, il survit (entre autres) dans le nord du Kenya, dans les eaux inhospitalières du lac Turkana (situé au centre d'une steppe subdésertique battue par les vents et brûlée par le soleil). Ils sont des milliers près de Central Island. On en trouve également dans la Galana (Tsavo Est).

GIRAFE
Giraffe

GIRAFE MASAÏ
Masaï giraffe

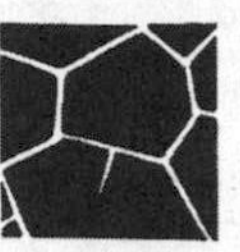

GIRAFE RÉTICULÉE
Reticulated giraffe

GIRAFE DE ROTHSCHILD
Rothschild's giraffe

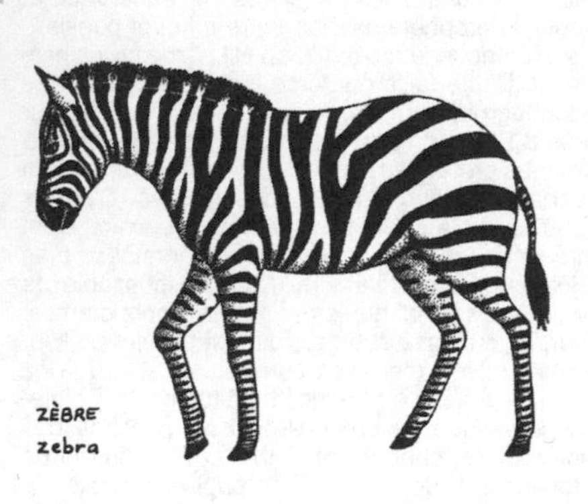

ZÈBRE
zebra

ZÈBRE DE GRANT
Burchell zebra

ZÈBRE DE GRÉVY
Grevy's zebra

ZÈBRE DE BOEHM
Boehm's zebra

La girafe (*giraffe* ou *twiga*)

D'une grâce aristocratique et d'une nonchalance très stylée lorsqu'elle va l'amble (ses pointes de vitesse peuvent atteindre 60 km/h), la girafe reste l'absolue souveraine de la savane. Pour Karen Blixen : « La girafe ressemble tellement à une dame que l'on évite de penser à ses jambes... mais elle laisse le souvenir de glisser au-dessus des plaines. »
Son cou démesuré (formé seulement de 7 vertèbres, comme l'homme, chacune mesurant 25 à 30 cm), sa tête ciselée (périscope aux larges yeux frangés de cils et surmontée de 2 petites paires de cornes recouvertes de peau) en font l'animal terrestre le plus haut de cette planète. Cet élégant artiodactyle peut atteindre une hauteur vertigineuse de 5,80 m pour un poids maximal d'1 t !
Au Kenya et en Tanzanie, on distingue 3 sous-espèces de girafes :
- la girafe réticulée ;
- la girafe de Rothschild ou girafe Baringo *(Giraffa camelopardalis rotschildi)* ;
- la girafe massaï.

On trouve la girafe réticulée surtout dans le nord et le nord-est du Kenya (réserves de Méru, Marsabit et Samburu). On la distingue par sa robe d'un brun foncé. Les taches qui parsèment son pelage sont très régulières et imiteraient un motif « écaille de tortue ».
On trouve la girafe de Rothschild vers l'ouest, près du lac Baringo. Son pelage rappelle celui de la girafe réticulée, avec des taches très régulières, mais inexistantes au-dessous des genoux (« chaussettes blanches »).
La girafe massaï est répandue dans l'ensemble du Kenya, mais plus dans les parcs situés au sud et à l'ouest de Nairobi.
Sachez toutefois que l'identification n'est pas toujours facile, les motifs variant d'un individu à l'autre et constituant pour chaque animal une « carte d'identité » très personnalisée. Quoi qu'il en soit, vous apprécierez la beauté tout en apesanteur de cet herbivore au manteau tacheté dont les Égyptiens disaient qu'il était issu de l'accouplement d'une chamelle et d'un léopard.

Le zèbre (*zebra* ou *punda milia*)

Avec son élégant costume de bagnard, ses oreilles sans cesse mobiles, sa crinière rase et fournie, le zèbre est l'un des ongulés les plus typiques et les plus attachants que l'on puisse rencontrer en terre d'Afrique. *Zebra* signifie « âne rayé » en swahili, et sa superbe robe bicolore est toujours un ravissement pour celui qui la découvre, contrastée sur le paravent fauve des herbes de la savane.
En Afrique orientale, on distingue deux espèces de zèbres : le zèbre de Grévy et le zèbre de Burchell ou zèbre de Grant (les deux noms sont couramment utilisés). Le premier est reconnaissable à ses oreilles plus larges, sa robe parcourue de rayures serrées et nombreuses (une vingtaine de bandes) et son ventre uniformément blanc. Le zèbre de Burchell est, lui, de taille plus modeste (il peut tout de même atteindre un poids de 330 kg), et sa robe présente des rayures beaucoup plus larges.
Le zèbre de Grévy est plus difficile à observer ! Ce solitaire (il ne fonde jamais de famille) peuple les steppes et les semi-déserts du nord du Kenya, où la végétation est plus rare. Le braconnage intensif, les sécheresses répétées et le surpâturage ont lentement eu raison des troupeaux jadis florissants (le taux de reproduction des zèbres de Grévy a chuté de 90 %). Même s'il est plus apte à survivre en milieu aride, notre herbivore doit affronter aujourd'hui une compétition de plus en plus inégale avec les troupeaux de bétail domestique (à l'aide de barrières sans cesse renouvelées, les éleveurs lui interdisent l'accès aux points d'eau).
Le zèbre de Burchell (ou zèbre commun) est présent dans l'ensemble du Kenya et de la Tanzanie. À l'opposé du zèbre de Grévy, il vit en troupeaux organisés (un mâle veille sur un harem de 1 à 6 juments et leurs poulains).
On s'est longuement interrogé sur la fonction de la robe bicolore de cet équidé non domesticable. Certains pensent que son graphisme particulier perturbe les sens de la mouche tsé-tsé qui l'évite. D'autres pensent qu'il s'agit d'un effet camouflage ou d'un procédé « graphique » de régulation de température pour l'animal. Quoi qu'il en soit, ce figurant « pop art » d'un bestiaire virtuose reste un enchantement pour l'œil de l'amateur aventurier.

HYÈNE TACHETÉE
Hyena

LYCAON
Hunting dog

CHACAL
Jackal

La hyène (*hyena* ou *fisi*)

Est-ce son cri terrible (qui va du hurlement au « rire » le plus lugubre)... ou est-ce son apparence qui nous rend la hyène si peu sympathique ? On la dit laide, cruelle, lâche... mais ce ne sont là que des considérations d'ignorant. À l'examiner de plus près, ce prédateur atypique s'avère tout à fait fascinant.
Au Kenya et en Tanzanie, 2 espèces de hyènes : la hyène tachetée et la hyène rayée *(Hyæna hyæna).* La première est de très loin la plus répandue. On la reconnaît à ses oreilles rondes, à son pelage (du brun au roux) couvert de taches disposées irrégulièrement. La hyène rayée est de taille plus modeste, a des oreilles pointues et une crinière érectile qui va de la nuque à la queue. Accusée à tort d'être un animal exclusivement charognard, la hyène tachetée s'avère être un redoutable prédateur lorsqu'elle chasse en groupe. Sa terrible mâchoire hérissée d'une dentition surdimensionnée est l'une des armes les plus redoutables qui soient (elle peut exercer une pression d'environ 3 t/cm^2, un crocodile n'atteignant que 200 kg/cm^2 !).
De mœurs principalement nocturnes, la hyène engloutit et chasse tout ce qu'elle rencontre : charognes, tortue, chacal, antilope, zèbre, gnou, petits de rhinocéros, de guépard, de buffle... et même parfois l'homme !
Animal singulier, la hyène tachetée collectionne les incongruités. La femelle est dominante et présente un clitoris aussi gros que le pénis du mâle. De plus, la femelle met au monde des jumeaux qui commencent leur vie par un fratricide : l'un des frères se jette presque invariablement sur l'autre et le tue...

Le lycaon (*hunting dog* ou *mbwa mwitu*)

Son nom vient du grec *lukus* et du latin *pictus,* ce qui signifie « loup peint ». Mais on le surnomme aussi « chien-hyène » *(cynhyène)...* Toutefois, il n'est ni vraiment l'un ni vraiment l'autre. Le lycaon *(Lycaon pictus)* est en fait un chien sauvage qui a la particularité d'être exclusivement carnivore. Redoutable prédateur (sans doute le plus efficace du continent africain), il fut injustement chargé d'une réputation de cruauté systématique. Déclaré nuisible, il fut traqué et exterminé sans répit par les éleveurs et les chasseurs de la savane. Cela explique sa considérable raréfaction sur l'ensemble du territoire africain.
De taille moyenne (environ 25 kg), le lycaon est facilement reconnaissable à ses oreilles très rondes, sa mâchoire surdimensionnée et son pelage rêche, taché de noir, de brun, de blanc et de jaune. Vivant et se déplaçant en meute (de 5 à 40 individus), sa technique de chasse est impitoyable. Il traque en groupe, cerne une proie (antilope, kob, gazelle, zèbre...), l'immobilise et l'éviscère vivante. Mais, hors chasse, ce tueur est un animal sociable, pacifique et profondément altruiste.

Le chacal (*jackal* ou *bweha*)

Ce canidé sauvage, de la taille d'un chien domestique (50 cm au garrot pour un poids d'environ 15 kg), est relativement facile à observer. Aisément reconnaissable (son profil de divinité égyptienne nous l'a rendu bien populaire), il rythme les nuits africaines de ses hurlements et glapissements caractéristiques. Cet animal sociable bénéficie d'une réputation de charognard et de pilleur de cadavres pas toujours justifiée. Certes, on l'observe souvent aux alentours des curées de lions, espérant quelques restes. Mais ce petit canidé peut se révéler être un prédateur redoutable. Chassant souvent par deux, il traque les antilopes, phacochères, gnous... encerclant (à plusieurs) les mères pour s'emparer de leurs petits. Friand de reptiles et d'insectes, cet omnivore ne dédaigne pas non plus les fruits, les œufs... ou les champignons !
Peuplant les terres africaines depuis toujours (on a découvert des restes fossilisés vieux de plus d'1,5 million d'années !), il fréquente aussi bien les zones arides que boisées.
Nous distinguons en fait 3 espèces de chacals : le chacal à chabraque *(Canis mesomelas),* le chacal doré *(Canis aureus)* et le chacal à flancs rayés *(Canis adustus).* Le chacal à chabraque se distingue par une tache sombre qui lui fait un « manteau » de la nuque à la queue (la chabraque étant un tapis de selle employé par les régiments de hussards). C'est celui que vous observerez le plus aisément. Le chacal doré est plus trapu et, comme son nom l'indique, son pelage tire vers une dominante jaunâtre. Le chacal à flancs rayés est de couleur brune avec une bande noire sur les côtés.

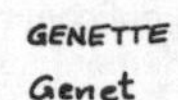

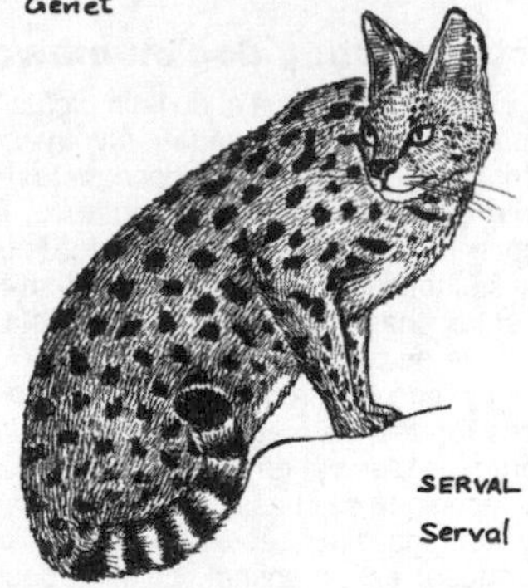

DAMAN
Hyrax or Dassie

CIVETTE
Civet

PLANS ET CARTES EN COULEURS

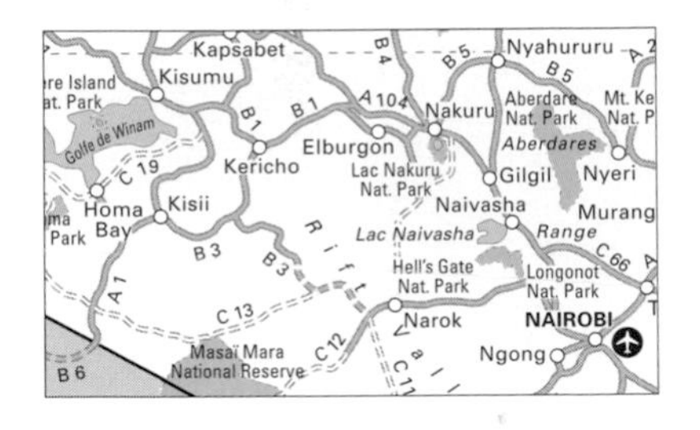

LE KENYA

KENYA
OUGANDA
TANZANIE
Lokichogio
Lokitaung
Koobi Fora National Monument
Sibiloi Nat. Park
Lac Turkana
Kalokol
Central Island Nat. Park
North Horr
Lodwar
Chalbi Desert
Maikona
Loyangalani
2 293
Mont Kulal
South Island Nat. Park
Lokichar
Rift Valley
South Horr
Marsabit Nat. Res.
Nasolot Nat. Reserve
South Turkana Nat. Reserve
Samburu Hills
Baragoi
Soroti
Lac Kyoga
Kapenguria
Mathews Range
Barsaloi
Mbale
Mont Elgon
Cherangani Hills
Wamba
Mt. Elgon Nat. Park
Kitale
Maralal
Kamnarok Nat. Res.
Samburu Nat. Res.
Tororo
Tambach
Lac Baringo
Laikipia Nat. Res.
Buffalo Springs Nat. Res.
Bungoma
Eldoret
Kabarnet
Busia
Kampala
KIGALI
Kakamega
Lac Bogoria Nat. Res.
Isiolo
Kapsabet
Nyahururu
Mont Kenya
Ndere Island Nat. Park
Kisumu
Mt. Kenya Nat. Park 5199
Aberdare Nat. Park
Nakuru
Île Rusinga
Golfe de Winam
Elburgon
Aberdares
Kericho
Nyeri
Île Mfangano
Lac Nakuru Nat. Park
Gilgil
Embu
Homa Bay
Kisii
Naivasha
Ruma Nat. Park
Lac Naivasha
Muranga
Range
Lac Victoria
Hell's Gate Nat. Park
Longonot Nat. Park
Narok
Thika
NAIROBI
Masaï Mara National Reserve
Ngong
Loita Hills
Machakos
Lac Magadi
Magadi
Emali
Amboseli Nat. Park
Namanga
Mwanza
Lac Natron
Mont Kilimandjaro
Mt. Kilimandjaro National Park
5 895
Arusha
Moshi
Lac Manyara
A 1
A 2
A 23
A 104
A 109
B 1
B 3
B 4
B 5
B 6
C 11
C 12
C 13
C 19
C 36
C 39
C 46
C 47
C 51
C 58
C 66
C 77
C 78
C 79
C 83
C 102
Routes principales revêtues
Routes principales non revêtues
Routes secondaires non revêtues
Pistes, chemins

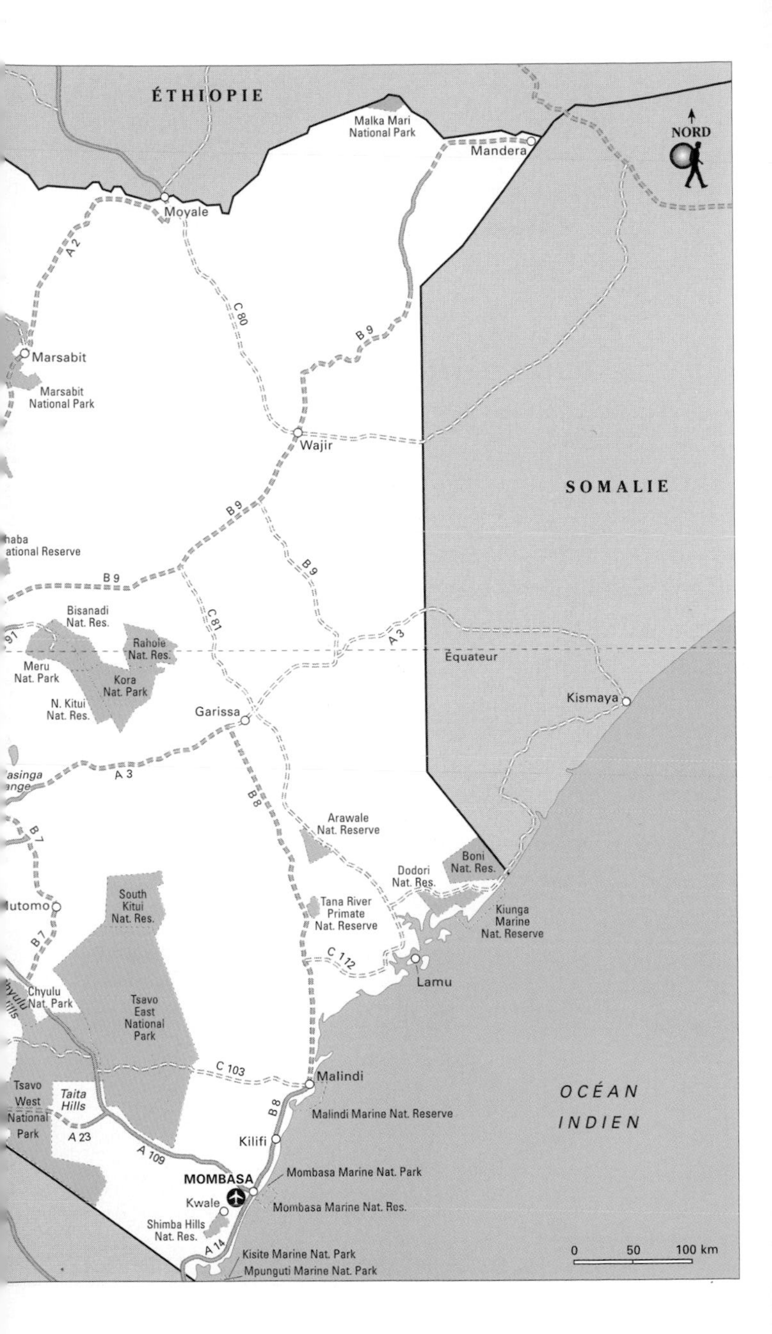

LE KENYA

LE KENYA

KIKUYU, NAIVASHA
55
WESTLANDS
Waiyaki Way
Parklands
Mpaka Rd
First Parklands
Second Parklands
Parklands Road
Chiromo Road
West Lands Road
Mogotio Road
Muthithi Road
Chiromo Lane
Ojijo Road
Museum Hill
Kipande Road
National Museum
Harry Thuku Road
The Arboretum
Uhuru
University Way
Central Park
Uhuru Park
Cathedral Road
Denis Pritt Road
State House Avenue
Kenyatta
Chaka Nyangumi Ave.
Lenana Road
Woodlands Road
Milimani Rd
Ralph Bunche
Valley Road
Bishops Road
Third Ngong Ave.
Street
Jabavu
HURLINGHAM
Argwings Kodhek Road
Yaya Centre
Ring Kilimani
Nairobi Hospital
Haile
Upper Hill Road
Lower Hill Road
Ragati Rd
Mara Road
Hospital
Menengai Rd
Road
Elgon Road
Ngong
Mucai Drive
Kabarnet Road
Golf Course
Mbaruk Road
Mbagathi Way
Mtongwe Road
Mbagathi Road
Langata Road
0 500 1 000 m
Nairobi Nat. Park, Wilson Airport, Magadi, Kenya Wildlife Service

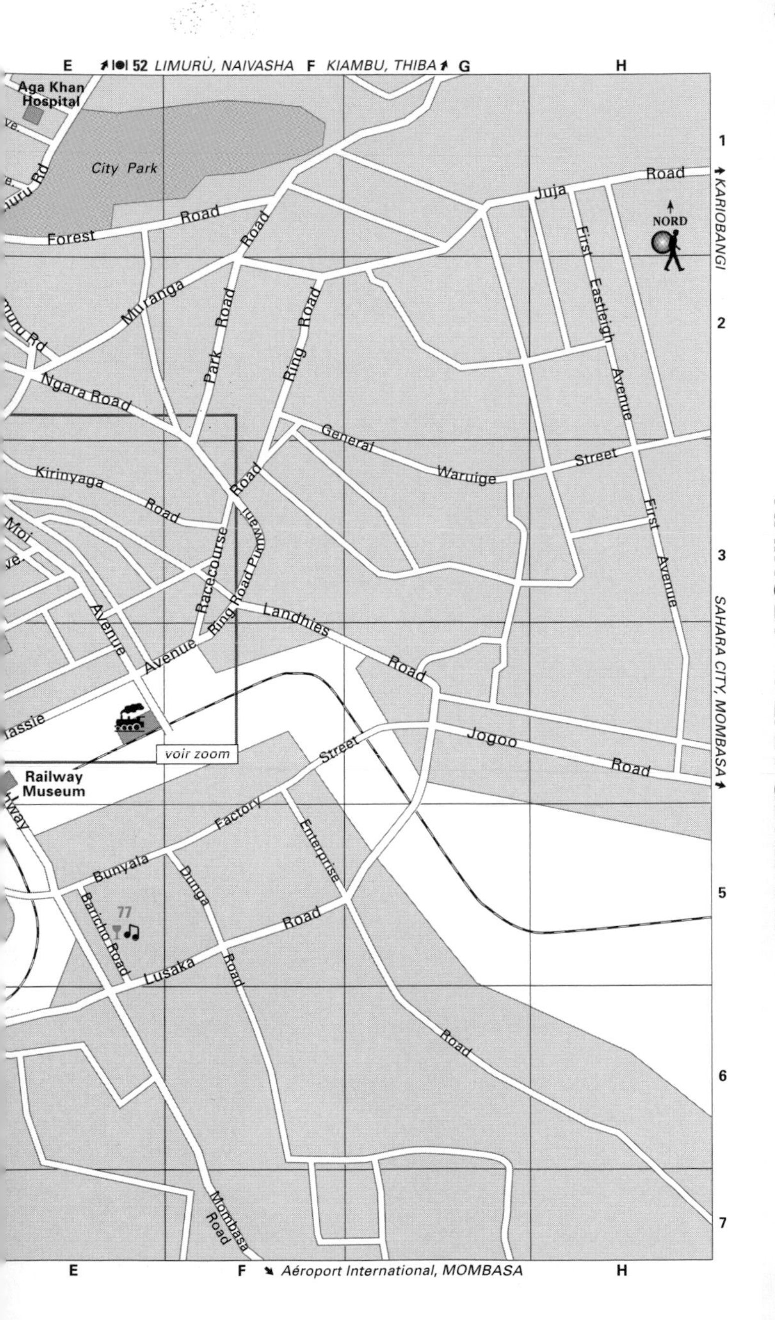

NAIROBI – PLAN GÉNÉRAL

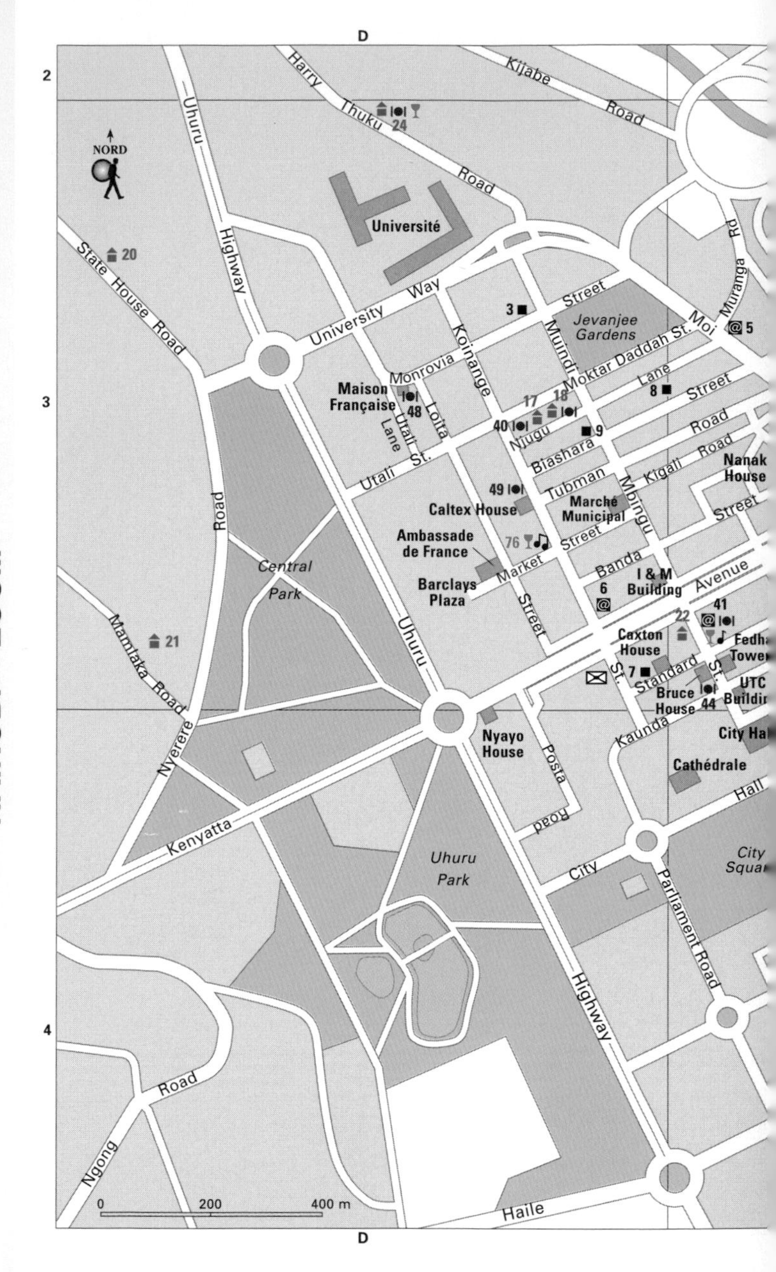

D
2
3
4
NORD
Harry Thuku Road
Kijabe Road
24
Université
Uhuru Highway
State House Road
20
University Way
3
Street
Jevanjee Gardens
Muindi
Koinange
Moi
Muranga Rd
5
Moktar Daddah St.
Monrovia
Lane
8
Street
Maison Française
48
Loita
Utali Lane
17
18
40
Njugu
9
Road
Road
Utali St.
Biashara
Tubman
Kigali
Nanak House
49
Mbingu
Caltex House
Marché Municipal
Street
Road
Ambassade de France
76
Street
Central Park
Market
Banda
Barclays Plaza
6
I & M Building
Avenue
41
Mamlaka Road
21
Uhuru
Street
22
Caxton House
Fedha Tower
7
St.
Standard
St.
UTC Building
Bruce House
44
Nyerere
Nyayo House
Posta
Kaunda
City Hall
Cathédrale
Hall
Road
Kenyatta
Uhuru Park
City Square
City
Parliament Road
Highway
Road
Ngong
0
200
400 m
Haile

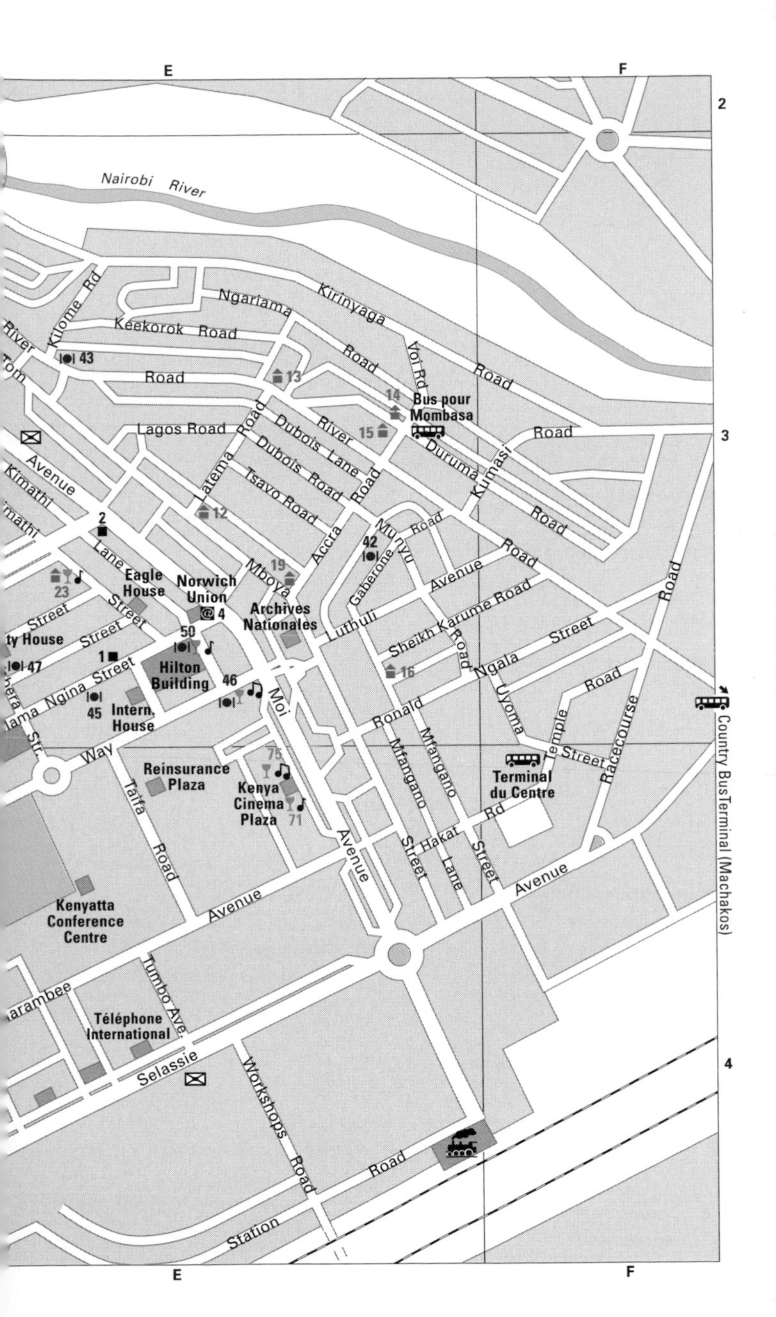
E
F
2
3
4
Nairobi River
Kilome Rd
River
Keekorok Road
Ngariama
Kirinyaga
Road
Road
Voi Rd
Road
43
13
14
Bus pour Mombasa
15
Lagos Road
Road
Dubois Lane
River
Duruma
Kumasi
Road
Avenue
Kimathi
Latema
Dubois Road
Tsavo Road
Road
12
Accra
Road
2
Lane
Munyu
Road
42
Gaberone
Road
19
Eagle House
Norwich Union
4
Mboya
Archives Nationales
Avenue
Luthuli
Sheikh Karume Road
Road
Street
Street
Street
House
Street
50
1
47
Hilton Building
46
Ngina Street
Ngala
16
Road
Moi
Ronald
Uyoma
45
Intern. House
Way
Temple
Street
Racecourse
Terminal du Centre
Mfangano
Mfangano
75
Reinsurance Plaza
Kenya Cinema Plaza
71
Taifa
Road
Hakati
Rd
Street
Lane
Street
Avenue
Avenue
Avenue
Kenyatta Conference Centre
Tumbo Ave.
Téléphone International
Selassie
Workshops
Road
Road
Station
Country BusTerminal (Machakos)
NAIROBI – ZOOM

REPORTS DU PLAN D'ENSEMBLE

Adresses utiles

- Tourist Kenya Board
- Gare ferroviaire

Où dormir ?

- **10** Upper Hill Campsite
- **11** Rowallan Camp
- **25** Nairobi Backpackers
- **26** Youth Hostel
- **27** Sirona Hotel
- **28** Rwengoma Guesthouse
- **29** Heron Court Hotel
- **30** Parklands Villa
- **31** Trisan Hotel
- **32** Milimani Hotel
- **33** Fairview Hotel
- **34** Hôtel Boulevard
- **35** Holiday Inn (Mayfair Court Hotel)

Où manger ?

- **51** Ashiana
- **52** Village Market
- **53** Addis Ababa
- **54** Anghiti
- **55** Le rustique
- **56** Pavement
- **57** Haandi
- **58** Mediterraneo
- **59** Leos Café
- **60** Motherland Inn, Nairobi Java House et Three Wheels
- **61** Resto du Sagret Hotel Equatorial
- **62** The Cellar
- **63** La Salumeria
- **64** Le Carnivore

Où boire un verre ? Où sortir ?

- **30** Klub House I
- **56** Pavement
- **64** Le Carnivore
- **70** Gipsy Bar – Tropicana Restaurant
- **72** Le Psy's Bar
- **74** Citizen
- **77** Choices

REPORTS DU ZOOM

Adresses utiles

- Postes
- Terminaux de bus
- Gare ferroviaire
- **1** et **2** Barclays
- **3** Bureau central de réservation des bus
- **4** Browse Internet Café
- **5** Global Access
- **6** Lezards
- **7** Let's Go Travel
- **8** Atul's
- **9** Kenya Canvas

Où dormir ?

- **12** Iqbal Hotel
- **13** New Kenya Lodge
- **14** Destiny Hotel
- **15** Cana Lodge
- **16** Dolat Hotel
- **17** Downtown Hotel
- **18** Terminal Hotel
- **19** Samagat Hotel
- **20** YMCA
- **21** YWCA
- **22** Six-eighty Hotel
- **23** Stanley Hotel
- **24** The Norfolk

Où manger ?

- **24** The Lord Delamere Terrasse & Bar
- **40** Gold Star
- **41** Simmers
- **42** Malindi Dishes
- **43** Roasthouse
- **44** Calypso
- **45** Nairobi Java House
- **46** Green Corner et Twigs
- **47** Trattoria
- **48** Le Jardin de Paris
- **49** Alan Bobbe's Bistro
- **50** Travellers

Où boire un verre ? Où sortir ?

- **23** Bar du Stanley Hotel
- **24** The Lord Delamere Terrasse & Bar
- **41** Simmers
- **46** Cactus Bar
- **50** Le Jockey
- **71** Zanze Bar
- **75** Florida 2000
- **76** New Florida Night Club

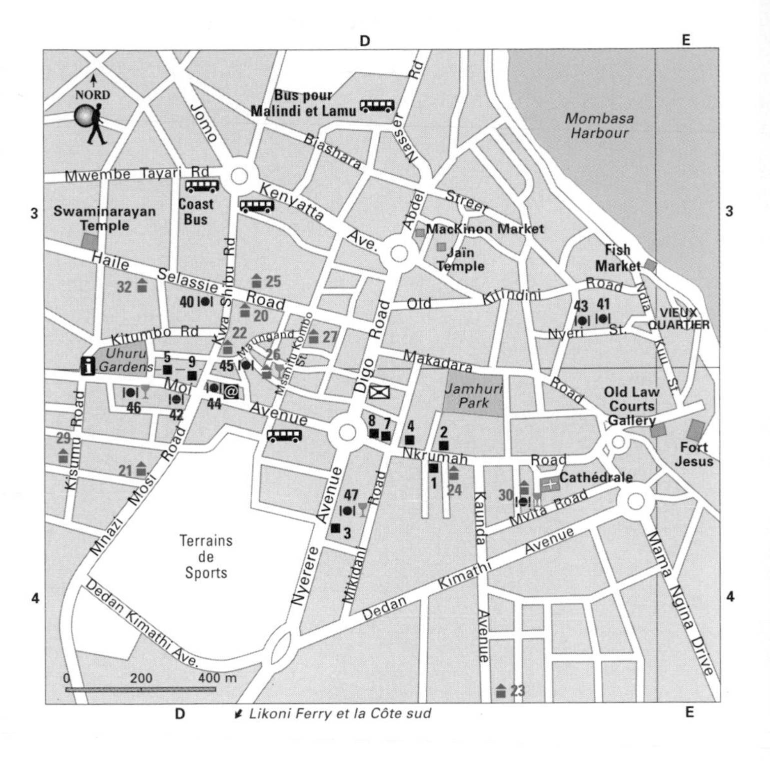

MOMBASA – ZOOM

Adresses utiles

- Information Bureau
- Poste principale
- Gares routières
- 1 Telkom Kenya
- 2 Barclays
- 3 Crédit Agricole Indosuez et Consulat de Tanzanie
- 4 Express Travel Services
- 5 Western Union
- 7 Kenya Airways
- 8 Air Kenya
- 9 Alliance française
- 44 Mombasa Coffee House (Internet)

Où dormir ?

- 20 Glory
- 21 Evening Guesthouse
- 22 Glory
- 23 YWCA
- 24 New Palm Tree Hotel
- 25 Excellent Hotel
- 26 Hôtel Splendid
- 27 Hôtel Hermes
- 29 Manson Hotel
- 30 Lotus Hotel
- 32 Royal Court Hotel

Où manger ? Où boire un verre ?

- 30 Lotus Hotel et bar du Karibu
- 40 New Chetna
- 41 Recoda
- 42 Salt'n'Sweet
- 43 Island Dishes
- 44 Mombasa Coffee House
- 45 Pistacchio
- 46 Le Bistro
- 47 Dishes of Africa

Où sortir ?

- 26 Rooftop Splendid Restaurant
- 30 Bar du Karibu
- 46 Le Bistro
- 47 Dishes of Africa

MOMBASA – PLAN GÉNÉRAL

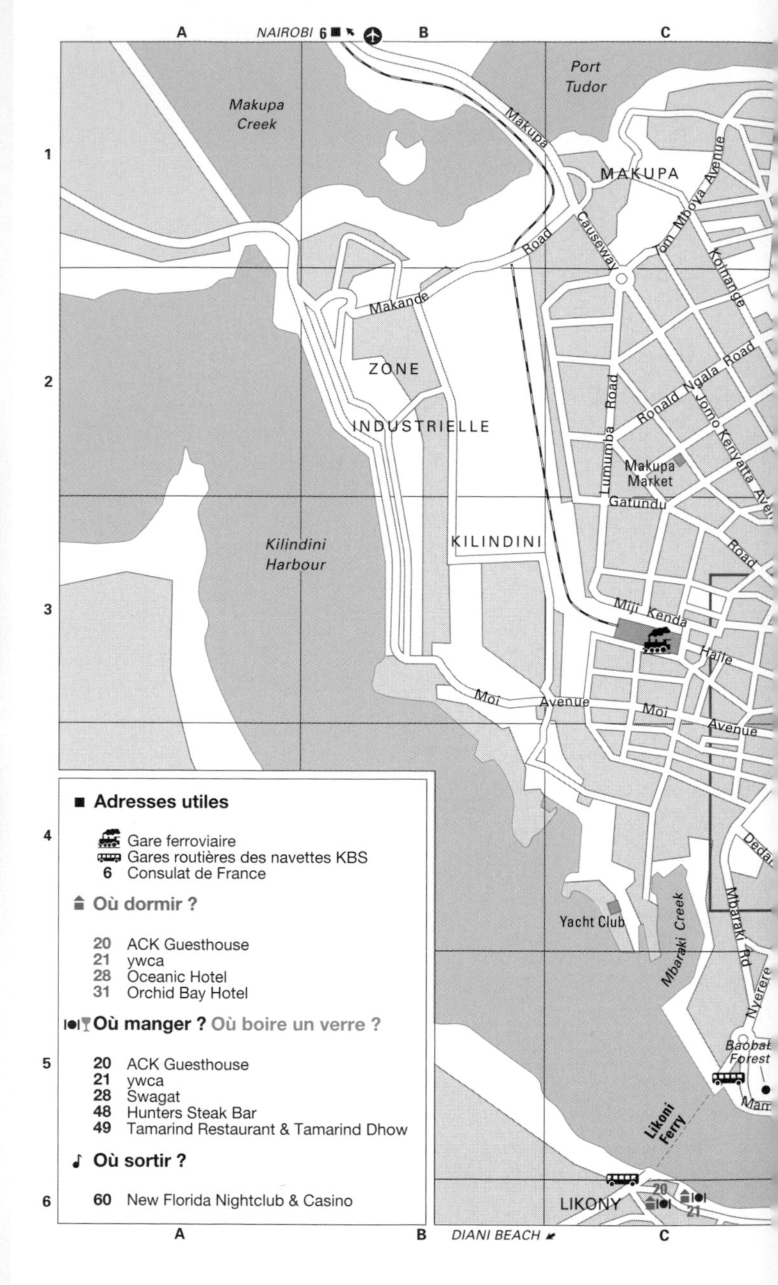

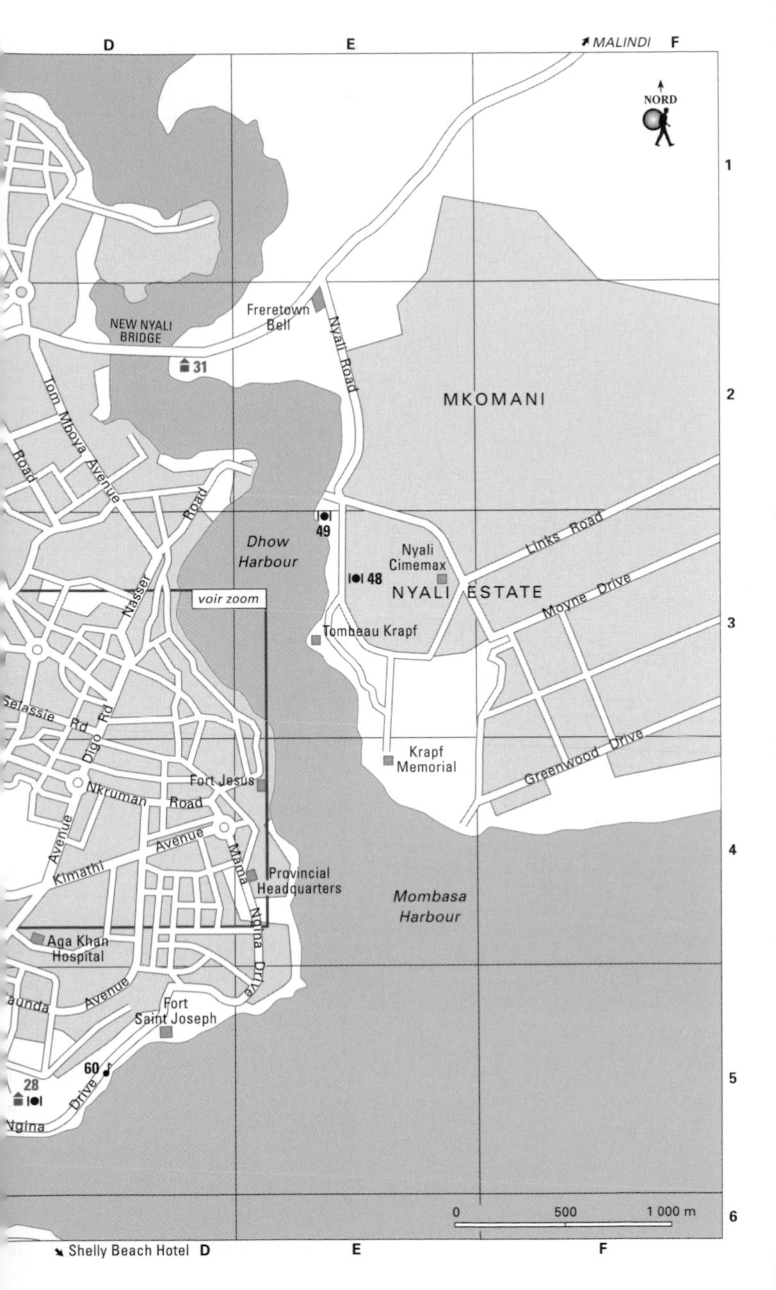

MOMBASA – PLAN GÉNÉRAL

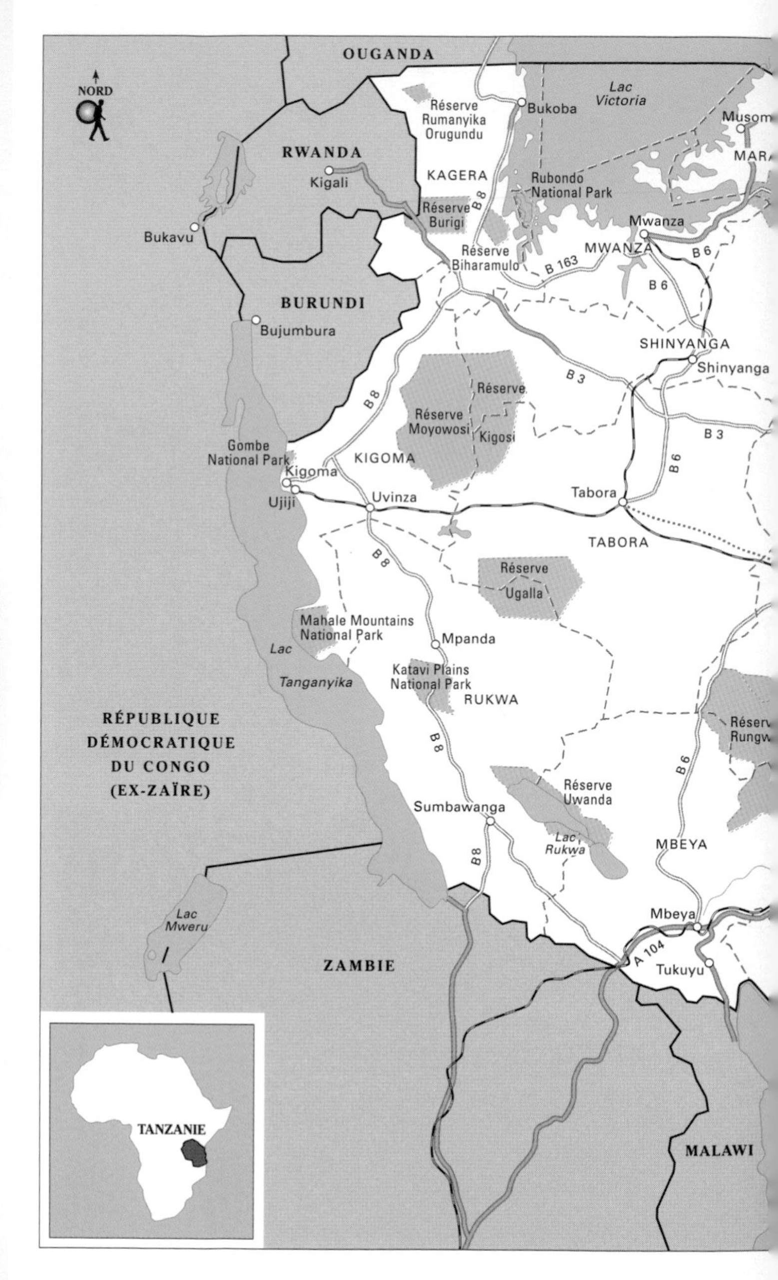
OUGANDA
NORD
RWANDA
Kigali
Bukavu
BURUNDI
Bujumbura
Réserve
Rumanyika
Orugundu
Bukoba
Lac
Victoria
Musom
MAR
KAGERA
Rubondo
National Park
Réserve
Burigi
Mwanza
Réserve
Biharamulo
MWANZA
B 163
B 6
B 8
SHINYANGA
Shinyanga
B 3
Réserve
Réserve
Moyowosi
Kigosi
Gombe
National Park
Kigoma
Ujiji
KIGOMA
Uvinza
Tabora
TABORA
Réserve
Ugalla
Mahale Mountains
National Park
Mpanda
Lac
Tanganyika
Katavi Plains
National Park
RUKWA
RÉPUBLIQUE
DÉMOCRATIQUE
DU CONGO
(EX-ZAÏRE)
Réserve
Uwanda
Sumbawanga
Lac
Rukwa
MBEYA
Mbeya
A 104
Tukuyu
Lac
Mweru
ZAMBIE
MALAWI
TANZANIE

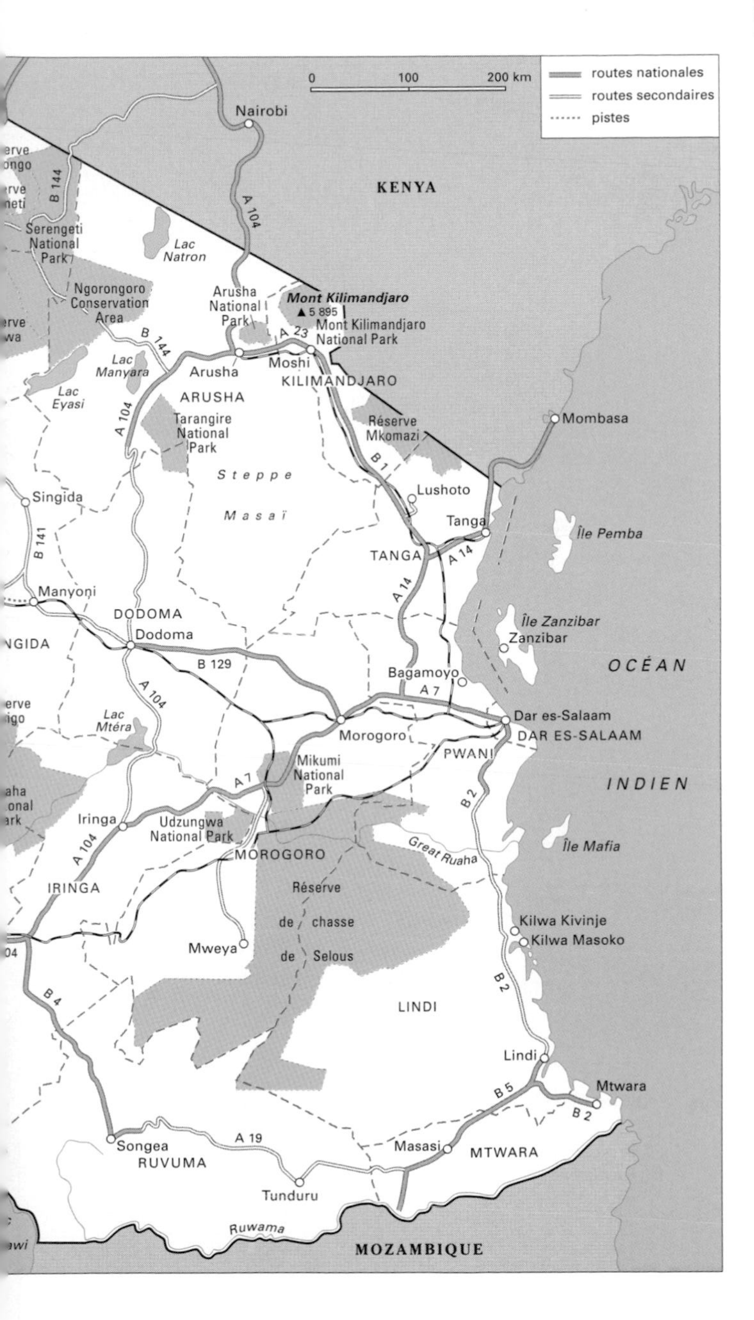
0
100
200 km
routes nationales
routes secondaires
pistes
Nairobi
KENYA
A 104
B 144
Serengeti National Park
Lac Natron
Ngorongoro Conservation Area
Arusha National Park
Mont Kilimandjaro
▲5 895
Mont Kilimandjaro National Park
A 23
Arusha
Moshi
KILIMANDJARO
Lac Manyara
Lac Eyasi
ARUSHA
Tarangire National Park
Réserve Mkomazi
B 1
Mombasa
Steppe Masaï
Lushoto
Singida
Tanga
Île Pemba
B 141
TANGA
A 14
Manyoni
DODOMA
Dodoma
Île Zanzibar
Zanzibar
B 129
OCÉAN
Bagamoyo
A 7
Lac Mtéra
Dar es-Salaam
Morogoro
DAR ES-SALAAM
PWANI
Mikumi National Park
INDIEN
B 2
Iringa
Udzungwa National Park
Great Ruaha
Île Mafia
MOROGORO
IRINGA
Réserve de chasse de Selous
Kilwa Kivinje
Kilwa Masoko
Mweya
B 4
LINDI
Lindi
Mtwara
B 5
Songea
A 19
Masasi
MTWARA
RUVUMA
Tunduru
Ruwama
MOZAMBIQUE

LA TANZANIE

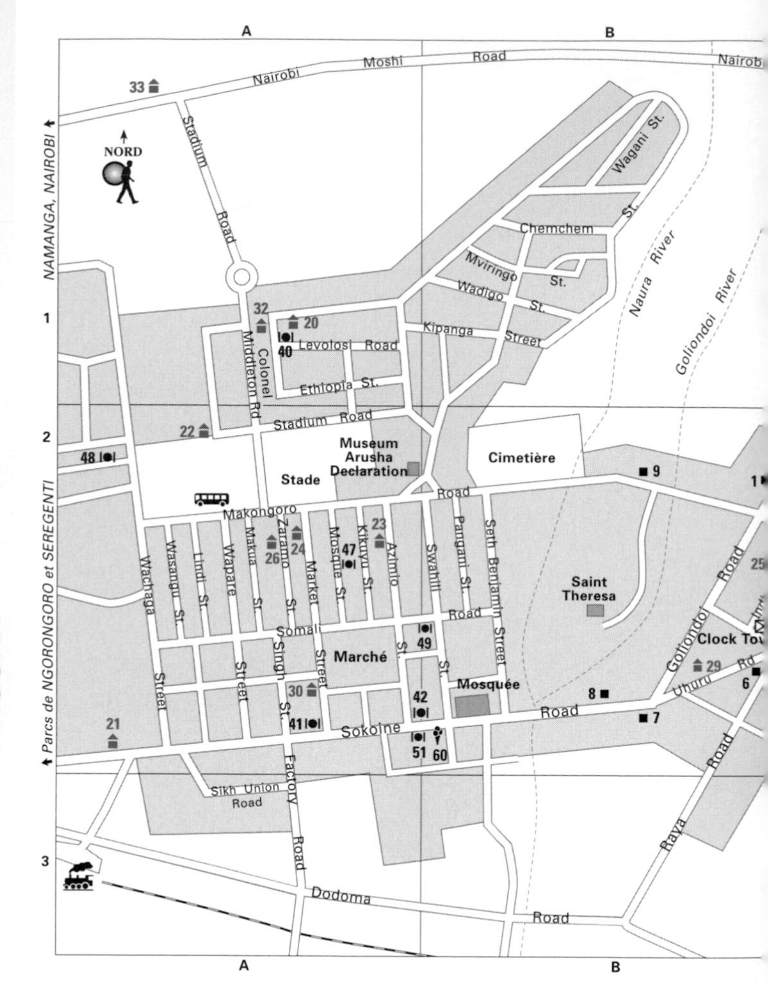

■ **Adresses utiles**

- Tanzania Tourist Board (TTB)
- Poste centrale
- Gare ferroviaire
- Gare routière
- 1 Immigration
- 2 Alliance française
- 4 Temi Business Centre
- 5 Téléphone international
- 6 Banque Nationale de Microfinance
- 7 Banque Nationale du Commerce
- 8 Supermarket Modern
- 9 Police
- 34 Bureau de change de l'hôtel Impala
- @ 35 Hotel Mont Méru (Internet)

Où dormir ?

- 20 Casablanca Guesthouse
- 21 Meru House Inn
- 22 Miami Beach Guesthouse
- 23 Kilimandjaro Villa
- 24 Amazon Hotel
- 25 YMCA
- 26 Seven Eleven 711
- 28 The Outpost Lodge
- 29 Naaz Hotel
- 30 Hôtel Pallsons

ARUSHA

- 31 Le Jacaranda
- 32 Golden Rose Hotel
- 33 Eland Hôtel
- 34 Hôtel Impala
- 35 Hôtel Mount Meru
- 36 New Arusha Hôtel

Où manger ?

- 28 Restaurant de l'hôtel The Outpost
- 31 Le Jacaranda
- 40 Mrina Annex Restaurant
- 41 Mc Moody's Fast-Food
- 42 Johnnie Ravalia Restaurant
- 43 Café Bambou Restaurant
- 44 Jambo Coffee House
- 47 Kahn's Barbeque
- 48 Keni Garden Bar
- 49 Big Bite Restaurant
- 50 Le Barbeque
- 51 Swagat
- 52 Everest Chinese Restaurant
- 53 Mezza Luna
- 54 Spices & Herbs Ethiopian
- 55 The Flame Tree

Où manger une glace ?

- 60 Ice Cream Parlour

Tout pour partir*

LES PETITS CARNIVORES

La mangouste (*mongoose, nguchiro* ou *gitschiro*)

Au Kenya et en Tanzanie, nous distinguons 6 espèces de mangoustes. Les plus répandues sont les mangoustes rayées, qui affectionnent les espaces ouverts, et les mangoustes naines de l'Est. Ensuite viennent les mangoustes rouges, les mangoustes à queue blanche, les mangoustes des marais et les mangoustes ichneumons.
Les mangoustes sont d'adorables carnivores, fascinants à observer. Les mangoustes rayées (40 cm pour 2,3 kg) sont sociables et extrêmement solidaires. Qu'un danger les menace, elles se regroupent et luttent ensemble. Menacées, les mangoustes grognent et crachent, un peu à la manière des chats.

Le serval (*serval, mondo* ou *kisongo*)

Cet irrésistible félidé *(Felis serval)*, surnommé également « chat-tigre », est aisément reconnaissable à ses pattes allongées, à sa courte queue annelée de noir, à sa tête de petite dimension... et surtout à ses oreilles, larges pavillons auriculaires mobiles qu'il dresse en permanence. D'une taille supérieure au chat domestique (il atteint une longueur de 70 cm sans sa queue, pour un poids oscillant entre 15 et 20 kg), le serval a été intensivement chassé pour son pelage chamois-jaunâtre fortement marqué de taches noires et de raies. Ce prédateur, d'une vivacité et d'une souplesse étonnantes, occupe une place intermédiaire entre le chat proprement dit et le lynx. Difficile à observer, on l'aperçoit surtout à l'aube et au crépuscule. Effectuant des bonds impressionnants parmi les herbes des savanes, il chasse à l'affût rats-taupes, damans, lièvres, lézards, pintades, insectes... et ne dédaigne pas, aux heures de disette, le poisson et les matières végétales.

Le daman (*hyrax, dassie, pimbi* ou *perere*)

Le daman est un animal trapu, robuste, de la taille d'une marmotte, qui pourrait être issu d'un improbable croisement entre un énorme cobaye et un gros lapin. Cet adorable ongulé (il mesure 30 cm pour un poids de 5 kg) a le corps couvert d'un pelage gris et fourni. Malgré son apparence de rongeur, il serait le plus proche cousin de l'éléphant et du lamantin !
Vous pourrez rencontrer 3 sortes de damans : le daman d'arbres, le daman des steppes *(Heterohyrax brucei)* et le daman des rochers. Ce dernier est le plus répandu. Il peuple ces reliefs granitiques qu'on appelle des *kopjes*. Le daman d'arbres est le plus menacé, vu l'alarmante régression des espaces boisés africains. Une anecdote amusante : il y a des siècles, lorsque les Phéniciens débarquèrent dans le sud de l'Europe, ils aperçurent des lapins qu'ils prirent pour des damans. Sans tarder, ils baptisèrent cette nouvelle terre annexée « I Saphan In », ce qui signifie « la patrie des Damans ». En se déformant, ce nom devint Hispania... puis Espagne !

La civette (*civet, fungo* ou *ngawa*)

La civette d'Afrique *(Viverra civetta)* est la plus grande de toutes les civettes vraies (90 cm sans la queue pour un poids de 18 kg). Ce représentant de la famille des *viverridae*, au corps allongé, ressemble de loin à un chien. Pourvue de griffes courtes et semi-rétractiles, la civette est un animal nocturne qui, le jour, se dissimule dans les fourrés ou au fond d'anciens terriers d'oryctérope et de porc-épic. Son apparence la fait quelquefois confondre avec sa cousine, la ***genette.***
La civette est surtout connue pour l'huile qu'elle sécrète (le mot « civette » vient de l'italien *zibetto*, emprunté à l'arabe *zabad* qui signifie « musc »). Elle produit un liquide onctueux, très odorant, qui lui sert à marquer son territoire. Très tôt, cette « huile » a été utilisée en parfumerie... Dès le Xe siècle av. J.-C., au temps du roi Salomon, on l'importait déjà d'Afrique !

ELAND DU CAP
Eland
GUIB HARNACHÉ
Bushbuck
GUIB D'EAU
Sitatunga
BONGO
Bongo

LES ANTILOPES

Les « antilopes », comme on les appelle généralement, appartiennent toutes à la famille des bovidés. Elles se subdivisent en plusieurs sous-familles, classées selon la forme de leurs cornes. Sept concernent des espèces africaines : les tragélaphinés (bongo, élands, guibs, koudous), les hippotraginés (antilopes chevalines), les réduncinés (kobs), les alcélaphinés (bubales, damalisques, gnous), les antilopinés (gazelles), les néotraginés (antilopes naines) et les céphalophinés. Les gazelles ne forment donc qu'une des sous-espèces des antilopinés.

L'éland du Cap (*eland* ou *pofu*)

L'une des plus grandes antilopes, l'éland (avec un « d », sinon c'est l'élan du Canada) atteint 1,70 m au garrot pour 800 à 1 000 kg. Lourd et massif, affublé d'un fanon (la peau qui pend sous le cou) et d'une queue à toupet, il rappelle un peu le zébu. Il arrive d'ailleurs qu'il se croise avec certains bovins domestiques...
Son pelage est beige, parfois un peu roux, et peut porter des rayures blanches verticales très fines ; on en compte généralement 5 ou 6. L'arête du dos est soulignée par un trait de poils noirs touffus au niveau de la bosse, que l'on retrouve sur le haut de la tête. Les cornes, présentes chez les 2 sexes (celles de la femelle sont plus longues), prennent la forme d'une vis d'environ 70 cm – le record dépasse le mètre. Migrateur, l'éland du Cap vit en principe par petits troupeaux de 20 à 25 individus. Les chasseurs africains le connaissent bien, à cause des bruits de sabots entrechoqués qu'il fait en courant. Erreur ! Il s'agit en réalité de ses articulations de genoux qui craquent !

Le guib harnaché (*bushbuck* ou *mbawala*)

Grand comme une chèvre, le guib harnaché se reconnaît à sa robe acajou parcourue de bandes blanches verticales (6 à 8) et de deux traits horizontaux. La poitrine et le haut des pattes antérieures sont presque noirs et entrecoupés de trois taches blanches, dont une principale en forme de croissant. L'arrière-train est constellé de points blancs. Les cornes, qui n'existent généralement que chez le mâle, ressemblent un peu à celles d'un daim : elles sont droites et courtes.
Timide et solitaire, le guib harnaché vit dans les zones boisées et n'est, de ce fait, pas très fréquemment observé – même s'il est courant. Plutôt lent, il échappe à ses prédateurs en se faufilant dans le couvert végétal. Mais, en cas de besoin, il est capable, par sa détermination, de mettre en fuite un adversaire beaucoup plus gros que lui. S'il est poursuivi par un crocodile alors qu'il traverse un cours d'eau, il plonge !

Le guib d'eau (*sitatunga* ou *nzohe*)

Assez semblable au guib harnaché – bien qu'un peu plus grand et couvert de poils plus longs –, le *sitatunga* n'occupe que des zones marécageuses ou de sous-bois. Au Kenya, on le rencontre uniquement dans le parc de Saiwa Swamp. Il s'est adapté à son environnement en développant des sabots très allongés (10 cm) qui lui permettent d'avancer en terrain meuble sans s'enfoncer. Craintif, il est de mœurs surtout nocturnes et s'enfuit à la nage en cas de menace ; c'est un très bon nageur.

Le bongo (*bongo* ou *bongo*)

L'une des plus belles antilopes africaines, le bongo se reconnaît à sa robe brun-marron striée de rayures blanches verticales (une douzaine). Plusieurs taches claires se retrouvent entre les 2 yeux, sur les joues, le bas de la poitrine et les pattes. Les oreilles sont larges et les cornes, en forme de lyre, existent chez le mâle comme chez la femelle – elles sont plus longues chez cette dernière. Sur le dos, on remarque une petite crinière érectile. La queue est touffue. Le bongo se nourrit de feuillages, de racines et de bois pourri, mais il apprécie plus particulièrement le bambou. Animal de forêt, plutôt nocturne, il est rarement observé, sauf peut-être dans les Aberdares.

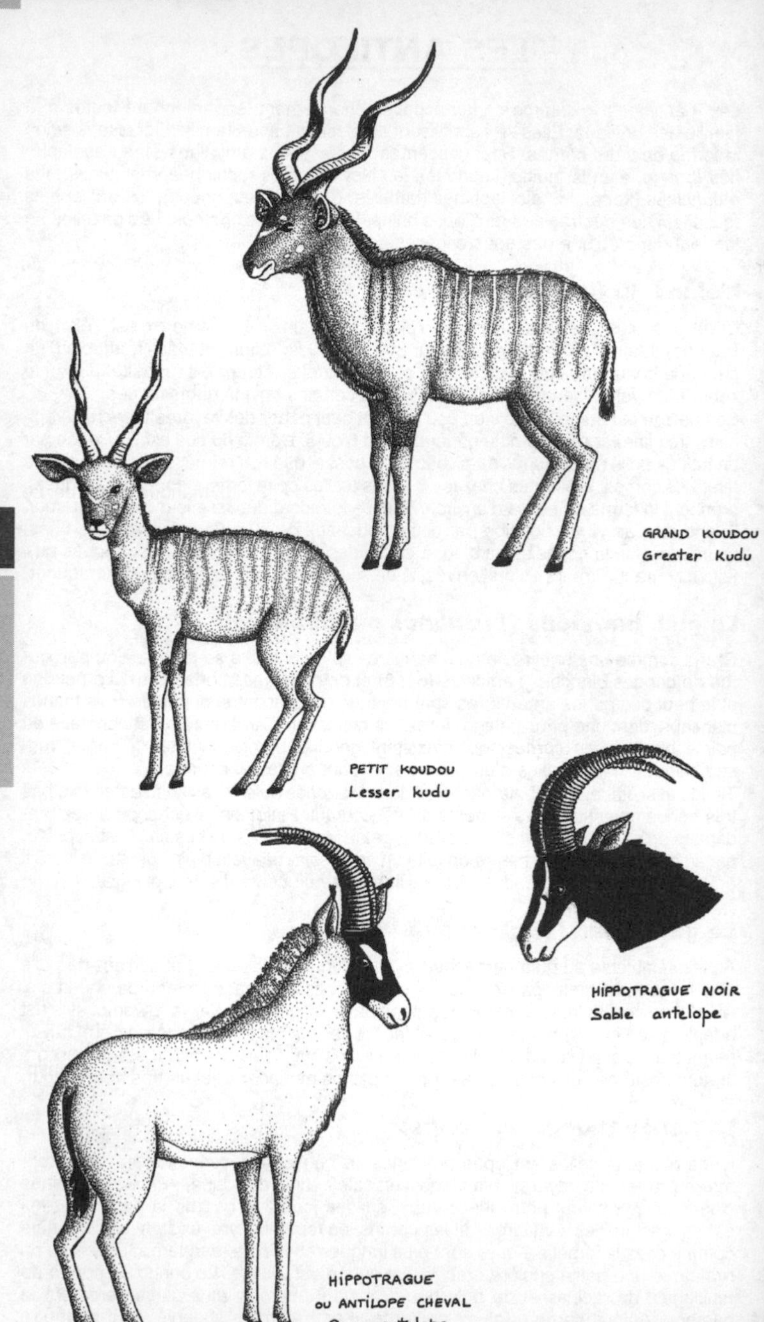
GRAND KOUDOU
Greater Kudu
PETIT KOUDOU
Lesser kudu
HIPPOTRAGUE NOIR
Sable antelope
HIPPOTRAGUE
OU ANTILOPE CHEVAL
Roan antelope

Le grand koudou (*greater kudu* ou *tandala mkubwa*)

Malheureusement très rare, le grand koudou est peut-être la plus majestueuse des antilopes africaines. Pendant longtemps, son trophée était parmi les plus recherchés ; Hemingway, d'ailleurs, en avait fait une fixation... Sa taille impressionnante (1,50 m au garrot), son port de tête altier, les cornes torsadées longues de 1 m du mâle l'identifient sans peine. Son pelage gris souris s'éclaircit sur les flancs où sont imprimées de 6 à 10 lignes blanches verticales. La femelle et les jeunes sont plus roux. Le grand koudou se distingue aussi à ses oreilles, très longues et aux bords blancs, à une crinière assez marquée et à une barbe foncée, prolongée par une frange de poils jusqu'à l'entrejambe. Les lèvres sont blanches. Animal des zones arides, on le rencontre au Kenya dans le seul parc de Marsabit, où il vit par groupes d'une dizaine de têtes. Le rut donne lieu à d'impressionnants combats entre mâles ; il n'est d'ailleurs pas rare que l'un des 2 prétendants y perde la vie.

Le petit koudou (*lesser kudu* ou *tandala ndogo*)

En version simplifiée du précédent, le petit koudou ne diffère guère du grand que par quelques détails : par son poids, pour commencer, de 2 à 3 fois inférieur, mais aussi par ses 2 taches et ses bandes blanches supplémentaires réparties respectivement sur l'encolure et l'arrière du corps, ainsi que par son manque de barbe. Le pelage, très court, est un peu plus foncé – surtout chez le mâle. La queue est grise dessus, blanche dessous. Fréquemment dissimulé dans les broussailles, on ne le rencontre guère qu'à l'aube ou au crépuscule, lorsqu'il part se nourrir (Marsabit, Tsavo).

L'hyppotrague noir (*sable antelope* ou *palahala*)

Très proche du précédent, quoiqu'un peu plus petit, l'hyppotrague noir possède des cornes encore plus longues. Si la moyenne tourne autour de 80 cm, le record établi est de 1,50 m ! Celles du mâle sont davantage courbées. Comme son nom l'indique, sa robe est noire, à l'exception du ventre et de l'arrière de la croupe, blancs. Le bout du museau est également clair. La femelle possède une tonalité légèrement brunâtre. L'hyppotrague noir est rare et ne subsiste guère que dans le parc des Shimba Hills.

L'hyppotrague ou antilope cheval (*roan antelope* ou *korongo*)

Très grand, très beau, l'hyppotrague n'a pas usurpé son surnom : c'est vrai qu'il ressemble à un cheval – jusque dans sa façon de galoper. Toutefois, ce sont ses cornes qui constituent sa véritable marque distinctive : longues (70 cm en moyenne) et annelées, recourbées vers l'arrière, elles évoquent un cimeterre arabe. Le pelage est fauve, sauf l'abdomen, qui est clair. La tête, très particulière, est noire, mêlée de blanc. Les oreilles, grandes et claires, se terminent par un toupet foncé. La crinière, assez raide, est plutôt longue. De nature agressive, les hyppotragues s'opposent en duels fracassants et peuvent, à l'occasion, dérouter un lion. Victimes de la surchasse, ils sont devenus méfiants. On ne peut plus les observer aujourd'hui que dans le parc des Shimba Hills (sur la côte kenyane).

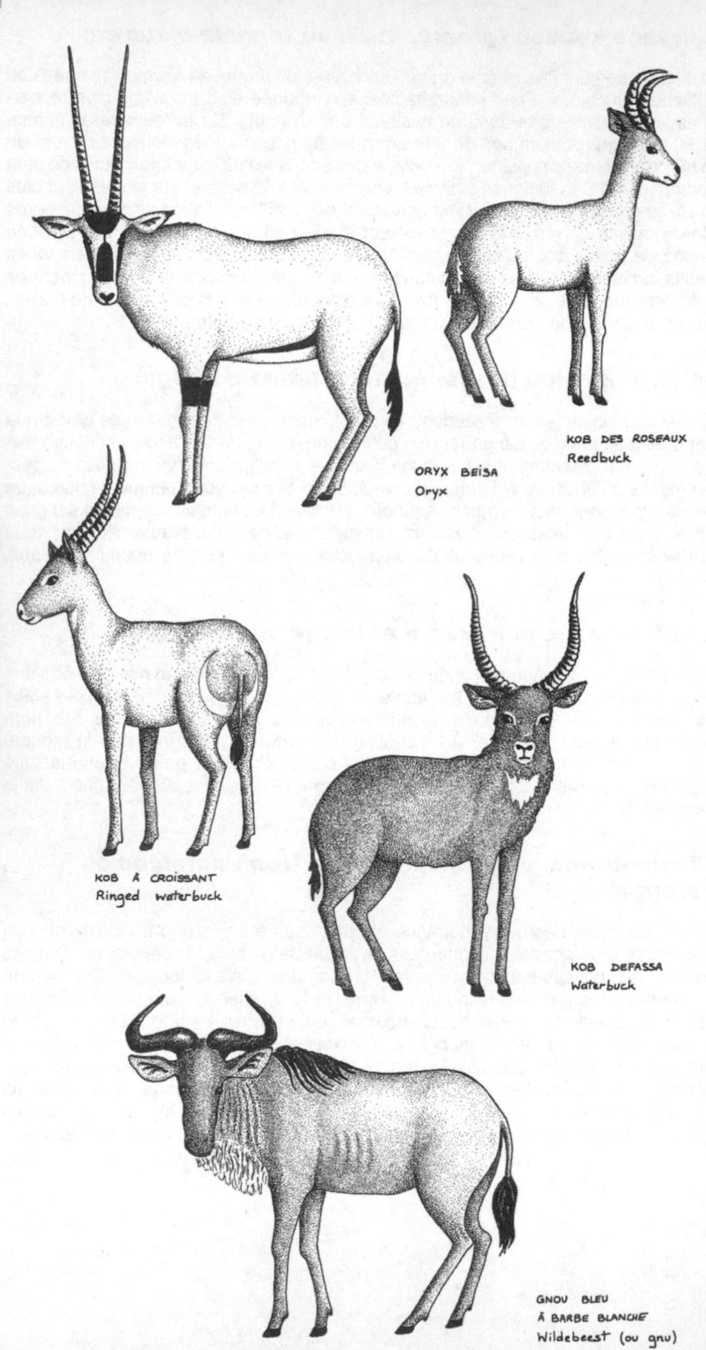
ORYX BEISA
Oryx
KOB DES ROSEAUX
Reedbuck
KOB À CROISSANT
Ringed waterbuck
KOB DEFASSA
Waterbuck
GNOU BLEU
À BARBE BLANCHE
Wildebeest (ou gnu)

L'oryx (*oryx* ou *choroa*)

Au Ier siècle apr. J.-C., Pline l'Ancien mentionnait dans son *Histoire naturelle* en 37 volumes l'existence d'une antilope un peu particulière, vivant quelque part en Afrique centrale : elle aurait été unicorne. Vus de côté, les 2 magnifiques appendices rectilignes de l'oryx se confondent, c'est vrai, au point de donner l'impression qu'il n'y en a qu'un. De là à conclure que cette jolie antilope est à l'origine de la légende de la licorne, il n'y avait qu'un pas... C'est d'ailleurs la femelle qui arbore les cornes les plus longues. La robe, beige, est délimitée au niveau du ventre – blanc – et de la tête – blanche et noire – par des bandes foncées que l'on retrouve également sur toute la longueur du dos et du cou, un peu comme si on avait tracé les contours de l'animal au crayon. Les 2 pattes antérieures portent un gros bandeau noir et la queue est touffue. Animal des steppes semi-désertiques, l'oryx peut rester longtemps sans boire. Il peut aussi, à l'occasion, se révéler dangereux, usant de ses cornes comme de sabres. On distingue l'oryx beisa, le plus commun, de l'oryx à oreilles frangées (Amboseli et Tsavo) qui, comme son nom l'indique, possède une touffe de poils à l'extrémité des oreilles.

Le kob des roseaux (*reedbuck* ou *tohe*)

De 3 à 4 fois moins gros que le kob defassa, le *reedbuck* se reconnaît à ses poils brun-roux assez longs et à ses cornes incurvées vers l'avant – la femelle en est dépourvue. La face interne des membres est blanche, ainsi que le cou. Les yeux sont grands et entourés d'une zone claire. Le kob des roseaux se rencontre dans les régions situées à proximité d'un cours d'eau ou d'un marécage. Il s'enfuit en effectuant de grands bonds ou essaie de se cacher dans les herbes hautes.

Le kob defassa (*waterbuck* ou *kuro*)

Le kob defassa est un animal solide, au pelage brun foncé et aux longues cornes en forme de lyre – seul le mâle en porte. Une grande collerette blanche distinctive orne son cou : c'est elle qui lui a valu le surnom de *clergyman*. Le kob à croissant *(ringed waterbuck)* est une sous-espèce au poil un peu plus clair, qui se signale par un grand croissant blanc situé sur la croupe. On rencontre assez fréquemment le kob aux abords des zones humides. C'est d'ailleurs un excellent nageur : en cas de menace, toute la troupe se jette à l'eau. Très territorial, le mâle règne sur un harem de 10 à 20 femelles, parfois plus. Il imprègne chacune de son odeur forte.

Le gnou (*wildebeest, gnu* ou *nyumbu*)

Avec sa crinière chevelue et sa barbe blanche, ses côtes efflanquées et sa drôle de façon de souffler et de grogner bruyamment, le gnou est indissociable de l'Est africain. L'avant de sa lourde tête est plus foncé que le corps, et ses cornes, présentes chez les 2 sexes, ont la forme d'un guidon de vélo. Chez le jeune, elles sont droites et se courbent au fur et à mesure.

On a souvent comparé le gnou au bison d'Amérique. À sa manière, c'est vrai, il parcourt les grandes plaines en files immenses et ininterrompues. En été (c'est-à-dire courant février), les gnous quittent le Serengeti tanzanien vers le Massaï-Mara kenyan, où ils savent trouver de verts pâturages (pour plus de détails sur la migration des gnous, se reporter au chapitre sur le parc de Serengeti, Tanzanie). Ils sont alors plus d'un demi-million, cheminant dans la poussière au moment même où les femelles mettent bas. Pas le temps de s'arrêter : pour survivre, le petit a quelques minutes à peine pour se mettre sur ses jambes et suivre la troupe. Les traversées des cours d'eau sont de véritables calvaires. Les gnous nagent plutôt bien, mais leur mémoire collective leur indique des passages que la nature a souvent rendus impraticables. Chaque année, des milliers meurent, écrasés par leurs congénères, enlisés dans la boue des berges ou dévorés par les crocodiles.

SASSABY
Tsessebe

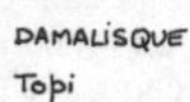

DAMALISQUE
Topi

HIROLA
Hunter's hartebeest

BUBALE DE COKE
Coke's hartebeest

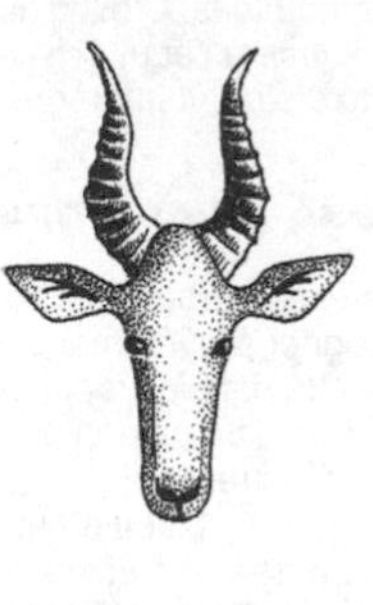

BUBALE DE JACKSON
Jackson's hartebeest

BUBALE DE LICHTENSTEIN
Lichtenstein's hartebeest

Le damalisque (*topi* ou *nyahera*)

Le damalisque, plus généralement appelé par son nom anglais, *topi,* est l'une des antilopes les plus communes de l'Afrique orientale. Son pelage, caractéristique, est marron-roux et luisant. Les avant-bras, les cuisses arrière et le chanfrein se couvrent de grosses taches noires. La tête, de forme triangulaire, est surmontée de cornes courbées vers l'arrière, portées par le mâle comme par la femelle. Leur forme permet de distinguer les différentes sous-espèces : chez le damalisque korrigum, elles mesurent environ 50 cm et se redressent légèrement en fin de course. Chez le ***sassaby,*** elles sont plus courtes, s'écartant et se resserrant comme les mâchoires d'une pince. Chez le damalisque de Hunter (ou ***hirola***), elles sont plus longues (65 cm) et courbées en S. Ce dernier porte également un chevron blanc inversé sur le dessus du front (tache en V).
Devenu rare, il subsiste en nombre très réduit dans le Nord-Est kenyan, mais sa protection est rendue difficile par la présence de bandes de braconniers somalis dans cette région. De la même famille que le gnou, le damalisque se déplace souvent avec lui. Il est connu pour sa stupidité et son rôle de vigie de la savane : lorsqu'il aperçoit un lion, plutôt que de s'enfuir, il fonce sur lui !

Le bubale (*hartebeest* ou *kongoni*)

L'allure générale du bubale rappelle celle du *topi.* Mais sa tête, d'une longueur démesurée, n'appartient qu'à lui : on la dirait tracée au cordeau. Le bubale porte aussi une bosse distinctive au niveau du garrot. L'arrière-train est tombant. Il existe une dizaine d'espèces, dont trois sont communes en Afrique de l'Est. Elles sont toutes de taille similaire. Le bubale de Jackson se différencie par son pelage légèrement roux et ses cornes fortement annelées en forme de V. Le bubale de Lichtenstein, légèrement plus petit, arbore une tache noire caractéristique sur le menton et sur l'avant des pattes. Ses cornes sont plus courtes et forment un coude avant de se rapprocher. Celles du bubale de Coke, le plus commun des 3, sont beaucoup plus écartées et se redressent à angle droit au niveau des oreilles. La tête de ce dernier est plus foncée que son corps, au pelage fauve.

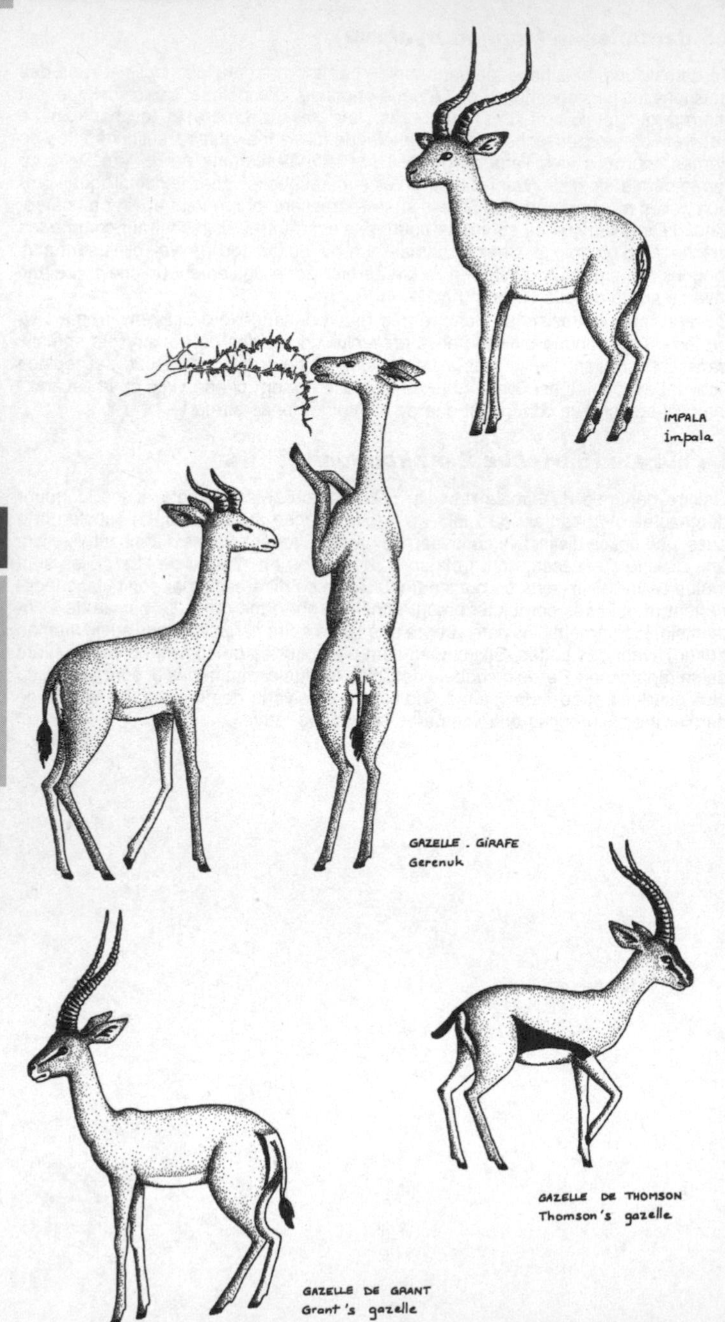
IMPALA
Impala
GAZELLE . GIRAFE
Gerenuk
GAZELLE DE THOMSON
Thomson's gazelle
GAZELLE DE GRANT
Grant's gazelle

LES GAZELLES

L'impala (*impala* ou *swala pala*)

Très répandue, la plus grande des petites antilopes est aussi l'une des plus gracieuses. Ses pattes sont minces, son cou élancé et sa tête, petite et allongée, est encadrée de grandes oreilles. Seul le mâle possède des cornes, fines, en forme de lyre. Le manteau est fauve sur le dessus, beige sur les flancs et blanc sur l'abdomen ; les démarcations sont assez nettes. L'arrière-train est souligné de 2 bandes noires verticales, de même que la queue. Juste au-dessus des sabots arrière, on note une touffe de poils noirs : il s'agit d'une glande odoriférante utilisée par le mâle pour marquer son territoire – ce qui a d'ailleurs valu à l'impala son surnom de « gazelle à pieds noirs ».

À la saison des amours, les combats entre prétendants sont parfois violents. Les 2 adversaires émettent des grognements rauques, tentant de s'effrayer mutuellement. Le jeu en vaut la chandelle : le vainqueur se retrouve parfois à la tête d'un harem d'une centaine de femelles – même si la moyenne se situe plus généralement autour de vingt.

Nerveuse et rapide, l'impala peut effectuer des bonds prodigieux : jusqu'à 10 m de long et 3 m de haut. En cas d'attaque, toute la troupe s'y met : le lion y perd son latin.

La gazelle-girafe ou gérénuk (*gerenuk* ou *swala twiga*)

La gazelle-girafe mérite bien son nom : son très long cou lui permet de brouter les branches des acacias. Pour atteindre sa nourriture, elle se dresse souvent sur ses pattes arrière dans une posture caractéristique. Pour le reste, sa robe est fauve, à l'exception du ventre et d'une partie de la tête, plus clairs. On remarque une tache sombre près de l'œil : il s'agit là aussi d'une glande odoriférante. Les cornes du mâle, courtes et un peu grosses, sont comme aplaties et dirigées vers l'arrière.

On observe le gérénuk de préférence le matin et le soir. Animal des steppes désertiques, on le rencontre en particulier dans les zones sèches du nord du Kenya.

La gazelle de Grant (*Grant's gazelle* ou *swala granti*)

Très répandue elle aussi, la gazelle de Grant est plus grande et plus jolie que celle de Thomson. La grâce de ses grands yeux noirs est à l'origine d'une étrange coutume : dans certaines régions d'Afrique, les femmes enceintes passent leurs doigts sur les yeux de la gazelle avant de toucher les leurs, communiquant ainsi à leur enfant la beauté de l'animal. Les cornes, fines et annelées, portées par les 2 sexes, peuvent atteindre 70 cm chez le mâle. Proportionnellement, ce sont les plus longues de toutes les antilopes. Le corps est fauve. Il n'existe pas, comme chez la gazelle de Thomson, de bande noire horizontale, mais une zone légèrement plus foncée. Le postérieur porte également 2 bandes verticales noires mais la queue, elle, est blanche. Sur la tête, une ligne noire part de l'extrémité des yeux jusqu'aux lèvres. Les gazelles de Grant se regroupent par hardes de 5 à 25 têtes placées sous l'autorité d'un mâle dominant.

La gazelle de Thomson (*Thomson's gazelle* ou *swala tomi*)

De petite taille (70 cm au garrot), la gazelle de Thomson est très commune. On la reconnaît instantanément à la grosse bande noire barrant ses flancs en diagonale. Au-dessus, la robe est beige, au-dessous, elle est blanche. Les fesses sont blanches elles aussi et portent, de la même manière, des lignes de démarcation noires. La queue, sans arrêt en mouvement, est de la même couleur. Les cornes, longues d'une trentaine de centimètres, sont annelées et très légèrement incurvées vers l'arrière.

La gazelle de Thomson vit en bandes sous la domination d'un seul mâle. Elle occupe le même habitat que le gnou et le zèbre.

ORÉOTRAGUE SAUTEUR
Klipspringer
CÉPHALOPHE ROUGE
Harwey's red duiker
OURÉBI
Oribi
RAPHICÈRE CHAMPÊTRE
Steenbok

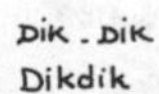
DIK - DIK
Dikdik

SUNI
Suni

Le céphalophe (*duiker* ou *funo*)

Unique représentant de sa sous-espèce, le céphalophe est un animal essentiellement forestier et nocturne – on ne le voit donc que rarement.
On en connaît une dizaine de différents, tous de petite taille et d'un poids variant de 8 à 60 kg. Surnommé « biche-cochon » en Afrique de l'Ouest, il évoque davantage un gros rat surélevé qu'une antilope quelconque. La tête, basse, est busquée. Les cornes, toujours courtes, ressemblent à celles d'une chèvre. On distingue généralement une petite touffe de poils entre les deux. Le céphalophe rouge est le plus commun en Afrique orientale.

L'oréotrague sauteur (*klipspringer* ou *mbuzi mawe*)

Cette petite antilope à la robe olive mouchetée pèse tout au plus une vingtaine de kilos – pour 50 cm au garrot. Ses sabots, très étroits – on dirait qu'elle marche sur la pointe des pieds –, sont adaptés aux zones rocailleuses où elle habite généralement et se réfugie à la moindre alerte. Très agile, elle se déplace un peu à la manière du chamois sur les surfaces les plus raides et les plus accidentées. Autre signe particulier, les oreilles sont grandes, en forme de feuille. Les cornes, courtes et droites, sont portées tant par le mâle que par la femelle (en tout cas en Afrique de l'Est). L'oréotrague vit en couple.

Le raphicère champêtre (*steenbok* ou *dondoro*)

Proche de l'ourébi par sa robe, ses cornes et sa corpulence, le raphicère en diffère cependant par un nez foncé – marqué d'une ligne noire partant en direction du front – et par le bout du museau blanc. Un anneau clair entoure les yeux, au coin desquels on distingue également une glande noire. Les oreilles sont assez grandes. Le raphicère affectionne les régions de savane herbeuse, où il vit solitaire ou en couple. Lorsqu'il doit prendre la fuite, il zigzague pour dérouter son poursuivant.

L'ourébi (*oribi* ou *utaya*)

D'une taille similaire à celle de l'oréotrague, l'ourébi est brun fauve, à l'exception du ventre et des fesses, qui sont blancs. Un disque de peau nue et noire – gros comme une pièce de monnaie –, situé en arrière de l'œil, permet de le reconnaître à coup sûr. Il s'agit d'une glande odoriférante. Les cornes (mâle seulement) sont courtes et droites, presque perpendiculaires au front. La queue, très courte, se termine par un bout foncé.

Le dik-dik (*dikdik* ou *dikidiki*)

Il existe en Afrique de l'Est 2 dik-diks, dits de Kirk et de Gunther. Le premier, légèrement plus petit, est de loin le plus commun des deux. Hauts comme trois pommes (32 cm au garrot pour être précis), l'un comme l'autre ne dépassent jamais les 5 kg. Les femelles du dik-dik de Kirk atteignent d'ailleurs parfois tout juste 3 kg. La tête possède une forme assez distinctive : le museau se termine en forme de fausse trompe (proboscis) – comme si elle avait été coupée à la base (elle est plus longue chez le dik-dik de Gunther). Le dik-dik n'a pour ainsi dire pas de queue. Le dessus de la tête porte une touffe de longs poils noirs. Plus que de courir, il rebondit à la manière d'une balle de ping-pong.

Le suni *(suni)*

Le suni revendique à égalité avec le dik-dik le titre de la plus petite antilope. Haut d'une trentaine de centimètres seulement, il pèse rarement plus de 4 kg. Outre sa taille, il possède la caractéristique d'avoir de grands yeux cerclés de blanc. Les glandes odoriférantes sont, comme chez d'autres espèces, situées au niveau de l'œil – mais les siennes se présentent davantage en ligne qu'en cercle. Les cornes, longues de quelques centimètres seulement, sont droites et dirigées vers l'arrière. La femelle en est dépourvue. Le suni est un animal essentiellement nocturne. Il est si petit qu'il est l'une des proies préférées des chats sauvages et des oiseaux de proie.

IBIS SACRÉ
Sacred ibis
AUTRUCHE
Ostrich
MARABOUT
Marabou stork
VAUTOUR GRIFFON
Vulture
PINTADE VULTURINE
Vulturine guinea-fowl
PETIT CALAO À BEC ROUGE
Red-billed hornbill
AIGLE SERPENTAIRE
Secretary bird

LES OISEAUX

Le flamant rose (*greater flamingo* ou *heroe*)

Les anciens Grecs le nommaient « l'oiseau à ailes de flammes ». Svelte, d'une élégance toute déliée, le flamant abonde dans les lagunes saumâtres et les lacs salés et alcalins. Souvent 2 espèces cohabitent : le flamant nain et le flamant rose. Rassemblés par millions, ces échassiers offrent toujours un spectacle atypique lorsqu'ils se nourrissent. Tête à l'envers, ils promènent leurs becs sens dessus dessous dans l'eau, aspirent le liquide grâce à leur langue et filtrent ainsi algues, larves ou petits mollusques. La couleur de leurs plumes provient d'un pigment, la caroténoïde, très abondant dans les algues qu'ils ingèrent. La femelle pond un œuf unique et... le couple nourrit son rejeton avec un « lait » produit dans son jabot.

L'autruche (*ostrich* ou *mbuni*)

Classée dans la famille des ratites (oiseaux inaptes au vol), l'autruche est le plus grand des oiseaux de notre planète. Elle peut atteindre une hauteur de 2,50 m pour un poids de 150 kg ! Reconnaissable à son cou interminable et déplumé (qui lui sert de tour d'observation), à ses fortes pattes (elle peut soutenir une vitesse de 50 km/h pendant 30 mn), à son pied comportant 2 orteils (gare aux ruades : elles peuvent tuer un fauve !), l'autruche peuple les régions semi-désertiques et les savanes. Cette végétarienne (graines, fleurs, fruits...) pond plusieurs œufs pouvant peser jusqu'à 1,9 kg chacun ! Les femelles les regroupent tous dans le même nid (il peut y en avoir entre 20 et 100 !).

Le marabout (*marabou stork*)

Le marabout d'Afrique est en fait une grosse cigogne chauve (1,50 m de haut pour une envergure de 2,60 m), dotée d'une longue poche jugulaire rose, nue et pendante, qui lui fait un goitre d'aspect peu flatteur. Ce ciconidé est carnivore et charognard. On le rencontre généralement à proximité des carcasses, parmi les vautours et les hyènes, et dans les dépôts d'ordures près des villages. Ayant besoin d'ingérer plus de 700 g de nourriture par jour, cet éboueur n'hésite pas à chasser les bébés crocodiles et les flamants roses.

Le vautour (*vulture* ou *gushu*)

Grâce à leurs becs acérés en crochet, ils dépècent les carcasses qui émaillent la savane. Les vautours d'Afrique repèrent les charognes grâce à leur vue perçante et peuvent nettoyer une antilope jusqu'aux os en 20 mn. D'une longueur de 60 cm à 1,40 m, on classe les vautours en plusieurs groupes. D'abord, le vautour de Rüppell et le vautour africain *(Gyps africanus)*, qui s'agglomèrent sur les cadavres. Ensuite le vautour oricou *(Aegypius tracheliotus)* et le vautour huppé, qui sont plutôt solitaires.

L'aigle serpentaire *(secretary bird)*

Jean Giono écrivait : « Il a sa plume sur l'oreille comme les commis aux écritures ; c'est pourquoi on l'appelle aussi le secrétaire. » Le serpentaire est un rapace terrestre (il peut mesurer 1,30 m de haut et peser 4 kg). Reconnaissable à ses longues pattes et à ses plumes en panache à l'arrière de la tête, on l'aperçoit, traquant insectes et petits rongeurs. Lorsqu'il tombe sur un serpent, il le tue en le piétinant avant de l'ingérer. Ce grand marcheur peut toutefois voler et planer.

Le calao *(hornbill)*

Les calaos se reconnaissent à leurs énormes becs incurvés vers le bas, et à cette excroissance de kératine formant un casque caractéristique. Parmi la dizaine d'espèces présentes en Afrique orientale, le plus répandu est le petit calao à bec rouge. La femelle de ce bucérotidé omnivore (fruits, insectes, lézards, serpents...) aide le mâle à s'emmurer vivant dans son nid pendant le cycle entier de la reproduction. Les calaos terrestres ou bucorves sont, eux, de taille beaucoup plus imposante (plus de 1 m de long !).

GALAGO
Bushbaby
COLOBE GUÉRÉZA
Black and white colobus
GRIVET
Vervet monkey

BABOUIN
Baboon

LES PRIMATES

Le galago (*bush baby* ou *komba*)

Appartenant à la famille des lémuriens, le grand galago ressemble davantage à un chat qu'à un singe. Nocturne, il se distingue par des yeux assez gros et des grandes oreilles arrondies. Sa tête est petite. Le pelage est d'un marron foncé uniforme. La queue est légèrement plus longue que le corps (30 cm environ) et très touffue. Comme la plupart des lémuriens, le galago possède 4 doigts munis d'ongles et un cinquième (l'index) pourvu d'une griffe.
Il existe également un petit galago, en version réduite (18 cm), mais beaucoup plus rapide.

Le colobe (*colobus* ou *mbega*)

Il existe de nombreuses espèces de colobes, toutes ornées de longs poils et d'une queue fournie. En outre, ils possèdent tous la caractéristique d'être dépourvus de pouce et d'avoir un estomac divisé en plusieurs poches – comme la vache. Avant tout arboricole, le colobe est un singe craintif. Il ne descend même pas à terre pour boire : il se contente de la rosée ou de l'eau de pluie glanée sur les feuilles et dans les trous d'arbres. Indolent lorsqu'il se sent en sécurité, il paresse longuement.
Il vit dans les régions de parcs forestiers, à l'instar du mont Kenya, du mont Elgon et du parc des Aberdares. Le plus commun, le colobe guereza *(black and white colobus),* est pourvu d'une fourrure noire sur la majeure partie du corps, à l'exception des flancs et d'un « masque » blanc. On trouve à Zanzibar le colobe bai *(red colobus),* très rare, au dos noir et au ventre plutôt orangé.

Le grivet ou singe vert (*vervet monkey* ou *tumbili*)

Le plus commun de tous les singes d'Afrique de l'Est, le grivet se rencontre fréquemment aux abords des *lodges* ou des campings. Il peut se montrer familier, pour peu qu'il y ait de la nourriture en jeu.
Habitant plus généralement les zones boisées, les groupes comptent de 20 à 30 individus, soumis à l'autorité d'un seul mâle. À peine plus lourd qu'un chat, le grivet est un joli singe. On le reconnaît à son pelage dorsal gris-vert assez fourni, qui lui a donné son nom. Le ventre est blanc, le visage est noir et les membres habituellement de la même couleur (mais pas toujours). La queue est longue et mince. Les femelles allaitent par une seule tétine, située au beau milieu du sternum.

Le babouin ou cynocéphale commun (*baboon* ou *nyani*)

Son nom le dit : cynocéphale, qui a une tête de chien. Effectivement, le babouin possède un museau allongé qui n'est pas sans rappeler le plus fidèle ami de l'homme. En plus, il pousse des grognements qui ressemblent à des aboiements. Il mesure en moyenne 70 cm pour un demi-mètre de queue, et les plus gros mâles peuvent peser jusqu'à 70 kg.
On trouve assez communément 2 sortes de babouins en Afrique orientale : le babouin jaune *(yellow baboon)* et le babouin olive *(olive baboon).* La différence tient principalement dans le fait que le second possède des poils plus longs sur le visage et une sorte de crinière sur les épaules. Sinon, tous deux ont des membres noirs et des incisives dignes d'un fauve ! Attention de ne pas trop approcher la main...
Les babouins vivent en bandes pouvant atteindre plus de 100 membres, sous le commandement d'un mâle dominant, aussi appelé « caïd ». La majeure partie de la journée est consacrée à la recherche de la nourriture : fruits, racines, insectes, etc. Ils affectionnent en particulier les savanes peu boisées et les zones rocailleuses, et peuvent se montrer agressifs dès qu'il s'agit de défendre leur territoire. On a même vu des groupes de babouins s'attaquer à un léopard pour lui voler un de ses petits. La raison en est encore incertaine : les singes ne mangent pas le jeune fauve mais le confient à leur progéniture, qui joue avec comme s'il s'agissait d'une peluche. Certains scientifiques pensent que le babouin élimine ainsi un danger potentiel pour le futur.

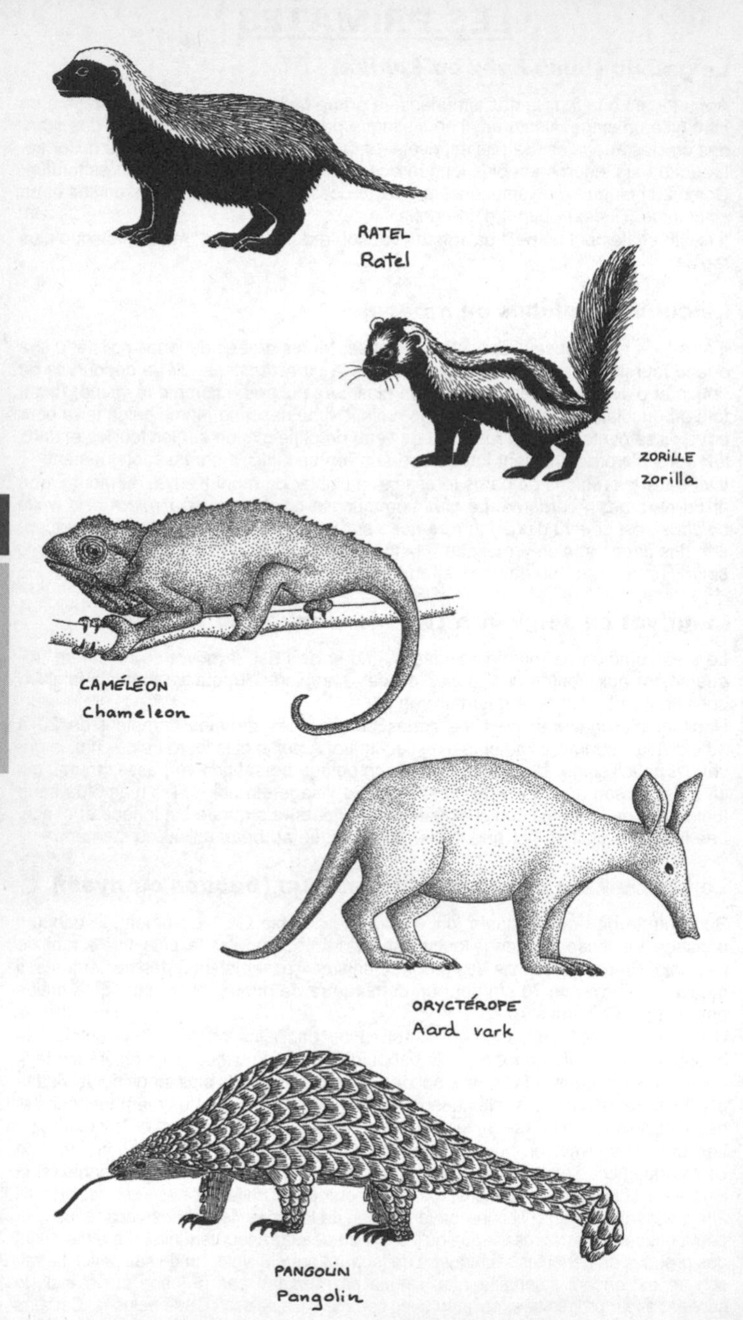
RATEL
Ratel
ZORILLE
zorilla
CAMÉLÉON
Chameleon
ORYCTÉROPE
Aard vark
PANGOLIN
Pangolin

LES ANIMAUX NOCTURNES

Le ratel (*ratel* ou *honey badger*)

Ce cousin du blaireau, poivre et sel au-dessus et noir au-dessous, est très agressif quand il s'agit de défendre son territoire. Il possède de longues griffes. Petit carnivore, il apprécie insectes, reptiles, oiseaux, rongeurs, et ne s'interdit pas parfois de se mettre une petite antilope sous la dent. Mais son mets de prédilection, c'est dans les arbres qu'il va le chercher : le ratel est un fou de miel. Malin, il se laisse guider vers les ruches par un petit oiseau que l'on a nommé, à juste titre, l'« indicateur ». Le ratel habite dans un terrier – d'ailleurs souvent volé à l'oryctérope.

Le zorille *(zorilla)*

Petit carnivore de la famille du putois, le zorille se reconnaît très facilement à son dos rayé de bandes blanches et noires. Sa queue, longue et fournie, est également rayée dans le sens de la longueur. En cas d'attaque, il se hérisse et projette vers l'assaillant une sécrétion nauséabonde à l'odeur très... attachante. Doué d'une grande précision, il rate rarement sa cible. Il se nourrit principalement de rats, de lièvres, d'oiseaux et de serpents.

L'oryctérope (*ant bear* ou *aardvark*)

Cet étrange animal évoque la chimère improbable d'un fourmilier et d'un cochon. Du premier il tient le museau allongé et le régime alimentaire, du second une sorte de groin, les pieds et un corps presque dépourvu de poils. D'ailleurs, on le surnomme fréquemment « cochon de terre ». Les grandes oreilles font, en revanche, davantage penser à un lièvre et la queue, forte, à celle d'un kangourou ! L'oryctérope utilise ses pattes armées de fortes griffes pour fouiller le sol. Il creuse de très nombreux terriers qu'il utilise de manière chronique. Il est particulièrement friand de fourmis et de termites, dont il saccage volontiers les colonies – ce qui en fait un animal très apprécié. Sa langue, longue, étroite et visqueuse à souhait, englue les insectes. Très courant, il est cependant rarement observé car il est de mœurs nocturnes.

Le pangolin (*pangolin* ou *scaly anteater*)

Si ses mets préférés sont les mêmes que ceux de l'oryctérope, le pangolin ne lui ressemble pas du tout. Long de 50 cm à près de 1,50 m pour la plus grosse des 4 espèces, il se présente sous la forme d'un drôle de petit char blindé vaguement semblable au tatou.
La tête est allongée et la queue très importante. Recouvert d'écailles dorsales, très coupantes et érectiles, il s'enroule sur lui-même dès qu'il se sent menacé. L'ennemi se retrouve alors face à une boule de piquants. L'unique rejeton naît déjà pourvu d'écailles. Se nourrissant lui aussi d'insectes, le pangolin possède la même langue protractile que le caméléon : il la projette vers l'avant pour engluer sa proie. Nul besoin de dents, d'autant plus que son estomac, très musclé, lui permet, un peu comme chez les oiseaux, de tout broyer sans peine. Trois des 4 espèces de pangolins sont arboricoles. Le plus petit est un très bon grimpeur et il utilise même à cet effet sa queue préhensile.

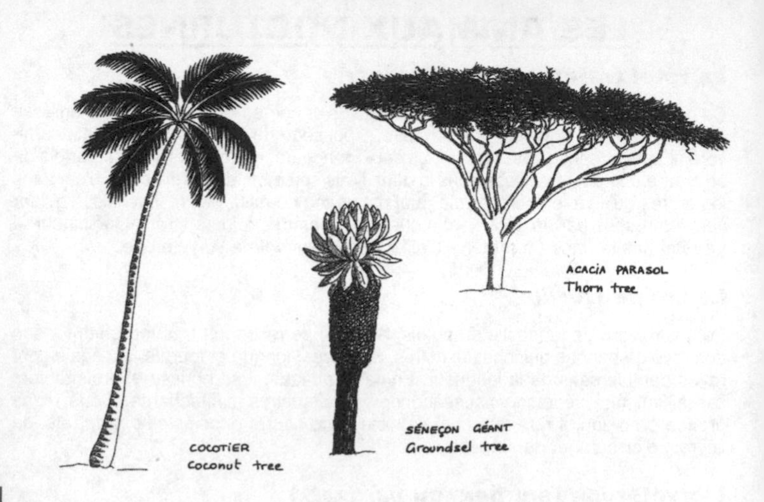
ACACIA PARASOL
Thorn tree
SÉNEÇON GÉANT
Groundsel tree
COCOTIER
Coconut tree

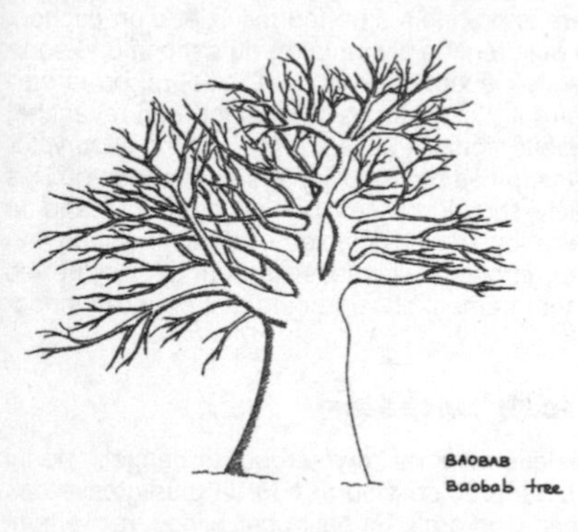
BAOBAB
Baobab tree

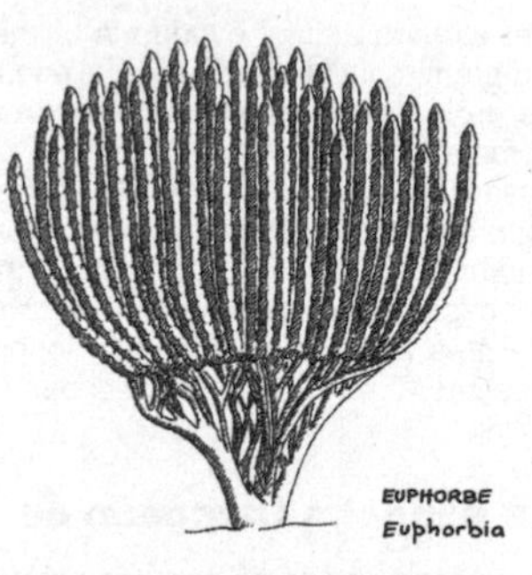
EUPHORBE
Euphorbia

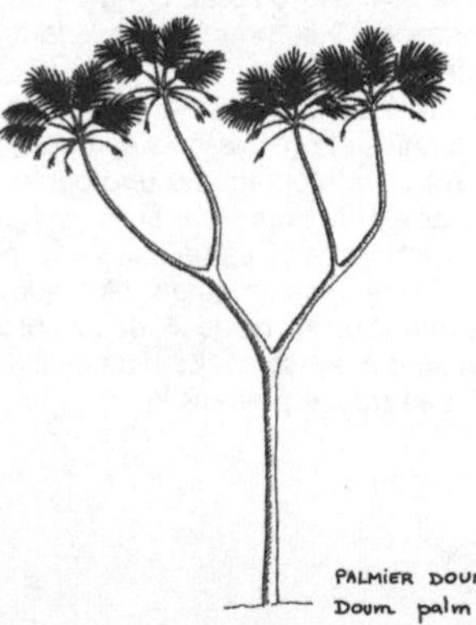
PALMIER DOUM
Doum palm

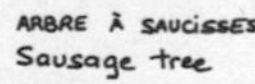
ARBRE À SAUCISSES
Sausage tree

LES ARBRES DES TROPIQUES

Le cocotier *(coconut tree)*

Indissociable de la côte de l'océan Indien, le cocotier est cultivé pour ses nombreux produits dérivés. Les noix fournissent lait (utilisé en cuisine), chair (huile) et coprah (dont on tire des matières grasses alimentaires) ; les palmes sont tressées pour la construction des toits en *makuti* et le bois sert à la construction des boutres.

Le séneon géant (*giant senecio* ou *groundsel tree*)

Sur les landes alpines des Aberdares, du mont Kenya, du mont Elgon et du Kilimandjaro, d'étranges plantes endémiques profitent de l'hygrométrie – très forte – et de la température – très fraîche – pour atteindre des tailles de géant.

L'acacia (*acacia* ou *thom tree*)

Emblème des vastes plaines de l'Afrique orientale, l'acacia comporte un grand nombre d'espèces, toutes bardées d'épines. Le plus commun – et sans doute le plus beau –, l'*Acacia tortilis* se distingue par une forme en parasol. Il fleurit deux fois par an, juste avant les pluies, et se couvre alors de petites fleurs couleur crème. Ses gousses, riches en protéines, sont appréciées de nombreux animaux. L'*Acacia elator,* impressionnant par sa hauteur, l'est également par la taille de ses épines. Le *xanthophlœa,* à l'écorce jaune, pousse uniquement dans les zones humides. L'*Acacia commiphora* désigne quant à lui un écosystème de broussailles épaisses, refuge favori de nombreux animaux.

Le baobab *(baobab tree)*

Réputé pour sa longévité – jusqu'à 300 ans –, le baobab a peu de chances d'atteindre cet âge vénérable. Son problème principal, c'est l'éléphant. Celui-ci est très amateur de son écorce et de ses gros fruits (appelés « pains de singes » à l'ouest du continent), à la fois rafraîchissants et riches en vitamine C. Pour peu que la sécheresse se fasse sentir, le pachyderme s'attaque au tronc en forme de barrique : il sait qu'il y trouvera une grosse réserve d'eau. Le baobab fleurit après les pluies en un grand bouquet couleur ivoire à l'odeur repoussante.

L'euphorbe *(euphorbia)*

Il existe environ 150 espèces d'euphorbes en Afrique de l'Est. L'une des plus impressionnantes, *Euphorbia candelabrum,* à l'aspect de plante grasse, peut atteindre 15 m de hauteur. De la base d'un tronc épais, des dizaines de branches en forme de candélabres s'élèvent droit vers le ciel. On en trouve une véritable forêt sur la rive orientale du lac Nakuru. L'euphorbe produit une sève blanche toxique.

L'arbre à saucisses *(sausage tree)*

De son vrai nom *Kigelia africana,* l'arbre à saucisses tient son surnom de ses fruits en forme de gousses, dont la taille varie d'une trentaine de centimètres à près de 1 m – et dont le poids peut atteindre 10 kg.

Les « saucisses », pendues aux branches par des tiges longues de 2 à 3 m, sont toxiques lorsqu'elles ne sont pas mûres. Consommées avec modération, elles auraient cependant des vertus à la fois abortives et aphrodisiaques. Peut-être faut-il voir là l'origine des décoctions tirées de l'écorce, connues pour traiter les crampes d'estomac, l'épilepsie et même... la stérilité masculine !

L'arbre atteint en moyenne 15 m de hauteur, parfois 30 m.

Le palmier doum *(doum palm)*

Typique des régions arides de l'Est africain, le palmier doum *(Hyphœne compressa)* est l'un des plus beaux spécimens de son espèce. Ses branches fines, nues et fourchues se terminent par des bouquets de palmes. Certaines tribus fabriquent une sorte de bière avec sa sève. On a même fait état d'éléphants devenus ivres après avoir consommé ses fruits...

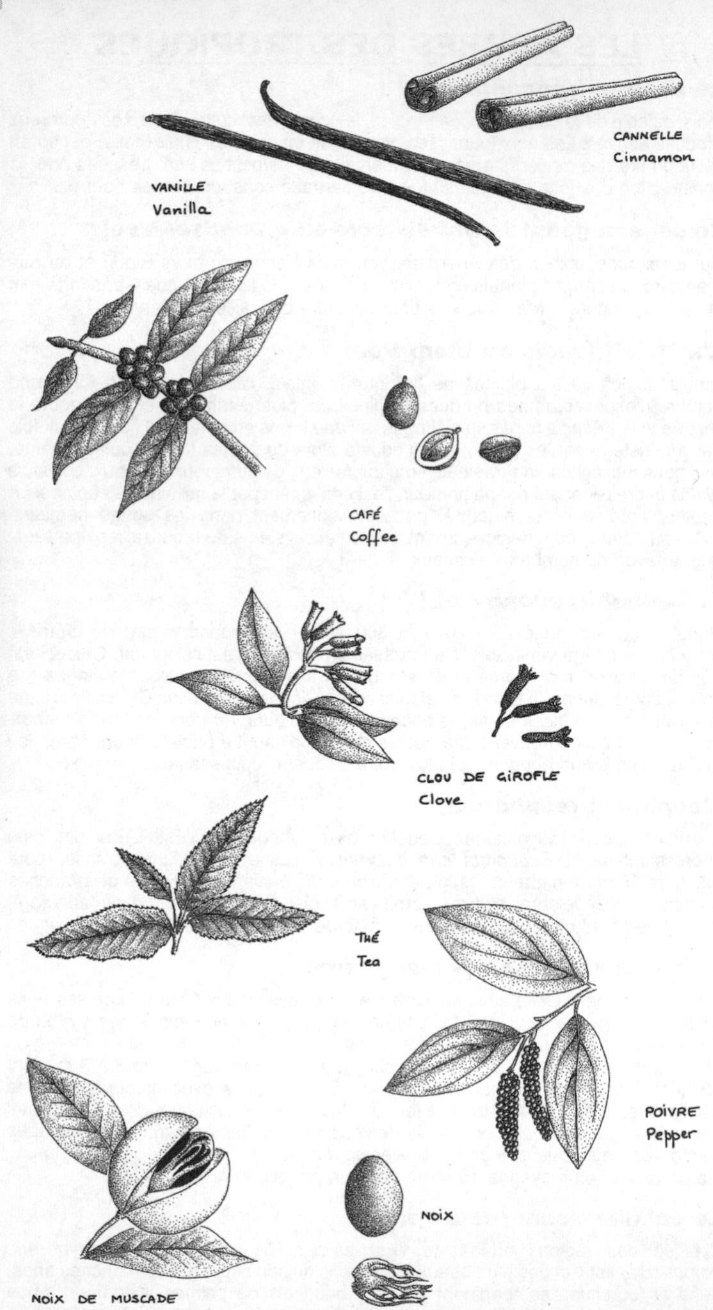
CANNELLE
Cinnamon
VANILLE
Vanilla
CAFÉ
Coffee
CLOU DE GIROFLE
Clove
THÉ
Tea
POIVRE
Pepper
NOIX
NOIX DE MUSCADE
Nutmeg
MACIS

LES ÉPICES ET PLANTES DES TROPIQUES

La vanille *(vanilla)*

Appartenant à la grande famille des orchidées, la vanille est originaire du Mexique. Connue des Aztèques et rapportée par les Espagnols, elle a ensuite colonisé le monde entier. Elle existe sous diverses formes. Mais c'est uniquement le fruit de la variété dite « à feuilles planes » qui présente un intérêt commercial. Étrangement inodore lorsqu'il est récolté, celui-ci n'acquiert son parfum typique qu'après fermentation et séchage. On parle alors de gousses de vanille. Pour améliorer le rendement, les fleurs sont maintenant presque toujours pollinisées à la main.

La cannelle *(cinnamon)*

La cannelle n'est pas une épice tout à fait comme les autres. Il ne s'agit pas d'un fruit ou d'une fleur mais de l'écorce d'un arbre, le cannelier (voisin du camphrier), que l'on détache des branches âgées de 3 ou 4 ans. Celle-ci est ensuite séchée et se roule alors d'elle-même en petits tubes.

Le café *(coffee)*

Le caféier est un arbuste mesurant de 1 à 2 m de haut. Originaire de l'Afrique équatoriale, il fait partie de la même famille que la garance (utilisée en teinture) ou que le quinquina (traitement du paludisme). Les fleurs sont groupées au pied des feuilles. Le fruit, vert puis rouge à maturation, contient en fait 2 grains, opposés par leur côté plat. C'est dans la région du mont Kenya et dans le nord de la Tanzanie que se regroupent la majeure partie des plantations de café de l'Afrique orientale. Comme partout sur le continent noir, on produit ici du robusta, plus rustique mais très productif (120 000 t par an au Kenya), reconnaissable à son goût plus fort. Malgré les quotas internationaux, le café représente une part importante des exportations kenyanes – et la 2e source de revenus après le tourisme.

Le clou de girofle *(clove)*

Originaire des îles indonésiennes de la Sonde, le giroflier, un petit arbre de la famille des myrtacées, a été introduit à Zanzibar au tout début du XIXe siècle. L'île, avec sa voisine Pemba, en est devenue le principal producteur mondial (80 % de la consommation). Le girofle, dit plus souvent clou de girofle, désigne en fait le bouton de la fleur, cueilli avant son épanouissement et séché au soleil. On extrait du girofle une essence naturelle qui sert de base à la fabrication de la vanille artificielle.

Le thé *(tea)*

Introduit au Kenya par les Anglais, le thé est un arbuste vert, rameux comme le buis, d'une hauteur variant de 1 à 2 m – mais généralement conservé au niveau de la taille pour la commodité de l'exploitation. On cueille les jeunes feuilles, légèrement moins foncées, dont la forme rappelle celle des feuilles du laurier. Les plantations de thé apprécient les régions bien arrosées : on en trouve donc en particulier près de Kericho et du mont Kenya, ainsi que dans les hautes régions du nord de la Tanzanie. Le Kenya en est le 4e producteur mondial. Régulièrement, le mécontentement des petits exploitants, très mal rémunérés, menace cette industrie pourtant vitale pour le pays.

Le poivre *(pepper)*

Le poivrier est une liane qui peut grandir jusqu'à devenir un arbuste. Les feuilles, assez typiques, sont légèrement pelucheuses, larges à la base et effilées à la pointe. Les fleurs, très petites, sont organisées en épis. Les grains, noirs à maturité, se présentent en grappes de quelques dizaines. Le poivre noir est obtenu à partir des fruits entiers, alors que le poivre blanc est tiré des grains décortiqués.

La muscade *(nutmeg)*

La noix muscade est tirée du fruit du muscadier, un arbre de petite taille. Gros comme un abricot, le fruit s'ouvre en 2 valves, mettant au jour la noix. Celle-ci est enrobée de ***macis,*** une sorte d'enveloppe de fibres de couleur rouge orangé qui, au même titre que la noix, peut être séché et utilisé comme aromate.

routard ASSISTANCE

L'ASSURANCE VOYAGE INTEGRALE A L'ETRANGER

BULLETIN D'INSCRIPTION

NOM : M. Mme Melle

PRENOM :

DATE DE NAISSANCE :

ADRESSE PERSONNELLE :

CODE POSTAL : TEL.

VILLE :

DESTINATION PRINCIPALE ....

Calculer exactement votre tarif en SEMAINES selon la durée de votre voyage :

7 JOURS DU CALENDRIER = 1 SEMAINE

Pour un Long Voyage (2 mois...), demandez le ***PLAN MARCO POLO***

COTISATION FORFAITAIRE 2004-2005

VOYAGE DU AU = SEMAINES

Prix spécial « *JEUNES* » (3 à 40 ans) : **20 € x** = €

De 41 à 60 ans (et – de 3 ans) : **30 € x** = €

De 61 à 65 ans : **40 € x** = €

Tarif "**SPECIAL FAMILLES**" 4 personnes et plus : **Nous consulter au 01 44 63 51 00**

Chèque à l'ordre de ROUTARD ASSISTANCE – ***A.V.I. International***
28, rue de Mogador – 75009 PARIS – FRANCE - Tél. 3260 AVI (0,15e / minute)
Métro : Trinité – Chaussée d'Antin / RER : Auber – Fax : 01 42 80 41 57

ou Carte bancaire : Visa ☐ Mastercard ☐ Amex ☐

N° de carte :

Date d'expiration : Signature

Je déclare être en bonne santé, et savoir que les maladies ou accidents antérieurs à mon inscription ne sont pas assurés.

Signature :

Faites des copies de cette page pour assurer vos compagnons de voyage.

Information : www.routard.com / Tél : 3260 AVI (0,15€ / minute)
Souscription en ligne : www.avi-international.com

INDEX GÉNÉRAL

– A –

– B –

INDEX

– C –

– D-E –

– F-G –

– H –

– I-J –

– K –

– L –

– M –

INDEX

– N –

– O-P –

– R –

– S –

– T –

– U-V –

– W –

– Y-Z –

INDEX

OÙ TROUVER LES CARTES ET LES PLANS ?

les **Routards** *parlent aux* **Routards**

Faites-nous part de vos expériences, de vos découvertes, de vos tuyaux.
Indiquez-nous les renseignements périmés. Aidez-nous à remettre l'ouvrage à jour. Faites profiter les autres de vos adresses nouvelles, combines géniales... On adresse un exemplaire gratuit de la prochaine édition à ceux qui nous envoient les lettres les meilleures, pour la qualité et la pertinence des informations. Quelques conseils cependant :
– Envoyez-nous votre courrier le plus tôt possible afin que l'on puisse insérer vos tuyaux sur la prochaine édition.
– N'oubliez pas de préciser l'ouvrage que vous désirez recevoir.
– Vérifiez que vos remarques concernent l'édition en cours et notez les pages du guide concernées par vos observations.
– Quand vous indiquez des hôtels ou des restaurants, pensez à signaler leur adresse précise et, pour les grandes villes, les moyens de transport pour y aller. Si vous le pouvez, joignez la carte de visite de l'hôtel ou du resto décrit.
– N'écrivez si possible que d'un côté de la lettre (et non recto verso).
– Bien sûr, on s'arrache moins les yeux sur les lettres dactylographiées ou correctement écrites !

Le Guide du routard : 5, rue de l'Arrivée, 92190 Meudon

E-mail : guide@routard.com
Internet : www.routard.com

Les **Trophées** *du* **Routard**

Parce que le *Guide du routard* défend certaines valeurs : Droits de l'homme, solidarité, respect des autres, des cultures et de l'environnement, les Trophées du Routard soutiennent des actions à but humanitaire, en France ou à l'étranger, montées et réalisées par des équipes de 2 personnes de 18 à 30 ans.
Pour ces premiers Trophées du Routard, 6 équipes sont parties, chacune avec une bourse et 2 billets d'avion en poche, pour donner de leur temps et de leur savoir-faire aux 4 coins du monde. Certains vont équiper une école du Ladakh de systèmes solaires, développer un réseau d'exportation pour la soie cambodgienne, construire une maternelle dans un village arménien ; d'autres vont convoyer et installer des ordinateurs dans un hôpital d'Oulan-Bator, installer un moulin à mil pour soulager les femmes d'un village sénégalais ou encore mettre en place une pompe à eau manuelle au Burkina Faso.
Ces projets ont pu être menés à bien grâce à l'implication de nos partenaires : le Crédit Coopératif (• www.credit-cooperatif.coop •), la Nef (• www.lanef.com •), l'UNAT (• www.unat.asso.fr •) et l'Agence Nationale pour les Chèques-Vacances (• www.ancv.com •).
Vous voulez aussi monter un projet solidaire en 2005 ? Téléchargez votre dossier de participation sur • www.routard.com • ou demandez-le par courrier à Hachette Tourisme - Les Trophées du Routard 2005, 43, quai de Grenelle, 75015 Paris, **à partir du 15 octobre 2004**.

Routard Assistance *2005*

Routard Assistance, c'est l'Assurance Voyage Intégrale sans franchise que nous avons négociée avec les meilleures compagnies, Assistance complète avec rapatriement médical illimité. Dépenses de santé, frais d'hôpital, pris en charge directement sans franchise jusqu'à 300 000 € + caution + défense pénale + responsabilité civile + tous risques bagages et photos. Assurance personnelle accidents : 75 000 €. Très complet ! Le tarif à la semaine vous donne une grande souplesse. Tableau des garanties et bulletin d'inscription à la fin de chaque *Guide du routard* étranger. Si votre départ est très proche, vous pouvez vous assurer par fax : 01-42-80-41-57, indiquant le numéro de votre carte bancaire. Pour en savoir plus : ☎ 01-44-63-51-00 ; ou, encore mieux, sur notre site : • www.routard.com •

Photocomposé par Euronumérique
Imprimé en France par Aubin n° L 67381
Dépôt légal n° 49765-9/2004
Collection n° 13 - Édition n° 01
24/01461/X
I.S.B.N. 2.01.24.01465-X